C0-AVL-087

Opere di Emilio Cecchi

Emilio Cecchi

Letteratura italiana del Novecento

a cura di Pietro Citati

con 234 illustrazioni nel testo
volume secondo

Arnoldo Mondadori
Editore

I edizione 'Varia Grandi Opere' ottobre 1972

Intorno alla «Voce» e alla «Ronda»

Liriche di Umberto Saba

Leggiamo una delle liriche che Umberto Saba ha raccolto nel suo secondo libro di versi: *Coi miei occhi*, uscito di questi giorni.

Dopo la tristezza

Questo pane ha il sapore d'un ricordo,
mangiato in questa povera osteria,
dov'è piú abbandonato e ingombro il porto.

E della birra mi godo l'amaro,
seduto del ritorno a mezza via,
rimpetto ai monti minacciosi e al faro.
L'anima mia che una sua pena ha vinta,
con occhi nuovi nell'antica sera,
guarda un pilota con la moglie incinta;

e un bastimento, di che il vecchio legno
luccica al sole, e con la ciminiera
lunga quanto i due alberi, è un disegno

fanciullesco, che ho fatto or son vent'anni:
O chi mi avrebbe detta la mia vita
cosí bella, con tanti dolci affanni,

e tanta beatitudine romita!

Si sceglie malamente da uno scrittore come questo, sempre accurato, rifinito, ma nel quale non si trova una poesia pienamente distaccata, totalmente rappresentativa. Ad ogni modo fermiamoci qui.

L'anima del poeta ha vinto una sua pena, e guarda con occhi nuovi. Ma nessuno sente che la lirica sia tagliata in un movimento di liberazione, verso la gioia. Qualche cosa vince il poeta, nello stesso tempo che egli cerca la gioia e vuole illudersi di averla trovata. Gioia, è fluire di forza, è libertà, è creazione. E qui si ha un ripiegarsi, un abbattersi di sensazioni e di ricordi sul cuore, in una sosta dello spasimo, profondamente ombreggiata di tristezza. Il risucchio della vecchia vita, nella atonía presente, dà al Saba una illusione di potere, gli offre la materia per una sorta di orgoglio contemplativo. Gli mette sul volto un sorriso scolorato. Guarda l'osteria, il porto, la nave che pare un disegno puerile; nella sera « antica ». Ecco l'epiteto profondo che pare inesplicabile, perché balza di tuffo nella sostanza vera di quest'anima, mentre il restante, intorno, si molleggia, ondula a galla. C'è una vera pena, un dolore profondo nel Saba; dolore che egli non vince, che fa da muraglia al laberinto di queste sue tristezze. Quando se ne immagina franco, quando cerca di vedersi lontano, sembra come qui, un medico che guarda fare il chiasso a un bambino egro. Questo suo vero dolore è un dolore di razza; il Saba è ebreo, e non dissimula il suo giudaismo, come quelli ebrei cosmopoliti che scrivono versi parnassiani francesi, e saggi inglesi sullo spirito francescano. Prega, in una lirica, al suo Dio, come lo pregavano nei ghetti, come lo pregano nelle sinagoghe. Se questo dolore ebraico non arriva ad essergli una forza creativa, tutta spiegata e palese, salva almeno la sua arte da esser quel che sarebbe se ne restasse sgombra; un impressionismo delicato, un balocchino alla Gozzano.

Quante volte quella breve lirica che abbiamo letto, si ferma, si abbioscia sulle sensazioni, sugli oggetti grezzi! Prima quel sapore di pane, e l'abbandono nella povera osteria, e l'amaro della birra; tutta una catena di momenti sentimentali che si ritrovano, come per una abitudine di miseria, in frammenti di trista vita fisica. Poi il quadretto di genere del pilota con la incinta; poi quella cartacea immagine del bastimento dalla lunga ciminiera. Ma qualche cosa trascina la lirica oltre questi pretesti di colore, descrittivi; qualche cosa di autentico per quanto amorfo, vago; un rozzo elemento umano e non ancora poetico. E cosí in qualunque altra di queste poesie. Impressioni? No, non c'è l'appagamento nella rappresentazione. Ma non c'è, poi, l'impeto della passione, e non c'è la chiarezza della volontà. Nenie di una tristezza millenaria che attraversa una vita inadeguata; una tristezza di razza che si impadronisce come può del vuoto di un coscienza di poeta, nella quale non è ancora una fede poetica fattiva. Dietro la curiosità per le forme, per i colori, oltre il vuoto morale e il deserto volitivo, un dolore avito, misto d'una solennità e di una miseria delle quali si può ritrovare qualche cosa nel ricordo della desolazione dei ghetti e nelle misteriosità delle cadenze d'un canto nomade per una notte stellata.

E che nel Saba sia il vuoto morale, si vede particolarmente nella seconda parte del suo libro, costituita di poesie le quali narrano un complesso malinteso coniugale. Sono rampogne, suppliche, rimpianti; ma allo stato rudimentale, dell'esclamativo e dell'interrogativo. Il poeta ci si confessa, fino a dove la sincerità può arrivare. Ma si dà cosí, nella feroce disperazione di non poterci dare quello che veramente conterebbe: la forma drammatica della sua crisi. Ci dà il particolare vissuto; stacca la pagina del taccuino; perché non può estrarre la morale poetica. Nulla di piú tristo di questo buttarci davanti pezzi di realtà sanguinosa, di questo abbandono furibondo alla nostra confidenza, che è impotente a capire, perché il poeta è stato, e lo sente lui stesso, impotente a vivere. Nell'amore per la donna egli va cercando di riconoscere niente altro che quel suo astratto dolore. Distaccato dalla donna, dalla carne, dalla terra, sente eccessivo lo sgomento della solitudine; abbandonato tutto nell'amore, sente il pericolo della schiavitú carnale che lo strappa a quella fissa constrizione dolorosa, la quale segna pure la sua forma di vita piú alta. I suoi dispiaceri non finiscono in azione, in conoscimento; ma in sogni, o in scancellamenti. La piú acuta delle sue crisi di amore non si scioglie attraverso la carità, attraverso la reciproca volontà di bene, in un migliore amore. Si scioglie in un rotolare nella voluttà cieca.

> Ti dico: « Lina, col nostro passato,
> amarci... adesso... è una cosa nefanda ».
> Tu mi rispondi: « Al cuor non si comanda:
> e quel che è stato è stato ».

Lasciamo stare la cadenza stecchettiana. Fuor dell'amplesso, il poeta si ritroverà davanti al dirupo senza scala della sua disperazione ebrea; e in confronto a questa, come tutte le sue gioie sembrano narcotizzamenti, tutti i suoi dolori sembrano percosse sopra un arto paralizzato.

Una tale costituzione intima sembra la negazione di quel temperamento fatto di potenti contrasti, ricco di chiaroscuro, che è essenziale in un creatore. Tanti ebrei, moderni, che produssero nell'arte o nel pensiero, sembrano infatti aver complicato artificiosamente un loro temperamento di tipo consimile, essersi preparato a forza un giuoco interiore di risalti. Ma il Saba non ha la doviziosa scaltrezza per farsi eclettico come un Mendelssohn, mentre non può accettare un nihilismo cosciente e volente, uso Heine. Procura come può una gracile architettura alle sue liriche, o seguendo una scialba linea autobiografica, o aiutandosi con elementi pittoreschi. Per questa sua nudità d'artificio, i suoi motivi quasi non si differenziano, sono impastati uno nell'altro; le varietà sono nello smalto non nell'ossatura. Spesso, come nella poesia letta, porta la sua tristezza in giro per la sua città: Trieste, la città che tutta si rinnova, e rinnova la sua tradizione, fatta ospitale al suo dolore tanto antico che ha perso la propria tradizione. E gli viene fatto di trovare disposizioni ed evocazioni piú vicine a quelle del pittore che a quelle del poeta.

> ... il rosso
> d'una cresta si muove fra un po' d'erba...
> ... La gallinella che ancor qui si duole,
> e raspa ov'è quella porta funesta,
> mi fa vedere dietro alla sua cresta
> tutta una fattoria piena di sole.

A momenti il sussidio della realtà oggettiva, nella quale conquista la propria espressione, gli ispira un attaccamento cosí spasimoso alle cose che il pensiero della morte gli stringe il cuore come l'eterno addio alle cose di cui teme perdere solo un'ora, quasi il senso della vita fosse nell'esaurire la serie degli aspetti istessi della vita. A momenti, tuffandosi sempre in questa concretezza oggettiva, assume franchi atteggiamenti popolareschi, starei per dire dialettali, come si trovano nel Di Giacomo e nel Gaeta.

> Tu m'apparivi in una popolana
> delle nostre: la tua mano era stesa
> a sollevar le tende d'una chiesa,
> le gialle e rosse tende in sull'entrata.

Ma badiamo che tutto ciò resta a tratti, locale; e che il fondo è altro che curioso, immediato, canzonettistico.

Questo si vede bene considerando la ritmica. Egli non s'è sciolto dal suo dolore in una ironia nihilista, e non ha una lirica a sprazzi potenti, a squilli metallici e cristallini, trionfante di riso d'arte sulla morte interiore, come, per esempio, la lirica dell'Heine. Non si scioglie risolutamente in una foga sensuale, popolana; e non ha il ritornello largo come un ondare di fianchi lussuriosi. Non si è accomodato in un grazioso triste rococò, e non ha finezze da madrigali, come, per esempio, il Gozzano. Il Gozzano, in quel che ci ha dato, è certo della propria sterilità; sa di recitare sopra una scena di cartone, alla quale non bisogna appoggiarsi. È un madrigalista del settecento, un fine metastasiano. Saba no. Saba serpeggia, striscia sotto il dolore; è in continuo repentaglio con il suo dolore. E il suo verso è rotto, discorsivo, prosastico; con uno schiccolarsi di suoni lenti e striduli, velati e schietti: rime e assonanze; una specie di « prosa musicale » che può in certo modo rammentare quella dei moderni musicisti francesi. Ha slogato l'endecasillabo, l'ha fatto cantilenante; una nenia. A volte lo introduce o lo chiude con scatti di novenarii, o di brevi basi marcate, come per raccogliere l'attenzione, e, al contrasto, la sua melopea pare anche piú strascicante; prosa abbandonata nelle pieghe delle cose, non danza di limpidi ritmi, non liberata architettura di immagini e di pensieri.

« Ce n'est pas encore de la musique », cosí dicono che Riccardo Strauss commentasse, dopo il primo atto, alla prima di *Pelléas et Mélisande.* « Nous allons attendre au deuxième acte. » E passato il secondo atto; e arrivati dopo l'ultimo: « Ce n'est pas encore de la musique et nous n'avons plus à attendre. Mais, en attendant, nous nous sommes amusés ».

Lasciando da parte l'intonazione ironica, bisogna concludere, per questo libro, press'a poco nello stesso modo. Non è ancora della poesia, ma c'è la preparazione alla poesia; e questa preparazione si studia con utile e compiacimento. « Nous allons attendre. » E questo sappiamo già, che possiamo aspettare con intensa speranza.

(1912)

Il «Canzoniere» di Saba

Non so affatto persuadermi che, ordinando in un *Canzoniere* le liriche composte dal 1900 al 1921, Umberto Saba abbia fatto bene a fare, in certo qual modo, e non senza prefazione e note biografiche e cronologiche, l'edizione critica di sé stesso. Le *Poesie dell'Adolescenza*, le *Voci dai luoghi e dalle cose* e le *Poesie Fiorentine*, che costituiscono le prime parti del libro, ed erano state omesse in altre raccolte, potevano, credo, rimaner fuori anche da questa. E non lo dico perché io sia insensibile alla loro grazia impacciata e un po' verbosa. O perché in esse non riconosca germi e toni arrivati a pienezza di vita e di canto in opere posteriori. Apprezzo il loro valore documentario, a conferma della rara coerenza di questo temperamento. Ma, fino da dieci anni fa, analizzando il volumetto: *Coi miei occhi*, contenente parti, essenziali, della raccolta odierna, la poesia del Saba ci risultava abbastanza chiara, né occorre ripetere quanto suggestiva; senza bisogno di riprove ed esumazioni. Tutto quello che sovrabbonda, non serve, specialmente in arte, che a far confusione. E insistere sui primi tentativi del Saba, anche se non al tutto

Il porto di Trieste agli inizi del secolo.
A destra: il poeta Umberto Saba di fronte al panorama della sua Trieste e il frontespizio di una delle ultime edizioni del *Canzoniere*.

deserti di poesia, è un po' come pretendere di confermarsi nell'ammirazione per una bella donna, studiando di questa donna, in una serie di radioscopie, gli sviluppi fetali. I due interessi: quello scientifico e quello estetico, son discordi. E, quando si è fatto ben bene, quasi sempre la piú lampante edizione critica è piú oscura del piú difficile testo.

Ma difficile, come si è detto, il testo del Saba non è. E dipende soltanto dalla disattenzione del nostro pubblico, e dalla sua quasi completa disassuefazione dal legger poesia lirica (argomento, questo, sul quale potrebbero farsi interessanti considerazioni) se al Saba non è toccata, finora, rispondenza piú larga; oltre il consenso degli intenditori che, in verità, non gli è mai mancato.

Sulla impostazione generale di questo temperamento, dovremmo, in altre parole, ripetere osservazioni fatte a proposito del volumetto del 1912, che altri critici hanno convalidate: e tornare ad analizzare il continuo ripiegarsi, e quasi voler annegarsi nelle percezioni, e il sentirsene distolto da un dolore torbido e profondo, che il Saba stesso sembra riferire a ragioni di razza, a quel ch'è in lui di ebraico; seguire, nel *Canzoniere*, l'intreccio dei due motivi, con

Umberto Saba

Il Canzoniere

(1900-1954)

Einaudi

varia prevalenza dell'uno o dell'altro, e momenti, infine, di completa fusione ed equilibrio. Ma poiché dalla forma esteriore di *Canzoniere*, che sarebbe libro di meditazione lirica, dall'eco di certi versi, e da taluni accenni della prefazione, s'è voluta inserire, sebbene nei termini piú discreti, anche una certa relazione leopardiana e petrarchesca, io credo che con questo s'esca dal seminato; e si corra pericolo di perder di vista ciò che la poesia del Saba ha di piú suo e vitale. Basta sfogliare poche pagine, a persuadersi. Si cercherebbe invano nel Saba, non dico l'effetto, il risultato, ma anche soltanto la tendenza decisa verso quella musicale trasfigurazione che, nei versi petrarcheschi e leopardiani, fa del comune linguaggio qualche cosa di piú glorioso quanto piú inadorno, e di piú regale quanto, in apparenza, piú naturale. Nel Saba non c'è facoltà di astrazione lirica; ma un'arte letterale, insistita e talvolta anche prosastica; e il movimento musicale gli vien dato frequentemente, non dal gioco sillabico, dalla finezza e vibrazione del *doigté*, ma come da un'inflessione un po' esteriore sopra cadenze popolari.

Non vorremmo farne di certo, un poeta popolare, o tanto meno dialettale, nel senso stretto della parola. Come non vorremmo farne un altro, per esempio, del Gaeta. Ma quando si tien conto della diversità delle loro psicologie ed esperienze, la loro posizione artistica resulta piú vicina che a prima vista non parrebbe; ricordando, si capisce, che, nel Gaeta, maggior dottrina e freno fanno sí che la produzione riesce espurgata, per lungo giro di anni, in pochi componimenti; laddove il Saba si accontenta di un mestiere piú approssimativo, ed accoglie, s'è visto, con ugual condiscendenza, liriche sbagliate e liriche perfette, embrioni, ritagli, abbozzi.

E questa condiscendenza sembra, per parte sua, testimoniare contro un'altra inesattezza: intendo, quell'accostamento un poco troppo serrato che, a volte, vien fatto del Saba alla tipica figura dell'ebreo scettico intellettuale; figura della quale, su queste colonne, abbiamo potuto esaminare varie incarnazioni contemporanee. Il fatto è che cotesta figura, nel mondo dell'arte, non la trovate mai con i caratteri che abbiamo ammessi nel Saba; ma piuttosto con i loro contrarii. Gli eccessi del rigore formale, una squisitezza perfino corrotta, l'estetismo innalzato a mistica ed ascetica; o, d'altro canto, un'ironia elegante, nera e disossata: nell'ebreo intellettuale, internazionale ed artista, piú facilmente trovate tutto questo che le qualità di un Saba per niente esteta, per niente ironico, e non troppo artista. Il suo scetticismo non è una professione, ma, caso mai, una disgrazia; e una disgrazia fino a tanto, almeno, che non incallisce, e non diventa una professione (o, in altri termini, un vizio) ha sempre qualche cosa di appassionato. Il suo scetticismo è una penosa fatalità di razza, che egli subisce istintivamente, talvolta quasi animalmente; senza affatto pensare di poter farsene un gioco, un'arma, o, non fosse altro, un sistema. Il punto di vista piú ingenuo e diretto è, in somma, il migliore per intendere tanto la sua vera psicologia quanto la sua arte.

Della quale, in questo *Canzoniere*, mi sembra che alcune fra le *Poesie scritte durante la guerra*, per la loro affettuosità dimessa, per la grazia con la quale dentro rifioriscono di leggiadri idiotismi, per l'energia rapida e risentita di certi colpi pittoreschi, sieno fra le cose migliori, nel genere immediato; cfr.: « L'Innocente », « La Stazione », « Partenza d'aeroplani » (quasi uno stornello, questa, un « rispetto »). Ma i cicli piú ricchi son certamente: *Trieste e una donna*, che in parte era già uscito in *Coi miei occhi*; e *Cose leggere e vaganti* e l'*Amorosa Spina*. Paese e notazione interna si fondono appieno ne la « Casa in costruzione », « L'osteria », ecc.; e « In riva al mare », che egregiamente conclude il libro. Nelle liriche d'ambascia o di festosità amorosa c'è, tuttavia, anche di piú; ed è un peccato trovar fra quelle per Lina qualche eccesso prosastico e scompostamente discorsivo. Già in certe vecchie strofe: « Tu sei come una giovane, una bianca pollastra », era quasi il tono di un Govoni non piú soltanto visivo. Si veda come esse son maturate nella bellissima: « Ultima tenerezza ». E, quando, nell'« Appassionata », il poeta dice:

> Tu hai come il dono della santità.
> Nacque con te, ti segue ove ti porta

la passione,
fa dei peccati tuoi opere buone,
. . . .

noi sentiamo che egli può arrivare ad iscrivere un nudo fatto interno, in una linea la cui plasticità consiste di sole ed ingenue evidenze sonore.

Resterebbe da accennare a un Saba piú mosso e svagato, che si afferma nelle ultime poesie per Paolina e Chiaretta; un Saba canzonista (nel buon senso) e favolista; cfr.: « Al tempo che ancor rara è sulla balza », ecc., pag. 210. Si dovrà ritrovarne il primo vestigio in certe battute quasi metastasiane, di venti anni or sono? E vedere il punto d'arrivo nelle *Dodici Canzonette* pubblicate nel numero 3 di "Primo Tempo" (Torino)? Un discorso utile, su queste canzonette, non potrebbe, in ogni modo, farsi senza comodità di analisi e senza nuove considerazioni. Saremo a tempo a riprenderlo, quando il Saba avrà dato di questa maniera altri saggi.

(1923)

«Figure e Canti» di Umberto Saba

Una considerazione piú avvertita è venuta modificando il giudizio che un tempo ebbe corso nei riguardi della poesia di Umberto Saba. Di essa fu scritto che classicamente riecheggiava Petrarca e Leopardi; mentre un lontano riflesso petrarchesco può forse riconoscersi in altri lirici nostri, che risentirono Petrarca attraverso il simbolismo e Baudelaire; e di Leopardi non è ombra, né in Saba né in costoro.

La questione ha il suo peso; e non si riduce ad una delle solite questioncelle di gloriola letteraria, suscitate dall'imprudenza di un critico che abbia affibbiato ad un autore una genealogia troppo orgogliosa. Intanto, il Saba è tale artista, da non recar disdoro a nessuna genealogia. E si contesta la legittimità della discendenza per contribuire alla giusta definizione della sua arte; non per rapirle l'alloro di quegli illustri patrocinii.

Porge occasione a tornare sull'argomento, il volume *Figure e Canti*, uscito in questi giorni. Non è paragonabile, per importanza, al *Canzoniere*, dove il Saba raccolse la propria produzione fino al '21. Ma merita tutta la nostra attenzione, per l'intrinseco pregio, e perché è fra i rarissimi segni di creazione lirica, in un tempo che preferisce muse piú eloquenti e fragorose.

Pensando alla poesia del Saba, non so liberarmi dal ricordo, come una cantilena lontana, di certe strofette d'esordio:

Rade del fiume immobile
l'acque una rondinella;
a riva una barella,
lenta, assai lenta, va...

O, su un tono piú puerile:

Ero solo in riva al mare,
all'azzurro mar natio,
e pensavo a te, amor mio,
ch'eri lungi a villeggiar...

Prego il lettore di non sorridere; e non rievocare nella memoria affetti e cadenze simili, dalle pagine dell' "Amore Illustrato". Son sicuro che non si commette un abuso d'argomentazione, riconoscendo nella disposizione melica, costí ancor rozza e inadorna, il germe del Saba piú maturo: quello delle *Favolette*, nel *Canzoniere*; e delle *Canzonette*, in *Figure e Canti*:

. . . .
dolci promesse,
bei pentimenti,
e casti accenti
di paradiso.

È scorso un quarto di secolo fra la « rondinella », « l'azzurro mar natio », l'« eri lungi a villeggiar », ecc.; e « le dolci promesse », e « i casti accenti di paradiso ». E fiorirono, in questo quarto di secolo, due o tre centinaja di liriche del Saba; parecchie delle quali son fra quanto di meglio la nostra poesia abbia prodotto, dopo *Odi e Inni* e i *Nuovi Poemetti*. Ma la coerenza di temperamento del Saba si documenta nell'arcaismo, melodico e sentimentale, che circola da un capo all'altro della sua opera; senza smentirsi neanche quando, in *Coi miei occhi*, in *Versi militari*, ecc., egli v'innestò sopra una materia di notazioni visive, che fu quanto poté pagare al gusto impressionista d'avanti guerra.

E se, nella prefazione al *Canzoniere*, egli stesso sembrò avere accreditata l'origine leopardiana e petrarchesca, gli si renderebbe cattivo servizio a credergli letteralmente. Il suo addentellato nella tradizione non può contraddire a quelle qualità, niente leopardiane né petrarchesche, di popolare abbandono, di musicale e sensuale trasognamento, da cui proviene alla sua lirica un incanto, facile come misterioso. Credo che, in ogni caso, ci si collochi da un punto di vista piú giusto pensando a qualcuna delle minori rime del Tasso. O a quanto il Metastasio svolse dal Tasso, in modulazione nella quale la parola perde ogni sostanza dialettica e figurativa, e si esala in musicale sospiro.

Questi accenni vanno intesi, come son proposti, con ogni discrezione. Non vorremmo affatto sostituire, a un Saba leopardiano, un Saba che scende, in linea diretta, dalla fastosa desolazione del frammento: « Al Metauro », o dalla canzone « Alle Principesse d'Este ». Ma fra le vaghezze idillico-sensuali de' madrigali tasseschi, pur nell'accezione inesorabilmente aristocratica di quest'arte, siam, forse, piú vicini. E, sopratutto, nella melica selvetta metastasiana: ove l'immagine si spoglia di plasticità e colore, e, ad empirsi piú ariosamente di musica, impresta i termini labili, e a volte fatui, della « moralità ».

Dai miei primi anni
d'ignoti affanni
io celo in me il terrore.
Il vero, il vivo, il presente dolore
m'è quasi amico...

O, con felice miscuglio di grazia arcaica e sommessa novità di tinte:

La giovanezza è un mare
tempestoso; mai pace
la tua barca vi trova...
... Un lago cristallino
è la maturità;
una sosta, una pace.
Un dolore che tace,
e tranquillo si crea
la giornata operosa...

Dove anche si ravvisa il gusto popolare, nella costruzione gnomica delle stagioni e delle età; come nelle stampe di un tempo, che illustravano il transito dalla culla alla bara, o il destino del giusto e del peccatore, o le arti e i mestieri; ed ora muffiscono fra ogni specie di cianfrusaglia, nelle botteghe de' robivecchi.

Non so se, in queste osservazioni intorno alla natura della musica nel Saba, parrà molto o poco di vero. Certo è che esse aderiscono, completamente, a quanto è implicito in tante altre qualità della sua arte; definite in modo concorde dai critici che piú l'hanno studiato.

Poco da agggiungere a quanto da essi fu scritto, circa il fondo semitico della malinconia del Saba; e la carnalità della sua ispirazione:

Altro da te [*brama carnale*] che ho detto
io nei modi dell'arte? Che ho nascosto
altro da te, o svelato?...

E poco da aggiungere, intorno a quella sua disposizione ad accettarsi come in una passività naturale; con un senso della propria istoria che non ha che vedere con l'autobiografismo trascendentale di poeti quali il Petrarca e Leopardi; ma ritiene, piuttosto, d'un fatalismo popolaresco:

Gabriele d'Annunzio alla Versiglia
vidi e conobbi; all'ospite fu assai
egli cortese, altro per me non fece.

A Giovanni Papini, alla famiglia
che fu poi della « Voce », io appena o mai
non piacqui. Ero fra lor di un'altra spece.

Sarebbe inconcepibile un poeta di cultura; per intendersi: alla Leopardi, il quale parlasse, intorno ad avvenimenti che lo toccano proprio in quanto poeta di cultura, con tale semplicità, poco men spassosa del "pensavo a te, amor mio, ch'eri lungi a villeggiar". Ma la controparte di questa spassosità, apparente, è in una gravità tanto inconsapevole e profonda, da aver appunto paralizzato nel Saba ogni senso di ridicolo: gravità di popolano, d'operajo che racconta di sé, con una umiltà che tuttavia riempie il campo della sua coscienza, e gli nasconde ogni proporzione. Il contadino che fu in trincea con Caviglia o Badoglio; l'emigrante che descrive la sua vita nei *saladeros* argentini non si esprimono in altro tono.

E tutte le citazioni che potremmo aggiungere alle precedenti del volume ora uscito, non farebbero che confermare la accentuazione che abbiam voluto dare a questi rilievi. Anche in *Figure e Canti*, il Saba migliore si trova indissolubilmente mescolato all'altro. Il *Preludio* e le *Canzonette*; un po' meno le dodici poesie alle *Fanciulle*, son da attribuire al primo. Ma di rado come nella « Canzonetta nuova », che arieggia, forse inconsciamente, « Il Risorgimento » leopardiano, può constatarsi la brevità di significati nella quale si compone al poeta la propria vicenda interiore, quando anche egli si faccia piú deliberatamente a raccoglierne tutto il corso.

Già senza lena
l'anima stava,
già boccheggiava
nell'agonia.

Sollevata, ora, dall'agonia, riconciliata (« ma per brev'ora ») con la vita, che cosa le arride?

> ... Indefesse
> cure d'amore,
> ed il rossore
> d'un caro viso,
>
> dolci promesse,
> bei pentimenti,
> e casti accenti
> di paradiso.

Troppe venature e presentimenti sono nel Saba; troppe accidentalità etniche e morali, per poter accettare questo canoro erotismo come piena soluzione delle sue ambasce. Ma è altrettanto vero che quanto ritiene d'una natura piú complessa e consapevole, in lui rimane inarticolato. Gli basta effonderlo vagamente, accennarlo in quest'aura melodica, nella quale tutto si sottintende e a un tempo si cela.

Cosí il canto di Dido e d'Enea, nel vecchio teatro, offriva una sorta d'espressione, mediata, allusiva, a sentimenti, ingenui e non ingenui; li nascondeva in una fotosfera musicale. Dalla fusione d'una simile astrattezza, un po' aulica e dorata, con una acerbità di sensi cui egli nega intiera definizione, nasce un gusto caratteristico alla poesia del Saba. Una poesia che fa pensare al canto d'amore che il popolano impara all'« opera »; e nel quale, quando il giorno dopo, alle sue fatiche, a modo suo, se lo ricanta, una sua passione trova palpito e sfogo, e insieme si vela del pudore dell'arte.

(1926)

Umberto Saba

Il suo momento « impressionista » la nuova lirica lo realizzò con maggior pienezza nell'opera di Umberto Saba. E se fin da principio la critica non si fosse con tanta assiduità e sostanziale consenso esercitata intorno a questo poeta; e se il tempo d'oggi non fosse oppresso da troppi dolori; l'edizione « ne varietur » del *Canzoniere* (1900-1945) avrebbe avuto, or è un anno, la risonanza d'una altissima consacrazione letteraria.

Poiché alcune liriche nativamente s'atteggiano in una concisa ed ariosa perfezione da *Anthologia*, da qualcuno venne escogitata la formula del « classicismo » di Saba; e sarebbe stato arduo suggerirne una piú accidentale e inconsistente. Per contrario, altri fu specialmente attirato dai riferimenti vissuti, che formicolano nell'opera: dal « romanzo », diciamo cosí, dell'autore. Piú che ai ritmi e alle rime, guardò alla storia psicologica, anzi psicanalitica: senza accorgersi, e sarebbe stato facile, che era una storia immobile, senza crisi e sviluppi, e perciò neanche una storia: il genio poetico del Saba è di natura tutta diversa.

Si potrebbe, al piú, dire che la prevalente sensibilità visiva nelle poesie fino a circa il 1925, s'attenua, ma fino a un certo punto (e si vegga il gruppo: *Parole*, 1934), e concede ad un crescente trasporto musicale. Tutto ciò è da intendere con gran discrezione; e riconoscendo sempre, sia dietro ai nitidi colori, sia dietro il velo musicale, il fondo insormontabile d'una tristezza che, nell'accento sommesso e inconfondibile, dalla prima all'ultima delle seicento pagine del *Canzoniere*, costituisce la trama e il basso continuo di quest'arte.

La intensità ed instancabilità dell'esperienza realistica: ciò che insomma fornisce l'occasione di partenza, lo scatto, al lirico impressionismo del Saba, in parte ha certamente rapporto con l'appartenenza dell'autore ad una terra cosí ancora nuova, fresca, e senza gravi tradizioni formali e dottrinarie; che inculcandogli la esigenza della critica consapevolezza, o appunto della « classicità », lo avrebbero indotto a disciplina, ma altresí forse ad artifizio e mortificazione. È un altro dono di libertà, oltre quanti dall'arte di Svevo, di Slataper ecc., vennero all'Italia da quella sua diletta provincia.

Trent'anni or sono, allorché il Saba pubblicò: *Coi miei occhi*, il suo primo libro di significato decisivo, io svolgevo considerazioni simili a queste; non senza, con giovanile facilità, augurare al poeta che si proponesse o giungesse a « superare », come allora dicevasi, il proprio impressionismo. Rileggendo il *Canzoniere*, sono lieto ch'egli non si sia affatto curato del superamento; ma in tale impressionismo si sia anzi avvolto e sprofondato, fino alle conseguenze estreme. Fra tanti artisti volatili, allotropici, senza contrappeso carnale, e che vivono di ripieghi intellettualistici, Saba ha insegnato ed insegna, anche in fatto di fedeltà, e strenua fedeltà, al proprio temperamento. Taluni difetti e sovrabbondanze con i quali ha pagato il prezzo di cotesta fedeltà, non tolgono alla bellezza ed imponenza dell'opera, né alla virtú dell'esempio.

(1946)

Amici: Giannotto Bastianelli e Armando Spadini [1]

Dall'aprile 1950, ogni primavera sono fedelmente tornato su questa "Libera cattedra di storia della Civiltà fiorentina"; benché ciascuna volta con il senso, accresciutosi fino al disagio, di abusare dei vostri inviti e della vostra ospitalità. Ed oggi avrei dovuto aprire il corso del sesto anno, illustrando, sotto uno od altro dei molteplici aspetti, ciò che è stata e ciò che finora ha prodotto la Firenze letteraria ed artistica del Novecento.

Ma sebbene modestamente, in cotesta fiorentina avventura novecentesca sono stato coinvolto e compromesso anch'io. E il fatto di aver vissuto e di vivere da tanti anni, per necessità di cose, lontano da Firenze, non alleggerisce né modifica la mia presente e passata fiorentina solidarietà e responsabilità. Per dirla in parole povere: non saprebbe tanto piacermi, di apparire qui come interprete e parte in causa al medesimo tempo: di recitare davanti a voi tutte insieme le parti, del giudice, dell'avvocato e dell'imputato.

Ho dunque preferito dedicare quest'occasione al ricordo dei coetanei: due particolarmente, che avrebbero potuto compiere, insieme a noialtri, il percorso

[1] Discorso tenuto a Firenze, il 26 febbraio 1955, in occasione dell'apertura del sesto corso della "Libera cattedra di storia della Civiltà fiorentina".

di questo duro cinquantennio novecentesco; e che invece furono dalla sorte crudelmente fermati a mezzo cammino. Pensiamo a quegli anni, sull'apertura del secolo, durante i quali anche in Italia cominciò a delinearsi un nuovo senso dell'arte e della poesia. Fa impressione a rivederli, cosí brevi anni, ingombri e sovraccarichi di tanti morti, giovani o assai giovani. Corazzini, Michelstaedter, Serra, Slataper, Boine, Gozzano, Onofri; e venendo alla Toscana e Firenze: Borsi, Calderoni, Bellini, Lippi, di cui scrisse or è poco il Parronchi; Tozzi, Spadini, Boncinelli, Bastianelli; infine Campana, che lungamente sopravvisse a sé stesso, in un crepuscolo piú tetro della morte.

Taluni di cotesti giovani ingegni, e ne avrò magari dimenticati, avevano fatto in tempo a farsi il loro posto nelle nostre cronache o storie dell'arte e della letteratura. Il che non attenua il rammarico che, in una piú lunga esistenza, avrebbero dato anche piú ed acquistato piú merito. Comunque, sta a garantire di loro un'opera ben definita. D'altri, invece, per diverse ragioni, il ricordo non è cosí fermo e coerente. La loro immagine ideale si annebbia, va perdendo i contorni, via via che con gli anni spariscono anche quelli che piú affettuosamente la custodivano nel proprio cuore. Dipende forse che quanto essi poterono compiere aveva conseguito minor risalto: il che non sempre significa che intrinsecamente avesse importanza minore.

Vorrei, ho detto, trattenermi intorno a due figure del nostro primo Novecento, con le quali l'amicizia mia e di molti altri fu in ragione diretta alla comunanza delle aspirazioni intellettuali ed artistiche. Due figure: Giannotto Bastianelli e Armando Spadini che, per ciò che riguarda le origini familiari, la cultura, la psicologia, il costume di vita, non potrebbero immaginarsi piú differenti, se non opposte. E altrettanto diverse anche nel loro destino postumo.

Perché è vero che, dai bruschi mutamenti di orientazione e di gusto impressi in questo mezzo secolo alla produzione pittorica, e che vanno sotto le approssimative etichette di cubismo, futurismo, surrealismo, astrattismo, venne a crearsi e si mantenne un clima polemico, continuamente provvisorio, nel quale l'opera di Spadini finí col trovarsi in disparte, accantonata, e come a disposizione, in una specie di deposito o limbo. Ma altrettanto è vero che cotesta opera, comparativamente poco conosciuta, può con fiducia aspettare il responso del tempo: perché se Spadini, in un successivo sviluppo, fosse potuto anche giungere a manifestazioni piú alte, in essa aveva già dato di sé cosí intensa e precisa testimonianza che non sarà possibile seguitare eternamente a fraintendere o ignorare.

Mentre il caso di Bastianelli è infinitamente piú lamentevole. Parte della sua attività fu critica e didattica; e per ciò in qualche modo vincolata alle particolari condizioni del gusto e della cultura musicale nella sua epoca. In seguito, certe sue geniali e vigorose anticipazioni, diventarono e son rimaste patrimonio comune; ma come generalmente succede, a nessuno vien fatto di ricordare chi le promosse. E tralascio il poco ch'è accessibile delle sue fatiche di compositore; intorno alle quali non io certamente potrei interloquire, mentre le opinioni dei tecnici, quando non sono gentilmente evasive, sono crudamente divergenti.

Ma trattando dell'opera e del significato di Bastianelli, dovrà tenersi presente un grave elemento, ed è questo: che a parte quanto egli pubblicò in libri e giornali, ed a parte la poca musica di creazione propria ch'egli dette alle stampe, tutto ciò ch'era inedito al momento della sua morte tragica e misteriosa, in terra straniera; il complesso, voglio dire, dei suoi manoscritti critici e musicali ancora in corso di lavorazione, andò perduto; e per quanto gli amici ripetutamente tentassero, non fu mai possibile recuperarlo, e nemmeno rintracciarlo. Qui non si vuole insinuare a chi, di una tale perdita, spetti la brutta responsabilità. Si vuole soltanto ribadire che, nel volgere del tempo, mentre fatalmente si diradano le file dei vecchi compagni, l'immagine di Bastianelli va sempre piú scancellandosi, e fra poco non la riconosceranno che alcuni specialisti di studi musicali.

Per questo ho creduto che non sarebbe stato inopportuno aprire il discorso sulla Firenze novecentesca, rievocando queste due personalità che agli inizi del secolo vi primeggiarono; sia per ciò che andavano mostrando di saper fare nella propria arte, sia per le promesse del futuro. Spadini e Bastianelli furono invece tra i primi che caddero. Ed è giusto ed umano che a loro tra i primi vada il nostro pensiero.

Entrambi erano nati, a pochi giorni di distanza uno dall'altro, nell'ultima decade del luglio 1883. Mi avviene di citarlo come curiosità cronologica: non perché abbia voglia, tempo, e ritenga pertinente seguire il corso delle loro biografie. E siccome Spadini, già nel 1910 s'era trasferito a Roma con la moglie, per il pensionato di pittura, è verosimile non avesse neanche mai conosciuto Bastianelli, o si fossero appena casualmente incontrati.

Di provenienza sociale, ho accennato, e di carattere individuale, in tutto diversi. Spadini, ch'era figlio di artigiani, non aveva potuto frequentare l'Accademia, ma solamente una scuola professionale; e per un certo periodo era stato costretto ad occuparsi come pittore di maioliche. Bastianelli, ch'era invece il pupillo in una numerosa famiglia di noti professionisti: famiglia in disordine, che un tempo era stata ricca, ma godeva ancora di un largo benessere; fino a un improvviso, clamorosissimo crollo; nella Firenze d'allora, vero e proprio fulmine a ciel sereno. Ché una brutta mattina si seppe come il barbuto notaro Paolo, fratello molto piú anziano del musicista, lasciando un vuoto di alcuni milioni oro fosse scappato a Corfú; donde riuscí a passare, dopo qualche tempo, nientemeno che in Patagonia; vi s'impiegò in una piccola compagnia ferroviaria, e laggiú si perse.

Ma frattanto, Bastianelli aveva potuto e saputo spendere nel modo piú indipendente e proficuo, gli anni della sua formazione. Appariva ogni tanto all'Università, specialmente alle lezioni del grecista Vitelli, dove ci conoscemmo nel 1906. Studiava armonia e contrappunto. Cominciava a pubblicare articoli di critica musicale. Scriveva versi d'una sensibilità agra e d'un ritmo marcatissimo, forse piú bizzarri che belli. Lettore onnivoro, non senza curiosità filosofiche, aggressivo e tenace nelle discussioni. Ma la sua maggior fama a quell'epoca gli venne dalle sue benemerenze come esecutore, di rara versatilità, ed altrettanto rara potenza evocativa e chiarezza critica.

Era musicista troppo colto, ed aveva troppa familiarità con i minimi meandri e le piú segrete colorazioni delle grandi partiture, perché non dobbiamo supporre che nessuno come lui si rendesse conto di quanto, in coteste sue riduzioni e letture al pianoforte, fosse d'approssimativo ed eccepibile.

Stoffa per un insigne pianista o direttore d'orchestra, ne aveva da vendere; anche ammettendo, come dicevano, che la sua pratica fosse piuttosto eterodossa. Ma coloro che assisterono a quelle esecuzioni, non hanno mai potuto dimenticarle. Con le abbreviazioni e gli schematismi inevitabili nel passaggio dalla polifonia orchestrale alla prospettiva pianistica, la filologia non ci avrà di certo guadagnato. Tanto peggio per la filologia. So di non essere il solo che, di talune sublimi pagine dei classici, non ha piú avuto un'impressione talmente imperiosa; anche quando in seguito le risentí, interpretate da direttori celeberrimi, in concerti con tutti i sacramenti.

Bisognava che l'amico avesse una vera vocazione rapsodica, per prodigarsi, come per alcuni anni si prodigò, a spezzare il pane della musica ai suoi affamati concittadini. Vero è che, usufruendo allora d'una agiatezza sebbene malsicura, aveva per sé tutte le sue giornate; e dopo il suo lavoro piú geloso, poteva avanzargliene per quelle musicali elargizioni. Ma esse erano cosí generose, che la simpatia e la popolarità di cui le rimuneravano, non erano esagerate per niente. Del resto, l'entusiasmo per l'arte, l'amore delle idee, la solidarietà nelle imprese culturali, avevano allora, specialmente a Firenze, una freschezza, uno slancio da cui i tempi che dovevano sopraggiungere seppero divezzarci. Non senza il forte influsso del Croce, l'Italia si andava sprovincializzando. Ma in alcuni settori si sprovincializzava piú faticosamente. Attraverso i libri e le riviste, l'accesso alle nuove dottrine filosofiche e critiche e alla nuova letteratura europea, avveniva senza insormontabili intoppi. Per la musica e le arti figurative, le cose erano piú complicate. Invogliati dalle prime descrizioni che ne dette Soffici, non bastava desiderare di conoscere *de visu* la pittura impressionista. E non bastava desiderare di sentire la *Tetralogia*, il *Boris*, il *Pélleas*. Era necessario che qualcuno, bene o male, ne facesse arrivare qualcosa a Firenze.

Firenze non aveva nulla d'un vivaio musicale. L'idea vagheggiata da Hans Bülow di farne il centro musicale italiano, era fallita malinconicamente. Sul loro itinerario internazionale, non mancavano ogni inverno di fermarsi a Firenze, per un concerto o due, certi grandi solisti. Alla Filarmonica, di tanto in tanto, un buon quartetto; piú di rado, qualche rinomata orchestra straniera. Tutto sommato, era forse meglio favorita Roma, con la democratica banda del Vessella. O Bologna, con le stagioni operistiche di Toscanini; e in un suo paragrafo, Giovannetti rammentava i garzoni di fornaio che in bicicletta all'alba andavano attorno per la città, portando alle rivendite le ceste del pane appena sfornato, e cantando a squarciagola l'incantesimo del fuoco della *Valkiria* o la notte d'amore del *Tristano*, che qualche ora prima avevano applaudito in loggione.

Fra l'altro s'ebbero a Firenze due memorabili concerti chopiniani del Busoni; e carovane di fanatici giungevano da Empoli sui treni stipati fin sopra il tetto delle carrozze e sui predellini. Mascagni diresse l'*Eroica* di Beethoven all'aria aperta; probabilmente in Boboli, ma non vorrei giurarlo. Grazie a Bastianelli, ormai familiari con quel capodopera, ci si pigiava alle staccionate: tutt'orecchi, i capelli al vento, e i piedi nell'erba fradicia. E nella presentazione mascagnana, l'*Eroica* ci fece l'effetto come della ritirata affannosa, se non addirittura la fuga, la rotta, d'un'orda di cavalleria barbara, con bei duelli d'arma bianca, disperati squilli di trombe, e i tempi del metronomo che se n'andavano al diavolo.

Tanto eravamo desiosi di bella musica, che non ci sentivamo d'essere ingrati, nemmeno d'una esecuzione quasi inservibile come cotesta. Ma è certo che il costante apporto di Bastianelli, o Giannotto, come tutti dicevano familiarmente, aveva altra concretezza ed efficacia che tali incontri d'occasione. E negli anni che immediatamente precedettero la "Voce" di Prezzolini, sino a tanto che quell'accolta d'entusiasmi non cominciò, per le fatalità della vita, a sgretolarsi e disperdersi (dispersione che finí di compiersi durante la prima guerra): le letture o lezioni musicali di Bastianelli agli amici e agli amici degli amici, in Firenze ebbero un'eco, una risonanza (è davvero il caso di dirlo) intensissima.

Erano lezioni alla ventura, dovunque fosse reperibile un pianoforte valido; con un uditorio, un pubblico che, di volta in volta, poteva essere piú ristretto di quello d'un'aula scolastica; nel suo complesso però assai numeroso: un pubblico colto, appassionato e senza la minima mondanità. Se nella Napoli romantica e dialettale, il marchese Puoti aveva tenuto una libera cattedra di purismo; si potrebbe dire che, nella Firenze della *Tosca* e dell'*Iris*, Bastianelli tenne per alcuni anni una libera cattedra di musica classica.

Non bisogna affatto immaginarsi che, intorno a quella cattedra vagante, venisse a crearsi una atmosfera iniziatica, qualcosa come un culto segreto. Nei programmi musicali di Bastianelli non si notavano cervellotiche esclusioni, co-

Il pittore fiorentino Armando Spadini (1883-1925) con la figlioletta e la consorte che si dilettava di pittura e gli faceva da modella.

me infatti non erano nel suo gusto, nella sua cultura, nel suo pensiero critico. Alla fine dei conti, Bastianelli rifaceva, o continuava a fare, ad alta voce, per i suoi amici, sulla tastiera del pianoforte, una od altra delle infinite meditazioni tecniche che avrebbe fatta in silenzio, a casa sua, per suo studio personale, sui pentagrammi d'una partitura di Beethoven, dell'ultima novità di Debussy, o di un melodramma verdiano. Gli effetti divulgativi delle sue letture, e piú tardi delle vere e proprie lezioni alla "Nuova scuola musicale" di Firenze, erano insomma inseparabili e vivificati dalla sua piú intima attività critica e creatrice.

Se a qualcuno occorra capacitarsi di quali fossero allora, comparativamente, le condizioni del gusto e della cultura musicale in Italia, non ha che da sfogliare i giornali e le riviste musicali del tempo. E capirà subito che cosa volesse dire, che portata avesse, già nei suoi primi tentativi, la nuova critica e storia musicale d'un Bastianelli, di un Alaleona o d'un Torrefranca.

Il Torrefranca, come poi venne sempre meglio rivelandosi: piú sistematico, piú dotto e paziente; infaticabile nelle ricerche d'archivio; e magari disposto, come nel caso dei quartetti di Giovanni Sammartini e del loro influsso su Haydn, a sopravalutarne taluni risultati, dal punto di vista estetico. Di gusto meno flessibile: cosicché nel suo libro su *Puccini*, non controlla una severità a tratti eccessiva, verso un talento non supremo, ma nemmeno privo di grazie.

Mentre Bastianelli, che teoricamente ribolliva tutto di Beethoven e Brahms e Wagner e Verdi; e che era inclinato ad un certo romantico titanismo, a una certa, sincerissima, rettorica solare e abissale; nel suo libro su *Mascagni*, il suo primo, tanto fu esatto nell'inquadratura storica, quanto affabilmente equilibrato nella valutazione d'un'arte che, in fondo, non poteva avere per lui che un interesse minore. Talché io credo che, almeno in parte, il libro sia valido, anche rileggendolo oggi.

E qui forse si sfiora il punto fondamentale del carattere d'un Bastianelli, il quale non respinge Mascagni, al medesimo tempo che in Italia rivela Debussy. Alludo alla sua inesauribile disposizione ad investirsi e specchiarsi a volta a volta nelle piú varie essenze, entità, forme ed individualità sia del mondo dell'intelletto o della fantasia, sia della comune realtà, della vita vissuta; con le quali egli avesse anche soltanto un incontro fuggevole e casuale. Non era la distaccata curiosità del dilettante; la quale, come a protezione di chi la esercita, è poi governata e corretta da un senso del relativo, ed ha sempre, per cosí dire, un contrappeso ironico. Era una sorta d'intellettuale organo da presa; una specie di trascendente virtú mimetica, che stava alla base del suo fervidissimo temperamento critico.

L'attività critica di Bastianelli, ch'è l'unica di cui, in definitiva, resta negli scritti una diretta documentazione, si svolse purtroppo sempre piú disordinatamente da quando, nella rovina finanziaria della sua famiglia, le sue condizioni pratiche divennero precarie, infine quasi disperate; e la sua produzione, come poi quella di Barilli, fu sempre piú subordinata alle occasioni giornalistiche.

Ma al confronto, Barilli sapeva destreggiarsi con fantasiosa spavalderia, grazie al suo magnifico dono lirico e verbale. Del resto, la sola cosa che a Barilli veramente premeva, era la propria musica; o per meglio dire, quell'ideale che della musica egli s'era formato, e ch'egli prospettava con l'immaginazione, un po' sull'elegante panorama sociale dell'arte settecentesca, un po' sul tempestoso e corrusco scenario del melodramma dell'Ottocento: qualche cosa che in realtà non esisteva e che nemmeno poteva esistere; ma che per ciò appunto durante tutta la vita, gli serví per attizzare i propri umori, per dare esca alle proprie incontentabilità, e pretesti alla sua brillante polemica, non soltanto contro la musica che veniva composta intorno a lui, ma contro quasi tutta l'altra musica ch'era stata scritta da che mondo è mondo.

In Bastianelli era altro impegno. Anche se egli fece vaghe concessioni all'attualismo, Bastianelli, per molti aspetti, soprattutto al principio della carriera, era un buono e serio crociano. Vale a dire che per lui la musica, come tutte le cose, aveva una realtà storicamente legittima, anzi, addirittura sacra, che si trattava di sviscerare e interpretare. C'erano stati Bach e Beethoven; come oggi c'era, al suo posto s'intende, Mascagni. C'erano stati tempi miracolosi, in cui la musica, a mo' di Venere dall'onda, balzava nuda e stillante da un complesso etnico elementare ed incontaminato. C'era insomma, come diceva Bastianelli, un'arte « barbara ». Mentre i nostri erano tempi d'arte « critica »; e tanto maggiormente critica, quanto piú alta fosse stata questa arte.

In fondo in fondo, tuttavia, credo che gli avrebbe fatto piacere, se avesse potuto conoscere come, secondo le conclusioni del Meillet e d'altra recente filologia, perfino Omero ch'è Omero, e che siede lassú alle fonti della civiltà, aveva adoperato un linguaggio per niente ingenuo, o come Bastianelli diceva: « barbaro »; un linguaggio letterario, lontanissimo da quello che nell'età omerica si parlava ogni giorno. Linguaggio aulico, dietro al quale era tutta la tradizione eolica perduta; pieno di relitti d'una precedente poesia epica, e di epiteti composti, che sono prette creazioni retoriche, di cui nemmeno i greci dell'età classica conoscevano piú il preciso significato. Un linguaggio « critico » in una parola. E se la sfolgorante, primordiale poesia d'Omero, nel suo realizzarsi, aveva avuto bisogno d'una coscienza critica (cosí Bastianelli avrebbe concluso), era ovvio che d'una forte coscienza critica tanto maggiormente abbisognasse e dovesse essere sostenuta la musica e l'arte dei nostri tempi di disorientamento, di stanchezza e decadenza.

Questo concetto della decadenza dell'arte contemporanea, nel suo libro sulla *Crisi musicale europea*, ch'è del 1912, Bastianelli l'aveva formulato con perfetta chiarezza e decisione. Ed avrebbe potuto parafrasare, per la musica contemporanea, quanto scrisse uno dei massimi artisti che, sulle sabbie mobili del moderno decadentismo, era tuttavia riuscito a costrurre un'opera immortale. Attraverso la cultura, la riflessione, tornare all'istinto, all'inconscio. Attraverso l'analisi, la coscienza storica, la psicologia, ritrovare il mito. Il medesimo artista, ch'è Wagner, aveva anche scritto: « Non sottovalutiamo la forza della riflessione. L'opera d'arte creata inconsapevolmente, appartiene a periodi ben remoti dai nostri. L'opera d'arte dell'età di suprema cultura, non può prodursi che nella consapevolezza ».

Promuovere, acuire, educare questa consapevolezza, fu appunto quanto volle, e nei limiti delle proprie forze, fece Bastianelli. In ciò consiste la essenza della sua azione di critico ed esegeta. Pianamente e nitidamente, l'ha mostrato un giovane musicologo, Fedele D'Amico. E se, da un suo testo mi premetto valermi di qualche parola, non è solo perché essa è d'uomo d'altra generazione della mia, sul cui giudizio non influiscono personali ricordi ed affetti; ma soprattutto perché questo addottrinato giudizio v'è espresso con una compendiosità che qualsiasi ritocco non potrebbe che guastare.

Cosí dunque il D'Amico: « Bastianelli fu il primo in Italia che realizzò il tentativo, iniziato da Alaleona, di mettere in rapporto la coscienza del passato con le poetiche del presente, scorrendo con quella la nascente elaborazione di queste; ed insieme mettendo in crisi certe interpretazioni tradizionali della musica ottocentesca, alla luce di nuove e sia pur confuse aspirazioni creative del suo tempo. Con ciò egli constituisce una tappa essenziale nel rinnovamento della cultura musicale italiana... E segna il punto di congiunzione tra F. Torrefranca e i compositori della cosidetta generazione del 1880: Respighi, Pizzetti, Malipiero, Casella, che si ponevano il problema della "nuova musica" ».

Ma Bastianelli aveva visto giusto anche nella sua profezia circa l'esaurimento e la morte di quella che suol chiamarsi musica pura; e a favore della musica « poematica », cioè a dire, legata ad un testo. Il che spiega la costante e particolare attenzione da lui portata sull'opera e il melodramma. Attenzione da cui, nel suo libro sull'*Opera*, nel saggio sulla *Riforma del melodramma* e in scritti vari, nacquero suoi tentativi, meno perspicui, di costituire una vera teoria del linguaggio operistico, non come incontro ed amalgama di suono e verbo, di musica e di poesia; ma come linguaggio *sui generis*, come originaria sostanza plastica, d'una forma di arte: il melodramma, che esiste in sé e per sé. Come dallo stesso interesse ebbe origine, fra altre cose, una opportuna e molto seguíta rivalutazione della cosidetta « trilogia romantica » verdiana; e cioè del gruppo sincrono: *Rigoletto*, *Trovatore* e *Traviata*, in confronto all'*Otello* ed al *Falstaff*.

E sarà ora che io passi alla seconda parte del mio argomento; perché sull'ultimo scorcio di vita di Bastianelli è appena da notare come, in seguito a fatti o cagioni psicologiche e sentimentali che nessuno credo abbia mai penetrato, e con un rapido processo di disgregazione che possiamo ricostruire soltanto in ipotesi, ad un certo punto, poi sempre piú. L'impeto intellettuale si allenta e si corrompe. La facoltà di trascendente mimetismo ch'era alla base del suo temperamento critico, si distoglie dai suoi obbiettivi naturali e adeguati. Il potenziale di vita si rovescia e consuma sopra una realtà da non poter considerarsi che patologica. In una febbre, in un delirio d'annientamento, l'equilibrio di quella nobile intelligenza, resta infine completamente distrutto.

Per Spadini, il discorso sarà piú breve. La sua personalità e la sua opera ci stanno piú prossime: anche se l'opera, dopo un certo periodo dalla morte, rimase, già dissi, fuori mano, accantonata, come in un limbo; ed anche se la sua ammaliante personalità ha dovuto pagare il pedaggio d'una aneddotica cosí affettuosa che, in taluni casi, ha finito col conferirle qualche cosa di convenzionale, di diminuitivo e un po' dolciastro.

Lo Spadini fu artista schietto, operosissimo; senza pose, estetismi, decadentismi. Figlio di popolo, con le delicatezze, le difese ed asprezze dell'animo popolare; come dai racconti dei vecchi biografi si capisce che furono tanti artisti toscani della Rinascenza. La sua vita si svolse nel breve cerchio domestico, dove nella moglie e nei figli egli aveva modelli instancabili. Sempre povero, non lasciò ai suoi che alcune tele incompiute, pochi libri e i pennelli. Eppure il mondo lo premeva e sollecitava d'ogni parte.

Pieno d'idee d'una bellezza felice e trionfante, sentendosi capace d'emulare certi fasti della pittura veneta e della grande ritrattistica mondana ottocentesca, volentieri avrebbe dipinta una famosa e bella attrice del tempo, che aveva chiesto di farglisi ritrattare ignuda. Ci pensò e ripensò, e non ne fece di nulla. Diceva che aveva paura delle tentazioni; e che infine, meglio d'ogni cosa, gli serviva ancora il vecchio groppone della moglie. Non era ipocrisia, era un patriarcale umorismo.

La semplicità di questi tratti, la modestia del costume, nella casetta suburbana fra la corona dei figli e il pollaio, ci parlano d'una vita raccolta e in fondo non inamena; non fosse stata ogni tanto la stretta del bisogno, e negli ultimi anni la malattia. Spadini non si dava daffare; non cercava pubblicità; non viaggiava, e nulla gli piaceva come le cose che aveva visto e rivisto le mille volte. Rifuggiva dall'esporre. Preferiva due o tre clienti che gli mantenevano la promessa di mostrare il meno possibile i suoi lavori. Naturalezza un po' sospettosa, cordialità con tuttavia certe precauzioni: modi insomma civili quanto sicuri per garantirsi la propria solitudine e indipendenza.

Non si appartava con la pavidità del debole, con l'invelenita scontrosità dell'incompreso o la boria dell'estetuccio; ma con la tranquilla consapevolezza del savio. Il sabato sera apriva la casa ai colloqui con alcuni amici, a una cenetta; cosí sdebitandosi dell'obbligo sociale. Ma teneva serrato lo studio a chiavistello. E fino a dopo la sua morte, quasi nessuno aveva visto della sua pittura che il poco ch'era stato in giro da un mercante o in qualche rara esposizione.

Mai ho incontrato spirito cosí solo, ed in fondo impenetrabile, tutto concentrato nella sua vocazione visiva; e senza che nella sua solitudine e concentrazione fosse la minima ombra di musoneria. Né ho visto piú graziosamente e validamente difendere la libertà della propria coscienza artistica e del proprio lavoro. Gli anni della formazione di Spadini furono, in ispecie per la pittura, fra i piú terremotati e stravolti; quasi come questi ultimi, che infine hanno assistito alla solenne apertura dello scisma astrattista. Impressionismo, giunto all'Italia in gran ritardo, cubismo, futurismo, arte metafisica, neoclassicismo: lo Spadini se li sentí cascare addosso a uno a uno. Nella sua stanza da mangiare, come orologio o meridiana che segnasse i tempi, era appeso un geometrico indovinello di Carrà. Ma accanto al suo letto, imbullettata al muro, era una grande fotografia della *Festa campestre* di Giorgione.

L'aria scoppiettava di polemiche, rimbombava di proclami. La mano sul cane delle pistole, giravano le solite avanguardie. Spadini non polemizzava e non proclamava. Ma senza parere sapeva tutto, leggeva tutto. Scarabocchiando figurine su un pezzo di carta, ascoltava gli altri che discutevano. Pazientemente si sorbiva le lezioni di qualche pittorucolo il quale pretendeva dimostrargli, come quattro e quattro fa otto, perché e come si debba dipingere con questa tecnica e non con quell'altra. Aveva un intercalare, gentile, staccato, con appena una sfumatura compassionevole: « Proprio cosí; proprio cosí ». Ed anche questa era saggezza, non ipocrisia. Come egli la pensasse, chi avesse voluto, poteva capirlo da un decimetro quadro della sua pittura. Era fiorentino, e dunque legato stretto alla realtà. Ma della realtà e del modo d'intenderla aveva un senso troppo complesso, per affidarsi a renderne ragione fuorché con lo strumento della sua competenza, il pennello.

È tipico di questa sua misura, che in un fascio di fogli ed appunti trovati dopo la morte, fossero numerosi e travagliatissimi abbozzi di lettere non mai spedite. Il che non toglie valore al fatto che egli avesse sentito bisogno di scrivere tali lettere; benché forse sia anche piú importante che, dopo tanto scrivere, scancellare e riscrivere daccapo, avesse deciso di lasciarle in fondo a un cassetto. E neppure qui era calcolo di prudenza; ma una sana sfiducia di sfogare a parole le proprie idee ed i propri umori. Gli faceva miglior pro a tenerseli dentro, ruminarli, ed insomma trasformarli in lavoro.

Ma sempre a proposito di lettere, ed anche perché poi non si creda che, cosí modesto e riservato, Spadini non avesse intiera coscienza di sé: ecco una frase, appunto da lettera che, nell'aprile 1924, pochi mesi avanti la morte, egli mi mandò da Venezia, dove allora tenne la sua prima ed ultima grande mostra personale, con una quarantina d'opere, e contrastate accoglienze: « Dovranno giungere ad accorgersi che in tutta questa esposizione, non c'è che Degas, al quale mi posso inginocchiare; ma subito dopo è il posto del tuo amico Spadini ».

Non meraviglia la intensità, saldezza e perfezione della realizzazione, nelle pitture che di lui contano: che non sono cioè fondi di studio e bozzettacci; ricordando come il suo tirocinio, sul vero e gli antichi, era stato paziente, anzi meticoloso. Lo sanno le gallerie di Firenze. La tradizione ottocentesca toscana, che comunque era rimasta la piú sincera, stava spengendosi col vecchio Fattori; e pel resto, in Italia non circolava che uno stereotipo naturalismo di marca internazionale, e un pretensioso preraffaellismo, che poteva corrispondere ad una specie di basso dannunzianesimo pittorico. Spadini iniziò per proprio conto quella nuova investigazione del vero che, in certe epoche, è mansione di pochi artisti incaricati si direbbe di rintracciare gli alfabeti del linguaggio figurativo. Suoi giovanili disegni di piante e animali, per uno scrupolo di verità quasi scientifica, sembrano condotti nell'emulazione di Leonardo e Pisanello.

Al primo sboccio della personalità nel cresciuto possesso dei mezzi espressivi, la produzione fu subito copiosa. Spadini non conobbe, od oltrepassò di colpo, la fase del lavoro senza splendore. Fra l'altro, avrebbe avuto tutti i numeri d'un artista di successo. Poteva diventare un gran ritrattista alla moda, da disgradarne gli inglesi, Sargent o Boldini. Le occasioni non mancavano. Si trattava di lasciarsi un po' andare; d'infondere nella pittura quel nulla, quel minimo bastevole a conquidere i primi committenti. A codesto nonnulla sacrificarono pittori che andavano per la maggiore e che fanno testo. Spadini non vi riuscí. Vi sono ragioni d'intelletto e di morale che confortano l'artista, lo scrittore e lo scienziato nella fedeltà al proprio destino. E ragioni, forse anche piú perentorie, di fisica impossibilità al compromesso e al tradimento. Spadini fu protetto da entrambe queste qualità di ragioni. Senza contare che, anche di ritratti, ne dipinse bellissimi: *Il cappello di paglia*, l'*Autoritratto con la moglie*, *La signora Borgese*, che non sfigurerebbero su una parete al Jeu de Paume.

Queste virtú del suo talento e del carattere: prima di tutto la potenza di realizzazione, il riserbo e la fermezza del vivere, la mancanza d'improntitudine a teorizzare, il rifuggire dalle avventure della cultura e del gusto, il rifiutarsi alle occasioni utili, ma ambigue e approssimative: vanno tutte sotto un unico nome, che vale al riguardo estetico non meno che a quello morale, e con una sola parola si chiamano *classicità.* Intendo una classicità nativa, portata dall'istinto e confermata dalla riflessione e dalla tradizione. Non una classicità volitiva e sovrapposta, che avrebbe potuto soltanto riuscire a frigidezze ed artifici. Spadini operò e visse armonicamente a questo fondamentale senso di classicità. E ai suoi giorni nessuno ne dava l'esempio.

Non è qui da insistere sul suo svolgimento: dai primi dipinti nell'influsso veneto e spagnuolo, alla produzione romana dell'anteguerra, che si ispirava ad un'affermazione piú immediata e sensuale della realtà, e si espresse nei termini di un personalissimo impressionismo. A qualsiasi punto della sua evoluzione, Spadini dette qualcosa di significativo, e in un certo senso, risolutivo. Ma nonostante l'impeto e la freschezza della sua fase impressionista, credo che fra il '18 e il '24, quando fisicamente la nefrite già l'aveva prostrato, corra l'epoca che piú conterà a tenere vivo il suo nome.

La esuberanza, lo scintillio talvolta eccessivo dei colori, si attenuano; ed in alcuni fra i suoi maggiori dipinti di quegli anni del primo dopoguerra: come certi studi per il terzo *Mosè salvato dalle acque*, o come *La macchina da cucire*, o *Piccoli pescatori*, anche detto *Tobiolo*, o il gran *Nudo disteso* con le braccia intrecciate davanti al viso: cedono ad una intonazione quasi monocroma, in cui austeramente s'esalta la intellettuale nobiltà della composizione. La quale ha una grandiosa semplicità di ritmo e di disegno, che anche ad un motivo familiare e quotidiano come quello de *La macchina da cucire* o del *Tobiolo*, conferisce un che di monumentale.

Piú difficile, forse, è non dico a scorgerla ed amarla, perché il suo tranquillo incanto è evidentissimo e irresistibile, ma a saperla interpretare psicologicamente e liricamente: la novità delle espressioni della fisionomia, in queste pitture dell'ultimo periodo: non piú sorridenti, abbagliate dal sole, cinte di fronde, ma come assorte in una mestizia quasi sovrumana.

Parve a taluni scrittori ed ammiratori che, nell'arte di Spadini, non sempre si riconosca, quanto potrebbe aspettarsi, l'elemento toscano; e nulla infatti vi si riflette della piú vicina tradizione macchiaiola. Ma chi guardi meglio, anche sotto il luminoso barbaglio del pulviscolo impressionista, vede in quell'arte come in trasparenza qualche cosa che richiama il pensiero alla piú schietta fiorentinità e toscanità.

Nella scelta dei temi, delle situazioni e delle azioni, nei partiti compositivi, nella qualità degli affetti, continuamente qualcosa ci riporta a quel cinquecentesco fiorentinismo che, come in Andrea del Sarto, era stato toccato dall'influsso veneto, e ne aveva derivata una grazia ineffabile. E la *Madonna del sacco*, il gruppo della *Carità*, il ritratto della moglie, talune figure muliebri nel chiostrino della « Nunziata », potrebbero annoverarsi, senza paura di sbagliare troppo, fra gli ideali figurativi del nostro pittore. Sembra un mero caso, ma è invece vero come una grande immagine poetica, che da trent'anni Spadini riposa nel cimitero di Poggio a Cajano, vicino a quell'agreste lunetta del Pontormo, ch'è popolata di donne e fanciulli della stessa famiglia dei suoi.

M'è parso che il sesto corso della "Libera cattedra" dovesse aprirsi nel nome di questi due ingegni, cosí diversi fra loro, ma al medesimo tempo cosí modernamente carichi di coscienza critica: Bastianelli e Spadini, che potevano essere e in parte furono tra i piú nuovi e vigorosi del nostro Novecento. Non dimentichiamoci di loro; non crediamo troppo facilmente d'aver sorpassato le loro difficoltà, i loro problemi; siamo fedeli ai loro ideali che sostanzialmente furono anche i nostri. Nel movimento partitosi da Firenze per una nuova arte italiana, il destino li volle tra i primi che caddero. Era giusto che, trattando del Novecento fiorentino, in questa nobilissima sede di Palazzo Vecchio, essi fossero tra i primi ad essere citati all'ordine del giorno.

(1955)

«Gino Bianchi» di Piero Jahier

Sebbene oggi la vita si svolga sotto condizioni piú rigorose, e, da noi, l'interesse letterario abbia una tradizione piú corta che altrove, veggo che non si prova perplessità, e non si crede d'esser disertori, ricordandosi ogni tanto della poesia.

Renato Serra l'espresse con emozione sottile il senso della perennità delle forme, e della giustizia dell'interesse, sopra le catastrofi e travolgimenti. Ed è facile profezia affermare che coloro i quali, con intima compiacenza, prevedono nella guerra la vendicatrice degli orgogli lirici e delle presunzioni individuali, la livellatrice del gusto, ch'essa riporterebbe al denominatore piú basso, costoro si troveranno a una spiacevole delusione.

Presto torneremo su queste pagine del Serra. Intanto, se al nostro stato d'animo paragoniamo quant'ha seguitato a uscire, dopo la guerra, per opera degli scrittori che avrebbero rappresentato quell'ipotesi a base di ritorno, le deduzioni si tirano troppo facilmente. Per esempio quest'addio che il Capuana ci ha lasciato in quattro volumi de' quali il primo già uscito. Il Capuana migliore, che ci riferisce a certo Maupassant di scorcio provinciale. Fattura ben calibrata e calettata, con alla superficie un elettrico scoppiettio di roba secca passata sotto cilindro. Ma è arduo asserire che si legge un libro contemporaneo

Quella ormai cinquantenne professionalità di risorse; quella declinazione, perentoria quanto piú scansata, di ogni liricità nelle figure; quel piroettare quasi epilettico di tutto intorno al concetto forzoso del nessun senso della vita, e della stupidità e bestialità inerente alle passioni, agli affetti, agli sforzi umani! Il saggio crociano del 1905, sul Capuana, basta completamente a dirci, anche oggi, le ragioni della nostra mancanza di partecipazione.

Conviene, piuttosto, seguitare a riferirci, come facevamo di prevalenza ai lavori dei giovani; proprio quei lavori sui quali la densa negazione della guerra doveva passare, perché dopo si tornasse alle solite scritte. E, fra i giovani, accenniamo a questo Jahier, che ha fatto uscire, da poco, insieme ad altre cose, le *Resultanze in merito alla vita e al carattere di Gino Bianchi.*

Jahier lo cominciarono a conoscere quando, or sono quattro o cinque anni, tradusse dall'Halévy e dal Claudel: traduzioni non accidentali, che hanno un significato autobiografico e formativo. Oggi, nel *Gino Bianchi*, con uno stile misto di lirismo riprovato e capovolto, e di grottesca pompa burocratica, ci ha descritto famiglia, vicende, attitudini, ideali civili, artistici, ecc. ecc., del perfetto animale governativo. Ma poche frasi daranno meglio d'un lungo discorso il timbro del libro. Per esempio il salotto buono di Gino Bianchi:

« Sta sempre chiuso; tutto sanguigno di cinabrese; nel mezzo oscilla la lampada velata di tulle con duplice giro di candele a torcia, che possono anche venire accese. C'è un tappeto che serve per esser scansato... Ci son sedie in abbondanza, imbottite, che servono a far accomodare; quantunque il *crochet* immacolato dei sedili mi ripeta: provati a sedere; vediamo se avrai il coraggio... ». O Gino Bianchi a passeggio con la famiglia. « Mi limito ad accennare che, pervenuti alla spianata di cui esistono innumerevoli riproduzioni, ebbero la sorpresa di verificare che il tramonto aveva ormai avuto luogo. La colpa, però, non era stata loro; in realtà, l'astro del giorno stanchissimo di aver illuminato anche il giorno festivo le solite cose, aveva approfittato di alcune strisce di nuvole per anticipar di mezz'ora l'uscita. »

Si potrebbe seguitare ancora, e con divertimento. Allegato alla biografia è un prospetto completo, nel quale si vede, a colpo d'occhio, che cosa fa e pensa Gino Bianchi, alla data ora, di un dato giorno, di una data stagione. Cose graziose, divertimenti sottili e un poco striduli; ricavati dalla maniera lirica di uno Swift, di un De Quincey. Mi affretto a dire, tuttavia, che se Jahier fosse tutto qui, il suo significato non oltrepasserebbe quello di uno scrittore pulito e stringente che bada a cavare segni calligrafici di caricatura. Dopo esserne usciti dalla porta, si rientrerebbe per la finestra nel deplorato ritrovo de' nostri ironisti; che guai se le loro figure e situazioni avessero mai a fidarsi un poco, e lasciar entrare l'aria avventurosa della vita sincera e della poesia. Una presunzione di fuga, di evasione; e a forza di dirle no, c'è il caso che la poesia, da ultimo finisca per pigliar in parola e rifiutarsi lei.

PIERO JAHIER

CON ME E CON GLI ALPINI.

primo quaderno

PRIMA RISTAMPA

« LA VOCE » SOC. AN. ED. - ROMA

Canti di soldati (1919), antologia curata da Piero Jahier,
e *Con me e con gli alpini*, il suo capolavoro, 1919,
ripubblicato nel 1943, e, finalmente senza tagli di censura, nel 1953.

Ma il valore del *Gino Bianchi*, preso in sé e per sé, si rovescia nel complesso della personalità del Jahier, per un fatto che già la predilezione claudelliana fa prevedere. Gino Bianchi, con l'album di peluche stinta nel salotto buono, e con gli inconvenienti acuti del sedentarismo, non è che una controparte provvisoria e polemica del Jahier che vive e conta. Una sorta di curioso esperimento masochista, nel quale il calvinismo di tradizione dello scrittore, invece di cercare accenti lirici e squilli di battaglia, si denatura in punture e piccole atrocie. Una vendetta eseguita sur un soggetto a prestito e che vale sopratutto a farci conoscere, in mascheratura, i termini della materiale esperienza del Jahier e non piú del Bianchi.

La città, gli uffici, le fatiche ingrate; la famiglia nella casa modesta; qualche uscita per la campagna: vita costretta e umiliata. Ma in luogo dell'imbecillità burocratica, Jahier mette in questa vita una volontà d'aderire ai fatti e trovar loro cristianamente ragione, includendoli e ponendoli gerarchicamente in una visione di umanità positiva e zelante. La poesia diventa un'arte di aspirazione attiva, di dentro la stanchezza, le debolezze e tutto lo scadente individuale, verso l'ordine e la felicità delle buone opere. Poesia, starei per dire, di navigazione; d'una vita con compiti immediati ed esatti, in uno spazio ben segnato, e senza imprevisti, e dove si ha da render stretto conto del pane mangiato, col compenso che, còmpiti, responsabilità e rendiconto hanno valore e certezza aperti e permanenti.

Sulla realtà compresa in questi limiti di slancio sentimentale, la fantasia del Jahier fino ad oggi, prevalentemente, fa presa.

Il Claudel gli dette parecchie cose. Per esempio, un certo tempo, l'uso del versetto; finché Jahier ha trovato un possesso ritmico piú suo. Per esempio molti pennacchi; finché Jahier ha imparato a tralasciarli (in questo riguardo la magra pratica di Gino Bianchi gli ha servito). Ma Claudel non ha potuto imporsi, tanto da svegliargli il gusto e il bisogno delle situazioni e definizioni psicologiche complicate e casuistiche. Non gli ha dato la frenesia lirica della riduzione dei vertiginosi contrari nell'assoluto mistico (non badiamo se, nel Claudel stesso, piú asserito che rappresentato). Non gli ha dato le conclusioni, gli schemi, i « fenicismi », le crudeltà del suo cattolicesimo sistematico, non certo privo di superbi presentimenti di grandezza.

La larghezza di oscillazione lirica nel Claudel fra il peccato e la grazia, si trova in Jahier ridotta a un rapporto piú pratico e quotidiano, riportato sur un raggio piú scarso. E non è delle minori grazie dello scrittore, questa serietà scorciata nei piccoli fatti e nelle minute osservazioni; questo zelo che, tradotto in termini teorici, può parere l'inframmettenza di un ingenuo, l'egocentrismo di un volontario, e ravvivato nel tono lirico, còlto nella interezza della frase e del ritmo, ha invece molto di nativo e toccante.

La giustizia cristiana, la tradizione di savojardo calvinismo, in altre parole, diventano nel Jahier un elemento di sensazione vicina, densa e precisa; si filtrano nel piacere del lavoro compiuto, del bagno dopo la fatica, del riposo nella casa linda; gli dànno uno sguardo confidenziale sullo sforzo delle cose e degli uomini. Passate in un quartiere della città un po' eccentrico, con le case nuove degli impiegati e piccoli professionisti; i tetti rosa, le mura tepide di affetti e volontà e risparmi. Vi ricorderete sicuramente di lui. Sentirete ch'egli vi ha comunicato la sua preoccupazione affettuosa, pei nitidi abitati che si trovano nella ventata di traffico dei treni, lungo i passaggi a livello o presso gli scali delle merci; per le isole giovani e senza storia, solcate dai larghi viali vagabondi; i primi attendamenti della borghesia che cammina; località che hanno per emisfero e clima tutta l'economia e tutta la geografia. La bocca appena annerita d'una ciminiera giovane, e il gesto d'un operaio che si mangia a mezzogiorno il suo « pane e coltello », e l'odor di ragia nella stanza fresca e piacevole; ecco le felicità che vi descrive. E quanta fatica e merito ad assumerle, reintegrarle, non tradirle, sottoporsi per amor loro a quelle privazioni di esercizio sensitivo e d'avventura fantastica che dànno all'opera una linea virile e al tono lirico autorità.

Esce dai limiti di questo cenno tutta la parte analitica con la quale si mostrerebbe in che modo, rifiutando possibilità laterali, concesse alla sua natura attenta e impressionabile, Jahier è andato liberandosi da quanto egli aveva di troppo descrittivo nelle vecchie maniere; ha fatto sempre meno assegnamento su quei valori interni (la scaglia d'un epiteto ricco e strano, lo sbraccio d'un verbo brutale), che, accanto al *Gino Bianchi*, costituiscono molta parte del pregio della *Famiglia povera*, della *Morte del padre*, e d'altre pagine d'una energia ancora rannicchiata, che si rivolta inquieta su sé stessa, invece di sciogliersi e circolare.

Finché egli s'è reso conto di dover portare il suo sforzo alle basi; e rompere il tipo del suo lavoro. E s'è risolto ultimamente in brevi canti, o meglio cantilene; valendosi di rime pallide e assonanze; mondando, fino a darla nel puro peso ritmico e di passione, una frase facile e familiare. E cosí ha ripreso motivi già notati; e ne ha toccati di piú profondi. Per esempio: in quella lirica ieri uscita: *Canto della Sposa*; monologo della donna che ha avuto ormai la sua parte di felicità; e nelle cure per la casa povera, sente lontano l'uomo, tutto perso nella sua astratta fatica, ma dalla stessa amarezza, beve un nuovo amore, che sfugge al suo intelletto quanto piú la vince nell'anima.

Tutte le affermazioni che potrebbero farsi, in base a questi successi, ancora sparpagliati per le riviste, importerebbero qualcosa d'indiscreto: come un arresto offerto a una forza che invece ogni giorno si avvicina al premio della bellezza, e piú giustifica le aspettative. Ci basti aver cercato di mostrare come lo scrittore è giunto sin qui; quale, secondo noi, è il suo punto piú vivo. Anche se, per metterci in questo punto, ci siamo dovuti presto dilungare da quel suo libro primo.

(1916)

Giornali di guerra

Di tutte le novità che sono state dette sulla guerra, nessuna è nuova e vera come quella che la guerra non porta novità. E gli intenditori di strategia, nelle azioni e reazioni degli eserciti, vanno ormai ricercando sempre meno il disegno d'« arte », che sarebbe appunto novità e invenzione, per riconoscere il giuoco elementare della « necessità ». Nei provvedimenti per le vettovaglie, coi quali si può dire che anche il lattante è stato militarizzato, non si fa che ripetere, in forma burocratica, gli espedienti della vecchia fame di Gerusalemme e Antiochia. Parrebbe che con i suoi arresti, i soprassalti, le dispersioni, questa guerra avesse almeno messo in valore una nuova funzione, che, in guerre piú sbrigative, rimaneva assorbita nel sentimento stesso dal quale scattava l'ostilità: la funzione del cosidetto « munizionamento morale » dell'esercito e del paese. In certi momenti la guerra, piú che guerra d'armi, pare guerra di manifestini. Ma basta avere il tempo di fare uno spoglio, anche superficiale, di cento pagine della Bibbia e si ritrovano, con mitria e salterio, davanti al popolo e agli armati, i predecessori del senatore Ruffini e degli onorevoli Gallenga e Comandini[1].

[1] Francesco Ruffini (1863-1934) studioso del Cavour e del Manzoni; Stuart Romeo Gallenga,

Lasciamo però da parte gli organi tecnici, istituiti, ai fini di questo « munizionamento morale », presso il Governo e i Comandi. E lasciamo quella produzione supplettiva, di conferenze, poesie, bozzetti, commedia ed articoli, dove centinaja e centinaja di autori gridano a tutta voce che « la patria è sul Grappa ». Non ci preme sapere a che cosa, effettivamente, tanti di essi che gridano a quel modo, si tengono aggrappati. Vediamo qualcuno dei recenti giornaletti militari, di trincea, ecc., dei quali anche i grandi giornali borghesi hanno ora cominciato a occuparsi: "la Ghirba", "la Trincea", "la Tradotta", "L'Astico", "Il Piave", e venti altri; dattilografati, velocigrafati; o stampati in magre tipografie dei paesetti sgombri a ridosso le linee; o pubblicati a forte tiratura, adorni e dipinti, in tipografie ricche sí, ma imboscate.

A quest'ora i bibliomani hanno bell'e messo le mani avanti. Hanno scoperto, in questa divisione, un cugino in quarto grado, per assicurarsi tutti i numeri dell' "Astico". Hanno utilizzato un antico compagno di scuola, in quell'armata dove esce "la Ghirba" o il "San Marco". Per i collezionisti di bossoli e d'elmetti bucati (elmetti insieme ai quali spesso furono bucate anche delle teste), c'è un nuovo genere d'innocuo cinismo da praticare. Noi al solito applicheremo quella forma ch'è tutta l'opposto del cinismo. È, appunto, la discussione.

Del resto, l'impresa di scrivere per un pubblico di trincea appare talmente spinosa, che basta pensarci cinque minuti, per sentirsi obbligati, verso chi si sobbarca, alla attenzione migliore. Perché tutti quelli che leggono da borghesi – leggono in una biblioteca pubblica, o sulla *chaise longue* nel loro studio, o nella rotonda d'uno stabilimento balneario –, dovrebbero certo, portare in questa compromettente, pericolosa operazione della lettura, il senso ch'essi rischiano l'integrità o addirittura la vita della propria anima. Ma, in realtà, non ci pensano nemmeno; ed è ciò che rende il mestiere letterario tanto facile e sicuro; un mestiere fuori controllo. Ma quelli che leggono in trincea, o quasi, e costituiscono il vero pubblico di questi giornalini, portano, nella lettura come in tutte le altre cose, il terribile senso di riprova che proviene dal non poter piú credere intanto alla vita del proprio corpo. Come leggono i malati, che hanno un occhio cosí distante e superiore. Difficile trovare spunti di facezie schiette e profonde da divertire, in un senso superiore, un pubblico di questa specie. E uno che, invece di divertire, presuma incitare, con voli lirici, al patire e all'eroismo, si troverà sempre addosso come un difetto di tartagliamento morale, il difetto insormontabile di non essere ancora morto.

Si tratta, insomma, di una forma quasi impossibile a pretenderla nella sua

anglomane, nazionalista, interventista, sottosegretario alla Propaganda durante la guerra; Ubaldo Comandini (1869-1925), deputato repubblicano, commissario generale alla Propaganda durante la guerra.

pienezza, a tutto fondo; che vorrebbe espressioni di comica verità shakespeariana, o di sublime cordialità evangelica. Ma anche ne' suoi compromessi e nelle adattazioni, come nei giornaletti ricordati, si può osservare qualche buon frutto del desiderio di fare, sotto le condizioni meno spontanee, un po' di bene.

I redattori della "Ghirba", della "Tradotta", e di altri giornali dello stesso tipo, piú che altro si son proposti di distrarre il soldato, aiutarlo a servire in letizia. Nella scelta di questo tono di collaborazione morale, alcuni hanno voluto trovare un segno di ingenuità e magari di incoscienza. Io, al contrario, sarei inclinato a trovarvi il senso di un sostanzioso pudore. Perché vorrei sapere quando se non nelle circostanze piú gravi si offrono le cose piú leggere. Come nelle ricorrenze definitive: un battesimo, un matrimonio, un funerale, sono di rito le testimonianze estremamente làbili: i fiori. Come si beve il vino piú vaporoso nella sanzione delle piú solenni cerimonie.

Se mai, si può discutere la qualità specifica della allegria proposta. E qui confesso francamente di non riuscire a buttar giú, nella "Tradotta", per esempio ch'è il piú famoso dei periodici di questa natura, tante parti in spirito assolutamente borghese o di lontana retrovia. Molte belle donnine che passeggiano nelle sue pagine, sono le stesse dive artificiali che girano nottetempo per la Galleria di Milano. O meglio, sono scese da una copertina di "Vogue" o della "Vie parisienne". Lo *chauffeur* di lusso, passato con la guerra sulle automobili militari, è certo in grado di apprezzarle. Ma non si farebbe un bel guadagno se riuscisse ad apprezzarle altrettanto bene il mitragliere, lo zappatore, il fuciliere contadino. La festosità erotica muove, in queste teste popolari, immagini di Veneri molto piú vive, anche se meno raffinate e adorne. Queste immagini da noi non hanno trovato la loro definizione, perché da noi ancora manca una tradizione di disegno popolare, come esiste per esempio in Francia. Ma l'artista che voglia esprimersi per i soldati, deve appunto risolvere il problema di *sviluppare* queste immagini; invece di spedire, dal suo *studio* a vetri, ai soldati, dei manufatti letterarî, che tutt'al piú riusciranno a intorbare e guastare la loro fantasia. Cosí nello stesso giornale, felice per altre parti, paiono borghesi, per dire irreali ed astratte, certe manifestazioni di disprezzo per il nemico. Il combattente disprezza; ma in tutt'altra maniera, e con altra cognizione e passione.

Disgraziatamente, chi scrive queste note ha avuto modo di vedere soltanto alcuni numeri, i primi, della "Ghirba", a colori come la "Tradotta", ma di minore dovizia di mezzi. Ce n'è però abbastanza, per dire che costí il problema d'una pubblicazione di questa natura era stato inteso lucidamente e, in vari aspetti risolto, nei disegni come nelle scritture. In altre parole, era stata mantenuta sana e ventilata un'atmosfera di festa popolare, dove ognuno si produce come è e dice la sua, e l'unica vergogna sarebbe di mostrarsi vestiti da paini. I sentimenti e le figure non importa quanto rudi, e magari sbracati, trovavano quella aristocraticità che tutte le cose ricevono dal naturale e puro possesso della propria forma. La stessa direttiva di immediatezza, con la quale, con modificazioni e arricchimenti che vedremo, è condotto l' "Astico"[1]; ch'è forse il piú vivo, sebbene (od in quanto) uno dei piú umili, fra questi fogli di guerra.

La redazione dell' "Astico" è in un paesino di case rosa, leggere come case di carta velina, tutte strappate dal cannone, a' piedi d'un gran monte. Se le cose son calme, vedete una fila di vagoni neri e verde pisello che sonnecchiano al sole sopra un binario; o una diligenzuccia di Arditi colle papaline rosse, allegra come un carro di carnevale per quelle strade di campagna; e il cielo suona d'invisibili aeroplani. Altrimenti, nell'aria tirata, livida e cattiva dei bombardamenti, che pare vista con gli occhiali neri, s'arrotola il globo rossiccio dello *shrapnel.* Ma il volante a braccia della tipografia gira lo stesso: e l' "Astico" viene fuori. Non è insomma tanto scroccato il sottotitolo: "L'Astico, giornale delle trincee"; e non è una mera vanteria quel: « si stampa in faccia al nemico ». Il fante o l'alpino che tornano in linea, passando mettono il capo in redazione, e salutano un ufficiale conoscente; o lo pregano di due parole di consiglio, o di due righe sopra una cartolina. Perché prima ancora che una redazione di giornale, quella dell' "Astico" è una casa per questi affetti randagi che nascono in zona di guerra; ed è un centro di assistenza morale, e una piccola base di cura della peggior malattia fra tutte le malattie di guerra: l'ottundersi e il decadere della facoltà delle idee generali, lo smarrimento del bene di poter pensare.

E riunendo per sommi capi. Se una delle principali opportunità, per una pubblicazione di questa natura, che voglia svolgere un programma integrale, e non soltanto un programma di svago o, come si diceva, di riserva e pudore, può esser quella di profittare dell'inquadramento di guerra, nei riguardi dei giovani ufficiali, e cioè della nuova borghesia, per collegare questa borghesia e darle coscienza e responsabilità di classe dirigente, nell' "Astico" è stato fatto qualcosa del genere, con articoli semplici e pensati, che devono parlare specialmente ai giovani ufficiali. Se un'altra di queste grandi opportunità è quella di valorizzare la guerra, rendendo sensibile, accostando quasi la vittoria, col tradurla, fuori delle formule retoriche e miracolose, nei suoi piani significati civili e sociali, neppure questa opportunità è stata lasciata passare; e in molte note e commenti dell' "Astico", l'operaio e il contadino sotto le armi possono sentirsi interessati e compromessi nella guerra e nella vittoria, proprio nella loro esatta qualità economica di contadino e di operaio, e non piú soltanto come Eredi di Romolo, o Figli della piú grande Italia, o Cavalieri della Li

[1] Creato e diretto da Piero Jahier.

bertà e della Giustizia. E se il duro schema della gerarchia, della disciplina, del dovere militare, nell'attrito quotidiano riesce ad affaticare e mortificare le anime, piú che a sostenerle e potenziarle, quando non si fa sentire o si dimentica tutta la umanità che è in quel rigore, e tutta la mistica che è in quella geometria, anche qui l' "Astico" ha saputo provvedere; e intorno ai piú semplici e fondamentali atti e riti della vita militare, all'a, b, c del *Regolamento di disciplina* vien pubblicando scritti di un vero valore lirico, e di una straordinaria virtú attonante.

È in contatto vivo con i soldati, e ne conosce i gusti, le ambizioni, le superstizioni, le civetterie. Ecco un numero per gli Alpini, per la loro bravura e pazzia, la loro gravità cupa anche nella baldoria, i loro canti di vino che sembrano sempre litanie. Ed eccone un altro: per i soldati « Profughi »; per il loro dolore e la memoria dei bambini, delle donne, dei campi e delle chiese lontani, e per la speranza. Entra nei crocchi: interloquisce nelle questioni. Fa parlare il reduce dall'America perché ci dica la sua opinione sull'intervento americano. Riconoscente verso tutti i meriti, dà la parola al cuoco che ha scoperto la miglior ricetta per cucinare quel maledetto rancio di riso. Ma quando poi narra qualcuna di quelle feste e premiazioni delle sue brigate, sa immedesimare alla storia di ieri una storia che spesso è di secoli, dare respiro e colorito alle tradizioni. È costruito con profondo senso e culto del popolo e della terra; e per mantenere e consolidare questo rapporto, nel quale sta la ragione della sua vita e del suo equilibrio, ha promosso iniziative, che meriterebbero d'esser conosciute piú di quel che sono: per esempio, la raccolta e pubblicazione di bellissimi canti militari; la raccolta ed esposizione di altrettanto bei lavori di arte popolare fatti in trincea.

Rende cosí della vita di molte migliaia di combattenti in tutti i suoi piani, un riflesso organico e pieno di movimenti e risalti. E non è un'antologia né una scuola uggiosa, sebbene vi si possa tutti imparare; e non è una *buvette* né un caffè concerto, sebbene non sia bandita l'allegria; e non è neppure una chiesa, sebbene, senza pietismi e ipocrisie, vi ricorrano anche i toni e gli appelli austeri. Ha saputo essere un vero giornale di guerra. La modestia dei mezzi, il raggio relativamente ristretto della diffusione, l'hanno preservato dalle deformazioni ufficiali; e com'ha cominciato sei mesi fa, è da credere saprà mantenersi, da poter dire a' suoi lettori ed amici il miglior saluto d'addio a guerra finita.

(1918)

Piero Jahier

Quando, diversi anni fa, Piero Jahier pubblicò il suo primo libro *Resultanze in merito alla vita e al carattere di Gino Bianchi*, una « fisiologia » (come dicevano al tempo di Balzac) del perfetto animale burocratico, alcuni, fra i quali certamente il sottoscritto, dopo avere abbastanza ammirato, azzardarono una piccola obiezione. E l'obiezione era la seguente: che se lo stesso diavolo, in realtà, non è tanto brutto come lo dipingono, era impossibile che Gino Bianchi realmente fosse tanto meschino come l'aveva fatto Piero Jahier. A poco a poco ci fu chi cominciò a pensare che in cotesta lumaca governativa c'era, è vero, la stoffa della lumaca, ma dopo tutto, c'era anche la stoffa del santo. E che sul guscio di cotesta lumaca, sul guscio di milioni di coteste lumache, di coteste sante lumache, posavano le torri dello Stato, le mura del tempio della civiltà, come quelle dorate città tropicali ch'escono dal mare sulla punta di un monte fatto di polipai. La prosaicità di Gino Bianchi, l'idiozia di Gino Bianchi, erano troppo profonde, per poter giurare che non contenessero una sorta di poesia rientrata, di poesia all'incontrario, una lirica incappucciata, mille volte piú nuova di tutte le liriche futuriste e simboliste e vorticiste, meditate nei piccoli caffè e stampate nelle piccole riviste fra una apologia del furto con scasso e la xilografia d'una delle solite teste di moro.

Gino Bianchi, spregevole borghesuccio, usciva, insomma, dal suo nicchio di chiocciola, in figura di santo e protomartire, fondatore di città, e mascherato araldo d'una nuova poesia. Aveva saputo farla al suo stesso creatore. S'era lasciato chiappare come un granchiolino: ma come uno di quei misteriosi granchiolini delle leggende che quando poi erano dentro la rete, cominciavano a gonfiare e trasfigurire, finché il pescatore si accorgeva di avere pescato Nettuno o lo stesso San Pietro.

Con la caricatura di Gino Bianchi, Jahier si mise intorno un che di simile al cane del dottor Faust! Si tirò in casa un argomento destinato a grandeggiare e tiranneggiare, senza nessun riguardo pei suoi progetti e la sua tranquillità avvenire. Il suo scherzo comico sugli impiegati gli si allungava tra mano nel primo capitolo di una specie di gran libro lirico sugli splendori e miserie del nostro popolo minuto e della piccola borghesia. Di cotesto libro oggi è uscito un nuovo quaderno, dal titolo: *Con me e con gli alpini*, e vogliamo dirne qualcosa.

Ma bisogna stare attenti a non esagerare la parte che la guerra può aver avuto in coteste pagine. E direi addirittura che a malgrado di alcuni segni e richiami, la guerra c'è entrata poco, o in modo quasi esterno, e non con la meglio fortuna. Anche le circostanze materiali, in fondo, hanno tenuto questo scrittore abbastanza lontano dall'esperienza guerresca, nelle sue forme piú elementari e piú violente. E forse gli sarebbe mancato, per possedersi dentro coteste forme e darcene il rilievo, quella baldanza e leggerezza, per esempio di un Soffici, e il gusto dell'avventura e la stessa capacità di creare figure verbali di primo getto, celeri e definitive. Se Jahier avrebbe potuto venti volte morire sotto un bombardamento, è certo che un'ora passata nella baracca o in un pezzo di sole, a ragionare con i suoi uomini, lasciava nella sua coscienza un'emozione piú profonda dell'emozione di tutti i bombardamenti. Il punto importante, il punto lirico della guerra, cominciava, per alcuni, col salto fuori della trincea. Il punto importante, il punto lirico della guerra, cominciava per Jahier con lo scatto nella posizione di saluto. Ogni buon ufficiale, se avesse avuto tempo, avrebbe voluto piangere come un fratello sopra ogni buon soldato che cadeva morto. Ma Jahier avrebbe voluto aver tempo da piangere come un fratello sur ogni soldato rimasto spedato e sur ogni soldato che non riceveva lettere da casa. Gli incidenti minimi, ordinari, eran per lui incidenti massimi, straordinari. Tanti si saranno commossi, una mattina, e avranno visto qualcosa di nuovo nei colori dell'aria e nei volti dei compagni, perché era quello l'anniversario di una gran battaglia, d'un gran trionfo; un giorno consacrato. Ma perché Jahier vedesse qualcosa di nuovo nei colori dell'aria, bastava sapesse che il signor maggiore sarebbe venuto all'accantonamento a passare al reparto la rivista delle scarpe.

Una facoltà di cotesta specie non è altro che un dono eccezionale, e magari eccessivo, di sentire in ogni Atto la sostanza di un Rito. Per un uomo cosí dotato, la piú comune circostanza è una Celebrazione. In un passante che si leva il cappello a una signora, voi non sapete veder altro che un passante che saluta una signora. Ma cotesto uomo, nel gesto di cotesto passante, trova tutta la poesia e la bellezza delle antiche leggende cavalleresche e lo sconcertante mistero del culto della donna; e San Giorgio e la Principessa, e Perseo e Andromeda.

È naturale che un fatto come la stessa guerra, non possa accrescere che in maniera insensibile le opportunità che cotesto uomo ha di leggere ritualmente ogni cosa. Il senso della patria, non ha bisogno che glielo rinnovino i discorsi dei primi ministri e le sintesi storiche dei giornalisti. Basta il campanile sul margine della strada. Come le poche lapidi e croci a piè del campanile, per lui portano scritte gesta di intrepidezza e vittorie sulla morte, non meno di tutte le croci dei campi di battaglia. Per persuadersi che la vita è tutta intrisa di sangue, non occorre ch'egli vada in giro per i posti di medicazione, le ambulanze e gli ospedali. Oggi gli basta dare una occhiata a una tariffa commerciale, a un listino di borsa. E la disciplina della trincea, che è la stessa disciplina della caserma, è la stessa disciplina della fabbrica e la stessa disciplina dello sciopero; fino a quell'altra trincea che è la barricata. In qualunque punto, sul panorama lirico della guerra come sul panorama aritmetico della burocrazia, questo uomo si trova ugualmente distante, e vicino, a un nodo di persuasioni, a un centro di evidenze; e può segnare tutta una rete di rapporti, un ordine gerarchico e uno schema di azione. A qualunque ora per lui è sempre la stessa ora; e l'ora di una decisione importante. Egli ha scritto, in qualche parte del libro: « Profittare ogni giorno di questa chiarezza di moribondo che la guerra ha donato ». Ecco: la sua chiarezza non ha di mortuario; ed è tanto piú preziosa in quanto è proprio la chiarezza di uno risolutissimo a vivere, e che non ha dovuto affatto aspettare di riceverla dalla guerra.

Ma conviene ormai andare a ritrovare nelle stesse parole del nostro scrittore alcuni dei motivi e delle disposizioni che abbiamo cercato di descrivere. – Il libro odierno contiene, se dobbiamo servirci di queste distinzioni alquanto esterne, parti piú ragionative, nelle quali l'intima sostanza, ch'è sempre lirica, piú che stamparsi fuori con decisi colori e figure trova principalmente una suggestione musicale di ripetizioni, riprese, salmodie, ritornelli; e parti che si spiegano assolutamente nel verso. Quanto alle prime, molti lettori ricordano i bellissimi saggi che Jahier anni addietro aveva dato, con la *Famiglia povera*, con la *Morte del padre*, e altri poemetti in prosa, nei quali egli trovò quello che poi doveva diventare il suo « genere ». Ma l'uso della salmodia, del versetto parve a parecchi una circostanza affatto esteriore; un derivato da Péguy e da Claudel.

Anche coloro che in Jahier riconoscevano una forza, non riuscivano a respingere l'idea ch'egli legasse cotesta forza con pastoie delle quali avrebbe potuto fare a meno. Sentivano ch'egli parlava, e amavano ciò ch'egli diceva; ma piuttosto di ammettere che cotesto e non altro era il suo modo di parlare, e cercare dunque di capire cotesto modo, si preoccupavano di investigare se per caso egli non avrebbe fatto meglio a parlare in qualche altro modo. Ora ci sono molte frasi di Jahier, e di tutti i poeti, che smosse da quel preciso ordine verbale, e tipografico, non soltanto diventano comuni, non soltanto diventano insignificanti, ma molte volte diventano insensate. E ci sono apparenti nonsensi che, nelle appoggiature di un ritmo, acquistano una evidenza di verità nuova e sicura. Tutti son pronti ad intendere, finché si tratta della « bellezza pura » d'un verso o d'una strofe. Ma è lo stesso per un aforisma di Nietzsche, per una buffoneria di Lamb, per una proposizione di Croce. Non so, come a qualcuno è sembrato, se il libro di Jahier abbia sul serio qualche cosa a comune con la Bibbia. Ma dal presente punto di vista ha certamente una cosa a comune, ed è questa: che in esso, come nella Bibbia – parlo, si capisce, di quella del Diodati, ch'è la nostra –, in esso come nella Bibbia, forse non mai come quando si crede d'essere nell'idiozia, siamo nella poesia. Il filo che separa cotesti due abissi, è un capello di ritmo, un fumo di frase, il cretto di due parole: e se il lettore davvero credesse di poter fare a meno di coteste cose nel libro, allora vuol dire ch'egli potrebbe anche fare a meno di tutto il libro.

Ritratti di soldati – i suoi soldati che non somigliano mai a soldati, ma a operai e contadini –: « visi di santi, usati soltanto dalla passione del lavoro »; paesaggi alpini; confessioni ricche, e confessioni soltanto ingenue, passano in questa prosa che spesso pare incolta da come è saputa, e trova le sane preziosità che hanno gli artisti di sangue popolano. Il tema famigliare torna principalmente nel bell'addio al *Fratello*. Il tono umoristico del vecchio *Gino Bianchi*, nel *Ritratto del soldato Somacal Luigi*; e costí si vedrà il progresso d'arte e di comprensione che Jahier ha realizzato in questi anni. Delle parti prosodiche, il *Canto di marcia* all'uscita dall'inverno è la piú forte; ed è forse la rosa del libro; con un improvviso possesso di felicità, un'ancora cresciuta bontà di sguardo sulle cose.

> ... Uscite, perché la terra è riferma e sicura,
> traspare cielo alle crune dei campanili
> e le montagne livide accendon rosa di benedizione.
>
> Uscite, perché le frane son tutte colate
> è finita la vita scura
> e sulla panna di neve si posa il lampo arancione...

Si schiuda il bozzolo nero alla trave
e la farfalla tenera galleggi ancora sul fiato.

Scotete nel vento il lenzuolo malato
e risperate guarigione
scarcerate le bestie e l'aratro
e riprendete affezione...

E se c'è la bellezza che nasce dall'orgoglio e dalla gioia intellettuale, e la bellezza che nasce dall'amore, e la bellezza che nasce dal rimorso, dal disastro e dalla stessa follia, c'è anche una bellezza nata sulla fatica e il dovere. Credo possa esser sufficiente alla soddisfazione di Jahier, il premio appunto di cotesta bellezza nata sulla fatica, sull'ordine e sul lavoro.

(1919)

Il ragazzo e il contadino

Sono sicuro di avere scritto qualche altra volta, e probabilmente su queste colonne[1], la storia della vocazione e formazione di Piero Jahier; sebbene non possa ricordarmi se fu in occasione di quel primo lavoro, ormai lontano: *Resultanze in merito alla vita e al carattere di Gino Bianchi*, o a proposito di *Con me e con gli alpini*; supposto che invece non sia stato rendendo conto della sua raccolta di *Canti di soldati*, o del giornalino di guerra: "L' Astico", ch'egli creò e diresse in un reparto della prima Armata.

Lord Fisher, nelle sue *Memorie* uscite in questi giorni, ha detto che: « Repetition is the Soul of Journalism ». Sarei l'ultimo a meravigliarmi, dovendo finire col riconoscere di aver ripetuto cotesta storia tutte e quattro le volte.

In ogni modo, non ho bisogno di ripeterla oggi per la quinta volta, perché è lo stesso Jahier che ha provveduto a raccontarla, nel suo libro: *Ragazzo* che, finora, de' suoi è il piú felice. E una volta letto le pagine: *La morte del padre* che aprono il volume, nelle quali la violenza drammatica della materia ha indotto, ancora una volta, lo scrittore a qualche brutalità di ritmo e di frase; ogni impressione di sforzo dilegua, e subentra, senza piú turbarsi, l'impressione della forza, come quando s'è fatto una dura salita, per sassi che tentennano e ruzzolano sotto il piede, eppoi si sbocca sul ripiano sodo e vellutato d'erba; e il passo diventa volante e sicuro e l'occhio gode di pacifica signoria sulle distese lontane.

In una certa disposizione a eccedere in rudezze e scorciature, e, per converso,

[1] "La Tribuna".

ad appesantirsi sulla moralità delle situazioni ch'egli coltiva nella sua arte, è, insomma anche oggi, un residuo di pericolo per questo scrittore. Ch'è forte, ma non sa rinunziare sempre all'ossessione della forza. Ch'è austero, ma a volte porta con qualche unzione la sua austerità. E se il libro odierno è cosí bello, non c'è dubbio ch'è tale perché è il piú semplice e disarmato. Qui Jahier infinitamente meno che altrove sembra un pastore evangelico o un propagandista sociale o un caricaturista morale. Perché infinitamente piú che altrove è un poeta. Qui s'è dimenticato della sua estetica e delle sue idee di rigenerazione verbale; o almeno è stato meno rigoroso nell'applicarle. Ed è ciò che ha dato un'aria cosí chiara e domenicale alle sue parole.

Difatti la schiavitú piú paralizzante, in fatto d'arte, si ha sempre sotto i regimi, individuali o collettivi, che ricercano piú libertà e piú rinnovazione. E appena ieri, in Italia, è finita la « tirannide » di Marinetti che si basava, come la maggior parte delle tirannie, appunto sugli immortali principî dell'89: « Tutte le parole saranno libere ed uguali; e le grammatiche le hanno inventate, a scopo oscurantista, i professori, anzi i preti ». Ma nel mondo delle parole, cotesta proclamazione di libertà, ebbe l'effetto della malattia del sonno o d'una trombosi. Tutte le lingue s'ingrossarono nelle respettive bocche, come se fossero diventate (e lo erano in certo senso) lingue lesse di bue. Mai come dal giorno che le parole furono affrancate, le parole si sentiron legate. Non si udiva che tartagliare. Le parole non s'azzardavano piú a uscire, o pareva si vergognassero come ladri. E quante volte seduti sul margine d'una pagina, macilenti, rifiniti, si videro verbi, soggetti e attributi, orfani di tutto, che stavan lí a piangere e raccomandarsi, col capo tra le mani... Questi furono i bei resultati della libertà delle parole.

Jahier non s'impegnò mai in anarchie tanto rovinose. Sangue protestante, con quel maledetto prurito del libero esame, aveva anche addosso, imperiosissimo, il senso dell'ordine e della responsabilità. Era di quelli che fanno le Rivoluzioni; ma Rivoluzioni che poi si risolvono in Restaurazioni. Era di quelli che discutono le Leggi, ma al solo scopo di invigorirne la legalità. In grazie delle ellissi e degli anacoluti, ch'erano il pezzo forte della sua rettorica, volgarmente lo pigliavano per un mezzo futurista, lui che invece era calvinista, e faceva economia di « parti del discorso », con lo stesso spirito col quale, nella sua *Famiglia povera*, si fa economia di pantaloni. L'idea di « rettorica », che si associa, ordinariamente, alle idee di disordine, di guadagno equivoco, di spreco, con Jahier va insomma associato all'idea di risparmio. Questo risparmio talvolta diventa avarizia, rancore e nera miseria. Piú spesso gli apre la strada alla felicità; quando, come qui, le impressioni son piú forti della volontà di essere scarno, spogliato; e l'obbligano alla parola ricca, germinale, che allora brilla ma d'una bellezza quasi vergognosa fra tutte le altre parole, sofferte.

E volendo dire con qualche apparenza di paradosso, che al giorno d'oggi i poeti generalmente fanno la loro miglior poesia quando smettono di fare poesia e si mettono a far della prosa; questo libro sarebbe una buona conferma. Quanto meno le parole vi si impennano nel ritmo ora salmistico ora soltanto claudelliano, caro al nostro scrittore, e piú i temi vibrano puramente; né dimentico come spesso nell'ultimo volume: *Con me e con gli alpini* la forma del versetto pareva diventata matura e naturale. Temi accennando ai quali, nei limiti forzati di un articolo, ogni volta mi si rinnova un senso di particolare scrupolo e privazione; perché è certo che non si scrive con tanta difficoltà, come delle cose che particolarmente si amano, e si conoscono. E le cose nelle quali Jahier da tanti anni trova la sua poesia, sono appunto della stessa famiglia di quelle cui da tanti anni vo richiamandovi, perché anch'io le ritengo, a dir poco, fondamentali. Jahier dispone della gran forza della persuasione lirica, per tentare i vostri cuori induriti. Io dispongo di quel niente di cui dispongo; tant'è vero che in tutti questi anni non v'ho spetrati affatto.

Certo è che si tratta di cose per le quali da una cinquantina di secoli devono essere scaduti i diritti d'autore; vecchie quanto la briscola; e che hanno la sorte di ritornare in qualche modo nuove soltanto nell'assurdo riflesso di questa civiltà, dove il nero appare bianco e il bianco nero: dove le cose di cui ci si vergogna son le cose veramente gloriose e quelle di cui ci si sente umiliati le cose veramente esaltanti; e dove le verità son chiamate superstizioni, e si crede che un ricco sia piú ricco d'un povero, e che il cosmo sia piú vasto e contenga piú bellezze e misteri delle quattro mura d'una casa, e avanti di questo passo.

Cosí è necessario che mentre tutti dimenticano il paese e la casa, e ragionano, come si dice oggi, di « patriottismo cosmico », ogni tanto venga uno a ricordare che, però, in fin dei conti, il cosmo è infilato e gira ancora intorno a questo piccolo campanile dietro casa, il quale rimane sempre la piú solida e sicura asse terrestre, e celeste. E ricominci a raccontare che « c'era una volta una povera vedova con tanti figlioli »; la famosa novella, il sempre uguale evangelo della famiglia; che non sarebbe nemmeno, in tutta l'estensione del termine, una famiglia, se non fosse una famiglia povera. E mentre s'intascano, o veramente: mentre intascano, milioni, senza sapere di dove son venuti, ricanti la poesia del primo guadagno d'una lira e del primo libro posseduto. Il *Ragazzo* di Jahier, affacciandosi dall'angustia familiare, si sofferma sulla soglia di cotesta civiltà deforme, facile, corruttrice, annullatrice di tutti i valori, e si sente tentato. E questo è il libro della sua tentazione e della sua instituzione e conferma nelle distinzioni, nella difficoltà e nella creazione dei valori, dei significati, dei riti. Il libro della sua piccola grande Rivoluzione. Che, come si diceva, è una di quelle Rivoluzioni all'incontrario, che si fanno rientrando nella casa e chiudendone dietro di sé la porta.

Ma ormai è tempo di rammentarsi che nel titolo di quest'articolo non c'è soltanto un ragazzo e c'è anche un contadino; e che finora, invece, abbiamo incontrato soltanto il ragazzo, e non abbiamo visto nemmeno il cappellaccio del povero contadino, né la macchia blu del suo grembiale, laggiú fra il verdone di quei cavoli.

Si tratta che, venuta la pace, Jahier, a parte il suo lavoro personale di poeta, si è rimesso a fare, per i mezzadri dell'Italia centrale, quello che al fronte faceva con "L'Astico" per i suoi compagni d'arme; un giornalino familiare: "Il Nuovo Contadino"; dove ha riunito intorno a sé compagni nuovi e compagni vecchi; scrittori colti come Agnoletti e poeti campagnuoli come il Cosimino Grillotti; maestri d'arte come il Soffici, il Checchi, il Lega e pittori rudimentali; e sarebbe far torto a chi ha letto fin qui caratterizzare la sommaria tendenza di un'impresa condotta da cotesto capitano.

Non è giornale tecnico, né didattico, e neppure politico; perché Jahier non è un Cobbet né un Proudhon, né sulla strada di diventarlo, e la sua politica rimane allo stato embrionale d'impressione e di presentimento. È un punto di ritrovo e di cordiale assistenza, nell'incertezza di questi malinconici tempi. Ma intorno a cotesto "Nuovo Contadino", intendo di ritornare piú a lungo. Frattanto non perderete la vostra fatica, se ancora non lo conosceste, a ricercarlo.

(1920)

Aldo Palazzeschi

Con l'eccezione delle *Poesie* e, in grado minore, del *Codice di Perelà*, mi sembra che Aldo Palazzeschi, ne *La piramide*, abbia dato uno de' suoi libri piú belli. Libro, quant'è possibile, disordinato; tirato giú, si vorrebbe dire, a legnate e calci; con espertissimo disprezzo della materia e del lettore. E, come sentendo d'essere andato troppo oltre, il Palazzeschi ha fatto seguire al titolo l'avvertenza: *Scherzo di cattivo genere e fuor di luogo*. Veramente, da quando egli cominciò a prodursi, in versi e in prosa, fu comune opinione, del pubblico e dei critici, che nel « lasciatemi divertire » consistesse tutta la sua estetica e la sua morale. E che, insomma, la sua produzione non fosse, da cima a fondo, che una piramide di scherzi.

La guerra e il disagio morale del dopo guerra lo inclinarono, fuggevolmente, ad adottare qualcosa del cattolicismo letterario che allora trovò, anche da noi, cultori rumorosi e ampollosi. Non tutti, fortunatamente, erano di questa sorta; ed è certo che, ad una letteratura a fondo cristiano, il Palazzeschi, come vedremo meglio nel seguito del discorso, sarebbe stato de' piú vocati. Invece si ritrasse subito, quasi sentendo d'aver derogato al proprio, geloso, pudore; d'aver troppo consentito in una formula, culturale e morale, di cui cominciava a farsi abuso. Ne *La piramide* è tuttavia un'eco della intonazione, oso dire, ascetica che nei *Due imperi mancati* venne accentuata forse oltre la convenienza di questo temperamento. E la crisi, chiamiamola cosí, che dalla guerra si produsse nello scrittore non fu in tutto invano. Giovò a dargli piú esatta coscienza di sé. Se m'è lecito esprimermi a questo modo, serví a fissare piú solidamente certi contrappesi che riconducono il funambolismo del Palazzeschi verso ragioni sostanziali e profonde.

Qualcuno, probabilmente, avrà sorriso quando, poco sopra, ho accennato all'« ascetismo » del Palazzeschi. In realtà, letta *La piramide*, e, come avviene, tornando a sfogliarla e rileggerne qualche parte, dalla *Piramide*, a un certo punto, mi son trovato a scivolare verso il *De contemptu mundi* d'Innocenzo terzo; e il furioso disgusto dello scrittore medievale legava piú di quanto, a prima vista, potrebbe credersi con le amare sofisticazioni palazzeschiane. « L'uomo è formato di polvere, di fango e di cenere, e, ciò ch'è ancora piú miserabile, di seme immondo; vien concepito nell'ardore della libidine, nel fetore della lussuria: nasce alla fatica, al dolore, alla paura, e ciò ch'è ancor piú triste, alla morte. » Molti muoiono giovani; e se alcuno giunge alla vecchiaia: « il capo tentenna, lo spirito langue, l'alito puzza, la faccia si copre di rughe..., le nari scolano, i capelli cadono, i denti marciscono, le orecchie si fanno sorde... ». Frasi scritte nella solitudine di Anagni, poco innanzi il 1200; e che il poeta del « lasciatemi divertire » avrebbe potuto mettere come epigrafe a questo « scherzo di cattivo genere », datato nel 1926. Certamente, sembra un po' forte vedere il cappelluccio da clown del Palazzeschi, vicino alla berretta di Innocenzo. Ma sul carattere ascetico del pagliaccio – quando si tratta di un pagliaccio di razza –, e sulla gravità delle testimonianze consentite allo stile umoresco, ormai cominciano ad essere eruditi anche coloro che hanno soltanto visto al cinematografo: *Quello che prende gli schiaffi*.

Ho detto, in principio, che *La piramide* è un libro trasandato. In forma di tre soliloqui, si prolunga, sbanda, serpeggia; con vigorose e geniali riprese; e ripetizioni e pesantezze. È, tuttavia, uno di quei casi ne' quali si potrebbe dire, con Quintiliano, che *vitia ipsa delectant*. Perché dalla mancanza d'ogni apparato, dall'abbandono in fondo a cui piú nervosamente guizza all'improvviso il fremito dell'arte, s'avvantaggia il tono generale; e deriva un'autenticità che, come talvolta accadeva nelle *Poesie*, sarebbe disturbata da qualche ricercatezza di letteratura e colore, magari prodotta al solo scopo di mettere in caricatura le bellurie e le ricercatezze. E non mi meraviglierei se, giudicando in base a criteri formali del tutto estrinseci, qualcuno sentenziasse che di rado fu scritto cosí male e alla carlona. Ma stimerei mediocre intenditore chi non sapesse scorgere come, malgrado quanto può imputarsi a difetto nella composizione, nell'eloquio e, nel gusto, *La piramide* sia anche fra le piú schiette riprove della serietà e direi gravità d'ispirazione del Palazzeschi.

Nella *Casina di cristallo*, infranti i ripari della consuetudine e del decoro civile, il Palazzeschi ci aveva fatto sentire il grottesco della nostra vita, non appena si possa immaginarla condannata a svolgersi, come in una gabbia di digiunatori, ininterrottamente sotto agli occhi di tutti. È il metodo classico dei satirici e caricaturisti. Dallo Swift di *The lady's dressing room* e della *Beautiful Nymph going to bed*, al George Grosz della *Domenica mattina* e di *Ménage*, tutti i poeti e gli artisti che si dilettano nell'orrore carnale, nel sorprendere la morte dentro l'apparenza della vita non hanno trovato di meglio che applicar l'occhio al buco della chiave. Ch'è, piú o meno, come ridurre una parete di muro a parete di vetro. Nel soliloquio che apre il nuovo libro, il Palazzeschi estende il procedimento al paesaggio e alla natura. Ed eccoli esibiti in atroci « spaccati »; in materia sanguigna e putre, stimolata nel giro dell'esistenza da una maledizione antica quanto il mondo. Il bue da lavoro, che biancheggia sul solco come in un affresco del rinascimento, non è, in realtà, che un lurido ammasso di ciccia e d'ossa. E coloro che se ne sfameranno, non avranno premura che d'imprecare alla tigliosità della carne su cui affaticano il dente; mentre il padrone riconterà con ira i pochi scudi avuti dal beccajo, trovando che, in vita come in morte, la bestiaccia non s'è riguadagnata quanto gli costa. E quel contadino laggiú; che un pittore ritratterebbe tanto volentieri, fieramente impostato il piede sulla vanga, come la stessa immagine della salute e della pace operosa?

« Tu lavori, lavori finché non sarà notte. Allora rientrerai nella tua spelonca affumicata, umida, sudicia... Fra le tue gambe, razzoleranno come pollame i tuoi figlioli laceri, sporchi, piagnucolosi... E gettati in un cantone i tuoi miserabili stracci, ti butterai sopra un sacco di foglie. » « La tua donna, sfinita dalle tribolazioni della maternità e da quelle della miseria e della fatica, non correrà a distendersi vicino a te; al contrario, indugerà il piú possibile, con cento pretesti indugerà, prima d'entrar nel covo; aspettando che già tu vi ci sia addormentato, paurosa che tu le possa dar la pena di un nuovo parto; e seguiterà a cantare la ninna nanna a un fanciullo perché quel canto ti immalinconisca al segno che, facendoti passare ogni desiderio, ti precipiti nel sonno; e, se proprio lo vorrai, ella darà al tuo desiderio un sospiro d'amore che parrà di morte. »

Pagina superba; e d'ugual forza, nuda e sprezzante, tuttavia percorsa, come in queste ultime cadenze, da un profondo intenerimento, sono altre molte nel volume; sia quando il Palazzeschi, sempre in aspetto di soliloqui frammisti a dialoghi immaginari, ritrae i contrasti morali e sociali che lo riprecipitano ogni volta piú nella solitudine; sia quando, salito un altro, l'ultimo scalino della piramide, si mette, faccia a faccia con i proprî elementari desiderî, che gli si scolorano e muojono, nell'atto stesso ch'egli li vagheggia. Unico frutto dell'appagamento: la piú avvelenante delusione. Unica condizione meno intollerabile: quella d'una attesa, d'una disillusa illusione, dietro alla quale sogghigna il

Tre momenti
della vita
di Aldo Palazzeschi.

vuoto, il nulla. « Per questo irto cammino, giunto io sono alla sommità della piramide. Chi sa cosa credete ci sia venuto a fare. Ah! Ah! Nulla, a pigliare... un po' di sole. » La piccola tuba del clown è rispuntata sulla testa dell'asceta.

Pensieri vecchi quanto il *Libro di Giobbe*; luoghi comuni nella letteratura, infima o sublime, di ogni sorta di tebaidi; paradossi stanchi d'essersi milioni di volte provati contro il tedio dell'esistenza; tutto l'eterno fondo negativo cristiano, sul quale, frattanto, nel cristianesimo intiero e vitale, verdeggia, inesauribile e trionfante, il paradosso piú paradosso di tutti: il paradosso della speranza.

Non è, evidentemente, al significato di tali pensieri, tanto spesso refutati sebbene di continuo ripullulanti, che il libro si raccomanda. Ma alla capacità di sentimento con cui sono sofferti; alla disperata e sfrontata passività con cui lo scrittore se ne è lasciato devastare. Vorremmo dire, al loro peso bruto; in quanto, per un'evidenza che si giustifica solo nella naturalezza dell'arte, appare inerte e spento, nello scrittore, ogni stimolo a vincere cotesto peso; e, nonostante il gioco delle ironie e lo strepito delle buffonate, piú e piú, nel leggere, ci si sente tocchi da un'angosciosa, fraterna compassione.

Povero e caro Palazzeschi! La paura d'essere un testimone a vuoto, abusivo, ha sterilito anche quegli embrioni di convincimento dai quali si sarebbe creduto potesse maturare per lui una piú serena stagione. Solo, solo, in cima alla sua piramide, fa pensare a un metafisico giullare, a un « paria » che abbia consumato le piú elette esperienze; a uno « Stilita » che folleggi, pianga e rida, d'un riso piú crudele del pianto, sul vertice d'una montagna di teschi.

(1926)

«I fratelli Cuccoli» di Palazzeschi

Dopo quasi quindici anni, *I fratelli Cuccoli* di Aldo Palazzeschi vengono a far compagnia alle famose *Sorelle Materassi*. E se il pubblico li aspettò con una curiosità che, col passare del tempo, si faceva sempre piú acuta, oggi abbiamo buone ragioni per ritenere che cotesta affettuosa curiosità non sia stata troppo delusa. Si tratta del ricchissimo cinquantenne: Celestino Cuccoli, scapolo, un po' misogino, ma con un irresistibile desiderio d'aver dei figliuoli senza il fastidio di farli. E traendoli da un ospizio di trovatelli, adotta e si mette in casa quattro giovanetti: Sergio, Osvaldo, Renzo e Luigino. La sua teoria educativa è di lasciare mano libera alla natura, e non intervenire nel corso spontaneo della vita e degli eventi. Col risultato che, una diecina d'anni dopo, egli s'accorge d'aver dato fondo al suo patrimonio. Dei figliuoli: tre sono senz'arte né parte, abituati a spendere principescamente. E per loro, ritrovarsi senza soldi è un bel guaio; non per Luigino, il piú giovane, che s'è laureato ed ha un posto d'insegnante a Messina.

Cosí stando le cose, una certa notte Celestino Cuccoli si sveglia con due palle di rivoltella nel ventre; mentre ha l'impressione che in camera sua qualcuno stia razzolando per rubare una valigetta di gioielli superstiti. Sergio, Osvaldo e Renzo vengono arrestati e processati; ma Celestino, scampando alla morte, arriva in tempo a salvarli da ogni accusa e sospetto. E il suo ottimismo imperterrito, la sua fede nella vita, anche contro le piú arcigne evidenze, sono infine largamente premiati. È destino di Renzo cadere eroicamente nella guerra d'Africa come aviatore. Ma frattanto, Sergio ed Osvaldo si sono fatti una posizione di prim'ordine, e rendono al padre adottivo i suoi benefizi. L'accolgono nella loro casa, che s'allieta delle floride spose e bambini bellissimi. È in questa beatitudine di tramonto che Celestino, ormai settantenne, sente un irrefrenabile impulso ad innamorarsi, e vuol sposare una fanciulla che gli ricorda un lontano, defunto amore di gioventú. Mentre dinanzi all'altare sta scambiando con la sposa l'anello, il buon Dio decide di chiamarlo a sé, affinché la sua felicità non corra piú pericolo di contaminazioni.

Un riassunto necessariamente cosí scheletrico, calunnierebbe qualsiasi romanzo; e tanto piú un romanzo di Palazzeschi, dove sempre si alternano, si sovrappongono e fondono, i modi e toni piú diversi: descrizioni realistiche e capricciose fumisterie; azzurrini intenerimenti, e subito dopo sberleffi dell'autore verso il lettore che gli ha creduto e si è intenerito davvero; puerilità, inezie, e sguardi profondi sulla vita e gli affetti umani. Ma di un riassunto o d'uno schema, per comodo d'esposizione, avevamo bisogno; e servirà alla meglio per trovarvi il punto di riferimento e di appicco d'alcune osservazioni.

E, anzitutto, notiamo l'ulteriore disarticolarsi e disossarsi della prosa del Palazzeschi, in confronto a come l'avevamo lasciata nelle *Sorelle Materassi* e nel *Palio dei buffi*. Ad apertura di libro, non è raro capitare su pagine e periodi sfilacciati, cadenti, cacofonici, di incerta continuità logica e figurativa. E riportarne un'impressione di disordine, di dispersione e sfocatezza. Né dico che siano sempre impressioni ingiustificate. Sta tuttavia il fatto che ciò che il Palazzeschi ha da dire, egli non potrebbe affidarlo ad un impasto verbale e a movimenti sintattici piú omogenei e serrati. Come non potrebbe provocare e impegnare oltre un certo limite la credulità del lettore, alla quale conviene che qui sia sempre lasciato un margine vago, fluttuante; sia sempre tenuta dischiusa una via d'uscita paradossale, umoristica. L'infatuazione paterna di Celestino, quella sua vocazione d'uccel pellicano, vengono proposte astrattamente come i sentimenti di un personaggio d'opera buffa, che troveranno il loro indispensabile complemento e la loro autenticità nella musica. Ma, nel corso del libro, il rapporto fra Celestino ed i quattro figliuoli eventualmente può anche diventare del tutto veristico; incanalarsi in situazioni governate dalla ragione piú pedestre; per poi balzare di nuovo in una sfera di musicale ironia, od in quella del piú gratuito e sfrenato « lasciatemi divertire ».

Non si sa mai il preciso momento in cui una figura di questo scrittore, per massiccia e sanguigna che sembri, scivolandoci fra le dita non ridiventerà un Perelà, un omettino di fumo. Le quali continue trasformazioni non possono effettuarsi, dicevo, che nell'elemento di una prosa mobilissima, allotropica, scorporata, col minimo di interna coesione. E all'apparente sprezzatura, ed all'« approssimativo » di Palazzeschi, in realtà corrisponde un'arte consumatissima. Un'arte che ha di certo i suoi momenti sbandati, specie per ciò che riguarda taluni effetti che dovrebbero essere d'intensa drammaticità (da cui, nel lontano paragone della *Piramide* e di *Due imperi... mancati*, essa sembra del resto sempre piú aliena); ma per quel che a lui serve, e che infine conta, è uno strumento inimitabile, e a suo modo perfetto.

Nei *Fratelli Cuccoli*, il punto debole è in fondo alla parte seconda: quando Celestino si piglia le rivoltellate nella pancia. « Buttandosi dal letto, in un salto il signor Celestino si trovò fra dei corpi in colluttazione. Tac! Tac! Partirono due colpi di revolver. » Si direbbe che Palazzeschi a cotesti colpi ci crede cosí poco, che senza stare tanto a confondersi (« Tac! Tac! »), li ha fatti lui con la bocca, come i ragazzi quando giocano ai « gangsters ». Ma si ripiglia subito nella scena del processo e assoluzione dei Cuccoli: una trionfale cagnara, una esilarante apoteosi dell'assurdo, cui giova contrapporre altra scena di grande ampiezza e forte impegno, che nel romanzo di poco la precede: il ballo a Villa Letizia, alla chiusura della stagione balneare.

Perché nella festa di ballo è il Palazzeschi descrittivo, in tono minore, caricaturista prosastico, reminiscente del Giusti e del Collodi; un po' come nelle *Stampe dell'Ottocento* e in talune situazioni delle *Materassi*. Laddove nel processo è un Palazzeschi a tutto rischio e tutto vapore, come in certe poesie, nei dialoghi della *Piramide* ed altre invenzioni piú spericolate; e mi fa ricordare un'azzeccata osservazione del Gargiulo, allorché aspetti simili della narrativa palazzeschiana ravvicinò a brevi romanzi e racconti del Dostoevskij comico: *Il giuocatore*, *L'eterno marito*, *Stepancikovo*, ecc.

Complessivamente, è forse questo il Palazzeschi che prevale; soprattutto nella prima e terza parte dei *Cuccoli*. E la sibillina Minerva: la cameriera zitella, che in muta ma non bigotta adorazione accompagna tutta la vita del signor Celestino, è tra le sue figure piú caratteristiche e al tempo stesso piú nuove; mentre, simpaticona, la vedova del colonnello Canovai ingentilisce i fasti un po' beceri della vecchia serva delle *Materassi*; come Sergio e Renzo Cuccoli son della famiglia di Remo, ma piú vivi e puliti, anche se non inferiori nella corporale esuberanza e nel gusto di godersi il mondo.

In tanta e tanta letteratura amareggiata, ansiosa o almeno desiderosa di sembrarlo, il libro darà il piacere d'un bel giorno di sole in una piovosa stagione. Insieme a *Lo sguardo di Gesú* del Bacchelli e al *Fiocco verde* del Moretti, fra le altre cose sembra dimostrare che, nell'attuale ripresa del nostro romanzo, per il minimo che possa dirsi, non è trascurabile il contributo della vilipesa, e tante volte sepolta generazione che sta intorno ai sessant'anni.

(1948)

Il leone vegetariano

Un libro come: *Bestie del 900*, Aldo Palazzeschi non ce l'aveva dato da un pezzo. Diciamo subito che le bestie di questi dodici racconti o capricci, niente o quasi niente hanno in comune con gli animali della favola classica, o imitati dalla letteratura classicheggiante. Non servono di maschera a intenzioni didattiche e morali. E solo nei momenti di minor vena, hanno l'aria di consentire a qualche diretta prestazione satirica.

A Villa Borghese, si raduna un congresso internazionale di pulci: pulci aristocratiche, pulci che stanno addosso alla povera gente, pulci da cani e da gatti; e dopo un dibattito presieduto da una pulce ginevrina, votano all'unanimità una fiera mozione contro il DDT. Altro racconto: sui rami e nel fogliame di un grande albero, sono sciami di luminose farfalle, dedite a una vita spensierata di amori e di danze. E a piè del tronco, sotterra, è un immenso formicaio, dove giorno e notte faticano nere torme di schiavi, stupidi, ciechi, invasati da un ideale d'ordine e di potenza collettiva. Il racconto giuoca sui contrasti, i pettegolezzi e dispetti fra i due avversi popoli: il popolo ascetico e il gaudente, il popolo totalitario, e l'altro che vive in una sensuale e felice anarchia.

Si può pure ammettere francamente che non da spunti di questo genere nascono i piú bei capitoli del libro. La storia delle pulci, e quella delle formiche e delle farfalle, sono divertenti; toccate, la seconda in ispecie, con assai grazia. Ma risolvono in una comicità senza mistero: il DDT, l'americanismo, l'ottuso automatismo della disciplina totalitaria, e via di questo passo. Nella sua essenza piú caratteristica, il riso di Palazzeschi non può esser riferito a materia e situazioni cosí determinate. Ha bisogno di restare sospeso, quasi inafferrabile, in una visionarietà capricciosa; dove i motivi piú disparati e incredibili, s'intrecciano e saldano nella diafana evidenza della pura fantasia.

Si tratta di apparizioni; sogni che si staccano dall'ormeggio della realtà, dapprima con una oscillazione impercettibile, eppoi galleggiando e navigando su correnti sempre piú strane, profonde, lontane. Talvolta, non c'è neppur quasi bisogno dell'avvio di un fatto, di un concreto sviluppo dei rapporti potenziali.

È sufficiente l'accostamento, la giustapposizione di due immagini, di due figure; perché ne sia suscitato, quasi in una sorta di araldica e di simbologia onirica, tutto un aereo romanzo; come fra quelle figure umane, animali e sovrannaturali che, nell'arte di Chagall, si guardano, con i neri occhi sbarrati, dagli opposti poli della creazione. Se si potesse mentalmente sostituire il sapore ironico e la forma toscana, alla barbarie orientaleggiante e al senso della steppa nevosa: veramente ci sarebbe da richiamarsi a certi dipinti di Chagall.

Palazzeschi, com'è ovvio, sta attento a non impegnarsi e consumare le forze in cimenti descrittivi, che formano l'orgoglio di animalisti tutt'altro poi che da buttar via, ma di specie ed intenti diversi dai suoi. In quello che, per me, è il piú bel racconto del libro, un vecchio leone da circo: *Kan*, piglia l'abitudine di andare a trovare la giunonica signora Celeste, sua ex-domatrice, ridotta per l'età a fare la portinaia. Ma della presenza di Kan, poco o nulla ci risulta dalla diretta visione del modello; tutto invece dal suo riflettersi nelle varie « personae » dell'episodio: i casigliani terrorizzati che intravvedono Kan mentre scantona nella guardiola di portineria; la signora Celeste che lo contempla con gli occhi delle sue grandi serate d'onore; Miss Cop che gli regala la verdura; il pomerino Alí, il gatto di casa, ecc.

In questo incrocicchiarsi di occhiate, parole, ricordi, sentimenti, l'enorme massa della belva, quasi amorfa dapprima, si modella, assume contorni, colori, chiaroscuri, animazione. E l'immagine pittorica, in un crescendo intensissimo, vieppiú grandeggia e s'impone; finché raggiunge il culmine della potenza, al momento stesso della catastrofe: quando Celeste, in un senile delirio d'amore e di gloria, indossato il logoro giubbetto azzurro a galloni d'argento, impugna lo scudiscio, e di nuovo pretende essere incantatrice e regina. Il vecchio leone vegetariano, esasperato dai colpi di staffile, pur a controvoglia, la deve scannare.

Un componimento che già sembra classico; ed al quale non possono dirsi inferiori: *Il ritratto della regina*, dove forse nuoce d'esser costretti, nella seconda parte, a ripercorrere la fiaba all'incontrario; la storia della gallina *Pompona* e del suo amante Zurú, che finisce accapponato; *Via Veneto* con la passione della cagnetta di gran lusso Luly per Nino, randagio bastardo ma prode, che muore per lei. E di poco meno pregio: *Nell'aria di Parigi*, col malioso fischiettare notturno della principessa russa; *Dagobert*, benché l'entrata in scena del coccodrillo sia mancata; *La signora dal ventaglio*, anche se scoppiettando si sfarina in un rosso fuoco di bengala. Nell'insieme, un Palazzeschi che ci riconquista nella maniera piú piena.

Perché con tante cose vive e curiose, il romanzo dei *Fratelli Cuccoli* non aveva segnato un progresso. Per una fusione di cause, che qui non è il luogo di mettersi ad analizzare, nelle *Stampe dell'Ottocento* e nelle *Materassi* la coerenza realistica e la credibilità del racconto, erano riuscite a sopravvivere, pur senza obbligare la fantasia dello scrittore a troppo gravi sacrifici. Nei *Fratelli Cuccoli*, sacrifici di nessun genere, il Palazzeschi non aveva avuto piú voglia di farne. Ma d'altra parte, il momento di quel delicato equilibrio di fantasia e di realtà sembrava passato. Ne uscí una narrazione anfibia; che un po' stava in aria, un po' in acqua, ma sempre con insulti di tosse e difficoltà di respiro. In alcune *Bestie del 900*, Palazzeschi ritrova se non oltrepassa la libertà immaginativa del *Perelà*, della *Piramide*, di certi racconti del *Palio dei buffi*. Si tratta, abbiamo detto, del Palazzeschi piú autentico.

(1952)

«Roma» di Palazzeschi

Il vecchio principe Filippo di Santo Stefano, discendente d'eroi delle Crociate, cameriere segreto di Sua Santità, da molti anni è vedovo e ridotto in miseria. E con un unico servitore, il sor Checco, anche lui anziano, d'origine ciociara, abita a Roma, in via Monserrato, presso palazzo Farnese, tre stanze dell'avita e cadente magione, che per il resto è affittata a povera gente. In un salone immenso e deserto, su cinque scalini col tappeto rosso, un trono col baldacchino di porpora e lo stemma pontificio. È il soglio dove, per secolare privilegio della famiglia, in altri tempi degnava sedersi il papa. Dal salone si passa in una stanza di poca luce, con un lettino di ferro, una tavola tonda e un grande armadio da sagrestia. È la camera dove il principe dorme, e dove consuma i suoi pasti, insieme a Checco che, in un attiguo stanzino, ha sistemato la propria cuccia e una rudimentale cucinetta.

Di statura gigantesca, magrissimo, sempre vestito di nero, solino di celluloide, tutte le mattine, col fido Checco, il principe va a servire la prima messa e a comunicarsi alla chiesa parrocchiale. È capo della congregazione di San Vincenzo de' Paoli e d'altre opere di beneficenza. A regolari intervalli, una massiccia e nera automobile si ferma al portone di via Monserrato, in un cerchio di ragazzini e donnicciuole. Viene a prendere il principe che, in costume di parata, con lo spadino e con la gorgiera di bisso, presta il suo turno di servizio come cameriere segreto in Vaticano.

Quando s'apre il nuovo romanzo di Aldo Palazzeschi: *Roma*, è il tempo dei bombardamenti alleati, che di poco precedettero la caduta del regime. Arriva Badoglio; ma arrivano subito anche i tedeschi, e cominciano le razzie degli ebrei. Il principe Filippo, alle prime avvisaglie, accoglie buon numero di donne e bambini ebrei nel famoso salone del trono. E la sua primogenita, suor Giovanna Francesca, madre badessa di non so quale convento, aiuta a smistarli e li porta al sicuro. Cosí, durante il corso della guerra e del dopo-

Due tavole di Mino Maccari per *Bestie del 900* di Aldo Palazzeschi, prima edizione 1951.

guerra, sempre seguendo l'austera vita del principe, si fa conoscenza con gli altri suoi figliuoli. Perché in sostanza il romanzo, senza macchine d'intrecci e grandi colpi di scena, non è che una narrazione degli incontri e confronti fra due generazioni, personificate da alcuni caratteri in forte contrasto.

C'è innanzi tutto il principe Filippo, come un grandioso scheletro antidiluviano; o come una specie di ossuto don Chisciotte, corazzato di teologia arrugginita e di politica medievale. E accanto a lui c'è il sor Checco, che ha la saggezza campagnuola di Sancio Panza, ma tanto è fedele e compreso della santità del padrone, che ha perfino rinviato a dopo la morte di questi, di realizzare il suo gran sogno, ch'è di andare, come infatti poi andrà, a farsi frate. La primogenita, suor Giovanna Francesca, che or ora abbiamo intravista, ha minor stacco. E precocemente mummificata nella sua autorità di badessa, è una proiezione impallidita del carattere paterno.

Ed ecco la secondogenita, Elisabetta, che si sposò con un nobilastro napoletano, e non hanno prole. Spiantati, inetti a qualunque seria occupazione, non fanno che viaggiare, in Italia e fuori, sempre nei primi alberghi dell'alta società internazionale, dove sembrano ricercatissimi. Quello che combinano, non si capisce bene, e i quattrini dove li trovino. Probabilmente sono un po' bari, un po' mediatori di matrimoni e d'affari, mettiamo pure un po' lenoni. Ma, in fondo, gente bonaria, piacevole, che ride sempre di tutto e di tutti. E ridono ancora a crepapelle, che dopo una delle loro solite assenze, stanno discutendo genericamente col vecchio principe la loro filosofia della vita, nella quale non riescono a capacitarsi che ci sia qualcosa che non va.

Peggio è quando, rimasto anni e anni all'estero senza dar notizia di sé, finita la guerra all'improvviso si ripresenta al principe Filippo, per annunciargli il proprio matrimonio, il terzogenito ed unico maschio: Gherardo, duca di Rovi, che dovrà ereditare il titolo del padre. Gherardo è sulla quarantina. E con chi sta per sposarsi? Con Magda, una ebrea siriana per lo meno della sua età, danzatrice di fama mondiale che ha conosciuta al Cairo, e di nuovo ha incontrata a Damasco, dove ella possiede una magnifica villa, donatale da un protettore ebreo favolosamente ricco, che le ha lasciato altresí un quartierino a Parigi. Un matrimonio ideale, caro papà, insiste Gherardo: una vera unione d'anime.

Il vecchio principe ha bell'essere un santo, e vivere fuori del mondo. Ma cosí grosse non le butta giú neanche lui. Con afflitta gravità, cerca di chiarire al figliuolo la sconvenienza, diciamo cosí, di cotesto progetto matrimoniale. Ma Gherardo non gli dà tempo; e con baldanzoso, quasi trionfale puntiglio e cinismo, in quattro battute, si fa lí davanti al padre, il piú rassomigliante autoritratto: « L'erede di tutti i tuoi titoli, del tuo nome e della tua nobiltà, eccolo: vive all'estero da quindici anni, col portafoglio delle donne... Capirai, bel ragazzo, allegro, con una nobiltà indiscussa e indiscutibile, la cosa era facile, veniva da sé. Però, lo sai come chiamano a Roma un uomo come me? *Magnaccia*: di gran classe, s'intende... ». Dopo di che sarebbe inutile che il discendente dai crociati e il fidanzato di Magda cercassero di prolungare la conversazione.

Piú a posto di tutti, è l'ultima dei figli: Norina, che non ha avuto fisime mistiche né aristocratiche, e che senza lasciarsi attirare dal luccichio della gran vita e delle avventure alberghiere, s'è borghesemente sposata in una ricchissima famiglia d'industriali lombardi (formaggi, salumi, ecc.): i Sequi, che hanno il centro dei loro affari nella capitale. Norina è sinceramente affezionata al padre; è l'unica che lo visita con qualche frequenza, e si fa viva con regalucci senza entità, ma che servono a mostrare il pensiero. Due o tre volte all'anno, il principe Filippo siede a pranzo dai Sequi, alla destra della suocera di Norina, signora Pia, che con la sua espansività un po' sboccata, con la sua carità un po' confusionaria, è tra le figure piú riuscite del libro; e giureremmo d'averne conosciuto in carne ed ossa il modello.

Eppure Norina ha dentro il suo piccolo baco anche lei. Innamorata del marito come il primo giorno di matrimonio, s'è dovuta purtroppo convincere che, con tutto ch'egli le voglia bene davvero e la porti in palma di mano, di tanto in tanto però qualche cornettino glie lo mette. E lei, non per nulla, ma a non esser da meno, vuol cominciare a fare altrettanto. Occasioni non le mancano. A sentire simili spropositi, il vecchio principe raccapriccia. Vorrebbe che Norina immantinente corresse, volasse ai piedi d'un confessore. E Norina, alcuni giorni dopo, torna dal padre. Quella che lui sa, ormai è cosa fatta. Ma pensare che le pareva d'avere scelto cosí bene; e invece è stata una delusione tremenda. È piú innamorata che mai del marito. Simpatica Norina.

In questi termini, sopraggiunge l'anno santo 1950, che culmina nella colossale cerimonia di piazza San Pietro, con la proclamazione del dogma dell'Assunzione corporale della Vergine. Estasiato, ma stanco, sfinito da coteste fatiche rituali, non appena tornato a casa il principe Filippo deve mettersi a letto; e in poche ore serenamente se ne va all'altro mondo fra il cordoglio di tutti. Allora, la brava signora Sequi piglia contatto con Gherardo, l'erede del titolo. Poiché il matrimonio con la ballerina siriana sarà subito annullato, Gherardo nell'ambiente dei Sequi potrà scegliere fra due o tre partiti, non meno ricchi di Magda e piú gioverecci. E il sor Checco? Libero infine d'ogni vincolo terreno, il sor Checco chiude l'appartamento di via Monserrato, consegna la chiave a chi di dovere. E come in una mistica apoteosi, sale la interminabile scalinata del convento di Ara Coeli per andare a farsi frate.

In margine a questo riassunto, il lettore che ha in pratica il suo Palazzeschi, già all'incirca avrà indovinato che cosa il romanzo gli riporta del Palazzeschi piú cògnito, e che cosa eventualmente può promettergli di un Palazzeschi nuovo. In *Roma*, mancano quasi del tutto le ben note soluzioni trascendentali del lirico umorismo palazzeschiano: aeree e volubili nel *Codice di Perelà*; angosciose e martellanti nella *Piramide*; che non erano del tutto sparite nei *Fratelli Cuccoli*, e ripigliano ardire in *Bestie del 900*. Tale privazione influisce sensibilmente sul movimento e sul ritmo narrativo, che diventa piú disteso e prosastico.

Qualche cosa di quei procedimenti di liberazione e sublimazione ritmica e musicale, potrebbe se mai riconoscersi nell'ultimo episodio del sor Checco, che recitando il *Credo* sale i centoventiquattro gradini della scalinata di Ara Coeli. Ma l'effetto costí vorrebbe essere addirittura sinfonico, sul crescendo dei versetti del *Credo*, e col finale scampanío di tutte le campane di Roma. E io non sono tanto sicuro che la macchietta del sor Checco, in sé e per sé ben riuscita, mantenga la propria coerenza, la propria forza di persuasione, allorché viene trasportata di peso in cotesta atmosfera. La sua promozione mistica sembra un pochino frettolosa e azzardata.

La figura del vecchio principe Filippo è indovinatissima, ogni volta che si ripresenta nella sua pittorica, imponente nerezza. Si pensa con qualche nostalgia a ciò che il Palazzeschi d'un tempo avrebbe fatto fare a un simile personaggio. Gli avrebbe fatto fare cose buffe, magari vere cose da *clown*, che per altro sarebbero riuscite assai commoventi. Il Palazzeschi di *Roma* gli fa fare soltanto cose serie, esemplari, che però commuovono meno. Ed a volte lo fa predicare un po' troppo; lo imbarca senza accorgersene in argomenti troppo gravi.

In particolare, piú ariosa è la parte borghesemente satirica del racconto, che solo per errore potrebbe considerarsi la sua parte spicciola. Ho detto già che la signora Pia Sequi è perfetta: è l'ideale delle suocere. Con una moglie come Norina, tutti i mariti (per una volta) chiuderebbero un occhio. Il pranzo in casa Sequi, con quella ruscellante polifonia delle vacue conversazioni e delle risate, non è men bello della gran festa in casa Cuccoli. Sinuosa, snodata, sbadata, la prosa di Palazzeschi scivola e si ficca dappertutto. Guarda dal buco della serratura perfino nello studio di Sua Santità. Con qualche birichinata fa scusare certi improvvisi arrochimenti da quaresimalista col cimurro. Si potrebbe forse chiederle, in qualche tratto, piú riflessione e consapevolezza, non piú grazia né piú disinvoltura.

(1953)

Giovani: Onofri, Baldini, Cardarelli

Sono tre o quattro giovani; nel senso, dico, che il loro nome non ha, ormai, da significare almeno una promessa. E si presentano con un bel fascicolo: *Lirica*, dove hanno raccolto saggi del loro lavoro. Idea buona; concentrarsi in testimonianze brevi, sfuggendo la seduzione del volume che invita alle diluizioni, a' compromessi. Ma sarà forse bene dire subito perché questi tre o quattro giovani non sono cinque né sei.

In realtà, insieme alle loro prose poetiche e ai loro versi prosastici, leggiamo scritti di varî altri autori. Ma si tratta di prove senza perché, abusate: oppure ancor troppo tenui, come quelle di Nino Savarese e di Lello Saffi; o, dirò cosí, già troppo socializzate, in magari inconsci compromessi, come quelle di Rosso di San Secondo, che i capitoli di *Elegie a Maryke*, pubblicati in questo fascicolo, ristampa con ugual titolo, insieme ad altri, in un volume edito dal Sampaolesi di Roma.

Rosso di San Secondo aveva già dato meno appariscenti ma credo forse piú autentici indizî. Qui racconta d'un suo viaggio in Olanda, dove diventa amico della piccola Maryke, e della rubensiana signora Liesbeth, sposa d'un notajo sciocco. La forma de' capitoli, dal racconto si slarga nella intenzione meditativa.

Un dabben uomo, che suppongo volenteroso di « tenersi al corrente » della coltura, curioso di seguire (dopo l'ufficio) i rimpalli delle nuove manifestazioni letterarie, a preferenza di qualunque altro scrittore di questo gruppo, utilizzerà, senz'altro, con Rosso di San Secondo, i fondi della sua timida sensibilità. Rosso di San Secondo appare giovine senza sforzo; senza richieder quei tirocinî di gusto, che accompagnano, quasi sempre, la comparsa di uno scrittore davvero nuovo. Rosso di San Secondo si offrirà a quel dabben uomo, ora descritto, nella sostanza d'un Edmondo De Amicis ammodernato, con un disegno piú sfarfallante, con un impeto bambino nella sintassi sconnessa e nel vocabolario facile, con nelle cadenze una sentimentalità meridionale veramente fatta per intenerire un borghese.

Piglia i ricordi della sua esperienza di viaggio, e li arruffa in un verbalismo di spolvero. Dà una prosa tutta « chiffonnée ». Concepisce la composizione come certi cacciatori tirano d'imbracciatura, che a volte pigliano la lepre, ma spesso ne busca il cane. Un suo pittore spagnuolo, appunto commenta, nel libro, questa estetica.

E tanto piú la grossolaneria dispiace, ch'egli non difetta, in certe impressioni, di un senso di freschezza; e visualizza a volte nitidamente; cosí nell'apparizione di Maryke, chiusa in una veranda come una deità marina prigioniera in un acquario; e sa metter dentro a qualche notazione immediata, un sentore di carnalità febbricitante, che forse sarebbe radicale del suo temperamento, De Amicis a parte. Per esempio, questa sensazione di pioggia: « Tutte le nostre ossa son divenute gelide, sentiamo l'esistenza in noi dello scheletro nel tepore del nostro sangue ».

Piú di solito, staccatosi appena dal percettivo, impantana. Le pagine sulla signora Liesbeth son infastidite da un eccesso macchiettistico, degno del peggiore Zuccoli; mentre le elevazioni dell'amor per Maryke vengono orchestrate per concerti angelici, sul tipo dell'*Ave Maria* di Gounod.

Quanto si apprezzano, dopo queste esuberanze e facilità, le pagine quasi stente del Saffi, con brevissimi « paesi », in una prosa ritmica che par fatta di trasparenti strati sovrammessi, con l'intimo profondo guizzo di parole come gemme bilicate, e una pastosità d'atmosfera, che accusa un serio studio di Laforgue!

Ma i tre che assai piú debbono interessarci sono Arturo Onofri, A. B. Baldini, e, sopratutto, Vincenzo Cardarelli.

Il primo ci dà un mannello: *Nuova lirica*, mentre pubblica, coi tipi del Ricciardi di Napoli, un volumetto di *Liriche*, precedenti (1906-1910). Nelle poesie del volumetto, una diffusa tensione di esperienze naturali, e sopratutto di entusiasmo per l'arte, ci conquista piú per ingenua fraternità umana, che per l'energia e la novità espressiva. Il poeta è spesso impacciato, pesante. Si nota la preoccupazione d'un rinnovamento prosodico, rattenuta dalla coscienza delle responsabilità connesse, specialmente in un'arte poetica come la nostra, chi intenda realizzare le novità prosodiche veramente; e non contentarsi di adombrarle a uso Buzzi.

Ma vorrei dire che anche gran parte delle liriche nuove, rimane in districo; e che noi riceviamo il fantasma aggravato e annebbiato da una sorta di malinconia, che non è altro se non la coscienza dolorosa di una esigenza estetica non corrisposta. Vedete, per esempio, come si aggrigia ed ottunde, nel recente componimento « La città », una visiva facoltà impressionistica. Ci sarà la lodevole intenzione di vincere la frammentarietà impressionista, nella quale altri giovani, come il Linati, il Soffici, s'adagiano pigri. Ciò non toglie, frattanto, che vadan perduti, senza compensi, quell'impreveduto d'incontri, quel sensuale agrore, quella vivacità di coloriti baleni, per cui lo stile impressionista si giustifica. Qualcosa di simile succede nella « Mattinata », nell'« Alba ». Vuol riconoscersi fuor della natura, l'Onofri, ma trasferendosi, la immagine gli si scorpora, la percezion naturale è disturbata e non si delinea un movimento di nuda affettività. Si erra in uno stato torbido di malcontento, che non credo vada preso per una intonazione lirica, sibbene per una latente inquietudine formativa.

Mi persuadono in questa interpretazione, segni delle dominanti preoccupazioni dell'Onofri, in certi suoi scritti critici, che egli dovrebbe seguitare a sviluppare. Sono analisi della stilistica del Flaubert, del Gide, del Mallarmé: fra le piú fini cose di critica d'« atelier » scritte da noi in questi mesi. E tale concetto mostrano, di ciò che un veramente nuovo fatto espressivo deve essere, da non meravigliare se, nell'esercizio dell'arte, l'Onofri resta, a forza di esigenze, immobilizzato.

Ma, intanto, almeno come critico, egli ha afferrato una cosa, senza capir la quale è inutile illudersi, oggi, di produrre una nuova arte. L'atto morale, tutti lo sanno, è strappo e illuminazione dell'oscurità istintiva. Ma non si ricorda nella stessa proporzione che l'arte esige, nella sua sfera, una recisione altrettanto nitida. L'illustrazione psicologica, gli zuccheri sentimentali, il fotografismo, mille altri diavoli, soddisfan richieste inferiori, che vanno sotto il nome dell'arte; e fanno dimenticare ciò che nell'arte è essenziale. Si resta cosí, generalmente, a esibizioni della intimità bruta e grezza, senza una scelta architettonica: in compenso, si è piú facilmente compresi e diffusi. Non importa. L'Onofri supererà, credo, il suo critico estetismo e la sua esperienza umana non potrà esser tanto tenue e labile da non bastare ad animare un prodotto d'arte raffinata e duratura.

Ed ecco A. B. Baldini, con una serie di prose: *Fatti personali*, dove ciarla amabilmente di sue amicizie, e abbozzi erotici, sogni d'arte e rinunce, non senza peccare dei peccati che ora dicevamo. L'Onofri resta sacrificato dal senso delle responsabilità implicite all'opera d'arte. Ma il Baldini si accetta con pieno abbandono, nella propria natura, fertile d'immagini e di agevoli esperienze. Si dà in una passività rara. Pigro come uomo, confessa sbadato una sua psicologia di candido decadente, di « puer » decadente nel giorno della prima comunione; la mesce lí, alla svelta, come per non pensarci piú. Pigro come artista, sulla saporosa minestra di questa psicologia, spruzzola, a fior fiore, il formaggio grattato delle sue memorie di lettore. Si ha un romanticismo 1914, profumato, arricciolato di graziosità prese da' *Fioretti*, dal *Novellino*, da' *Fatti di Enea*; uno scherzo curioso, ma forse da non ritentare un'altra volta.

Ciò che impressiona è quella psicologia! Io andavo pensando, nel leggere: Ma questo non è un uomo! Questo è un canonicale gattone, di que' mansueti, che tirano al gigantesco, con pendenti ganasce badiali, e quell'aria pur ridentemente bojesca negli occhiolini. È casto, e corrotto come può essere soltanto un casto; ambiguamente nuovo ed ancestrale. Pochi come lui sanno tanto civettare seco stessi. Sta in una sua stanzetta a specchi, rimuginando; e la realtà gli si dispone come una sfaccettata proiezione all'infinito, di lui stesso, sempre lui: Baldini, Baldini, Baldini. Passeggiando, costui deve sbirciare sempre cercandosi ne' cristalli delle vetrine! Il suo mondo è fatto di ritagli della sua propria figura, mescolati in una farraggine lucida, caleidoscopica, sul genere di quelle composizioni, graziose fino allo stucchevole, del Severini o di Francis Picabia. Vi fa mollemente girare il capo.

Ma poiché, pur non avendo voglia di disarticolare le esperienze e organizzarle, non manca al Baldini la coscienza del difetto inerente alla sua maniera, che cosa ti combina? Fa soggetto di descrizione, anche questa coscienza di peccato; mette il rimorso letterario in letteratura; e tutti pari. Si distende in terra, appena s'accorge di sdrucciolare. Frattanto, piú furbo di lui, il destino l'ha collocato, come un vagabondo fra due carabinieri, in questi saggi, con a fianco la letterata severità dell'Onofri; dall'altro la ben piú complessa e profonda umanità del terzo e primo di questi giovani, Vincenzo Cardarelli.

I paesaggi del Cardarelli, uno o due, non mi interessano gran cosa. Lo sento adoprarvi elementi di una sensibilità che non è sempre la sua profonda, amara e concentrata; ritrovarvi accenti, non dico del D'Annunzio o del Pascoli, ma del Leopardi negli « idillii », col gusto poi di prosaicità, e di fratture prosodiche d'un Buzzi e di un Palazzeschi. Ora il suo sistema morale, il suo timbro sentimentale son quanto mai lontani da quelli di questi due ultimi artisti. S'ingenera una scissione fra movimento ritmico e immagine, un che d'ansante e franto, che non è novità, ma stonatura.

E fuori di questi casi, ci troviamo davanti ad un artista compiuto? Non credo; ma certamente ad un uomo cosciente fino al tormento, stupendamente vivo; che non si cura per nulla di coltivare le proprie possibilità d'artista per ricoprir le eventuali incoerenze della sua faticosa umanità. È un poeta che nasce tutto fuori dell'arte. Dove come artista non giunge, lascia spazio bianco;

o annota, infischiandosi dell'arte, un qualche tratto solido di psicologia: psicologia non baldineggiante, non vagula, non dorata di letteratura, ma direi scientifica; in ogni modo, qui siamo ancora ne' difetti.

Il Cardarelli concepisce l'arte, weiningerianamente, come una psicologia trascendentale, realizzata per segni fantastici; e purifica questi segni, li rende sempre piú immediati, attuali, raccogliendosi nella propria natura etica. Si riesce artisti per molte vie. Anche, come questo, sembrando del tutto respinger le esigenze dell'arte, per aderire tanto piú strettamente a responsabilità tutto comprensive. In questa disciplina, la esperienza psicologica perde il carattere accidentale, illustrativo, diventa un'astratta materia plastile, pel giuoco severo delle immagini e de' movimenti; sta come sostanza serrata e muta, sotto l'impulso della fantasia. Il Cardarelli l'ha preservata dall'azione esterna, che distrae facilmente dall'altra azione, attacca alle coscienze subdoli contrappesi; l'ha mantenuta solitaria, perché non avesse se non un lirico confronto con l'assoluto. E parla di sé come d'uno che, in ogni momento, si rende come a Dio, d'uno che si offre in maceranti comunioni ignorate.

> Delle nostre epiche insonnie
> il mondo non ne vuol sapere.
> Per questo io son l'eterno insalutato!
> Offerto mi sono
> in tante invisibili comunioni!

La sua vissuta recision completa, pagata in tanto dolore, gli vale, appunto, per quell'atto estetico che dicevamo, nei precedenti scrittori non adempiuto. Sembra che egli non mai edifichi, ma solo escluda; tanto lineatamente e fermamente, però, che il vacuo si compone e assume fisionomia. La sua azione è di tutta rinuncia. Di qui la tormentosità del suo lavoro, e una superiore tristezza, dalla quale sono indolorite le sue realizzazioni, che si permettono appena, unico fregio, un sorriso di cristiano scetticismo.

In « Homo Sum » e in « Tristezza » principalmente, fra questi *Miei discorsi* del Cardarelli, mi pare cominci a disegnarsi un tipo di lirica alta e colloquiale, dove la coscienza non sta davanti al mondo in stato di esalazione, d'evaporazione naturalistica, né di accartocciamento ironico, ma benevola e armata. Contrasterebbe alla serietà dello scrittore, cominciare, su questi pochi componimenti, a strombettar vaticinii. Io vorrei semplicemente che il lettore cercasse queste pagine, che forse lo deluderebbero alle prime, prime occhiate: non ad un contatto intelligente e paziente.

(1914)

«Terrestrità del sole» di Arturo Onofri

Arturo Onofri deve essere almeno indicato come un esempio raro di ostinazione poetica. In un tempo che la poesia lirica quasi piú nessuno la coltiva con assolutezza di vocazione, Onofri seguita imperterrito a fare quel che ha sempre fatto, da quando tutti lo conosciamo: scrive versi. E anche quelle sue opere che, apparentemente, non sono poesia: un'esegesi del *Tristano* di Wagner; articoli critici; e il volume: *Nuovo Rinascimento*, dove la resurrezione letteraria dell'Italia e del mondo è posta in rapporto di necessità con una sorta di palingenesi cosmica; anche coteste sue opere sono direttamente intese alla poesia e all'arte nel senso di prepararne una migliore intelligenza e una primavera piú rigogliosa.

Onofri non si contenta di creare e cantare. Un'inclinazione tra sacerdotale e profetica si unisce in lui alle facoltà dell'arte. Siffatta inclinazione era evidente già al tempo delle prime liriche, dove si riconosceva con facilità un riflesso dell'« eroismo » dannunziano nella *Laus Vitae*; non l'eroismo sessuale e, come una volta si diceva, « ferino », ma quello che tenta di apparentarsi con gli spiriti michelangioleschi. La stessa inclinazione, nella poesia ultimissima, che ha per preludio il *Nuovo Rinascimento*, si lascia interpretare attraverso le formule di Rudolf Steiner ed affini. E pur quando, in un periodo intermedio della produzione, il quale comprende i frammenti pittorici di *Orchestrine* e le liriche di *Arioso*, l'Onofri, sembrò restringersi alla qualità di « poeta puro », il profetismo e misticismo erano in pelle in pelle. Del resto, basta all'Onofri il filo di rasoio dell'estetica piú intransigente, per costruirvi sopra una teologia. Chi conosce le teorie « euritmiche » dei seguaci dello Steiner, trasportate dal linguaggio alla danza rituale della scuola di Dornach, non ha bisogno di schiarimenti per intendere come egli possa esser giunto ad un'estetica che ha piú d'un punto di somiglianza con coteste teorie, partendo dal sonetto delle *Vocali*, di Rimbaud, e da *Un coup de dés* di Mallarmé.

Tutto questo si osserva piú che altro, per caratterizzare il temperamento dell'Onofri; e non con la intenzione di metterci a discutere le sue idee di religione, di morale o di estetica. A tali idee, e malgrado il fatto che, durante questi anni, esse hanno subito, e certo ancora subiranno, cambiamenti vistosissimi, egli è profondamente affezionato; quasi piú che alla propria arte. Ed egli vi dirà volentieri che la sua produzione, o si accetta in « blocco »; principi morali, opinioni letterarie, e versi; o altrettanto in « blocco » si respinge. Ci guarderemo bene dall'impegnarci con siffatta esclusività nei riguardi del volume: *Terrestrità del sole*, ieri uscito. Vogliamo soltanto insistere su questo: che l'Onofri, a torto o a ragione, sente di sé come un vate, un bardo; come uno che arriva carico d'un gran « messaggio ». Atteggiamento al quale si deve, da che mondo è mondo, molta poesia sublime; e molta, infinitamente piú, rettorica e noia.

In *Terrestrità*, ritroviamo il paesista lirico di *Orchestrine* e di *Arioso*, con un lievito piú inquieto, un desiderio di evocazioni piú vaste:

> I trambusti lascivi del vento
> si sfrangono in onde di pini,
> in capricci e risucchi marini
> sugli scogli d'azzurro e d'argento
> che sembrano cielo...

Una visione di città, sulla quale balena un presentimento della città celeste:

> Nuvole s'incastellano di luce
> sui magri tetti, e crudamente fanno
> alti ghiacciai d'argento, assecondando
> il respiro melodico dei prati
> sulla città che si spolmona in fumi
> di macchine...
> ... Nuvole di candori
> congiungono preghiere di reietti

a sospiri d'amanti estasiati...
... inalberano incensi, alpi di luce
su magri tetti e prati.

Lo stesso motivo; in una versione dove il vocabolario ermetico si insinua, ma assai discretamente.

Sul lucido incastro dei tetti
bagnati, trapela d'argenti
un bílico d'angioli intenti,
che mischiano i puri e gli abietti
in ogni famiglia prigione,
che attende la redenzione...

Ancora:

Nel cielo in fiore, ove scintilla un riso
di cristalli e d'arcangioli fanciulli,
famigliole che stanno in paradiso
pascono rimembranze di trastulli
d'un'infanzia che data
da un'eterna durata...

E a parte la risoluzione astratta nei due settenari, si direbbe un appiglio di infantile felicità alla Blake, sopra un tema nel quale non manca qualche vaga risonanza pascoliana.

La terminologia diventa piú perentoria in altre composizioni; nelle quali lo sforzo dell'universo a farsi uomo ed assumere unità e coscienza, è interpretato attraverso immagini ed associazioni, ora nitide e suasive (« Orli d'aria su alberi induriti », ecc.); ora frenetiche e irrealizzate:

Gioja d'angeli: assalti contro il sole
di candori di corpi femminili
che sinfòniano faune giganti
e nevicano giú (su lame d'acqua
d'antiquate pozzanghere) in sopori
di climi entro la polpa delle bestie
seminate sui pascoli prativi, ...

E da questo punto, chi ha letto o leggerà il libro, è avviato ad intendere senza bisogno d'altre indicazioni, dove noi in sede d'arte consentiamo, e ammiria-

Un convito di letterati. In primo piano: Vincenzo Cardarelli accanto a Giuditta Cecchi; in secondo piano: Giorgio Vigolo, a sinistra, di fronte ad Aldo Palazzeschi; in ultima fila, da sinistra: Bonaventura Tecchi, Paolo Trompeo e Silvio d'Amico.

mo; e dove siamo incapaci a distinguere altro che una laboriosa rettorica e una tempestosa « propaganda ».

Certo: una scelta, d'altronde facile, offrirebbe del volume l'idea piú conveniente. E tale idea, della quale pur converrà sempre tener conto, si offusca, invece, e vacilla allorché ci proviamo a riconoscerla nell'insieme delle centocinquanta liriche raccolte in *Terrestrità*. Perché molte di queste liriche non son che ripetizioni, calchi (certamente inconsapevoli), false partenze, scatti a vuoto. L'emozione poetica non vi si svolge e matura; anzi, impigrisce e ristagna; nonostante lo spreco delle immagini e la concitazione dell'eloquio. Il calore greve e affannoso non scende ad irrigare la sostanza delle figure e dei concetti; ma è rimasto nel cerebro dello scrittore.

Convinto che quanto gli usciva in verso, era dettato da una sapienza sovrannaturale; convinto che ogni parola fosse azione, l'Onofri ha ritenuto sacrilega qualsiasi disciplina. A ciò che offriva ostacolo all'espressione, a quel rifiutarsi della parola, dal quale l'artista paziente sa trarre effetti ed evidenze piú profondi, ha contrapposto una violenza che ha in sé qualcosa di triste ed inferiore come ogni violenza. Fuorché in *Arioso*. sempre egli ebbe la mano un po' pesante. Ma in tanti luoghi di *Terrestrità*, la mano è pesantissima, di piombo.

> Tu parli, o Sempre-inizio, o Sfolgorante...
> ... Con la piú cruda scarica di gelo
> ho toccato lo schema del possibile...
> ... Il turchinío-vertigine del Sole...
> ... Si condensa in circuiti ultra-orchestrali...
> ... gli insetti gemmei
> sognano dentro il gulf-stream degli odo
> ... L'aria-velocità del tuo sorriso...
> Ecc. ecc.

Parole composte, frequentativi, astratti sopra astratti; usi simbolisti, futuristi, burchielleschi; l'Onofri mescola di tutto. Sembrerà impossibile a chi lo ricorda accorto commentatore di finezze e mende pascoliane.

Ma la convinzione profetica, quando la tempra dell'artista non sia addirittura eccezionale, produce effetti analoghi a quelli di qualsiasi orgoglio intellettualistico. L'orgoglio fa diventare sordi. Dante poté cantare il Paradiso, perché sí grande poeta. C'era completa adeguatezza fra la responsabilità che il colossale motivo gli imponeva, e la capacità creativa. Il Paradiso, in lui, divenne una realtà concretissima, piena di vita; e perciò di bellezza. Ma qui troppe volte, manca l'umiltà dell'espressione; quell'incanto, trepido affettuoso, che ti avvolge e conquide. Sono preghiere, implorazioni mistiche; e sembrano intimazioni e bastonate.

Dispiace; perché l'Onofri è, in fondo, poeta vero; uno dei quattro o cinque che, dalle generazioni ormai sulla soglia della maturità, sono usciti con qualche diritto, quel diritto che dovrebbe colmare lo spirito di alta serenità e compostezza, a scrivere in versi. Non ne abusi, mescendo ai versi belli, perché vivi ed autorevoli, tanti versi vani. Egli sa che non giudico da esteta. Ma nessuna Chiesa, non quella di Roma, figuriamoci poi se quella di Dornach; nessuna fede, e nessuno Dio, faranno diventare bella una poesia brutta; perché una poesia è brutta appunto quando non è un atto di fede nativa, creativa; sibbene una replica a vuoto, un gesto abitudinario, una mera estensione e applicazione rettorica.

Che cosa significano, in fine, tutti questi « Sempre-inizio », « Sorgere-estasi », ecc. ecc., queste Parole-dèi; e questi « Angeli », « Angeli » ed « Angeli », troppo disseminati nelle liriche dell'Onofri? Io intendo facilmente il loro valore in un sistema teologico o teosofico; ma a cotesto valore non sempre corrisponde la evidenza fantastica, quando essi sono introdotti in un'opera d'arte. L'Onofri dice « angeli »; e crede di aver *creato* degli angeli; come quando i poeti medievali parlavano di « spiritelli » e « angelelle ». E tocca ed oltrepassa gli eccessi del verbalismo romantico piú sfrenato. In certe poesie di Hugo e di Swinburne, si posson sostituire senza inconvenienti, parole e parole tanto logore dall'abuso che non si prestano piú a nessuna associazione. Lo stesso, nell'Onofri. Ma la severità e concretezza d'una lingua come la nostra ammettono meno volentieri scherzi di cotesta specie.

Concludendo, vogliamo ricondurci col pensiero agli atteggiamenti vitali di *Terrestrità*; già indicati. Ed augurare all'autore di integrarne i ricchi fermenti; ma senza illudersi che qualsiasi « missione » possa alterare il rapporto di perfetta lealtà che l'artista deve avere con la propria arte. Egli non può continuare piú oltre, in una amministrazione tanto confusionaria e rovinosa delle proprie facoltà poetiche. A stemperare in cento abbozzi la sostanza di poche creazioni autentiche. Egli si trova al punto risolutivo della propria carriera. E sta a lui di salvarne, o comprometterne, tutto il frutto.

(1927)

Arturo Onofri

A chi, come noi, seguí costantemente l'attività poetica di Arturo Onofri, da quando si ebbero le prime, vere promesse, resta particolarmente difficile scrivere in questa triste occasione della morte. La schiettezza dei giudizi, che fu buon lievito alla lunga amicizia, può sembrare sterile riserbo, ora che l'opera è troncata. D'altra parte sappiamo come l'Onofri spregiasse le adesioni superficiali; e nulla ci convincerebbe ad assumere l'abbondevole tono che sembra di regola in tali circostanze. Il concetto che abbiamo del poeta, risulterà, frattanto, da qualche considerazione elementare; e ci par difficile che tutti, di qualsiasi frazione o fazione letteraria, non ne convengano. Onofri è stato uno, e non il minore, dei quattro o cinque lirici che si hanno oggi in Italia. Per l'assolutezza della vocazione, e il fervore nel quale egli si consumò, si possono accompagnargli soltanto, da lui e fra loro diversissimi, il Saba e l'Ungaretti.

Senza voler ritracciare, punto per punto, la sua carriera, ma a dimostrare la coerenza del temperamento, gioverà ricordarsi come accenti e motivi d'uno spiritualismo, che fu considerato la « rettorica » dell'Onofri piú recente, compaiano nei versi d'esordio; dove non sarebbe difficile indicare anche somiglianze col D'Annunzio di *Elettra*. Non si trattava, beninteso, di dannunzianismo volgare. E meglio si direbbe che, esaltandosi su Michelangiolo, Beethoven, Wagner, Nietzsche (nel senso che questi grandi nomi assunsero nella chimica culturale tra il 1900 e il 1910), l'Onofri riproduceva nativamente il processo formativo di certo spiritualismo dannunziano. E con quale ardore. Di rado un fedele pregò con tanto convincimento, nel piú tenace rifiutarsi della grazia. Ma anche ai primi segni (1914) che la fatica non era in tutto vana, si doveva constatare come il fantasma poetico restasse gravato d'ombra e malinconia, che erano, in fine, il segno d'una identificazione approssimativa. Era l'età « critica » dello scrittore, affaticato a perfezionare i propri strumenti; e si scorgeva in pagine sulla stilistica del Flaubert, del Mallarmé, del Claudel e del Pascoli; certamente fra le piú sottili analisi tecniche pubblicate in quel tempo. Non faceva meraviglia, leggendole, che a forza di consapevolezza e di precauzioni, quando passava all'esercizio dell'arte, l'Onofri restasse in qualche modo paralizzato.

Una chiarificazione si ebbe in *Orchestrine*. Ormai l'Onofri « realizzava »; ma avendo ristretto al minimo il proprio campo. Pareva caduto in pieno frammentismo. In realtà, non credo avesse fatto rinunce. Si trattava, piuttosto, che, ad esser sicuro di realizzare, egli portava uno sforzo verbale formidabile sulle minime inezie della sensazione. Ne nasceva quello speciale genere di barocco che, come osserva l'Hildebrand, deriva dall'applicare sproporzionate esigenze d'architettura e di stile a una materia puramente ornativa. Comunque, la bella stagione era prossima; e sbocciò in *Arioso* (1921): liriche, e pometti in prosa; questi che talvolta declinavano nel « bozzetto » e nel « saggio ». Il libro specialmente si raccomanda alla parte in versi. Le condizioni della felicità fisica e dell'armonia, che il D'Annunzio espresse, indimenticabilmente, nell'aspetto mitico, gigantesco, si riflettono, con dolcissima grazia, in situazioni di vita placida e comune; e prevalentemente nel paesaggio.

Lo senti il sapore dell'aria, stamani...
Marzo, fanciullo dal lungo sbadiglio...
Che odore d'infanzia e di favole...

Chi vorrà ritrovare un Onofri sereno, pacato, quasi senza ombra di dogmatismo e concettualismo (e non intendo che sia l'Onofri piú caratteristico), dovrà sempre rifarsi a componimenti come cotesti.

Intorno a quest'epoca, nella sua vita deve essersi dato qualche cosa di cui non sappiamo; ed avvenne il suo violento votarsi a quella ispirazione ch'è stata ricollegata, troppo piú del bisogno, alle dottrine di Rudolf Steiner; ma che mi pare si possa intendere, semplicemente, nei termini d'una specie di panteismo cristiano, e nel concetto di una natura redimibile e in continuo travaglio a diventare coscienza. Neanche è esatto che lo stilista di *Orchestrine* rifiutasse le proprie esperienze mallarmiste e laforguiane. Niente era in esse d'inutile, e da rifiutare. E del resto, chi conosce, ad esempio, le teorie « euritmiche » dei seguaci dello Steiner, trasportate dal linguaggio alle danze rituali della scuola di Dornach, non ha bisogno di chiarimenti per capire come si potesse giungere a un'estetica consimile, partendo dal sonetto alle vocali del Rimbaud, o da *Un coup de dés* del Mallarmé. Non fu Mallarmé sempre convinto che il suo proprio ideale d'arte si trovava realizzato in Wagner? Ed ecco l'Onofri orientato verso uno spiritualismo, nuovo ma non discorde da quello di gioventú. Agli inizi di questa orientazione, corrispondono: *Trombe d'argento*, nell'aspetto lirico; e *Nuovo Rinascimento* (1925), nell'aspetto critico; di seguito ai quali lavori, egli disegnò e condusse il ciclo: *Terrestrità del sole.*

Mi preparavo a scrivere delle poesie, *Vincere il drago*, secondo gruppo di cotesto ciclo, apparse poco innanzi il triste Natale che fu l'ultimo giorno dell'amico. E con la conoscenza del terzo volume: *Zolla ritorna cosmo*, che egli mi aveva in gran parte letto, mi proponevo soprattutto di ribattere una obbiezione che si sente fare a questa poesia: l'obbiezione della « oscurità ». Intanto, occorrerebbe ricordarsi che i cosiddetti autori difficili e oscuri quasi sempre son tali perché sincerissimi, e pieni della materia che trattano. E sono oscuri, anche perché hanno alto concetto della capacità del lettore; e del diritto di questi a non vedersi esibite ricucinature e brodaglie. Vale a dire che sono modesti, e compresi della responsabilità di mettere nero su bianco. Avanti di respingere un autore perché oscuro, si dovrebbe riferirsi al grado di complessità di ciò che egli ha da dire. Ed è un'acuta osservazione del Valéry che richiedendo questi autori attenzione e pazienza, aiutano la conservazione e il ritrovamento d'un'arte del leggere; chi sa dove si andrebbe a finire, sulla china del facile e nel culto dell'insignificante, senza il loro richiamo. Sforziamoci dunque, ad ogni costo, di raggiungere la chiarezza; ma non facciamocene un idolo cieco; potrebbe darsi che, altrimenti, si finisse col favorire una letteratura parassitaria e rimbambita.

Questo avrei voluto dire. Aggiungendo che tanta oscurità poi non la veggo nell'Onofri. Dal poco che conosco, lo Steiner mi sembra piuttosto ovvio e ripetuto che oscuro; e, nell'Onofri, anziché l'oscurità, è da lamentare l'impiego costante di parole e modi i quali assumono un che di cifra e di gergo. Non è che l'emozione e l'idea poetica sieno oscure; ma che tendono a esprimersi per mezzo di astratti sopra astratti, parole composte, frequentativi; l'eloquio diventa meccanico nella violenza; la rappresentazione diventa affermazione esterna. Quanto era lecito e doveroso osservare, per talune parti di *Terrestrità del sole*, si potrebbe ripetere per *Vincere il drago* e *Zolla*; che paiono scritti lo stesso giorno, o almeno nella stessa, febbrile stagione poetica.

Ma pensiamo, invece, a quelle visioni di città nelle quali balena un presentimento di città celeste:

> Nuvole s'incastellano di luce...

oppure:

> Nel cielo in fiore, ove scintilla un riso
> di cristalli e d'arcangioli fanciulli...

che rievoca un'infantile felicità alla Blake sopra un tema di risonanza pascoliana.

O, in *Vincere il drago*:

> Le curve della tua statura bianca,
> negli andamenti snelli delle gambe,
> son procinto di voli...
> Marzo, che mette nuvole a soqquadro...

e tanti altri temi d'entusiasmo visionario; quando la figura umana, gli alberi e le cose della natura appaiono nel districarsi dalle faticose forme terrestri verso piú limpide forme. In ciascun componimento, qualche cosa può interrompere la nostra partecipazione; ma, nel complesso, è una indubitabile autenticità d'accento. E sarebbe bastante motivo d'onore, e verace segno di coraggio poetico, il solo aver vagheggiato d'esprimere questa vasta inquietudine di resurrezione, questo tormento di geologie minate dal Verbo.

E i volumi inediti: *Suoni del Gral, Aprirsi fiore*, ecc., rappresenteranno forse un grado anche piú deciso di quest'arte, e daranno ulteriori opportunità di riconoscerne i valori. Qui s'intende semplicemente d'aver ricordato un poeta nobilissimo: la passione e il disinteresse con i quali egli operò, la sua ambizione d'una poesia fuor del comune, a parte i risultati ottenuti, possono a tutti servir d'esempio.

(1929)

«Poesie» di Arturo Onofri

A cura di Arnaldo Bocelli e di Girolamo Comi, nella "Nuova Biblioteca Italiana", che sta riprendendo le sue pubblicazioni, è apparsa una scelta accurata e sagace di *Poesie* d'Arturo Onofri (1885-1928). Oggi l'Onofri è forse meno noto; ma nel primo decennio dopo l'altra guerra, mentre Saba, Montale e Ungaretti conquistavano e perfezionavano a passo a passo la propria originalità, e diventavano quello ch'erano destinati a diventare, egli fu tra i giovani poeti giustamente piú in vista, e su cui si fondavano le maggiori speranze, che non solo egli avrebbe compiute ma oltrepassate, se non fosse stata la morte prematura. Ma badiamo bene: che nelle piú significative raccolte di versi, parte uscite in vita dello Onofri e altre postume, già s'afferma una personalità estremamente caratteristica; e malgrado certe esuberanze e brutalità, un'arte completamente matura. Per buona fortuna, oggi si ricerca e si legge la poesia con piú amore e altresí forse con piú discernimento, di quanto non accadesse anni or sono, e il volumetto di cui stiamo parlando, costituirà per molti una rivelazione.

L'Onofri fu artista assai colto. Intorno al 1915, chiuso il periodo dei tumultuosi esperimenti giovanili, lo troviamo sprofondato in letture, ricerche stilistiche ed esercitazioni critiche che rientrano nella atmosfera di gusto della "Voce" di De Robertis e del famoso libro del Thibaudet su *Mallarmé*. Il suo temperamento lo portava ad abbracciare tendenze e opinioni non soltanto, com'è naturale, con convincimento e calore; ma addirittura con intransigenza e quasi violenza. E nessuno si impegnò e affaticò come lui in coteste prove e meditazioni governate dall'« ars poetica » impressionista e simbolista.

A un certo punto, nella sua vita, deve essersi dato qualcosa di cui esattamente non sappiamo; che produsse il passaggio ad una ispirazione la quale è stata ricollegata, anche piú del lecito, con le dottrine di Rudolf Steiner, ma che mi pare possa interpretarsi semplicemente nei termini d'una specie di spiritualismo panteista-cristiano, e nel concetto d'una natura redimibile e in continuo travaglio a diventare coscienza. Basterebbe pensare, del resto, alle proposizioni metafisiche implicite in una lirica come *Correspondances* di Baudelaire.

Ma non è neppure esatto che, da questo punto, l'Onofri rifiutasse le proprie esperienze tecniche, mallarmiste e laforguiane. Prima di tutto, perché niente era in esse d'inutile e da rifiutare. Chi appena conosca, ad esempio, le teorie « euritmiche » dei seguaci dello Steiner, trasportate dal linguaggio alle danze rituali della scuola di Dornach, non ha bisogno di troppi chiarimenti per capire come l'Onofri potesse giungere alle sue nuove posizioni estetiche, partendo dal *Sonetto delle vocali* di Rimbaud, o da *Un coup de dès* del Mallarmé. D'altra parte, non era stato Mallarmé sempre convinto (e mica poi tanto a torto), che il suo proprio ideale d'arte si trovava realizzato... nella musica di Wagner? Oggi, io inviterei gli studiosi di Onofri a riferirsi soprattutto, perché credo non sia stato fatto abbastanza, al Laforgue di componimenti come la stupenda ballata: « Oyez, au physique », ecc. Si prescinda dall'intonazione ironica del Laforgue: ma poi meno ironica di quanto vorrebbe sembrare. Il meccanismo delle immagini, il giuoco figurativo che interessavano l'Onofri, vi appaiono già costituiti pienamente.

Una volta messo sulla strada di questo cristiano panteismo, l'Onofri non ebbe piú dubbi, e la sua produzione lirica, a partire dal volume: *Trombe d'argento*, procedé con una irruenza e una copiosità cui non potevano tener dietro né i torchi né il pubblico. Tant'è vero che tre libri di suoi versi uscirono uno dopo l'altro, fra il 1924 e il 1928; e altri quattro postumi. L'Onofri, che aveva bisogno di guadagnare per vivere, ma preferiva l'orario in un anonimo impiego al giornalismo e alle cattedre, in cotesti anni stette negli uffici romani della Croce Rossa, presso Villa Borghese. E alla buona stagione, andando e tornando a piedi attraverso la Villa, saliva talvolta a casa mia ch'era sul suo percorso; e sorridendo mi diceva d'una o d'altra lirica che aveva in testa, e alla quale, strada facendo, aveva lavorato. Alto, atletico, d'occhi ceruli; sedendo nello studio d'un pittore per il ritratto, segnava su un foglietto abbozzi di versi e schemi di rime. La vena della poesia non si fermava piú.

Gli artisti che parlano del proprio lavoro, di solito sono noiosi; e tanto peggio quando si tratti d'una produzione torrenziale. Ma in Onofri era un entusiasmo incantevole ed alieno da qualsiasi vanità; e la sua ispirazione gli creava attorno un'aura innocente e affettuosa. Cosicché, nessuno neanche si accorse ch'egli era ammalato, quando già da tempo il male era invincibile; siffattamente l'intimo ardore suppliva alle forze materiali. Problemi d'espressione ormai non lo inquietavano piú. Diverse volte gli sarà magari successo di scrivere poesie che erano piú o meno la ripetizione o la variante di una poesia che egli aveva già scritta. Forse anche piú che di un artista, il tono della sua vita sembrava d'un mistico o di un santo. E vicino com'era alla morte, credo che, in cotesti anni, fra la gente da me conosciuta, nessuno visse piú felice di lui.

È innegabile, nell'Onofri, un uso costante di modi e parole i quali assumono un che di cifra e di gergo. Un impiego di astratti, parole composte, frequentativi, che meccanizzano la espressione. Stupendi gli avvii; ma poi spesso la poesia decade di tono. E tutti i libri della sua arte matura paiono scritti lo stesso giorno; o almeno, nella stessa febbrile stagione: non c'è sviluppo. Ma pensiamo a quelle sue visioni di città, in cui balena un presentimento di città celeste:

> Nuvole s'incastellano di luce...

oppure:

> Nel cielo in fiore, ove scintilla un riso
> di cristalli e d'arcangioli fanciulli...

che rievoca un'infantile felicità alla Blake, sopra un tema di risonanza pascoliana. O, in « Vincere il drago »:

> Marzo, che mette nuvole a soqquadro...

oppure:

> Le curve della tua statura bianca,
> negli andamenti snelli delle gambe...

e tanti altri temi d'entusiasmo visionario; quando la figura umana, gli alberi e le cose della natura, appaiono nel districarsi dalle faticose forme terrestri verso piú limpide forme.

In ciascun componimento, ripeto, qualcosa può incrinare la nostra partecipazione; ma, nel complesso, è una indubitabile autenticità, e quasi direi grandiosità d'accento. Sarebbe sufficiente motivo d'onore, e verace segno di coraggio poetico, il solo avere vagheggiato di esprimere questa vasta inquietudine di resurrezione, questo tormento di geologie minate dal Verbo, di mondi bruciati dall'Amore e dalla Luce.

(1949)

Dino Campana

Se uno torna col pensiero agli anni della formazione, in Italia, d'un nuovo senso della poesia, è colpito al vederli, cosí brevi anni, ingombri di tanti morti; e tutti morti giovani, o assai giovani: Corazzini, Michelstaedter, Gozzano, Tozzi, Onofri, Bastianelli, Boine, Serra, Slataper. Dino Campana non fu tra i piú giovani, relativamente alla morte materiale; ma gli anni da lui passati, fra il 1918 e il decesso nel 1932, in uno spedale psichiatrico, furono anni di morte. Quanto sorprendente e quasi mitologica era stata l'apparizione, fra le scomparse piú tragiche fu quella di Dino Campana.

Ho conosciuto alcuni poeti, nostrani e forestieri. Non pretenderò che fossero poeti immensi; ma erano di certo fra i massimi che l'epoca poteva mettere a mia disposizione. Accanto a loro, provavo ammirazione, riverenza. Accanto a Campana, che non aveva affatto l'aria d'un poeta, e tanto meno d'un letterato, ma d'un barocciaio: accanto a Campana, si sentiva la poesia come se fosse una scossa elettrica, un alto esplosivo.

Non so di che specie egli fosse; se superiore o inferiore alla comune nostra; certo è ch'era di altra specie. Un fauno insaccato in quei miseri panni di fustagno, o un altro essere cosí, tra divino e ferino, non avrebbe fatto diversa im-

Un'immagine giovanile di Dino Campana.
A destra: parte di una lettera inviata da Campana a Emilio Cecchi il 10 marzo 1919.

pressione. Genio poetico egli ebbe forse piú d'ogni altro della nostra generazione, se avesse potuto maturarlo e svilupparlo a fondo. Italiano dello stipite di Giotto, di Masaccio e d'Andrea del Castagno.

L'atto del poetare proveniva in lui da un incanto di realtà schiettissimo. C'era un contrassegno direi fatale e carnale, suggello autentico della sua genialità. Quelle che egli chiamò « le supreme commozioni della sua vita », gli conducevano il ritmo in andature corali, popolari. E segnatamente nel paesaggio, egli si esaltò in una bellezza italiana, specificamente toscana, di autorità antica e veneranda. La sua sensibilità spasmodica, di errante e perseguitato, non gli precludeva l'aspirazione, ed in parte il cammino, verso una forma classica della vita e dell'arte; verso l'idea d'una felicità, come egli diceva: « mediterranea »; idea che sembrava respirata nelle città tirrene del nostro Trecento.

Nessuno ha piú saputo, come Campana, nel rapido e largo stacco dei suoi versi e delle liriche in prosa, riuscire modernissimo e, al tempo stesso, naturale, popolaresco. Egli passò come una cometa; ed anche oltre le strette ragioni formali, in una sfera piú vasta e calorosa, la sua influenza sui giovani fu incalco-

10 marzo 1917

Egregio Signore

La ringrazio di avermi trattato male: è quello che ci vuole, io ho torto. Da quindici anni a questa parte tutti mi hanno sempre contestato il diritto di esistere e se non mi sono tirato un colpo di rivoltella è stato solo per un colpevole orgoglio ~~tutto questo è monotono~~, egoista e ~~immorale~~ e non poteva dare altro che quello che ha dato. Vedo che Lei tratta male i superartisti di Firenze: essi credono che l'arte non esista, infatti è meglio chiudere gli occhi: c'è certamente una ragione sopranaturale dell'esistenza di un loro tale lazzaronismo. Un art nouveau chez les macaronis! Che bell'articolo farebbe! Ci fu un tempo, prima di prendere conoscenza diretta della civiltà italiana contemporanea, ch

labile, e s'è tutt'altro che spenta. Egli dette un esempio d'eroica fedeltà alla poesia: un esempio di poesia testimoniata davvero col sangue. Da lui e dal coetaneo Ungaretti, s'inaugura un tono intimo e grave nella nostra ultima lirica.

Sembra un avvertimento simbolico, una specie di profezia, quel verso di Whitman che il Campana aveva fatto mettere, senza nessuna indicazione, in fondo all'ultima pagina del suo unico volume dei *Canti orfici*: sulla povera carta bigia dello stampatore campagnolo. Dice cotesto verso di Whitman: « Essi furono tutti coperti dal sangue del fanciullo ».

Fu curioso che il libro dei *Canti orfici*, cosí carico di futuro, uscisse al medesimo tempo d'un altro libro, squisitamente riassuntivo: *Doni della terra* di Carlo Linati. Non si sarebbe potuto immaginare confronto e contrasto di due temperamenti e di due arti poetiche piú differenti. Nulla, in Campana, d'una psicologia d'uomo d'« atelier »; ma, s'è detto prima, di errabondo e perseguitato. Egli non estraeva pazientemente i piú gelosi valori dei vocabolari; ma scriveva d'un rapido e largo getto; quando non lasciava giú idee e frasi come uno che scarica un insopportabile fardello.

Linati, tipico artista di decadenza, capricciosamente compassato; ma il Campana, poeta vero, cui la certezza della propria natura fa riuscire magari sciatto, circa le cose da ammettere o rifiutare. Sicché le pagine belle stanno nel libro fra abbozzi, moncherini, frammenti, dove una idea lirica tremola con gesto morto, che non arriva. O diremo che, per Linati, nel suo ascetismo letterato, la sensibilità non diveniva mai tanto gracile e spossata, che egli non potesse ricavarne qualche interessante filigrana, con quel rigore di non sperdere di sé una minima particella. Mentre in Campana l'atto dello scrivere si compieva, soddisfatte esigenze dell'essere che sono poi la riprova organica della poesia.

L'arte che, nell'errore, gli assume talvolta un che di romantico e torbido, sa ritrovare, come finestre di mare brillanti in fondo a cupi vicoli, aperture e certezze verso felicità dorate. Delicatezze ed agrezze speciose, improvvise mineralizzazioni di un contenuto patito, infinitamente cosciente, stanno nel libro dei *Canti orfici*, fino alla difficoltà della scelta:

> « l'alito metallizzato delle chitarre »;
> « nel corpo vulcanizzato, due chiazze, due fori di moschetto sulle
> [mammelle estinte »;
> « l'orologio verde come un bottone in alto che aggancia il tempo
> [all'eternità della piazza... »

Ma sensazioni ed immagini di questo genere, pur bellissime, interessano soprattutto come punto di distacco del Campana, verso una sua natura piú profonda. Sono ricordi bruciati e malati, di ore nelle quali, per intenzione, o simbolicamente soltanto, egli cercò di riaffermare il possesso dei propri valori; come nel rimorso s'interroga ed anticipa la grazia. Si direbbe che espresse, con il bisbiglio leggero e la precisione di disegno psicologico di un « canzonista » tipo Verlaine, le sue nostalgie e torbidezze di poeta « maledetto », il Campana, segnatamente nel paesaggio, s'orienta nella luminosità d'una natura vetustamente italiana. L'innesto delle due tonalità, per solito, si avverte facilmente.

E la piena purezza delle attuazioni appare, dicemmo, nei paesaggi; sia in forme che hanno ancora del descrittivo; sia in vere e proprie illuminazioni liriche, dove si astraggono del tutto in geometrie di colori e arabeschi musicali, con raccordi semplicissimi di parole facili e ritornanti, che limitano e spartiscono vasti e limpidi spazi.

Alcune immagini della montagna:

« Io vidi dalle solitudini mistiche staccarsi una tortora e volare distesa verso le valli immensamente aperte. Il paesaggio cristiano segnato di croci inclinate dal vento, ne fu vivificato misteriosamente. Volava senza fine sull'ali distese, leggera come una barca sul mare. Addio colomba, addio! Le altissime colonne di roccia della Verna si levavano a picco, grige nel crepuscolo, tutt'intorno rinchiuse dalla foresta cupa. »

Una visione dell'Arno:

« L'Arno qui ancora ha tremiti freschi; poi lo occupa un silenzio dei piú profondi; nel canale delle colline basse e monotone toccando le piccole città etrusche, uguale oramai sino alle foci, lasciando i bianchi trofei di Pisa, il duomo prezioso traversato dalla trave colossale, che chiude nella sua nudità un cosí vasto soffio marino. A Signa, nel ronzío musicale e assonnante, ricordo quel profondo silenzio: il silenzio d'un'epoca sepolta, di una civiltà sepolta: e come una fanciulla etrusca possa rattristare il paesaggio... »

Con piú libero slancio lirico, in questo frammento: *Olimpia-Arabesco*:

« Oro, farfalla dorata polverosa perché sono spuntati i fiori del cardo? In un tramonto di torricelle rosse perché pensavo ad Olimpia che aveva i denti di perla, la prima volta che la vidi nella prima gioventú? Dei fiori bianchi e rossi sul muro sono fioriti. Perché si rivela un viso, c'è come un peso sconosciuto sull'acqua corrente, la cicala che canta ».

E in quest'altro frammento, una delle piú alte cose di Campana, e fra le sue ultime, intitolato: *Toscanità*:

« Perché esista questa realtà tu devi tendere una volta gialla sopra il velluto nero e le trecce di una trecciaiola che intreccia pagliuzze d'oro ».

« Non accendere i carboni della passione: essi ti risponderanno col fuoco elementare delle carte da giuoco. Ma se piuttosto intendi il battere di tamburi con cui il poverello Giotto accompagnava le sue Madonne, sii certo che i doppii piani ti daranno la soluzione della doppia figurazione che l'orgoglio e lo spirito aspetta... »

Dove la superba immagine della trecciaiola e della Madonna, si dissolve in un concetto rimasto quasi inespresso e inafferrabile.

Scene di mistero originario si posano entro cornici da palcoscenico di caffè concerto. Eremitaggi e marine biancheggiano e lustrano sul policromo polverone di qualche trista fiera di provincia. Ma tali vicinanze appunto conferiscono alla loro apparizione di paesaggi di libertà e di redenzione; e fanno tanto piú sentire come quel riso « mediterraneo » non fosse qualche cosa di astratto, un tema da disciogliere in valori affini di cultura: per esempio il « francescano entusiasmo della natura con fede », l'allegria provenzale. Le confessioni, le epigrafi, insomma tutta la scoria vissuta, ch'è scheggiata e spersa nel libro dei *Canti orfici*, in un pallore allucinato, entrando in questi rapporti trova almeno una vibrazione di dolore, di ansietà umana. Ed anche essa contribuisce ad autenticare, per la sua parte, che in quell'epoca di ricerche d'una nuova poesia, d'un nuovo stile, Dino Campana fu di quelli che portarono, oltre ai successi incontestabili e sereni, piú profonda lealtà a sé medesimi, piú onore.

(1952)

Esercizî ed aspirazioni: Rèbora e Mulas

Di certo, Clemente Rèbora, che parte sur una dedica: « ai primi dieci anni del secolo ventesimo », in un volume di *Frammenti lirici*, è stato guidato alla poesia da emozioni connesse alla recente coltura idealistica italiana. Va, nei suoi versi, decifrando e celebrando i segni dell'« Idea », nelle forme della natura e della vita umana. Far l'elogio di questa posizione spirituale e autenticarlo col raffronto di tanta viltà e scioccheria della nostra letteratura odierna, equivarrebbe ad offendere lo scrittore, usando una riprova esterna prima delle intrinseche riprove.

Cerchiamo dunque, franchi, il nostro parere modesto sul suo lavoro.

Secondo noi, la disposizione del Rèbora ad assumere la filosofia quale principio generatore di entusiasmo poetico, è simpatica giovanilmente, ma anche pericolosa; in fondo dilettantesca. Si tratterà d'un dilettantismo piú commosso di tanti altri; ma sempre dilettantismo. Il dilettante è uno che nutre la sua partecipazione alla vita, del compiacimento di sorprender la vita in aspetti che rientrano, con curve precise ed eleganti, in un quadro di combinazioni fisse; sulle quali egli si è fatta, a costo di tutto il resto, una competenza speciale. Si mette nel mondo come un piccolo demiurgo, che guarda le cose trottanti intorno come i cavallini di una « roulette » piombata.

Ora, questa è condizione antitetica a quella del poeta vero. Il poeta non può appigionarsi a nessuna fede canonica, e non può astringersi a non vedere nella realtà che le conferme di una soluzione supposta. Per un poeta, cioè per un uom potenziato, tutto è in giuoco, in rischio, in pericolo sempre; dalla sua poesia dipende se tutto si salverà o no, se il miracolo della vita si rinnoverà. E il Rèbora è debolmente un poeta idealista, in quanto meccanicamente sicuro del funzionamento della « Idea », e non già costretto, stupito, quasi violentato assertor dell'« Idea »; in quanto, in altre parole, l'« Idea » in lui non è mai energicamente negata, compromessa. È un fiacco poeta idealista, come son fiacchi cristiani, dilettanti del Cristo, coloro ai quali il Cristo non apparve mai un assurdo religioso, una impossibilità, che si trattava proprio di attuare, anche a costo di una di quelle eresie che sembrano brutalmente conculcar sotto l'umano ribelle, il divino.

« Agli svolti repenti della vita », dice il Rèbora, « l'"Idea" m'appare e mi fa paura. » Ma ad un poeta genuino, nativo, il principio, il verbo, s'addimostra come fatto; e cosí lo colpisce. Un poeta deve errare. Se un poeta diagnostica, a colpo, nel fatto, la gerarchia ideale, si trova, come poeta, nella condizione di Re Mida il quale morí di fame perché toccava oro, oro, oro; e non mai modesto pane. Lo sgomento, la paura, di cui questo poeta volesse parlarci, non sarebbero, almeno in gran parte, che amplificazioni, o ripiegamenti retorici. E il poeta che, con autentico stupore vedrà fermarsi sulla commossa superficie del mondo un'ombra colossale, e non storpierà nel verso questo sentimento, sarà quello che, soltanto dopo, fu accorto che l'ombra ignota era l'ombra divina.

Supponete Dante, tanto sicuro dell'ordine del mondo; da non avere avuto bisogno di conquistarsene l'unica prova che egli poteva accettare, la prova intrinseca della poesia. L'idea della *Divina Commedia* sarebbe rimasta esaurita nelle formule del *Credo*; quali si leggono nella « dottrina » dei fanciulli. La *Divina Commedia* non sarebbe mai stata scritta.

Insomma, fuor di paragoni, e in termini poveri, il Rèbora rimane escluso dalla realtà poetica perché è sempre sospeso a una funicella dialettica. Niente di spirituale veramente, e cioè, drammatico, in lui; al contrario di quel che potrebbe credersi, badando a' soggetti e a' motivi delle sue preoccupazioni: il destino, l'amore, il lavoro, il progresso, ecc. Egli si trova in una botte di ferro. Il rimorso della giornata non degnamente spesa, le afflizioni che son legate all'amore, le rivolte dei sensi, checché egli dica, non lo turban che poco, perché egli conosce tutti i significati, le equivalenze, le funzioni, di questi spirituali momenti del processo complessivo. E l'unico sentimento immediato, che emana dalla sua consapevolezza, è il sentimento di una vaga protezione, d'un bene idillico, riposato; nel quale, però, noi possiamo difficilmente distinguere fra ciò che veramente appartiene alla mite gioia contemplativa, e ciò che è risalente tepor sensuale.

Perché si intende che, quando la sicurezza entusiasta e passiva è tale e tanta che il poeta perde anche ogni memoria teorica de' contrasti, delle implicazioni ond'è tessuta la vita, poco gli rimane, se vuol dar segno di vita, all'infuori dell'immergersi fra gli oggetti bruti, per non coglierne relazioni superiori, tutte risolute, disfatte nell'amorfa « Idea » finale, sibbene per possederli corporalmente, nella loro realtà spicciola, impressionistica, sensuale. È lo stesso che succede nel panteismo, dove si sa che dio, il logos, è dovunque ed è tutto; ma non sapendosi come dio sia le cose, in realtà si finisce per trovarsi soltanto davanti alle cose brute, immobili, senza poter risalire e circolare da esse a dio.

Parato dunque alle spalle dalla muraglia cinese delle persuasioni ottimistiche, ma direi anche « smontato » dalla loro fissità, il Rèbora per forza, a momenti, pur senza confessare il capitombolo, deve finir per cascare, rotolarsi nella materia. Mi fa pensare al famoso « ecclesiastico » del Mallarmé, nel bosco primaverile. Il diavolo sta attento, spia, sollecita l'egoismo, facendo vedere una specie di « sfida » in ogni affermazione etica troppo assicurata; s'approfitta di un attimo di assenza, di stasi. E con tutto il suo voler creare la realtà nei significati ultimi, il Rèbora non può scegliere che fra lasciarsi tirar su dal pallone areostatico dell'idealismo a schemi, a pigliar della vita pallide vedute a volo d'uccello; e abdicare nell'impressionismo egoistico e meschino. I quadretti di idillio di contro alle teologie. Ma per pitturarli il Rèbora è munito di verbali risorse coloristiche che ci meravigliano appena meno, per il fatto che ne abbiamo già trovate simili, in parecchi giovani scrittori nostrani: il Saba, il Linati, il Soffici, lo Slataper, il Palazzeschi, ecc., ecc.

A questi scrittori, per varii cammini, portati a un impressionismo grazioso e un po' uniforme, forse soltanto la diversa educazione letteraria impedisce di unire non mediatamente, l'altro giovine poeta di cui vogliamo occuparci. Se essi si fermano in un oggettivismo rozzo e accecante, egli preferisce, per ora, ottenere un compromesso piú decorativo, non piú simpatico, né credo piú vitale.

Si tratta di Giuseppe Mulas, che un suo volumetto di *Poesie nuove* ha voluto dedicato: « a Dio, alla Terra verdeggiante, agli uomini di buona volontà ».

Letta la dedica, certamente molti hanno gettato l'opuscolo, senza pensarci piú. Le primizie offerte a Dio, non fanno gola agli uomini. Quando a un contadino comincia a marcir la frutta sugli alberi, ne accomoda, in un canestro, e porta al priore. Gargantua e Panurgo, discutendo che cosa avrebbero fatto delle donne brutte, che non volevano accogliere nella loro abbazia, si trovarono stupendamente d'accordo, pensando che bisognava « metterle in religione ». D'altronde, chi offre di puro cuore, preferisce l'ombra e il silenzio. Dio ritrova il suo, senza bisogno di sopraccarta.

E, a parte questo, io dico bisognerebbe si diffondesse anche un po' di pudore circa l'uso della parola « Dio ». Chi non è irresponsabile o ciurmatore, non dovrebbe permetterselo senza chiarire, fino alla pedanteria, l'accezione filosofica, religiosa, ecc., ecc., in cui la assume.

Ma, oltrepassata la dedica, si è contenti di non avere avuto paura. Nel Mulas è una forza, ancor molto torbida, tumultuaria; mescolata a retorica; e, spesso, anche a una curiosa retorica sincera, contenente ricche possibilità.

Ciò che vien fatto principalmente di notare è una tendenza quasi disperata al mito. Il Rèbora deduce, accentra la sua lirica. Il Mulas cerca di sollevarla lontan da sé, in miti. Mi osserverete che tutti i poeti, in quanto tali, in fondo, sono mitologi; e che anche: « le guance eran simili a rose » è mito. Qui, io dò alla mia osservazione, un significato strettamente empirico, e dicendo che il Mulas tende al mito, intendo che le sue idee poetiche cercan di costituirsi al di sopra dello stato lirico individuale nella sua esperienza immediata, trasportando vasti significati, in figurazioni dai caratteri epici. Voglion fare appello a un'esperienza già educata, complessa; vogliono imprimer moto a tutta una ampia serie spirituale; vogliono tenere estranea l'umanità prima, carnale, ove non serva a prospettar per contrasto la umanità piú profonda, religiosa.

Tutte queste esigenze, il Mulas non ha adempiute; se pure s'è accostato, con sobbalzi, presentimenti. Come e perché, sarebbe troppo lungo enumerare: d'altronde, quasi ovvio per chi ha letto le *poesie*, poco chiaro per chi le ignora. Nemmen *Socrate*, dove, nella figura d'un Sileno, abbandonato goditor della vita elementare, poco a poco si accende il simbolo d'un altra ilarità, vigile e ferma sul giuoco miracoloso della vita dello spirito, è completamente persuasivo; altre cose, meno ancora. E il Mulas, nel suo fascicolo, trova pieno equilibrio, solo in due esercizi di colore; che non possono rappresentarlo bene perché sono due pezzi da scuola; ma dànno testimonianza di una forza rara: principalmente il *Mandriano*; meno il *Carradore*; d'una tinta da *Conviviali*, ma piú lampeggiante e barbarica; di un attrito verbale aspro. E agli endecasillabi sciolti di questi componimenti, per l'unica volta, nei due volumi odierni, si può dare il nostro pieno assenso ritmico.

Perché è triste: ma anche scrittori come questi, ch'hanno senso della serietà dell'arte; si contentan troppo facilmente nel fatto prosodico, e muovono a trovar fondo all'universo, e incontro a Dio, senza accorgersi d'andare a piede zoppo.

(1913)

Testimonianze classiche: Vincenzo Cardarelli

Fino dalle prime composizioni in versi, e progressivamente nei poemi in prosa coi quali il libro si svolge e conclude, i *Prologhi* di Vincenzo Cardarelli offrono pegno di classicità, nel senso della materia completamente posseduta. Si entra e circola nello spessore d'una coscienza che porta risolti in lucide masse quelli stati che, ancora anarchici e suddivisi, negli spiriti meno padroni servono come sostanza di figure e di miti. La parola attesta la sorte del suo processo dialettico, appena in un indolorimento segreto che intiepida la sua definitiva rigidità.

Ma è certo che io non adopero senza mortificazione e sospetto questo termine: classicità. Né ho bisogno di assicurare quanto l'elemento patetico, d'« eterno ritorno », ch'esso contiene, mi paia fra i principî di convinzione critica, il piú negativo.

D'altra parte la critica, specie quando esce a ridosso della nuova poesia, può molto discostarsi da una funzione preliminare, ambientatrice? La critica che, piú o meno, è sempre la politica di quella mistica ch'è l'arte: politica stretta di rimorsi quanto piú il fatto artistico è soprastante? E accade che certe formule e luoghi comuni riescano a render servizio, conferendo al tentativo di definizione nuova una sorta di decenza, di precauzione senza troppa viltà.

Basta appena il ricordo delle intenzioni, dei procedimenti dell'arte circostante, perché si vegga qualche significato concreto di quella prima affermazione rudimentale. Si pensi il grosso impressionismo, il secessionismo eclettico, il bozzettismo passato nell'esercizio della descrizione sovvertita. Tutte le intimazioni di pregiudizi, o magari verità d'arte polemiche e tronche, che, a momenti, violentano anche le sensibilità piú schiette, riducono la poesia ad una servitú esterna; o a una fuga nella nebbia, intorno quei valori iniziali che in queste pagine si sentono nativamente supposti.

Appunto manca nei *Prologhi* qualunque curiosità d'avventura estetica, di forme sperimentali. Il metodo dello scrittore è di ritorni interni e ricapitolazioni.

> Sulla mia pagina scritta,
> se voglio che non mi rimorda,
> quanto ancora da rifare!
> ... Se voglio avanzare un poco,
> per un piccol salto,
> che lunghe lontane rincorse!

Metodo d'ostinazioni sur una materia nella quale via via decade ogni carattere illustrativo, si logora ogni rapporto personale, finché si disciolga e delinei, tutta sensibile e chiara, nel disegno musicale dei ritmi.

E manca ogni attestazione statica e bruta di parola, d'epiteto minerale, che si propone alla coscienza come un pezzo di natura riposante e annullante. Infatti, ciò che esiste, non ha bisogno, ad affermarsi, di recidersi fuor di sé e ridipingersi lontano; anzi regge nell'astrazione dello stile la immediatezza leggera e logica dell'istinto. Manca il colore tardo e addensato che vuol creare la materia elementare d'un oggetto quanto meno creduto; e si vive nella pienezza d'un colore fantastico modulato e costante.

Contrappunto invece di vocabolario. Movimento e musica piuttosto che pittura.

Questi principî caratteristici della propria natura, il Cardarelli li ha lungamente isolati ed espressi. Della loro ignuda asserzione si può anzi dire egli abbia fatto un tema dominante della propria arte. « Affermo il limite, principio dalla negazione: la realtà è l'eterno sottinteso. La mia lirica (attenti alle pause e alle distanze) non suppone che sintesi. Luce senza colore, esistenze senza attributo, inni senza interiezione, impassibilità e lontananza, ordini e non figure, ecco quel che vi posso dare. » La sua arte attuata non è in molti casi che l'autenticazione, traverso un doppio grado, di una riflessione sull'arte, la quale naturalmente coincide con un'etica potenziale. « Le parole non si dicono, si danno. Si procede da quel che si è detto. In principio erat verbum. La vita di un uomo può essere piú o meno grave secondo che egli si sia piú o meno permesso di parlare. E non giova aver parlato nella verità. Si può peccare anche di troppa fede. Si può avere sbagliato per soverchia disposizione. » O altrove: « Chi parla ha da sentire di compiere una infrazione ». Ancora:

Ispirazione per me è indifferenza.
Poesia: salute e impassibilità.
Arte di tacere.
. . .

L'espressione è insomma rovesciata e dominata nell'incidenza piú stretta, nella piú sorda cadenza, come la materia venne sostenuta nella continenza estrema, tenuta rappresa nell'ultima diffidenza ch'essa fosse mai giunta a una nuova naturalità. E il tipo fondamentale della azione di questo scrittore finisce cosí per emergere come astensione e contrazione. I suoi incontri lirici avvengono sulle sospensioni e gli aggruppamenti degli impulsi intorno a una disposizione librata che si potenzia nella propria negazione. « La prima cosa che deve sapere un uomo mentre si prepara ad agire è: che l'azione non è la regola. » E l'uomo potrà anche finir per dovere accettarsi figlio del proprio atto, per testimoniarsi traverso l'ignoto, l'inconscio che l'atto contiene. Ma, prima di tutto, lo sforzo sarà di consumare, bruciare in silenzio la piú grande realtà di questo ignoto; respingere, si potrebbe dire con immagine teologica, l'intervento, l'invadenza di Dio; intendere Dio e praticarlo come l'ultima e meno desiderabile delle eventualità.

Non nei riguardi dello scrittore, ma in quelli delle facoltà d'interpretazione correnti, è forse necessario di sottolineare che questo sistema, questo destino di astensione, non va riferito, in umiliazione e dipendenza, ai presupposti di qualsiasi spiritualismo. Che in questa sospensione non va visto un atto derivato, ma una invenzione punto per punto; come nell'atto dello scultore che adopera il vuoto a rendere vigente la spinta dei pieni. Se ne ha la riprova, vedendo come la cognizione lirica si propaga fuor d'ogni contatto e urto con quanto può avere una definizione logica e religiosa, perché ne ha esaurito in sé l'esigenza, in un atto preliminare; sicché potrete trovare a questo spirito l'autorità dei riconoscimenti piú incrociati. Il suo passaggio nelle particolari esperienze pare piú improbabile nello stesso tempo che piú intimamente si compie, tanto di rado qualcosa di cosí energico e tenace fu proposto cosí come pura forma, e cioè necessità e universalità.

S'è creata un'arte di notazione degli slanci, i movimenti, i rapporti di volontà mute, senza oggetto tangibile, colte come modi e profili; un'astratta inscrizione di muscolature e innervazioni nella materia rarefatta del dramma d'ogni energia. La vita trasparisce in questi poemi come dall'interno d'un prisma potente che la rompe e ricompone in pure linee di forza. Paesaggi della volontà, panorami di tempo; architetture polifoniche di scrupoli, rimorsi, rivendicazioni, vertiginose allegrezze, sul tema di quella continenza vitale. « Sento che il tempo cade e fa rumore nell'anima mia. Il rimorso, sempre ritornante a ogni leggero soffio di fiducia, dei giorni mancati, delle generazioni violente, delle visite precipitate, apre vortici di disperazione nella mia volontà di rifarmi. » Di percezioni di rigidità, resistenze, mollezze, densità interne, attrazioni calamitate e repulse, è offerta una deserta figura, uno schema dinamico d'Uomo, un corpo simbolico attuato come in un circolo e colloquio di vivi colori.

Per la necessità di analisi non brevi, non si riescirebbe qui a far vedere come quest'arte s'improntì nelle singole proposizioni, costrutte di tratti veementi, scagliate e subito rattratte e pentite: e nei segni della spazieggiatura e punteggiatura, ricercate in modo da fornire i distacchi massimi nell'incontro de' timbri, da offrire la prosecuzione l'iterazione di una idea scomponendola in repliche come dalla parte opposta del diametro, e contraddizioni centrali. Nel tessuto delle frasi è un senso di reciproco pericolo, di minacciosa diffidenza, che non fa che approfondire, dare una sorta di fatalità al moto d'insieme. Tutto ciò, traverso l'elemento di una prosaicità costante; adagiando senza toccarla la frase piú popolare nel movimento piú alzato; e un parer nulla, anche dove lo scritto è piú intenzionato, intimante, anche dove si scande in una sorta di declamazione musicale. Traverso una immensa dote di chiarezza, di quasi paradossale chiarezza, che, colle abitudini odierne di lettura, può produrre sulla pagina lo stesso effetto dell'oscurità, e impedire di subito vedere.

Solo nel riconoscimento della progressiva inserzione di queste virtú, e non per un eccesso di supposizione, e non per una sordità rispetto a parti gloriose del libro, mantenevo che lo vediamo accrescersi, dalle prime liriche, piú plastiche e naturali, verso le prose. Appunto anche se in quelle liriche, oltre tutto quanto rientra in ciò che generalmente s'è detto, appaiono imagini capaci di confondere in definitivo chi, per esempio, osservando che questo scrittore scarsamente convita la natura, in tale riserbo trovasse un'impotenza e un sistematismo gramo:

Io che non spunto a febbraio coi mandorli,
non mi compiaccio all'arido sapore
di sasso che acuisce
il gusto dolce dell'acqua dei rivi,
alle gocciole chete
di nuvola randagia
che vanno in punta di piedi
in compagnia dei pensieri,
. . .

Intendo che il grado nel quale il Cardarelli concreta con l'appoggio d'apparenze paesistiche e naturali mi pare in lui di trapasso, anche se so ben distinguere fra l'astrazione dei suoi paesi: chiare simbologie d'interni spazi e stagioni, e quel che si chiama paese d'attorno.

Intendo, altresí, che dove la sua arte conosce gli accenti d'un acre orgoglio, d'una ebbrezza della forza individuale definita in ragione di contrasto con un mondo troppo vicino, siamo ad un tono nel libro stesso oltrepassato. Che certe enunciazioni gnomiche rappresentano un evidente punto piú stanco; il quale altrimenti si trova come annotazione direi soltanto scientifica di qualche rigoroso tratto di psicologia. A volte, infine, la rarefazione e la solitudine producono un senso di vertigine stilistica; l'assenza d'anche ogni traccia e simbolo d'oggetto affettivo, fuorché le linee dialettiche che rigano la materia spogliata fino al disumano, dà uno smarrimento, un'angoscia di funebre e gelato petrarchismo.

E, sotto tali avvertimenti, mi si consenta di concludere questo schema azzardando, che, forse, in questa lirica, oltre tutti i possessi spiegati, è una drammatica implicita e che ancora attende; che il Cardarelli è, forse, nel suo aspetto piú ampio, un drammatico pel destino del suo svolgimento letterario (dalla critica all'arte) affermatosi col dare prima quelle giustificazioni d'impulsi in una

Vincenzo Cardarelli, a sinistra, con un amico.

imparzialità muta, alle quali i drammatici rozzi e naturali riescono solo sul tardi. Un drammatico che, agli effetti del proprio sviluppo, avrebbe ormai, piú che da estrarre, da distendersi e sensualizzarsi. Il fatto che la letteratura mostra i drammatici in prevalenza a tradursi da un'elementarità popolare, descrittiva, o da un'assertività teologica, nei modi che qui sono apparsi primi, non pregiudica ch'egli, per trapassi inediti, possa trovare le illusioni d'ingenuità necessarie a quella mascherata differenziazione dell'identico che forma il dramma.

S'abbia presente come gli è costante e necessaria una colloquialità che, da piú generale e d'impostatura, nelle liriche: « Adolescente », « Vagabondo », ecc.; e da interna e puramente sintattica in molte prose, finisce col diventare, in altre prose, apertamente drammatica, o almeno corale. Fra queste prose, i due *Commiati* sono un dialogo a metà scancellato, del quale non resta che la parola dell'Uomo; mentre il frammento della *Morte dell'Uomo* ritrova questa metà persa di dialogo e colla risposta postuma dei « camerati » completa il calco d'una presenza eroica. In questo frammento, forse il tratto piú grandioso nel libro, e nel capitolo lirico: *Impressioni*, e in tanti passi sparsi, si vegga quale facoltà di conferire alle sensazioni piú interne una corporalità tragica (« il tempo cade e fa rumore nell'anima mia »), di risolvere ciò che, altrove in questi *Prologhi*, può esser rimasto soltanto come insulto metafisico, verticale, in chiare sigle, in disegni palesi del dedaleo delle forme morali.

E si rifletta sulla confidenza biografica che conclude appunto queste *Impressioni*: « Tutta la realtà incomunicabile e sacra che ha una sua furtiva azione dietro i sipari della convivenza ha fatto il mio tremore e la mia folle fuga nell'impotenza, per anni ». Forse essa contiene la testimonianza di esperienza nel panorama piú promettitore all'attività futura di questo artista che era stato troppo poco preveduto.

(1916)

Vincenzo Cardarelli: «Viaggi nel tempo»

Ci son due favole o moralità, in questi *Viaggi nel tempo* di Vincenzo Cardarelli, dalle quali mi sembra possa risaltare, meglio che da lunghi discorsi, l'atteggiamento generale di questo poeta; e il modo particolare del suo sviluppo, dal volume dei *Prologhi*, che nel 1916 portò qualcosa di assolutamente nuovo nella nostra giovane letteratura, all'opera odierna. E poiché, riferendoci a coteste favole, ci verrà fatto d'aver bisogno di qualche citazione, il lettore che ancora non abbia visto il nuovo libro comincerà anche a entrare direttamente nell'incanto d'uno stile semplice, logico, oppure pieno di veemenza fantastica; ironico e appassionato; scarno eppoi all'improvviso trionfante di memorabili fasti; e la nostra opera di dichiarazione e commento si troverà per metà compiuta. Una di coteste favole si intitola: *Errori di Don Giovanni*; e il principale di cotesti errori fu precisamente:

« Che Don Giovanni seguiva e onorava, non le donne, ma le occasioni. Perderne una gli sarebbe parso come soccombere in una scommessa, o venir meno a una parola data: due cose altrettanto inconcepibili per un gentiluomo spagnuolo, puntiglioso e spavaldo come era lui... Aveva il genio di giocatore, freddo e insensibile proprio a ciò che dovrebbe costituire lo scopo della sua passione... Anche l'ardimento e il senso dell'onore non gli servirono che per giungere, con piú dannata irrimediabilità, in fondo al Male. E la virtú cristiana della tolleranza, di cui un uomo simile (un uomo che ebbe tanti contatti!) doveva essere fornito in maniera eccezionale, immaginate voi a che cosa può avergli valso. A rifare ogni volta da capo le sue scempiaggini senza morirne dalla noja e dal dispiacere... E il Signore, a cui spiace il cattivo impiego dei suoi doni e l'inutilità nel peccato piú d'ogni altra cosa, fu offeso e lo dannò all'Inferno. – Peccato è amare la carne indistintamente. Iddio, anche per questo, s'è preso il disturbo di domandarci che cosa ci piace. Ed è una domanda piena di tremenda precauzione. Egli ha messo quaggiú dei caratteri e delle figure precise ».

Se lasciando il significato esterno, oggettivo, ch'è lampante, si cerca in questa favola una morale piú interna e lirica, è altrettanto facile vedere ch'essa esprime per questo artista tutto il suo modo, o addirittura il suo metodo, d'essere artista. « Peccato è amare la carne indistintamente. » E poesia, ch'è virtú, cioè pienezza, nel senso estetico, è amare la realtà con la piú scrupolosa distinzione. Diffidare delle occasioni, e respingerle; e cercare ed esigere nella materia del mondo soltanto le piene identità. In un piccolo capitolo di questo stesso libro, il Cardarelli ha ridetto queste verità esplicitamente in forma d'*ars poetica*: « Qual è la parola piú satura di verità, piú poetica, e che si lascia scrivere con mano leggera? Quella che a contatto d'una certa impressione, che può rinnovarsi identica, abbiamo pensato e ripensato con maggiore insistenza, tenendola tuttavia silenziosa in noi, lasciandola riposare, e quasi rimettendo ogni volta il tempo di adoperarla, per un miscuglio d'irresolutezza, di ottusità, o magari, ch'è lo stesso, di contentezza troppo profonda... E appunto per questo, le parole poetiche sono poche ».

Inutile voler dedurre altre formule, qui dove la formula è arrivata a una forma cosí precisa e popolare. Poesia non è che verità. E poesia è tutta nelle cose; le poche cose conquistate, controllate e strenuamente difese che costituiscono per ciascuno il tesoro delle sue verità.

Chi lesse i *Prologhi*, ha certamente sentito tornare in folla alla memoria, immagini, motivi, spunti didascalici, che testimoniavano lo stesso atteggiamento di vita e d'arte, benché sotto un'incidenza piú stretta e autobiografica; e con tutti i segni d'una tensione che talvolta era addirittura disperata e sanguinante. Ma s'è sentito trasportato, con questo nuovo libro, dal dominio dello sforzo ansioso, in quello della forza serena; dalla sfera della volontà in quella della fantasia; da una moralità intesa soprattutto come disciplina e astensione, in un'altra di pura gioia e libertà; da una atmosfera riarsa e desolata, in un'atmosfera tutta familiare, eppure magicamente scintillante. Una figurazione di questo transito, parrebbe di poter ritrovarla in alcune frasi dell'altra leggenda cui ho accennato: *Un'uscita di Zarathustra.*

« Perché Zarathustra, nel tempo che abitava sul mare, uscí una mattina, come era suo costume, incontro al sole. E: – "O Mago, gli disse, non è possibile che io resti a dilettarmi oltre dei fantasmi che tu crei. Io avevo delle idee prima di venire nei tuoi dominii, avevo delle idee sostanziose, le quali si sono bruciate, o Mago, al fuoco della tua luce. E in cambio non m'è rimasto che parvenze e colori: tutto ciò che tu sai inventare al sommo dei tuoi splendori meridiani, allorché tu scendi nei golfi a fecondare le onde che molleggiano scintillando in deliquio, mostro incantevole... Da quando cominciai a considerare, le cose che vivono nel tuo brivido eterno ho perso la magia dei principi, le lettere dell'alfabeto... "». Non si potrebbe figurare con ilarità fantastica piú alta e graziosa lo stupore di questo poeta, nell'atto che i suoi travagliati alfabeti gli si disperdono balenando, e la sua consapevolezza si discioglie in istinto e mito. « Le cose non stanno che a ricordare. » « Il mondo è abitato dalle nostre memorie. » Memorie tanto maturate e fedeli, che bruciano e brillano come apparizioni irriconoscibili, nei colori e nei giuochi del sole.

La chiara e misteriosa bellezza, la primaverile vigoria del libro, sono appunto in cotesto dissolversi del rigore e della scienza in riso e visionarietà. E perciò il libro s'è come intriso d'una luce elementare, e fluidamente riempito d'immagini solari e marine; forme naturali ed oggettive di tripudio e liberazione. E la sua saggezza sembra, a volte, quasi obliarsi e pargoleggiare, e non esser piú che un'astratta occasione di gioia musicale: come in quell'arte di cui il Cardarelli ci parla nelle sue pagine sul Leopardi; nella quale « Lo stile è tutto diletto, quasi delirante divertimento musicale d'un'anima stanca dei suoi pensieri ».

Alcune figure son piú prossime alle indolorite figure dei *Prologhi*:

Di paese in paese
gli orologi si cantano l'ora
percotendosi a lungo nella notte
come tocchi d'organo gravi.

Ma di regola, come quella del mare, con: « le tempeste incredibilmente chiare... e le miriadi di pesci appena generate, che salivano dal fondo in grande armonia per riscaldarsi al tiepore della superficie »; o l'altra delle « onde gonfie e ferme che compongono praterie iridiscenti e sterminate e pare che qualche cosa le agiti internamente come la nostalgia di fiorire »; di regola, si producono in uno sboccio d'inebbriata e sostenuta festosità cosmica; e rinunzi a leggere di poesia chi, per orientarsi sulla qualità di queste figure, avesse bisogno di pensare a un naturalismo dell'ultim'ora, e magari estremamente scaltro; o a un panteismo, magari meno scervellato dei panteismi soliti. Anche il paesaggio piú povero, qui è saturo d'occulta ed esatta intenzione. E si veggano le divagazioni sui paesi del norde, e sopratutto quella su Roma, per intendere appieno in che modo negli aspetti d'una pittoricità tanto divertita, e talvolta in un puro giuoco di suggestioni leggendarie, questo scrittore sappia investire i piú fermi e sottili giudizî storici.

Si capisce bene, davanti a saggi come cotesti, nei quali egli sfoggia non senza ironia la sua capacità figurativa, si capisce bene quel che il Cardarelli abbia voluto dire, in uno di quei corollari *rettorici* con i quali ha chiuso il suo libro, e precisamente dove confessa: « La mia infelicità è di non avere un dialetto. Qualunque cosa sono costretto a metterla in lingua ». Perché alla sua intellettività, ormai cosí risolta e posseduta in assoluti valori fantastici, potrebbe veramente sorridere una materia letteraria come quella dei dialetti greci (non le forme dialettali d'un Pascoli) ch'erano a un tempo lingua popolare e lingua d'arte; o come la lingua di Dante e di Shakespeare. E « mettere in lingua », non è insomma, anche per lui, che la fatica passiva di riportare intattamente, dentro la lingua letteraria, con tutte le sue decadenze e perversioni, la sua ritrovata candidezza.

Da ciò che abbiamo detto, dagli esempi offerti e da cotesto corollario, noi non disperiamo che il lettore possa ormai ricavare per suo conto tanto da non obbligarci ad altre spiegazioni, quando insistiamo sulla squisita popolarità e familiarità di quest'arte. Ma neanche ci nascondiamo che sarà molto piú difficile smuovere i dottori, i letterati e altre persone d'ingenuità irrimediabilmente perduta, e di mezza coltura, dalle loro superstizioni. Davanti ai *Prologhi*, essi scambiarono la severità lirica per moralismo; e la ricchezza d'esperienza e la fervidità ed acutezza allusiva per un intellettualismo che non aveva come dicevano, nulla a che fare con l'arte. E davanti a questi *Viaggi nel tempo*, evidentemente scritti in altro stile che quello dei romanzi di Salvator Gotta e del terzo Guido[1], si sentono discorrere di « classicismo » e « leopardismo ». Intendo escludere, da questa deplorazione, l'affettuoso accenno che, pure adoperando cotesti termini pericolosi, fece ora è poco Eugenio Giovannetti, scrivendo appunto sull'arte di Cardarelli. Ma siccome si sa che cosa significano le parole, a seconda delle bocche sulle quali capitano, è probabile che, sia pure con tutti gli orpelli, gli altri stieno rinverginando quella prima ubbia; e intendano par-

[1] Guido da Verona.

lare d'« accademia ». Ci tratterremo in luogo piú adatto, intorno a questo equivoco del leopardismo, e a questo pregiudizio del classicismo, i quali cominciano ad avvilupparsi intorno la produzione di alcuni fra i nostri giovani, veramente degni del nome di scrittori. In ogni modo, nemmeno qui era possibile lasciarli cadere del tutto inosservati.

E a riprova suprema di quanto abbiamo notato intorno alla facoltà ormai piena nel Cardarelli di effondere la sua consapevolezza in figure e in miti, si vegga *Donna*, che apre la serie di quelle stupende *Favole della Genesi*, già uscite, in parte, sulla "Ronda". E a sentire, sotto il sereno equilibrio della poesia raggiunta, il costo e la ansietà di cotesto metodo di poesia, fatto di lente « catastrofi d'ore, e d'anni vissuti minuto a minuto », si vegga *Idea della Morte*; dove è riaccennata, in tono piú conciso e piú alto, la sconsolatezza dei *Prologhi*; e il cuore che ha sostenuto con esaltata fedeltà, il solenne peso del tempo, vacilla quasi sotto cotesto peso, e sente la morte; proprio nell'istante di quelle risoluzioni totali nelle quali il tempo è vinto, e tutta una vita risorge in visioni come appunto quelle dalle quali è nata quest'arte.

(1920)

«Favole e Memorie» di Vincenzo Cardarelli

Vincenzo Cardarelli è al suo terzo libro: *Favole e Memorie* che sembra portare al punto conclusivo uno svolgimento iniziatosi con le meditazioni liriche dei *Prologhi*, e proseguito nelle mitologie critiche dei *Viaggi nel Tempo*. Esce di lui, in questi giorni, anche un volume di scritti tradotti in francese; e non lo diciamo per sottintendere che fuori ormai lo considerano quanto in casa sua, perché in realtà non vi è critico italiano il quale, da anni, non gli abbia fatto posto nella sua estimazione. E se a volte, ancora, questo posto glie lo concedono un po' a denti stretti, è sorte comune agli artisti che, per necessità di tempi, lavorano, con alti ideali, sopra una impostatura in qualche modo polemica. Alla valutazione dell'opera si sovrappone la simpatia o l'antipatia per i programmi; e si sa che nulla è piú facile a fraintendere di un programma.

Nei riguardi del Cardarelli, chi non ha mai letto un rigo suo, l'ha almeno sentito citare come fondatore e duce della scuola neoclassica. Che questa scuola sia stata una scuola, o addirittura sia esistita, quali sien stati i suoi adepti, e i suoi canoni, questo è un altro discorso! E forse non converrebbe neppure al Cardarelli esser giudicato con i criteri che presumibilmente debbono adoprarsi per produzioni classicheggianti; intendendo questo epiteto in senso formale. Si vedrebbe che, per il primo, egli trasgredí a molti canonici insegnamenti. La verità è che a me par ridicola la infatuazione retrospettiva per cui succede di sentir paragonare il Cardarelli a una specie di redivivo Annibal Caro; e un altro al Berni; il terzo a Magalotti, o che so io: balocchi da ragazzi. Mi sembra piú utile riandare brevemente la sua opera concreta, per poi dir qualche cosa dell'ultimo libro.

Nei *Prologhi* senza nessuna delle esitazioni che sogliono caratterizzare i lavori d'esordio, è l'affermazione della personalità in una specie di diagramma lirico, nel quale il poeta fissava gli atteggiamenti essenziali della propria volontà e del sentimento. L'espressione è dominata nella incidenza piú stretta, nella cadenza piú povera; come la materia venne sostenuta nella continenza estrema, rappresa nell'ultima diffidenza che essa fosse giunta al punto di cavarne poesia. « La prima cosa che deve sapere un uomo, mentre si prepara ad agire, è: che l'azione, non è la regola. » E l'uomo potrà anche finir con l'accettarsi figlio del proprio atto, e testimoniarsi attraverso l'inconscio che ogni atto contiene. Ma, prima di tutto, il suo sforzo dev'essere di consumare la piú grande realtà di questo ignoto: respingere, si direbbe con immagine teologica, l'intervento, l'invadenza d'Iddio; intendere Dio e praticarlo come l'ultima delle eventualità. Concetti poetici che, nelle *Favole*, ritroveremo in « Caino ».

Se « umanesimo » inteso con coerenza che può fin essere drammatica, ha un significato perenne, non è facile trovare migliori termini di cotesti dei *Prologhi*, per definirlo. In ciò, il cosidetto classicismo del Cardarelli mostra un fondo etico, autentico ed assai originale. Con una arte scorciata, incisiva, e qualche cosa di tronco ed affannoso, è disegnato nei *Prologhi*, per dir cosí un nudo schema di uomo interno; laddove, nei *Viaggi nel Tempo*, lo scrittore perde di rigidità, subentrando un compiacimento formale, una certa ricerca del colore (i *Prologhi* non ammettono che il bianco e il nero), e qualche sapore ironico. *Don Giovanni*, *Zarathustra*, *Donna* sono risoluzioni illustrative di posizioni già toccate nel primo libro. Poesia e Rettorica, nel senso di meditazione morale sulla poesia, si mescolano ed intrecciano in un grazioso giuoco di variazioni e riprese. Ancora il Cardarelli trova nella propria « arte poetica » la sostanza piú sensibile e rispondente per fare dell'arte.

Oggi, in *Favole e Memorie*, egli ha tentato una materia piú polposa, obiettiva, e in certo senso popolare. Dalle fantasie mitologiche di *Zarathustra* e di *Don Giovanni*, è passato ad una storia della Creazione e del Diluvio; mentre nella seconda parte del libro: « Memorie della mia infanzia », ha ripreso motivi autobiografici, ma trasportandoli sopra uno sfondo di paesi e stagioni, con tratti che talvolta si direbbero naturalistici, nel senso volgare di una parola abusata. Nulla piú interessante del confronto di queste *Memorie* con l'astratto autobiografismo dei *Prologhi*; per vedere quanto in dieci anni l'artista ha guadagnato, e pagato i proprii guadagni.

La *Baccante*, il *Centauro* del de Guérin, e composizioni siffatte, che hanno punti a comune con le *Favole* ci mostrano che scritture di questo genere si possono dare anche senza bisogno di una interpretazione nuova di tutto il mito. Di piú, il Cardarelli sembra aver prescelto un argomento, le cui linee tradizionali non si altererebbero senza qualcosa che rassomiglia alla empietà; e ciò, nell'intento di legarsi piú esclusivamente ad una ragione tutta artistica e figurativa. In ogni modo è facile distinguere dove il mito aderí nativamente all'interesse profondo dello scrittore, e dove gli offerse solo qualche allettante partito decorativo, ch'egli ha sviluppato con l'aiuto di espedienti rettorici. Certo è che nella composizione, molteplice e vasta, si avvertono saldature di elementi non in tutto concordi; e, al confronto le *Memorie* costituiscono un insieme molto piú serrato ed armonico. Si direbbe, sulla pregiudiziale classica, e neoclassica, che le *Favole*, fra tutti gli scritti del Cardarelli, son proprio riuscite il piú composito e squisitamente barocco.

Questo non compromette la serietà della ispirazione generale; ma riflette i modi della realizzazione. Come altri poeti veri, il Cardarelli tiene ad essere *artifex*, *faber*, piú che poeta. Ma la verità è diversa. E talora la affettuosità dei movimenti gli s'ingombra di pompe, appena ironizzate, da oratore secentesco: « O giorno indimenticabile, quello in cui Adamo nascendo portò alle potenze terrestri, la tanto bramata certezza! O singolare intervento! »... « Chi diede alla Terra una dignità, la rese un asilo indispensabile, ne garantí l'esistenza, se non l'uomo, il suo piú prezioso abitante? » ecc. Altrove, occorre un piglio popolare; come, per esempio, in Péguy si riconnette alla ingenuità gotica. Intendiamo, in certi trapassi: « non si sa come », « basti dire », « sarebbe una storia troppo lunga », ecc., con i quali un narratore cercherebbe di comunicare un senso di curiosità e di mistero a un uditorio bonario; il « che dichi? », in somma, di Pascarella. Spesso, come nel *Peccato*, nel *Sonno di Noè*, la trama è ricchissima di sensazioni; mentre in parti di fondo, come i passi sul fuoco originario, la creazione degli animali, l'inferno, ecc., si ha una materia piú supposta e sforzata. All'atteggiamento didascalico dello scrittore, residuo della sua origine critica, si deve qualche saggio di connessione ragionata dei diversi episodi della *Genesi*; e anche questi punti non paiono i piú schietti. La grande originalità del Cardarelli, quando tocca una materia morale, richiede un'espressione piú veemente, il tono dei *Prologhi*, in altre parole. E la « motivazione » della creazione della Donna, per esempio, con la quale creazione il Signore avrebbe inteso di provare Adamo ed offrirgli la possibilità di peccare, è debole in paragone di quanto il Cardarelli altre volte seppe dire, intorno alla natura etica dell'amore e del sesso, con sentenze piene di lirico rapimento.

Ma a scancellare ciò che sembrerebbe indurre ad un senso di riserva, rispetto ad alcuni aspetti di questa *Genesi* cardarelliana, posson bastare i capitoli su Caino, sull'Arca e la vita di Lot nella terra dei Sodomiti. E quando un giorno taluno cercherà di raccogliere gli sparsi relitti nel naufragio della letteratura contemporanea, non v'ha dubbio che, in cotesti capitoli, farà molte delle sue scoperte piú belle. A me pare da riferire la singolare pienezza e felicità di tali episodi, ad una loro parentela con le *Memorie*, che rappresentano nel libro odierno e nel volumetto: *Terra genitrice*, pubblicato soltanto pochi mesi fa, non soltanto un bellissimo punto di arrivo, ma una base di futuro. Caino è la commovente figura del lavoro umano, che fatalmente finisce per opporsi alla Provvidenza; ed è ritratto nelle opere campestri, nelle sue afflizioni, negli scrupoli, con segni poco men vivaci ed immediati di quelli che lo scrittore poi adopera per le rustiche figure che accompagnano i suoi ricordi d'infanzia; come in Lot è stupendamente riportata, nell'atmosfera del mito, un'altra di queste persone rusticane, temperandone il realismo con una soffusa ironia la quale ricorda quella di cui talvolta il mito si investe nel trattamento che ne dettero i quattrocentisti.

Ma nell'Arca, principalmente, si troverà da ammirare: « Quando Noè chiuse l'Arca ed ebbe acceso le lanterne, il fiato delle bestie ivi radunate l'aveva già tutta stufata, come una di quelle stalle ben tenute dove si va a vegliare l'inverno, e vide, sotto una rara e languida luce, ch'essa era il paradiso degli animali... L'Arca mandava mille buoni odori, per via di tutto quel fogliame, quei rami verdi, quelle provviste di lupinella, di semi, di fieno, con tutta quella paglia radunata e sparsa per ogni covile... Sarebbe stata ora di dormire se, tratto tratto, un uggiolío, un tonfo, uno scrollo d'ale, non avessero avvertito che le povere bestie, quantunque si fossero già tutte accovacciate, stentavano a prendere sonno con quel tempo, ed erano piuttosto ammutolite... ». Qui, come in altri luoghi, la leggenda è realizzata cosí intensamente da riempire una immagine famigliare e popolare (« una di quelle stalle dove si va a vegliare l'inverno »); senza tuttavia perder nulla della sua maestà e del suo mistero. In questi accenti, in questi chiaroscuri, la rievocazione mitica si sposa e confonde, dalle lontananze millenarie, a quella che, nelle « memorie » il poeta ci racconta come sua viva e dimessa leggenda.

E su queste « memorie », benché non occupino grande spazio nel libro, mi piacerebbe trattenermi, per osservare quanto dall'accostamento ad una materia immediata, e dall'assumere un tono agevole e cordiale, il Cardarelli abbia tratto vantaggio. Senza mai scadere nel vocabolario di provincia, la lingua si è fatta piú colorita e sostanziosa, si è arricchita di movimenti; si è spogliata da un certo abuso di astratti e di epiteti antagonistici. Ma ho già fatto capire quale importanza, per sé stesse e in vista degli svolgimenti ulteriori, io annetta alle « memorie ». Anche mi è caro riconoscervi di non essermi ingannato quando, or sono dieci anni, alla comparsa dei *Prologhi*, in quella lirica rarefatta fino alla vertigine, mi parve di intravvedere, oltre quanto vi costituiva già un possesso compiuto, la possibilità, e forse la necessità, di un cammino in questa direzione; in altre parole, verso una espressione piú distesa e sensualizzata, nella quale soltanto il Cardarelli avrebbe potuto versare il tesoro della sua esperienza.

Credo che, anche oggi, egli abbia appena intaccato tale tesoro. È, in fondo, uno dei migliori elogi che si possono tributargli. Di quasi tutti gli scrittori con i quali ci troviamo a che fare, si sente che hanno scritto fin troppo, ci hanno soffocati di prove, documentati all'eccesso. I successi di questo non valgono, invece, a nasconderci quanto, in essi, prepara per domani, nuove e piú cospicue conquiste.

(1925)

Cardarelli minore

Villa Tarantola di Vincenzo Cardarelli, recentemente premiato a Roma dagli « Amici della Domenica », è un piccolo libro di ricordi che assai dovrà piacere ai lettori semplici, per la sua estrema cordialità e facilità; e sulle prime lascerà forse delusi altri lettori, che lo troveranno fin troppo facile e quasi negletto. Io sono sicuro che questi eventuali lettori scontenti, sono sicuro che hanno torto. E quanto meglio conosceranno l'autore, ripigliandone a loro agio gli altri volumi, e tornando a sfogliare anche quest'ultimo, tanto piú si persuaderanno alla grazia malinconica, al tono un po' all'antica di pagine come appunto quelle di *Villa Tarantola*, che non hanno quasi piú niente della cosa scritta, ed evocano il suono della voce, gli atti della mano, l'intimità e la libertà della conversazione; ed insomma appartengono quasi piú alla vita che all'arte.

Anche la modesta vita letteraria della nostra generazione ha le sue leggende. Fra tali leggende, una delle piú diffuse si aggira, con mille episodi veri o suppositi, sulle notturne conversazioni, i soliloqui interminabili, le crudeli filippiche, gli avvelenati epigrammi di Cardarelli. Innegabile che la natura socratica di Cardarelli abbia concesso, magari piú del lecito, a siffatti passatempi verbali; e senza nemmeno un Platone o altro discepolo per raccogliere il meglio di tante parole. Innegabile che, nelle sue improvvisazioni, egli si dia in preda alle fantasie, agli estri, talvolta ai furori del momento; con un'esaltazione disperata e tuttavia lucidissima che lascia l'ascoltatore or abbagliato or esterrefatto. E mentre cosí egli s'allontana nel tuono delle sue collere, la leggenda ogni sera s'accresce d'un altro paragrafo, d'un altro versetto. E poiché è destino che d'un'offesa, d'un motto che punge, si serbi il ricordo e corra la fama piú facilmente che d'una immagine bella o di una confidenza serena: la leggenda del Cardarelli notturno finisce con l'essere una leggenda sovraccarica di violenza: un po' come quella delle coltellate del Caravaggio, della pistolettata del Murtola, o dell'uccisione del Longo per parte degli sgherri del Castelvetro.

Senza pretendere di far passare il Cardarelli per una sorta di agnello pasquale, occorre mettere in chiaro che nella realtà le cose stanno assai diversamente. E per chi ha avuto la fortuna di conoscere a lungo e frequentare questo ingegno appassionato e bizzarro, le brillanti frecciate, i paradossi assassini e le condiscendenze insultanti della sua cattedra a caffè, non riesciranno mai a scancellare un'impressione piú duratura e profonda che (sotto alle contraddizioni apparenti, se anche stridenti) si crea dall'impegno d'una intelligenza concretissima, da una facoltà verbale che non cerca ma trova continue e non oziose sorprese, e da un vivo senso di giustizia ed umanità. Questo soprattutto. Perché anche nelle ostentazioni polemiche di Cardarelli, è spesso piú intima comprensione e collaborazione con l'avversario, presente o lontano, che nella pretesa obbiettività d'altri giudici morigerati. E con ciò insistiamo ancora che non si vuole affatto indurre che Cardarelli sia in qualche modo il nuovo Salomone o l'Oracolo incarnato. Ma che in quanto siamo venuti dicendo, deve esserci qualcosa o parecchio di vero; se con quel po' po' di carattere, nel vespaio letterario, da tanti anni circonda Cardarelli un rispetto pieno di affettuosità.

Dei molteplici aspetti del Cardarelli parlato, *Villa Tarantola* documenta i piú confidenziali. Materialmente sono i ricordi della formazione d'un autodidatta in fondo alla provincia. I primi passi della carriera d'un artista diseredato. Figure e memorie della gioventú, nel loro colore dimesso e nella rustica pietà. Inezie del sentimento, incontri comuni, personaggi quasi di dozzina. Ma che appaiono importanti, decisivi, fatali, nella storia d'un uomo come qui presentata, fuori di qualsiasi mediazione e ambizione intellettuale, nella piú squallida nudità. In tale nudità, coteste meschine esperienze d'adolescenza e di gioventú hanno un risalto quasi favoloso. E Cardarelli s'è guardato bene dallo sconfessarle. Si direbbe anzi che abbia penato tanto ostinatamente, per preservare intatta a ogni costo, in fondo all'anima, l'espressione d'un sembiante, l'essenza d'un paesaggio, il peso d'una parola (il « fai perbenino » del padre morente). Che durante tutti questi anni li abbia portati e guardati dentro di sé, come i pegni della sua sorte, come la pietra di paragone del suo difficile lavoro. Finché stanco, deluso, con un atto di amicizia e di ironica umiltà, ora ci rivela, quasi direi ci consegna, in quelle vecchie cose preziose, i suoi poveri lari, ed al tempo medesimo i segreti modelli della sua arte.

Dove il racconto accenna a stancarsi o cadere, un'inflessione della voce, l'accentuazione d'una parola, si vorrebbe dire un lieve gesto, un sorriso d'intesa con l'ascoltatore, bastano a rianimarlo. Perché non bisogna mai dimenticare, come già notai, che questo è un Cardarelli che si avvale di altri sussidi, oltre quelli sulla pagina. Un Cardarelli fonografato, se non si voglia dire addirittura televisionato. Nei *Prologhi*, nei *Viaggi nel tempo*, in *Favole e memorie* si andava lentamente svolgendo un processo di distensione, da un tono fieramente inarcato e scandito, ad un tono sempre meno premeditato. Da un certo punto di vista, sarebbe potuta sembrare una rinuncia, un'abdicazione; se non fossero state le vigorosissime pagine che, appunto nel corso di tale apparente rinuncia, di tale regressione impercettibile, il Cardarelli veniva invece scrivendo. E il vero addentellato di queste forme odierne, cosí sciolte e discorsive, si trova nella prima parte del *Sole a picco*, dove ancora guizzano barbagli di soli mitologici, e le etrusche cavalcate passano a galoppo fra le tamerici; ma dove il tema del ritorno alla terra, il desiderio di « andare una notte a dormire coi morti », e in altre parole di chiudersi fra le memorie, s'annuncia con sommessi rintocchi, con accenti d'una nuova intimità. È all'incirca di costí che comincia il Cardarelli piú propriamente autobiografico, di certe brevi liriche colloquiali, o di questo ultimo volumetto e di quelle *Lettere non spedite* che giustamente parvero, un anno o due fa, tra le cose piú toccanti, quasi strazianti, uscite nella nostra letteratura: se di letteratura, ripeto, può ancora parlarsi, o non meglio di qualcosa inestricabile dallo stesso fatto vitale.

Poco importa che il riconoscimento del premio sia toccato ad una di queste opere meno letterarie, mentre mancò al tempo delle altre: gli uomini non si dividono in fette, in sezioni, e si capisce che il premio va a tutta l'attività di Cardarelli. Solo è da rimpiangere che non sia stato anche piú ingente, e non abbia avuto risonanza assai piú vasta. L'artista e l'uomo lo meritavano; e ad essi giova che le nostre lettere confessino il proprio debito, ancora una volta.

(1948)

Cardarelli in Russia

Vincenzo Cardarelli fu in Russia nell'autunno del 1928, per conto del "Tevere", quotidiano di Roma. Tutt'altro che dimenticate, quelle sue corrispondenze ricomparvero, alcuni anni fa, su altro giornale. E raccolte col titolo, che forse non è il piú felice: *Viaggio d'un poeta in Russia*, hanno ora trovato assetto definitivo nella collezione « Lo specchio ». Il viaggio di Cardarelli fu relativamente breve; e il libro soprattutto consiste d'impressioni, bozzetti e descrizioni di vita e costume a Mosca e Leningrado. A quell'epoca l'evento di maggiore importanza era stato l'espulsione di Trotzski, avvenuta da poco; mentre la nuova politica economica, agli effetti della riorganizzazione e ricostruzione interna, stava per incanalarsi nel primo dei famosi piani quinquennali.

Non potrebbe chiedersi ad un libro d'impressioni come questo, se e come Trotzski, anima gemella di Lenin, fosse venuto in conflitto con Stalin, e si trovasse infine deferito al Congresso del partito ed estromesso, soprattutto a causa della sua ostinata pregiudiziale che una rivoluzione europea era condizione imprescindibile per il pieno successo della rivoluzione bolscevica. Senza stare ad aspettare la rivoluzione europea, e senza distrarre troppe energie a fomentarla, Stalin impegnò e disciplinò il popolo russo in programmi concreti, immediati, d'interesse e prestigio nazionale. L'astrazione comunista prendeva fisionomia storica. Lo slancio rivoluzionario si convalidava in orgoglio patriottico. Andando attorno, negli aspetti della vita quotidiana, in una maniera molto alla buona, Cardarelli poté cogliere qualcuno fra i primi segni di coteste trasformazioni.

Secondo i *Ricordi d'un ambasciatore*, di Pietro Quaroni, ciò che perdette Trotzski fu, in primo luogo, effettivamente, la sua delusione e impazienza, nei riguardi della rivoluzione europea, di cui per allora non si scorgeva nessun valido indizio. E in secondo luogo, fu il suo rifiuto d'accettare un programma, come quello di Stalin, che esigeva sacrifici, patimenti, ingiustizie, che non si potevano imporre e far subire al popolo russo, senza rinnegare nella maniera piú assoluta i principii democratici su cui s'era fondata la rivoluzione. Trotzski, insomma, aveva adoperata la violenza come mezzo alla conquista e al primo consolidamento del potere. Ma rifiutava di costituire indefinitamente la violenza in sistema. E malgrado ciò, si direbbe che, in fondo, egli non s'era ingannato del tutto. Le condizioni d'una rivoluzione europea, da cui il comunismo avrebbe poi colto vantaggi infiniti, venivano infatti maturando e realizzandosi, allorché Trotzski fu ucciso in esilio a Coyacán (Messico). Con la sola differenza che non era stato il marxismo a realizzare tali condizioni rivoluzionarie; ma le realizzò la seconda guerra mondiale.

All'epoca del suo viaggio in Russia, Cardarelli, come scrittore, si trovava in una fase particolarmente propizia. La tensione stilistica delle sue prose, che avevano preceduto o che strettamente appartennero al periodo della "Ronda", s'era sciolta in un fare piú largo, arioso, con qualcosa di nobilmente popolaresco. E già intorno a quel tempo, egli aveva dato alcuni fra i suoi capitoli autobiografici piú belli: in gran parte ricordi di paesi mesti e solitari, di stagioni campestri, e ritratti di povera gente.

S'era anche trasfusa, in questi ricordi, la lezione delle sue esperienze nella prima giovinezza; durante la quale egli aveva lavorato a formarsi una cultura; mentre stentatamente si guadagnava da vivere come scritturale in una od altra piccola cooperativa operaia, o nella redazione di qualche foglio socialista. E se ne era complessivamente prodotta una disposizione al medesimo tempo affabile e avvertita; nella quale una certa pratica della vita politica e dei suoi trucchi, e un bisogno d'intellettuale chiarezza, rafforzato dalla cultura umanistica, servivano a tenere in guardia e correggere, senza tuttavia smentirla, quell'istintiva simpatia e comprensione che, per una gente allora uscita dalla rivoluzione piú tremenda, proveniva al Cardarelli dalle origini popolane, dal vivo senso della terra, e dalla cordiale tradizione del nostro vecchio e casalingo socialismo.

In tale spirito, con l'incarico giornalistico che gli era stato affidato, Cardarelli si trovò per le strade di Leningrado e di Mosca. E non si propose, né si illuse neanche un minuto, di confezionare una qualche voluminosa « inchiesta », come oggi le chiamano, a base di letture affrettate, di cose vagamente sentite dire, e soprattutto di presunzione: molta presunzione. Ma guardò e descrisse, quel tanto che gli fu consentito di vedere, con la stessa scanzonata bonarietà che se fosse stato nella vecchia piazza Montanara o in Trastevere, o in qualche giorno di mercato a Tarquinia. E ciò che egli vide e raccontò, con questa paesana franchezza, senza nascondere, dove necessario, suoi sospetti e suoi dubbi, a ritrovarlo nell'odierno libretto ci appare piú reale e persuasivo d'una quantità di massicci resoconti; che magari si presentavano con i crismi piú autorevoli, ma che in fondo è come se non li avessimo mai letti.

Sono scorci di vita, incontri, nelle ferrovie, nei teatri, nei mercati rionali, ecc.; e hanno una limpidità di visione e di accento che dà loro un che di classico. E di pagine classiche hanno quella particolare maniera di collocarsi nel tempo e nella memoria, come se ci fossero state da sempre. Il significato trascende la materiale occasione; che può essere incidentale, minima addirittura, ma non è mai vuota. Senza puerili credulità e senza premeditate avversioni, nei suoi brevi limiti, è una presa di contatto alla quale si sente di poter credere. Chi ha piú letto libri ed articoli sullo stesso argomento, sa che con questo non si dice poco.

(1954)

La vita nella morte: Carlo Michelstaedter

Di Carlo Michelstaedter, morto giovanissimo nel 1910, gli amici hanno cominciato di questi giorni a pubblicare gli scritti con un volume contenente un *Dialogo della salute* e dieci *poesie*. Scomparso senza aver dato a stampa nemmeno uno dei suoi lavori, Carlo Michelstaedter, con ogni probabilità, vi è ignoto. Ma fra gli scrittori giovani, di lingua nostra, che titillano con ogni garbo la vostra piú o meno pigra attenzione, sono pochi, credo, quelli che possano ricomprare con parecchi loro drammi e novelle, alcune strofi di questo « ignoto », che non volle richiamare mai su di sé l'attenzione di nessuno, e da due anni, ormai, non pensa e non canta piú.

Frattanto, nella sua opera, già fino da ora, e credo anche maggiormente quando avremo gli altri volumi, la parte lirica appare soverchiata e quasi nascosta dalla parte riflessiva e morale. Il centro della preoccupazione del Michelstaedter, non si sente battere nelle pagine di poesia, ma nelle pagine di analisi psicologica ed etica, martellate, affaticate. Io non so quanto egli si fosse reso conto di quella che mi sembra la sua qualità essenziale: la potenza poetica. Ma se ne fosse reso anche estesamente conto, e la sua formazione artistica si fosse un giorno compiuta, forse, il rapporto fra il suo lavoro piú propriamente lirico ed il suo lavoro piú propriamente etico e introspettivo non sarebbe cambiato. La serratezza, la severità di questo rapporto, costituiscono il carattere fondamentale della sua *forma mentis.* Dalla considerazione delle apparenze della vita, al Michelstaedter importava giungere a una organica persuasione etica, persuasione la cui qualità avremo ora subito bisogno di definire. A questa persuasione egli tendeva con ogni sforzo di vita, di coltura, di dialettica. Conseguitala, il suo conoscimento traboccava in lui, in istinto, in sentimento nuovo? Nasceva il canto? Di questo egli sembra quasi non essersi curato. Il *Dialogo della salute* è stilisticamente compiuto, in ogni parte; vigilato in ogni frase, nell'emulazione di alcuni austeri modelli. Ma nelle *poesie* il rispetto degli amici ha dovuto lasciare in alcune parti (forse appena stesure prime) versi che, direbbe un pedante, addirittura non tornano. Tuttavia, l'interruzione di queste linee smarrite, il balbettamento di questi versi che non troveranno piú il loro ritmo, e resteranno come ferme buche d'ombra fra zone di rapida luce, non bastano a fare rincrescere che questo giovine volesse tanto poco essere poeta, essendolo tanto profondamente. La pienezza della sua forza d'arte è tutta legata a quel travaglio morale e speculativo. « Vivere » ha scritto Ibsen « è lottare contro i demoni del proprio cuore e del proprio cervello; comporre versi è farsi il proprio giudice supremo ». Ma nella sua austerità, questo quasi sembra aver temuto il poetico giudizio di sé medesimo, avere schivato il dono del canto, tutto preso dalla battaglia contro il proprio cervello e il proprio cuore.

Uno però si sbaglierebbe, immaginando che il lavoro etico e logico si compiesse in lui, in qualche modo, secondo le forme e gli schemi di quella filosofia idealistica che saturava e satura la coltura nella quale egli ebbe a sorgere. A lui mancava la facoltà di accettare i principii sui quali si imperniano le operazioni di questa filosofia. E chi conosce da che distanza di secoli questi principii discendono a chiarirsi e fermarsi in essa, capisce di colpo in quale vasta solitudine il suo spirito si doveva sentire. Altri, intorno a lui, dalle persuasioni razionalistiche, furono tenuti discosti per uno stimolo della loro coscienza religiosa-cristiana. Ma trovarono l'appoggio nel pensiero religioso che è andato maturandosi di dentro alla stessa filosofia idealistica in Francia, in Inghilterra, in Germania. Trovarono da porre nuovamente il piede sul terreno della tradizione. Egli era trascinato dalla qualità del suo ingegno violento, dalla sua stessa giovinezza, e dalla sua potenza poetica, alle posizioni estreme. Se anche proviamo a fare aderire certe sue proposizioni etiche, a quelle delle « filosofie disperate », come diceva Vico, di uno Spinoza o di un Pascal, le quali, evidentemente, lo impressionarono grandemente, l'adesione è troppo discontinua. In realtà, egli si trovava nella nostra coltura con l'anima di un moralista greco dell'età della prima tragedia. Viveva in un disequilibrio che, per la sua stessa enormità, testimonia della potenza dello spirito di chi poté accettarlo. A questo disequilibrio corrispose la sua costante fatica di costruirsi, per proprio conto, quel sistema di persuasioni di dentro al quale vedremo nascere la sua poesia.

Ma si capisce fino da ora, come per un temperamento siffatto, chiuso alla storia, portato a concepire la vita nelle sue relazioni estreme, tutto avesse a trasformarsi principalmente in sostanza etica, in valore morale. In fondo, il suo terreno lavorativo era il campo immediato della sua propria esistenza psicologica ed etica; il nudo mondo della vita elementare, retta dagli istinti, mossa dai piaceri, funestata dalle malattie, aspettata dalla morte. Nel *Dialogo della salute*, egli deduce dalla considerazione della condizione dell'uomo nella vita cosí intesa, i principii che stanno alla base del suo sistema di persuasioni.

Che cosa è bene? comincia a chiedersi. Tuttociò di cui abbiamo bisogno per vivere, e di cui non possiamo fare a meno. Ma se non possiamo farne a meno, non abbiamo mai in potestà questi beni; anzi, sono essi che hanno in potestà noi; e noi dipendiamo da loro, che non possiamo vivere senza di loro. Cosí nostra è ogni cosa, solo perché ne abbiamo bisogno; e cosí mai possediamo la nostra vita, sibbene l'aspettiamo sempre dal futuro, la cerchiamo dalle cose che ci sono care perché contengono per noi il futuro; finché la morte togliendoci da questo giuoco, è per noi come un ladro che spogli un uomo ignudo. Questo lo schema piú rozzo della vita, nel giuoco schietto dei desideri, nella limpidità dell'istinto quasi animale.

Ma l'uomo ha intorbidato anche questo flusso di illusioni, nel quale la vita gli si consumerebbe fuori di sé stessa. Il senso dell'utilità della cosa, prosegue il Michelstaedter, nel ricercare la quale la volontà si determina, è il sapore vitale di questa cosa, ed è il senso stesso della vita: il piacere. Ma l'uomo non sempre ha potenza di volere schiettamente le cose; piú spesso pretende il piacere per sé; cioè non la cosa, ma il sapore della cosa; mettendosi o rimettendosi nelle posizioni « saporite » conosciute da lui prima; in altre parole, vuole godere due volte di sé, e fa come colui che pretende vedere l'ombra del proprio profilo, e volgendosi la distrugge. E dal bisogno fondamentale degli uomini, di illudersi in queste posizioni sterili della loro volontà, egli deriva la teoria di molte menzogne individuali e collettive; forse con evidenza massima la teoria dell'arte falsa, volontaria, fondata non su intuizioni originarie, ma sulla volontà di queste intuizioni.

Vuol dire, allora, che il piacere, cioè il senso della vita, sarà perpetuamente segreto, ignoto, sfuggente; scoprendosi a chi non lo cerca, a chi non lo invoca: che il sale della vita, sarà nella sua rinunzia di sé stessa, ma non in quanto essa abbia a volere la morte, cercando nella morte (ignoto) una fuga dal dolore, ripetendo l'illusione di quanto persegue i falsi piaceri. Sibbene, in quanto l'uomo accetta essa vita nelle sue forme integre, ma vivendo nel senso del continuo abbandono della vita, componendo la sua coscienza continuamente di un'armonia di vita e di morte, determinando la vita continuamente nell'assoluto della morte. Se la « natura », « la natura nemica » come dice il Michelstaedter è l'illusione animale del fluire della vita fuori di sé stessa, nella fame di sé, sen-

Michel-
staedter
Poesie
1910

Opera Prima
Garzanti

Frontespizio della prima edizione delle *Poesie* di Carlo Michelstaedter.

za che il suo proprio possesso sia mai la coscienza, o come egli dice, « la salute » è la rivelazione perenne della vita nell'accettamento costante della morte, il bruciare di tutta la vita in un punto solo, che è l'immobile punto della morte, il consistere della vita in questo punto di foce nell'assoluto.

La persuasione, della quale il *Dialogo della salute* rappresenta il conseguimento dialettico, sarà ora portata, nelle *poesie* tra le contraddizioni della vita che le tendono l'inganno, e cercano di riassorbirla e disfarla nel loro giuoco sempre uguale. Il *Dialogo* pone la credenza che le poesie rinnoveranno e accresceranno nella prova quotidiana. Ci dà l'ordine intellettuale del mondo del Michelstaedter, che le poesie verificheranno in quel piú profondo ordine che è l'ordine del cuore.

La semplicità ritmica, la nudità verbale ci toccano subito in queste poesie a persuaderci della autenticità di questo ordine segreto, che ramifica su, attraverso le alterazioni lente e quasi casuali dei settenarii e degli endecasillabi, e solleva la prosaicità e quasi la genericità di molte espressioni.

Le situazioni son semplici e quasi monotone, perché il Michelstaedter si trova ad avere esaurito in conoscenza logica, nelle sue teorie del bene, del piacere, la maggior parte di quanto forma argomento di lirica nei poeti immediati, che si abbandonano, si sfogano nel canto, e non già vi si concentrano, vi si giudicano come egli fa. Gli elementi del suo mondo hanno da combinarsi nelle sue poesie in aspetti, in relazioni che il poeta non possa definire o sciogliere con un semplice atto logico; ma sieno cosí nuovi ed esaltanti da trarre il poeta in inganno, come quando nella notte di « Giugno » si addensa la tempesta e la trasfigurazione della terra che, nel bagliore dei lampi, sembra congiungersi ai cieli, per un momento lo commuove ad aspettare nella natura il miracolo di quella rivelazione dell'assoluto che egli va preparando nella sua solitudine interiore; eppoi il lampo passa e il tuono scroscia; e l'attesa sublime ricade, delusa, in un gocciolare di utile pioggia.

> Ecco la terra ancora si congiunge
> coi nuovi mondi in alto,
> e la striscia di fuoco ecco dirompe
> la tenebra, ed io stesso abbacinato
> nel vortice di fuoco sono avvolto...
> ... Ora scoppia la vita e s'apre il frutto
> del mio tanto aspettar, ora la gioia...
> ... ora la libertà che non conosco,
> ora il Dio si rivela, ora è la fine!
> Ma scroscia il tuono che m'assorda... Io vivo
> e famelico aspetto ancor la vita.
> Altri lampi, altri tuoni, ed il mistero
> in benefica pioggia si dissolve.

In un'altra poesia, disteso su la cima di un monte, la sconfinata solitudine, la beatitudine austera, la potenza solare, inducono in lui quasi un senso di analogia fra la sua carnale serenità presente e la serenità della sua vita profonda; ma il senso non affiora appena nell'anima, che vi genera la negazione violenta dell'io corporale, dell'io che è soltanto rozza natura.

> Altro sole, altro vento, e piú superbo
> volo per altri cieli, è la mia vita...
> Ma ora qui che aspetto? e la mia vita
> perché non vive, perché non avviene?
> Che è questa luce, che è questo calore,
> questo ronzar confuso, questa terra,
> questo cielo che incombe? M'è straniero
> l'aspetto d'ogni cosa, m'è nemica
> questa natura!...

Allora, mentre la coscienza si abbatte contro il limite che le preclude la attuazione della sua gloriosa diversità, in un arresto nel quale sembra fermarsi un desiderio violento di morte, un brivido percorre la natura, il brivido di una tempesta imminente. Con l'imporre il bisogno del riparo ed un fine, la natura ripiglia la creatura che voleva rompere il limite e fuggire. E il grido lirico finisce come dianzi, in un tono d'ironia.

Ora mi levo, ché ora ho un fine certo,
ora ho freddo, ora ho fame, ora m'affretto,
ora so la mia vita
– che la stessa ignoranza m'è sapere.
La natura inimica ora m'è cara
che mi darà riparo e nutrimento
– ora vado a ronzar come gli insetti.

O la primavera, che rinnuova la vita e la riaffittisce dà al poeta per contrasto, piú stringente terrore dell'indefesso trasmutarsi di tutto.

Ed ancor io cosí perennemente
e vivo e mi trasmuto e mi dissolvo,
e mentre assisto al mio dissolvimento,
ad ogni istante soffro la mia morte.
E cosí attendo la mia primavera
una ed intera, ed una gioia e un sole.
Voglio e non posso...
... Pur tu permani, o morte, e tu m'attendi
o sano o tristo ferma ed immutata,
morte benevolo porto sicuro...

Il dramma, nei termini ultimi, consiste nello sdoppiarsi di quei due elementi: vita e morte (pel quale sdoppiamento il poeta sente l'esistenza divenirgli indecifrabile e ostile), e nel loro rifondersi, attualmente, o nell'aspirazione del poeta a che tutta la vita effimera si perda, muoia, per lui, in quella morte, il cui nome egli ha dato all'eterno, all'assoluto.

E con queste ultime parole, io ho detto che a me sembra si debba riconoscere, in questo dramma, piú lo sforzo di una volontà religiosamente costruttiva e organizzatrice che lo sforzo di una volontà negatrice. Ha chiamato morte l'inserirsi della volontà singola nella verità totale, il Michelstaedter come altri l'hanno chiamato con nomi i quali respingono assai meglio l'equivoco pessimista. Ma bisogna rammentarsi che egli si esprimeva attraverso un linguaggio psicologico, nel quale la parola morte veniva la piú adatta a significare il superiore risolversi della vita elementare. Eppoi la parola morte serviva bene quei bisogni di irrevocabilità nella responsabilità, di violenza nell'ascesi del distacco, che erano connessi al suo impeto giovanile, alla sua esaltazione poetica. Eppoi, forse, bisogna far parte ad atteggiamenti estrinseci leopardiani, weiningeriani, non ben riassorbiti. Ma la sua cordialità poetica, la sua generosità morale impongono che non si debba riconoscere in lui un prodotto di decadenza, di stanchezza, di disordine, come farà chi, leggendolo volgarmente, ripenserà soltanto la ferocia degli stoici e la convulsione dei nihilisti.

I suoi difetti, le sue limitazioni li troverà facilmente il lettore, per suo conto. A noi, Carlo Michelstaedter aveva altro, di piú importante da mostrare: queste sue poesie, serrate tutte attorno dalla sua riflessione etica, l'esempio del suo metodo poetico, una volontà architettonica che si rintraccia in ogni sua immagine, in ogni suo ragionamento; che gli amici vedevano trasparire in ogni suo atto.

(1912)

Michelstaedter, precursore dell'esistenzialismo

Dopo quasi mezzo secolo dalla morte dell'autore, esce un grosso volume: *Opere di Carlo Michelstaedter*, a cura di Gaetano Chiavacci che, insieme a Vladimiro Arangio Ruiz (ormai anche egli scomparso) fu del Michelstaedter amico e seguace. Nei primi anni dalla morte del Michelstaedter, l'Arangio Ruiz ed altri avevano stampato alcuni suoi lavori: il trattato de *La Persuasione e la Rettorica*, il *Dialogo della salute*, e parte delle *Poesie*. Ma oltre che presto tali pubblicazioni furono esaurite, la odierna edizione, curata dal Chiavacci, del tutto le sostituisce, non fosse che per l'abbondanza del nuovo materiale, la correttezza della lezione e la chiarezza dell'ordinamento.

A parte il trattato della *Persuasione* con relative appendici, il *Dialogo della salute*, e la serie completa delle poesie, è nel volume un gruppo di scritti vari (appunti, note, critiche letterarie e teatrali, dialoghi, bozzetti) di speciale interesse per ciò che riguarda minori curiosità culturali del Michelstaedter, e la sua prima formazione e pratica di scrittore. E non è meno importante il nucleo d'un epistolario d'oltre cento lettere, quasi tutte dirette ai famigliari: lettere traboccanti di confidenza e di affetto. Nel contrasto degli avvenimenti con i quali drammaticamente si chiuse la vita del Michelstaedter, si accresce da queste lettere il mistero della sua personalità.

Il Michelstaedter era nato nel 1887 da benestante famiglia goriziana, di tradizioni intellettuali e patriottiche, e d'un gruppo sociale cui avevano appartenuto un bisnonno: il rabbino Reggio, detto *il Santo*, e Graziadio Ascoli. Il padre reggeva a Gorizia l'ufficio delle Assicurazioni generali triestine, ed era presidente del locale Gabinetto di lettura. La madre, Emma Luzzatto, fu donna di fiero carattere, e a lei il figlio era particolarmente devoto. Molti anni dopo. la morte di Carlo, quando col nazismo vennero le persecuzioni razziali, la madre fu imprigionata e fu uccisa nel 1943, in un campo di concentramento germanico; ed uccisa con lei la sorella maggiore di Carlo, Elda Morpurgo.

Compiuti i primi studi a Gorizia, Michelstaedter s'era iscritto a Vienna alla Facoltà di matematica, disciplina alla quale, come al disegno, era fortemente portato. Ma ebbe occasione di passare alcuni mesi a Firenze. Vi fece amicizie, frequentò qualche lezione all'università. E finí che a Firenze, nell'Istituto di Studi Superiori, tra il 1906 e il 1910, seguí regolarmente i corsi e sostenne con lode tutti i suoi esami nella Facoltà di lettere e filosofia. Da Gorizia, non appena ebbe finito di scriverla, spedí all'Università fiorentina la sua tesi di laurea, ch'è appunto il trattato de *La Persuasione e la Rettorica.* E senza che si conoscano cagioni materialmente riferibili, e a quanto sembra, senza nessuna lettera ai familiari e agli amici, spedita la tesi di laurea, a Gorizia si uccise, di ventitre anni, il 17 ottobre 1910.

L'amore per il disegno, e generalmente parlando, il gusto delle arti figurative, furono tra le ragioni che avevano invitato e trattenuto il Michelstaedter a Firenze. La disposizione alla matematica e la passione per la musica erano state anch'esse fra le piú precoci e spiccate caratteristiche del suo temperamento intellettuale. Ma l'opera alla quale il suo nome e la sua memoria si raccomandano, e di cui il volume odierno offre la testimonianza completa, nacque sotto altri segni, e sembrò che rispondesse a mozioni del tutto diverse.

Difficile poter dire che cosa attrasse il Michelstaedter con tanta violenza in una direzione nuova. Sta il fatto che, per completare la propria formazione, eppoi per esprimersi con alcuni libri, non gli occorsero in tutto piú di cinque o sei anni. E questi anni gli erano bastati per perfezionarsi nel greco, tanto da impostare tutto il lavoro della *Persuasione* su una approfondita conoscenza della filosofia presocratica e della dialettica dei sofisti. Né egli era meno solidamente preparato intorno agli sviluppi del pensiero platonico, e (attraverso gli ultimi dialoghi di Platone) intorno a quella ch'egli sarebbe stato inclinato a considerarne la fatale degenerazione, nella rettorica aristotelica. Com'è altrettanto palese, anche da accenni che si leggono nell'epistolario, ch'egli non aveva creduto di poter trascurare la filosofia e la letteratura cabalistica; e non meno che di sofisti presocratici e tragici greci, s'era nutrito alla poesia pessimistica del *Giobbe* e dell'*Ecclesiaste*.

In realtà, il suo pensiero, come particolarmente si deduce dal trattato *La Persuasione e la Rettorica* e dal *Dialogo della salute*, è di un pessimismo assoluto. E nel suo schema piú semplice potrebbe riassumersi cosí. – « Che cosa è bene? »

Michelstaedter comincia col chiedersi. Bene, egli risponde, è tutto ciò di cui abbiamo bisogno per vivere, e di cui non possiamo fare a meno. Ma se necessitiamo di essi, e non possiamo farne a meno, noi non abbiamo in nostra potestà i cosidetti beni. Anzi sono essi che ci tengono in loro potestà, e noi ne dipendiamo perché non possiamo vivere senza di loro. Cosí è d'ogni cosa di cui abbiamo bisogno; talché può dirsi che mai possediamo la nostra vita, ma la aspettiamo dal futuro, la cerchiamo dalle cose che ci sono care in quanto contengono il nostro futuro; finché la morte troncando questo giuoco è per noi come un ladro che spogli un uomo ignudo.

Come appare da questo schema, la polemica morale del Michelstaedter è sostanzialmente diretta contro ciò ch'egli chiama la volontà di « continuare », contro al meschino amore della vita, e contro alla catena delle dipendenze che sono condizionate dal bisogno. Nel suo sistema, la « rettorica » è lo strumento di queste molteplici servitú. Ed è naturale che la « rettorica » sia per lui immedesimata e inseparabile dallo spirito della società borghese non meno che da quello che anima le rivendicazioni proletarie. Benché in lui non manchi il senso d'una solidarietà, che dovremmo dire atletica o eroica, con le coscienze che come la sua si sono emancipate dalla schiavitú « rettorica », non è certo da andare a cercare nelle sue carte uno spirito di socialità o di carità.

Sembra quasi impossibile che, nonostante morisse giovanissimo, Michelstaedter con la sua robusta cultura germanica non avesse letto nulla di Nietzsche, al quale fra l'altro l'avvicinava l'amore della filosofia e della morale presocratica. Il fatto è che, a quanto conosco, non lo cita mai. Mentre invece è probabile che ignorasse del tutto il Kierkegaard. Ma i due scrittori gli sono fraterni. Ed anche di recente un nostro studioso: Giulio Cattaneo (in "Aut aut", n. 37, gennaio 1957), giustamente si chiedeva se la fortissima pagina del Michelstaedter sul terrore di fronte all'infinita oscurità che a momenti squarcia la trama dell'illusione, non sia stata, con anticipo di molti anni, una interpretazione precisa e sorprendente dell'« angoscia » di cui trattano i piú moderni filosofi esistenzialisti.

Ma dello stesso studioso vale anche un'altra osservazione, ed è questa: che alla figura morale ed all'opera del Michelstaedter s'accresce rilievo se storicamente le consideriamo sullo sfondo di quel diffuso disagio intellettuale e di quell'inquietudine che, sofferta particolarmente dai giovani, caratterizzò l'ultimo scorcio dello scorso secolo e i primi del Novecento. Nel volgere di pochi anni, le tradizionali tavole dei valori furono allora sovvertite, se non rovesciate addirittura. E quanti fatti significativi, in cotesti anni: la morte di Nietzsche che segnò il principio della sua apoteosi; il prestigio che per un certo periodo accompagnò la riesumazione dell'*Unico* di Stirner; il processo, il carcere e la lamentevole fine di Wilde; il suicidio di Weininger, che per taluni aspetti fa pensare a quello di Michelstaedter; la brutale violenza di movimenti come il « dadaista » e il « futurista ». Su quello sfondo di culturale inquietudine e di sgomento misterioso, è tutta una serie d'eventi e figure di cui ora abbiamo appena indicati i primi venutici sotto alla penna. Insieme con essi, nella rubrica delle filosofie e delle morali disperate e impossibili, va a collocarsi l'opera e la vissuta avventura di Michelstaedter; e non vi occupa certo uno dei posti inferiori.

Il Michelstaedter era troppo acuto per tardare ad accorgersi che il suo anarchismo pessimista e distruttivo, necessariamente si sarebbe trovato di fronte la obbiezione dello « storicismo » crociano, a quell'epoca ancora in via di formulazione. Difatti, il volume odierno, fra altre cose contiene, deferente quanto decisa, una presa di posizione *adversus* Croce. Ma non è tanto questo che conta. Ha assai maggior peso che, a una riflessione spregiudicata, fatalmente si scopra come la polemica del Michelstaedter contro alla « rettorica » e contro al meschino amore della vita servile, non avesse in fondo né potesse avere altro sbocco che in un'assoluta negatività. Osserva appunto il Cattaneo che « il pensiero del Michelstaedter può trovare una liberazione soltanto in senso nihilista. Il suicidio resta l'unico modo di concludere una problematica insolubile ».

Anche il Weininger aveva finito col suicidio, dopo aver pur scritto (*Intorno alle cose supreme*) che « il suicidio non è segno di coraggio ma di viltà; quantunque di tutte le viltà sia la minore ». E ripensando al Michelstaedter, alla sua splendida giovinezza e prestanza fisica, alla passione per i giuochi sportivi e la musica classica, e alla eleganza ed affilatezza della sua cultura greca, il Borgese evocò a paragone l'immagine dell'eroe nietzschiano, della bella belva, dell'efebo presocratico, cresciuto fra la palestra e la scuola dei sofisti. Ma anche egli volle forse dedurre troppo direttamente la morte di Michelstaedter dalle teorie. E volle vedere una specie di riprova lirica, di sfida selvaggiamente entusiastica alla « Vita-vissuta-dentro-la-Morte », nell'attimo del colpo di pistola.

Verosimilmente la cosa non fu cosí deliberata e rettilinea. Nel suo frenetico orgoglio intellettuale, nella sua fame di assoluto, nella appassionata violenza dei suoi ventitre anni, il Michelstaedter aveva finito col comporre di sé stesso un audace modello di stoicismo filosofico; aveva creato di sé stesso una sorta di mito eroico, e lo vagheggiava e perfezionava; finché non poté piú sopportare che il suo carnale io vivente non si identificasse con l'altro, con l'io del mito; e inseguendo questo si trovò nella morte. È una sorta di nuova e piú drammatica favola di Narciso; ed è una rifioritura di superbo dottrinarismo estetico, su un fondo etnico ebraico, attizzato ed esasperato dalla inesorabile logica greca.

Questo elemento che approssimativamente s'è chiamato estetismo, e che portò il dramma allo scatto finale, nulla toglie alla indimenticabile, originalissima figura del Michelstaedter. E non toglie all'interesse della sua speculazione; anche se gli eredi del suo pensiero e piú fidi seguaci, con gli anni presero altre strade: l'Arangio Ruiz accostandosi allo « storicismo » del Croce, il Chiavacci a forme recenti del pensiero cristiano.

(1958)

«Il Porto Sepolto» di Giuseppe Ungaretti

Non conviene, credo, perdere troppo tempo con quei lettori delle poesie di Giuseppe Ungaretti *Il Porto Sepolto*, i quali si contentano di considerarle sul piano generale della letteratura prodottasi in Italia durante l'ultimo decennio, sotto l'influenza di alcuni poeti di Francia. Nell'opera dell'Ungaretti sono innegabili rapporti con questi poeti. E probabilmente, l'Ungaretti ne trae anche motivo di soddisfazione e di orgoglio. La questione è che, nella maggior parte degli altri scrittori nostri: nel Papini, per esempio, dell'*Opera prima*, o nello stesso Soffici, per pigliare due nomi piú conosciuti, l'influenza francese riguarda modi abbastanza esterni dell'espressione, e momenti transitorî; lasciando intatto il fenomeno letterario piú profondo. Alla natura eloquente di un Papini, e alla natura pittoresca e popolare di Soffici, l'esperienza francese ha fornito pretesti di viaggi e avventure; ma lo stile, frattanto, rimaneva presso che inalterato. Dal garbuglio dei suoi *Chimismi* lirici, davvero imperscrutabili come un formulario di chimica organica, Soffici esce piú sano d'una lasca; e con un fare disinvolto e sbracciato. Fantasia esuberante e felice, Soffici non ha dubbî, o, almeno, non ha dubbî eccessivi, nei riguardi della espressione. Ha continuamente polemizzato sull'arte e le teorie dell'arte; ma l'arte e le teorie degli altri:

e non mai contro sé stesso. Tutto il contrario avviene in Ungaretti; nel quale le esperienze letterarie toccano e mettono in gioco la natura piú intima e gelosa.

Il mio supplizio
è quando
non mi credo
in armonia.

È chiaro che a un siffatto temperamento, estremamente bisognoso e assetato di totalità ed organicità, la storia letteraria si presenta come un lungo processo di responsabilità e un immenso patema. Ipotesi metafisiche e modi stilistici lo impegnano allo stesso grado. E intorno a una sillaba o ad una virgola per lui si combattono le piú crude battaglie di verità e salvazione. Uno di quei temperamenti per i quali la letteratura è qualche cosa di compromettente, da non serbar piú nulla di *letterario*, nel senso corrente e convenzionale della parola; e non offre al bello stimolo dell'avventura, ma all'inestinguibile scrupolo e alla mortificazione. Anche per Ungaretti, insomma, vale la parola che Paul Valéry fa dire all'architetto Eupalinos: « Ciò che dovrà essere, ha da soddisfare, nel vigore della sua novità, alle esigenze di ciò che è stato ». E chi conosce, dai saggi precedenti, il rigore con il quale egli sa mantenersi nelle posizioni letterarie da lui accettate, e come la sua ambizione, se mai, sia di precisare gli assunti, e inasprirli fino a condizioni che a tutt'altri parrebbero tormentose e insopportabili, può immaginare la rarefazione alla quale è sforzata la poesia del *Porto Sepolto*; tanto da ridurla, in piú d'una pagina, a qualche cosa di larvale, o alla sostanza fulminea di un grido.

Queste considerazioni intorno alla qualità dei rapporti letterari che la lirica di Ungaretti presuppone ed intorno al suo « timbro », potrebbero dispensare dalla refutazione d'un altro giudizio errato, secondo il quale si dovrebbe ricercare, in questa lirica anche il riflesso di non so quali cineserie e giapponeserie. Quanto alla classica poesia cinese, di Tchang-Tsi, Li-Tai-Pe, ecc. non si capisce nemmeno come il raffronto sia venuto in mente a qualcuno. *L'albergo*, *La scala di giada*, *La sposa virtuosa*, ecc. ecc., nella brevità del taglio, son quadri perfettamente delineati e coloriti, con tratti che potrebbero sembrare anche troppo particolari (per esempio: « com'è leggera, con questo fresco, la seta logorata delle sue maniche verdi »). In qualche caso (*La sposa virtuosa*, *Gioventú*, *L'ombra delle foglie d'arancio*), son veri piccoli romanzi. Non c'è niente di allusivo; e, dalle proposizioni piú dirette e quasi oggettive, il tono tocca rapidamente il vertice dell'emozione lirica, ma senza rotture, sviluppandosi con nitidissimo arabesco per tutti i trapassi. E per il meno ancora che posso conoscere di lirica giapponese: con tutt'altro stile, è sempre, in essa, sia pur soltanto sfiorata, una ragione plastica la quale manca nelle composizioni dell'Ungaretti; o appena traspare nelle piú immature, che risentono della sensibilità impressionista.

L'edizione del *Porto Sepolto*, veramente stupenda, e per la quale ciascuna parola sembra esaltarsi e fiorir sulla pagina in tutte le sue qualità, piú o meno essenziali, questa principesca edizione è probabile induca in chi legge una specie di illusione grafica, capace di offrire un rilievo quasi esagerato di alcuni valori a scapito di certi altri. Per esempio, questa immagine:

Militari
Si sta
come d'autunno
sugli alberi
le foglie.

Nel libro essa assume, starei per dire, piú del disegno materialmente inteso, che della parola. E si potrebbero fare altre riprove. Un lettore che voglia andare un po' in fondo alle cose, dovrà reagire (contro la stessa bellezza del capolavoro tipografico ideato dall'editore Serra) a tale genere di suggestioni le quali non interpretano che parzialmente i motivi piú intrinseci di questa poesia.

Lasciando, cosí, in disparte l'orientalismo, e la forma diretta e superficiale dell'influsso francese, dobbiamo vedere piú da vicino in che cosa questa poesia consista, e su quali linee possa ricostruirsi lo sforzo letterario dell'Ungaretti. Sprovvisto com'egli è di ogni eloquenza, non aveva certo bisogno d'apprendere dai post-baudeleriani a tirare il collo all'eloquenza. Né era il tipo di compiacersi in quei rozzi trasporti di materia poetica nei quali si esaurí la maggior parte dei nostri « simbolisti » e « illuminazionisti », che credevano d'esser promossi a tali descrivendo ventagli, vetrerie, e gabinetti a specchi; mentre i nostri « cubisti », a loro volta, praticavano un'analoga sostituzione di modelli, e s'illudevano d'aver scoperto un nuovo stile, per il fatto che tutta la realtà visiva per essi veniva a consistere in due o tre dadi di legno verniciato, in una bottiglia verde, e in una mela.

Nell'Ungaretti non è la minima traccia dello « specialismo » di motivi cosí odioso negli impressionisti e simbolisti di dozzina. Ed egli s'è anche guardato dalla predilezione per quelle situazioni a carattere intellettualistico, e a collocazione, per cosí dire, centrale, tipo: *Erodiade*, *Narciso*, *Palma*, ecc., che nell'opera di un Mallarmé o di un Valéry, hanno una funzione quasi di rosa dei venti. Il suo rapporto col simbolismo è sopratutto di natura filologica. E come, in un Valéry, la parola e il ritmo, per un continuo processo di concretazione, si allontanano da quel che di romantico e fosforico ancora rimane in Mallarmé, e attraverso Baudelaire, e con un'oscillazione d'orientamento sui piú antichi, finiscono, nella loro novità, per volgere, come al piú fermo se non piú sereno

Bruno Barilli, critico musicale e scrittore, a sinistra,
conversa con Giuseppe Ungaretti.
A destra: Ungaretti sul ponte di Brooklyn nel 1964.

polo, sotto la gelida e ardente stella raciniana; cosí, in Ungaretti, dentro un travaglio stilistico nel quale è passata la rudezza arcaica e l'eccentricità moderna, si avverte, sempre piú chiaro, l'incanto di quella voce solenne e innocente che si chiama Petrarca. Il simbolismo e l'« esotismo » di Ungaretti tendono essenzialmente al ritrovamento di una qualità di valori espressivi che si può intendere, appunto, col nome di Petrarca. « In nessuna - parte - di terra - mi posso accasare... »

Cerco
un paese
innocente

Questo l'Ungaretti dice, o sembra dire, dei propri vagabondaggi corporali. Ma vale anche meglio, a mio parere, d'altri e piú appassionati viaggi. E ch'egli abbia dovuto bruciarsi nei cosidetti *inferni* francesi, per potersi riaccostare a quella qualità di espressione, non farà nessuna meraviglia a chi percepisca, nella lirica

italiana dopo Leopardi e Foscolo, una specie di ritorno o di caduta provinciale; meno, forse, in certi momenti del Pascoli; e la fatale ed ottusa ostinazione in una lingua senza echi, senza sottintesi, senza cristallo, in una parola senza tradizione; e in un'espressione, ideologica e ritmica, con una dimensione soltanto. Baudelaire ci ha aiutato a ritrovare Petrarca. La sua povera tragedia vissuta ci ha aiutati ad intendere la tragedia letteraria; e a risalire, attraverso cotesta, verso i principî d'ogni grande stile lirico; come forse ci sarebbe stato meno facile se avessimo soltanto avuto per interpreti, maggiori, ma non cosí accessibili, un Foscolo con la sua linearità atletica e ginnastica, e il divino Leopardi.

Ma da quanta scienza letteraria sia sorretto il lavoro creativo di Ungaretti, non c'è bisogno di ricordarlo su queste colonne, dove spesso ci siamo valsi di suoi giudizî ed avviamenti intorno a questioni di poesia specialmente francese. Come ci porterebbe fuor di strada, toccare piú che con un rapidissimo cenno, l'opera assidua e sottile che da anni l'Ungaretti va svolgendo, a stabilire contatti fra le due letterature. Naturalmente non quei platonici contatti nei quali suole sfogarsi la costosa attività dei diversi instituti di « propaganda » culturale. Ma riconoscimenti e prese di possesso quali preparano e sostengono i veri movimenti di poesia e d'arte.

Le liriche del *Porto Sepolto* sono ordinate in tre parti: *Elegia e Madrigali, Allegria di Naufragi*; e la terza parte dà anche il titolo a tutto il libro. Cronologicamente, le parti seconda e terza precedono; e ci riportano agli anni della guerra.

Dice un antico poeta, accingendosi a scrivere nella malinconia d'autunno: « È il momento di lasciar cadere sulla carta la poesia ammassata durante l'estate; cosí dagli alberi cadono i frutti maturi ». La guerra fu la stagione prepotente nella quale la poesia dovette quasi per forza staccarsi e cadere da questo spirito appassionato, e reticente per troppa passione. La continua presenza della morte l'obbligava a parlarsi. E parlarsi in un modo piú immediato; onde la sua estrema maturità trova un imprevisto; la parola e il ritmo assumono come il luccicore d'una frattura nuova; e, in tanto tormento d'anima, quasi un'ingenuità popolare, come si direbbe di certa poesia greca o del nostro trecento: « La terra tremola – di piacere – sotto un sole – di violenze – gentili ». O con qualche cosa di fiabesco: « Lontano lontano – come un cieco – m'hanno portato per mano ». Anche le sensazioni piú fuse all'intima complessità d'un temperamento nel quale sembrano mischiarsi civiltà e forme di gioia e di dolore diverse e avverse, son rilevate d'un lucido segno: « In quest'oscuro – colle mani – gelate – mi distinguo – il viso ». Oppure: « Stamani mi sono disteso – in un'urna d'acqua – e come una reliquia – ho riposato ». Che ritorna, lievemente piú astratto: « Col mare – mi sono fatto – una bara – di freschezza ». Ma l'astrazione entra, piú di solito, nei movimenti d'entusiasmo, senza impoverirne la ragione sensitiva, ma creando una piú larga e lieve atmosfera al loro respiro musicale: « Da questa terrazza di desolazione – in braccio mi sporgo – al buon tempo ». E: « Balaustrata di brezza – per appoggiare la mia malinconia – stasera ».

Manca, con lo spazio, l'opportunità di lunghe citazioni per risalire da questi, che sono fra i piú genuini motivi del primo Ungaretti alle recenti *Elegie* (sopratutto: *Sirene, Alla Noja, Le Stagioni*) e mostrare in atto quello svolgimento verso forme piú ampie e modulate, che s'è cercato di definire, dandogli per segno, sublime e nostalgico, di nobiltà, il nome del Petrarca. Il verso ormai tende alle forme chiuse, o già vi si adagia; la parola è piú florida; e la quasi incenerita crudità di molte fra le prime notazioni si tempera di pacata malinconia. Il maggior riposo e respiro dell'arte ha avuto, naturalmente, molti effetti ottimi, ma forse, anche, qualche inconveniente, porgendo troppa occasione di ritorni, ritocchi e rielaborazioni, a un poeta il quale, evidentemente, non si decide all'espressione se non in estrema consapevolezza, e comincia da quel raffinamento al quale i piú sarebbero contenti di giungere dopo molti sforzi. In qualche momento si pensa che Ungaretti, concentrando ciascuna in sé stessa le sue parole, colla passione di ridurle alla purità piú alta, abbia finito per stancarle, e per scinderle troppo; e l'espressione, anche a un lettore non superficiale, può risultare interrotta o meno evidente. Non si tratta di un voluto ermetismo, alla Mallarmé. Né di un intellettualismo troppo individuale e rarefatto, alla Valéry. Ungaretti resta sempre fedele alle origini sensibili della poesia; e il difetto, se c'è difetto, non è nel cuore della sostanza, ma solo alla superficie.

In sull'acqua del fosso, garrula,
vidi riflesso uno stormo di tortore.
Allo stellato grigiore s'unirono.

Un pezzo di prim'ordine come *Le Stagioni* contiene a dovizia di questi motivi, chiari come perle; ma in altri passaggi ed attacchi sembra lievemente annebbiarsi, come un pastello toccato dal tempo.

O meglio si prova come la fatica di guardare dentro una pura luce che mangia i contorni delle cose, e crea rifrazioni e barbagli fra i quali i contorni delle cose sembrano trepidare e smarrirsi. Questa impressione, nelle *Stagioni*, sembra rilevata, per contrasto, dal moto largo e ondoso di quei canti lontani nel pomeriggio estivo. Mentre, nella *Noja*, un effetto in qualche modo simile nella prima parte, si scioglie e risana tutto, nei superbi novenari della seconda. Ma si vedrà anche con quale novità di movimenti rinasce l'endecasillabo in queste liriche, e in *Sirene*; quale brivido commuove la sua antichità, fuor di tanta ricerca e tanto travaglio.

Questo svolgimento dell'Ungaretti è frattanto all'inizio, e probabilmente noi non ne vediamo, finora, che la direzione e alcune delle prime fasi, sulle quali ogni giudizio sarebbe precipitoso e fallace.

Il *Porto Sepolto* è preceduto da una sentita presentazione dell'on. Mussolini, che ebbe vicino a sé l'Ungaretti nell'immediato dopoguerra, e nelle fatiche giornalistiche della Conferenza di Versaglia.

(1923)

Scipio Slataper, Sigfrido dilettante

Rileggevo, uno di questi giorni, un piccolo libro che contiene molte e molte promesse, e, vincendo alcune impressioni ostinate, mi persuadevo di dover parlarne a voi che seguite queste note di letteratura. È la autobiografia, o meglio il frammento di autobiografia di un giovine triestino: Scipio Slataper.

Si tratta di un'autobiografia semplice, senza nulla che non sia della vita comune. Lo vediamo, ai suoi primi anni, nella casa paterna frequente e romorosa, nelle campagne del Carso felici, che fucila col flobert i gatti e le ranocchie, in compagnia di Vila, una ragazzina piú fiera di un maschiaccio; l'accompagniamo nelle prime esperienze con gli amici, a scuola, e quando a Trieste frequenta un circolo libertario, poi in Italia dove egli viene a completare la sua coltura. A questo punto si inserisce la crisi un po' piú importante e discussa fra le varie che interrompono il racconto. Poi lo Slataper ritorna nel suo Carso. E qui lo lasciamo.

Le gioie della vita nei primi anni, il godimento della natura, le influenze di quella coltura acquistata in Italia, che parrebbe non essere stata letterata e pedante, ma di passione e di volere, gli amori che segnano il primo svegliarsi all'essere, e i dolori che portano la maturità, tutte queste cose sono immedesimate alla sostanza di una costante simpatia lirica dello scrittore per la sua terra. Qui sta l'originalità del libro; qui la bellezza della sua intenzione. La formazione di una coscienza descritta dal punto di vista di tutto un mondo, trasportata, diffusa nello svolgimento di tutto un mondo. Dapprima l'adesione alla terra sarà espressa nel germogliare delle sensazioni brutali, violente: l'agrore di un frutto immaturo, lo scrosciare di un'acqua festosa nella quale il corpo si bagna. Poi albeggerà la vita sentimentale, nella partecipazione alla vita dei prossimi, dei familiari. Infine, si annunzierà la vita morale, col costituirsi della volontà; e la comunione con la terra sarà completa: nel senso, nei sentimenti, nel volere, diventerà *tradizione*. Molti fra i piú grandi libri non furono concepiti diversamente. Sono autobiografie sincere, proiettate su di un mondo. Passano i tempi e l'umanità va a ritrovarsi, a riconoscersi, in queste autobiografie.

Una seconda ragione di simpatia, oltre questo avere osato un'opera fuori del consueto, oggi che tutti preferiscono appoggiare le scale delle forme letterarie piú alla mano, è nello stile. Raramente un giovane consegue finezza di stile, scaltrezza di arte quanto lo Slataper rivela, anche nella paginetta piú trascurata del suo libro. Sul primo, si resta leggermente stonati, fuorviati, dagli scorci, dagli anacoluti, dalla continua invenzione verbale. Ma si torna a leggere pacatamente, si girano un poco le chiavi della nostra anima, per finire di intonarla: tutto vibra in una musica squisita, con delle brutalità *câlines*, con delle dolcezze asprette, con delle sordità piú efficaci di ogni scialo di toni, con degli ammollimenti melodici graziosamente stilizzati. Musica da decadente...

Qui uno m'interrompe; e mi avverte che dunque le due principali ragioni che attirano al libro sono, per lo meno, contrastanti. Pareva che l'intenzione dovesse avere tutta la serietà e la solennità di un proponimento meditato, consapevole, grave. E ora si dà dello stile una suggestione preziosa, morbida, direi quasi androgina; di un androginismo agreste, ma segretamente e deliziosamente mostruoso, corrotto.

Vediamo allora.

Per valere nel suo valore piú degno e piú pieno, anche un'autobiografia, se non forse specialmente un'autobiografia, ha da portare in sé uno svolgimento, un dramma; si ha da passarvi da una semplicità nativa a una organicità tutta cosciente; si ha da comparirvi, magari, con il solo corpicciolo nudo bruco, come quando un autore principia: « nacqui il dí tanti, del mese tale, dell'anno tanti, da poveri ma onesti genitori » per salire, all'affermazione della volontà maschia e completa, della passione, del dolore.

È ciò che cercando bene, non si trova in questo libro. Riconosciuto ciò, nel complesso, si vede che ogni pagina, ogni periodo, ogni frase testimoniano, nel loro segreto, che cosí è, che non può essere che cosí.

Si muovono i fatti, materialmente, si muovono le persone intorno all'autore, ma l'autore, nella sua anima, sta fermo o gira in un circolo vizioso. Fortuna che con le facoltà sensitive che egli possiede in tale dovizia che basterebbero a far di lui uno scrittore naturalista decente, non ha cercato di salvarsi in un compromesso, prolungandosi infinitamente per quadrettini di genere e pitturine! E fortuna che non s'è provveduto, con queste stesse facoltà mescolandole a un po' di nebbia, di un panteismo estatico, di un panteismo arruffone, di un panteismo *pompier*!

Ma il suo senso, punto da troppi stimoli individuali, inacerbito da continui rimorsi della volontà digiuna, si dà crudamente, a strappi; e dentro le soluzioni di continuità non passa una forza che lo organizzi e lo conduca, non penetra la coscienza. Ci è, alla superficie del libro, in continua agitazione, un velo ricamato di pagliette, di fili d'oro, di sete a colori sgargianti; e questo velo vibra iridato, si dibatte nel sole. Ma il fondo del libro resta imprendibile, inutile e distaccato, sotto questa superficie stracciata e palpitante di sensazioni. Poiché all'impressionismo sensuale non può corrispondere, ché sarebbe fuori dell'ordine delle cose, un'architettura morale, gli corrisponde un sentimento cieco, oscuro, una nota greve e monotona, che non si spiega, non si scioglie in motivi e in parole.

È come un canto di voci agre di bambini con le loro stonature deliziose, librato sul basso continuo di un mugolio che non sale e non cala.

È come camminare su un terreno fiorente, nel quale boccheggiano spaccature. Si scalcavano. E, non badando per la sottile si può anche illudersi di passeggiar sugli abissi. Ma poi, uno accende un fiammifero, si china ed esplora. Le buche non sono piú profonde di un paio di braccia. Ci sentiamo sacrificati.

Attraverso il dolore, attraverso le prove, giungere alla coscienza. Sarebbe stata la formula del libro; ed è la formula del genio. Ma purtroppo questo non avviene.

C'è Vila, sul principio descritta stupendamente, con la sua blusina rossa, con il suo berretto da fantino, con la sua racchetta da volano. Ed un'altra fanciulla appare, passata la metà del libro; si promette e fugge nell'ombra, suicida, con un suo amaro giudizio segreto, che rimarrà eternamente segreto; come una donna di Hebbel o di Ibsen. Poi, quando il libro si chiude, balena il fantasma di un'altra donna. Ma questa donna, invocata e desiderata, è, in fondo, Vila che ritorna cresciuta fisicamente, ma non cambiata. C'è stata, in altre parole, la tragedia dell'amore; ma il concetto dell'amore, nello Slataper, non si è mosso. E dell'immobilità non si può fare poesia né storia.

Cosí, al garibaldinismo del ragazzotto triestino, che, pieno il capo dell'Italia, appunta bandierine nella carta dell'Abissinia, su Makallè e su Amba-Alagi, e buca con lo spillo il naso di Ras Alula, corrisponde pienamente il generico stupore, l'eccitamento a vuoto del giovine, sugli scali, davanti alle navi, nelle officine, davanti alle macchine, che pensa Calcutta, pensa Singapore, e i commerci e la vita potente delle nazioni.

Mi direte; anche Goethe non s'imbarcava mica per Calcutta o per Singapore, e concludeva consigliando gli uomini alla limitata indefessa attività quotidiana. Sí, ma il consiglio di Goethe emanava da una consapevolezza completa; aveva fatto i conti con il pensiero, si era inghiottito tutto il pensiero. Bisogna invece vedere come, davanti al dolore, nel dubbio, lo Slataper se la sbriga con la filosofia, con l'arte, con la religione, con la storia. Allora s'intende che all'elogio dell'azione, al proclama d'azione col quale il libretto conchiude, non è lecito dar piú valore che a una cadenza sentimentale qualunque.

« Torniamo alla montagna. » È la illazione alla quale in qualunque crisi lo porta un temperamento troppo sigfrideo, che ha un fondamentale bisogno di calmarsi, affinché gli si determini un poco quel rozzo amore della vita che in queste pagine grida un monotono egoistico grido. Tutte le volte che si trattava di starsene a studiare e a riflettere, di chiudersi in casa a masticare il boccone amaro, lo Slataper s'è vestito, ha preso il bastone, ha calcato la berretta da montagna, ed è uscito con gli scarponi ferrati per una romorosa passeggiata: proprio cosí materialmente. E ce l'ha descritta. « Sbalzo sul suolo, ripercosso dallo stesso monte che mi comprende e mi aiuta. Calo giú... Scatta il sasso in bilico, per buttarmi a rovina. Si apre in dirupo la terra per accogliermi sfragellato; ma le mie gambe sono dure e flessibili. Cosí calava Alboino. » Tutte le volte che si trattava di uscire, ma non per una passeggiata sui monti, sibbene per comprendere il mondo, gli altri, per passeggiare dentro le anime, ha preferito distendersi sotto una acacia, a rifischiettare brincelli dell'idillio di Sigfrido. Il sentimento amorfo invece di maturarsi andava a riassorbirsi nel senso. E la letteratura cacciata, si vendicava, ritornando in parodie e in caricature. Si capisce, che da queste parodie, da queste caricature, quasi per un'intima vergogna gli è venuto fatto di calare nel desiderio della vita umile, borghese anche intellettualmente, e di sentire quasi eroica l'aspirazione alla piccola, naturale attività quotidiana.

È Sigfrido che s'accorge di aver rotto la spada sulle costole di un drago di cartapesta e, per mortificazione, per ascesi, chiede una cattedra di geografia o un impiego di prefettura.

Il libro, insomma, è immobile e perciò falso. Eppure ci fa indovinare: « Qui c'è una forza »; se anche non ci fa dire: « Ecco un'opera; una verità nuova, acquistata per tutti gli uomini ». È una cosa isolata, aggomitolata. E il difetto si sente tanto piú che esso libro voleva proprio essere una traccia, un avvio.

Ha confessato i suoi sensi lo Slataper. Ma al posto di quelle confessioni che piú importavano, al posto delle confessioni di coscienza, ha messo spazii in bianco, solcati da binari di esclamativi e di interrogativi. Forse nemmeno lui ha il biglietto per viaggiare su quei binari.

È successo tutto questo, perché egli ha avuto paura a tenersi dentro i propri dolori, ha avuto nausea della propria esperienza. Ha voluto il ritorno alla montagna, un dilettantismo della vita primitiva, per incapacità alla riflessione interna, in cui l'uomo compie sé stesso. Non ha accettato la macerante prigionia di sé stesso, ed è restato prigioniero di qualche cosa d'ambiguo, di ibrido; impaniato nel glutine di una maniera letteraria. Non è uscito da un suo estetismo (in fondo, siamo a questo), che non è il comune grosso estetismo, di tipo dannunziano, ma, forse, è qualche cosa di peggio, un estetismo impressionista, spicciolo, che cerca di vestirsi di mille piccole ragioni di umiltà, di moralità, per seguitare a vivere disorganizzato, indisturbato: estetismo all'ombra verde delle foreste, estetismo davanti allo scannello, nell'ufficio.

Non c'era lo spirito, e, restati soli, i sensi si sono ritorti su sé stessi; si fanno da specchio, accivettano. Un uomo, di solito, ha il pudore della propria sensualità, quando non giunge a identificarla, a sperderla nella sensualità della vita totale, come certo D'Annunzio, come il grande Segantini. Ma questo arriva a darsi, esasperatamente, in certi tremori, in certi languori, in certe ambiguità del proprio senso che sono, per lo meno, impudichi. L'impudicizia è messa in risalto anche da un che di ostentatamente aspro, virile, negli atteggiamenti verbali, che contrasta con quell'intimo impallidire, con quel femminile dissanguarsi in sensazioni inafferrabili. Si ha un prodotto stilistico straordinariamente composito e mobile, filtrato da un artista squisito; un libro che ci interessa sempre, in qualche pagina anche ci turba; ma non per tanto è vitale. La impressione d'incertezza, di sospetto si riafferma a giudizio compiuto, rispetto all'opera in sé e per sé, considerata, come organismo, come insieme.

Rimangono i frammenti; e, anche da soli, valgono a che il libro non passi inosservato. Rimangono i segni di una nobiltà, di una intensità di volere, anche se il volere si è diretto sullo strumento piú che sulla materia, sullo stile, sulle parole piú che su le cose.

(1912)

Slataper e Ibsen

Questo libro su *Ibsen*, di Scipio Slataper, pubblicato postumo, per le cure di Arturo Farinelli, è importante, oltre che per le cose che oggettivamente, scientificamente riesce a dir intorno all'arte del *Peer Gynt* e del *Solness*, per quelle con le quali, indirettamente, ma non meno intensamente, dichiara la figura mentale del caro scomparso. Diversi anni fa, ci provammo a dare un disegno di questa figura, che si era appunto allora rivelata nel libretto autobiografico *Il mio Carso*, e nei lavori su Hebbel. E venne il tempo del ritiro silenzioso e operoso dello Slataper ad Amburgo: poi la grande guerra che lo richiamò in Italia. La prima ferita sotto Monfalcone; il ritorno al campo; la morte gloriosa, il 3 dicembre 1915. Allora cominciò la scoperta di

Slataper, e lo sgorgo di tutte le competenze; particolarmente di quelle che, vivo, egli avrebbe con meno cerimonia declinate; lo sgorgo, il flusso di tutte le competenze, sull'uomo ch'egli era stato, sulle pagine ch'egli aveva scritto. Ci siamo voluti richiamare a quelle note, abbozzate intorno a lui quando egli era ancora uno sconosciuto, non perché fosse un gran che accorgersi del suo talento e discuterlo nella distrazione generale; ma soltanto per un legittimo senso di distacco da questi profeti dell'ultim'ora. La franchezza familiare, confidente ch'era allora naturale con il coetaneo vivo, avrà poco da cambiare, per divenire il tono di discorso necessario con questo valoroso morto.

Il mio Carso può rappresentare tutto lo sforzo lirico di Slataper, come il libro su *Ibsen* rappresenta il suo sforzo di coscienza critica. Son due opere che, su due gradi naturalmente diversi, secondo due direzioni che in qualche punto paiono di contrasto, si interpretano scambievolmente e si compiono. Si compiono fuor del libro, nella viva persona dello scrittore. Toccando entrambe quel momento dell'« azione » nel quale lo Slataper volle affermarsi e disciogliersi, appena gli parve giunta l'occasione degna. E questa sua occasione, perché fosse pienamente degna, bisognò non fosse niente altro che la guerra; la quale, quando sentita come qualcosa di immediato e di schietto, è essenzialmente passione mistica per la terra. Prima e piú intensamente che un poeta, e piú lucidamente che un critico, lo Slataper era *un uomo che cercava la sua terra.*

Si è detto che, a distanza d'anni, le due opere s'incrociano, partendo da opposte premesse. Nel *Mio Carso* è una premessa, subito disturbata ed oltrepassata, di vita e felicità elementare. Lo Slataper, infatti, non poteva godere della gioia di guardare un albero bambino, o della gioia di vincere le resistenze, le gelosie di una montagna aspra, se non per quel tanto che queste sensazioni gli servivano alla commemorazione dei giorni della sua adolescenza, delle sue festività intatte. Il suo atteggiamento davanti a tutte quelle cose che è convenuto di chiamare « natura », non si può sommariamente uguagliare all'atteggiamento di quelli che si servono del loro amore della « natura », non soltanto come di una fonte di piacere personale, ma anche come di un modo per esprimere, o almeno per sottintendere, il loro disamore dell'umanità. Slataper non andava pei boschi perché sentisse che gli uomini non potevano dirgli *piú* nulla: in altre parole, per sfiducia o per disprezzo degli uomini. Andava per i boschi, per una sfiducia magari giovanile di sé stesso; sentendo che *ancora* lo spettacolo e la partecipazione della vita umana non gli davano quanto egli avrebbe voluto riceverne. Come l'adolescente che, ai primi contrasti con la vita, ritorna al suo Dante, al suo Omero, e consuma in un rito poetico il tempo buio, necessario perché la sua anima si componga alle cose, s'intoni col mondo, egli si ritirava alla montagna, come dentro un vivente emblema

Lo scrittore triestino
Scipio Slataper.

e un repertorio leggendario delle necessità, delle forze, degli istinti, che agiscono dentro le città, nella storia, fra gli uomini.

Ma, nel *Mio Carso* c'è anche segnato, al di fuori e al disopra della rappresentazione lirica dell'adolescenza di Slataper, il punto d'arrivo ideale nel quale si capisce ch'egli avrebbe accettato una forma di vita come perfettamente riuscita e degna d'esser vissuta. Oltre i primi entusiasmi e le prime sensazioni, oltre i proponimenti di attività vaga e un po' dilettantesca, c'è il presentimento d'una superiore maniera di essere e di scrivere. Non è niente di affermato e di posseduto; diversamente, per prima cosa, la forma di Slataper sarebbe stata tutt'altra. È appunto un presentimento, e derivato dalla coltura. Cercandone la traduzione in termini storici, ci si dovrebbe fermare ad una concezione d'arte e di vita quasi ibseniana. E lo Slataper, difatti, quando si propose un vasto lavoro di critica, scelse come soggetto l'Ibsen, verso il quale l'orientavano, oltre l'amore e l'ammirazione naturali e comuni, profonde ragioni formative del proprio temperamento. Ora è singolare che come il desiderio di vita un poco rozzo e scomposto, a un tratto, nella prima operetta lirica, rabbrividiva sotto l'intimazione di quella superiore maniera di essere e di poetare alla quale abbiamo raccostato il nome di Ibsen, è singolare, dico, che il libro su *Ibsen* sia spezzato nel mezzo da una invocazione, breve ma intensissima, a Shakespeare, creato quasi come contrapposto ad Ibsen ed alla sua rigorosa visione del mondo; Shakespeare tollerante e benigno, amico degli eroi e dei furfanti, imparziale come il sole; e cosí immediato all'idea stessa del corso della vita, del fluire delle cose, che tutti i commentatori, di tutti i tempi e luoghi, hanno finito per parlarne come si parla di un tramonto, d'un cataclisma, piuttosto che di un creatore.

È chiaro che questo confronto: « Ibsen o Shakespeare? », non si può reggere che strettamente mantenendolo nei termini del temperamento che sentí il bisogno di porselo. Considerati come poeti « drammatici », difficile non riconoscere che Ibsen contemplò il problema tragico con una gravità, e lo risolvette con una perfezione che Shakespeare avrà raggiunto, sí e no, quattro o cinque volte, in tutta la sua carriera. E considerati rispetto alla copiosità e alla forza elementare del loro dono espressivo, tutti sanno che Shakespeare poteva trasformare in oro lirico anche i trucioli e rottami piú insignificanti della realtà, e forse meglio di tutto appunto questi trucioli e rottami, con una potenza che non s'era e non s'è piú data dai tempi dei Faraoni a quelli della Grande Intesa. Bisogna mettersi bene in testa che mentre tutti i poeti, da che mondo è mondo, e Ibsen piú di infiniti altri, hanno avuto da sudare a crearsi le loro immagini e figure, bastava che Shakespeare copiasse, materialmente copiasse, la cattiva prosa di un diarista o di un novelliere qualunque, per trasmutarla di colpo in buona poesia shakespeariana. Cosí, Shakespeare ed Ibsen paiono diversi e discordi nel senso di tutte le dimensioni fondamentali; e le relazioni, sia pure di contrasto, istituite fra di loro, accidentali e scarse di significato.

Ma quando lo Slataper interrompeva il rigore della sua analisi critica, in questo libro, appunto per quella invocazione shakespeariana, stiamo pur sicuri che egli sapeva di lasciar momentaneamente inerti le sue facoltà di giudizio, per dire, anche di traverso, una parola lirica che interessava un suo bisogno piú profondo. E allora si può dimenticare Ibsen e Shakespeare, per rifarci semplicemente un'altra volta a lui, Slataper, diviso, ancora come nel suo primo lavoro, fra l'amore elementare della vita, e una volontà di disciplina e di legge morale, Slataper, che, parlandovi del suo mare triestino o dei monti del Carso, ritrovava le parole scabre, scagliose, carnali, che poi son diventate un segno di mestiere (mestiere assai piú raffinato) dei nostri veristi e impressionisti; ma si sarebbe difeso, con tutta la forza, e con pieno diritto, dall'esser confuso con costoro.

Un'idea di arte classica, che trasfigura dentro fermi contorni il materiale dell'esperienza, rotto ed affaticato, era in lui corrisposta da una natura sensitiva, aspra, e difficile anche nelle felicità; e che pareva a sua volta prodotta da un urto di razze discordi, di tradizioni disarmoniche. Egli viveva con uguale passione le necessità connesse a quella idea e volontà superiore, e le altre portate da questa speciale natura sensitiva, anche se esse, volta a volta, lo trascinavano e quasi lo isolavano in punti di opposto pentimento. Il suo merito fu, principalmente, nell'assoluta purezza con la quale egli condusse queste prove. Con la quale egli trattò e raffigurò la materia d'un dolore e di un contrasto che non erano soltanto suoi, ma di tanti altri giovani intorno; sebbene in lui trovassero un piú caratteristico risalto per quel timbro quasi barbarico del suo ingegno, per quel sigillo di vivente poesia che, fin da principio, la sorte aveva messo sulla sua personalità.

E bisognerebbe entrare piú minutamente nel libro dal quale abbiamo preso le mosse; ma ci porterebbe a cominciare a nuovo un altro discorso, ora che questo è già troppo avanzato; e, in parte almeno, a distaccarci dallo Slataper, col quale invece vogliamo rimanere. In un paese dove la coltura tragica, nelle forme creative piú ambiziose, produce l'arte di Sem Benelli, e nelle forme dottrinarie piú meditate, produce la critica di Luigi Tonelli, dire che il libro di Slataper è il primo che, in italiano, parli degnamente di Ibsen, e il primo che sia costruito sopra un'idea dell'arte drammatica, invece che sopra un gusto da capocomico, significa nello stesso tempo dire che, pure in questo campo, è stato cominciato qualcosa di assolutamente nuovo, per opera di una generazione che si è trovata a dover pagare il duro pedaggio della guerra, prima ancora di aver avuto piena opportunità di prove e di resultati dalla virilità.

Il Farinelli, che ha fatto precedere al volume alcune pagine commosse, in memoria del discepolo ed amico, ha potuto attestarvi, con ben altra competenza della nostra, la larghezza dell'indagine da cui il volume stesso resulta. Un'idea del tutto inaspettata dell'Ibsen, dopo il saggio del Weininger, nei riguardi filosofici ed etici, e dopo il Gosse e l'Archer, per quel che concerne la personalità vissuta, non si poteva dare, e per lo stesso motivo dell'estrema evidenza e precisione con cui la figura dell'Ibsen, di per sé, è segnata. E allora lo Slataper s'è applicato a ricostruire la genesi e lo sviluppo di questa grande figura; e se nel libro non è forse una sola pagina che non rechi qualche osservazione eccellente, qualche sottolineamento pieno di dimostrazione, mi pare che i primi due terzi, e in modo speciale le analisi di *Casa di bambole* a' diversi stadî della sua composizione, ne riassumano la ragione d'essere piú propria. Dove, insomma lo Slataper è arrivato criticamente a riconoscere e far riconoscere in che modo un'idea di Ibsen s'è effettuata, è avvenuta artisticamente in un dramma. Disposto a ciò dal suo concetto strenuo della vita, che lo faceva sensibile e attentissimo a' significati fondamentali di un'opera, come non sogliono esserlo i critici tecnici e grammaticali; mentre poi il suo istinto poetico si ritrovava nei particolari espressivi dell'opera realizzata, con una vivacità e un'esattezza di reazione che mancano sempre nei critici troppo speculativi. Oggi che, per azioni e controazioni, per eccessi e correzioni, la critica è andata perdendo, almeno negli esercizî piú alla moda, i suoi caratteri di umanità e di giudizio, per diventare una specie di conferenza di Panurge, il libro si legge con il rispetto e la gratitudine che sono naturali davanti alla testimonianza di un momento di civiltà superiore.

Per la sua forma letteraria, il contenuto critico, specie in quanto dedotto da un'opera severa come quella di Ibsen, ha certamente agito nello spogliare tutto ciò che nelle abitudini stilistiche dello Slataper poteva essere di eccessivo e transitorio. Ma la parola, anche con meno sprazzo e colore, è rimasta essenzialmente quale conoscevamo: appunto la parola d'uno che cercava la tua terra, la sua tradizione. Triestino; ma questo era soltanto un segno esterno; ché forse sarebbe stato lo stesso, dovunque nato. E ciò che avrebbe potuto formare il suo difetto, determinò e ben maggiormente, la sua vitalità. Con minore talento di Slataper, e senza le sue cose da dire, molti vi danno la superficie sicura di un'arte e di uno stile, il senso di un possesso caratteristico e indisturbato. Ma gli assertori piú vivi, non bisogna cercarli fra questi uomini di comodità e di pace. Per veramente possedere, è indispensabile essere poveri e bisognosi. Gli esecutori di una tradizione son spesso quelli che avevano invocato piú appassionatamente questa tradizione, e ne vivevano a margine, quasi respinti e perduti.

Cosí le parole di Slataper trovarono a volte una nostrana rudezza quasi antica, appunto perché cadevano in questa lingua da una sensibilità per molti aspetti remota; come le sue immagini paiono fatte dell'urto rozzo delle cose, quanto piú egli visse nelle idee e nella volontà.

La guerra gli si offerse come l'occasione suprema di incontro e riunione di tutti i valori ch'egli si era sforzato di conquistare. Ed egli si espresse nel suo dovere di guerra, con lo slancio con il quale aveva cercato la sua poesia, con il rigore col quale aveva amato la poesia dei grandi.

(1917)

Govoni novelliere

Intorno al carattere « dispersivo » delle poesie e delle prose di Corrado Govoni, è stato scritto copiosamente; e per ammetterlo e per negarlo; e per farne un titolo di merito o di demerito, a seconda dell'umore dei critici e della fluttuazione delle mode letterarie. Il volume di novelle govoniane: *Piccolo veleno color di rosa*, uscito in questi giorni, invita a ritornare sull'argomento, con il sussidio di alcuni dati nuovi. Per la prima volta, infatti, se non mi sbaglio, il Govoni ha tentato, con questo libro, un'arte meno eccentrica di quella fino ad oggi da lui prediletta, meno carica di figure, contenuta dentro linee narrative piuttosto semplici e marcate, e che, in certi casi, arieggiano addirittura quelle della novella come oggi è comunemente intesa: prodotto tra commerciale e letterario, a base di situazioni e di effetti a colpo sicuro. Il suo lirismo « dispersivo », come s'è adattato dentro gli schemi di cotesto tipo di novella? E quanto ha saputo vivificarli e rinfrescarli con la sua grazia innegabile? E quanto n'è rimasto offeso?

Perché si può avere scarsa simpatia, appunto per la dispersività di cotesto lirismo; per la mancanza nel Govoni quasi mostruosa, d'ogni facoltà gerarchica, e di quello che potrebbe chiamarsi il senso della terza dimensione. E tuttavia bisogna riconoscere che pochissimi scrittori contemporanei ebbero, come il Govoni, tanto ricco il dono dell'immagine per l'immagine, e del colore e del paradosso fantastico; a parte le sue delicate tonalità d'ironia popolaresca, d'infantile senso di meraviglia, di dolorosità rassegnata.

In tutta la storia della poesia, forse è impossibile trovare esempio di scrittori sprovvisti d'ogni seria educazione letteraria e d'ogni capacità intellettuale, come quelli che, sulle tracce del *Poema Paradisiaco* e d'alcuni esemplari francesi, combinarono la cosidetta scuola del « provincialismo » italiano. In Francia, per esempio, il ritorno alla provincia, e alla terra, non soltanto dette luogo ad alcune opere di poesia che avevano ricevuto tutti e sette i sacramenti dell'ottima tradizione, ma sviluppò naturalmente un'etica e una politica; segno che il germe era profondo e fecondo. Maurras proviene, in parte, da Moréas e dalla Grecia: ma in parte, anche, da quello che potrebbe chiamarsi lo spirito della provincia. E Barrès ricavò dai libri di Taine i principii d'una filosofia territoriale, nello stesso tempo che la sua sensibilità e il suo stile si educavano sulla letteratura provinciale e simbolista.

Non pretendo qui che Maurras e Barrès sieno piú di quel che sono, e valgano piú di quel che valgono. Ma dico che si cercano invano i loro equivalenti, come punto d'arrivo della nostra scuola provinciale. La quale ricadde sopra sé stessa: e marcí sopra un letto di motivi affatto convenzionali ed estrinseci: i vecchi conventi, i dolciumi preparati dalle monache, e le vecchie amanti; e vasi da fiori davanti alla Madonna, e vasi da notte.

Gozzano e Palazzeschi, che si salvarono, soltanto incidentalmente furono « provinciali ». Govoni, con i suoi dieci libri di prosa e di versi, restò tutto il tempo nella atmosfera parassitaria del provincialismo ortodosso; e le sole libertà che si permetteva, erano certe brevi scorrerie verso Milano, allo scopo di riportare temi e trovate della « scapigliatura », e in fondo d'un altro provincialismo, sul suo provincialismo ferrarese.

Ma Govoni, che, insomma, era come gli altri provinciali, quanto a superficialità di dottrina letteraria e inerzia d'intelletto, aveva, s'è notato, quello che gli altri non avevano: il dono dell'immagine, la varietà del colore, un istinto, sebbene tronco e sussultante, di vera poesia. Prigioniero d'una moda, per quel che riguarda l'insieme d'un libro, e anche d'una sola pagina; dentro la frase e l'immagine, sa ripigliarsi. La sua « dispersività » non è, in fondo, che una vendetta, o, per dir meglio una malattia cutanea, della sua poesia. E in quale varietà d'apparenze! Ora vi sembra idiota e grottesco, come un pittore di cartelli da fiera. Ora ha una gentilezza corrotta; coltivata nell'amore d'epoche e civiltà stanche e preziose: il diciassettesimo secolo, il simbolismo francese. Può sentire una nuvola, il vento, l'avvicinarsi della primavera, l'astrazione del mondo pietrificato dall'inverno, quasi con una facoltà di esaltazione cosmica. E subito dopo, dalle sue esperienze naturali si permette d'estrarre anche deformazioni ironiche o puerili: come quando vede il ragno dalle lunghe zampe che va in bicicletta, o i pipistrelli come piccoli aeroplani funebri, o « le belle galline che portano in testa un rozzo fazzoletto di festa come le contadine ». Si diverte a irritare la propria sentimentalità e facilità emotiva, tutta meridionale, con atrocità e perversioni d'un gusto nordico e fiammingo. Nel bel mezzo d'una pagina verde come un prato, mette delle figurine gobbe e nere, quasi per far paura ai bambini o agli uccelli. Nelle vasche dei suoi giardini solenni e sonnacchiosi, fa scivolare miriadi di buffi diavolini di Cartesio, per suggerire chi sa quali leggende alle popolazioni gravi e stupefatte dei pesci.

Da questa diversità di figure semplici o bizzarre, magnetiche o repulsive, nasce un insieme a un tempo magnifico e confuso. Come in quei tappeti che, guardati punto per punto, ci deliziano con un ricamo d'ali di farfalle, e accanto, con scritture indecifrabili come si vedono sulla pelle dei rettili; o con le ramificazioni del corallo, o gli scherzi del diaspro, la bellezza di ciascuna forma e la vivacità di ciascun colore, turbinano in un panorama caleidoscopico. Italianissimo, il Govoni, in molte figure, se essere italiano significa disegnare e pingere col massimo di rilievo, la sua arte, in totale, dà una impressione di complessità oserei dire orientale, vagamente assurda.

Un temperamento simile dovrà assolutamente disperare di chiarificarsi e organizzarsi? Vuol dire che la sua forma piú immediata e opportuna sarà quella della divagazione lirica, magari sulla traccia di un avvenimento vissuto, come una passeggiata, un viaggio; tanto per ricavarne un minimo indispensabile di coesione. Nella poesia del Govoni non ci sono temi centrali, né linee di sviluppo; ci sono, insomma, piú schegge di poesie che poesia. Meglio, allora, che ogni immagine, la realtà suprema in un simile temperamento, benefizi quanto piú possibile d'un isolamento ritmico e grafico, e faccia quadro e cornice di sé stessa.

Nell'*Inaugurazione della Primavera*, il Govoni profittò largamente di cotesta forma. Carovane di sensazioni, festoni di capricci, rosari di ricordi: ecco quel che ci dette, come lirico. E come narratore: nelle prose sparsamente pubblicate nella "Riviera Ligure", e in quelle raccolte nel libro *La Santa Verde*, mantenne le medesime esigenze, se si può adoperare questo termine per uno scrittore del quale tutte le esigenze, infine, si riducono all'unica: lasciarsi andare.

Ma in *Piccolo veleno color di rosa* cotesta esigenza è meno rispettata. Le immagini non si producon piú con la varietà di prima. E anche quelle che si sono azzardate a fiorire non sono, generalmente parlando, brillanti ed autentiche come una volta. C'è forse compenso nella « invenzione » dei cinque racconti che costituiscono il libro, nella caratteristica degli intrecci e delle persone, nel giuoco delle parti? Assolutamente non direi: e per cotesto riguardo il Govoni ha seguitato a contentarsi di motivi e situazioni nei quali sarebbe ingenuo andare a cercare un segno di novità o almeno d'intenzione. Siamo, piú o meno, in quelle provincie letterarie, che quasi un secolo fa il Poe fondò ed aperse alla buona volontà dei letterati di seconda e terza mano, quando scrisse *La rovina della Casa Usher*, *La Filosofia dell'ammobigliamento*, *Morella*, *Berenice*, etc. Il Baudelaire dei *Poemetti* in prosa poteva in certo senso estendere coteste provincie, colla prepotenza del suo stile e l'originalità della sua filosofia. Uno Stevenson poteva abilmente trapiantarvi dei fiori ch'erano nati nel giardino di casa sua. Ma tutti gli altri non hanno saputo vivervi che come *tourists* o meglio come emigrati: invadenti, indelicati, pacchiani: e il Govoni, mi dispiace dirlo, non meno di tutti gli altri. Nell'ultimo volume, quando si è tolta la *Parabola dei vecchi e dei giovani*, che rientra nel vecchio repertorio govoniano, il resto ci si presenta, negli schemi poeiani e decadenti, con tutti i caratteri di un compromesso fra la poesia, o le poesie, di Govoni e la letteratura che sta tirando gli ultimi fiati sotto le allettanti copertine dell'editore Vitagliano.

Naturalmente, come tutti gli artisti veri, il Govoni non è scaduto in cotesto compromesso se non con incertezze, pentimenti, e con un senso, evidentissimo nella trascuranza dello stile, con un senso di fastidio, con insomma tutta la indissimulabile mala grazia d'una persona sincera legata a un còmpito ostico. Non ha nemmeno avuto il coraggio di mettersi d'impegno, come Francesco Gaeta, che nelle *Novelle Gioconde*, chissà quanto ha penato per procurarsi una falsa aria di disinvoltura, di *savoir vivre*, di mondanità; ma in fondo non è riuscito altro che a lasciar cadere tra le pagine volgari, qualche impressione e nota dei suoi taccuini di lirico: ricordo, per esempio, un odore d'unghia abbruciata, nell'aria d'un vicolo, che basta a creare tutta una scena romorosa di mascalcía.

E riapriamo, senza rancore, il libro dell'*Inaugurazione della Primavera*.

Costí, pur con tutti i difetti possibili e immaginabili, è il buon Govoni, il Govoni vero.

(1921)

«Nostro Purgatorio» di Antonio Baldini

La prima volta che sentii quanta amicizia avevamo messa insieme con Antonio Baldini, a forza di girare per le vecchie chiese romane e bere vino alle osterie di via Nomentana, e ragionare di Marco Polo e dell'Abba e di Stefano Sassetta e di Ririomin, mi rammento fu, vicino a Porta Pia, da un gelataio che spero non abbia perduta la tradizione di certe enormi cassate, tutte iridi e venature come il marmo cipollino. Probabilmente era anche la prima volta che pagava lui, e ciò avrà contribuito a farmi gustare, con la libertà di spirito necessaria, la dolcezza di quel novo sentimento. Ma c'erano anche altre circostanze: l'aria piena di guerra, e i richiami vicini. Da un paziente legatore s'eran fatti riquadrare, a filo dello stampato, certi libri cari, per renderli piú piccini possibili, da portarceli meglio nella cassetta. In questi svaghi, arrivò il giorno di partir davvero.

Da allora, i nostri incontri mutarono scenario. Lo ritrovai in un ospedale, colla spalla ferita, rinfagottato in un gran pigiama di color tabacco e tutto alamari, che pareva il pigiama di Gioacchino Murat. E lo rividi al tempo delle piú belle fra quelle note e impressioni, che poi egli ha raccolto nel suo libro. Arrivando a Udine tutti intirizziti, con una tradotta della notte, era un gusto andare a snidarlo caldo caldo alla primissima luce. Nell'ambiente della guerra, egli aveva saputo ritrovare quanto si poteva di quella fantastica domesticità, che dalla sua vita, egli fa scivolare con tanta grazia nelle parole. Aveva una padrona di casa che si chiamava, non ricordo piú se Australia od Oceania. Aveva un vestito un po' militare e un po' borghese, ch'era lo stupore di tutti i carabinieri, e che mi faceva ogni volta pensare al vestito di Margutte. Aveva una mensa, dove gli estremi letterarî eran rappresentati dal Soffici e dal Paolieri in grigio verde; ma in capo tavola sedeva un vecchio colonnello che come Giosuè aveva fermato il tempo, e discorreva, all'indicativo presente, della "Tribuna" di Sciarra come se fosse quella di Malagodi. Quanto a colonnelli, però, non dimentichiamo l'alpino decrepito, grinzoso come una tartaruga, che presentai a Baldini e a Sartorio, quella volta che insieme vennero in escursione in Val Canaglia. Stringendo le mani a Sartorio, il misero gli chiedea: « Lei è dunque Sartorio, il famoso giornalista? » – Terrore di Sartorio. E forse non si trattava di un cretino, come tutto avrebbe fatto credere; ma del pioniere, oscuro e disinteressato, di un nuovo genere di *fumismo*.

In realtà, scrivendo di Baldini, il piacere che ci viene dalla sua arte, inclina a confondersi con quello che ci viene dalla sua biografia. E quelli stessi che non hanno passato mai un'ora con lui, scommetto che, chiudendo il suo libro, o arrivando in fondo a un suo articolo, pensano di aver goduto della sua vita almeno quanto della sua arte. Il saggio perfetto su Baldini anderebbe composto un po' alla maniera del Vasari, quando trattava di qualche pittore « uomo piacevole ». Con questo però che, nel Vasari, i pittori piú ornati di piacevolezza son quelli forse piú disadorni di pittura, mentre qui il pregio è dalle due parti compagno. Io non sottoscrivo, insomma, alla critica che alcuni hanno mosso a *Nostro Purgatorio*; volendo trovare in questo libro l'abuso delle risoluzioni biografiche adattate all'esperienza della guerra. Quest'abuso era nel Baldini immaturo, che, parecchi anni fa, dette i primi *Fatti personali*. Come tutti i giovani, o come il cavallo che corre dietro al fieno legato al fiocco della frusta, a quel tempo egli portava la propria personalità legata e fissa davanti a sé. Credeva di goderne una visione aneddottica. Non ne godeva certamente il possesso. In quanto era meno Baldini, ragionava piú e piú di Baldini; o di ciò che poteva credere che fosse Baldini. Produceva una complicata realtà con i ritagli della propria figura; una mescolanza lucida, caleidoscopica e graziosamente vertiginosa, sul genere del *Bal Tabarin* di Severini o degli arabeschi di Francis Picabia. Calligrafico, punto per punto, come un ghiribizzo cinese, nell'insieme era caotico né piú né meno che un ghiribizzo cinese. Per elemento di ordine e principio di oggettivazione egli pensò allora, di introdurre la satira; e fece *Pastoso*, un'allegoria di tipi e costumi letterarî. E cosí si ebbe un altro sdoppiamento. Perché la macchina satirica, che non rispondeva a nessuna responsabilità intellettuale, ed era fatta di pretesti e d'intenzioni invece che di convinzioni e di idee, se ne andò subito a rifascio. Ma, nello stesso tempo, si vide come in questo scrittore cresceva, giorno per giorno, una facoltà di stile, istintiva e quasi carnale. Egli poteva essere sicuro di sbagliarsi sempre, o quasi sempre, quando provava a risolvere in un giudizio, in una « moralità », le ragioni per le quali credeva di scrivere. Ma poteva esser sicuro di non sbagliarsi mai, se invece le faceva diventare un paesaggio, un aneddoto, una figura. Cosí egli aveva pressoché trovato il suo giusto punto nelle *Passeggiate romane*, con le quali il suo nome entrò in contatto col pubblico. Ma allora ci si mise di mezzo la Guerra.

Di quest'incidente formidabile che fu la Guerra, son state offerte tante definizioni e interpretazioni, che mi sento incoraggiato a mettere anch'io, nei limiti almeno di una questione letteraria, la mia piccola parola. Per artisti della specie di Giraudoux, di Baldini e di Soffici, che cosa è stata la Guerra? Essi hanno pagato di persona: ma ciò riguarda la loro lealtà e bravura, non la loro fantasia. Alla loro fantasia, la Guerra s'è presentata come un regime di incontri incredibili, di associazioni quasi magiche, e di munifiche facilitazioni verso la libertà immaginativa. La Guerra li ha messi fuori della monotonia e umiliazione borghese: ha offerto loro le suggestioni del contrasto e dell'avventura, in un mondo dove ormai tutto pareva accaduto e tutto livellato. Eccoli in villeggiature, ora delicate e primaverili, ora grandi e superbe. Strane villeggiature però; con strani contadini, e strani ansiosi silenzî, e anche piú strani sibili e fuochi e rimbombi. Villeggiature dove si muore da un momento all'altro. E la bellissima e appassionata dignità della loro vocazione sta appunto in questo: che, senza nessuna tracotanza, essi vincono e riducono in gusto di contemplazione, e in possesso di gioia, lo stesso invito di morte. Con immediatezza piú popolare nel Soffici, con gracilità a momenti quasi febbricitante nel Giraudoux, con beltà piú antica e letterata in Baldini, i tre libri di guerra che i tre scrittori ci hanno dato, sono fra i libri di piú gentile allegrezza che si siano letti da anni. Coloro che hanno parlato di cinismo, o simili, a proposito del galante e cavalleresco atteggiamento di questi scrittori, son gente, non se ne abbiano a male, che ne sa poca. La voce piú grossa, le disposizioni piú risentite e allarmanti, furono precisamente assunte dagli artisti o generosi ma ormai stanchissimi, come, fra gli altri, il D'Annunzio, o da quelli che in realtà si spesero meno, ed ebbero meno dimestichezza col morire. Ma vedete gli spunti di « canzonette » eccentriche di Soffici, nella trincea di Kobilek. E Giraudoux, con quale arguzia argentina parla dei compagni che entrano in azione per la prima volta e « accendono piú teneramente la loro sigaretta »; o di quelli che all'alba in trincea « si passano con mille raccomandazioni dei piccoli specchi come se fossero le piú preziose particelle del giorno che nasce ». Quanto a Baldini, io dovrei citare, specialmente dalla prima parte di *Nostro Purgatorio*, con un lusso impossibile; se, almeno in gran parte, queste pagine non fossero già pre-

ANTONIO BALDINI

MICHELACCIO

ARNOLDO MONDADORI EDITORE

Frontespizio di *Michelaccio*, una delle opere piú significative
di Antonio Baldini, nell'edizione Mondadori 1944.
Esponenti della cultura italiana tra le due guerre in una foto del 1923. Da destra
a sinistra: Emilio Cecchi, il pittore Armando Spadini, Antonio Baldini, Ardengo Soffici
e l'architetto Luigi Bonnati. A destra: composizioni miste di disegni
e di parole: *Le coriste*, di Cangiullo (1) e *Il palombaro*, di Govoni (2).

senti nel ricordo dei migliori. Ma il lettore che le godette, ed è ben certo di averle godute, è forse meno certo in merito alla legittimità, per cosí dire, di quel godimento. In altre parole, che Baldini sia un artista; tutti d'accordo. Che sia un artista allegro; illecito dubitarne. Ma che questo artista allegro abbia potuto darci, su quella dura cosa ch'è la Guerra, ciò che si dice un libro « serio »: ecco che nascono i dissensi e i partiti. Io ho voluto dire che il suo libro è adeguato, e in altri termini, « serio », per lo stesso fatto ch'è, nel possibile, allegro; e cioè anche assolutamente pulito di ogni ipocrisia. E chi custodirà il pudore del mondo, se non qualcuno che sa ridere? Rammentiamoci che Nostro Signore, che in queste materie era competente, pose come principio che coloro che intendevan digiunare, fare orazione, opere di carità, e insomma « testimoniare », si tenessero innanzi tutto molto allegri, e passassero dal parrucchiere, anzi dal profumiere, e mettessero camicia di bucato, colletto lucido e abito festivo. E per questo dalla trincea, la gente che testimoniava, mandava a comprare tante boccette d'odore da cinquanta franchi e tanti fazzoletti di

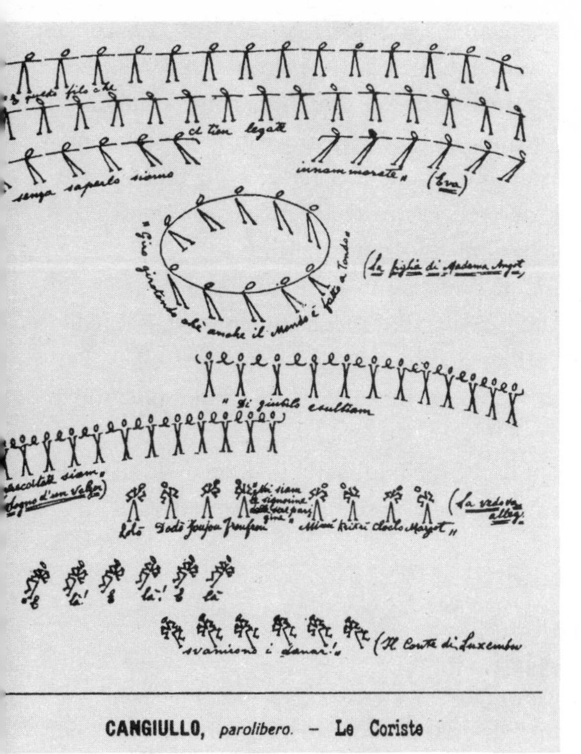

CANGIULLO, *parolibero.* – Le Coriste

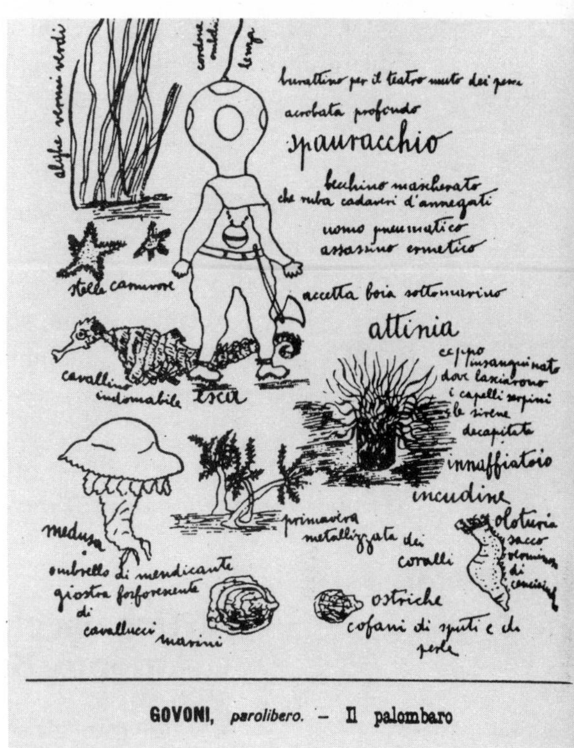

GOVONI, *parolibero.* – Il palombaro

battista ricamati. Gli ipocriti, di dietro, dicevano ch'era *blague*, ch'era mafia, ch'era « fumismo ». E invece, al solito, era Vangelo.

Circa lo stile: due parole. A conoscere, anche poco, con quanta dolcezza ed astuzia, da un aggettivo còlto ne' *Fatti d'Enea*, nel *Novellino*, o ne' cantari della *Pulzella gaja* o della *Donna del Vergiú*, il Baldini sa accennare verso delicatezze e popolarità affatto moderne, si capisce subito che quei contrasti e quelli incontri di guerra, devono avergli fornito spontanee e straordinarie occasioni anche pel piú squisito barocco. Un attendamento: « La luna batteva sulle piccole tende allineate giú pel colle, come in certe figure della Storia Sacra. Di lontano, a tratti, si sentiva la fucileria crepitare, sull'Isonzo – non si sarebbe detto piú d'un forte rompere d'acque in fontana ». O, con altrettanta felicità che in coteste grazie ariostee e raffaellesche, questo segno orientale: « Nelle tappe notturne, che levavamo gran nebbia alla luna sulle strade dov'era un tenebroso transito di carreggi e d'artiglierie, io studiavo quei cieli di madreperla in ogni venatura, e trovavo queste cose buone a contentarmi – grazie alla Cina. Una sera vidi un uomo con una lanterna girare tra i canneti ». O dove forse ripensò l'Abba: « Fucilate perdute in pianura facevano tanto spesso venire in mente i pomeriggi delle domeniche di caccia quando ogni sparo dà la campagna cosí vaga e riposata. Gli echi del monte si trastullavano ».

Ma poi le realtà tutte originarie e concrete: « Soldati correre col viso celato dietro un flutto vermiglio »; oppure, viste dal cielo: « le piccole alture che fanno voltare le strade ed hanno una figura misteriosa d'ombra, come d'un nodo amaro scottato in un legno dolce; i gruppi di case che aiutano le strade a piegare, ecc. ». O questa basilica: « Il sole dardeggiava il feretro giú dai finestroni del transetto, e intorno le fiamme dei ceri erano come un oro vergognoso, e i fumi dell'incenso esili come le apparizioni di primo mattino ».

Rigo per rigo ci sarebbe da segnare. E l'umorismo, in fondo, ove ricorre, piú che dall'idea o dall'immagine spiegata, esce dallo sbilanciamento, dal tracollo di due parole addossate; una antica e l'altra tutta nuova; una venerabile e l'altra ribalda. Come un santo vescovo scalzo, a bisdosso a un asino maligno e bizzarro...

Che Iddio che gli svoltò verso la spalla la fucilata, salvi il buon Baldini dalle brutte avventure e da tutti i cattivi intoppi nelle nostre spelonche letterarie.

(1919)

«Michelaccio» e Antonio Baldini

Quasi tutti gli scrittori di fantasia presto o tardi finiscono col battere il naso nel proprio « mito ». Vale a dire che, a un certo momento e talvolta anche di primo principio, s'incontrano con una figura che non soltanto muove la loro immaginazione, ma è capace di rivelarli in modo piú diretto. Il significato d'una tale figura, per spiegarmi meglio, essi lo potrebbero sottoscrivere, oltre che come verità d'arte, come una verità privata e personale. A guardar bene, soltanto nei massimi, da Shakespeare, a Manzoni, a Tolstoi, non si trovano tracce, o quanto mai dubbie, d'incontri siffatti.

Perché sono incontri che non si danno senza pericolo. In moltissimi casi, lo scrittore ne resta ipnotizzato. Riconosciutosi in questo « mito » di sé stesso, non riesce piú a dimenticarsi. Ha inizio la sua anchilosi e mineralizzazione. E sebbene la sua arte si possa esercitare, in opere e figure successive, ricercando l'illusione di avventure ed erramenti, coronati da un incontro nuovo e impreveduto, il lettore che sa leggere, distingue, con poca fatica, che ormai non si tratta piú di scoperte, ma di ritorni.

Altre volte lo scrittore si esaurisce di colpo, in questa identificazione; vi si svuota e dissecca. Oppure comincia a non saper piú distinguere fra sé stesso e il proprio « personaggio »; e gli scarica addosso un disordinato bagaglio d'esperienze autobiografiche; gli fa portare come a un facchino gli involti piú umilianti; se ne fa una specie di capro espiatorio. Non c'è da dubitare che Antonio Baldini considerò sottilmente questi inconvenienti, quando, in fondo allo specchio della fantasia, gli apparve la figura di *Michelaccio*. Il suo racconto che a

Michelaccio s'intitola è, infatti, pieno di precauzione. Se proprio era destino dovessero incontrarsi, il Baldini avrebbe messe ben chiare le condizioni dell'incontro.

Nel racconto del Baldini, capitano a Michelaccio vicende affatto inedite, d'invenzione ornata e piacente; ma non credo occorra riportarle, ché il personaggio è già assai definito nella fama popolare; ed anzi, dal tempo dei proverbi, vi fa tutt'uno con un proverbio: « Mangiare, bere, andare a spasso, questa è appunto quella che da noi si chiama l'arte del Michelaccio, che, per chi la può fare, è la piú bella del mondo », chiarisce il Magalotti a chi non conosca quel proverbio. E sembra che due tradizioni abbian concorso nella proverbiale figura: la tradizione toscana d'un Michelaccio ingrassato e pacioso; la tradizione spagnuola di un Michelaccio vagabondo e un po' masnadiero. Il Baldini le ha contemperate, con piú della seconda, che conferiva alla varietà ed al colore e che certo l'assisteva di piú, agli effetti degli inconvenienti e pericoli prima descritti. Poiché Michelaccio astrattamente parlando, ha in sé qualche cosa del tipo mentale di Baldini. E si trattava impedirgli di assumerne soverchio; di spogliar nudo bruco il proprio genitore. Uno dei due, fatalmente, doveva essere all'altro come lo scudo gorgoneo, che imbambolisce il riguardante. E Baldini ha saputo fare in modo che a rimaner cristallizzato, prima che si accostasse troppo, o addirittura gli saltasse addosso, fosse Michelaccio.

Deliziosa cristallizzazione! Chimica ineffabile! Ne è venuto un racconto nitidissimamente segnato, e di tinte bizzarre; e con una certa aria squisitamente tra antica e fieraiola, come potrebb'essere di una fiaba popolare, trascritta in prosa di lusso, o ridotta a festa galante. C'è una luce ferma e vivace nella quale ogni particolare brilla e si esalta, per contribuire al divertimento. Lo stivalone del sergente Biringuccio si stampa nella memoria « rosso e speronato come la zampa del diavolo »; e i ghiareti del fiume, nella notte lunare che accoglie Michelaccio al primo convegno d'amore, scintillano come pietre preziose. Una luce che il Baldini commenta a perfezione, ove dice che « era l'ora estatica avanti il tramonto, l'ora delle merende all'aperto, d'oro pei laterizi ruinati e le rughe delle vecchie sedute al sole ». Luce di pittor veneziano trasportata in scuola romana; e, in quelle rughe di vecchie, o in un « sole che illustra nella nera stamberga la bella compagnia di bevitori », rilevata per schietti contrasti di nero.

E, a dirla breve, il Baldini non aveva ottenuto finora, quanto a forbitezza di scrittura, e vaghezza di arricciolature ed altri capricci, niente da reggere il paragone con questo *Michelaccio*, chi in specie consideri trattarsi della sua prima composizione di disegno piú ampio. Artista che si fa un santissimo scrupolo di non toccar penna se innanzi tutto non si senta divertito ed interessato (malgrado, per civetteria, talvolta mostri il contrario) non aveva potuto offrirsi occasione tanto peregrina di sfoggiar le proprie virtú, essendo a un tempo attore di sé stesso e spettatore. Le condizioni e precauzioni dell'incontro coll'ameno e pericoloso Michelaccio, mentre lo tenevano straordinariamente sveglio e impegnato, chiedevano, in certo modo, che lo spettacolo fosse a ingresso ristretto. E spesso avevamo visto il Baldini a passeggiar fra le colonne d'un giornale, modulando le sue cavatine, variazioni e fioriture, come un cantante di grazia fra le colonne d'uno scenario; ma questa volta era proprio come il cantante che, fra le pareti di camera sua, o in cerchio di pochi, gorgheggia e si ascolta; e ci mette anche due o tre perlatissimi trilli, che nemmeno li tirava fuori davanti al re. Sul tappeto di una « terza pagina », spesso l'avevamo visto e vediamo prodursi con applauso, in bei colpi di destrezza e contorsioni. Ma ora è come il pantomimo che, conquistando un nuovo trucco, concede all'orgoglio di sentir l'agilità sguizzargli in tutti i muscoli, precisa come la matematica e fresca come acqua di fonte. L'arte; e una certa festosa alterigia dell'arte!

Un'accurata comparazione dell'odierno *Michelaccio* con quello che, anni addietro, uscí in un giornale, facilmente ci mostrerebbe, oltre il raffinamento di quest'arte, sempre squisita ed ingegnosissima, il suo trasferirsi in un tono piú scandito e deliberato. È ovvio che il Baldini ha inteso cosí di fissare la sua operetta; metterla a tutta prova e tutto punto. Gli stessi ornamenti dell'edizione, talmente studiata da doversi riguardare una cosa sola col testo, confermano l'intenzione di costituire al racconto un'atmosfera di risonanza perfetta. Ma, in qualche modo, il Baldini ha anche ecceduto. Per esempio: quelle piccole sigle, popolari ed antiquate, da lunari, giochi dell'oca, quaderni scolastici e libri di sogni; quelle canestre, quei girarrosti, quelle fortezze e navi, e pannocchie di granturco, e comete, e coppie d'amanti con in mano la rosa! Seminate fra paragrafo e paragrafo, qui a ripigliare pittorescamente l'immagine occorsa nelle ultime righe, là ad annunciarne un'altra che sta per entrare, son, certo, ornamenti tipografici ed artifizi di contrappunto immaginativo; ma, anche piú, documenti critici; e in un'opera d'arte i documenti critici riescono sempre compromettenti. Cosí certe esplosioni di morale popolaresca in stornelli, a talune svolte del racconto: esse non risolvono, mi sembra, in maniera piú gradita la tendenza ad ostentare una gnomica menefreghista e trasteverina che, francamente, anche in Baldini m'è poco accettabile. Cosí, in fine, stringendo e ribattendo il racconto sugli antichi e sodi modelli, egli è venuto a irrigidirlo in qualche ritmo e giuntura, mentre piú libera e fresca rimaneva la materia verbale. Occorrerà far parte al bisogno di prendere in prestito, fra il serio e il faceto, le vecchie forme e movimenti, lavorando su questa sostanza fiabesca. Ma in certi appicchi, piú che d'un gesto sintattico creato a nuovo dal di dentro, si ha l'impressione d'un riporto.

Il *Michelaccio*, s'è detto, è la piú fina cosa di Baldini, quanto a chiarezza di scrittura. Chi soltanto conoscesse il *Michelaccio* trarrebbe dell'autore un'immagine brillante e tuttavia parziale; pura, forse, piú che da altre opere, ma un po' inaridita; certamente non come il vero, mostosa e ricca. E intendo benissimo che certuni, intenditori, quasi con altrettanta simpatia guardino le storielle: *Gennarino re* e *Duccio cannibale*, che nel volume seguono il *Michelaccio* segnate con mano piú svagata. Ma in fatto di felice svagatezza, si cerchi: *La strada delle meraviglie*, nove fiabe che il Baldini ha raccolte e trascritte dalla viva bocca d'una campagnola toscana; per vedere che cosa egli ricavi in stile di puro passatempo.

Pare, insomma, doversi ritenere che ad un artista cosí penetrato di scienza letteraria, e con siffatto temperamento, non sempre o non in tutto giovi troppa pomice e lima. Agevolmente esse asportano gli elementi diciam pure inferiori, che stanno al loro posto soltanto nel capitolo in prosa, nella cicalata e nell'articolo di giornale. Ma portan via, con essi, altre cose, assai gradite in Baldini; e l'equilibrio della sua natura, lirica ed umoristica, critica e pittoresca, è semplificato, ma ha perso anche qualche cosa che lo rende sí mobile e imprevisto. Si ha come la sfrondatura d'un bel barocco. Inutile avvertire che queste osservazioni non intendono scemar l'opera, quanto crescere, ai suoi confronti, l'autore. E non ha esagerato chi nell'opera ha già voluto segnare qua e là i cosiddetti « pezzi d'antologia »; formula antipatica, per altro. Tali sarebbero, verisimilmente: l'assedio; il bagno di Michelaccio e l'arrivo al castello della marchesa; e quell'occhiata che Michelaccio sposo, dalla terrazza marchionale, abbracciato alla scimmia, gitta ai suoi cenci di povertà e libertà rimasti laggiú sul greto. Ma il colloquio con la Fortuna è il gran blocco a ventiquattro carati.

Ai momenti piú nobili una placida malinconia fra arcadica e cervantesca spira sul racconto. E se per autori come questo, pervasi di letteratura e tradizione, vien sempre di pensare sotto quale stella o insegna son nati, e uno ci par di vederlo fra lauri petrarcheschi, un altro al rezzo dell'elce carducciana, per non parlar di quelli cui toccò per culla il cestino della carta straccia, non so liberarmi dall'immagine che Baldini aprisse gli occhi in volto alle Muse, a quelle scene del *Don Chisciotte* ov'è il funerale di Cristoforo e di Marcella:

« ... Trattenendosi in questi colloqui, videro scendere dalla sommità di due alte montagne circa venti pastori, tutti vestiti con pellicce di lana nera, e coronati di ghirlande che poi si conobbe essere di tiglio e di cipresso... » Il piú vero Eden di Baldini non deve essere lontano, a cercar bene, da questi paraggi.

(1924)

Le poesie di Bacchelli

Nelle prime pagine del libro uscito, ora è poco, col titolo *Poemi lirici*, Riccardo Bacchelli ha trovato molto animatamente una situazione che può aiutar a cogliere in iscorcio il fatto della sua arte. Si direbbe, un po' grossolanamente, che ci fa sentire il corrodersi e disciogliersi in lui della realtà concreta, appena, malgrado il suo istinto lirico, ha provato ad affidarsi alla astrazione, e distinguere e obiettivare:

« Non mi potei piú acquietare alle cose dal giorno – che le distinsi da me; – che non credevo piú a niente da che m'avevan fatto pensare a qualcosa. Senz'ombra di dubbio – senza preoccupazione di Dio, avevo vissuto in natura ».

Dentro la sfiducia, dallo stesso vuoto e dall'erosione, sgorga un piacere, una inquietudine vitale. In altre parole, un bel giorno, anche per questo artista la connessione del vecchio mondo, giudicato e giudicante, si spacca. La poesia nuova germoglia dalle sensazioni che in quel vuoto si azzardano, cariche di proposte e responsabilità:

« Una sera su un prato – in qualche posto o in qualcosa è avvenuto un tramonto. – Non mi sento piú sicuro in questo mondo di natura... – La realtà della conoscenza, tramontata – non so dove, in me o nelle cose, diffondeva – di nascosto un incanto com'aver mangiato il loto. – ... Probabilmente la mia sensualità non ha goduto mai tanto. – Ma poi con uno strappo dovetti accorgermi che quella nebbia – e questo tramonto io ne portavo responsabilità ».

Enunciativamente la cosa è molto semplice. All'atto pratico diventa rara. All'atto pratico, l'oggetto bruto rinasce o permane. E tanti moderni si ritrovano allo stato dei classici di vecchio stampo, o dei settecentisti che, al meglio, cercavan di porre in poesia l'oggetto concreto, tanto piú duramente quanto piú avevano ragione di evadere. Risolvono, per cosí dire, in una rappresentazione adesiva, fenomenica; e affidano quella che sarebbe la loro ragion d'essere al commento, sottinteso o canoro, della sentimentalità.

Ma la sentimentalità non è piú che l'ipocrisia o la leggerezza di chi può credere dimenticarsi impunemente del proprio corpo, mentre oggi non vi son piú anime, nemmeno momentaneamente, separate da un corpo, vaganti. La sensazione, da almeno un secolo è tornata in prima linea, ha ritrovato dignità. « Ou la sensation n'a pas raison d'être, ou c'est un commencement de liberté. » Ora si tratta che sia carica e sincera.

In sostanza, il Bacchelli è, coscientemente, nella posizione di uno schietto impressionista. Non meno che per l'originaria complessità del temperamento, la sua novità e il pregio consistono nella radicalità e libertà di questo impressionismo.

Disgraziatamente, l'impressionismo vien creduto peccaminoso abbandono all'attimo, rescisso da ogni serie spirituale. S'adopera per l'impressionismo una definizione, dispregiativa e pedante, che vale, al piú, per le sue degenerazioni ed estensioni arbitrarie in dilettantismo e nihilismo.

Ma l'impressionismo, nel significato corretto e concreto, è sintesi costretta ad incarnarsi nell'attimo. Totalità sverginata nella sensazione, e fecondata. È bilancio del mondo, che si può sommare in qualunque punto. Attualità, posta tematicamente, con i suoi infiniti sviluppi e rapporti vigenti e vibranti. E appunto cosí, nella sensazione, il Bacchelli coglie, senza illazioni ottimistiche o negative, continuamente il punto di origine della propria coscienza. Spia, con un'attesa piena di sensualità ironica, i ritorni: quando la esperienza gli matura in propositi e volontà; quando « le preparazioni si risolvono in fatalismo »; e l'azione assume una sorta di naturalità, nell'acclimatar nuovamente la vita dello spirito nel determinismo bruto.

La sicurezza con cui questa posizione è assunta, la volontà con cui è mantenuta e sviluppata sino alle conseguenze estreme, la funzione curiosa di questo epicureismo ironico, con cui è convalidata la esperienza vissuta ed espressiva, dànno anche un valore rappresentativo a questo libro. E vedremo, un difetto, vasto; sorta di fraintendimento ed errata applicazione di principi che, certamente, ha fatto impoverire e magari deturpare parecchie pagine. Ma, prima di tutto: notiamo la ricchezza della tastiera sensitiva.

Ozio perfetto, assai spesso. E si mette ad aspettare un tramonto. Vuole imporre alla sua istintività visionaria, il passo lento del dito del sole sulla meridiana. Nel ritardarsi essa si gonfia e stilla goccie piú saporose.

I *Poemi*, posson bene aver dato, a piú d'uno, la suggestione di un processo scarnito di contraddizioni e sviluppi; di quel che si chiama, un po' rettoricamente « dramma », concluso nel balenare di persuasioni magari nuove. Io colgo la loro abbondante bellezza, in qualcosa di meno ambizioso, e mi pare, altrettanto forte.

Per me, la facoltà concreta del Bacchelli è di svuotarsi tutto in visionarietà; e trovare, in ogni punto, una illusione di assonanza cosmica, completa e complessa. Allora, tocca di sé soltanto di ripresa, come a indicar l'angolo visuale, che, fatta la prima esperienza di lettura, non importa quasi nemmen piú: « Stavo dimenticandomi – un poco in un pomeriggio di sangue caldo e sole – nei giardini, m'accorsi che era il dolore ».

E ha una costante densità esatta di materia sensitiva, nelle proposizioni e figure piú semplici; quando nomina, per esempio « la luna che guarda viaggiando le strade ». L'ha nel piú lieve entusiasmo: « Primavera anche quest'anno, morbido e in silenzio ho dormito come terra sotto la neve, l'ho tanto aspettata ». L'ha nelle impressioni sinfoniche e terminali; quando pensa « i forti – che sgretolano al sole le vuote feritoie – nei crocicchi del mondo dove la storia non passa piú ». Trova perfino la nausea della propria concretezza; nel momento di pausa sente la propria soggettività come oggetto duro e pigro: « la materia mi ammala ».

Momenti di passione, curiosità, stanchezze, li realizza come da una stanza si sente uno spostarsi di paesaggi di nuvole per il cielo. Le sue impressioni hanno una voluminosità leggiera ed ariosa. Implicano punti di vista infinitamente remoti, fra i quali si irrigano rapporti come assi di luce brillanti e radenti.

Si stabilisce un senso storico, dentro la sua sensazione, fatto di constatazioni elementari, e perciò tanto piú inoppugnabili e solenni. A volte sembra proporre un ringiovanimento delle stesse categorie sensitive; metter nell'intatto, nell'elementare, l'urgenza dell'ancora piú intatto e originario; con qualcosa di quel senso di preistoricità, con cui un Browning, per esempio, pensava a « quando i rossi e i bleu eran davvero rosso e bleu ».

Nel rendere la vita della coscienza non adopera che i sensi di orientazione con cui viviamo dentro le ore all'infinito sperdute nel Sahara del giorno, con cui mutiamo dentro le stagioni, con cui percepiamo il lento colossale spostarsi delle volte del cielo o lo spandersi pel mondo dei tepori, dell'umidità, dei freddi! senza che mai la rappresentazione gli si isoli in sé stessa e neutralizzi, come nel D'Annunzio, che spesso ricade nel naturalismo cattivo; senza che gli vapori su, in simboli indelicati.

Occorrerebbe l'agio di lunghe citazioni. Ma vediamo almeno questo momento: « Io tocco questo mio corpo uggioso, percorso – da maree di sensazioni che salgono e discendono – questi organi attuffati nel sangue tiepido – e salato. L'ambiente originario riopera – con sensi inediti, la realtà carnosa – e sanguigna del mio corpo riaffonda in mare. – Il mio essere impazzisce nella luce, come succede – che d'estate le piazze son terribili da attraversare ».

Dove la sensibilità alla D'Annunzio non opererebbe che attraverso miti (uso « Glauco », per esempio) coagulando in una figura per fermarsi lí, il microcosmo qui è realizzato come macrocosmo, con necessità geniale; e la forza dell'immagine è fatta dell'attualità dello stesso dominio e possesso spirituale dell'uomo sul mondo.

La storia piú semplice, della giornata dell'uomo piú qualunque, senza nessun dramma, col piacere minimo d'un ricordo d'azzurro o di verde, o di un corpo di donna, o di un torpore, realizzata con questa sensibilità, diventa un'avventura davvero preliminare. Risolto nei termini di queste intuizioni, in questi timbri di nostalgie e affettività, un paesaggio cittadino, con le musiche immortali che si mescolano dalle finestre nei rumori della vita animale, ha una concretezza di spiritualità e storicità rifatta natura, come cosa che germogli ora sotto i nostri occhi. E si trovano, nel libro, molti di questi paesaggi, oltre a inscrizioni indimenticabili, come quella d'un ricordo di donna nella forma del garofano; o la pagina dove il piacere della prima neve è riferito nella nostalgia della donna ancor giovine e senza piú illusioni.

La densità di una materia che, cosí semplificata, sembra nascer fuori di ogni coltura e letterarietà, si vede riflettendo un momento sullo stile che, nella sua compattezza e serratezza, conosce tutti i languori e quelle inesperienze illusorie, che son estreme furbizie, nell'arte dei cosí detti « decadenti ». Il periodo ritmico è contenuto in una prosa, che domanda appena una scansione di tempi radi. E la prosasticità pone nel suo valore supremo ogni minimo segno e parola. Fratture sintattiche, sospensioni, inversioni, raccordi son guidati da una esperienza che pare estremamente lontana, giustificati da un senso profondamente indigeno; come si trovano, per esempio, nel Carducci tardo, che non sai se ricevesse da' dugentisti, da' latini, da' greci o da' francesi moderni, o forse un po' da tutti.

Ciò che affida, pur ne' momenti piú stanchi, è la solidità, e il poggiare di ogni punto sopra il concreto. Parola dietro parola si libra, come lasciando tramezzo uno strappo di follía determinata e silenziosa; dentro la quale poi si compongono i segni dell'accordo interno piú ricco e sicuro. Su ogni attimo è giocato tutto: capitale e guadagno. Tanto si è sicuri che la connessione avverrà di per sé.

Non è strano che, cosí stando le cose, il Bacchelli si sia salvato da que' pericoli dell'impressionismo che dicevamo: la macchietta e la illazione nihilista, per i quali ritorna l'atteggiamento sentimentale ed esemplificativo dentro l'attuosità della nuova poesia; per i quali si veggono rifiorire i procedimenti piú cari alla rettorica dei vecchi pindaristi: tesi – la proposizione della malinconia individuale – l'apparenza della natura sorda e impenetrabile; sintesi – capitombolo nel nulla.

È quando la percezione è povera, impaziente, non irradiante, che si casca di necessità in queste esemplificazioni di moralismo immoralista. Il Bacchelli no. Il suo egoismo di sedicente epicuraico, il suo individualismo, anche nei momenti declinanti, non son bui, torvi. Si enuncian sempre con una ironia che smonta ogni pretesa di sufficienza. E se è certo, in ogni modo, che la ricchezza del Bacchelli resta a dir cosí puntuale, l'inquietudine e sospetto che egli sente verso la natura, li prova pure verso la sua facoltà di poeta, verso la propria arte. Cosí il suo epicureismo rimane come un metodo di mietitura, di saccheggio interno; si riassorbe in quell'ironismo estetico, senza di che difficilmente si dà la pace e la materia per la conquista espressiva, per l'arte.

Non è dunque, per noi, nell'aspetto di questo dilettantismo, il pericolo del Bacchelli, ma piú forse nella propria serietà, nel bisogno a momenti di uscir da quella puntualità. Essendo tutto corpo, a volte trascura la corposità, la sottintende completamente; si priva di densità e canto; pone in funzione di materia lirica quell'ironismo che è principalmente, s'è detto, un metodo di lavoro. Si esprime in profili, in sagome, su una posizione sentimentale troppo poco affermata. Il suo difetto, in altre parole, sta nel voler realizzare all'infinito i nessi della sensazione, i sottintesi, i postulati, trascurando per un curioso capovolgimento ottico la massa. Dà, allora, in acutezze che lo traviano quanto piú son realmente, nel loro genere, intelligenti e interessanti. La piena coincidenza lirica si sentirebbe soltanto ove esse fossero arrivate ad essere, non i delicati aforismi che sono, ma luoghi comuni, pieni di risoluto sapore lirico, come avviene nei poeti cosidetti « morali ».

Questa solerzia induttiva, quanto piú esercitata su un materiale vissuto con gran serietà, finisce, insomma, per investire l'espressione d'una sorta di pathos, che può riuscir cattivo consigliere in arte. Il libro sembra aver sofferto di tutto ciò: nella disposizione che vuol far tenere troppo conto dello sviluppo, di quel che si diceva dramma; e gli conferisce un aspetto un po' basso di narratività e descrittività. E ha sofferto, forse, per essere stato addirittura lasciato fuori materiale sensitivo, a favore d'altro, di specie meno sicura. Si casca talora in quello che, nel rispetto della natura interna, è l'equivalente del naturalismo e obiettivismo forzoso: la nota psicologica è offerta con intenzione lirica, ma vige principalmente come constatazione di scienza.

Tener conto, tuttavia, che, dalle escursioni piú povere, ripigliando terra nelle

Riccardo Bacchelli nel suo studio
nei primi anni del secolo (1);
a Conca di Plezzo, 1916,
con un commilitone (2); nel 1957 (3).

battute conclusive, il Bacchelli, con certe posture di avverbi, con accordi sordi, si richiude nel silenzio sempre armoniosissimamente. Con sfumature esatte pone almeno il rimpianto della lirica prevaricata. L'autenticità dei movimenti sacrificati o taciuti si confessa allora. E ci riconduce verso le attuazioni complete.

(1915)

Il caso Bacchelli

Non può dirsi che alla nostra giovane letteratura manchi, per quel che l'Italia suol concedere, attenzione e consenso. E gli Chatterton e i Keats, agli effetti del suicidio o della malattia come conseguenza del misconoscimento, oggi da noi non hanno imitatori, né potrebbero averne. Baldini è grasso e vermiglio come un Bacco dello Spagnoletto. Fracchia arieggia nella figura la prosperità d'un banchiere londinese. Cardarelli sostiene galantemente la propria incapacità ad ogni compromesso. E se Cicognani si lamenta di dover far l'avvocato, forse è anche civetteria; e se la caverebbe benissimo con la sola letteratura. Invano si cerca il morto, o almeno il *paria*, il vero perseguitato e reietto. Ma se con uno l'opinione pubblica finora s'è mantenuta piú ingiusta, quest'uno, indubbiamente, è Riccardo Bacchelli.

Bisogna riconoscere ch'egli non ha l'arte di accivettare. E in un cantuccio del nuovo mappamondo letterario, la sua opera sta solinga e imbronciata. Reminiscenze classiche vi si attestano, attraverso un intricato frondeggiare di sviluppi decadenti e barocchi. E mi viene di rappresentarmi quest'opera, misteriosa e composita, regolare eppur caotica, ornatissima eppure severa, quasi in figura di pagoda indiana, o di *teocallo* degli antichi messicani. Fra le altre occasioni di timore, se non di ribrezzo, si veggono ossami d'intorno, capigliature divelte e ceneri di roghi; perché la religione di questa plaga esige, di tempo in tempo, sacrifizi cruenti.

E tuttavia, secondo alcuni, tal minaccioso edifizio sarebbe niente altro che di cartapesta. Ne paiono cosí persuasi che si astengono dall'avvicinarsi e bussare; come per paura di veder scapparne polvere e topi da tutte le parti, e di restare con in mano il battente dell'uscio di strada. Altri concedono che si tratti d'opera muraria, ma denunciano nell'architettura della facciata intollerabili soprusi di stile; e peggiori cose all'interno. Una fama, in somma, si spande, come a Firenze intorno al palazzo della Cavolaia, che raccontavano fosse pieno di trabocchetti.

Non cerchiamo le ragioni pratiche di questa antipatia per un artista nobile e disinteressato che, nei riguardi della fama popolare, ai suoi piú accaniti avversari: i produttori di letteratura a un tanto il metro, toglie meno sole di quel che può pararne una canna. È probabile che gli stessi negatori sentano certi suoi pregi profondi, e ne subiscano la naturale autorità. E la forzata e taciuta constatazione di questa autorità forse è inasprita dall'altra constatazione, non meno naturale, dei numerosi ed inoppugnabili difetti. Cosí giovane e cosí autorevole! E cosí autorevole, sebbene tanto difettoso! Noi crediamo, in altre parole, di dover ammettere francamente anche una parte di responsabilità del Bacchelli, nell'atteggiamento dell'opinione pubblica davanti al suo lavoro.

Non deve dimenticarsi, notando qualche aspetto di questo interessante « caso Bacchelli », che l'autore dei *Poemi lirici*, dell'*Amleto*, dello *Spartaco*, di *Presso i Termini del Destino*, delle *Memorie del Tempo Presente*, e del singolarissimo: *Lo sa il Tonno, ossia gli Esemplari Marini*, favola mondana e filosofica ora uscita, è emiliano. Emiliano come Daniello Bartoli, Alfredo Oriani, o magari Corrado Govoni, per cercargli compagni sui vari gradini della gerarchia letteraria, e senza pretendere di sforzare la caratteristica regionale a sensi esagerati. In un Bartoli, l'inesauribile dono verbale, applicato agli effetti del colore e dell'eloquenza, trabocca in eccessi decorativi, elegantemente mostruosi. Consegnate il Bartoli a due antologisti di gusto diverso: uno ve ne restituirà soltanto le nuvole e i tortiglioni barocchi; l'altro, soltanto le minutaglie pittoriche e le chincaglierie. Nell'Oriani la passione ideologica e polemica fomenta una letteratura romanticamente rozza e volontaria. In Govoni, una sigla minuziosa si moltiplica, come il granello di sabbia nel deserto, sopra estensioni e masse colossali; e dall'infinita ripetizione di un motivo semplice come una foglia o un fiore geometrico, si crea un aspetto di babilonia vegetale, di cataclisma immobile e grottesco.

È facile distinguere, in tutti questi scrittori, sopra le inevitabili diversità, una serie di caratteri uniformi. Piú appariscente, la scarsissima cura della composizione; anche se, nel primo d'essi scrittori, e in Bacchelli, la scienza letteraria è addirittura superba. Ma appare come se l'artista lavori sempre sullo stesso piano, affidandosi alla occasione, e quasi diremmo al caso; pur di cacciar materia sotto alle macine. La lirica ragione dello scrivere non s'immedesima alle parole, da diventare in esse qualche cosa di materialmente vivo. Nei momenti salienti, sfoga in tratti d'eloquenza, in getti oratori, in mirifiche fontane verbali; e, in somma, rimane *discorso*. La realtà di una letteratura siffatta non aderisce alla realtà raffigurata, non si identifica ed annulla nell'organismo espressivo; ma oscilla in una regione velata e, in fondo, inaccessa. E lo scrivere è come la proiezione vaga e distante di un punto che sempre sfugge.

Non è per posa che, componendo l'*Amleto*, il Bacchelli ha voluto strettamente seguire lo schema shakespeariano; e nello *Spartaco* ha tratto partito da certe sceneggiature manzoniane; ed ha avuto in mente gli esemplari classici, in *Presso i Termini del Destino*; altrove la commedia spagnuola; e, in *Lo sa il Tonno*, Luciano, Apuleio, Voltaire, o che so io. Si concluderà che, fra Shakespeare, Manzoni, Luciano, Voltaire e i drammaturghi greci e spagnuoli, egli dev'essere una bella specie di Proteo; o che, almeno, sa tirare molto abilmente ogni sorta d'acque al suo mulino? La verità è che sebbene quasi sempre gli occorra una traccia letteraria, per ricamarvi sopra, come chi perpetri una contaminazione, un *pastiche*, ciò tocca assai poco la sua originalità indiscutibile.

E già da tempo, quantunque ancor giovane, il Bacchelli ha oltrepassata la condizione inamena di chi non scrive che per impegno polemico, con la testa ad un oppositore fittizio o reale. Ma di continuo si vede che egli cerca di riportarsi a queste condizioni, certamente inferiori, le quali offrono una specie d'illusione esterna alla sua difficoltà di organizzare. Una parte, ragguardevole, della sua opera, consiste di dissertazioni critiche e discussioni di varia letteratura, tuttaltro che sufficientemente note ed apprezzate. Son polemiche e «campagne», disegnate e mosse con tratto napoleonico, vaste come inondazioni, migrazioni di popoli e invasioni. Sono avvolgimenti e serpeggiamenti verbali e concettuali, laboriosi e interminabili, dei quali, in fine, si dimenticano la direzione e gli effetti; cause nobilissime e cause sofistiche (come quella per i *Paralipomeni* leopardiani, o l'altra contro Dostoevskij) assunte con uguale ostinazione. Non sarebbe sempre prudente accettarne alla lettera le motivazioni teoriche, i diversi pretesti; ove, naturalmente, non si tratti di semplici e piane questioni di moralità letteraria. Ma è ingiurioso supporre, addirittura, che il Bacchelli, all'occorrenza, potrebbe, con pari ardore e dovizia di risorse, sostenere punti di vista contrari a quelli che sostiene? A parer nostro, non è ingiurioso. D'essenziale, in Bacchelli, e veramente immediato e coerente, non è che l'impulso a scrivere: il bisogno atletico di sfogare una elementare potenza di scrittore, una specie di lento e grandioso furore di scrittore.

Tale voracità e quasi fatalità espressiva lo sforza alle parole, prima ancora di aver sperimentata una realtà e di averla riconosciuta accettabile. Quel che per gli altri è pensare e vivere un'opera, portarla nell'istinto, evidentemente per lui è comporla. La letteratura gli partorisce alla prima occhiata. E, cosí, il suo lavoro volta a volta pare scarso, secondo le esigenze di una creazione capace di esistere autonoma e sufficiente; mentre è ricco di ogni industria nel fissare gli accidenti, le interne ironie, le acidità della intempestiva e imperfetta fermentazione. E si ha un senso di costeggiare continuamente la poesia, senza mai darvi dentro appieno; e l'opera risulta incerta nei nuclei anche se è straordinariamente aggressiva nelle forme. Si potrebbe definire il Bacchelli come un estemporaneo dotato incredibilmente di espedienti, sprezzature, gesti verbali. Spesso i successi piú forti sembrano nascergli da necessità di ripiego.

Due volte, a distanza di anni, nei *Poemi lirici* e nelle *Memorie del Tempo Presente*, l'espressione sembrò accostarsi ad una verità intima e nativa, risolversi in cose. Le immagini s'inscrivevano d'un segno piú acre, e insieme piú meditato; e nella fervida lucidità di questo segno era una garanzia vitale; la riprova d'un intellettuale dominio, che pur rispetta la fragranza dell'istinto; come nella pennellata di un grande impressionista, o in un contorno tracciato da un quattrocentista toscano.

Nell'*Amleto*, pur troppo, e nello *Spartaco*, il volontarismo di Bacchelli ebbe la rivincita. La materia dell'esperienza decadente, che nei *Poemi* e nelle *Memorie* s'ornava di commosse ironie, era sollevata in una sorta di esaltazione eroica. Né per ciò si escludono tratti bellissimi, in queste opere, episodi di rilievo, definizioni prepotenti. Ma anche i « pezzi » piú autentici tradivano la maggior distanza da quel centro inaccesso che prima si diceva; senza che per questo debba parlarsi d'immaturità di esecuzione, scorie ingenue, residui amorfi. Nessuno, fra i giovani, e nel suo genere, è, quanto al mestiere, perfetto come Bacchelli. Di nessuno la scrittura sembra già essersi fermata sotto una patina a cosí dire di storia e di tempo, come nelle pagine che si ricercano in qualche monumentale *Opera Omnia.*

Le tre figure, o meglio, le tre situazioni di Andromaca, Elena e Cassandra, mentre l'esercito greco entra in Troja sono impostate egregiamente nel dramma: *Presso i Termini del Destino.* Il volontarismo è meno intrattabile; anche se compie qua e là le sue devastazioni, gonfiando, al solito, le masse, alterando i contorni, disturbando gli atteggiamenti, i panneggi, gli scenari, col soffio intermittente d'un nero e rettorico vento. Ultima in ordine di tempo, la favola: *Lo sa il Tonno*, sembrerebbe, nell'esordio, meritare appena altro giudizio. Ma il lettore che non si scoraggia, arriva a un punto nel quale sotto le condizioni generali toccate in queste note, vede determinarsi qualche cosa di nuovo e molto promettente.

Il Bacchelli non tenta di riprendere le posizioni piú schiettamente liriche dei *Poemi* e delle *Memorie*; ma risolve con assai felicità parte degli inconvenienti descritti; imbeve di grazia e di colore gli elementi critici e polemici della sua natura; tempera la violenza e trasforma l'arbitrio eroicheggiante in festoso capriccio. La paciosa filosofia del Tonno, il carattere dartagnanesco del Pescespada che accompagna il Tonno nelle sue avventure, talvolta vanno all'aria, coll'introdursi di pretesti e diversioni piuttosto approssimativi. Ma per lo stesso genere umoresco della composizione, che declina gli onori e gli oneri della vera poesia, il compromesso tra fantasia e critica è piú accessibile, e men crudo lo strappo tra la raffigurazione plastica e il mero « discorso »; e di tali opportunità il Bacchelli si è brillantemente avvantaggiato. L'accademico popolo delle Aragoste; l'Ombrina delicata e fatale come un'attrice slava; la Medusa, meretrice bonaria e piú abboccata, compaiono in situazioni esilaranti; e non soltanto allietano il lettore, ma, per cosí dire, rallegrano la tecnica dell'artista; e una volta di piú si riscontra quanto, anche alla gente piú valida, conviene, in letteratura, la scelta dei soggetti minori e dei modelli minori.

Il pezzo di gran bravura è un duello di quel matto e intrepido Spada con un colossale Pesce Martello, emblema di foschi e crudeli esotismi ed orientalismi:

« Il pescemartello è nero, e in quel nero i pallidi cerchi dei suoi occhi hanno una forza allucinatrice. Armato e dentato, salta silenzioso come la tigre e rigido come il coccodrillo, mentre sa confondersi, immobile, fra le acque cupe, come una farfalla o un serpente tra le foglie... » – « Io sono l'India. Sono l'Arcipelago e la Cina, sono l'Asia antica; annunciava con galanteria e senza enfasi. Chi mi vede deve morire; – diceva con la stessa leggerezza squisita con cui avrebbe sorretto un ninnolo di quelle loro maioliche tenui come aria appannata e luminose come tele di ragno imperlate di rugiada... » – Si battono; naturalmente il cavernoso orientale ne tocca.

E volesse Dio che l'episodio fosse, oltre che pittoresco, biografico! E che, continuando in questa vena leggera e leggiadra, il Bacchelli potesse assicurarci che, come lo Spada ha trafitto il mirabolante provocatore, egli si è davvero liberato da quelli che infestavano le acque della sua fantasia: non so quanto malesi o cinesi, ma certo assai sentenziosi e ingombranti pesci martelli!

Il consenso pubblico, quando è consenso balordo, vizia gli scrittori. Ma anche l'ostinata disattenzione è nociva; e può spingere, come successe per l'Oriani, agli atteggiamenti titanici, all'atletismo e prometeismo; insomma, al noiosissimo: « Ingrata patria, non avrai le mie ossa! ». Bacchelli è giovane e fresco, e non è il caso di parlare di ossa. È sano; e la solitudine non l'ha inasprito. Non l'ha nemmeno inclinato a bassi tentativi; e il suo ultimo libro dimostra l'una cosa non meno dell'altra. È per ciò tanto piú giusto che gli tocchi la collaborazione dei lettori, e fra i migliori; ad aiutarlo a perdere quanto rimane in lui di meno vivo, concreto, e di *partito preso*. Anche piú certo è che la critica ufficiale non può continuare ad ignorare, o fingere di ignorare, questo che costituisce uno dei piú interessanti casi letterari dei giorni nostri.

(1924)

«Lo sguardo di Gesú» di Bacchelli

Quando con qualcuno si discorre di Riccardo Bacchelli e della sua arte, non è impossibile a un certo punto sentirsi domandare: « Ma in che lingua, insomma, scrive Bacchelli? ». Si sa bene che scrive in italiano: in un italiano dotto ed elaboratissimo. E la domanda, tuttavia, è meno paradossale e impertinente di quello che sembri. Anzi, secondo me, tocca il punto; meglio di tante disquisizioni, entusiastiche o denigratorie, che intorno a questo scrittore si sentono fare, da gente che non se ne intende; e neppure suppone che il mistero e il segreto di Bacchelli, oltre e piú che in talune altre cose, stanno appunto in una *creazione* linguistica.

Tanto il linguaggio che lo stile d'ogni autore originale, possono richiedere piú o meno d'adattamento, prima d'essere diventati perfettamente solubili nella sensibilità di chi legge. Ma il piú vero ideale d'un linguaggio o d'uno stile, sarà pur sempre quello che il Winckelmann paragonava alla trasparenza e al sapore d'un'acqua di fonte. Dovrà cosí ammettersi che ci corre un bel po', da siffatto ideale alla corpulenta e inarcata prosa bacchelliana. Per spiegarne in qualche modo la struttura anatomica, e diciamo pure l'apparente anacronismo, volentieri i critici ebbero dunque ricorso a certi richiami geo-letterari.

Il Bacchelli è nato a Bologna. Ed i critici rievocano il Bartoli, il Monti, il Giordani, il Perticari, l'Oriani, il Govoni, ed altri maestri di eloquenza e rettorica, nati fra Romagna e Piacentino. Considerazioni opportunissime; ma rimane il fatto d'una lingua cosí fuori d'epoca, macchinosa, sempre montata e tesa di tono: illustre come la lingua perenne del *De vulgari eloquentia*, e al tempo stesso largamente aperta ai vocaboli d'uso provinciale. Come resta l'altro fatto che, attraverso una simile lingua, la quale esercita assai aspramente la fatica e la pazienza del lettore, il Bacchelli riesce ad interessare ed avvincere un sacco di gente. D'un pubblico numeroso come il suo, non può pensarsi come di un pubblico prevalentemente erudito e pedantesco. Ed è certo che i suoi fedeli non lo leggono *perché* egli fa pensare al Bartoli o al Giordani. Come neppure lo leggono *malgrado* coteste affinità e somiglianze.

Si dà, in sostanza, questo contrasto curioso. Sul pieno corso di un movimento, approssimativo, confuso, ma certamente inteso a perfezionare una prosa di romanzo moderno, a farla piú esatta e aggressiva, e stringerla piú addosso al cosiddetto «vero»: assume sempre piú vigoroso risalto la figura solitaria d'un artista che, per conto suo, attende invece deliberatamente a sviluppare e potenziare una superba e particolarissima prosa manieristica e oratoria. Nella qual prosa, frattanto, egli riesce a inquadrare figure, passioni, ed eventi sociali e storici, con una potenza che non sempre si ritrova nella produzione di stretta osservanza neorealistica. Si direbbe, in altri termini, che il manierismo e l'eloquente accademismo del Bacchelli, eventualmente facciano alla realtà meno intoppo di procedimenti professamente antiletterari, pseudoscientifici; i quali ci promettono, anzi garantiscono, una realtà intatta, immediata, fulminea, e ce la restituiscono spesso e volentieri mezzo macellata, istupidita, incenerita.

E d'altra parte, con ciò non si esclude che talvolta il Bacchelli sembra ubbidisca niente altro che al bisogno atletico di sfogare un'elementare forza di scrittore: una sorta di lento e amorfo furore di scrittore. Che gli occorrono lunghi approcci; e che si attarda in situazioni incidentali, in un giuoco di espedienti e risorse estemporanee talvolta troppo complicato. Anche nei suoi momenti piú alti, resta una traccia di tristezza oratoria. Sotto alla sua poesia, è sempre l'eco d'una perorazione. La realtà della sua letteratura non s'identifica e compie nitidamente nell'organismo della pagina e del libro: ma rimane sospesa e oscillante in una regione velata e quasi impenetrabile. Il suo scrivere è come la proiezione piú o meno vaga e distante di un punto che si sente ben vivo, irrecusabile, ma che sempre sfugge.

Non per nulla, negli scritti del Bacchelli, quasi sempre può rintracciarsi uno spunto, un richiamo letterario. Dietro al giovanile *Amleto*, volutamente traspariva lo schema shakespeariano. Lo *Spartaco* trasse partito da certi abbozzi del Manzoni. Assistono altrove: Luciano, Apuleio, Voltaire, Goethe. Nel *Mulino del Po*, Manzoni e Nievo sono singolarmente presenti. Si tratta dunque d'una natura eclettica, camaleontesca? In realtà, il risultato non è mai imitativo. E non solo la laboriosità dei procedimenti non pregiudica affatto l'intensa ed anche grandiosa originalità del prodotto artistico; ma come s'è detto, non mai esautora la serietà della testimonianza morale, la sincerità e profondità degli affetti e dei sensi, e tutto ciò che in parole povere si chiamerebbe umana verità.

Tali considerazioni traggono origine e conferma dall'ultimo romanzo: *Lo sguardo di Gesú*, con il quale il Bacchelli, nell'atmosfera del Testamento Nuovo, ha voluto dare una sorta di « pendant » al *Pianto del figlio di Lais*, nell'atmosfera del Vecchio; né è improbabile abbia risentito l'esempio del Mann d'opericciuole come la storia di Mosè nel romanzo breve: *La legge*. Il soggetto era rischiosissimo. La figura di Gesú portò sempre gran fortuna ai pittori; non cosí ai poeti. E il Bacchelli, opportunamente, la tiene negli sfondi e nelle penombre del racconto, o la mostra riflessa nelle impressioni d'altri personaggi: sopratutto Itamar, uno degli indemoniati guariti da Gesú sul lago di Genezaret, e che non riesce piú a liberarsi dal ricordo del Cristo.

Attraverso la storia di Itamar, nelle imprese militari a servizio di Erode, nella rinuncia alla propria famiglia e negli amori con Egla; negli incontri con Giuda del quale egli intuisce l'orrenda « missione », e nella desolata ed inane attrazione verso il Cristo, il romanzo si svolge al margine degli eventi che culminano sul Golgota. Cristiano senza saperlo e senza battesimo, anima ferita che soltanto abbandonandosi ad un oscuro fatalismo trova la via della propria redenzione: Itamar muore a piè della croce. Un altro ritratto, come quello del figlio di Lais, quasi inafferrabile fisicamente, e sviscerato in tutta la sua morbosa interiorità: anticipazione di Henry James *anno Domini XXXIII*.

In un sol tratto del libro, ch'è stupendamente ligio alla austerità del soggetto, temo un po' che Bacchelli abbia ecceduto di bravura letteraria e d'enfasi pittorica; ed è nella scena, teatralmente magistrale, nel ricatto di Erode ad Itamar ed Egla in presenza al carnefice. Il Bacchelli, che è scrittore intellettuale sí ma sanguigno, non retrocede dinanzi a tali inviti della sua materia artistica: ricordiamoci il duello del Pesce Martello e i due supplizi di Fratognone. Questa volta, ha raccolto la sfida con piú tracotanza del solito; come il giocatore la piú indiavolata scommessa. Intendiamoci, che il livello dell'opera rimane sempre altissimo; e fra i romanzi « minori » del Bacchelli: *Lo sguardo di Gesú* è certamente uno dei maggiori.

(1948)

Una cometa che porta allegria

Su una aspettativa come del millennio, della bomba atomica o della conflagrazione universale, e che nel caso specifico è quella di un urto imminente della terra con una cometa, Riccardo Bacchelli ha impostato il suo nuovo romanzo, che appunto s'intitola: *La cometa*; e vi ha ripreso, con arte sempre piú scaltra, modi ed effetti che già gli fecero giuoco nel *Rabdomante*, in *Alba dell'ultima sera*, ed altre sue cose minori. La trama è semplice, come si richiede in un'opera buffa, che non consente sviluppi laboriosi, e si regge sulla festosità di certe invenzioni, la grazia di certe cadenze e la facile unanimità delle risoluzioni finali.

Nel grosso paese emiliano di Fumalvento, la guerra è passata senza troppi danni e rovine. E della ricchezza prodotta dall'agricoltura e dai relativi commerci, sebbene amministrata con campagnuola prudenza, un largo margine, come al buon tempo antico, va ancora alle gioie della tavola, al giuoco, alle donne e altre spese traverse. La moda, il cinema, la radio, penetrando nel costume provinciale non riescono tuttavia ad alterarlo profondamente. E quando, nello strascico della guerra, per influsso di romanzi gialli, di film con i *gangsters* e di giornali a fumetti, un branco di minorenni, al comando d'una ragazza come essi mascherata, commette certe grassazioni, una delle quali finisce in un macello: il lettore rimane piuttosto incredulo; esattamente come i bravi abitanti di Fumalvento, che non sanno capacitarsi di aver covato tali vipere, in seno alle proprie famiglie.

Collocato troppo perspicuamente in mezzo al volume, eppoi espulso dalla trama e quasi del tutto dimenticato, è questo uno dei rari episodi in cui il romanzo esce un poco di tono. Ancora una volta, dopo l'ultima nello *Sguardo di Gesú*, Bacchelli, a mo' d'un atleta che in mezzo all'arena ostenta i propri bicipiti, ha voluto mostrarsi in un grosso giuoco di forza. E il giuoco è magari abbastanza riuscito, ma non conferisce all'unità dello spettacolo. La gente poi si ricorda del *Mulino* e dei piedi bruciati di Fratognone. Si ricorda il carnefice che dinanzi al trono di Erode arroventa i ferri per Egla e Itamar. E fra sé e sé pensa: possibile che questo Bacchelli, quando vuol farci paura, non abbia altra risorsa che abbrustolire i piedi ai suoi personaggi, come si fa con gli zampetti di pollo?

Ma, questa volta, Bacchelli non vuole spaventarci sul serio. Il libro, come accennato, è in chiave festosa e ridanciana: di un riso corpulento, sensuale, e al medesimo tempo elegantemente accademico, di cui Bacchelli è privilegiato depositario. Una cometa sta per cozzare contro la terra; cosí almeno raccontano pretesi scienziati, giunti dalla vicina Bologna. La popolazione di Fumalvento allibisce; ma a poco a poco, come sempre accade, cerca di adattarsi, ciascuno a suo modo, alla ineluttabile situazione. Chi si dà a divozioni e penitenze, e chi si sfrena nei piaceri del sesso e della gola. Chi mette in ordine il patrimonio e fa testamento; e chi, in barba ai supposti eredi, spende invece a rotta di collo. Chi trasferisce altrove i propri beni. Chi giuoca in borsa al ribasso, e chi al rialzo. Chi ne fa una e chi ne fa un'altra.

Su questa condizione di paura, si stabilisce un nuovo genere di vita, un nuovo contratto sociale; in cui ognuno, alla meglio, s'è assicurato il proprio tornaconto. E quando alla fine risulta che la cometa passerà, ma lontanissima, e che l'apocalisse per ora è rimandata, è una specie di generale delusione. La gente si era acclimatata dentro il finimondo, ci aveva preso gusto. A suo tempo avrebbe ammazzato i profeti e gli araldi della cometa. Ora ammazzerebbe chi sul piú bello le strappa di mano il suo favoloso e spaventoso balocco.

È una specie di *Peste* di Camus all'incontrario, voltata in burlesco. La minaccia della cometa serve da reattivo agli istinti elementari, che nel loro sinfonico scatenamento il Bacchelli evoca con una penna tanto cordiale, saporosa, comprensiva. Triste di certo il peccato, che non sarebbe tuttavia cosí seducente e contagioso se la sua natura non fosse anche contesta ed ornata di cose assai belle. Alla folta galleria di ritratti specialmente muliebri, che da soli bastano ad animargli qualche libro meno felice, il Bacchelli della *Cometa* ne ha aggiunti alcuni tra i suoi felicissimi. La bruna Battistina e la bionda Violante, due ragazze che, con le loro attrattive, estremamente profane, coadiuvano i finti scienziati propagandisti della cometa. La Fanny, che tiene a Fumalvento un negozio di mode. E da lei iniziata la Vilma, che nientemeno diventerà Capitana dei Fuorilegge. La densità pittorica e psicologica di questi ritratti è davvero mirabile; e tanto piú da notare in un clima di opera buffa, che induce sempre ad una caratterizzazione un po' astratta, schematica, e sembrerebbe non dover gradire rappresentazioni cosí turgide di linfa e di sensi.

La *Cometa* ha intonazione e andatura come d'un divertimento nobilmente popolaresco; e nelle cene, nei diverbi, nelle riunioni di piazza, le facezie sulle grandi questioni e figure d'oggi e d'ieri: su Russia e America, su Einstein e Stalin, su Hitler e Mussolini, ecc. ecc., vi rimbalzano con una piacevolezza ingenua e casalinga che ricorda l'antico teatro. Ma la piú grata sorpresa del libro è nel ringiovanimento dello stile.

Nel *Figlio di Lais* e nello *Sguardo di Gesú*, dalla solennità e drammaticità della materia s'era prodotta una eccessiva tensione e complicazione del linguaggio, che qui s'è improvvisamente alleggerito e chiarito. La splendida dottrina e l'abilità strepitosa dello scrittore, distendendosi in queste bonarie moralità, prestandosi ai giuochi e agli intrecci di queste comiche vicissitudini, ne hanno acquistato non so che umanità nuova. La rinuncia a intenzioni troppo cariche, è risultata in freschezza di respiro, ha snellito il ritmo e gli ha dato nuova vibrazione e nuovo slancio. Il romanzo è fra quelli del Bacchelli di piú serena e goduta lettura. E nella lista delle sue opere minori va certamente a collocarsi in uno di primissimi posti.

(1951)

«L'incendio di Milano» di Bacchelli

Insieme ad un grosso volume: *Italia per terra e per mare*, che raccoglie impressioni di paesaggio, di storia e di vita italiana, Riccardo Bacchelli ha pubblicato un nuovo romanzo: *L'incendio di Milano*. E il romanzo ha súbito attratto l'attenzione dei lettori, non fosse che per una certa singolarità della struttura. Perché in alcuni capitoli, esso è dettato nella consueta forma narrativa, ed in altri ha forma di dramma. Edotti a sufficienza, sia circa all'ambiente che alla natura dei personaggi e loro relazioni reciproche, ad un certo punto i lettori restano affidati a un puro dialogo che risuona come in un teatro immaginario, senza bisogno che l'autore intervenga con didascalie e altre indicazioni sceniche. Esempio di simile combinazione si vide, quando in America uscí *Requiem per una monaca* del Faulkner. Ma in Faulkner il dramma era collocato, come dentro una massiccia cornice, fra due blocchi di prosa stupenda, che servivano simmetricamente d'apertura e chiusura al volume. Mentre qui le parti drammatiche, al medesimo tempo che uno stacco formale piú reciso, hanno un decorso irregolare e saltuario, e sono ridotte a nude voci: direi a solo contrappunto. Non credo esistano seri motivi per sentirsi disorientati, o muovere obbiezioni di principio a una forma siffatta. In arte, del resto, tutto è bene che riesce bene.

La favola de *L'incendio di Milano* si svolge in questa città, eppoi in una villa lombarda, dentro il quadro dei fatti politici e guerreschi che, sul ferragosto 1943, culminarono in bombardamenti atrocementi famosi. Una ricca e ancor bella vedova: Melania, di padre tedesco, ha un unico figlio: Donato, cresciuto in un ambiente saturo di musica e d'intellettualismo. Temperamento d'artista, ma voltosi a studi scientifici, Donato, pur ligio alla madre, respira a fatica in quel clima di narcosi musicale. Il salotto di Melania è « squisitamente » antifascista. E Donato, per parte sua, non sarebbe meno antifascista degli altri; ma gli ripugna un politicantismo fatto quasi unicamente di barzellette, di svarioni di storia, e di delicatezze gastronomiche. Per verità, Armida, intima amica di Melania, è amante sviscerata di Gaspare della Morte, cospiratore eppoi partigiano di fierissima tempra. Col favore di Donato, che gli dimostra una bizzarra, ironica simpatia, s'insinua in cotesto salotto tal Falaride Narenza (dopo tutto, buon diavolaccio), già un po' spia del caduto regime, e che ora si dispone a servizi democratici, cercando frattanto di arricchirsi con la borsa nera.

Quando, per i continui disagi ed allarmi, la situazione a Milano diventa insostenibile, Melania, il figlio e gli amici si rifugiano nella villa, ove presto dovrà nascondersi anche Gaspare della Morte, ricercato dalle pattuglie tedesche. Ma allora gli eventi precipitano. Soldati tedeschi nei dintorni sono stati uccisi dai partigiani. Si preparano le immancabili rappresaglie. All'uopo, il capitano tedesco Mueller s'insedia nella villa, e con lui un abietto interprete e scherano, Remorsella. Questi ha potuto sapere che Gaspare della Morte è fra quelle mura, e ricatta sensualmente Armida che con un pugnale l'uccide. La villa e i suoi abitanti vengono trattati a ferro e fuoco. Salvatosi per un capello l'agile Falaride Narenza, il romanzo-dramma si chiude con una ecatombe.

Bacchelli è troppo noto e presente perché, nell'occasione d'un nuovo libro, sia utile ricordare le varie tappe del suo sviluppo, e la complessiva fisionomia della sua letteratura. Entriamo dunque nel vivo della materia. S'è detto che,

Una scena del teleromanzo *Il mulino del Po*,
tratto dal libro di Riccardo Bacchelli, ottobre 1962.

da un piano storico e descrittivo, da una ragionata pittura d'ambiente, d'anime e costume, *L'incendio di Milano* si trasferisce su un piano drammatico e lirico, e in qualche momento quasi addirittura operistico. Difatti, la situazione finale, con le coppie dei protagonisti; Melania-Mueller, Armida-Remorsella e, ai due fianchi del gruppo, Donato e Gaspare della Morte, ha qualcosa di un sestetto d'opera romantica, schierato alla ribalta. Da uno stile tardigrado, avviluppato, estremamente analitico nei capitoli di storia e costume, si sbocca nello stile esplosivo e verticale degli altri capitoli. E mi pare che si possano intanto fermare alcuni punti.

Allorché narra di Milano e dell'Italia in quella tremenda crisi del 1943, che egli rievoca negli eventi preparatorî, e nelle emozioni che segnarono il suo corso sanguinoso, Bacchelli dimostra di conoscere per filo e per segno le cose che racconta. E le conosce non meno bene come artista che come storico; le coordina con chiaroveggenza assoluta; e ad esprimerle si giova d'una sapienza di prosatore perfezionata in quarant'anni di lavoro. Poco m'importa se, in definitiva, il prodotto ritiene d'un genere a fondo storico e oratorio, piú che d'un genere di libera fantasia. Ciò che per me conta è che il libro ha sostanza e verità. Non saprei ad esempio, nella nostra letteratura contemporanea, quante altre pagine rispecchino cosí fedelmente e virilmente l'animo, i pensieri, gli errori e anche le virtú della nostra media e alta borghesia in quell'epoca sciagurata. Chi cercasse al proposito nei giornali del tempo, resterebbe con un pugno di mosche; tanto le azioni, le opinioni e le responsabilità vi furono alterate e stroppiate nella piú rabbiosa polemica, e gli immensi lutti materiali sembrarono completarsi nel lutto, invisibile e piú enorme, d'un generale imbecillimento.

In realtà le cose non stavano in tutto a questa maniera. Pur confusamente, in qualsiasi congiuntura, gli uomini sentono e capiscono meglio che non risulti dagli argomenti e sofismi degli interpreti accreditati. E il panorama morale che, nelle prime parti del romanzo, il Bacchelli tratteggia senza metterci nulla per dissimularne la miseria profonda: a chi ben ricorda quei lugubri giorni, apparirà, nelle dolorose anfrattuosità e nei lagrimevoli assurdi, esattissimo. Se taluno, quando che sia, vorrà tornare su questa materia con deliberato animo di storico, troverà ne *L'incendio di Milano* una ricca miniera di spunti e documenti; a parte, s'intende, una quantità d'altre cose.

Perché il quadro d'insieme naturalmente si avviva di situazioni particolari, figure, ritratti. A volte il Bacchelli indulge ad un grottesco piuttosto pesante; come a proposito delle stramberie del padre del Narenza, o dei diabolismi dell'infame Remorsella. Tra i suoi personaggi di carne e ossa, giuocano a rimpiattino lemuri, maschere e folletti. La penna bacchelliana, nemmeno davanti a questi mostriciattoli rinuncia alla sua aulicità. Nel risultato, può magari sentirsi un certo irrigidito cerebralismo, una sforzatura caricaturale un po' barocca. Ma un lettore intelligente fa un conto veniale di simili mende; ben riscattate non fosse che dai ritratti della bruna Armida e della bionda Melania, fra i piú compiuti in un'intiera galleria di figure muliebri che il Bacchelli ci ha dato in tanti suoi libri.

Nella bella vedova Melania, il logorio degli anni che passano sempre piú veloci, la dignità del vivere e il misticismo musicale, non hanno calmato una segreta nostalgia amorosa; e il contrasto fra questi diversi motivi interiori è reso in pagine sensibilissime. Dal momento che oggidí non si fa, giustamente, che ribadire l'esigenza d'un'arte in cui sia pienezza d'umana partecipazione e completa verità di vita vissuta, riconosciamo di quest'arte uno fra i saggi migliori. Cosí della figura d'Armida, il cui amore per Gaspare è cieca dedizione dell'anima e del corpo, ma tanto appassionatamente offerta e sofferta, che si concilia, senza nessuna ipocrisia, con gli scrupoli della coscienza, e disarma perfino i rigori della religione.

Si sa bene che acuto psicologo possa riuscire Bacchelli; e non fa che confermarcelo una quantità di luoghi de *L'incendio*. Basterebbe il capitolo delle confidenze e confessioni fra Melania ed Armida. O, durante un bombardamento notturno, quel subdolo, inaspettato serpeggiare d'un senso di morbosa, micidiale paura nell'animo di Donato, stato sempre valorosissimo. Altre notazioni sottili riguardano un potere disgregativo ch'è nella musica, per determinati temperamenti; allorché nell'abuso essa finisce col produrre non piú che una sterile, monotona esaltazione, che li lascia come oppiati e bruciati. E non meno convincente delle due donne, il personaggio di un loro amico: Gian Battista Sessa, ormai anziano, gentiluomo di vita solitaria, di nobile cultura e saggezza sotto l'aria casalinga, il quale sparisce dalla scena prima del disastro. Liberale, garbatamente epicureo, scettico affettuoso, su un fondo di laica religiosità; è una figura che non trova nel racconto una ragione funzionale; ma sta suggestivamente in penombra, con qualcosa di un autoritratto.

In confronto a queste lente e doviziose parti narrative, nei ludi dialogici di quelle a forma di dramma, il ritmo balza e si stringe con l'incalzare delle proposte e delle risposte, martellante come uno sferragliare di lame in un duello. La prosa di Bacchelli rinuncia all'agio di quel fastoso e sinuoso confluire di pensieri e d'immagini, di quei pacati abbandoni meditativi, nei quali finora è pur sembrato trovarsi il suo clima naturale e piú fecondo. Le linee del discorso, che siamo abituati a veder arcuarsi con ampio e calmo disegno, si arroncigliano su sé stesse come saltaleoni, e scattano con stridula violenza. Il diverbio tragico tende a diventar tutto una intelligentissima, sentenziosa schermaglia; un palleggio di profferte di sacrificio e abnegazioni, espresse in uno stile concettoso e cavilloso, che ci fa anche rammentare della cupa casistica di Seneca e dell'atletismo alfieriano. Il che, del resto, già s'era intraveduto in esperimenti come lo *Spartaco*, l'*Amleto*, ecc. del Bacchelli giovanile.

A me sembra frattanto che tale innesto di forme tuttora in via di sviluppo sul tronco della sua arte quadrata e matura, soprattutto valga come indicazione di quanta energia e coraggio creativo il Bacchelli ancora disponga. Non sono frequenti scrittori con un cosí laborioso e vittorioso passato, che sappiamo destare tanto interesse e curiosità con gli abbozzi del lavoro di domani.

(1953)

Due romanzi di R. Bacchelli «Il figlio di Stalin» e «Tre giorni di passione»

Se è vero, come sembra si sia sentito dire, che il nuovo romanzo di Riccardo Bacchelli: *Il figlio di Stalin*, abbia fatto a qualcuno un'impressione, in un certo modo, paracomunista o filocomunista: di due cose l'una, o bisogna concluderne che in Italia (con tanti altri begli acquisti che si stanno facendo ogni giorno) non si sa addirittura piú leggere; o che vi si diventa criptocomunisti troppo a buon mercato. Ma veniamo al romanzo.

Mentre la fortuna delle armi tedesche, nell'ultima guerra, sta declinando, in una scaramuccia sul fronte russo sono catturati due ufficiali subalterni sovietici. E l'azione è stata di carattere cosí inconcludente da dare perfino l'idea, poi risultata inesatta, che i due ufficiali s'ingegnassero soprattutto di disertare. Jacob e Sergio, i due russi, dopo le solite peregrinazioni e trafile, vengono aggregati ad un campo di concentramento nella Germania orientale. Sui loro documenti e le loro dichiarazioni, si cerca di stabilirne la precisa identità. E viene fuori la cosa piú importante.

Il capitano Jacob Giugashvili nacque da una Caterina Svanidze, georgiana di Tiflis, che nel 1905 sposò il cospiratore e pregiudicato politico Giosef Vissarionovich Giugashvili, soprannominato Stalin; gli dette questo figlio, e morí tisica l'anno appresso, nel 1907. La straordinaria identificazione si appoggia, fra l'altro, su una fotografia della Caterina Svanidze, che il capitano Jacob teneva nel suo portafoglio. La qual fotografia, insieme a certe affettuose parole in memoria della defunta, reca nello stesso carattere una firma, che c'è ogni motivo di dover ritenere una autentica firma di Stalin.

Comanda il campo dei prigionieri il colonnello Biberfall, anziano, obeso, vociferante, e piuttosto imbecille; non tuttavia cattivo diavolo. E di trovarsi Jacob Giugashvili *alias* Jacob Stalin fra i suoi amministrati, non è affatto entusiasta. Subito egli riferisce ai propri superiori; tanto piú che Jacob è in condizioni di salute che l'eredità materna e i disagi del fronte hanno reso quasi disperate. Con grande attenzione si ascolta se la radio sovietica dia notizia della scomparsa di Jacob Stalin. Ma la radio non dice nulla. Frattanto giunge al campo un alto incaricato del Servizio Investigativo germanico, con una cartella di documenti e fotografie; e l'identità del capitano Jacob è definitivamente accertata. Viene dunque deciso che, mentre tale identità sarà tenuta segreta, tanto Jacob che il compagno Sergio, salvando il piú possibile le apparenze, godano d'un trattamento di qualche riguardo. Vuole infatti evitarsi il collasso o la morte di Jacob; prima che sia escogitato come meglio utilizzare la sua presenza, agli scopi della propaganda nazista.

Ma nessuno come Jacob è poco propenso a valersi, in qualsiasi forma, del prestigio che gli deriva dal rapporto filiale con Stalin: sia per ricavarne personali vantaggi nella prigionia; e tanto meno per adoperarlo a servizio dei tedeschi. Allevato cristianamente a Tiflis dai nonni materni, Jacob, dopo la rivoluzione d'ottobre, ha vissuto nel Cremlino, e vi ha ricevuto una certa cultura e preparazione tecnica; ma vedendo pochissimo il padre che, come può credersi, ha sempre troppo da fare. Quando è stato in età da prendere una strada per proprio conto, Jacob ha chiesto a Stalin d'essere mandato in qualche sperduta località della Siberia, a guadagnarsi la vita col suo mestiere, come un modesto ingegnere elettricista. E cosí è avvenuto.

La questione è che Stalin e Jacob sono due caratteri antagonistici. Uno è tutto azione. L'altro è tutto contemplazione. Ad uno la realtà non interessa che per spezzarla e rimodellarla, costi quel che costa, secondo le proprie idee. All'altro non interessa che per cercare d'intenderla e religiosamente accettarla; persuaso che all'origine di ogni male sia appunto la volontà di potenza, la febbre dell'azione, il cui prezzo fatale d'ingiustizia, di crudeltà e di sangue, avvelena nel boccio e distrugge qualsiasi benefizio. Non già che Jacob non si renda conto della formidabile personalità paterna. Ma ne ha un'ammirazione mista d'orrore.

Sull'atto di partire per il fronte, ha salutato il padre ed è stato insieme a lui: l'unico che non disperasse mentre crollava l'esercito russo, e da un momento all'altro pareva che i tedeschi stessero per occupare Mosca. Fu allora che il dittatore dette al figliuolo la fotografia di Caterina Svanidze. E fu, in tutta la loro vita, la sola occasione nella quale, al ricordo di quella creatura e di quel lontano amore, passò nelle parole di Stalin un accento di umanità e quasi di tenerezza. Dopo di che padre e figlio si separano; e non si rivedranno piú.

Nel campo di concentramento, benché la identificazione di Jacob sia gelosamente nascosta, gli altri prigionieri russi stanno in sospetto. Non sospettano che il capitano Jacob sia figlio di Stalin; ma che nei suoi misteriosi rapporti con gli aguzzini nazisti possano essere cose disonoranti per un soldato e comunista russo. Si tratti di vero o proprio spionaggio, o di disfattismo e sabotaggio morale; certamente è qualcosa di losco. In realtà, Jacob non si è prestato né punto né poco alle iterate lusinghe tedesche. Cosicché egli viene a trovarsi fra il rancore dei tedeschi delusi, e il disprezzo dei compatrioti; e di giorno in giorno questo disprezzo si fa piú aggressivo.

Jacob è osservatore della realtà troppo acuto e disinteressato, per meravigliarsi di tutto questo. Nel campo di concentramento, lo spirito di ribellione e di vendetta è specialmente fomentato da una sorta di energumeno ed ossesso della politica: Erg, accanito persecutore di Jacob. Con sgomento e sottile raccapriccio, quasi senza coraggio di confessarselo, Jacob è costretto a riconoscere in Erg, sia pure sotto lineamenti piú rozzi e brutali, la caratteristica forma, mentale e morale, del proprio padre. E contro quella spietata volontà di dominio, contro quella furiosa febbre d'azione, insorge ancora una volta; con la silenziosa ma incoercibile avversione di tutto il proprio essere, la quale già gli ha impedito di aderire agli ideali ed all'opera paterna.

E ormai le sorti della guerra precipitano. Si dà la combinazione (in verità, alquanto fabulosa) di un avvelenamento collettivo, nel quale i guardiani del campo restano decimati. Cogliendo la palla al balzo, i prigionieri si ammutinano ed evadono; mentre il povero colonnello Biberfall si suicida. Erg mette in colonna i prigionieri, e li avvía in direzione della Russia; e fra i prigionieri Jacob e Sergio, ben sorvegliati; ch'egli si propone di processare come traditori. Ma per il momento, l'unica cosa che preme è fuggire. E nella fuga, Jacob, allo stremo delle forze, muore serenamente, alle soglie della patria.

Non vorrà lamentarsi che, in tutta la sua narrativa, il Bacchelli tenga confinato il lettore sempre dentro uno stesso ambiente ed un clima, geografico e storico. A parte le peregrinazioni nelle profondità oceaniche di *Lo sa il tonno*, ch'è da considerare un romanzo fiabesco e simbolico, con *La città degli amanti* ci trovammo nelle desertiche solitudini dell'occidente nordamericano. S'apre il *Mulino del Po* sull'incendio di Mosca e il passaggio della Beresina. Con *Mal d'Africa* siamo nell'Africa nera dell'esplorazione ottocentesca. *Il figlio di Lais* e *Lo sguardo di Gesú* si svolgono sui paesaggi del Vecchio e Nuovo Testamento. Col *Figlio di Stalin*, dal fondo della campagna tedesca, si marcia verso i laghi Masuri. E chissà quanti paesi abbiamo trascurati, citando dai romanzi, cosí di memoria. Che se volessimo elencare epoche e luoghi delle novelle, o dell'*Amleto*, di *Spartaco*, di *Presso i termini del destino* e altri drammi, allora proprio non la finiremmo piú.

A stretti termini d'estetica, nulla sarebbe da eccepire riguardo a questi continui mutamenti di scenario. Ed è altrettanto vero che al Bacchelli, prevalentemente interessato dei grandi contrasti morali fra i suoi personaggi: l'Africa tenebrosa, il lago di Genezaret, le maremme della Posnania e della Masuria,

Letterati a banchetto in un disegno di Vellani Marchi. Il primo in alto, a destra, è Emilio Cecchi di fronte a Riccardo Bacchelli.
A destra: Bacchelli, accademico d'Italia, riceve nel 1941 la laurea in lettere honoris causa. Da un disegno caricaturale di Vellani Marchi.

ed altri panorami, effettivamente servono in una funzione indicativa piuttosto sommaria; all'incirca come schematiche didascalie d'uso teatrale. Ciò non toglie che dall'evocazione, diventata abitudinaria, di ambienti siffattamente eterocliti, i quali non possono ricevere nella pagina che un trattamento approssimativo e manieristico, finisca anche col prodursi una quantità d'effetti meno soddisfacente.

Chiarirò subito, ricordando l'impressione che ad esempio si prova nel *Mulino del Po*; quando dalle scene della rotta napoleonica a Mosca, si giunge col protagonista Lazzaro Scacerni a Ferrara; e sembra improvvisamente d'entrare in un mondo di pietra, essendoci lasciato alle spalle un mondo di cartone. Nell'ideazione non meno che nella forma, l'arte del Bacchelli ha molto di eloquente ed oratorio. S'inorgoglisce di cimenti dialettici, e d'un gusto di complicate schermaglie, di dibattiti laboriosi e cavillosi. Sempre portato al barocco e al sovraccarico, il romanzo bacchelliano, non meno che nella macchinosità dei concetti, vi sacrifica nel manierismo degli ambienti ed in quello dei personaggi minori.

Ed ecco il colonnello Biberfall, grassa caricatura del teutono d'antico stampo, infanatichito di patriottismo fino all'idiozia. E l'altro colonnello, Snarr, del Servizio Investigativo, ch'è l'idiota intellettuale del nuovo tipo rosenberghiano e hitleriano. Ecco la cinematografica spia e seduttrice, baronessa von Lamm; ed Erg, già ricordato, che dalle pagine degli *Ossessi* passò a quelle di Koestler attraverso la polemica trotzkista. Per quanta industria letteraria ci metta Bacchelli, difficilmente una autentica suggestione può essere offerta da questi tipi piuttosto logori, ai quali tuttavia resta affidata tanta parte nel racconto.

La concreta e bellissima sostanza del libro, come avrebbe potuto essere in un oratorio alla Haendel, sta nell'ideale diverbio fra padre e figliuolo; o come s'è detto, nel contrasto fra la volontà di potenza e le ragioni dell'intelletto e del cuore; fra l'accecamento volitivo e il senso della realtà vitale. Purtroppo, uno dei due interlocutori (che nel libro è stato chiamato Stalin, per imprestargli una statura tragica, e forse anche un certo richiamo pubblicitario) rimane sempre fuori campo, in una lontananza nebbiosa. È una voce, anzi l'ipotesi d'una voce. E il diverbio, anziché stringersi e salire di tono, nel corso del romanzo tende a perdere evidenza e calore.

Le risorse dell'ingegno e del coraggio di Bacchelli non appaiono per questo meno spettacolose. E sebbene la sua prosa qui sia forse meno elaborata che altrove, c'è di che ammirare, fino a saziarsene. La ben nota capacità a trarsi fuori da situazioni precipitanti nell'assurdo e grottesco, una volta piú si conferma nel finale episodio di quel pane avvelenato, che sarebbe riuscito fatale a qualsiasi romanziere di viscere meno bronzee. E come qualche altro dei recenti libri di Bacchelli, anche questo si direbbe concepito e condotto in uno spirito e con una spavalderia come di scommessa; con una provocante, intrepida bravura, la quale a molte cose supplisce, anche se non può supplire a ogni cosa.

Tre anni fa: *L'incendio di Milano*; appena ieri: *Il figlio di Stalin*; oggi *Tre giorni di passione*: dai lettori forse i piú numerosi che onorino un romanziere italiano vivente, non potrà lamentarsi che Riccardo Bacchelli li trascuri.

In *Tre giorni di passione*, il nobile Gasparo Bellamonte, di antico casato trentino, è stato richiamato, già uomo maturo, col suo grado di capitano della fanteria austro-ungarica. E partendo per la guerra del '14, lascia nella sua villa di Bellamonte la giovanissima Rosalia, da lui appena allora sposata, con Marta ch'è la madre di Rosalia. Insieme ad esse, coetaneo della sposa novella, a Bellamonte vive Luca, che prima del suo tardivo matrimonio, Gasparo aveva tenuto presso di sé come figliuolo adottivo. Nel corso della guerra, Gasparo s'è trovato a combattere sul fronte galiziano. Ma da un certo momento, e per alcuni anni dopo la cessazione delle ostilità, non si è saputo piú nulla di lui. Nella dolorosa ma ragionevole presunzione della sua morte, i famigliari vengono nella determinazione di definire la situazione giuridica e patrimoniale, soprattutto ai riguardi di Rosalia.

Se non che, durante tutti questi anni dell'assenza e del silenzio di Gasparo, fra Luca e Rosalia è nato un fortissimo amore. E inaspettatamente, proprio sul punto ch'essi possono sperare di sposarsi, come un fantasma ritorna Gasparo, ormai vecchio, ma piú che mai innamorato di Rosalia, ed illuso di ricominciare a Bellamonte la vita di prima. Il violento conflitto di emozioni che si crea da questo ritorno, a un dato momento sembrerebbe concludere con la rinuncia e una nuova sparizione di Gasparo. Ma Luca e Rosalia si allontanano, decisi come sono ad affermare la indipendenza del proprio destino. Cosicché Gasparo rimane a Bellamonte, assistito da Marta; e a poco a poco rasserenandosi, nella comprensione e nell'accettamento finisce la sua vita.

Nella pratica di Bacchelli è qualcosa che ricorda i vecchi, gloriosi operisti, sempre in cerca d'un bel libretto da musicare. Beninteso che i libretti se li inventa e architetta da sé, traendoli dalle suggestioni ed erudizioni piú varie. E può infiammarsi per un soggetto precristiano come per un episodio della epopea napoleonica. Le romanticherie dell'anarchismo ottocentesco, un intreccio di commedia rustica, non gli si prestano meno di qualche modernissima situazione erotica ad alto potenziale. Ci si spiega facilmente l'interesse del pubblico, che volentieri sormonta certe eventuali complessità e faticosità dell'orchestrazione linguistica, e si sottomette a gravose intimazioni rettoriche, perché sa di trovare il suo compenso nello slancio della fantasia e nella umanità dei significati.

Delle quali cose, bisognava davvero che un Croce fosse convinto a fondo, perché nel suo consenso a quest'arte egli potesse dimenticare il congenito sospetto d'una inventività cosí erratica e d'uno stile cosí laborioso ed esaltato. *Tre giorni di passione* rappresenta un nuovo successo di questo potente manierismo, che della nostra odierna narrativa segna uno degli aspetti piú singolari.

(1954-1955)

«I tre schiavi di Giulio Cesare» di Bacchelli

Il nuovo romanzo di Riccardo Bacchelli: *I tre schiavi di Giulio Cesare*, come *Il diavolo al Pontelungo*, come *Il mulino del Po*, come *Il figlio di Stalin* ed altre opere dello scrittore, è tessuto su una trama di elementi storici, e la fantasia e l'arte del Bacchelli fortemente anche questa volta se ne avvantaggiano. L'azione del romanzo comincia col famoso 15 marzo del 44 av. C., all'ingresso di Cesare nella Curia, dove quasi immediatamente egli è assassinato; e conclude pochi giorni appresso, con le esequie e il rogo del dittatore. Il versatile Antonio ha allora già portato a buon punto i negoziati con Bruto, Cassio e gli altri tirannicidi, piú atterriti del proprio misfatto che capaci a trarne profitto e impadronirsi del potere; e sta dando gli ultimi ritocchi ad una sorta di compromesso che dovrebbe, almeno qualche tempo, tenere lontano lo spettro della guerra civile.

Se non andiamo errati, uno degli ultimi romanzieri contemporanei di buona fama che tolse argomento dalla congiura e uccisione di Cesare, era stato alcuni anni fa l'americano Thornton Wilder, nelle *Idi di marzo*; e a parte il resto non gli faceva difetto la specifica preparazione archeologica e storica. Ma il Bacchelli ha potuto darci dentro con molto piú intensa passione e comprensione. Né credo ci sarebbe da meravigliarsi se *I tre schiavi di Giulio Cesare*, in grazia all'alto soggetto e all'arte che n'è degna, finissero col diventare uno dei suoi romanzi piú ammirati ed amati.

Dopo circa settantacinque anni dalle idi di marzo del 44 av. C., un accenno ai tre schiavi si legge nelle *Vite dei dodici Cesari* di Svetonio. Secondo il quale si sarebbe trattato di comuni schiavi (*servuli*) della casa di Giulio Cesare. E dalla Curia dove fu compiuto il delitto, e ch'era rimasta tutto il pomeriggio deserta con il cadavere ai piedi della statua di Pompeo, quando fece sera i tre schiavi, di propria iniziativa, rimossero la salma. E postala sopra una piccola lettiga, attraversando di corsa la città che sembrava disabitata, la riportarono a casa, e consegnarono alla vedova Calpurnia. Evidentemente Svetonio riferisce un particolare che, tanti anni dopo, ancora andava per le bocche: « Fuori della lettiga, uno dei bracci pendeva da una parte » (*dependente brachio*); ed è uno di quei tratti apparentemente effimeri e casuali, in cui invece ogni tanto s'incide con un segno indelebile la piú umana sostanza della storia.

In Svetonio i tre *servuli* non hanno nome. Il Bacchelli ha dato loro un nome, e di ciascuno ha creato una figura a grande rilievo: Zalda, rozzo soldato sardo che seguí Cesare in tutte le sue campagne; Segomo, ch'è quasi come dire figlio di Marte, di nobile stirpe gallica, e che si scontrò in battaglia con lo stesso Cesare, e poi gli divenne ciecamente fedele; Lèmula, giovane e dottissimo alessandrino, custode della biblioteca di Cesare, ed al quale Cesare dettò il proprio testamento. I tre si sono reciprocamente giurati di vendicare la morte del padrone. In quali modi e con quali effetti, è ciò che costituisce la materia del libro.

Il mistico e disperato giuramento dei tre schiavi, naturalmente si trova in contrasto a tutte le forze politiche e gli interessi e rancori che portarono all'assassinio di Cesare. Ma d'altra parte esso non è accetto, sia pure *in imo corde*, ai creduti amici e divoti dell'ucciso. L'arcigna vedova Calpurnia, a parte questioni di dignità e di prestigio, è in special modo preoccupata che la sostanza del patrimonio, al piú presto, sia messa a riparo nelle case della gente Giulia; ove all'occorrenza potrebbe essere meglio difesa, od occultata, se l'azione dei congiurati avesse a svilupparsi per completare l'omicidio nella vera e propria conquista dello Stato.

Per suo conto, il dabben padre di Calpurnia: Lucio Calpurnio Pisone Cesonino, non rinnega la memoria e l'ammirazione del genero. Ma nei consigli e suggerimenti alla figlia, cerca di conciliare tali cose con il formale rispetto alla ortodossia senatoria e repubblicana. Si delinea cosí e rapidamente si allarga, una corrente che dà credito e popolarità ad un'utile distinzione pratica. Innegabile che Cesare vagheggiò per sé stesso l'assoluta autorità dittatoriale. Ma altrettanto innegabili e fondati i suoi meriti di guerriero, statista e *pater patriae*. L'uccisione nella Curia diventa cosí una sorta di sacrificio espiatorio, per il quale il destino misteriosamente si scelse i suoi manigoldi. E al medesimo tempo ch'essa lava Cesare da sue colpe, dopo tutto rimaste piú che altro intenzionali, ne rende la figura piú alta e luminosa.

Si giunge in tal modo al paradosso che coloro i quali rinunciano ad una facile azione contro i tirannicidi, e cercano anzi la collusione con questi, sono essi i primi ad avvalorare la leggenda di aver visto con i propri occhi i Dioscuri che scendevano dal cielo, e col fuoco delle loro lance accendevano la pira del dittatore. Quanto piú tradito e negato, tanto piú Cesare è almeno esteriormente deificato, nella politica di Antonio, di Dolabella, di Lucio Calpurnio. Politica concretissima, nonostante la sua eloquenza e i suoi imprestiti dalla mitologia. E già la notte dopo l'assassinio di Cesare, Antonio è riuscito a introdursi in presenza alla vedova Calpurnia. E l'ha persuasa a consegnargli, come all'unico presso al quale siano sicuri da qualche colpo di mano, il testamento che Cesare dettò allo schiavo Lèmula, e la enorme somma di quattromila talenti ch'era nella casa all'atto della morte, in attesa di appurare se essa appartenga a Cesare o all'erario.

Per verità, il trattamento di questa qualità di situazioni, come delle figure del vecchio Lucio Calpurnio, dello stesso Antonio, o del « nostalgico » Amazio, non è tra le cose piú riuscite del libro. Nel giuoco dell'ironia, e nel passaggio dal ritratto alla caricatura, pur deferente come quella di Lucio Calpurnio, il Bacchelli è portato a una certa insistenza didattica. Sottolinea significati artisticamente secondari; ha sguardi d'intesa ed ammicchi col lettore; mentre il racconto riprende ala non appena i tre schiavi realizzano l'assurdità del loro voto, e deliberatamente si consegnano al proprio destino, ch'è di seguire oltre la morte il grande amico e padrone.

Voluto da Calpurnia, il trasloco delle opere d'arte, della biblioteca e dei preziosi dalla dimora ufficiale di Cesare alle case della gente Giulia, è preparato da Zalda. E da lui Segomo viene spedito a prendere accordi per Cratoforfex, l'orrido re dei « metallari »: una anarchica tribú zingaresca di nativi dalle miniere, maestri del grimaldello e del crogiuolo, mezzo pirati, assassini e farabolani, che abitano una labirintica località sotterranea e paludosa alla periferia di Roma. Questa gentaglia di Cratoforfex, al momento opportuno dovrebbe proteggere il convoglio dei beni di Cesare attraverso la città, che, dopo la paralisi dei primi giorni, serpeggia di tumulti e sedizioni. Ma la missione di Segomo fallisce; e lo stesso Segomo ne distrugge ogni testimonianza, lasciandosi annegare nella tenebrosa palude dei « metallari ».

In modo analogo, la tecnica opportunistica e corruttrice di Antonio e associati, con spinta irresistibile e sorda, isola e rinchiude gli intransigenti, i sognatori e fanatici come Lèmula e Zalda in un cantuccio sempre piú ristretto della zona sociale. Scava il terreno sotto ai loro piedi. E basta un pretesto che giustifichi la violenza e l'eccesso della punizione, perché Lèmula, Zalda e loro simili vadano a finire, come infatti finiscono, sulle forche e sulle croci. Con breve contrasto, la politica ha insomma ragione della mistica.

Nel personaggio di Lèmula, l'erudito alessandrino, dei tre schiavi di Cesare l'unico preparato e capace alla riflessione morale e storica, il sacrifizio s'illumina d'una coscienza, ancorché vaga, dei tempi nuovi. Quasi direi che s'intenerisce nell'aspettativa d'una aurora virgiliana e cristiana. È il tema che riscalda le ultime pagine del romanzo: il fatidico motivo segreto che circola nella poesia augustea; motivo che fra gli altri il Pascoli piú volte evocò magistralmente e che qui è toccato con un potere sentimentale e melodico a tratti quasi eccessivo.

L'alleggerirsi e snodarsi della frase e del periodo, che già avemmo occasione di notare in recenti libri del Bacchelli, si conferma ne *I tre schiavi di Giulio Cesare* con una crescente quantità di bellissimi risultati. Anche nei momenti di semplice grazia, di volubile divertimento, lo stile di questo scrittore ha qualche cosa di atletico e muscoloso. Ma si tratta di atletiche impostature sempre piú inquiete e guizzanti. E ne proviene alla pagina una varietà di sorprese ritmiche, di scatti e impennamenti che talvolta, come ad esempio nel sinistro duello verbale fra Segomo e Cratoforfex, fanno pensare ai titanici e tetri alterchi degli eroi alfieriani.

Al medesimo tempo, la capacità d'evocazione di significati misteriosi, di affinità segrete, di trascendentali presentimenti, diventa piú aerea e inafferrabile, quanto piú esatta. Basti ricordare come l'atmosfera di Roma il giorno dell'assassinio è resa nel romanzo senza nessun apprestamento descrittivo. Il grigio del crepuscolo, le piazze sterminate e le vie senza un'anima. I tre con la piccola barella (*dependente brachio*), che corrono rasente edifizi torvi come penitenziari. E solo a un certo punto, dall'interno d'una casa che sembra disabitata, s'ode una voce piú forte, che dice parole incomprensibili, in una lingua straniera. Tratti di cosí nuda potenza, carichi d'una infinita forza di suggestione, situazioni di cosí schietta poesia, sono nel libro molto numerosi. Varrebbe la pena d'indicarne tutta una serie, formando come un repertorio di grandi temi lirici; ma lasciamo al lettore il piacere di venir scoprendoli per proprio conto.

A un criterio severo, l'episodio di Cratoforfex prima accennato, sembrerà magari meno strettamente funzionale; se alla fine non vorrebbe dirsi che esso serve sopratutto a preparare una memorabile uscita di scena a Segomo. Ma non c'è dubbio che, in sé e per sé stesso, esso costituisce un *tour de force*, e una specie di *monstrum* drammatico e grottesco, che ormai si scorgerà da lontano sul panorama della narrativa contemporanea. In realtà, dal tempo del terremoto nelle Romagne e dell'uccisione del Raguseo nel *Mulino del Po*, il Bacchelli non s'era piú avventurato fino a questo punto nel regno del fantastico e dell'orrido; e la sua arte verbale è cresciuta da quella d'allora.

Sui caratteri e limiti di quest'arte e di questa fantasia, sugli originalissimi manierismi da esse imprescindibili, ci siamo trattenuti cosí spesso ch'è ovvio ripeterci. Per noi, come per ogni lettore che sa leggere, oggi vale sopratutto una ammirazione cordiale; quanto piú sembrano incredibili quelle accuse, commiserazioni ed altre geremiadi, che tante volte si sentono pronunciare nei riguardi di questa nostra travagliata letteratura odierna, ch'è poi capace di prodotti come *I tre schiavi di Giulio Cesare*.

(1958)

«Autoritratto» di Ottone Rosai

Forse piú noto come pittore, Ottone Rosai ha raccolto in un ampio volume: *Vecchio autoritratto*, con suoi disegni e tavole a colori, e con una prefazione di Carlo Bo, quanto si aveva di suoi scritti; comprese pagine lontanissime, ed ormai di solo interesse documentario, stampate in "Lacerba". Cosí, insieme alle impressioni e ai ricordi della campagna 1915-18, che erano apparsi in due riprese, nel *Libro d'un teppista* e in *Dentro la guerra*, il lettore ritrova i bozzetti e poemetti in prosa di *Via Toscanella*. Queste tre pubblicazioni formano una cosa sola. Nella produzione di uno scrittore cosí immediato, irriflesso, e di cosí greve e massiccia elementarità, inutile mettersi a cercare una dialettica, uno sviluppo secondato da ragioni intellettuali e morali. D'altra parte, è impossibile immaginarlo, Rosai, fuorché in quell'humus fiorentino dove son radicati Papini, Giuliotti, Cicognani, Palazzeschi, Pratolini, Soffici. Naturalmente, la sua maniera d'inserirsi in cotesta tradizione etnica ed artistica, sarà del tutto personale; ma senza Firenze, sparisce Rosai.

Non c'è dubbio che, presso alcuni degli scrittori suddetti, il riferimento ambientale ha un risalto incomparabilmente piú preciso, vario ed articolato. Nel Papini, nel Soffici, c'è il gusto paesistico, c'è l'emozione della cultura e della poesia. In Cicognani, la studiosa pittura di costume, l'affettuosa partecipazione

alle sofferenze nascoste, la cristiana vocazione delle opere di misericordia. Per taluni riguardi, al Rosai, si sarebbe meglio potuto avvicinare il caro Agnoletti,[1] troppo presto scomparso. Perché Agnoletti, come Rosai, coltivava l'ideale d'una toscanità adusta, fiera, manesca, patriotticamente puntigliosa fino al coltello; una fiorentinità da lubbione del teatro Pagliano, in una serata col *Nabucco* o coi *Vespri Siciliani*: Agnoletti e Rosai come nipotini di F. D. Guerrazzi.

E con tutto ciò, in fondo, Agnoletti era un intellettuale, aveva vissuto in altri paesi, era stato professore a Glasgow: aveva a lungo chiacchierato, bevendo vino di Porto, con Hilaire Belloc e altri saggisti inglesi. Il suo sforzo verso un toscanesimo, un fiorentinismo primordiale, e vorrei dire, in un certo senso, barbarico, restava sempre mediato a siffatte esperienze; tinto d'un velo di estetismo. Mentre in un Pratolini, volendo fare ancora un esempio: nel Pratolini dei momenti buoni, i procedimenti analitici del neorealismo talmente modificano gli aspetti della materia originaria, da renderla presso che irriconoscibile; benché ai beceri, ai teppisti, ai disoccupati di Rosai, i clienti dell'albergo di via del Corno non abbiano da insegnare niente.

A questo punto, chiederà qualcuno che cosa, insomma, di preciso abbia

[1] Fernando Agnoletti (1875-1933), scrittore del gruppo della "Voce"; scrisse *Dal giardino all'Isonzo* (1918) e *Il bordone della poesia* (1930).

A sinistra: *Il banco del falegname*, di Ottone Rosai, 1914. A destra: il pittore e scrittore fiorentino Ottone Rosai (1895-1957).

avuto da dirci Rosai. E cercherò di rispondere chiaramente; quanto piú, nella sua violenza, nella sua rudimentalità (come del resto, antichi e moderni, numerosi autori di fondo popolaresco) egli è scrittore tutt'altro che facile. Non perché ciò ch'egli esprime sia astruso o lambiccato. O perché sia complicata la sua maniera di esprimerlo. Anzi, ho già fatto capire che è assolutamente il contrario. Aggiungo che, una quantità di volte, l'impressione d'una sua pagina, di un suo aneddoto, sembra addirittura ovvia. La sostanza d'un fatto, l'impeto di un sentimento, sembrano brutalmente rovesciati nelle forme del discorso comune; senza scelta, senza ritmo, quasi senza affetto d'arte.

Non c'è da aspettarsi, per esempio, che dalle sue avventure e dai suoi ricordi bellici sorgano immagini e figure simili a quelle di cui si illuminano libri di guerra come *Kobilek* o *Nostro Purgatorio*. Dovunque trabocca un nero furore, una spietata rampogna. Come un lupo egli corre su e giú, tra il fronte e il paese, e dal fronte verso il nemico; fra bolse larve di gallonati disfattisti, fra pance di giolittiani imboscati, e carcasse di nemici massacrati. Un inferno: sebbene per lui sia poco diverso lo spettacolo della vita quotidiana, tra gli uomini e le occupazioni consuete. Anche qui, viltà e corruzione; avidità, agguato e rapina; morte e dannazione; sterco e sangue.

Viene il momento che potrebbe credersi di stare ascoltando, conditi d'enormi vanterie e d'atroci contumelie, soliti discorsi di reduci delusi, di mezzo morti di fame, e di rivoluzionari e anarcoidi da strapazzo: che bestemmiando si eccitano a vuoto, tanto per far tardi, intorno ai ponci e tra il fumo dei sigari d'un caffeuccio in via Pietrapiana o al Canto dei Nelli. Invece, è in Rosai una serietà, una gravità incontestabile; anche se non sempre essa calza letteralmente nelle sue parole. Firenze è multanime; né vorrei certo sostenere che Rosai la rappresenti nell'anima sovrana, nel supremo fastigio della autorità intellettuale. Ma lo spirito della Firenze bizzarra, inquieta, crudele, riottosa, faziosa eppur generosa, s'è rifugiato in lui, almeno per questa incarnazione, e l'ha avuto in completa balía. L'ha esaltato, ubbriacato come d'una bile profetica, d'un orgoglio antagonistico che, pur di sfogarsi, attaccherebbe briga col demonio.

Le ragioni che Rosai crede offrire delle proprie intransigenze, delle proprie collere e rivolte, varranno quello che valgono, perché egli non è un politico, né un critico, né un moralista. Ma il suo libro, per chi può capirlo, e per capirlo davvero non si può essere ignari di Firenze, non ha bisogno di render ragioni. È sovraccarico della propria evidenza come un oggetto materiale. Anche piú che un libro, direi ch'è una « cosa » formata della propria naturale sostanza, e di ciò che vi aggiunsero il tempo e gli eventi; come quelle cose, quegli oggetti che a forza di adoperarli sono diventati quasi umani. È come un doloroso angolo di strada, un crocevia, per il quale è passata tanta vita, tanta fatica, che le mura ne sono intrise e consunte. È come una sorta di offerta idolatrica: una reliquia di devozione feroce, scolpita con un'arte ingenua e inquietante. E fra le pietre di Firenze, ci starà bene murata anche questa.

(1952)

Da Bontempelli
a Moravia

Eccentrici: Giovannetti e Bontempelli

Ci fu un momento, sette o otto anni fa, nel quale parve davvero che anche l'Italia stesse per avere i suoi « eccentrici ». Non occorre dire che, in altri paesi, gli « eccentrici », ormai, eran nati da un pezzo: da piú di un secolo, in Germania; da un secolo, in Inghilterra; e, in America e in Francia, da circa ottant'anni. Ma meglio tardi che mai. Cosí tutti guardavano, pieni di aspettazione, dalla parte dei futuristi, parolieri, lacerbisti ecc.; dove s'eran visti passare tanti grullerelli e finti matti; sperando che alla fine si decidesse ad apparire, salutato dall'osanna delle moltitudini, il matto autentico, il matto vero.

Accadde, invece, qualche cosa di molto piú straordinario. Perché, sulla linea dell'orizzonte, spuntò a un tratto la forma d'un copricapo bizzarro, che non aveva nulla dell'atteso berretto a punte e campanelli, e somigliava come due gocciole d'acqua a un elmo chiodato. Sotto la visiera dell'elmo si videro agitarsi due baffacci orgogliosi. E poi sfavillarono gli ori e i diamanti di tutti i collari e le decorazioni possibili e immaginabili, sull'ampia e convessa bottoniera di un'uniforme prussiana. Nello stesso tempo cominciavano a piovere niente affatto coriandoli o confetti, ma spaventosissime cannonate. Ce n'era d'avanzo per capire che la Provvidenza aveva sbagliato gabbia; e invece di sciogliere il matto allegro, che avrebbe dovuto rianimare di novissime facezie la nostra fiera letteraria, aveva sciolto nientemeno che l'intrattabile Guglielmone.

Tutto andò com'è noto, per aria. E per alcuni anni non ci fu che la Guerra. I futuristi, lacerbisti, etc. etc., piantarono i loro trucchi e le prestigiose trasformazioni; e accorsero, insieme agli altri, sul campo; e, parecchi vi rimasero, con una gloria ben piú solenne di quella che avevano vagheggiato di procurarsi con gli accozzi delle parole. Non si parlò piú di letteratura, e tanto meno di lieta letteratura. Ma quando, infine, si cominciò a riparlarne, allora si vide che, in tutto quel tramestio, era successo un fatto curioso. L'allegria aveva cambiato polo. I begli umori d'un tempo, gli spiriti forti dell'anteguerra, eran diventati tremendamente musoni; e alcuni, sacerdotali, profetici addirittura. Quelli che ora ridevano eran gli antichi pedanti. E ridevano, se non gigantescamente, a uso Gargantua, certo con molta garbatezza; come speriamo di dimostrare sui libri di due fra questi antichi pedanti che, a un dato momento, si son messi a ridere: Eugenio Giovannetti e Massimo Bontempelli.

Prima della guerra, il Giovannetti aveva dato soltanto alcuni scritti d'erudizione e di politica, quanto mai lontani da poter offrire di lui un ragionevole pronostico; non diciamo un'immagine calzante. Spirito bizzarro, era naturale che dovesse nascere sotto una cattiva stella; anzi addirittura all'insegna della cometa, in epoca di stragi, di liste di proscrizione, e di fronti interni. È legge che ai tempi piú calamitosi e strangolatorî corrispondano i talenti piú festosi: benché, se dovessimo considerare la durezza dei tempi, il Giovannetti avrebbe la responsabilità di diventare almeno un Molière o un Aristofane. Glie lo auguriamo.

Non vorremmo, frattanto, che questa genesi piuttosto sommaria; e, nella sua accezione volgare, quel titolo: *Satyricon* della rubrica giovannettiana nel "Tempo"; non vorremmo che queste cose, e una nomèa di talento mordace, facilmente spiegabile col contrasto del costume giornalistico corrente, inducessero il lettore meno avvertito a un'opinione inesatta, facendogli immaginare una smorfia moralistica, un intento correttivo, dov'è un sorriso tollerante e pieno di umanità, e il capriccio d'una fantasia in cerca di delicati divertimenti. Il volume (*Satyricon*), nel quale il nostro collega ha filtrata la sua produzione « satiresca » del triennio 1918-1921, conferisce assai a un'idea appropriata di questo scrittore: la parte di polemica spicciola, che nel giornale appariva la piú vistosa, finisce col rimanervi discretamente in penombra; e pigliano, tutto risalto, qualità e temi essenziali che, nel giornale, restavano un poco sacrificati.

Il Giovannetti è un romantico. Non significa nulla che la sua prosa sia popolata di citazioni che attestano un'ottima coltura umanistica. E che precisamente nel tesoro dei miti greci egli soglia ricercare i motivi per quelle fiabe che ogni tanto adornano le pagine del "Tempo" e del "Secolo", e che presto vedremo raccolte in un cosidetto *Libro degli innamorati inverosimili.* Di derivazione classica, la materia. E la forma atteggiata sui nostri piú chiari modelli. Ma romantica, si diceva, la disposizione generale dello spirito, l'intonazione del temperamento, intendendo romantica in senso di nostalgica, femminea, caprizzante, com'è sempre la letteratura umoristica; in opposizione al modo coerente, virile, e talvolta anche schematico, dei satirici veri, nei quali l'indignazione morale è quella che predomina, sopprimendo, o almeno scorciando, tutte le divagazioni. Un satirico, insomma ha, o almeno crede di avere sopratutto un obietto morale. Un umorista non si propone che un giuoco musicale o pittorico. Un satirico lavora sopra un giudizio storico e civile. Un umorista ricama sopra un sentimento. Per una strana inversione, ciò che ha reso piú conosciuto, e magari temuto, il Giovannetti, è l'arteficiata apparenza satirica del suo fondo umorista e sentimentale. Come è di quelle piante tutte armate di pungiglioni e umori caustici, le quali maturano, nel folto delle spine, frutti prelibati; o com'è di quelli animali marini che, sotto le scaglie dure e uncinose, nascondono la gala dei bissi, sorprendete nella sua natura vera questo feroce giustiziere, e vedrete un'anima d'agnello. I suoi avversari, la gente scottata, s'immaginano ch'egli stia sempre nell'ombra arrotandosi i denti. E invece sta nell'ombra leggendosi un vecchio autore, sciroppandosi un'aranciata, o canterellando un *lied* di pace familiare. Nel libro appunto, questo carattere emerge e s'allarga. Il guscio dell'ostrica s'è schiuso; e dentro occhieggia la perla.

Ma sarebbe difficile inventare all'arte del Giovannetti, contrasto piú acuto di quello che le venne offerto, spesso sulle colonne del medesimo giornale dai racconti e giuochi di Massimo Bontempelli, oggi riuniti in tre volumi: *La vita intensa*; *La vita operosa*; *Viaggi e scoperte.* Nonostante l'artificiosità del procedimento *fumiste*; nonostante l'abitudine di spiccare il salto verso la poesia, rimbalzando sul trampolino dell'aneddoto mondano, dell'indiscrezione salata, il Giovannetti è un artista naturale e sostanzioso: esistono per lui, materialmente, oggetti ed effetti. Le sue tracotanze polemiche non sono che pretesti di andirivieni e ritorni verso la piú vera ragione ch'egli ha di scrivere. Come il suo *Satyricon* potrà aver l'aria d'un'avventura combattuta, d'una piccola apocalissi della mediocrità e ridicolaggine contemporanea; ma, dileguandosi il fumo delle polveri innocue, e cessato il battere dei ferri e il vociare dei duellisti, non resta, in un accorato raccoglimento di fiaba, che l'armonia di certi ricordi, il colore di certi paesaggi, la serenità di certi fiori e nature morte.

Nulla di simile nel Bontempelli. E non furono davvero perspicaci quelli che, tra le odi magre e tormentate del Bontempelli *classicista* di dodici anni fa, e i racconti e viaggi del Bontempelli del 1922, credettero di aver vista una contraddizione insanabile; tanto insanabile da dover inferirne che il Bontempelli era stato insincero, aveva scritto a freddo, a vuoto, tutte e due le volte. La verità è che il Bontempelli delle odi si attaccava a una materia soltanto colturale e scolastica, mentre il Bontempelli dei racconti si applica, ormai, sulla materia di un'esperienza originale; ma il modo dell'attaccamento è compagno; e, invece di incoerenza, converrebbe piuttosto parlare, non diciamo in tutto a titolo di elogio, d'una volontà costante e d'una abilità instancabile nel portare e giustificare, nell'economia dell'ode, e ora del racconto, i piú difficili e pericolosi sviluppi.

Se vi cade un foglio o un fazzoletto di tasca, tanto per fare un esempio, è probabile che vi limiterete a raccoglierlo, soffiarne via la polvere, e intascarlo di nuovo, senza pensarci piú. Ma per Bontempelli non v'è incidente, sebbene minimo, che non abbia incredibili contraccolpi, e non si presti alle piú paradossali deduzioni. Una mosca non può muoversi, nell'emisfero ch'egli frequenta, senza che le sue alucce scatenino cicloni. Una moneta da venti centesimi non può scivolar fuori della scarsella d'uno dei suoi personaggi, senza che il suo squillo risvegli, in tutti gli angoli di questo curiosissimo mondo, echi, cascatelle e scrosci di riso metallico, che si propagano agli estremi confini, implicando straordinarie conseguenze cosmogoniche; e gli astronomi e gli strolaghi dell'impossibile, ecco che registrano, con i loro cannocchiali a centomila ingrandimenti, con i loro microfoni ossessivi, gli spaventi, le avventure e i tumulti che l'onda di cotesto suono ha suscitati in Sirio, in Marte, in Aldebarano. E cosí, non soffiatevi troppo forte il naso, per via di non terrorizzare gli Antipodi, come col fracasso della tromba marina. E cercate di non perder l'appuntamento che avete preso per stamani con la vostra manicure o il vostro callista, affinché il mancato appuntamento si ripercota in centinaia e migliaia di convegni mancati, in tutta la città e tutto il regno; e non venga compromesso, chi sa, l'ordine sociale, il regime.

Manca un punto intermedio, nella fantasticheria del Bontempelli; tra il fantoccio di cera e l'ossesso: il fantoccio di cera che siede, cadaverico, in certi interni inquietanti o addirittura allucinativi, disegnati un po' sullo stile d'un Carrà o d'un De Chirico della « maniera metafisica », e l'ossesso, come un Max Linder o uno Charlot a pretensioni simboliste. L'immobilità perfetta, l'assoluta congelazione. E di scatto, appena toccato un commutatore elettrico, una manovella: il *can-can* o la danza macabra. Qualcuno vorrebbe suggerire raffronti con i « grotteschi » del nostro teatro. No, prego. Incertissimi, o tremendamente generici, nelle situazioni morali, i « grotteschi » non hanno mai saputo offrirci un segno di grazia ritmica e decorativa. Grazia che qui sovrabbonda: nella varietà delle trovate; nella lievità dei procedimenti; nell'uso di una lingua, in apparenza agevolissima e trascorrente, ma tutta soppesata e invigilata; riportando, s'intende, la parola « grazia » nel senso caratteristico ch'essa deve assumere per questo autore, arido, irritato e magari irritante; che si compiace nell'assurdo, e come un giocoliere cinese, gode anche di stuzzicare il disgusto, il raccapriccio; mangiando serpi, patinando sui rasoi, danzando fra le spade.

1. Alcuni tra i piú illustri esponenti
della letteratura italiana
fotografati insieme all'editore
Arnoldo Mondadori (in secondo piano),
in via del Governo Vecchio, a Roma.
Si riconoscono da sinistra a destra: Massimo
Bontempelli, Alfredo Panzini, Trilussa.
2. Massimo Bontempelli, il terzo da sinistra,
in seconda fila, insieme a una schiera
di letterati convenuti a Montecatini nel 1934
per la "Festa del Libro", organizzata
dalla "Fiera Letteraria". Il primo a destra,
seduto, è Luigi Pirandello.
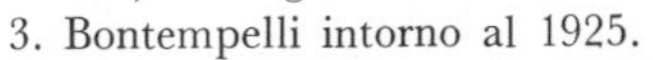
3. Bontempelli intorno al 1925.
4. Una scena della *Cenerentola* di Bontempelli.

C'è, naturalmente, anche in cotesta manía d'ingoia serpenti (e farli ingoiare al lettore) un fondo di tristezza lirica sincero. *Woo't drinke up Esile, eate a Crocodile?* (Shakespeare) E una certa monotonia e nerezza nei racconti del Bontempelli, forse resulta dall'ostinazione appunto a nascondere cotesto fondo; a presentarci tutto per spigolo, o a capo all'ingiú; senza ricader mai, come il Giovannetti fa con tanto garbo, sul tappeto dei consensi comuni, dei sentimenti piani ed aperti. Il Bontempelli è come un forzatore che, dopo eseguite a trapezio lo contorsioni piú serpentine, invece di balzare a piè giunti in mezzo all'arena, e riconciliarsi in umanità con un bel sorriso, e magari con una bella riverenza a tutti quei signori, dal trapezio s'arrampica a una fune, e sparisce su pel lucernario. Si rimane con un'impressione un po' stregonesca. La fune pare non so che diabolica coda; si sente in aria puzzo di zolfo.

È abitudine che, almeno in parte, rientra nel carattere indigeno, quella di dir corna a tutti i costi della produzione nazionale contemporanea. Non importa aggiungere che, in cotesta abitudine, molti censori si senton confermati per virtú di fatidica ignoranza.

Ma se il Giovannetti, invece di chiamarsi Giovannetti si chiamasse, per esempio, Jeanot; e invece di svagar con le sue trovate i lettori del "Tempo", elaborasse, in idioma gallico od anglico, le stesse trovate per i lettori d'un "Temps", o meglio ancora d'un "Times"; non sappiamo in Francia o in Inghilterra, ma senza dubbio in Italia, specie da chi non lo avesse mai letto né in francese, né in inglese, né in italiano, sarebbe singolarmente apprezzato. Altrettanto valga per Bontempelli. Pubblicatelo tradotto, nel "Mercure" o nella "Nouvelle Revue", e piglierà, subito, e tipo e fama d'umorista internazionale. E non fu calcolo né caso, ma fu una di quelle squisite attenzioni della Sorte, quando si mette a voler bene a qualcuno, che Soffici, arrivando in letteratura, avesse ancora sulle valige le etichette degli alberghi parigini. L'accoglienza sarebbe stata meno espansiva, ove la gente avesse potuto supporre che cotesto pellegrino, anche se era passato da Parigi, in realtà proveniva da Poggio a Cajano.

Gli esempi e le applicazioni potrebbero moltiplicarsi, per tutti i generi oltre l'umorismo; e in tutti i campi dell'arte. Volevamo dire soltanto che, se si giudica senza enfasi né pregiudizî, non pare azzardato sperare che, per tardi che sia, in mancanza di nuovi grandi romanzieri, e drammaturghi, etc.; l'Italia voglia decidersi ad avere, non troppo indegnamente, almeno i suoi « eccentrici », i suoi umoristi.

(1922)

Massimo Bontempelli

Che Bontempelli, come artefice, sia rimasto all'incirca sempre lo stesso, dalle *Odi*, ai *Sette Savi*, a *Viaggi e Scoperte*, all'*Eva*, a *Nostra Dea*, e a quest'ultima *Donna dei miei sogni*, è una vecchia osservazione, sulla quale potrebbero ricamarsene altre; ma senza gran profitto, in riguardo ai valori essenziali della sua letteratura, a quello, cioè, che in lui ci deve interessare.

Del resto è noto come nella produzione matura, e fino in quella senile, di molti artisti, si ripresentino con particolare evidenza caratteri dell'epoca di primissima formazione. Nell'arte, come in natura, non si fanno salti. E le cosidette crisi, i colpi di folgore e le esplosioni, nello svolgimento degli artisti, quasi sempre sono espedienti descrittivi di critici i quali s'accorsero della musica che, da gran tempo, un artista veniva suonando, solo il giorno che, per toccare i loro orecchi, egli imboccò il trombone e lasciò il violino.

Ciò può valere anche in merito all'asserita indifferenza del Bontempelli ad ogni contenuto, purché gli offra materia di scrittura. Senza dubbio, nelle *Odi* egli lavorava su una materia culturale e scolastica; mentre nei racconti si applica sopra una esperienza piú originale. Ma, in ogni caso, quella pretesa indifferenza sarebbe caratteristica di un artista grande; assai piú grande di quanto, a non voler adularlo, il Bontempelli si possa considerare. Ogni artista riceve della realtà quanto la « forma » da lui creata è capace di contenere. E son gli artisti minori, i quali dominano una forma meno comprensiva ed armoniosa, quelli che ricercano ed accomodano piú studiosamente i propri « soggetti ». Per il grande artista non esistono « soggetti »; per lui tutto è soggetto; ed egli è indifferente a quel che dirà, e su che cosa dirà, appunto perché può dir tutto.

Per questo i grandi artisti tanto spesso lavorano su « commissione ». Non che la loro ispirazione fosse venale. Ma, senza la richiesta del pubblico, che in certo modo li stringeva ad un limite, avrebbero rischiato di perdersi in una contemplazione che non lasciava traccia; come nella sua vecchiezza il Goya, che passava ore ed ore segnando su una lavagna fantasie tumultuose, e le scancellava, ed altre segnava; e al mondo non ne è rimasto che un sentito dire. Tornando al Bontempelli: quando, insieme alle osservazioni qui riferite, vien rilevata la sottigliezza con cui egli combina i motivi dei suoi racconti, è da chiedersi che cosa, insomma, sussista di quella asserita indifferenza. E se non sarebbe piú facile sostenere che la materia della sua arte egli la trasceglie e vagheggia fin troppo.

Ma sia come si voglia; e dipenda egli o no dall'Hoffmann, dal Poe, da Mac Orlan, dal Leroux, etc., una cosa è sicura: che nella letteratura della sua maturità, quella cioè che egli non rifiuta, e che si può far cominciare dai *Sette Savi*, egli è riuscito a crearsi un « genere »; a dare, in altre parole, un prodotto, caratteristico fino alla bizzarría, nel quale ciascuno può trovare quello che corrisponde ai suoi particolari bisogni. E il pubblico gli è stato largo della simpatia con cui suol retribuire ogni produzione molto caratteristica: si tratti pure, scegliendo esempi modesti, d'un tipo di cioccolata, di una penna stilografica, o di un cappello. Anche prima d'aver tempo di riscontrare la marca di fabbrica, uno dice, senza esitazioni: è Talmone, è Waterman, è Borsalino. È *Bontempelli*.

Già in questo effetto è qualche cosa di raro e simpatico, come in tutto ciò che si fonda sopra un impegno tenuto con animo fermo. Tanto piú che i termini della « specializzazione » del Bontempelli son tutt'altro che leggeri; e gli precludono certi usi intermedii delle proprie capacità di scrittore, nei quali, in gran parte, oggi consiste l'attività di chi fa professione di lettere. Intendo che, avendo scelto l'abito di diavolo o di stregone, egli è venuto ad inibirsi piú comodi travestimenti. Ed è vero che l'abitudine aumenta il credito di un prodotto, una volta che si è riusciti a lanciarlo; e che se il lettore, nella pratica costante di un artista di questa sorta, impara a scuoprirne i trucchi e le manchevolezze, nello stesso tempo si educa a decifrarne e realizzarne anche le espressioni non perfettamente riuscite; e molte volte completa il loro significato che, sulla pagina era rimasto intenzionale. Tutti questi son vantaggi indiscutibili per lo scrittore a produzione altamente specializzata. Ma, come si diceva, occorre tener presente che, per parte sua, il Bontempelli ha reso il piú possibile scabrose le condizioni del suo patto col pubblico. Negato, per temperamento, ad ogni impiego descrittivo e volgarmente sentimentale, di questa incapacità si è fatto un ornamento, ma tanto difficile a portarsi che si può considerarlo al tempo stesso un cilizio. Con ai lombi cotesto cilizio, si è obbligato, su carta da bollo, a non presentarsi che sul filo di ferro all'altezza dei sesti piani, o danzando come un fakiro tra le lame dei coltelli.

Questo ci aiuta anche a definire il suo mestiere letterario, strettamente inteso. La sua cultura umanistica, l'antipatia, per i recenti movimenti filosofici, l'essersi schierato un tempo nella cosidetta falange carducciana, sono stati altrettanti elementi a favore di una interpretazione classicheggiante della sua arte. Ed è stato detto ch'egli procede dai classici, perché ricerca un rapporto perspicuo di cause e di effetti, ed ha una scrittura nitida e vigorosa. Ma la questione sta in tutt'altro modo.

Che un classico regolava la costruzione, sia d'un colonnato, sia di un'ode o di un'orazione, secondo laboriose simmetrie di linee e volumi, e proporzioni di strofi, antistrofi ed epodi che si rispondevano fino nei minimi valori sillabici. Ma, in cotesto miracoloso rigore di artifizi, l'ispirazione scorreva naturale, e a cosí dire intatta: immediata al sentire comune. Gli artifizi e le simmetrie che un classico ricercava nella composizione, il Bontempelli li anticipa nella materia dell'arte; e ricava gli effetti, oltre che dalla esecuzione, cruda talvolta fino alla meccanicità, da una specie di sistema di colori e di emozioni che egli adopera per sé stessi, come cifre e tasselli; sistema di ardita, e fin tracotante, manipolazione della realtà, che, ad un classico, sarebbe sembrato una mostruosità bell'e buona.

In altri termini, egli tratta secondo una logica regolarissima e rigorosissima, una materia stravolta e capovolta. Adopra ironicamente una tecnica classica, per un'ispirazione ch'è l'assoluto contrario di ogni classicismo, inteso in senso intimo e nativo, e non soltanto in senso formale. Il distacco, virile ed intrepido, del classico, messo a servizio del *pince-sans-rire*. D'un *pince-sans-rire* che cominciò ad esercitarsi, e talvolta, nei momenti di stanchezza, si esercita ancora, su piccoli fatti ed avventure della vita moderna; ingigantendone i significati a fini paradossali. Ma che, altre volte, e per fortuna sempre piú nei lavori recenti, tocca qualche nota veramente lirica; di quella dannata liricità, che, abbiamo detto, nell'infimo dei classici, in un temperamento, cioè, portato a concepire il mondo come un *pieno*, organico e positivo, avrebbe mosso un senso di incredulo stupore ed orrore.

Al tempo della *Vita operosa* e di *Viaggi e Scoperte*, ci provammo ad analizzare i procedimenti di associazione di immagini, e le progressioni di effetti, caratteristici del Bontempelli nel tono minore; mentre ci parve che nel romanzo

Eva ultima, nonostante l'intento generale e una magnifica « ouverture », non gli fosse venuto d'allargare e intensificare questi effetti; e soprattutto di trasferirli su quella base di convinzione senza la quale un edifizio ampio com'è di sua natura il romanzo, hai voglia, non si sostiene. L'*Eva futura*, di Villiers de l'Isle-Adam, è un tentativo strepitoso, press'a poco nell'ordine dell'*Eva* bontempelliana. Ma uno di quei tentativi che ogni scrittore ringrazi il cielo di non esser stato costretto lui a fare, tanto, nella loro gloria, hanno l'aria di disastri. Le minuziose osservazioni fatte nelle suddette circostanze, tanto piú che ci sembrano generalmente accettate, non le ripeteremo qui, neanche per la parte che di esse potrebbe direttamente applicarsi ad alcune avventure della *Donna dei miei sogni*.

Intendiamo per esempio quelle « avventure » che hanno origine da una estensione immaginosa di comuni modi di dire (« il cuore mi sanguina »; « l'ho sulla punta della lingua »; e simili); *Il buon vento*, ch'è, all'incirca, una trascrizione in stil nuovo della antica fiaba dei desideri, con relative salsicce che volano ad attaccarsi al naso della femminuccia loquace. O *La macchina per contemplare*, la quale, in sostanza, rimane un *essay* critico e discorsivo, intorno a quanto delle origini animali persiste nei nostri mezzi di locomozione: la carrozza e la locomotiva, come *estensioni* del quadrupede; l'aeroplano e la nave, come *imitazioni* dell'uccello e del pesce; unico mezzo veramente umano, anzi angelico, l'ascensore che, un giorno o l'altro, proseguirà il suo transito verticale e trascendente, sbarcandoci nella gloria del Paradiso. Si capisce che, scritti di questa specie, il Bontempelli non li propone che come fumisterie piú o meno riuscite. Ma ci vuole anche un bel coraggio, chi si lamenti della fumisteria, quando si vede cosa ci somministra la maggior parte dei cosidetti autori seri!

Da queste « trovate » si passa ad altre, sempre a base associativa ed amplificativa, da accostarsi a talune « buffonate » del Poe. Soltanto che nel Poe non mancava mai un fondo di autentica amarezza; e la brutalità della esecuzione dava risalto come a un senso di vergogna e di vendetta, per dovere, lui cosí gran poeta, adoprarsi in inezie ed assurdità, allo scopo di divertire un pubblico che altrimenti lo avrebbe lasciato comodamente morir di fame. Nel Bontempelli l'atteggiamento è meno insolente; e l'esecuzione, elegante e servizievole, toglie a quella amarezza soffocata nella quale principalmente queste perpetrazioni posson trovare dignità. *Il fieno e la paglia*, *Per la storia del teatro danese*, *Avventure di terra e di mare*, *Il giro del mondo*, etc.; si sente che il Bontempelli potrebbe comporre all'infinito; e tanto piú gli si è grati di non abusare. Ma a persuadersi di come, anche in siffatti giuochi, egli riesca a mettere vero lievito di fantasia, basterebbero accenti della *Cura comodissima*, dov'è ripristinato il tema medievale della immagine di cera su cui si operavano i sortilegi; o il finale del *Poema della prudenza*, con i due « chauffeurs » che strombettano fermi ai capi opposti di una voltata pericolosa, senza coraggio di avanzare. Motivo che sembra meramente parodistico, ma al quale invece è conferito un tono di autentico mistero. Quante volte nel silenzio notturno, reclinandovi ad ascoltare la voce della coscienza, dell'angiolo tutelare, o chi altri sia, vi parrà di sentir giungere, da lontananze metafisiche, lo strombettío interrogativo, eterno, dei due indecisi « chauffeurs » bontempelliani: cherubini annuncianti un Giudizio Universale destinato fortunatamente a restare in asso!

Ma a un piú alto grado di questa intonazione, va in fine riferita ogni parte piú bella del libro: la fiaba che lo intitola; *Guardare nel sole*, *Clemenza del mare*, *Giovane anima credula*, *Sopra una locomotiva*, *Quasi d'amore*. Nei tre ultimi racconti, il sistema di emozioni e colori cui dianzi alludevamo, diventa realtà poetica, artificiata sempre, ma sostanziosissima e irrefutabile. La paura degli uomini falsi, mescolati e irriconoscibili fra gli uomini veri; il senso di camminare continuamente a fianco della propria morte; certi contatti d'anima che, fuor di ogni logica di rapporti sentimentali e sociali, si producono come magiche interpretazioni di corpi contro alle leggi delle dimensioni, son resi con una acutezza di tratto e una severità di ornamento da farne tra le cose piú nuove e compiute dalla letteratura contemporanea. Nessuno dirà di soffrire tali incubi come gli incubi della vecchia, e nel suo genere, efficacissima, letteratura romantica. Sono incubi pei quali si è toccati nel sentimento, tuttavia restando liberi in una superiore sfera intellettuale.

Inutile estrarre citazioni, anche perché si tratta di composizioni recenti quanto note. Ma, se non fosse inutile, temo sarebbe impossibile. Come in ogni opera veramente costrutta, la parte tira seco l'intiero organismo. E, nel frammento a violenza reciso, apparirebbe pallida e morta una materia verbale che, lasciata nel suo elemento nativo, è invece vibrantissima, lucidamente irritata ed inquieta, mobile del moto esatto e allucinato di certi animali d'abisso, i quali sembrano, piú che esseri della natura, creature di stregoneria e d'incanto.

(1925)

Il teatro di Bontempelli

La commedia di Massimo Bontempelli: *Nostra Dea*, recitata con molta soddisfazione del pubblico al "Teatro d'arte" di Roma, ci presenta, in vivo risalto, motivi e procedimenti caratteristici di questo scrittore. E trattenendoci intorno ad essa, non ci si discosta da quello che a noi piú interessa: il Bontempelli novelliere di *Vita intensa*, di *Vita operosa*, di *Viaggi e scoperte*, di *Eva ultima*, e, sopratutto, della *Donna dei miei sogni*.

L'idea generale: dell'influenza degli abiti sull'anima, e specialmente sull'anima femminile, è idea vecchissima, che sorrise a molti scrittori; il Bontempelli l'ha ringiovanita, prendendola in senso piú radicale di quanto mai si fosse osato.

Secondo la sua commedia, non soltanto i vestiti influiscono sull'anima femminile, ma la creano di pianta. E la sua e nostra eroina: *Nostra Dea*, che, uscendo dal letto e in accappatoio da bagno, non è che un protoplasma pallido e appena scosso da conati di vita e sentimento, assume esistenza piú e piú fervida, e fin drammatica, col cambiare degli abiti durante la giornata; finché ritorna un'animula torpida e senza memoria, nell'atto di infilarsi nuovamente la camicia da notte. Domani la sua vita ripiglierà tono e colore dai vestiti.

All'incirca, si potrebbe dire che il Bontempelli ha sceneggiato, con invenzioni assai brillanti, un fascicolo di "Vogue", di "Femina", o di qualche altra rivista dedicata ai misteri della bellezza muliebre. Alle prime pagine, con le *réclames* delle fabbriche di busti, calze e biancheria, e con quelle figurine affusolate, pisciformi, strette in una mandorla languida, siamo in una specie di regno larvale, gotico, metafisico; fra schemi, embrioni, forme pure, corpi astrali. Poi, a poco a poco, la vita inscrive i suoi caratteri su queste candide sostanze; le anime e i corpi si differenziano; e intorno ad essi, pullulano e crescono città e paesi, *casinos* e stazioni balnearie; finché si torni nei limbi dolcissimi, dove, a una luce estremamente velata, sirene, amazzoni, circi e baccanti, fra le pieghe di un *pegnoir*, ritrovano quella loro prima elementarità; e addirittura finiscono di esalar l'anima, mentre la cameriera sfila loro le calze.

Ma non si creda, poiché nell'esposizione di siffatta materia, io cerco di evitare i toni patetici, non si creda che la consideri di poco conto, e da trattarsi alla spensierata. Per parte mia se il Santo delle lettere volesse concedermi la scelta d'un piccolo bagaglio con cui tentare il mio viaggio dell'immortalità, non gli chiederei di darmi il genio per comporre qualche cosa sul genere del « sesto » dell'*Eneide* o dell'episodio di Francesca. Né vorrei gareggiare col *Macbeth* o con *Peer Gynt*. Basterebbe mi lasciasse scrivere duecento versi da reggere il confronto col *lever* di Belinda, nel *Ricciolo Rapito* del Pope; e per un bel pezzo di strada mi sentirei tranquillo.

Tornando a *Nostra Dea*, il motivo della influenza dei vestiti vi trova momenti originalissimi; dai quali, forse, il Bontempelli non ha ricavato quanto avrebbe potuto. Intendo, l'apparizione della Sarta celebre, dentro una bautta non meno tenebrosa di quella che costituisce il travestimento preferito delle *Parche*, delle *Norne*, delle *Mogli Gelose*, e, insomma, di tutte le divinità fatali, quando debbono scendere in uno dei nostri veglioni. Cosí cammuffata, con qualche cosa di una giustizia astratta e impersonale, la Gran Sarta, nella festa galante al *Poliedric* bontempelliano (atto terzo di *Nostra Dea*), sta spiando se le clienti portino con la dovuta consapevolezza le eleganze create dal suo genio; e sovente, ahimè, è costretta a condannarle e maledirle; al modo stesso che la Provvidenza, tuttoché materna, cento volte al giorno perde la pazienza con noi, e ci ripudia per il nostro mal uso dei doni che ci aveva largiti.

Mi piace questa invenzione, questa incarnazione della gran forza sociale, e piú che sociale, della Sarta che, di dietro alle quinte, muove e governa un mondo troppo indegno delle sue sollecitudini. E mi piace quel finale colloquio del protagonista con gli abiti di Dea, vuoti ed appesi alle grucce dell'armadio; ma di lei piú vivi e spiranti; tanto che, entrando essa per prendersi il meritato riposo, dopo una giornata di fatiche mondane, in confronto a loro sembra una larva impalpabile e diafana. Come si direbbe con certi teologi; e, in estetica, col Brunetière e col Sorel: dalla forma nasce la sostanza, e dal contenente si crea il contenuto.

Certo, nella commedia bontempelliana, che Dea sia successivamente creata e trasformata dai differenti vestiti, è piú detto che realizzato; manca la prova interna; la trovata non diventa, o non diventa appieno, sostanza poetica, come invece accade in racconti di questo autore, nei quali la fantasia ha giuoco piú libero e penetrante. Probabilmente, la stessa forma teatrale si opponeva alla concretazione di effetti simili, quanto piú era capace di prestare, attraverso il giuoco degli attori, una apparenza di realizzazione sufficiente per quel convincimento epidermico, oltre il quale non si suol chiedere, in materia di teatro. Una commedia che, in altre parole, riguardo al significato completo che essa poteva assumere, in linguaggio pirandelliano si chiamerebbe « commedia da fare »; ma che pur nella forma presente, è cosa molto pregevole con situazioni e movimenti di autentica eleganza.

(1925)

«Gente nel tempo» di Bontempelli

Come artefice di prosa fantastica, e come inventore di situazioni paradossalmente simboliche e di sorprese squisitamente angosciose, Massimo Bontempelli già altre volte era stato all'altezza di quest'ultimo romanzo: *Gente nel tempo*. Ma, fino ad oggi, non aveva dato nulla di lontanamente simile, quanto a vivacità di ritmo e legatezza di costruzione.

In una casa di ricchi appartatisi in campagna, un giorno muore la Gran Vecchia: bisbetica e irosa settantenne, che aveva fatto tremare tutti i familiari sotto al suo dominio. La Vecchia ebbe due figli. Livio, fuggito giovanissimo; e non se n'è saputo piú nulla. Silvano, cui fecero sposare una parente: Vittoria; ed abita nella villa insieme alla moglie, e a Dirce e Nora, le figliuoline.

Dopo cinque anni che la Gran Vecchia è scomparsa, muore Silvano. E dopo altri cinque anni, la moglie Vittoria. Parrebbe un semplice caso, cotesto quinquennale ricorso. Ma un Abate Clementi, ch'è un po' come lo stregone del villaggio, vi astrologa attorno. E cosí nasce la fama d'una legge implacabile e d'una fatalità misteriosa che pesano sui discendenti della Gran Vecchia: ogni cinque anni uno di loro dovrà morire.

Le superstiti, Dirce e Nora, ragazze fatte, chiudono la villa, troppo ingombra di tetri ricordi, e si trasferiscono a Milano. Non sanno nulla delle astrologie dell'Abate. Ma, per malvagità di una pettegola, le apprendono proprio sull'ultimo scadere del terzo quinquennio. Dirce e Nora, abbracciate, in un parossismo di spavento, aspettano che la morte colpisca. Frenetiche e bellissime sono le pagine di quest'attesa. Passa, invece, la data paurosa; e Dirce e Nora sono ancor vive. Dunque, la legge dell'Abate non vale, non è vera.

Un momento. Mentre Nora è lontana dalla casa, in una vicenda d'amore, si presenta a Dirce un bizzarro, inquietante messaggero. È reduce dalla guerra, e consegna a Dirce una carta: l'atto di decesso di quel Livio, scappato di casa da ragazzo, del quale non s'era saputo piú niente. Livio è caduto in guerra, e proprio al tempo che Dirce, o Nora, aspettavano di dover, l'una o l'altra, morire.

La legge dell'Abate risorge all'improvviso, con rigore centuplicato. Tre condanne: Silvano, Vittoria e Livio, succedutesi con matematica regolarità, non possono spiegarsi come un capriccio della sorte. La legge è vera, ineluttabile. E ormai non si tratterà piú che d'un oscuro, involontario, inconfessato duello all'ultimo sangue, fra le sorelle Dirce e Nora.

Abbandonata dall'amante, Nora ritorna alla casa di Dirce, e partorisce un bambino: Fausto. Sembra, ancora una volta, che tale nascita debba spezzare la catena maledetta. Perché la Gran Vecchia (pace all'anima sua), avanti di chiudere gli occhi, aveva vaticinato: « Nessun altro ha da nascere, in questa famiglia ». E Fausto è lí, vivente smentita alla livida profezia.

Ma anche Fausto muore, nel quarto quinquennio. Nora fa sacrificio di sé alla sorella, e sparisce alla fine del quinto. Dirce, rimasta sola, mezzo impazzita, accorre dall'Abate Clementi:

« Nora ha voluto salvarmi.

– Ti ha dato l'eternità?

– Cinque anni, Abate Clementi, cinque anni.

– Regalo orrendo. Non importa morire, importa non saper quando. L'ignoranza è la giovinezza. Di mano in mano che uno un poco lo sa, lui se ne va. La vita è essere incerti... Cinque anni, Dirce. Che cosa ne farai? »

Dirce finisce coll'impazzire del tutto. S'accoccola dinanzi alla chiesa del villaggio; tende la mano e comincia a chiedere l'elemosina.

Stranissimo libro.

Schematizzata a questa maniera, nei suoi nessi e nelle sue essenziali cadenze

Paesaggio di montagna, un dipinto di Mario Sironi (1895-1961).

e simmetrie, l'invenzione di *Gente nel tempo* potrà forse sembrare ingegnosa fino all'artificio e alla meccanicità. Invece, cosí, non appare, quando la vediamo vestita e frondeggiante d'una quantità di episodi minori; abitata da vivi caratteri; atteggiata in una scrittura ora intensamente plastica ed evocatrice, ora dottamente neutra ed evasiva.

La legge dell'Abate Clementi non opera nel racconto come qualcosa di sovrapposto; o come una metafisica necessità calata da fuori nei fatti. Ma germina dai fatti stessi, prima come un'ubbia, una superstizione, una suggestione; finché se ne crea lo slancio d'un imperioso e voluminoso « fugato », che avvolge e travolge cause, personaggi e avvenimenti, senza piú bisogno di nessuna giustificazione materiale. E questo, si notava in principio, è il maggior successo del Bontempelli, nel suo nuovo romanzo.

Alla comune, indefinita aspettazione e paura della morte, egli ha dato enfasi, trasportandola in un ritmo violento e reciso. Per dir cosí: l'ha affidata al cronometro e ai numeri. Il procedimento, piuttosto che alla consueta narrativa letteraria, può far pensare alle sceneggiature cinematografiche e, soprattutto, alle partiture musicali. Ma è stretta specialità del Bontempelli saper osare, con gran fortuna, siffatte contaminazioni. Le quali non sarebbero concepibili senza l'arte piú scaltra, piú rotta.

Non c'inganni l'aspetto sbadato di questa prosa; una scialbatura che a volte nasconde passaggi e risoluzioni delicatissimi e pericolanti. Bontempelli si trova spesso a dover conciliare gli inconciliabili. E piú o meno, con Bontempelli, siamo sempre in un clima mescolatamente popolato d'uomini e di fantasmi. La difficoltà a distinguere fra loro, il dubbio che talvolta sottilmente permane, anch'essi giuocano fra le svariatissime risorse di quest'arte.

Nella favola di Dirce e Nora, la Gran Vecchia e l'Abate Clementi sovrastano come quelli enormi, spaventosi testoni di cartapesta che si veggono in giro a Carnevale. Maschere, simboli, spettri? La gente si scansa, con un leggero brivido nel fil delle reni.

L'enigmatica, giganteggiante mostruosità di coteste larve s'accresce al contrasto della vita intorno, con i suoi aspetti prosaici e meschinamente quotidiani. Perché è vero che, una dietro all'altra, le figure del libro entreranno tutte, e scompariranno, nella sfera demonica. Ma prima di maturarsi alla lugubre e prodigiosa assunzione, sono la gente piú scolorata ed insignificante, nella piú povera vita di tutti i giorni.

Silvano è un signorotto bibliofilo, come in provincia ce ne son tanti. Vittoria, una borghesuccia con vaghe velleità d'adulterio. Lievemente annobilito, si ritrova in Nora il romanticismo materno. E sullo scalino della chiesetta, Dirce, che alla fine chiede la carità, non è che un ritratto trasfigurato della zitellona egoista, feroce, che augurava morta la sorella e ne sospettava il veleno.

Persone ed ambienti, tutto considerato, da « grotteschi » e da novellistica crepuscolare. E già dalla prima pagina può riconoscersi il tono, l'impronta di questa letteraria parentela, nei fiori che, bruciati dalla canicola, « stavano secchi come sotto le campane di vetro dei cassettoni ».

In questa umanità e questa materia che, camuffate meglio o peggio, seguitano a pagar le spese di quasi tutta la nostra narrativa, Bontempelli fa passare, come una corrente ad alto potenziale, il suo misterioso sentimento del volgere e cadere del tempo, la sua gelida e solenne ansietà della morte. Mai, ho detto, egli aveva raggiunto effetti di tale pienezza, con un impeto cosí esatto. Ne è uscito uno dei suoi romanzi piú tipici, di schietta e popolare evidenza.

Me ne dispiace per una critica che, questa qualità d'evidenza, a Bontempelli ha sempre negato. E ha durato decenni, rimproverandogli di cercar la luna nel pozzo, e di « pretender d'esprimere l'inesprimibile » (quel senso, mi figuro, del tempo e della morte). Come se poi qualsiasi artista degno del nome abbia mai cercato di far altro che « esprimere l'inesprimibile », da che mondo è mondo.

Piú sagace di tale critica è l'editore che, proprio con *Gente nel tempo*, tenta la prova di lanciare un prodotto nobile, a gran tiratura e prezzo popolarissimo. È la prima risposta pratica all'inchiesta promossa dal "Corriere della Sera" sulla fortuna commerciale del libro italiano. Non ho bisogno di ripetere, ancora una volta, quanto il romanzo di Bontempelli e l'iniziativa dell'editore son meritevoli che la prova riesca.

(1937)

In morte di Federigo Tozzi

Mi ricordo che, sette o otto anni fa, quando piú imperversava la cagnara futurista, e non passava giorno che la posta non ci rovesciasse sul tavolo un fascio di opuscoli e fogli marinettiani, ogni tanto sopra cotesta spazzatura si vedeva galleggiare un giornale che fortunatamente non era futurista e non veniva da Milano; ma veniva soltanto da Siena e non voleva saperne di coteste infezioni.

Era un giornale come ne stampano i giovani, ricchi di fede e poveri di denari; e si chiamava "La Torre", e difatti aveva nella testata la rozza stampiglia di una torre trecentesca. Negli scritti che il Tozzi e i suoi amici pubblicavano su cotesto giornale, in gran parte scritti polemici come volevano le necessità di quel torbido momento, il Tozzi si rivelò la prima volta; o almeno fu allora che io ebbi, la prima volta, l'impressione indimenticabile della sua forza.

Anche lui era dei pochi che nell'ondata la quale minacciava di sommergerci tutti sotto la sua violenza idiota, aveva trovato un terreno fermo sul quale tenere i piedi. E mentre una fiumana di gente si travolgeva in gara dietro le insegne delle estetiche piú pazzesche e piú internazionali, aveva capito che l'unica cosa da fare era di starsene fermo a casa sua, all'ombra provinciale della Torre, e precisamente all'ombra della Torre del Mangia. Campagnuolo d'origine e di sensi, si faceva, se è possibile, anche piú campagnuolo, per reazione letteraria, in cotesti anni; e dentro di me gli sono stato grato piú volte, per la sanità del suo istinto letterario, e anche per l'insolenza della sua reazione.

Ma lasciandolo ormai, per quanto riguarda quegli inizî di polemista cattolico e provinciale, noi lo ritroviamo nella prima manifestazione libera e adeguata della sua arte, nel libro *Bestie* del 1917. Era una serie di piccoli motivi, confessioni, bozzetti, trattati in una prosa piena di odore di terra, a momenti tutta spigoli taglienti come una scheggia di selce, e che improvvisamente si raddolciva con inteneriment puerili.

Sulla stessa linea aveva fatto qualcosa di simile il Papini dei ricordi d'infanzia nell'*Uomo finito*; dei piccoli poemi in prosa che aprono il libro delle *100 pagine di poesia*; delle pagine infine della raccolta *Giorni di Festa*. Il Papini portava una natura piú calma e frescamente colorata; il Tozzi rimaneva piú acerbo e quasi crudele, nelle impressioni e nei segni dello stile. Questa acerbità naturale, ed educata sugli scrittori trecentisti senesi, dei quali il Tozzi aveva anche pubblicato un'amorosa antologia, gli si serbò sempre intatta e con tutti i suoi nativi sapori, anche nelle sue pagine piú frettolose, per esempio in quel racconto di gita montanina pubblicato poche settimane fa nell'"Idea Nazionale" con la descrizione dell'uccisione del falchetto e la figura del frate pazzo, farneticante sui tronconi di rupe e fra le sterpaie.

Non conosco ancora il suo ultimo romanzo *Le Tre Croci*; che hanno letto a Milano, ma a Roma non è giunto. Ma dato anche ch'esso non aggiunga niente all'altro romanzo del Tozzi, *Con gli occhi chiusi*, scritto avanti la guerra, e stampato nel 1918, la perdita che la nostra letteratura ha fatto ieri con la morte di questo giovane scrittore, non è meno grave.

Ha poca importanza sapere ora se *Con gli occhi chiusi* sia o no il piú bel libro del Tozzi. Perché esso è, fuori di dubbio, uno dei piú bei romanzi usciti in Italia nell'ultimo decennio. Tutti i motivi autobiografici, sfiorati nelle impressioni del libro che precedeva, vi si fondono, nell'ambiente della vita povera di Siena, nella bellissima figura di Pietro, figlio di trattore e scolaro di seminario. E chi si chiedesse se il Tozzi, uscendo da una materia piú strettamente lirica, fosse capace di dar vita a un personaggio tutto staccato e vero, basterebbe a garantirglielo la figura dell'altra protagonista: Ghisola contadina. Il paesaggio, specialmente nelle ultime pagine, che si svolgono nel suburbio di Firenze, trova una solidità e una ariosità tutte nuove. La maniera dello scrittore mostrava di diventare piú larga e leggiera. La sua tristezza, piú che in notazioni acute ed atroci, ormai gli si diffondeva fluidamente nei colori e nei toni d'una natura tanto piú drammatica, quanto piú il dolore sembrava nascosto e bevuto dalle cose.

Questa nota, non vuol portare che un segno di omaggio, e un'attestazione di compianto, in un momento cosí triste. Prendendo occasione del nuovo libro, noi intendiamo di ritornare al piú presto, e con piú agio, intorno all'arte di Federigo Tozzi. Robusto come il suo stile, egli sembrava votato a una lunga serie di lavori. Ma la vita ha di queste tremende illogicità e crudeltà. Anche verso coloro che paiono destinati a piú onorarla.

Anche quest'ultimo romanzo di Federigo Tozzi: *Tre Croci* si svolge sullo sfondo provinciale di Siena, come *Con gli occhi chiusi*; e come *Il Podere*, che è cominciato a uscire in puntate sulla rivista "Noi e il Mondo".

È una composizione rapidissima e rettilinea; e non è impossibile che l'esempio di Verga, colla barca dei lupini di Padron 'Ntoni Malavoglia, mentre da un canto, può avere influito nell'animare lo scrittore ad accollarsi le difficoltà d'una costruzione tutta d'un pezzo, senza abbellimenti incidentali, e mascherature e fioriture di passaggio d'altro canto, aduggi un poco questo libro, con la sua ombra colossale. In ogni modo, in un'epoca nella quale quasi tutti gli scrittori di romanzo sembrano andar cercando sul tavolino da notte delle prostitute i laidi modelli da ricopiare, trovar uno che invece pensava a Verga, è caso piú unico che raro; senza poi dire che Verga, è qui un esemplare eletto liberamente, e non un padrone servilmente adulato.

In *Tre Croci* con tre fratelli: Giulio, Niccolò ed Enrico, che campano sulle entrate d'una libreriuccia in Siena, ma soprattutto, mantengono abitudini di vita piuttosto spendereccia, aiutandosi accortamente con un piccolo giro di cambiali. Il Tozzi in questi caratteri aveva combinato le due note fondamentali di tutti i suoi personaggi. Giulio corrisponde al Pietro di *Con gli occhi chiusi*; e, da quanto ne ho visto, al Remigio Selmi del *Podere*; creatura macerata in una vita immonda e strangolatoria, che lo finisce senza però distruggere in fondo al suo spirito un segno di superiore umanità. È un tipo che ha attratto parecchi scrittori moderni; benché soltanto Thomas Hardy, in *Jude the Obscure*, ne abbia fatto qualcosa di veramente grande e universale.

È appena necessario dire che anche in questa figura del Tozzi si ritrovano, come nelle sue altre dello stesso genere, i frammenti della stanca e sublime coltura cattolica, scampati al naufragio di una povera educazione abbozzata in qualche libreria di parroco o in qualche seminario; e quella fragilità peritosa e quella morbosa sensibilità di tentazione che il Tozzi fermò con alcuni tratti squisiti nella storia dell'amore di Ghisola e di Pietro. Ma il Giulio, dell'ultimo romanzo, non pecca neanche in proprio. E quando arriva a falsificare la firma di una cambiale non è che lo schiavo affettuoso e torturato della improntitudine fraterna. Perché accanto a lui, che ha ancora nell'anima l'odor d'incenso delle processioni e le memorie dei canti chiesastici, e insomma questi barlumi patetici e quasi superstiziosi d'una coscienza, accanto a lui sono le bestie pazze e sfrenate: Niccolò ed Enrico. Ed egli legge una frase dell'*Imitazione*, per trovare un segno da riconoscere la sua ambascia. Ma firma la cambiale falsa, che sarà scoperta e l'obbligherà a mettersi un nodo intorno al collo, soltanto perché i fratelli non possono rinunziare alle migliori frutta, al piú grosso pesce del mercato, e al piú autentico vino del Chianti.

Occorreva un'arte di scrittore tutt'altro che comune, per dare una vita persuadente, un movimento perentorio, a coteste causalità infime. Giacché è relativamente facile animare passioni che contengono un certo simbolo di spiritualità pervertita; come l'amore, per esempio, che offre le sue suggestioni piú a buon mercato di tutte le altre passioni; e si presta a un numero straordinario di intrecci con una quantità sconfinata di virtú, vizi, filosofie, teosofie e religioni. Ma a rendere plastica e lirica la passione del denaro, per esempio, ci son riusciti appena Verga e Balzac. E la mania del giuoco, appena Dostoevskij. Quanto alla lussuria di rubare (che non ha nulla a che vedere col bisogno pratico di rubare: un'operazione commerciale come tante altre), l'ho sentita espressa soltanto in quelle pagine folgoranti di Defoe, quando racconta i primi furti di *Moll Flanders*. E cosí direi che gli scritti osceni sono tali non per la materia oggettiva dell'oscenità, che in fondo è, e non può non essere materia d'umanità; ma soltanto perché traducono nei falsi termini di uno spiritualismo lirico, ironico, satanico, e via dicendo, cotesta terribile sostanza.

Il Tozzi, in questo libro, aveva prescelto l'abbietta passione della golosità e la canina passione dell'ira. Non ho citato poco sopra quei nomi formidabili per gonfiare lo sforzo, ch'egli mantenne col giuoco molto vivace dei mezzi di cui la sua arte poteva disporre. Ed è certo che, un momento di piú ch'egli avesse tenuto il racconto nella fase preparatoria, sospensiva, affidato soltanto alle sue capacità di pittore di figure e caratteri, il racconto probabilmente avrebbe cominciato a fendersi e a pericolare. In realtà, cotesto cimento, finisce invece col dar piú rilievo alla felicità con la quale il Tozzi ha sciolto la crisi, nelle pagine del passo sbagliato di Giulio con il supposto firmatario della cambiale, e con quelle della scoperta del falso e del suicidio di Giulio. Poi il libro diventa piú debole; e sembra portato avanti per una ragione piuttosto estrinseca di parallelismo; come son deboli i soliloqui di Giulio, e lo erano già quelli di Pietro, nei quali queste concretissime figure cominciano a recitare una assai dubbia filosofia. Difetti che sarebbero certamente spariti col tempo. Non so nemmeno se i paesi sien della forza di quelli nelle scene del suburbio fiorentino in *Con gli occhi chiusi*, quando Ghisola diventa la mantenuta del signor Alberto. E il libro deve esser stato concepito ed eseguito, come forse tutti i libri del Tozzi, d'un solo tratto focoso e irriflesso. Ma con coteste ineguaglianze non sono pagati troppo cari i vantaggi che uno scrittore di quella natura poteva ricavare dall'abbandonarsi cosí al proprio temperamento. E se come qualità di lingua e come finitura, quest'ultimo romanzo probabilmente non è superiore a *Con gli occhi chiusi*, nella vigoria dell'insieme e nelle pagine del suicidio, son virtú da trovare compenso. E anche qui son ottime figure secondarie. Per esempio, le due nipoti sciocchine e nanerelle; specialmente nella scena della confessione del fidanzamento alla zia, nella passeggiata lungo le mura.

Non è felice la vita di coloro che la piú deplorabile delle vocazioni spinge all'esercizio delle lettere. Per nulla felice; a meno non si tratti di gente, autori e critici, riuscita a trasformare questa vocazione suicida in una astuta e redditizia ruffianeria. Ma se, per tutti, cotesta vita è spesso martirizzante, è certo che per Federigo Tozzi, essa fu particolarmente crudele. Ci son mille segni nei suoi libri, che attestano l'asprezza della lotta che egli combatté con la sua materia, finché ne diventò signore: e tuttavia signore cosí scontroso ed acerbo da sembrare a volte ch'egli la trattasse piú con lo sprezzo del padrone che con l'amore dell'artista. Ma ci sono anche mille tracce d'una lotta occulta e piú elementare: la lotta per la pratica possibilità d'essere artista, che egli ebbe a sostenere non con sé stesso ma col mondo; e cotesta ha diffuso l'atmosfera della sua arte di quel desolato o santo odore di povertà, che non so quanti oggi possano sentire ed amare; ma che certamente non anderà disperso, anzi diventerà piú puro e delicato, col tempo; e anzi sarà l'unico odore che sopravviverà a tutte queste sciagurate profumerie.

Quando si pensa come tenacemente Federigo Tozzi aveva lottato, per morire quasi lo stesso giorno della sua vittoria; quando si pensa a quanto ancora egli avrebbe potuto darci, a parte la possibilità, ch'era in fondo certezza, di progressi ulteriori, il destino che l'ha colpito ci appare anche piú perverso. E piú abbandonata in un giuoco di avversità cieche e imponderabili, la fatica ch'egli, con altri pochi, sosteneva tanto generosamente, onde testimoniare qualcosa di autentico e duraturo in questi equivoci giorni.[1]

(1920)

«Novale» di Federigo Tozzi

Fra gli scritti postumi di Federigo Tozzi, che sono stati pubblicati, dal 1920 ad oggi, non credo si sbagli mettendo in prima linea il *Novale* (Diario). *Gli Egoisti* e l'*Incalco* recavano segni di una maniera, o almeno di una disposizione artistica in parte cambiata. Ma, in confronto a *Tre Croci*, al *Podere*, e soprattutto a *Con gli occhi chiusi*, piú che altro interessavano, come ha osservato l'annotatrice del *Novale*, nei riguardi d'un maturamento delle convinzioni etiche e religiose. E cosí talune novelle inedite, che confermarono l'ossessionante persistere di certi motivi (per esempio: il contrasto tra padre e fi-

[1] La prima parte di questo articolo fu pubblicata, come necrologio, sulla "Tribuna" del 23 marzo 1920; la seconda sulla "Tribuna" del 27 marzo. Cecchi decise di fondere i due articoli in uno solo.

glio); testimonianze di ricerca e di formazione, che nulla toglievano alla fama del Tozzi, sebbene nulla potessero aggiungerle.

La nostra letteratura si è arricchita, nell'ultimo decennio, di scritti autobiografici e diaristici. Ma erano, i piú, diari e autobiografie composti di vista di un effetto estetico, da scrittori che la sapevan lunga, e forse troppo lunga. Il *Novale* è altra cosa. Un diario avanti lettera; il diario di un Tozzi, artista in potenza, ma piú o meno lontano dalla consapevolezza dell'arte; il Tozzi tempestoso scolare, bocciato in fine irremissibilmente (in italiano); preso nella vinosa baraonda del socialismo provinciale; o confinato dietro a uno sportello, negli uffici della stazione ferroviaria di Pontedera. Si cercano, come nei taccuini degli artisti, le tracce dell'opera, e par che manchino; come se, meno di tutto, egli si curasse, allora, di diventare concretamente artista. Ma poi, a libro chiuso, ci si accorge di aver assistito alle vive origini dell'intiera opera; all'innesto di tutti i suoi temi nella convulsa sensibilità dello scrittore. È straordinaria la rispondenza, sia pure su piani diversi, fra questi primi segni, appartenenti all'istinto e all'esperienza non dirozzata, e le situazioni e gli affetti che, dopo pochi anni dal diario, il Tozzi fermò in un'arte matura. Oso dire che un tal grado di coerenza fu sempre assai raro. In troppi casi le evidenze venivano ricostruite e accomodate « a posteriori ». E mi pare tra i sintomi, sconsolanti, di una difettosa disposizione del nostro pubblico, che, sulla copertina di questo *Novale*, l'editore abbia creduto utile mettere l'indicazione di « romanzo », quasi temendo che i lettori non avrebbero fatto buon viso ad un libro offerto loro nella sua realtà ed ingenuità di diario. Romanzo il *Novale*; sí: ma nel senso che, in ogni vita e tanto piú se appassionata e drammatica come quella del Tozzi, sono i germi non di uno ma di mille romanzi.

Il libro consiste di due parti distinte, cui separa l'intervallo di tre anni, durante i quali il Tozzi ebbe, fra l'altro, a soffrire di una grave malattia di occhi che lo obbligò a restare al buio parecchi mesi. Fu, cotesto, un periodo di profondo raccoglimento e di trasformazione; e fra le lettere ad una sconosciuta Annalena (1902-1903), che costituiscono la prima parte del volume e quelle (1906-1908) alla fidanzata, e poi sposa, corre il distacco di tono morale ch'è fra l'adolescenza ancora agra e vaneggiante e una gioventú piena di destino.

L'interesse delle lettere alla sconosciuta è dato, assai largamente, da ricordi dei primi approcci colturali e letterari: Max Nordau, Rostand, Zola, De Musset, etc., e dell'esistenza del ragazzotto protervo, che, in fondo alla provincia, fantastica sugli avvisi di quarta pagina, battezza sé stesso e la sua amorosa coi nomi di Rodolfo e Mimí della *Bohème*, ed è disposto a mischiare e confondere la reazione in lui suscitata da certi avvenimenti famigliari e d'amore, con qualche riflesso sociale, o meglio socialista.

Quasi coetaneo del Tozzi, ho vissuto, senza conoscerlo, all'incirca negli stessi ambienti, a Firenze o a Siena, in quegli anni; e so quanto l'immagine che egli

FEDERIGO TOZZI

BESTIE

MILANO

FRATELLI TREVES, EDITORI

1917.

Il poeta Federigo Tozzi.
A destra: frontespizio della prima edizione di *Bestie*.

ne rende sia esatta, fino ad un che di sgradevole e ripugnante, com'è di una realtà che venga risuscitata negli aspetti equivoci ed inerti che essa aveva prima che cominciasse a scaldarsi e a diventar nostra. È, press'a poco, l'effetto che fanno, capitandoci di ritrovarne e dar loro un'occhiata, lettere dell'adolescenza; nelle quali riconosciamo, sí, la nostra fisionomia, ma come ancora sigillata ed impietrata, ingombra di una ingenuità disumana.

In due punti, frattanto, in due aspetti, questa specie di crosta si frantuma, e ne sgorga una sostanza che anticipa, o almeno fa presentire, l'arte di *Con gli occhi chiusi*, e di *Tre Croci*. In primo luogo, nella notazione di stati visionari ed allucinativi, che nel Tozzi furono sempre potentissimi, nonostante quanto fu scritto intorno al suo « naturalismo » e « realismo ». Siffatti stati in queste lettere, lampeggiano soltanto, e subito crollano a deformarsi in citazioni o trasposizioni, dal De Musset o dal Poe; ma già si riconoscono sicuramente. « Una volta, dopo aver sofferto una lunga malattia – ero ancora in convalescenza – mi capitò di trovarmi solo in camera. Non so perché guardandomi nello specchio i miei occhi si inumidirono, ed io mi volsi a guardare un piccolo crocifisso d'avorio che stava sulla parete della stanza. M'era balenato il fantasma della morte, e con esso avevo sentito empire il mio spirito di un terrore indicibile. Per un momento mi parve di aspirare quell'odore sacro di cadavere... Cominciai a piangere e dicevo rivolto al Cristo: "Perché, perché son nato? Fammi vivere". – E in quel momento ero pieno di dolcezza e di umiltà. » Oppure: « Nel buio percepivo dei fiocchi fosforescenti, ondeggianti, prima piccoli, poi grandi... Chiudevo gli occhi, e allora vedevo dei limoni tagliati, poi un teschio d'oro, poi una corona di lauro verde e rossa, dei punti turchini, dei fiocchi, delle donne, una statua greca..., una luce lontana, un panno, un orecchio... E il cervello mi doleva sotto la fronte fredda ». È materia ancora elementare e disordinata; ma alcune qualità autentiche già tremolano, in pelle in pelle.

E l'altra anticipazione che si coglie in queste lettere alla sconosciuta, concerne una precisa situazione di romanzo, e una delle piú belle fra quelle che il Tozzi seppe creare: l'incontro di Pietro e Ghisola, in *Con gli occhi chiusi*. Nelle lettere, Pietro si chiama per ischerzo Rodolfo, sul principio; finché diventa, palesemente, l'autore, Federigo, che racconta alla sconosciuta un suo amore infantile, e la tetra conclusione di tale amore. E Ghisola è la cosidetta Mimí, figlia di un contadino; la quale poi assume il nome di Isola, che forse fu il vero. S'indovina un'esperienza che, nella vita del Tozzi, deve essere stata poco meno essenziale di quella dei contrasti col padre; e si è riconoscenti non per ragioni di vana curiosità, all'ordinatrice, che ha voluto preservarci questo documento.

Il quale documento intona, per cosí dire, la seconda, e piú vasta, sezione del volume: quella delle lettere alla fidanzata, quasi tutte in forma di diario. Anche qui il senso di immediatezza e verità è quasi sconcertante; e si mescola alla pietà per tanti stenti e cattiverie che inasprirono la giovinezza dello scrittore, e che sembreranno di poco conto, soltanto a chi godette il privilegio, non invidiabile, di soffrire in vita sua troppo poco. La bramosia di amore che, ancora generica e romanzesca, cercava di sfogarsi nelle lettere alla sconosciuta, ha trovato il suo oggetto; e diventa calore di sentimento e luce intellettuale che aiuta il Tozzi a definirsi. E si sa che Dante non ricevette nulla da Beatrice, né Petrarca da Laura; malgrado essi proclamino, su tutte le note del rimario, di dovere ogni cosa da costoro. Ma il mondo, senza sottilizzar troppo, farà sempre bene a venerare tali inconsapevoli collaboratrici. Intendo che, in margine alla nostra ammirazione, piú o meno grande che sia, e alla gratitudine per quanto il Tozzi seppe strappare in bellezza d'arte da un'esistenza angariatissima, queste lettere assicurano una parte anche a chi fu lo specchio paziente e fedele sul quale egli venne via via riconoscendo sé stesso; a chi offrí la sostanza spirituale e sentimentale su cui egli tentò e ritentò, avanti di poter trattare l'arte. Una donna che porge questa specie di collaborazione ad un artista nel suo formarsi, è come una vivente poesia che egli scriva, e che si corregga da sé stessa e lo corregga, e diventi espressiva anche quando egli non seppe trovare che rettorica. L'affetto insegna all'intelletto.

Stati, che conosciamo dai romanzi, di passione trasognata, di disperata dedizione, quanto piú si producevano sull'orlo di esasperazioni quasi folli, di ribellioni paradossali (« vorrei uccidere tutti »), son definiti, in questo diario epistolare, con sempre maggiore esattezza ed intimità. « Quando la solidità del mio passato sarà divenuta polvere e non sarà piú come una corteccia sopra la mia anima, lavorerò. Ma senza il tuo amore non farei niente, però che esso è la sola acqua che bagna la mia anima. » « T'ho talmente dentro di me, che per chiamare qualche persona devo prima correggere il nome che direi... » « Tutti i miei pensieri sono come una corona di fuoco a te... » « Ci amiamo quanto nessuna immaginazione mi dà esempio. Abbiamo bisogno l'uno dell'altro per sentire che siamo umani anche noi... » Ma le citazioni dovrebbero andare troppo in lungo. Per il resto, come si notava in principio, quasi tutta la tavolozza del Tozzi è, in embrione, in queste pagine; e, come in un albo di disegni, gran parte della materia aneddotica che, fra qualche anno, gli servirà nei libri. L'osteria paterna, la figura della matrigna, le miserie e i ripieghi, la schiavitú d'impiegato, la solitudine campestre, la gente senese e la città; in un accostamento sempre piú stretto dell'artista alla terra e al proprio passato, fino ad un possesso cosí precoce dei mezzi espressivi che, in piú di un luogo, l'ordinatrice ha interrotto la citazione di qualche pagina, perché la pagina del diario era traboccata direttamente in quella, già edita, di un romanzo.

E se questo volume conclude la serie degli inediti del Tozzi, credo che ormai si possieda tanto da rivedere, in parte, i giudizi critici che furon pronunciati su di lui, nel senso di una maggiore autonomia, per quanto riguarda la sua formazione, e la operazione dell'arte. *Tre Croci* fu il libro che dette al Tozzi la fama, e originò la interpretazione, dirò cosí, verghiana della sua natura di scrittore. Ma oggi anche piú di ieri io dubito che, oltre alla sua opera piú abile, esso costituisca veramente l'opera piú rappresentativa e completa.

Si prenda, a prova, *Con gli occhi chiusi*, dopo la lettura di questo diario.

(1925)

Arte di Federigo Tozzi

Senza troppi clamori, anzi in modo piuttosto silenzioso, l'edizione definitiva delle opere di Federigo Tozzi (1883-1920), curata dalla vedova e dal figlio, procede di buona lena; ed è giunta al terzo volume che, insieme a *Bestie* e agli *Egoisti*, lavori interessanti ma secondari, contiene *Con gli occhi chiusi*, che rappresenta la prima, completa affermazione di Tozzi; se come alcuni inclinano a credere, non è forse rimasto il piú vivo di tutti i suoi libri.

Del silenzio che prima dicevo, si ha riprova in un grosso fascicolo che "Ulisse" (XI, aprile 1950) non inutilmente dedica alla letteratura italiana della prima metà del secolo. Vero precursore della nostra ultima narrativa, il Tozzi in detto fascicolo ha un riconoscimento effettivamente troppo scarso: ciò ch'è ingiustissimo, sia riguardo a quanto materialmente egli conseguí nelle proprie opere, che riguardo all'influsso da lui esercitato sulla piú giovane letteratura. Probabilmente il pubblico è piú memore ed attento che non i critici, distratti talvolta da eccessivo desiderio di novità; ed il rapido sviluppo di questa edizione sembra confermarlo.

Quando il Tozzi morí, a trentasette anni, egli aveva pubblicato *Bestie*: una serie di piccoli motivi, confessioni, bozzetti, in ciascuno dei quali entra o si affaccia una figura o un'ombra di animale. Non si tratta di moralità o spunti favolistici; e nemmeno d'impressioni o diagrammi alla Renard; e in un certo senso il titolo del piccolo libro par fatto apposta per deviare o frastornare l'attenzione del lettore. È una prosa piena d'odore di terra, a momenti tutta spigoli affilati come una scheggia di selce, e che improvvisamente si raddolcisce con intenerimenti puerili. Qualche cosa di simile aveva dato il Papini dei ricordi d'infanzia nell'*Uomo finito*, o dei poemetti in prosa che aprono il libro delle *Cento pagine di poesia*; con un tratto però meno aspro. E qui conviene ammettere che a volte il Tozzi veramente esagera la sua violenza, ed abusa di risoluzioni tronche, che mozzano, o vorrebbero mozzare il respiro: la forsennata decapitazione dell'innocente cicala; il rabbioso desiderio di tirare una fucilata all'usignolo; gli isterici singhiozzi, quando egli scorge la lucertolina morta a pancia all'aria, ecc.

Dalla sua sofferenza profonda; dall'umiliazione in cui gli toccò a vivere; dal rovello dell'arte; e chi sa, forse, dallo stesso oscuro presentimento della morte precoce, prorompevano nel Tozzi nere nausee e collere, impulsi di crudeltà gratuiti e furibondi. Eppoi sentimentalismi quasi inafferrabili, di cui egli non sa né cerca di comunicarci il motivo; e che ci lasciano stonati, come quando ad uno che ci parla d'una od altra cosa che sembra indifferente, a un tratto gli si inumidiscono gli occhi, per un suo pensiero nascosto; e non si ha coraggio di chiedergli il perché, mentre quel dolore falotico ci conturba piú di un dolore confessato.

Alla sua morte, il Tozzi aveva pubblicato, anche da poco, *Con gli occhi chiusi*. Al quale romanzo, spirante freschissima novità, nocquero varie cose: fra l'altre che, per l'appunto, il pietoso evento della morte, coincidendo con l'uscita di *Tre Croci*, diresse e concentrò tutta l'attenzione del pubblico su questo ultimo libro, di piú marcato risalto; ed almeno relativamente, *Con gli occhi chiusi* rimase in penombra e sacrificato. Ora io non voglio affatto giocare di contrapposti. Né ha troppa importanza sapere se *Con gli occhi chiusi* sia o no il maggior romanzo di Tozzi; dal momento che, senza il minimo dubbio, esso è uno dei romanzi piú significativi apparsi in Italia dal primo dopoguerra. Con quale acuta emozione avviene di rileggerlo nell'odierna ristampa. A distanza di pochi anni, lo ritroviamo come sbalzato e ricomposto nella luminosa semplicità di quelle opere native in cui per la prima volta si realizza la pienezza di un talento. Nella ingenuità e sicurezza della sua impostazione, è un fremito che difficilmente risentiremo in produzioni piú mature e congegnate.

Tutti i motivi autobiografici, tentati o sfiorati in *Bestie*, e perfino quelli della giovanile polemica nel periodico "La torre", vi si fondono, dentro l'ambiente della vita povera di Siena, nella appassionata figura di Pietro, figlio dell'iracondo trattore, e scolare di seminario. E tra i fratelli di *Tre Croci*: Giulio, Niccolò ed Enrico, che vivacchiano sulle entrate meschine di una libreriuccia in Siena, e mantengono abitudini goderecce, aiutandosi accortamente con un giro di cambiali: Giulio, il fratello buono, che infine si uccide, corrisponderà a Pietro Rosi di *Con gli occhi chiusi*, e cosí a Remigio Selmi del *Podere*: creature macerate in un'esistenza immonda e strangolatoria, che tuttavia non prevale fino a scancellare in fondo alla loro anima un segno di superiore umanità. Senza nessun rapporto di diretta derivazione, almeno per ciò che riguarda Tozzi, è un tipo umano che attrasse ed attrae numerosi scrittori moderni; benché soltanto Thomas Hardy in *Jude the Obscure* sia riuscito a farne qualcosa di veramente grande.

E a chi si chiede se, fuori d'una sostanza piú strettamente autobiografica e lirica, il Tozzi fosse capace di dar vita a un personaggio tutto staccato; basterebbe a garantirglielo la figura di Ghisola, la contadina fidanzata di Pietro, che dolcemente lo intossica e travolge, e a poco a poco, senza neanche una deliberata volontà di male, senza dramma, affonda e scompare nel pantano della comune prostituzione. Trattata con straordinaria leggerezza di tocco, in aspetto la persona piú casalinga, e al tempo stesso cosí sottilmente carica di un misterioso ed atroce potere di seduzione, con quel suo parlare agevole che sembra di udire sommessamente come nell'aria un po' fredda ed attonita d'una bianca stanza semivuota: donne come questa, la nostra recente narrativa non ne ha vedute molte. Né simili paesaggi; direi specialmente nella seconda parte del libro, allorché Ghisola è diventata la mantenuta del signor Alberto, e dalla campagna di Siena la scena si trasporta nel suburbio fiorentino. Piú che in esplicite notazioni, la tristezza dello scrittore si diffonde nei colori e nei toni d'una natura tanto piú drammatica, quanto piú il dolore sembra nascosto e bevuto dalle cose.

Non è qui il luogo di ricordare, particolareggiatamente, come la descrizione di stati visionari e allucinativi, sempre nel Tozzi potentissimi, e come addirittura una precisa situazione del romanzo, e fra le piú belle create dal Tozzi: l'incontro cioè di Ghisola e Pietro, si veggano direttamente nascere nelle pagine del suo diario e dell'epistolario; che ritraggono la sua esperienza vissuta, e furono amorosamente ordinate dalla vedova sotto il titolo di *Novale*. Le ricercherà e riconoscerà ogni buon lettore; nel successivo, quarto volume, della presente edizione definitiva; che insieme ad altre prose, liriche e di ricordo, dovrà contenere appunto il *Novale*; a testimonianza di come nel Tozzi fantasia ed arte attingessero, per trasfigurarla, all'esperienza piú intima; e di come la sua bellezza fosse destinata a serbarsi cosí vivida, perché soprattutto materiata di superiore verità.

(1950)

Romanzi di Umberto Fracchia e di Nicola Moscardelli

Umberto Fracchia che, se non erro, cominciò a farsi conoscere nella romana *Lirica*, nella quale uscirono le prime cose notevoli di Cardarelli, Baldini, Saffi, Onofri, Vigolo e Rosso di San Secondo, da tempo pareva essersi dedicato alla critica completamente. Ormai è chiaro che il lavoro critico, anche se adempiuto con ogni impegno, in realtà non significava rinuncia all'arte. Ecco infatti, del Fracchia, un lungo romanzo: *Il perduto amore*.

Fra altre cose, ho visto volentieri, in cotesto romanzo, il ritorno a una forma narrativa la quale, oltre che dalla logica dello scrittore, e dalla coerenza fantastica delle figure, è controllata e ravvivata per mezzo d'un genere di espedienti che erroneamente son stati sbanditi dal teatro e dal romanzo contemporaneo. E dico che dovendo scegliere, in una commedia o in un romanzo, fra le introspezioni di due o tre personaggi sublimi e uggiosi, e la storia di una tabacchiera, di un fazzoletto ricamato, o, come qui, di una collana, che passa per tutte le mani, provoca le combinazioni e le catastrofi piú insospettate, e magari va a finire, per giuoco di prestigio, nella tasca dell'innocente signore che assiste allo spettacolo da una poltrona d'orchestra, per parte mia, io preferisco mille volte la storia della tabacchiera o della collana. In tutta la mia carriera di critico, non mi sono stancato mai di raccomandare la lettura e meditazione dei *Due Sergenti al cordone sanitario di Sebastopoli*. Il piú imberbe dei romanzieri, uscito dalla piú clandestina delle scuole metafisica, trascendentale o simbolista, avrà da insegnar qualcosa, nell'ordine del sublime, all'autore, suppongo ignoto, dei *Due Sergenti*. Gli resterà sempre da impararne, cento volte tanto, in merito al farsi leggere.

Bisogna frattanto riconoscere che l'innesto dell'elemento di sorpresa e avventura nella trama del *Perduto amore*, è stato facilitato da certe limitazioni che il Fracchia ha saputo chiaramente imporsi. Perché se i suoi personaggi avessero preteso di essere non soltanto fantasticamente suggestivi, ma viventi d'una realtà con tutto il peso e l'autorevolezza della realtà immediata o storica, la cosa, forse, non avrebbe avuto esito tanto fortunato. Personaggi veramente immersi in una atmosfera che non si può chiamare altro che magica, probabilmente non ne son nati piú fino ad oggi, dopo quelli di *The Master of Ballantrae*. E anche avanti, nella storia di tutte le letterature, non s'incontrano che a grandissime tappe.

Il Fracchia ha evitato simili raffronti. Ha disossato e scorporato le sue figure; le ha svuotate e alleggerite. Si è contentato di dare loro un'aggraziata genericità, una stilizzata prestanza, simili a quelle dei personaggi delle fiabe. Non ha dipinto con l'occhio sulla natura; investendo poi le creature, ritrovate nella massiccia realtà, d'un chiaroscuro di leggenda. Non ha come nella pittura vera, creato secondo le tre dimensioni; ma in due dimensioni, come in un arazzo, dove non si ricerca il rilievo voluminoso, e il senso delle profondità. Tutto questo, mi sembra, rende abbastanza conto delle limitazioni dell'opera e della qualità dei risultati. Ma chi volesse sapere a che intensità d'illusione sentimentale e visiva, sia possibile spingere anche siffatto procedimento, legga, se non l'ha letta, *Isabelle* d'André Gide, che forse rimane l'ultimo capolavoro di questo genere specioso, il quale ritiene del romanzo e della pantomima; della fiaba, dell'opera in musica e del balletto russo.

Cosí impostato il problema dell'opera, ogni lettore anche mediocramente preparato sa anticipare da sé quali potranno essere i piú opportuni elementi per la soluzione. Un certo arcaismo, che agevola gli effetti pittoreschi e quasi leggendari. I motivi patetici, scelti in una scala sentimentale assai semplice: amori a primo incontro; odi ereditari; gelosia; ricchezza e povertà; appunto i sentimenti usuali nelle fiabe, e quasi sempre nell'opera in musica. L'avventura, imperniata sur un motivo misterioso eppure evidente: su qualche cosa che partecipi del simbolo o del talismano. Un gioiello d'origini favolose; un tesoro sepolto in un'isola; un diamante enorme, che porta seco una fatalità di peccato e sventura, posson servire ottimamente. E, quanto all'arte letteraria, lo scrittore dovrà sempre ricordarsi che avendo egli cominciato collo stabilire una convenzione, si deve guardar bene dall'intaccarla e romperla. E, allora, non troppa insistenza di definizioni psicologiche, in modo che un personaggio non si trovi mai preso in una trappola di verità vera, dalla quale non potrebbe salvarsi senza buttare all'aria tutto il castello dorato; un procedere per *cadenze, fioriture, abbellimenti,* e anche nei punti dove un'emozione piú umanamente si effonde, un certo inconsistente barbaglio fiabesco sarà bene che rimanga. A molte di queste condizioni, le condizioni insomma di un'arte di *contaminazione* leggiadra, mi pare che il Fracchia abbia abilmente corrisposto.

Il romanzo è diviso in tre parti, quasi tre pannelli: e in ciascuna campeggia una figura femminile: Daria, la donna fatale, mangiatrice di uomini, nella prima parte: Silvina, la vergine frigida e folle nella parte seconda; e infine Luisa, la moglie e santa. Le tre parti si ricollegano, anche piú che per l'artificio autobiografico attraverso la persona di un medesimo narratore, mediante le vicende e i trapassi della collana. E credo che il Fracchia avrebbe potuto fare a meno di due brevi intermezzi, fra la prima e la seconda, e questa e l'ultima parte; nei quali narra ancora del gioiello dannato. Son, di certo, fra le pagine meno riuscite del libro; e se l'autore ha inteso metterle a uso cornice e fregio di mascheroni e grotteschi, ha avuto nella fattura la mano pesante. Anche d'un certo lesbismo, al momento dell'iniziazione mondana di Silvina, avrei fatto a meno. O, per esser piú esatti: senza fare a meno del lesbismo, avrei desiderato che non sapesse, cosí com'è, di concessione agli usi dei romanzieri correnti. La terza e ultima parte è di gran lunga la migliore: e costí un che di grottesco, nella figura del raccontatore, tempera felicemente l'effetto drammatico che a un certo punto parrebbe dover riuscire soverchio; e lo riconduce nell'equilibrio del libro.

Nell'esecuzione, raggentilita da molti tratti veramente squisiti, si desidera a volte maggior fusione e finitezza: piú artificio, magari. Rammentiamoci che siamo nel regno del biscuit. E non c'è dubbio che se il Fracchia si fermerà, in questa o qualcosa di simile, come nella sua « maniera », farà di tutto per armonizzare i suoi mezzi in vista di quelli effetti che, del resto, come si diceva, ha già in gran parte raggiunti.

Credo che al romanzo: *L'ultima soglia* di Nicola Moscardelli, abbia nociuto, specie nella prima parte, una certa confusione stilistica. I motivi, dall'autobiografico tirati verso il simbolico e l'astratto, rimangono inviluppati in una prosa tutta veli; e spesso si finisce per non distinguere piú che una fluttuazione opalescente, dentro la quale le figure si muovono, si urtano, scompaiono, ricompaiono; ma allo stato di larve, di spettri.

Non mi ricordo chi disse una volta, a proposito di Henry James (e l'osservazione mi sembra calzante, meno per quanto riguarda *The altar of the dead*), che i suoi personaggi ambulano come esseri in ogni parte disegnati con minuzioso risalto, ma ai quali manca il viso, la testa. Lo stesso, all'incirca, si potrebbe dire di parecchie figure di Marcel Proust, del Giraudoux e d'un'infinità d'altri stranieri e italiani, contemporanei. Nel caso di Moscardelli si aggiunga a cotesto effetto di decapitazione, l'altro, che dicevo avanti, larvale.

Lo scrittore
Umberto Fracchia
nei boschi di Bargone.

Il protagonista del libro del Moscardelli si chiama Sebastiano Melampo. Un altro personaggio ha nome Lazzaro della Montagna. E cosí via. Il lettore ripensa al Beatus Renatus del Panzini; o al Pastoso di Baldini; o al Medardo di Lorenzo Montano, o al Discreto di Nino Savarese, ecc. ecc. Tutti nomi: codesti Medardi, Melampi, Discreti, Pastosi, ecc. che covano altrettante astrazioni. Non è il caso di stare a domandarsi chi arrivò prima e chi arrivò dopo, chi s'ammalò prima e chi s'ammalò dopo, di cotesta malattia che, per opportunità di vocabolo, vorrei battezzare « medardismo », senza affatto intendere, e sarebbe erroneo nei riguardi cronologici come in quelli intrinseci, che Lorenzo Montano sia il piú responsabile. S'imponeva, a un dato momento, una reazione contro le figure di romanzo a base di basso verismo, che pretendono avere uno stato civile e dare l'illusione triviale delle figure del marciapiede, che mangiano, bevono e vestono panni. Era naturale nascesse il « medardismo », il quale potrebbe anche essere il sintomo d'una transizione, o almeno di una disposizione, verso una forma narrativa d'ordine superiore. Ma il sintomo soltanto.

Nel caso del Moscardelli, l'astrazione tra lirico e ironica del personaggio è complicata, si notava in principio, dalla qualità dello stile. Nulla esige un trattamento semplice, quanto le cose complicate. E invece lo stile del Moscardelli, se non di natura complicato, è ingombro di detriti e residui che galleggiano e vagolano, urtandosi alla superficie; mentre il disegno fantastico si svolge per suo conto in altro piano. Qualche esempio:

« Le memorie passano e ripassano scalze, senza rumore. A una a una mi guardano e mi sorridono. Come vecchie amanti lasciate non serbano rancore. » Già la seconda frase s'appoggia indelicatamente sulla prima, cosí precisa e musicale. Ma la terza, poi, compromette ogni cosa; e ammorba ogni cosa d'una zaffata di sudore e cipria. Si tenta, debolmente, in una quarta frase, una ripresa: « Non sono forse le memorie i figli di coloro che non hanno figli? ». Ma subito la ricaduta nel convenzionale: « Possono dunque i figli rivoltarsi come mastini e divorare i padri? ». È un procedimento che dà l'idea d'una sconnessione continua, d'un continuo fuori foco; d'un'imprecisione, ora fortuita, ora deliberata: « Le parole sono assetate com'è assetato il tocco di campana che trema e brucia prima di inabissarsi nell'aria: foglia di suono che i miei occhi intravedono appena ». Per fortuna, costí ci si rialza subito, in un tratto largo e spiccato: « La terra è crudele e indifferente come una donna: si lascia calpestare e dimenticare, perché sa che un giorno ci terrà per sempre ».

Quando, fra qualche settimana o qualche mese, il Moscardelli rileggerà il suo libro, e allora farà bene ad avere in mano una matita rossa, son sicuro che egli stesso resterà piacevolmente sorpreso della quantità di cose belle che ha saputo metterci: vere immagini di poesia; esatte notazioni di movimenti interiori molto fuggevoli e difficili a cogliere... Ma resterà anche piú sorpreso di tutte le cose inutili che ha lasciato vi si annidassero dentro, come per una incredibile paura di non essersi mai espresso abbastanza. Una frase felice non gli sembra mai sufficiente. E ha bisogno di farle correr dietro, come il nano che regge lo strascico alla principessa, una frase infelice, storpia.

Lo straordinario è che ciò non accade, come di solito, per orgoglio rettorico, per l'ambizione di strafare e pompeggiare; e metter tre o cinque, dove non c'è posto e forza che per uno. Ma accade, tutto al contrario, a causa d'una tormentata timidità dalla quale il Moscardelli ha il dovere di liberarsi, per non danneggiare ulteriormente il suo lavoro. Gli occorre, o m'inganno, maggior fiducia nell'ingenuo potere espansivo della poesia.

Uno scrittore mette giú la sua immagine sul foglio, per quello che è. E se è proprio un'immagine, anche la piú piccola immagine, stia sicuro che tutto il cosmo si sente impegnato a difenderla, salvarla; mentre lui non le può fare, intrinsecamente, piú nulla, con tutte le sue ricercate risorse, e tutti i commenti e i rincalzi. La poesia è proprio materialmente un dare, e un lasciare qualcosa. E il dono si abbellisce e vigoreggia della stessa generosità con la quale è offerto; questo s'intende, quando è un dono di vera poesia.

(1921)

«Angela» di Umberto Fracchia

Quando, due anni fa, Umberto Fracchia ebbe pubblicato il suo primo romanzo, non fu difficile prevedere quello che, effettivamente, è successo: se un altro libro avesse in tutto mantenute le promesse di quel primo, di certo si sarebbe conquistato un posto invidiabile nella nostra produzione romanzesca. E il libro è venuto: *Angela*; ha adempiuto le promesse; ed anche scrittori che percorsero una lunga carriera nel campo dell'arte narrativa, ormai dovranno considerare il Fracchia come un concorrente pericoloso. Intanto non c'è dubbio che, fra varî romanzi apparsi recentemente; del Moretti, del Varaldo, del Bontempelli, del Borgese, ecc. ecc.; dei quali ci siamo occupati o intendiamo occuparci, quello del Fracchia è il migliore.

Un confronto fra opere di autori diversissimi, come quelli ora nominati, non ha, né può avere, se non un'intenzione assai relativa. E, per non dire altro, non s'intende di vincolare, con questo raffronto, il nostro giudizio sull'arte di Marino Moretti, considerata complessivamente; né diminuire il valore dello sforzo che il Moretti prosegue da molti anni, con bellissime affermazioni come: *La Voce d'Iddio* e *I due fanciulli*; anche se, rispetto a questi romanzi, dobbiamo constatare che quello ora uscito: *I puri di cuore* è rimasto un po' scarso.

Molto abbiamo già scritto intorno al Moretti; e non ci sarà facile trovar qualcosa di nuovo. Quando s'è detto che il destino del *Christus patiens*: la Croce, la quale, nei libri del Moretti, era quasi sempre portata da una donna, ora è caricata sulle spalle di Luca; e s'è aggiunto che, contrariamente alla sua pratica usuale, il Moretti adopera, come già nei *Due fanciulli*, elementi a rilievo drammatico e, per dirla in parole povere, fa scorrere sangue, poco ci resta da osservare che non abbiamo osservato altre volte.

Siamo anche qui, in piena *débacle*. In una casa di borghesi rovinati, vivono, con la vecchia madre, Luca e Matteo. Muore la madre; e Matteo, un povero mentecatto, è persuaso di seguire in America certi parenti. Luca rimane nella casa deserta, seduto sulla pietra del focolare. È un personaggio che risente dei romanzieri russi; e sopratutto di Dostoevskij. Ha l'innocenza di Alioscha; senza il corrispettivo di pietà operosa e di forza di suggestione morale. Un altro poco, e questo Alioscha sarebbe un tipico « idiota del villaggio ». Moretti, invece, ha creduto sul serio alla sua bontà; e se ne è incantato, da non accorgersi che, a un certo punto, essa diventava inerzia e idiozia. Dopo la morte della madre e la partenza di Matteo, quest'inerzia si attacca al romanzo, che soffre, nella seconda parte, d'una interminabile stasi, appena ravvivata dall'episodio dell'amore di Luca per la Bonina. Ma come Luca era una specie di traduzione maschile di tante e tante derelitte che il Moretti ci aveva fatto conoscere nei suoi romanzi e nelle sue novelle, la Bonina, in questi *Puri di cuore*, pare l'ombra di Luca; e cioè: l'ombra di un'ombra. Tutti i sentimenti si stemperano in un unico sentimento. Il chiaroscuro è provveduto con fitte descrizioni del solito ambiente provinciale. Ma forse appunto per la necessità d'un chiaroscuro, nelle descrizioni il Moretti ha insistito con crudezza realistica in lui insolita; e a certi tratti si direbbe scrittore di vero tipo zoliano.

Torna Matteo dall'America, improvvisamente; e piú pazzo di prima. E diventa il ludibrio del paesello, grottescamente esibendosi nel suo prestigio di *ex headwaiter* di grandi alberghi americani. Alla fine, Matteo strozza l'innocentissimo Luca! E per quanto il lettore possa essere stanco di Luca, la soluzione sa di pretesto. Si vorrebbe dire, cinicamente, che sia stato il Moretti a costringere Matteo a questo fratricidio ingiustificato. Il personaggio di Luca gli era rimasto appiccicato alle dita, e cominciava ad esasperarlo. Non ha trovato altro espediente per liberarsene.

L'ambiente paesano è riportato in una cornice piú larga, e popolato di maggior numero di figure che negli altri romanzi. E, forse, questo moltiplicarsi di figure, alcune delle quali, s'è detto, assai rilevate, nuoce all'unità della composizione. In questo riguardo, *I due fanciulli* rimangono, finora, il romanzo di Moretti meglio costruito; mentre nel libro odierno è certamente cresciuta la cura dello stile. Non c'è pagina senza qualche cosa che tocchi; e a molti frammenti senza dubbio spetterebbero i primi posti, in un'antologia morettiana. Sopratutto piglia sempre piú evidenza questo fatto: che il Moretti, insieme alla Deledda, è ormai l'unico nostro romanziere che lavori sopra un piano concreto e costante; che lavori, insomma, al modo dei romanzieri classici, – dato che non ci sia un certo bisticcio fra queste due parole. Crede nei suoi personaggi. E nel caso di Luca, se mai, si può deplorare che ci abbia creduto troppo. Sa guidare il racconto con la logica e la necessità di affetti e sentimenti sincerissimi ed elementari. Non si stanca di perfezionare i mezzi della propria arte, senza che gli diventino mai artificî. E non si vede a quale altro dei nostri scrittori ancora giovani, potrebbe dedicarsi un po' di quell'affettuosa riconoscenza che il Moretti, con tanto indefesso lavoro, s'è conquistata. Altri sa abbagliare, altri divertire, altri superbamente annoiare. Il Moretti ha scelto qualche cosa di piú semplice, e insieme piú difficile: ha saputo farsi amare.

E tornando al Fracchia e al suo nuovo romanzo, anche per esso, in parte, dovremmo ripetere cose già dette a proposito del *Perduto amore*. Che, fino da allora, la voce di questo narratore avesse un timbro singolarissimo, chi aveva orecchi lo sentí perfettamente: ed è inutile stare a confondersi con quelli che non sentirebbero neanche le cannonate. E un'altra cosa fu subito chiara: che il Fracchia era scrittore d'avventura e di fantasia; il filo dell'avventura, che in quel romanzo era anche il filo d'una collana di smeraldi, si spezzava in tre frammenti: tre episodi lontani e, come valore d'arte, molto disuguali. Il Fracchia, ancora alle primissime armi, non aveva coraggio di disegnare sopra un solo piano tutto il racconto, e cercava di moltiplicare le prospettive e i punti di vista, di rinforzare le distanze; tentava qualche effetto di bengala ed altre luci colorate. La varietà dei mezzi è quasi sempre in ragione inversa della maturità dello scrittore. Il giovane tempesta e si affatica; si sente in obbligo di tenersi in equilibrio sulla testa, e spicca, ogni cinque minuti, il salto mortale. Invece, lo scrittore che sa il fatto suo è difficile si muova da sedere; e, nonostante questo, arriva dove vuole, e prima dell'altro.

Dopo tutto, il Fracchia non aveva che da affidarsi sempre piú intieramente alle sue doti ingenue, e proporsi di alterare meno possibile il timbro della sua voce. Il modo con il quale egli oggi ottiene gli effetti che gli occorrono, è assai semplice; e, come tutte le cose semplici, ha qualche cosa di misterioso. Non ci sono calligrafie, né ricerche di stile; e in qualche punto la scrittura potrebbe dirsi convenzionale, se non addirittura trascurata. Non ci sono, o sono rare, le divagazioni psicologiche; e d'altronde stonerebbero col carattere del romanzo: immaginoso e venturoso. Ma non bisogna neanche pensare a un elaborato disegno di peripezie, a un « intreccio » combinato con l'economia scaltra che regge il gioco delle vicende, nei romanzi che fanno testo. Nel Fracchia è, piuttosto, un'abbondanza agevole e frondosa; e quando il racconto gli svoltava per qualche stradetta secondaria, dalla quale si perde di vista la situazione centrale, purché corresse bene lo lasciava correre; e il lettore non pensa affatto a lamentarsi.

Nella ricca unanimità di consensi che ha salutato questo libro, chi ne ha detta una, e chi, naturalmente, ne ha detta un'altra: ma tutti d'accordo a dir bene. Panzini l'ha paragonato « al fiume Timavo; che si perde in troppi meandri, si occulta sotterra per lungo il suo corso, riappare ». Sempre bizzarro, Panzini! Con maggior aderenza critica, Bino Binazzi ha pensato ai vecchi « poeti romanzeschi ». Questo ci riporta verso considerazioni che facemmo, sulla natura fiabesca e leggendaria del *Perduto amore*. Ma ci sembra che nessuno abbia osservato una cosa, che ravvicina le due opere e caratterizza in modo singolare i procedimenti dello scrittore. Fracchia, appunto come gli antichi novellatori e poeti romanzeschi, ha sempre bisogno d'un « talismano »: di un oggetto che passa da un personaggio all'altro, e dall'una all'altra situazione; e le collega, e serve, per cosí dire, al loro orientamento. Nel *Perduto amore* il « talismano » era una collana di smeraldi. In Angela è un bambino.

Tutti ormai conoscono l'invenzione di questo libro; e sanno di Maestro Zimolo, l'avaro orologiaio che, ritrovandosi solo solo nella sua vecchiezza, viene a desiderare un bambino; e piglia in casa sua il bambino di Angela meretrice, e la madre. Ma quando comincia a innamorarsi, grottescamente, della madre, di tanto il suo primo desiderio del bambino gli si converte in gelosia e odio; il bambino diventa il suo inconscio avversario; e decide di disfarsene. Il bambino vien messo in un collegio che pare una prigione: il talismano, cioè, è ceduto contro una bassa voglia; e porta sventura. Anche Angela muta in rancore, eppoi in infedeltà, la sua gratitudine per Maestro Zimolo. Illusione genera illusione; peccato genera peccato; e dal peccato, pur attraverso aspirazioni che possono avere qualcosa di nobile, non saprebbe nascere che la morte. Il bambino, il talismano, è infine perduto; rientra fra le forze cieche, torna nella notte. Angela ridiventa una povera meretrice. E Zimolo scompare come un claudicante farfarello, che un momento credette di servire un'ingenua volontà di bene; e, invece, non è riuscito che a moltiplicare sciagure e lutti.

Non occorre, nelle fiabe, cercar la morale; appunto perché le fiabe son tutta morale diventata materia immediata e visiva. Né ci sarebbe molto di straordinario, se il Fracchia avesse soltanto trasferito nell'atmosfera della fiaba, dove tutto è colorito ed evidente, l'episodio che serve di traccia al libro. Ma quest'episodio, s'è detto, a momenti quasi sparisce sotto la vegetazione d'altri episodi, ripresi da una realtà piú stretta e caratterizzata; e bisogna vedere come anche questa realtà si è trasfigurita, con naturalezza quasi popolaresca, in leggenda. Ci sono nel romanzo disordini civili, che, evidentemente, son quelli del 1919-20. E ci sono restauratori dell'ordine che, evidentemente, sono i fascisti. Potrebbero entrare l'onorevole Abbo o l'onorevole Bombacci; e anch'essi assumerebbero un che di pittoresco. Tutta la distanza che corre fra un comunista (tipo italiano) del 1920 e il piú bel fiore di giacobino, e tutta la distanza fra un fascista e un carbonaro, il Fracchia sa annullarla d'un tratto, in una semplice operazione visuale, con un batter di ciglio. Le sue figure acquistano, cosí, una sorte di dignità familiare e storica, come nei racconti dei nonni. Acquistano un misterioso *pedigree*. E la realtà contemporanea ci riappare come anticipatamente fotografata in un daguerrotipo che cent'anni non riuscirono a sbiadire. Angela è come una di quelle donne in carne e ossa che si possono incontrare a qualunque momento per via; e che un'aria del volto, uno sguardo, una movenza, vi fa immaginare, invece che seminude nella gonnella corta e diafana, addobbate d'una voluminosa crinolina.

Questa suggestione comincia subito al primo rigo; quando si sente della città marinara, della casetta rossa nel vicolo, e dell'infinito e ovattato ticchettio degli orologi nella botteghuccia di Zimolo. E par di scorgere un simbolo, in questa evocazione di tempi discordi che si affrettano a precipitare nell'ignoto, sotto il naso del ridicolo vecchierello. Nulla del tempo rimane che una leggenda. Ed è sempre la medesima leggenda piena di nostalgia e di tristezza.

(1923)

Alberto Savinio

Poco piú che sessantenne, Alberto Savinio morí a Roma la notte sul 6 maggio 1952. Era nato ad Atene di genitori italiani, aveva passato alcuni anni in Grecia, poi a Parigi; e stabilitosi in Italia divideva com'è noto la propria attività fra la letteratura, il giornalismo, la pittura, la musica e la regía teatrale. Da tempo la sua salute era in declino; ma nulla faceva temere una fine repente; proprio nei giorni in cui trionfavano suoi lavori: le musiche e la coreografia d'un balletto: *Vita dell'uomo*, al teatro della Scala; e i costumi e gli scenari per la resurrezione dell'*Armida* rossiniana al « Maggio fiorentino ». Tutto ciò, mentre egli seguitava a scrivere articoli e novelle, a disegnare fantastiche caricature, e a dipingere ritratti d'uno strano simbolismo animalesco.

Questa molteplicità d'attitudini e applicazioni non poteva non portar seco qualche cosa di dispersivo. E veniva fatto di riproporsi la domanda, se alla fine dei conti, ad un artista non giovi limitarsi e concentrarsi in una sola arte, in un solo mestiere, in una sola tecnica, piuttosto che dedicarsi come il Savinio ad arti tanto diverse e lontane. Fino a che punto, malgrado la salute cagionevole, egli fosse impegnato nei lavori piú vari, si vide da questo: che durante le settimane che dovevano essere le sue ultime, a parte le consuete occupazioni, egli stava licenziando il testo d'un dramma radiofonico: *Cristoforo Colombo*; e preparava per il teatro di Bergamo un'opera musicale in piena regola, di cui credo che il titolo non fosse ancora fissato.

È da riconoscere che, nei diversi aspetti, la produzione di Savinio fu sempre del tutto coerente; ebbe unità di toni, di forme e di significati. Dal punto di vista tecnico, meno potrei giudicare per ciò che riguarda la musica. Ma sullo spartito della *Vita dell'uomo*, critici scrupolosi scrissero con chiaro consenso. E tutti sanno che il Savinio ebbe buoni studi e cultura musicale, che fu pianista versatile e di gran forza evocativa; il che ha rapporto indiretto con quelle che potevano essere le sue doti e capacità di compositore, e vale soltanto come un argomento laterale, ma tuttavia consentaneo. Al medesimo tempo, in tutte le forme praticate dal Savinio, è sempre il senso come d'una ironica, spavalda facilità, di una voluta sprezzatura, e d'un gusto d'improvvisazione che fanno pensare a certi prodotti letterari ed artistici dell'Illuminismo.

Come scrittore, come pittore e musicista, Savinio mostrò sempre di preferire strade un po' eccentriche, e magari talvolta ci avrà messo anche una certa giovanile tracotanza. La sua formazione in parte si svolse a Parigi. E costí probabilmente gli s'era attaccato, in tempi meno vicini, ciò che potrebbe chiamarsi l'ostentazione, il caratteristico orgoglio e lo spirito di corpo dell'avanguardia. Vero è, del resto, che, proprio a Parigi, era considerato un avanguardista tutt'altro che di imitazione. E il giudice, in tale materia piú autorevole: André Breton, in uno scritto del 1937, riconobbe ad Alberto Savinio e al fratello Giorgio De Chirico, di essere stati fra quelli che, nel primo dopoguerra, apersero la strada al cosiddetto Surrealismo.

Non è da meravigliarsi se, meno preparato a certe intellettuali acrobazie e funambulismi, sulle prime il nostro pubblico, benché incuriosito, può avere scosso scetticamente la testa. Non che Savinio fosse mai rimasto sacrificato, e che lo lasciassero in disparte. O che ai suoi libri mancassero editori e lettori, e acquirenti alle sue pitture. Molte corde egli aveva al suo arco, cominciando da un curioso, burbero fascino personale. Egli sapeva come provocare e attizzare l'attenzione, con trovate anche autentiche, con paradossi talvolta troppo facili, con il brillante sovvertimento d'un qualsiasi luogo comune; ma soprattutto con la dura ostinazione e la copiosità del lavoro. Perché questo spericolato equilibrista lavorava con la lena e la puntualità d'un artigiano. E al momento della sua fine, qualche superstite sospettosità, qualche minor comprensione tra Savinio ed il pubblico, andavano sempre piú attenuandosi; e si apriva per il letterato e l'artista la stagione del successo sicuro e delle incontrastate soddisfazioni.

Un tratto assai caratteristico ci aiuta a meglio definire le qualità del suo ingegno e del suo temperamento. E fu quando il Breton credé di dover collocare e laureare Savinio, insieme a De Chirico, fra i pionieri surrealisti. Savinio ci tenne a rispondere, con molta chiarezza, che il suo surrealismo in ogni modo, non tendeva all'informe, all'inconscio; ma tendeva invece al formativo, e magari al didattico: « Nel surrealismo mio » scrisse Savinio, « si cela una volontà formativa e, perché non dirlo, una specie di apostolico fine... ». Lasciando da parte l'ironica esagerazione, è quanto si cercò d'indicare col riferimento all'Illuminismo; ad un impulso cioè conoscitivo e razionale, che nel Savinio imprestò forme, un po' come quelle settecentesche, tinte di fantasia e d'avventura, e di grande evidenza e scorrevolezza.

E sempre in risposta al Breton, insisté il Savinio a precisare che la poesia del proprio surrealismo (col quale, s'è visto, egli voleva dare coscienza all'inconscio), non era fine a sé stessa e non serviva a un astratto compiacimento estetico; ma in qualche modo era una poesia « civica ». Egli disse proprio cosí: « civica ». Anche qui l'espressione andava certamente oltre il segno. Fra l'altro, s'era in tempi di letteratura *engagée*, e Savinio può aver ritenuto che era meglio non mostrarsi insensibile, e bruciare anche lui il granello d'incenso. Tuttavia, anche in cotesta frase della poesia « civica », con la sua apparenza rigonfia, è qualche cosa di vero. Nelle sue narrazioni, Savinio lavora quasi sempre intorno a situazioni tipiche, a realtà della vita familiare e sociale, comuni ed ovvie come le storie dei cartelloni da fiera: vecchie mogli viziose; ragazzi esasperati e inferociti dalla monotonia e meschinità domestica; fidanzate interessose e maligne; panciuti commendatori che perdono la dentiera e le bretelle: tutti personaggi che non posseggono una loro effettiva realtà psicologica, ma una schematica funzionalità da commedia sociale, e che potrebbero benissimo essere incarnati da altrettante marionette.

Con ciò, vuole sempre meglio chiarirsi che, per intendere quanto il bizzarro talento di Savinio ebbe di piú suo, bisogna appunto cercare di non metterlo in un mazzo, come un po' faceva il Breton, con i surrealisti di stretta osservanza, e di esclusiva vocazione letteraria: tanto piú artisti di lui, piú sottilmente versati nei problemi di linguaggio, di ritmo, di composizione; anche se poi risultavano piú vaghi, volubili, capricciosi e gratuiti, riguardo alle cose ed ai significati che intendevano di cogliere ed esprimere, tuffandosi, come essi avrebbero detto, nelle correnti del mistero, dell'ineffabile e dell'inconscio. Confrontando la poesia e letteratura degli ultimi simbolisti francesi e dei surrealisti piú rappresentativi con l'arte di Savinio, non ci vorrebbe niente a mostrare quanto quest'ultima è approssimativa, sommaria, impaziente.

Savinio non vuole affatto raffigurare delle cose, delle passioni, delle azioni, con l'oggettività del vero artista. Non pretende che i loro aspetti ed i loro significati, investendosi nella forma poetica e pittorica, acquistino una realtà materiale, una consistenza autonoma; come è di quegli oggetti sovrannaturali che sono le vere opere d'arte. Savinio non plasma e non modella con i colori, con

1, 2. Due dipinti di Alberto Savinio, pseudonimo di Andrea De Chirico. (1891-1952): *Ritratto coniugale* e *Il sonno della dea*.
3. *Gli archeologi II*, acquaforte eseguita nel 1927 da Giorgio De Chirico.

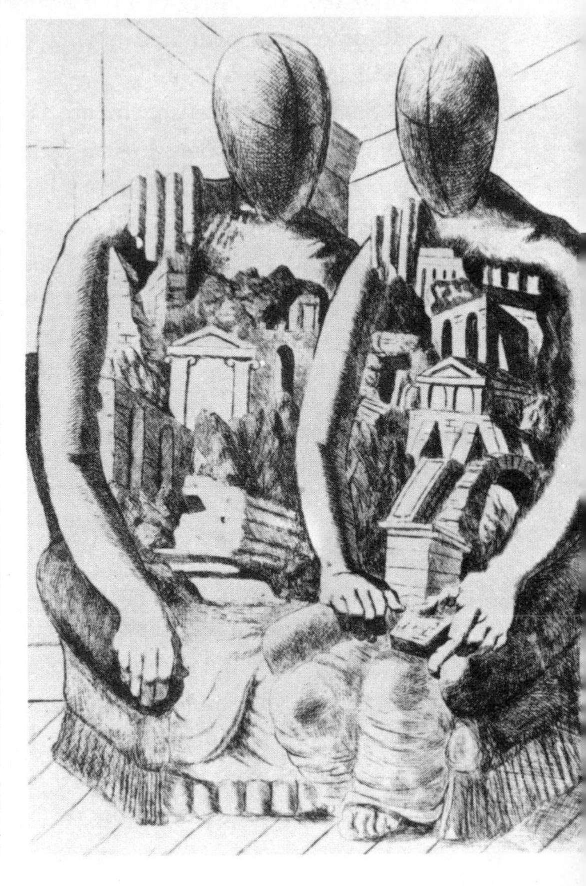

le linee e le parole. Si contenta d'indicare, di suggerire, di mettere in scena, con vigoria innegabile. La solidità e perfezione formale dell'opera non lo interessa. Non gli passa neppure per la mente di applicarsi a creare un proprio linguaggio. Brutalmente lascia dentro all'opera i supporti, i tamponi; non si cura di nascondere le commettiture, le ricuciture, la stoppa.

E a lui, insomma, non si accosterebbe con disposizioni favorevoli, chi andasse a chiedergli squisitezze verbali, capillari scavi psicologici, preziosità e succosità di colori ed impasti. Chi volesse, in ogni punto, pigliarlo alla lettera; fissare e riconoscere i suoi risultati poetici e figurativi in ferme linee e parole; anziché in un senso coreografico, in una genialità illusionista, in un gusto cartellonistico e di lanterna magica, a lui piú connaturati. E a cotesta qualità della sua letteratura corrisponde un duplice fatto, ch'è questo. Per certe simpatie culturali, per reazione alla letteratura mercantile e stupidamente romantica e borghese, Savinio si poté casualmente trovare vicino agli scrittori che, dopo la prima guerra, operarono a rimettere in onore valori tradizionali ed un senso classico della forma; e tuttavia ebbe pochissimo a comune con essi. Al medesimo tempo, egli restò olimpicamente estraneo all'altra corrente letteraria, che di solito viene chiamata neorealista. E sono altrettante riprove dell'indipendenza del suo temperamento.

Savinio scrittore non fu precoce, anche se il vecchio *Hermaphrodito*, che uscí alla fine della prima guerra, era certamente ricco di promesse. I suoi migliori successi letterari, li ottenne nella maturità. *Narrate uomini la vostra storia*, *Casa* «*La vita*», *Tutta la vita*, contengono i saggi piú estrosi della sua narrativa. Sempre sul filo di quel richiamo illuministico, si veggano in *Tutta la vita* i racconti e miti della famiglia: con i mobili e le suppellettili in cui s'è trasfusa l'anima, la storia, il segreto vitale dei trapassati. In questi racconti o miti, dove la sua letteratura maggiormente s'immedesima con la sua pittura, è fra l'altro notevole l'incontro col Cazotte dei *Contes*, anche essi frequenti di battaglie e trasfigurazioni di canapè e di poltrone. Come per altri atteggiamenti narrativi, viene di ripensare a Restif de la Bretonne; mentre il suo teatro a volte dà un'idea di trascrizioni o contaminazioni metastasiane in stile postimpressionista o cubista.

E piú la prematura scomparsa è da compiangere, quanto piú Savinio, ormai nel pieno della esperienza, avrebbe avuto ancora da dare, ripudiando atteggiamenti inferiori del suo ironismo. « Enfant terrible » in apparenza, pungente motteggiatore, in realtà egli era la persona piú affabile e buona; nella vita di famiglia, perfino con qualcosa di patriarcale. Questa armonia: d'una intelligenza spregiudicata con un carattere cosí semplice, era fra i suoi piú singolari ornamenti; e nemmeno di essa, chiunque abbia conosciuto Savinio, mai si dimenticherà.

(1953)

Passatempi nella Tebaide: Nicola Lisi

Nel leggere *La nuova Tebaide* di Nicola Lisi, e venendomi sott'occhio, come facilmente succede al momento di nuove pubblicazioni, articoli, ritagli, ed estratti di giudizi intorno all'autore, m'ha colpito vedendo il gran tempo che occorse, e quanti volumi del Lisi dovettero uscire, prima che la critica si rendesse conto che una notevole dosatura d'estetismo era imprescindibile, nella miscela di quest'arte calcolatissima, e che figura d'essere ingenua solo per eccesso di raffinatezza.

Si direbbe, invece, che a una certa epoca l'avessero preso per il messale o i Vangeli. E mi sono ricordato di Minuzzolo e dei suoi fratelli, quando alzatisi in punta di piedi dal letto, per combinare non so che piccola monelleria, e credendosi sul fare dell'alba, sentono invece scoccare e contano sulle dita a uno a uno i rintocchi della mezzanotte; e in un cielo di fuliggine veggono la luna come una frittata gialla. « La lu...u...una! » esclamano lamentosamente, con i dodici rintocchi ancora appesi alle dita spalancate. Sí, purtroppo: la lu...u...una!

D'altra parte non è meno curioso che, sull'atto d'una constatazione talmente ritardataria (che cioè, nell'opera del Lisi, non si può a meno di riconoscere larghe infiltrazioni d'estetismo ed intellettualismo), la suddetta critica abbia anche un po' l'aria non dirò di far macchina indietro, ma di voler ripensarci, di misurare i primieri e piú calorosi consensi, e spargere le necessarie cautele; come se oggidí, generalmente parlando, sia concepibile un'arte immune di intellettualismi, e come se un certo estetismo ormai non si annidi perfino tra i paragrafi e gli articoli della *Gazzetta Ufficiale*. Tant'è l'abitudine di discorrere a vanvera e pesare all'ingrosso; figurandosi nella propria testa un autore come non è mai esistito, per il gusto di concedergli o togliergli qualità che non lo interessano, e che mai s'è sognato di possedere.

Un po' approssimativamente, si additerebbero le origini del Lisi in *Strapaese*, quando insieme al Bargellini, al Betocchi e al « contadino gobbo », compilava e stampava un *Calendario dei pensieri e delle pratiche solari*, a puntate mensili, e che poi fu raccolto in volume. Era nel *Calendario* l'influsso di Jahier, con il suo famoso giornalino di trincea: "L'Astico"; e altresí della vecchia *Torre* di Tozzi, ma con maggiori astuzie letterarie. Cattolici, i redattori, si proponevano di non scrivere che a gloria del Signore; ma tenendo d'occhio anche quello che facevano Giuliotti e Papini. Certi bozzetti che avrebbero potuto essere del Soffici di *Arlecchino* o del *Giornale di bordo*, pareva che fossero stati riscritti avendo nell'orecchio le prediche di san Bernardino da Siena o gli *Assempri* di fra Filippo degli Agazzari.

Costellato di proverbi campestri, il *Calendario* era riuscito una specie di *Barbanera* morale ed arcaizzante. Ma occorreva esser molto infreddati e intasati, per non sentire in quei presepi un odore di nuovissime vernici. In complesso, si trattava di un dilettantismo assai piacente; dentro a cui spuntava l'ironia necessaria a correggerlo. Non per nulla una delle piú vispe pagine del *Calendario*, per un risolino che tradisce e disperde l'unzione, era quella che raccontava di due monache alla cerca, e quando scappò loro un piccolo bisogno (e un motivo affine s'è rivisto recentemente; indovinate dove: nella autobiografia di Salvador Dalí).

Nulla esclude che, venticinque anni or sono, Lisi possa aver fatto le sue prime armi nella descritta comitiva; non ostante gli fossero del tutto estranee certa arroganza di tono, certa boria catechizzante, caratteristiche del cattolicismo strapaesano. Ma un piú esatto punto d'innesto della sua immaginativa, mi sembra di scorgerlo se ripenso a talune liriche del Palazzeschi, con processioni di bianche fraterie che lentissimamente camminano su prati lisci come pallottolai. Galleggiano nei cieli tirati e deserti, sovrastanti a coteste apparizioni, ritornelli di canto jeratico che non dànno senso, stendardi e pennoni dagli emblemi indecifrabili; e raggi, stelle ed angioli se ne vanno qua e là per conto loro. Nella moltitudine processionante, Lisi s'è scelto singoli tipi che meglio s'accordano al suo gusto. E li ha studiati e ritratti, ma senza scioglierli dagli atteggiamenti e dalle pose d'un bizzarro e cabalistico rituale.

Son le monache e le vecchine di Palazzeschi, convertite a un « quietismo » felice e un po' balbuziente; in parte sentito e sincero, in parte squisitamente affatturato. Il Lisi cerca di dar loro una psicologia nella cui opalina deliquescenza sembra di veder scivolare spiritelli quasi stilnovisti. Descrive le loro operazioni mentali, abbozza il loro sistema teologico, con sottili ritocchi dai trattati di divozione e dalle lettere e « fioretti » dei mistici. Specie nel *Concerto domenicale* e nel *Diario d'un parroco di campagna*, Lisi organizzò e compose tale materia fantastica, quanto meglio poteva, nelle forme piane e coerenti del racconto e della novella. Nelle *Favole* e nel *Paese dell'anima*, disegnò piú capricciosamente visioni, sogni, fugaci misteri; e le venticinque parabole della *Nuova Tebaide* rappresentano una ripresa di cotesta maniera piú lieve.

Sono fatterelli ed esempi morali, come al tempo ch'ero ragazzo si leggevano nel libriccino del « mese mariano »: « Un bestemmiatore si salva per l'onesto coraggio che aveva avuto da carabiniere »; « Un raggio dello Spirito Santo illumina e conforta due buoni impiegati »; « L'incontro di una donna con un giovane sconosciuto, che dice di chiamarsi Raffaello, fa riaprire al culto una cappella »; « Conversazione serale, intorno all'acqua, tra un Passionista e un Cappuccino »; e via di questo passo. E sono, si vorrebbe dire, le predelle e i frammenti di predella miniati da Lisi, a fianco della sua pittura piú impegnativa; le cuspidi e gli specchi delle incorniciature, con monacale pazienza da lui decorati di piccole allegorie, immaginette divote, farfalle, ghirlande, festoni di fiori; conchiglie, chioccioline, e simili buggeratelle.

Dai titoli di queste parabole, uno potrebbe credersi invitato a tornare appunto verso *Strapaese*; e ricordarsi di quei cartelloni da fiera, con dipinte novelle e leggende che si rivolgono alla curiosità popolaresca, e che un cantastorie commenta a colpi di bacchetta, mentre una sibilla dagli occhi bendati, pazientemente seduta, attende il suo turno di vaticinare. Ma ripeto che, in realtà, *Strapaese* ha ormai poco piú a che vederci; e val meglio l'accennato richiamo « quietista » ad un'immediata comunicazione fantastica e di sentimento sol sovrannaturale, col miracolo, o almeno con l'ombra di queste grandi cose.

L'umiltà del tono, la lattea tenerezza del discorso, dànno una sorta di pàtina e d'illusoria coesione ad un giuoco di rapporti, cause ed effetti, intenzioni e significati, che in taluni punti possono avere perfino qualcosa di lievemente schizofrenico; ed in altri punti (come nel dialogo fra il Passionista e il Cappuccino, che fanno un pediluvio in una pozzanghera, finché un granchio morde al calcagno il Passionista, ecc.) si salvano soltanto col passare su una chiave umoresca. Si ha il senso d'una ispirazione che serba il sorriso d'una sua grazia innegabile, benché estremamente consunta, portata al margine. E vedremo domani che cosa Lisi saprà ancora darci, dopo questo momento di riposo.

(1950)

Racconti di Gadda

Mi succede a volte di pensare a quel che si vedrebbe, radiografando i cassetti e le scrivanie dei nostri scrittori che contano, per chiarirci di che cosa è in cantiere, delle novità che si preparano; anche se spesso dovesse risultare che i cassetti son vuoti e che ci ballano i sorci. Un tempo ebbero un certo favore le cosiddette « bigliografie potenziali »: elenchi d'opere promesse, e di cui volava la fama; ma presto si vide come non annunciassero e perpetuassero che equivoci e delusioni. Tre dovevano essere e furono i dannunziani « Romanzi della Rosa ». Ma pure tre dovevano essere i « Romanzi del Giglio »: *Le Vergini delle Rocce*, *La Grazia* e *L'Annunciazione*; ed uscí solo il primo. Tre i « Romanzi del Melagrano », dei quali non si lesse che *Il Fuoco*; e restarono nel limbo *La vittoria dell'Uomo* e il *Trionfo della Vita*. Ogni tanto si sentiva parlare dell'*Amaranta*, e nessuno l'ha mai vista. L'austera vecchiezza di Verga trascorse all'ombra d'un bellissimo titolo di nuovo romanzo: *La Duchessa di Leyra*. Verga stesso ne scriveva ripetutamente a Giuseppe Treves, fra il 1896 e il 1902. Finché ne sorrise, malinconicamente, anche lui: « La famosa *Duchessa di Leyra* che minaccia di fare il paio col *Nerone* ». Dell'argomento *Duchessa-Nerone* s'impadroní infatti il "Guerin Meschino". Buffa storia le « bibliografie potenziali ».

Con uno dei nostri narratori, Carlo Emilio Gadda, si dà caso piú strano e complicato. Un suo romanzo, la maggior cosa che finora egli ha scritto: *Quer pasticciaccio brutto de via Merulana*, durante il 1946 uscí in gran parte nella fiorentina rivista: "Letteratura", ma rimase in tronco. Speriamo che il Gadda abbia lavorato o lavori a finirlo. Sta il fatto che sono passati sette anni, e il *Pasticciaccio* è tuttora mezzo dentro al cassetto e mezzo fuori. Nel frattempo l'autore ha stampato, oltre a una quantità di saggi ed articoli: *Il primo libro delle favole*, operetta laterale ma anche essa istruttiva a definire questo talento bizzarro. Ed ecco ora: *Novelle dal ducato in fiamme*. Tutti compensi ragguardevoli, e da far loro grandissima festa; purché non siano una ragione di ritardare indefinitamente *Quer pasticciaccio*.

Quando Pancrazi scrisse di Gadda, poco avanti l'ultima guerra, egli dette l'idea che la musa di questo autore fosse essenzialmente una musa oggettiva, innamorata dei fatti, vocata e votata alla realtà effettuale. E a quel tempo, c'era qualcosa di vero. Il Gadda è di formazione scientifica, nella fattispecie elettrotecnico, con lunga pratica di perfezionamento e d'esercizio, sia in Italia che all'estero. Non è meraviglia che, per un ingegno cosí equipaggiato, l'autorità del vero abbia il suo peso. Fra molti e famosi articoli e saggi del Gadda, la sua descrizione d'una operazione chirurgica, la descrizione dei mattatoi milanesi, e altre prose del genere rispondono a cotesta interpretazione; naturalmente fatta la sua parte a quel fermento creativo per il quale la verità si rivela e ricompone nel linguaggio dell'arte.

Con gli anni, le cose sono cambiate. C'è sempre nel Gadda l'amore, la ghiottoneria, la cupidigia del vero; e come descrittore non so chi oggi in Italia potrebbe essergli messo vicino. Non stiamo a parlare, perché ovvio, dell'acutezza dei sensi, e della capacità di decifrare i piú segreti significati della materia e delle forme. E qualche pittore avrà dipinto nel suo capolavoro la morte di Sardanapalo o il risveglio della primavera. Ma Gadda è di quei pittori che fanno un capolavoro tenendo a modello un vecchio paio di scarpe. Nel fango che incrosta le afflitte tomaie, sono inscritte in capillari geroglifici, come nei fregi d'una piramide, le storie delle fatiche umane e delle sorti. E attraverso le buche delle suole, ecco il cielo con le lontanissime costellazioni che governano quelle fatiche e quelle sorti. È realismo anche questo: anzi è realismo di quello buono, di gran marca, a lunga portata. Ma bisogna riconoscere che quando correntemente si parla di realtà e di vero, s'intende qualcosa di diverso; e una distinzione ci vuole.

Dicevo infatti che, col tempo, le cose sono in gran parte cambiate. Nell'amore, nel trasporto di Gadda verso il vero, s'è introdotto un nuovo elemento, e sempre piú s'impone e predomina. Nel *Pasticciaccio*, questo elemento era già piú forte che in *Adalgisa*. Nel *Ducato in fiamme* è forse anche piú forte che nel *Pasticciaccio*. Un elemento ch'era prima d'ironia, di leggero sarcasmo, di satira, ed è ora di nera collera, e talvolta addirittura furore; come di chi segnando a dito una cosa, dicesse a gente che non voglia accettare ed intendere: Ma non vedete che sta proprio cosí? E nell'atto, gli aspetti di quella data cosa, di quel dato fatto, di quell'oggetto in contestazione, si esasperano. Si caricano d'una testimonianza di realtà cosí intensa, cosí esclusiva e assoluta, che diventa a forza d'esser vera, inverosimile.

Il realismo, l'oggettivismo del *Pasticciaccio* (dove la storia d'un fatto di sangue, in un quartiere popolare di Roma, è ricostruita ed interpretata con larghissimo uso di dialetto romanesco, per tenerla appunto tutta intrisa della materia originaria), come il realismo, l'oggettivismo delle novelle dal *Ducato in fiamme*, sembra puntato sulla vita quotidiana. Sembra occupato nelle palesi ed ascose miserie, nelle maníe, nelle monotone imbecillità e turpitudini di gentuccia da niente: la galleria dei tipi che solitamente sono pascolo della poesia vernacola e dei settimanali umoristici. Ma nell'impadronirsi di cotesti tipi insignificanti, l'arte dello scrittore li mette a fuoco e li scruta con lenti di cosí spietato vigore, che invece d'uscirne dei pupazzetti come quelli che Longanesi, Mosca o Maccari confezionano per le loro riviste, ne vengono fuori dei mostri.

Né si può credere alle ragioni che il Gadda sembra offrire di una collera cosí trascendentale che (per servirmi d'una immagine barocca) con lo sguardo trasfigura il proprio oggetto, quando addirittura non lo incenerisce. Non si può credere che il Gadda se la pigli con quella gente meschina, per le ragioni ch'egli dice; o bisognerà allora che se la pigli con tutta la storia, il presente, il futuro e sputi in faccia all'universo. Tale, allo stato presente, è l'impressione della sua arte: l'impressione di un odio, d'un livore, d'un furore indiscriminabile ed incontenibile, d'una sorta di ritorsione metafisica. Fenomeno tutt'altro che nuovo, nel corso della letteratura. Sono esempi nella satira romana. E si comincia nello Swift con le mattutine ispezioni alla camera di Cloe che si sta levando, con la sorpresa serale all'altra amica che sta per andarsene a letto, con la contemplazione della biancheria sporca, del pettine pieno di capelli, e d'altre intimità lamentevoli. E con la stessa implacabile precisione di sguardo e di linguaggio, si finisce nel regno dei fetidi uomini-mandrillo e dei virtuosi e insopportabili cavalli-parlanti.

Quando nel discorso su uno scrittore od artista contemporaneo, a titolo di riferimento, un gran nome antico viene sotto alla penna, per solito il critico, ci ripensa, e dà di frego, a scanso di malintesi. Io pure ci ripenso; ma nel caso specifico, non do di frego per niente. Anche le ragioni d'uno Swift, guardando non dico cristianamente, ma appena umanamente, sono difettive, forse inique. La *saeva indignatio*, il trabocco dello *jecur ulcerosus*: esteticamente stupendi, come un'eruzione del Vesuvio che riesca bene; ma moralmente, assurdi. Swift sghignazza e digrigna i denti, perché nonostante tutte le sue venustà, Cloe o Celia come ogni creatura vivente, è soggetta a certi imprescindibili bisogni corporali. E che cosa dovrebbe fare? Con Gadda, *si licet parva*, ecc., è un po' la medesima cosa. Ma da un punto di vista piú ristretto, concludiamo sulla maestria della sua arte.

Qui, nel suo genere, egli può sostenere ogni paragone piú egregio. E nel *Pasticciaccio*, come in alcune novelle del *Ducato in fiamme*, la sua prosa costituisce una delle meraviglie del repertorio novecentesco. Sui rapporti di questa prosa con la scapigliatura lombarda e piemontese, col Dossi, col Faldella, col Calandra, e non so quanto col Cantoni, ma certamente poi « con i *pasticheurs* rinascimentali, dai nostri Macaronici al Rabelais », impegnandoci acume pari alla dottrina, scrissero filologi come Gianfranco Contini e Giacomo Devoto, e non è il luogo di sunteggiarli. Qui è soltanto il luogo di ammirare.

La prosa piú recente di Gadda ha ormai portato ad un grado di sottigliezza, di legatezza e al medesimo tempo di violenza suprema, quelle virtú che la segnalarono e caratterizzarono dal primo principio. Si metta la natura d'un linguaggio che, nella stessa frase, può indissolubilmente amalgamare col vocabolo tecnico, anzi proprio con la formula scientifica, la grassa voce dialettale, la parola aulica, classicheggiante, la bislacca stortura dei gerghi mondani infetti d'erotismo. Si metta un dono ritmico che emulsiona questa materia, le impedisce di precipitare, imprimendole un movimento robusto, preciso, variato. L'arte di un contrappunto in cui tintinnano le sonorità piú ilari e disperate, con echi capricciosi eppur rigorosissimi: con equilibrismi fonici giuocati, risicati sull'ultima corda, finché anche essa si spezzi e salti in aria come un serpente.

Gadda è il Paganini, il Rastelli di questi effetti musicali e figurativi. E non vi lasciate sviare dall'aria innocente o sorniona di certi suoi inviti, da certe sue apparenti facilonerie e trascuraggini. Attenzione e finezza d'occhio e d'orecchio, a non sperdere tanta grazia d'Iddio. Abbiamo cosí, nel *Pasticciaccio*, il superbo ritratto psicologico di don Ciccio Ingràvola, commissario della sezione investigativa; e l'altro, formidabile e tenerissimo, ritratto funebre della uccisa Liliana Balducci: « pezzo » veramente unico della nostra letteratura nuova. Abbiamo nel *Ducato in fiamme*, fra tante altre cose, *L'incendio di via Keplero*, del quale « L'incendio della casa di malaffare » in Gomez della Serna non è che un anticipo scialbo. Miracoli, virtuosismi sempre un po' sinistri e diabolici? Ma il mondo che ci è toccato è quello che è: con le sue affettazioni, le sue manie, le sue malattie, le sue furibonde fissazioni; e non sta a noi di fare gli schizzinosi sui pochi divertimenti che ci offre.

(1953)

Il «Pasticciaccio» di Gadda

Del romanzo: *Quer pasticciaccio brutto de via Merulana* di Carlo Emilio Gadda, s'erano viste primizie, nell'immediato dopoguerra, sul benemerito mensile fiorentino: "Letteratura", diretto da Alessandro Bonsanti. Con altri dieci o dodici anni di lavoro, il romanzo, attesissimo, è ora apparso in un denso volume. O ad esser piú esatti: ne è apparso in volume quel tanto che il Gadda ha deciso di darcene; perché, come del resto può affermarsi della piú parte dei romanzi, nonostante la parola: *fine*, stampata in mezzo all'ultima pagina, anche il *Pasticciaccio* ha tutta l'aria che, con un po' di buona volontà, potrebbe continuare un altro bel tratto.

Un libro di cosiddetti « disegni milanesi »: *Adalgisa*, uscito verso la fine della guerra, nel 1944; le *Novelle dal ducato in fiamme*, premiate a Viareggio nel 1953; e poco appresso uno splendido *Giornale di guerra e prigionia*, assai giovarono in anni recenti ad affermare l'arte del Gadda. Sempre piú i lettori le si familiarizzarono; non senza l'aiuto d'una critica nella quale l'intuito e l'indagine della essenza creativa del linguaggio, erano continuamente esercitati ed approfonditi. Sono ormai convinti, i lettori, che riguardo al Gadda, si tratta di cosa piú importante e genuina d'una superficiale reviviscenza di letteratura « maccheronica », o d'una ostentazione di preziosità linguistiche imitate dal Dossi, dal Faldella, dal Calandra e altri autori della scapigliatura piemontese e lombarda. Dal quale punto di vista, non è forse neanche da dolersi che il *Pasticciaccio* abbia ritardato tanto; se ciò giova a fargli incontrare gente meglio preparata e disposta a una lettura senza dubbio generosa di magnifiche soddisfazioni, ma che esige, in correspettivo, un serio impegno da parte di chi legge.

Tanto del *Pasticciaccio*, come intreccio e invenzione, è stato parlato, che quasi è superfluo accennarne. All'epoca del passato regime, in un grosso stabile di via Merulana, Roma, abitato da famiglie della media borghesia, cariche di soldi, avviene un duplice misfatto. Ad una aggressione a mano armata, con furto di gioielli, succede dopo tre o quattro giorni, in un appartamento sullo stesso pianerottolo, l'efferato e piú tenebroso assassinio della giovane e bellissima signora Liliana Balducci. Il romanzo descrive l'ambiente in cui i due crimini sono avvenuti, e con minuta analisi accompagna le indagini poliziesche, affidate al commissario dottor Francesco Ingravallo, « comandato alla Mobile », e tra i piú giovani e invidiati funzionari della sezione investigativa. Dei colpevoli non mancano indizi, diciamo pure qualche forte sospetto. Ma quando il libro si chiude, essi sono ancora uccelli di bosco.

Al tempo che del *Pasticciaccio* si conoscevano solo alcuni capitoli, poteva immaginarsi che il Gadda volesse dare al romanzo l'andatura e il carattere d'un « giallo » superiore: un « giallo » quale era lecito aspettarsi da lui, innalzato addirittura al sublime; con un incalzare di fatti da non lasciarci riprendere fiato; e tutto un tumulto di equivoci, inganni, agguati, colpi di scena e raccapricciantì agnizioni.

Non ne è stato, invece, niente. Non è, nell'intiero corso del romanzo, nessun abuso di pedale, nessuno sforzo di chiaroscuri e contrasti. Si tratta d'una prosa massiccia, che procede gravemente con un passo quasi officioso, tutta lavorata dall'interno, e che non cura di variare ed aggiungere sorpresa e colore agli attacchi, trapassi e movimenti. Anche le ironie, mordacità e moralità, frequentissime (e su cui torneremo), sono tenute e rimangono in sordina, fra le pieghe e le anfrattuosità di questa scrittura. Nella sua intonazione d'un grigio pacatamente luminoso, la pagina fa pensare alla parete di qualche costruzione ciclopica (il famoso « muro poligonale » di Delfo), minuziosamente incisa e istoriata di graffiti, iscrizioni, simboli e ideogrammi. E si direbbe che tale parete formicoli dei segni d'una vita impressavi, oltre che dalla volontà e dall'arte degli uomini, dal travaglio del tempo, dalle stagioni, dai cataclismi; e dagli anonimi e misteriosi passaggi e mutamenti delle credenze, delle religioni e superstizioni.

Non c'è dubbio che, senza una diretta dipendenza imitativa, il Gadda abbia qualche cosa d'un Joyce. Ne ha qualche cosa, oltre che in una quantità di aspetti secondari, che qui sarebbe lungo distinguere, nella *crânerie* del temperamento, nell'amarezza della disposizione sentimentale, e nella violenza della disposizione intellettuale, nella bizzarria della cultura; soprattutto nella capacità d'invenzione linguistica: nel dono di esprimersi attraverso le piú audaci, dotte e anche cervellotiche associazioni verbali, e i richiami e rapporti immaginativi apparentemente meno previdibili; sicuro com'è di riuscire sempre ad armonizzarli e orchestrarli a perfezione.

È un Joyce con una forte base di preparazione nelle scienze fisiche e meccaniche; e che piuttosto che sulla casistica morale dei gesuiti ha meditato su Vico e su Hegel. Un enorme materiale di impressioni, immagini, idee, cala nella sua pagina dalle latitudini psicologiche e dalle regioni culturali piú diverse. E si naturalizza attraverso la mediazione d'un linguaggio, le cui qualità di concreta realizzazione, non meno di quelle che vorremmo chiamare soltanto illusionistiche, il Gadda continuamente ritempra, con sottile magistero filologico e stilistico, nei contatti ed imprestiti dialettali.

Nell'*Adalgisa* e altre prose, si trattava, ancora sobriamente, d'innesti ed imprestiti dal dialetto milanese, ch'è poi il nativo dialetto del Gadda. Nel *Pasticciaccio* la cosa si complica, ed è portata ad estreme conseguenze. Sopra un canovaccio in lingua corrente, stratifica un impasto di dialetti e vernacoli la-

21 dicembre 1957. A Carlo Emilio Gadda è stato attribuito il "Premio letterario degli Editori italiani" per l'opera *Quer pasticciaccio brutto de via Merulana.* Al fianco dello scrittore, Alfredo Schiaffini, Pietro Citati e Gianfranco Contini.

ziali, abruzzesi, campani; ma le piú pagine son di romanesco. Non mi sentirei frattanto di garantire o smentire la proprietà e legittimità del romanesco di Gadda, fortemente lardellato di spezie ed altri sapori violenti. Si ricordino le obbiezioni al raffinato e distillato romanesco di Trilussa e di Pascarella, nel quale da ultimo la immediatezza e il profumo dialettale erano resi quasi esclusivamente attraverso i valori sintattici e fonici. E si ricordi come coloro che passano per intendersene, non si convinsero affatto ad accettare il romanesco dei *Ragazzi di vita* del Pasolini, ottimo seguace del Gadda. La questione dell'integrità d'un linguaggio dialettale o vernacolo, non conta tuttavia che fino a un certo segno. Ciò che conta sono gli effetti, i risultati; in merito ai quali, con riferimento al Gadda, e lasciando da parte gli « scapigliati » e i « maccheronici » viene appunto di rammentare certi eloqui del Pascoli e del Joyce.

Ma viene anche di sentir chiedere, come effettivamente è stato chiesto, se un odierno scrittore italiano debba necessariamente, per esprimersi, aver ricorso a macchinazioni siffatte. E lavorare piú o meno secondo il metodo attribuito al Joyce, che raccontano stendesse la sua prosa in un limpidissimo inglese d'ordinaria amministrazione, salvo poi a ritradurla e triturarla, adattandola con le pinzette dentro le inversioni e gli intarsi di *Ulysses*, e nelle filologiche eccentricità di *Finnegans Wake*. Ciò mentre la letteratura di tutti i paesi, sempre a quanto pretendono, con una sola anima, in un solo slancio, tende alla totale fusione dei cuori, alla partecipazione umana piú sviscerata. E ritrovarsi invece serrati dentro un vivaio di spinose preziosità, con le cefalee procurate da uno stile come quello del Gadda. Ma in realtà il critico non ha che fare di considerazioni del genere: d'una natura cioè in tutto esteriore; ed è soltanto tenuto a sentire e interpretare la forza creativa d'una determinata espressione letteraria.

Allora è un fatto che, nel confronto d'un libro come questo, rimane solo da constatare il frettoloso conformismo di tanta produzione narrativa contemporanea, che fra l'altro vuol farsi credere profondamente impegnata nel problema morale e sociale, mentre ne è incompetente, o gli è intimamente indifferente. E rimane da assistere, non senza uno stupore malinconico, al controsenso d'una produzione lirica che parrebbe aspirare a forme quintessenziali, di novità peregrina; laddove, con eccezioni da contarsi sui diti di una mano, è ridotta a servirsi d'un repertorio fisso di motivi e d'immagini, d'un prontuario di formule sintattiche e oratorie, d'un vocabolario piú o meno comune a tutte le letterature del mondo; adoperandoli con una tecnica banalità e un gusto monotono e tentennante da disgradare i vecchi scrittori di sonetti per nozze e per monacazioni.

Dinanzi a prodotti di codesta specie, francamente deve essere riconosciuto che una pagina, la piú brutta pagina, di Gadda, non soltanto s'impone per lo spirito che anima tutta questa singolare e robusta personalità, ma per la fermezza e il rilievo d'una realizzazione che assume un valore davvero esemplare. Non mi augurerei proprio, per mio conto, che tutta la gente ora si mettesse a scrivere sul modello di Gadda. Ma ho già avuto occasione di dire, e qui ripeto a coscienza tranquilla, che nel paragone di questa prosa, cosí solidamente contesta, cosí scolpita in sostanza creativa, troppe altre, pur pregevoli, narrazioni attuali, fanno l'effetto d'essere approssimativamente abbigliate, anzi infagottate, in vestiti di carta.

Il che vale, a mio vedere, anche dove l'insistenza nella scoperta del particolare significativo, e la volontà di liricizzarlo e farlo fermentare nelle sue valenze piú diverse, non soltanto diventano faticose, ma perfino quasi sgradevoli, ossessive. Valga ad esempio la gran gita in motocicletta del brigadiere Pestalozzi, da Marino all'antro della Zamira, eppoi al casolare della Mattonari Camilla. Si capisce che a chi, in fretta e furia, legga soltanto per sapere come vanno a finire le cose, lo scatarrare della motocicletta del Pestalozzi e i « coccodè » dei polli della Zamira, sembrino oziosi e insopportabili. Ma non si legge tanto per sapere come le cose vanno a finire. Si legge soprattutto per imparare a stare dentro alle cose, pure infime e ingrate ch'esse siano, e partecipare nei loro infiniti rapporti e significati vitali.

Per questo aspetto, il libro del *Pasticciaccio* è incomparabile. Ed invece che in una lettura che, a cosí esprimerci, procedendo da sinistra verso destra, rigo per rigo, sdipani e segua la causalità degli avvenimenti, si direbbe che vada esplorato, pagina per pagina, secondo una lettura verticale, come quella d'una partitura d'orchestra, dove si inscrive prospetticamente il legame e l'implicazione delle singole voci e degli strumenti, nella risultante d'una foltissima polifonia.

La vitalità di questa immaginazione e di questa prosa, piuttosto che nella direzione di slancio e nelle sinuosità del movimento narrativo, si attesta insomma nella immanenza di tale rapporto polifonico. Nello stesso paragrafo, nella stessa frase, in una evocazione fulminea sono fissati motivi che provengono dagli opposti confini della realtà. Sulle bestiali stupidità, le tare fisiologiche, le infamie d'una Camilla, d'una Zamira, d'una Virginia, e dei loro complici e istigatori, si librano e strapiombano, da altezza vertiginosa, come segni di stellari fatalità mezzo scancellati, come prenatali ricordi, i simbolici geroglifici di antiche religioni e cosmologie. È una sorta di colossale e formicolante spaccato della realtà. S'era già notato che questo dotto chimico ed elettrotecnico non lesse Vico per niente.

Piú dunque sembrano strani, in capitoli d'una apertura che negli autori contemporanei non è affatto frequente, i ritorni, le pause e le ostinazioni su certi temi che finiscono con assumere un che di meccanico ed abitudinario. Mi avvenne una volta di rammentare, a proposito del Gadda, l'esempio di Swift, che non sa capacitarsi, e sembra silenziosamente riferire a una sorta di sovrannaturale condanna e dannazione, che la sua amica Celia sia sottoposta, come tutte le creature, a talune quotidiane necessità corporali. Nel Gadda non mancano accenti d'una consimile qualità di irritazione ed orrore fisiologico. Si ricordi del resto come il Croce ed altri avevano mostrato, inappellabilmente, su che fragili e gratuiti pretesti speculativi (a parte la sublimità dell'emozione lirica) sia fondato nientemeno che il nihilismo leopardiano.

Analogamente a ciò che succede per motivi di questo ordine, è nel *Pasticciaccio* un ricorrente brontolio d'improperi, una scarica intermittente di verbali atrocità contro il passato regime. È possibile, benché sembri arduo, che contro cotesto regime debbano dirsi cose anche peggiori che il Gadda non dica. Comunque, nel libro, esse sono poco pertinenti, e costituiscono un intervento estraneo, un insolubile ingombro. Quasi che sotto l'imperatore Augusto, sotto Pio nono, o fra le sottane della benamata regina Vittoria, ogni tanto, in una od altra città, non venisse sgozzata qualche brava signora Liliana Balducci. E quasi che le polizie di coteste civiltà fossero tanto diverse da quella in cui presta i propri servigi il dottor Ingravallo.

Allorché il Gadda entra in una fase, in un accesso di piú accentuato malumore cosmico, di piú acre recriminazione politica o civica, si ha sempre l'impressione d'un corrispondente momento di stanchezza, inaridimento o disorientamento. E torna in mente il carbonaio del quale, in uno scritto di Chesterton, una bambina racconta alla mamma: « Mamma, il carbonaio è sdrucciolato sul ghiaccio ed è caduto con la balla del carbone; e mentre era per terra, s'è messo a parlare d'Iddio ». (S'era messo a tirare moccoli. Come Gadda quando si rifà sugli argomenti suddetti).

Questi minimi rilievi poco o nulla tolgono a un libro cosí eccezionale: uno di quei libri che in una letteratura sopraggiungono una volta ogni tanto, e oltre che per quello che materialmente contengono, in valori d'immagini e idee, s'impongono per la forza morale da cui soltanto poterono essere realizzati. Benché sia fastidioso concludere su un « avvertimento », è necessario ripetere che, in un'epoca di rilassatezza e approssimazione come quella che attraversiamo, dal Gadda ci viene una importante lezione. E sarebbe bene che gli scrittori non meno dei lettori sapessero ugualmente impararne quel tanto che c'è da imparare.

(1957)

«La cognizione del dolore»

Se non sbaglio, i primi piú precisi accenni intorno alla situazione autobiografica su cui s'impernia il romanzo (o i frammenti di romanzo): *La cognizione del dolore* di Carlo Emilio Gadda, vincitore del premio internazionale Formentor 1963, stanno nel *Giornale di guerra e di prigionia*, redatto al tempo della prima guerra mondiale, edito da Sansoni soltanto nel 1955, e che probabilmente ed ingiustamente è uno dei libri meno letti di Gadda. In cotesto libro, il Gadda aveva parlato del fratello aviatore, morto nella suddetta guerra. Da quella scomparsa, una nuova, piú faticosa situazione familiare s'era venuta creando; e, in aspetti trasfigurati dall'arte, la riconosciamo nella *Cognizione del dolore*, che apparve con altro titolo in varie puntate, fra il 1938 e il 1941, sulla fiorentina rivista "Letteratura", dove finora era rimasta sepolta.

Ho saputo che, in quaderni inediti, esisterebbero abbozzi di altre parti della *Cognizione*, che si riferiscono piú specialmente all'infanzia dell'autore, ai rapporti d'urto e corruccio fra la madre e lui, figlio superstite, ed a crisi d'altrettanto folle ed inutile rammarico e pentimento. Si tratterebbe di abbondanti stesure, buttate giú e tralasciate in una forma rozza ed approssimativa. E da esse, dopo passati tanti anni, non parrebbe di poter ricavare nessuna importante integrazione dei testi raccolti nell'edizione odierna.

Brevemente valga questo, per ciò che riguarda la storia materiale del presente volume che, a parte un bel saggio introduttivo di Gianfranco Contini, e una sorta di chiarimento di questa ristampa, esposto in forma di dialoghetto fra l'editore e l'autore, si compone di tre o quattro principali episodi e frammenti, che appunto costituiscono *La cognizione del dolore*. Tali episodi appartengono a situazioni e momenti diversi della vicenda che doveva costituire la ossatura del romanzo. Fra di essi sono numerose soluzioni di continuità; come sarebbe immaginando un bassorilievo minutamente lavorato che, per una ragione o per l'altra, fosse andato in pezzi, e del quale all'infuori dei tre o quattro episodi cui abbiamo fatto cenno, si fossero irremissibilmente perdute tutte le altre parti. Affrettiamoci frattanto a soggiungere, che malgrado quanto siamo venuti dicendo, anche soltanto da quei principali frammenti, presi nel loro insieme, si delinea una struttura narrativa folta di profondi motivi e capace di commuoverci.

Rimasta in tronco all'incirca nel 1941, *La cognizione del dolore* appartiene ad un periodo nel quale il Gadda, alla nativa esperienza dell'ambiente e del dialetto lombardo, non aveva ancora aggiunto quella, assai meno determinante, del vernacolo fiorentino (di cui si hanno tracce nel *Primo libro delle favole*, 1952), né quella del romanesco, che tanto potentemente si afferma nel *Pasticciaccio*, 1957. Nella *Cognizione*, il suo lombardismo verbale e ambientale, è invece filtrato attraverso un elemento straniero. Durante gli anni seguíti alla prima guerra mondiale, effettivamente il Gadda, nella sua qualità d'ingegnere elettrotecnico, fu in Francia, in Germania, nel Belgio e in Argentina. L'ambiente, il paesaggio e i personaggi della *Cognizione*, nonostante che nel testo di continuo torni il ricordo e il confronto della Brianza, sono sovrimpressi d'immagini, colori e nomi sudamericani. E il carattere e l'intonazione spagnolesca di tali sovrimpressioni, bizzarramente si confanno a quel senso composito e barocco che in apparenza (badiamo, in apparenza soltanto) è di tutta la letteratura del Gadda.

A grandi tratti, nel primo frammento della *Cognizione*, è grottescamente presentato lo Stato del Maradagál, che trovasi appunto nell'America del Sud, sul fianco orientale della Cordillera, e confina con lo Stato del Parapagál. Appena nel 1924 i due Stati sono usciti da una asprissima guerra, nella quale si può forse intravedere anche qualcosa da richiamarci alla nostra guerra 1915-18. Tutti e due i paesi, Maradagál e Parapagál, pretendono di aver vinto; e beneficiano d'una convulsa e barcollante ripresa di vitalità economica, del genere di quella che, paradossalmente, dopo le ultime batoste, ha goduto e gode il nostro paese. Sulla pendice della Cordillera, nelle vicinanze della città di Pastrufazio, in una delle formicolanti villette pretensiose, male in gambe e di tutti gli stili, che fanno pensare a quelle di tanti nostri suburbi balneari, abita la famiglia Pirobutirro, di antica radice europea, e ormai ridotta alla madre vedova e rimbambita ed al figlio Gonzalo.

Quanto la figura del massiccio quarantenne Gonzalo Pirobutirro, che ora entra pienamente in campo, possa o debba accettarsi come un autoritratto fortemente caricato dell'autore, sapranno decidere i lettori della *Cognizione*. È un mattino soleggiato e tranquillo. Accompagnata da una delle sue tante fantesche, che poi sono quasi sempre irreperibili, la madre di Gonzalo s'è recata al camposanto a portare fiori sulla tomba di famiglia. La villa dei Pirobutirro è silenziosa e deserta. Profittando dell'assenza della madre, Gonzalo, malato immaginario, ha mandato a chiamare ed aspetta per una visita il medico di casa, al quale in realtà non ha da dire nulla di nuovo. E neppure il buon dottore s'aspetta di sentire grandi novità; ma la sua pazienza ancora una volta aiuta Gonzalo a rompere un silenzio seppelliti nel quale i suoi rancori familiari, lievitando ed invelenendosi, minacciano di diventare quello che ogni tanto finiscono col diventare completamente: veri deliri e ossessioni.

Nel lunghissimo colloquio del medico, prima con la serva Battistina eppoi con Gonzalo, colloquio che occupa quasi una metà del volume, la situazione viene insomma impostata e messa a punto; provvisoriamente restando in chiave d'un pettegolezzo domestico, che talvolta sfiori lo stridulo tono dell'isteria. Materialmente trasportate fuor del contesto di questa confessione del protagonista col suo confidente, le ragioni della rivolta di Gonzalo contro la madre e contro la memoria paterna, potrebbero apparire troppo eccentriche e meschine, e scoprire del tutto la latente paranoia di Gonzalo. Si preferisce quindi di lasciare anch'esse fra le pagine della *Cognizione*. L'importante è che tali ragioni, quantunque misere e penose, sono sempre vere, vive e valide per sé stesse, e non astrattamente dedotte dagli schemi e formulari di Freud, di Jung o di Sartre, come succede nella maggior parte delle perpetrazioni romanzesche, italiane e forestiere, particolarmente dedicate all'esplorazione dei labirinti e misteri della cosidetta coscienza moderna.

Un successivo, piú breve tratto di racconto, è di tono e movimento apertamente burlesco, e rientra nel repertorio di quella satira di costume che fornisce tanti motivi all'immaginazione del Gadda, quando essa non abbia da mettere sotto alla macina una materia poetica piú generosa. Non soltanto la derelitta madre di Gonzalo, quasi del tutto *svampita* (come avrebbe detto Pasquali), nella villa di cartapesta, dove il marito volle investire la residua, sparuta sostanza familiare, si diverte a cucinare e imbandire, poiché è ottima cuoca, sopraffini manicaretti alla tavolata delle sue lavandaie e serve meticce che non hanno nulla da fare e non servono a niente. E non soltanto, ridotta una larva com'è, si ostina a portare, esageratamente vistose, buccole di brillanti, memoria d'una tramontata agiatezza, che le danno l'aria d'un teschio ingioiellato. Ma con gran rabbia di Gonzalo, sta perfino cedendo alle borghesi sollecitazioni d'una sorta di equivoca impresa di vigilanza, che ha sede a Pastrufazio, e che vorrebbe farle scritturare un guardiano che garantisca la notturna sicurezza della mentovata villetta. Per colmo di ridicolo, si tratta del guardiano Palumbo Manganones, reduce dalle battaglie fra Maradagál e Parapagál, che fingendosi diventato sordo per lo scoppio d'una granata, e per scroccare cosí una pensione di guerra, è cagione d'una serie di scambi d'identità ed incidenti di caserma fra i piú farseschi e spassosi.

Questo genere d'incidenti prepara un contrasto quanto mai risentito con l'ultima parte del libro rimasto interrotto. Ed in essa la figura della madre prevale, non piú come oggetto di sogghigno e rabbuffo, quanto di desolata compassione. Di notte, nella solitudine della villa, la vecchia con i suoi brillanti si aggira come uno spettro. Fra altri fantasmi del suo lagrimevole passato, le viene incontro il morto figlio aviatore, e piú acutamente le fa sentire l'assenza di Gonzalo, non ancora rientrato da uno dei suoi viaggi che nessuno può dire se abbiano ragioni di lavoro, o non siano altro che vere e proprie fughe dall'insopportabile inferno familiare.

Quando infine a tarda ora giunge Gonzalo, la vecchia vorrebbe dargli un boccone di cena. Ma nonostante il suo corteggio di cameriere e di sguattere (che frattanto sembrano tutte sparite), in casa non c'è nulla da mettere in tavola. Il tremante smarrimento della vecchia, che brancola fra le saliere e le posate, disarma anche Gonzalo. E il racconto divaga e si sbriciola in un sommesso affiorare, in un anonimo mormorío di vaghe rievocazioni, in un intreccio amebeo di lontani ricordi; mentre l'egoismo, l'irritazione e la stessa nevrosi finiscono con l'ammansirsi e dissolversi in un senso di straziante pietà.

Fosse stata l'opera intieramente compiuta, o se almeno anche in quest'ultima parte avesse conseguito la complessità e nitidezza d'orchestrazione del frammento della « visita medica », la *Cognizione*, per speciale virtú di quel gran tema dell'odio-amore materno, avrebbe potuto avvicinarsi al *Pasticciaccio*, che a tutt'oggi, anch'esso incompiuto, rimane certamente il capolavoro di Gadda. Nella prosa delle ultime parti della *Cognizione* è tuttavia un che di misteriosamente nuovo, per la levità del tocco, la musicale, sfumata deliquescenza, qualche cosa d'aereo e inafferrabile; e rimane il rammarico che il Gadda, a quanto si sappia, non abbia seguitato anche in cotesta direzione.

Si potrebbe ora domandarsi quali motivi abbiano fomentato il crescente consenso per l'arte del Gadda. Fra tali motivi vorrei ricordare intanto questo. I lettori meno coriacei non possono alla fine non essersi stuccati d'un ostinato tipo di prosa banalmente espositiva, che discende da moduli consunti, e piú o meno costituisce il gran *recipe*, la ricetta a tutt'uso della narrativa corrente: ricetta che, senza offesa per nessuno, in parecchi casi sembra mutuata dal piú frusto giornalismo. Una volta decisi a dedicare un po' piú di attenzione alla pagina del Gadda, per forza i lettori dovettero accorgersi presto che non sempre essa scorreva placida e lubrificata. Ma che come una rete piena di pesci essa era infallibilmente irta e luccicante di sensazioni, carica d'una precisa e tremenda vitalità in ogni sillaba e giuntura. Impressioni simili diventano facilmente contagiose; e soltanto l'estrema difficoltà del necessario mestiere impedisce una sfrenata imitazione del modello di Gadda.

Ma altro e maggior motivo dell'autorità di questo artista, è la sua potente fedeltà e vocazione di dolore. Tutti cercano e mettono in mostra dolori che abbiano un prestigio politico, una apparente anche se sofistica novità di significati intellettuali. E il piú delle volte si tratta di roba di moda o di notissimo imprestito. Nella umiltà, nella miseria quasi inconfessabile delle angosciose esperienze da cui egli parte, è sempre nel Gadda la piú profonda e direi sacrale autenticità. Per questo la sua arte, se esige una sincera partecipazione, è tanto suggestiva ed ha una presa cosí forte e tenace; e per questo ci appare cosí ricca anche in produzioni che sembrerebbero soltanto frammenti ed abbozzi.

(1963)

L'arte di Corrado Alvaro

L'estetica contemporanea ha distrutto la fede in una quantità di concetti e distinzioni sopra i quali, fino a una cinquantina d'anni addietro, la gente ragionava e lavorava tranquilla e serena, come il muratore che costruisce sulla roccia. Chi oserebbe piú, al giorno d'oggi, prendere alla lettera le idee di « naturalismo » e « verismo », delle quali, nelle critiche e nelle polemiche, fu fatto tanto spreco, al tempo del Verga, del Capuana, della Serao e del Fucini? Tutti ormai sanno che nessun artista ricopia e riproduce il vero e la natura quali sono: per la pura e semplice ragione che coteste sono operazioni inconcepibili. Tutti sanno che, cacciati dalla porta, la personalità, o, come oggi si dice, il lirismo di uno scrittore, rientrano dalla finestra, inevitabilmente. Il che non toglie che, nel discorso comune, quelle empiriche distinzioni di « naturalismo », « verismo », e consimili, tendano anch'esse di continuo a ritornare. E tendono a ritornare, perché hanno una loro innegabile utilità.

Prendiamo, per esempio, un nostro autore, ancor giovane ma già famoso: Corrado Alvaro, in occasione del suo nuovo libro di racconti e novelle, intitolato: *Incontri d'amore*. In quasi tutti i critici, e sono stati tanti, che trattarono l'Alvaro, sotto il calore e il trasporto del consenso fu sempre palese una sorta di difficoltà e di perplessità. Fino da quando, or sono dieci anni, egli dette, in

Gente in Aspromonte, un'opera dopo la quale sarebbe stato impossibile e assurdo dubitare della sua forte vocazione.

Ora non c'è dubbio che Alvaro è un artista non facile a definire. A certi punti della sua carriera, egli è sembrato improvvisamente ritornare sopra i propri passi, per poi risbucare fuori da tutt'altra parte; sempre inquieto, sospettoso e al tempo stesso deciso e testardo come un vero contadino. Nella sua apparente rudezza e quasi rozzezza, pochi hanno come lui tante letture e cosí prelibate, e un tesoro d'esperienze cosí sottili e diverse. La sua pagina sembra a volte sprezzata e quasi negletta; ma un buon lettore non stenta ad accorgersi quanto invece sia addentro sofferta e scavata. Nel fatto, tutta questa complessità, e a volte quasi torbidità, comincia a ordinarsi e chiarirsi ed a prendere un corso e un orientamento se, ripensando al punto di origine dell'arte d'Alvaro, invece d'imbarcarsi in troppo astruse interpretazioni, ci rifacciamo bonariamente al naturalismo del Verga, in novelle come « Rosso Malpelo » e « Jeli il pastore », dove il Verga rusticano esce in una maniera di comporre piú libera e poetizzata.

Uno studioso che alla brillante acutezza preferisce, anche troppo, il buon senso e la solidità degli argomenti, Pietro Pancrazi, una volta ebbe a illustrare come la tradizione del nostro « naturalismo » e « verismo » si svolga ed atteggi nel corso di tre successive generazioni. Siciliani e napoletani, intorno al Verga, si tennero strettamente legati alla formula naturalistica e documentaria, e l'applicarono forse piú rigidamente che il Verga non avesse mai fatto. Nella seguente generazione, il D'Annunzio, il Pirandello e la Deledda, sempre credendo di muovere dal Verga, già partono da un naturalismo modificato. E sotto a una quantità di teorie, e con una quantità di etichette, l'opera di questi tre scrittori sostanzialmente si può riportare ad un'unica parabola, e come ad un transito dal « naturalismo » al simbolismo. Passata un'altra generazione, in condizioni culturali assai mutate, si assiste con Alvaro a un fenomeno analogo. Il punto d'inserimento nella tradizione, si trova anche per Alvaro nel « naturalismo » verghiano; se non voglia dirsi, con maggiore esattezza, che nei suoi primi libri veramente vitali, *L'amata alla finestra* e *Gente in Aspromonte*, la posizione naturalistica viene da lui riconquistata, non senza travaglio, dopo talune incertezze e sbandamenti nelle opere d'esordio.

Ma si è già notato che, nonostante quella sua aria profondamente onesta e simpatica d'uomo di campagna, di buon artigiano, Alvaro ha una preparazione letteraria estremamente scaltra, ha intelletto che fa presa su tutte le piú interessanti e capziose novità del gusto contemporaneo. È un primitivo, e al medesimo tempo un intellettuale. Un barbaro, nel senso carnale e sanguigno di questa parola, e al medesimo tempo un secessionista. La sua scrittura che a volte si direbbe cosí istintiva da permettersi perfino d'esser trascurata, poi, in un

CORRADO ALVARO

QUASI
UNA VITA
GIORNALE
DI UNO SCRITTORE

BOMPIANI

Lo scrittore Corrado Alvaro in un disegno di Pietro Lazzari.
Frontespizio della prima edizione di *Quasi una vita*, 1950.

epiteto, in una increspatura, in una iridescenza, s'impreziosisce delle grazie piú squisite.

Uno scrittore con un simile temperamento, portatelo lontano dalla provincia che, frattanto, egli reca nel sangue e non potrà mai tradire e dimenticare. Ancor quasi ragazzo, cacciatelo nelle prove terribili della guerra. Eppoi, con qualche incarico giornalistico, speditelo in paesi: la Germania, la Russia, che nel dopoguerra bollivano come caldaie in continuo procinto d'esplodere. Insieme ad altre piú gelosamente personali, queste furono le esperienze d'Alvaro. Immaginatelo, con la sua curiosità di popolano, con la sua dura volontà e la sua enorme capacità di lavoro, e col bisogno alla gola che lo obbliga a darsi da fàre, e produrre. Immaginatelo in un tempestoso crocevia, in mezzo all'Europa. Soffiano d'ogni parte le passioni e le idee. Il mondo cambia faccia come in un incubo. E lo scrittore, dentro a questo colossale tumulto di cose nuove, non ha come punto d'appoggio che la propria attenzione e la propria sensibilità.

Ne venne un faticoso tirocinio che, per una parte, poté essere sostenuto e

L'erta salita di un villaggio calabrese.

guidato da ragioni ed evidenze d'intelletto e cultura. Ma che, per un'altra parte, e la massima, si raccomandava al fiuto, all'intuizione; a quelle qualità sensuali, e starei quasi per dire animali, di contatto con la realtà, che tuffano con le loro radici dentro il fondo regionale e naturalistico di questo temperamento. Un simile incontro di naturalismo regionale ed europeismo s'era già dato, e fermentava, negli stessi anni, in Pirandello; ma da una sensibilità piú amara, con un mordente intellettuale piú dialettico e sofistico, e con un bisogno di risalti e contrasti violenti.

Alvaro, pur con tutto il suo romanticismo, ormai apparteneva ad una generazione che aveva scelto di parlare d'una voce non troppo alta, di muoversi in una luce non troppo contrastata; che preferiva i mezzi toni, le penombre.

Non sarebbe però esatto sostenere che cotesta fusione si compiè con uguale misura e fortuna da un capo all'altro della sua opera. Cosí, nei suoi romanzi piú impegnativi, *Vent'anni* e *L'uomo è forte*, per esigenze connesse alle proporzioni di tali lavori, che richiedevano una robusta ossatura, Alvaro ora sterzò piú da una parte, ora piú dall'altra; e si avverte in diverso senso lo squilibrio e l'eccesso. Con ciò non si vuole affatto negare quanto di suggestivo era nell'*Uomo è forte*; e lo dimostrò il consenso che l'accolse e che ancora l'accompagna. Ma era altresí impossibile non sentire, in cotesto romanzo, un cerebralismo un po' equivoco e sovrapposto; non sentire il cigolío dei congegni. E in talune parti, un'atmosfera astratta, fredda, spaesata, come quella di certe opere che si leggono tradotte.

Il volume ora uscito, *Incontri d'amore*, fa piena ammenda di queste manchevolezze. E ci richiama all'*Amata alla finestra* e a *Gente in Aspromonte*, per l'abbondanza e la felicità dei motivi; ma in una arte infinitamente piú matura. Non mi sentirei di dar torto a chi finisse per giudicarlo, a tutt'oggi, il piú bel libro d'Alvaro. Tra i primi ad adoperare la novella e il racconto in forme che quasi si confondono con quelle della divagazione lirica e del poemetto in prosa, Alvaro ha selezionato e raccolto il frutto di una diecina d'anni di sua attività in questo campo. Di una trentina di novelle che compongono il volume: « La cavalla nera », « La moglie di Giovannino », « Il ragazzo solitario », « I fiori dei conventi », ed altre tre o quattro, resteranno probabilmente fra le piú memorabili della nostra letteratura odierna. E sono ancora quelle nelle quali è piú acuto il senso della terra, e di corpi e d'anime strettamente legati e mischiati alla terra. Perché in Alvaro, o almeno nell'Alvaro piú genuino, anche le vite delle anime, e i loro affetti piú segreti e piú distaccati dalla realtà, sono impregnati di questo profondo e misterioso odore terrestre, che esalta come dai riti d'una religione primordiale.

Che sia o no il vero sembiante della Calabria, quello che illumina tante pagine d'Alvaro, non sapremmo dirlo. Certo è che, dalla forte terra calabrese, la sua arte s'è mossa e fatta degna di esser ricordata vicino a quella del Verga, di Pirandello, della Deledda, della Serao. Diversa ma fraterna. Ancora arrisa (poiché Alvaro è giovane d'animo e d'anni), ancora arrisa da un futuro pieno di promesse. La tempra dello scrittore, la sua fedeltà al proprio lavoro, ci sono garanzia che tali promesse diventeranno altrettante splendide realtà.

(1941)

Taccuino di Alvaro

Quasi una vita di Corrado Alvaro è una fitta raccolta di ricordi, pensieri, motivi, osservazioni, che copre il ventennio 1927-1947, e che l'autore chiede esplicitamente non sia considerata né come un diario né come una autobiografia. Probabilmente ogni vero scrittore ha in cassetta qualcosa di simile: come un brogliazzo, uno scartafaccio della propria esperienza; e va dentro a razzolare e a pescarci, in qualche momento di minor vena. Un fatto di cronaca ricopiato dal giornale, un pettegolezzo sentito in un salotto, una figura intravista per la strada, la impressione d'un paesaggio, la citazione della pagina d'un libro: con un po' di lavoro, da uno od altro di cotesti spunti ed embrioni, può nascere un racconto, un articolo, una scena di romanzo; benché la maggior parte siano destinati a rimanere crisalidi, e mai diventeranno farfalle.

Di regola, documenti siffatti, solevano non essere pubblicati che postumi. I *Giornali intimi* di Baudelaire uscirono nel 1887. Lo *Zibaldone* di Leopardi non fu finito di stampare che nel 1906. Una delle prime eccezioni fu fatta nel 1872, da Edmond de Goncourt. Ma il diario di Barbellion apparve che l'autore era già piú di là che di qua. E i taccuini di H. James si sono avuti solo nel 1947. Frattanto, Green e Gide copiosamente rendevano di pubblica ragione i loro quaderni. Ai quali tuttavia non accosterei, per fare un esempio d'altro genere: *Giardini e strade* di Jünger; perché manifestamente si tratta di un diario ripreso, composto e rielaborato. Il che non ne diminuisce affatto l'autenticità: al contrario, sulla immediatezza e naturalità dell'esperienza apponendo il sigillo della riflessione e di una volontà stilistica, ch'è accrescimento di coscienza, e perciò di realtà.

Non è difficile che a taluni, in *Quasi una vita*, faccia l'impressione che ci siano un po' troppi aneddoti, dicerie, fatti e fatterelli: insomma, un materiale che può dirsi di seconda mano e di riporto; meglio utile per documentare un ambiente, in un determinato momento storico, che a direttamente illuminarci intorno a ciò che, in un libro di questa sorta, piú di tutto dovrebbe interessare: la personalità dell'autore. Ma è bene, in primo luogo, che qualcuno abbia registrato e conservato questo materiale; che specie nel periodo dell'ultimo decennio, dalla complessità e tragicità degli eventi politici e militari, trae una particolare importanza. Tanto piú che nella scelta del materiale stesso, e nella sua dosatura e presentazione, è una palese e convincente sollecitudine di verità. E dato, infine, che intorno all'Alvaro scrittore ed artista, nei suoi romanzi, nelle novelle, nei libri di viaggi, ecc., abbiamo una quantità d'altre testimonianze piú confacenti: non sembra arbitrario, in *Quasi una vita*, considerare sopra ogni altra cosa, l'osservatore di fatti politici e sociali. Si capisce ch'è sempre un artista che li scruta, li vive, li commenta; e vediamo appunto certi suoi atteggiamenti ed interpretazioni.

Fra i non trascurabili contributi alla letteratura dell'immediato dopoguerra, fu un eloquente saggio di Alvaro: *L'Italia rinuncia?* Le calamità del nostro paese, accresciutesi fino alla dittatura, al crollo di essa e all'occupazione alleata, anche Alvaro le faceva dipendere dalla immaturità politica, dalla tradizionale amoralità italiana, dalla cronica disposizione al compromesso; e chi piú ne ha piú ne metta. Giudizi di cotesto stampo, hanno di buono che il giudicante non si troverà mai a mani vuote. Denunciare cosí genericamente le umane colpe, è un argomento (forse di lontana origine pretesca) in apparenza inesauribile e impressionante; benché sia poi da vedere quanto storicamente efficace. Come quando fu di moda spiegare i mali d'Italia, con la ragione che da noi non s'ebbe Riforma, né si ebbero i relativi benefizi civici e morali. (Si è visto infatti, e si vede, in quale condizione si trovano popoli che della Riforma furono promotori e assertori.)

La verità è che gli avvenimenti che, dalla fine dell'Ottocento, si incalzano, e minacciano di travolgerci tutti, sempre meno si lasciano misurare da criteri moralistici. E l'enorme crescita delle popolazioni, gli sviluppi della civiltà meccanica che sconvolge il sistema di produzione e distribuzione della ricchezza, e la formazione dei partiti di massa, non li arresterete, non li devierete, né potrete incanalarli, invitando la borghesia a recitare l'atto di contrizione per la propria insufficienza morale e politica, ed a battersi il petto. Basterebbe del resto, per l'Italia, cominciare dalla considerazione che, nel 1870, per ogni italiano, era un ettaro e un terzo di terra; e nel 1940, tre quarti di ettaro.

L'Alvaro di *Quasi una vita* è infinitamente piú libero, umano e spregiudicato di quanto non fosse l'Alvaro di *L'Italia rinuncia?* Né poteva essere altrimenti; dato che costí egli non si è proposto d'imbastire, con idee proprie e altre idee d'imprestito, qualche sorta di costruzione o diagnosi storica. Ma opera bensí nel calore delle emozioni, sul mordente dei fatti; e il suo istinto di artista gli fa cogliere a colpo sicuro il senso valido, la sfumatura esatta; gli fa quasi sempre imbroccare la strada buona.

Cosa rara, in questi tempi conformisti e tramortiti, nei quali tutti cercano di legarsi a qualcosa, e di mettersi in qualche modo al sicuro: uno che scrive, e di tale materia, senza la minima inflessione propagandistica; senza tendere l'orecchio a quello che, dietro alle sue spalle, potrebbe essere il suggerimento d'un partito, d'una fazione, d'una ghenga. Che non assume pose benemerite; non si gonfia la bocca con parole di libertà e democrazia; non si fa scrupolo di dispiacere, su una stessa pagina, a tutti e due gli antagonisti delle lotte d'ieri o di quelle di domani. E non incrudelisce nella polemica retrospettiva, e quasi mai la trascina oltre i termini di una angosciata pietà; al contrario dei troppi servi sciocchi d'ieri; oggi tutti indaffarati a stillare, dal loro cervellino di mosca, ridicoli ma redditizi veleni.

Specie nei capitoli degli anni di guerra, lo spettacolo e l'esperienza di tanti dolori, ingiustizie ed infamie, tempera il risentimento un poco oratorio e didattico che, come dicevo, talvolta ci disturba in *Italia rinuncia?* E si riascolta quell'accento di verità antica e terragna, di virile e popolana solidarietà, che nobilita le pagine di *Gente in Aspromonte* e di certe novelle. È una delle piú severe riprove della validità di cotesta arte: che essa impresti cosí spontaneamente la propria misura alla materia di queste cronache. Delle quali, non rammento piú dove, avevo letto, tempo addietro, il capitolo che narra la vita dell'autore, sotto falso nome, in Chieti, in attesa degli alleati. E ne avevo riportato impressioni che, in tutto e per tutto, il libro conferma e potenzia.

L'interesse per gli anni delle nostre prove piú aspre, ha fatto sí che in *Quasi una vita*, abbia finito col trascurare note e memorie, piú distanti, d'un viaggio nella Germania ormai precipite verso il nazismo, e di altri viaggi in Russia ed in Turchia. A parte il loro valore intrinseco, esse variegano il corso ed il colore d'un'opera ch'è di gran lunga fra le migliori di questa nostra ultima stagione letteraria. Io non ho potuto considerarne che un aspetto, sia pure molto rilevante. Ma sappia il lettore come volentieri l'avrei accompagnato nelle minuziose scoperte ch'egli farà per proprio conto; e dalle quali fino da ora posso promettergli il piacere piú schietto.

(1951)

Racconti di Alvaro

Nel volume: *75 racconti di Alvaro*, insieme ai racconti del libro: *Incontri d'amore* (1941), da tempo esaurito, sono riuniti, all'incirca nello stesso numero, e sotto il titolo: *Parole di notte*, quelli della sparsa produzione successiva. *Incontri d'amore* fu uno dei libri preferiti dai lettori d'Alvaro. L'aggiunta di *Parole di notte* ci permette di seguire la interessante evoluzione di questa novellistica, che negli *Incontri* aveva avuto di certo uno dei suoi momenti piú alti. Ed è facile profezia che l'odierno volume dei *75 racconti* resterà uno dei pilastri fondamentali nel repertorio di questo scrittore.

Una volta il Pancrazi provò ad illustrare come la tradizione del nostro naturalismo e verismo si fosse svolta nel corso di tre generazioni. Siciliani e napoletani, intorno al Verga, s'erano strettamente tenuti alla formula naturalista e documentaria, applicandola forse piú rigidamente che il Verga mai avesse fatto. Nella seguente generazione, il D'Annunzio, il Pirandello e la Deledda partivano da un naturalismo già modificato. E sotto a una quantità di teorie e orientazioni incidentali, la loro opera percorse una lunga e tortuosa parabola verso il simbolismo.

Alla terza generazione, in condizioni culturali molto diverse, si assiste con Alvaro, col Tozzi, e non soltanto con essi, a un fenomeno analogo. Dopo le inevitabili incertezze del periodo formativo, il punto d'inserimento tradizionale si trova, anche per Alvaro, nella direzione del naturalismo verghiano. Ma, a parte la qualità del linguaggio, che in Alvaro non si atteggia affatto sui movimenti sintattici della provincia, né accoglie la materia verbale del dialetto, chi penserebbe ormai piú al Verga, al De Roberto o al Capuana, leggendo ad esempio la bellissima *Cavalla nera*, che appunto apre il libro dei *75 racconti*?

Guardata in superficie, l'opera di Alvaro ha un corso assai facile ed omogeneo. Non vi si riscontrano, ed è ottimo segno, quelle violente contraddizioni del gusto, quelle gratuite bizzarrie, quell'ingordigia d'illegittimi imprestiti, che caratterizzano gli scritti di tanti suoi coetanei, o di poco piú giovani. Per dirne una: le nuove formule della narrativa americana ebbero per lui poco interesse; perché ciò che ne sarebbe stato utilizzabile, egli l'aveva trovato già in Verga. D'altra parte, il suo intuito psicologico era di natura troppo schiettamente antica e popolana, per venire contaminato da quel freudismo da orecchianti, che a parecchi forní l'illusione di aver saputo discendere in chi sa quali inaudite profondità dell'anima e del sentimento, finché si ritrovarono con un pugno di mosche. E per quello che infine riguarda l'impegno politico e polemico, al quale egli rimase tutt'altro che estraneo: Alvaro ebbe il buon senso di esprimerlo oggettivamente, a suo luogo e nei modi dovuti. Ci sarà piú o meno riuscito; ma è certo ch'egli non cercò mai di ricavarne un movente, un ornamento, o un vistoso motivo di richiamo della propria arte.

Questo atteggiamento solitario, appartato, e non senza una tal quale sospettosità, dinanzi ai molteplici inviti della cultura e dell'intellettualismo contemporaneo, risponde, com'è ovvio, alla natura dell'uomo, irriducibilmente legato alle sue origini paesane, alla sua aspra terra, e ai dolci e dolenti ricordi dell'infanzia e della gioventú. Non per nulla il Gargiulo, scrivendo dei primi versi d'Alvaro, li classificò in un capitolo: *Popolareschi*, insieme a quelli del povero Locchi, ed a quelli di Malaparte e Maccari; necessariamente distinguendo fra le beffarde cadenze e i ritornelli satirici della cosiddetta lirica di « Strapaese », in questi due ultimi, e il cupo rimpianto della casa lontana, in Alvaro.

La fedeltà all'ambiente nativo e alle sue memorie, della quale sono cosí numerose ed esplicite testimonianze, specialmente in *Incontri d'amore*, si ritrova intatta dalle poesie giovanili, ai romanzi e racconti della piena maturità, e fino a quelli d'ieri. Perché essa costituisce la disposizione elementare del temperamento di Alvaro, è il piú robusto lievito della sua immaginazione, il segreto contrappeso dei suoi atteggiamenti. Le ansiose condizioni di vita che anche a lui furono imposte dal nostro tempo ingrato; le occasioni del lavoro giornalistico che nel primo dopoguerra lo sospinsero in paesi come la Germania, il Vicino Oriente, la Russia, dove l'inquietudine sociale e morale era piú violenta e piú torbida; fra i nostri autori, la particolare frequentazione del Pirandello, con la sua problematica geniale e confusionaria: tutte queste cose, come accennato, non incisero sulla sua formazione e il suo sviluppo, in un aspetto definitamente intellettuale e culturale; anche se di cultura e di capacità critica Alvaro sia stato sempre tutt'altro che sprovveduto.

Non lo condussero a deliberate scelte, ad una od altra presa di posizione, riguardo ai movimenti spirituali che si susseguirono nell'epoca: l'idealismo crociano o quello gentiliano, l'ermetismo, il neorealismo, l'esistenzialismo. Sue preferenze estetiche, sue valutazioni di scrittori ed artisti, possono indovinarsi con ragionevole approssimazione; ma nel fatto non si conoscono, si può anche pensare che non furono mai formulate. Il che non deve attribuirsi a indifferenza o reticenza, a un desiderio di non compromettersi, ma piuttosto ad un complesso e geloso intuito della realtà, con le sue vitali ambiguità, le sue interne contraddizioni.

L'importante è che ogni dato dell'esperienza gli si trasformava e rifluiva in sensazioni ed immagini d'una gravità talora involuta, e tuttavia d'una verità inoppugnabile. Se un paesano, un contadino, avesse condiviso tali esperienze (fra le quali non dimentichiamo quelle della prima guerra, nel romanzo: *Vent'anni*; e della seconda: nel diario: *Quasi una vita*), non avrebbe di certo saputo esprimerle con quelle stesse parole; ma le avrebbe, inarticolatamente, sentite in un modo molto vicino a quello nel quale le sentí Alvaro.

In questo è la sua originalità ed autenticità: in una serietà naturale e comunicativa; in una gravità (ho detto avanti) che non si vorrebbe chiamare primordialità, solo per non adoperare parole grosse; le quali, nel caso specifico, farebbero poi piú confusione che altro. E ciò per la principale ragione che, al senso del primordiale, del primitivo ed elementare, noi siamo sempre portati, arbitrariamente, ad associare una qualità d'espressione sommaria, corposa e di forte risalto; laddove la espressione d'Alvaro è di tutt'altra sorta.

Meglio assai che per la novità e la saldezza del disegno e della composizione, per la vivacità del movimento e del ritmo, o per la precisione e la dignità della scelta verbale, la prosa di Alvaro si distingue per una qualità di suggestioni piú indeterminate, ma non per ciò meno valide. E si rivela soprattutto scrutandola in trasparenza, per un'infinità di cose che galleggiano dentro la sua massa amorfa, quasi direi glutinosa. Vi luccicano brevemente e scompaiono, prima ancora che ci rendiamo conto che siano state espresse compiutamente, o quel tanto che occorreva; ed hanno animato quella massa della loro misteriosa vibrazione e scintillazione. In altri termini, la nativa ricchezza interiore dell'uomo sopravanza l'abilità dell'artista. Se non voglia supporsi che tale abilità consiste proprio nell'astenersi dal controllare troppo rigidamente quella ricchezza per darle forma, nel rispettarne le apparenti oscurità, incertezze e dispersioni.

Come vide bene il Sapegno: « La esuberanza dei motivi umani e letterari che confluiscono nella prosa d'Alvaro, creando una fitta trama di riferimenti morali e di simboli, spiega quel che di fermentante, di irrequieto, di torbido, di saltuario, s'avverte talvolta nella struttura delle sue invenzioni e nello stile. Ma dove egli tocca i suoi temi piú congeniali (e meglio che nei romanzi, nelle novelle), allora anche lo stile, con l'affollarsi delle immagini dense e indefinite, con l'impasto greve ed acceso dei colori, con quella sorta di alone musicale che investe e trascina anche le scorie e i detriti di un linguaggio non di rado incerto e approssimativo, s'intona appieno alla materia... ». Ed abbiamo, come nei *75 racconti*, l'Alvaro migliore.

Vorrei soggiungere subito che questo migliore Alvaro s'incontra spesso. E forse proprio per effetto di quella discrezione con la quale l'arte esercita qui il proprio governo: per la mancanza insomma d'ogni segno di velleità estetizzante, e di sforzo letterario, il livello di questa prosa, quali di essa siano i limiti e le carenze, è piú costante di quanto sembri credere il Sapegno. Ci saranno composizioni e pagine piú o meno belle. Ma non ci sono, o rare, pagine a vuoto, fabbricate, estranee alla sostanziale ragione di questo temperamento. Anche nelle cose che possono considerarsi piú mancate, è sempre l'embrione, la traccia, il ricordo d'un motivo vitale.

Ora che, come per tutti, anche per l'Alvaro gli anni sono passati, è sempre meno frequente che la materia dei suoi mesti idilli, delle memorie, e delle interpretazioni e trasfigurazioni della realtà, gli si atteggi e distenda nelle forme d'un racconto spiegato, con i suoi variopinti scenari paesistici, e gli intrecci e le soluzioni dei movimenti psicologici e sentimentali. Valga ad esempio, in *Parole di notte*, un gruppo di prose che rievocano figure ed eventi sulla fine dell'ultima guerra. Nelle quali prose, dove la relazione con i fatti sembrerebbe che dovesse essere piú stretta e coerente, la struttura narrativa finisce invece col frantumarsi e disperdersi in una quantità di apparizioni, sotto alla cui parvenza realistica si nasconde una strana e inquietante natura simbolica.

1. La scrittrice Anna Banti col marito Roberto Longhi.
2. Gianna Manzini nell'intimità della sua casa.
3. La scrittrice Fausta Cialente.

Nel corso del tempo, il procedimento sembra diventare piú e piú preferito. La evocazione d'un'immagine, il piú spesso di donna, balza da un incontro, da un ricordo casuale, escludendo, lasciando in penombra tutte le circostanze accessorie. Si direbbero talora volti, atteggiamenti, segnati con forte chiaroscuro su un foglio mezzo bruciacchiato; e la parte del disegno ch'è scomparsa, e l'abbronzatura del fuoco sul margine superstite, non fanno che accrescere il mistero della figurazione. E cosí si capisce come Alvaro mostri ora di tendere al teatro, dove la poesia di evocazioni simili è ad un tempo piú libera e piú intensa. Se anche nel teatro egli riuscisse a dare quanto finora ha dato in questi altri campi, egli dovrebbe chiamarsi davvero contento della propria sorte.

(1955)

Il primo libro di Anna Banti

Anna Banti: chi è costei? Qualcosa se n'era visto, due anni fa, in "Occidente" ed altri periodici letterari. Ma soltanto con questo *Itinerario di Paolina* possiamo cominciare a farcene un'idea assai precisa. Sembra cosí che, a poco a poco, anche i quadri della nostra letteratura femminile si stieno rinnovando. Alle scrittrici d'impeto e slancio: tipo Deledda, Aleramo, Drigo, Negri, vengono ormai accompagnandosi scrittrici non meno sincere, ma piú complesse e riflesse. E sul piano di questa inaspettata Anna Banti, ci basti ricordare la Cialente e Gianna Manzini.

L'argomento dell'*Itinerario* è vastissimo ed insieme semplicissimo: la storia d'una fanciulla borghese, dai primi, tenui ricordi d'infanzia, al tempo che, finiti gli studi, la fanciulla s'affaccia risolutamente alla vita. Una storia nella quale, alla fine dei conti, non capita nulla; o solo quelle comunissime cose che succedono a tutti: le villeggiature, un cambiamento di città, le amicizie scolastiche, la scomparsa di una persona cara. Il taglio del racconto evidentemente è autobiografico, nonostante l'uso della terza persona.

Appena cominciato a leggere ci si persuade che quest'uso della terza persona non è un espediente per far lievitare e per romantizzare la materia, ma, tutto al contrario, è un espediente di verità espressiva, un metodo per ottenere la maggiore esattezza di definizione. In ogni pagina, il libro è caratterizzato da uno sforzo di nitidezza, da un bisogno di chiarezza intellettuale, che non vien meno anche dove, come nei capitoli sulla primissima infanzia, la materia è impalpabile, quasi ipotetica. Costí il ricordo personale avrebbe potuto apparire inverosimile e caricato. Una quantità di cose non poteva rivivere soltanto dalla memoria; e doveva essere creata a nuovo, per virtú di una intuizione poetica posta strettamente a servizio della verità.

Press'a poco, la scrittrice partiva da disposizioni e motivi, in opposte maniere, elaborati da Caterina Mansfield e Virginia Woolf. Novelle Circi, esse compierono tante stragi, nell'ultimo decennio; e si misero sotto ai piedi tanti e tanti ingegni, non solamente femminili, l'una incantandoli con le sottili crudeltà del suo impressionismo magico; l'altra col suo lirismo lievemente allucinativo, come una interminabile e trasparente fluttuazione di veli. La Banti, nel suo piccolo, ha voluto seguire altra strada che quella dell'imitazione. E a ciò, forse, l'hanno anche aiutata certe limitazioni e quasi sordità del proprio temperamento.

Perché alla straordinaria ricchezza e quasi sovrabbondanza del repertorio psicologico, alla minuziosità del formulario di chimica umana, fa riscontro un'altrettanto straordinaria facoltà di reticenza lirica, sorvegliatissima, fin ostentata. Giunta alla soglia d'una quantità di situazioni, che parevano reclamare una risoluzione sentimentale, la scrittrice le oltrepassa con appena un accenno, un'ombra di punteggiatura. Evita qualsiasi impegno di costruzione narrativa; che sarebbe stato un modo per dare a tali situazioni il dovuto sfogo e risalto. E d'altra parte, come s'è detto, si preclude qualsiasi interpretazione, in senso spiegato e cantato. I fatti, le immagini, le figure, scorrono nel libro col moto regolare della sabbia nella clessidra. Ciascuno di essi, in sé aspro e brillante come la scaglietta del chicco di rena, vorrebbe esser guardato con una lente d'ingrandimento; ma è prima scomparso che visto.

In tanta dovizia d'esperienza e tanta capacità d'osservazione, questa uniforme e fugace lucidezza finisce col dare una certa impressione d'aridità. Resta a vedere se tale impressione è dovuta all'eccesso di rigore col quale ogni pagina di questo primo libro è condotta; è, in altre parole, un mero incidente tecnico; o proprio trova origine in un soverchiamento delle qualità logiche e pittoriche su quelle emotive e musicali. È quello che ci diranno i prossimi lavori; per i quali, dopo quanto s'è scritto, ogni augurio è superfluo.

(1937)

«Artemisia» di Anna Banti

Dal non molto che si conosce intorno alla vita della famosa pittrice Artemisia Gentileschi, figlia di Orazio (nata nel 1597, morta dopo il 1651), Anna Banti ha preso lo spunto per un libro in cui sono originalmente contesti motivi ed aspetti di biografia, di romanzo, ed a tratti quasi d'autobiografia. Il primo manoscritto di *Artemisia* era andato completamente distrutto nei bombardamenti e nelle rovine che funestarono Firenze alla cacciata dei tedeschi. E Artemisia ridiventò anche per l'autrice un oscuro fantasma, come quelli che nell'Ade si affollano intorno alla fossa sacrificale. Un fantasma che piú ansioso supplicava di non essere scacciato, quanto piú tragicamente era stata frustrata la prima evocazione. I capitoli introduttivi sono occupati da questo colloquio dell'autrice con l'ombra della propria eroina. Dopo di che il racconto ingrana e si sviluppa in un corso piú oggettivo e piú vario; non senza che, di tratto in tratto, segretamente si senta vibrare nella trama il filo della corrente medianica che attraverso tre secoli ha legato la pittrice seicentista romana ed una delle nostre piú ardite scrittrici d'oggi.

Il destino d'Artemisia fu un destino di solitudine, che i trionfi pittorici ed i successi mondani non poterono alleviare. Fanciulla irrequieta, scavallona, cresciuta in una famiglia sbandata, dapprima il padre la considera soprattutto una monella, da tenersi sempre sott'occhio o finirà male. Difatti la sua iniziazione amorosa è uno stupro, poi ricoperto alla meglio con un matrimonio non meno sciagurato. Chincagliere ed antiquariuccio ambulante, dopo un paio d'anni il marito fa perdere le proprie tracce. Ed è il momento nel quale, diventato un'ombra anche lui, per la prima volta, sospirando, Artemisia inclina ad illudersi d'averlo amato, o che almeno l'avrebbe potuto amare. Ormai artista di grido, insigne « virtuosa », dopo aver lavorato in Toscana (e partorito una bella bambina), apre scuola di pittura a Napoli, e vi ha un certo numero di amanti; senza mai che il suo impeto di vita si adegui e si calmi, sia nella maternità, sia nelle vicende amorose e neppure nell'arte. Il padre Orazio la chiama alla corte di Londra, dove ella incomincia il ritratto alla regina. Ma d'improvviso, Orazio muore (1647); e noi lasciamo Artemisia, quando le storie e i documenti ammutoliscono su lei, mentre ella è sulla via del ritorno.

In principio al volume, la scrittrice ha enunciato le ragioni della sua umana simpatia per la figura d'Artemisia: « oltraggiata, appena giovinetta, nell'onore e nell'amore... Una delle prime donne che sostennero con le parole e con le opere il diritto al lavoro congeniale e ad una parità di spirito fra i due sessi ». Nel gran dipinto della *Giuditta*, che la Gentileschi eseguí a Firenze, e fu tra i primi a renderla celebre, il profluvio del sangue d'Oloferne, sembra veramente lavare l'oltraggio ormai remoto. Brandendo la mannaia, Artemisia s'è ritrattata nel quadro come vedova di Betulia. E così, vendicatasi con le proprie mani, coraggiosamente s'incammina per la sua difficile strada nel mondo. In realtà, gli intenti d'animosa solidarietà della Banti, che vorremmo quasi dire « femministi », come i richiami simbolici e lo stesso interno rapporto d'Artemisia con la propria pittura (in cui era naturale e fatale che ella esprimesse la più profonda essenza di sé): tutte queste cose nel libro hanno meno parte di quanto il lettore potrebbe esser condotto ad aspettare. Che sia stato un bene od un male, è forse impossibile dirlo; tanto l'opera, così come l'abbiamo, è mirabile e colma.

Sta il fatto che tra i due metodi o procedimenti: quello diretto e classicheggiante d'una Sackville-West nelle sue belle biografie di santa Teresa d'Avila e di santa Teresa di Lisieux (*L'aquila e la colomba*), e quello impennato e visionario della Woolf in *Orlando*, la Banti istintivamente s'è tenuta al più rischioso e brillante, ch'è senza dubbio il secondo. Esclusa qualsiasi dipendenza imitativa, cui non è nemmeno da alludere, per una scrittura pervenuta ad un tale scintillamento, il richiamo all'*Orlando* s'impone per la inesauribilità d'un dono ch'è potenziato dalla più squisita cultura. E se il romanzo della Woolf si sente che nacque a due passi dalle colonne, dalle scansie di libri e dalle raccolte di stampe e miniature del Museo Britannico; in *Artemisia* si sono distillate una esperienza d'arte figurativa, una dottrina filologica ed una pratica verbale che scorrono da fonti almeno altrettanto illustri.

Con i quali ultimi rilievi non vorrei, tuttavia, dare un'impressione che, incominciata presso la sanguigna fossa dell'Ade, e proseguita sotto un segno di rivendicazioni « femministe », la storia d'Artemisia strada facendo si sia dispersa in ogni sorta d'incidenti, panorami, preziosismi e curiosità. Sia divenuta una specie d'addobbato corteo, come nei quadri di certi vecchi pittori, dove l'azione è sempre avvolta come d'un vento nobilmente teatrale. Di certo: la carica pittoresca è nel libro assai forte; ed al gusto di taluno sembrerà magari eccessiva, troppo gremita. Uno stravizio dell'immaginazione, una pantomima coloratissima e gesticolatissima; dove ciascuna figura e stampigliatura ha pure una nitidezza e un rigore lenticolare. Col suo segreto, che rimarrà fino in fondo un segreto, la impetuosa Artemisia passa fra tutte queste immagini, e qualcuna ne coglie e idoleggia nella sua arte. In ciò la dosatura descrittiva del libro è tutt'altro che ornamentale e ridondante, anzi strettamente funzionale. La solitudine d'Artemisia, ora elegiaca, ora orgogliosa, ora crucciosa, non può trovare che in questo assedio d'immagini, in questo continuo e mobile miraggio, il suo più limpido e mesto risalto.

L'unica creatura che Artemisia sente veramente d'amare e rispettare è il padre Orazio, con il quale, s'è detto, dopo molti anni, ella torna a vivere brevemente in Inghilterra. Ma il padre ormai non parla né intende altro linguaggio che quello della pittura. E con la figlia, già allieva, ora professora come lui, non riesce ad avere che un rapporto tecnico, come da vecchio a giovane maestro. Questa virile fiducia intellettuale, se da un lato può lusingarla, al medesimo tempo mortifica in Artemisia il bisogno d'una corrispondenza di piú semplice umanità. È il definitivo sigillo sul suo isolamento.

N'è riuscito, complessivamente, un bel mito della donna cui il potere creativo esclude da un possesso della vita ingenua e immediata; dove invece profondamente aspira a dimenticarsi, e non ci riesce, la sua femminilità. È un mito, della donna artista, forse anche piú doloroso di quello maschile; e la Banti l'ha interpretato con inimitabile grazia.

(1948)

Un piccolo capolavoro

Il primo racconto: *Conosco una famiglia*, del nuovo libro di Anna Banti (*Le donne muoiono*), è una specie di ritratto d'una dinastia borghese fittamente aggruppata intorno al canapè su cui siede la scialba mummia dell'ava, fra le sei e le sette pomeridiane, in uno dei tanti salotti di una pingue città di provincia. Gli astanti, quasi tutte donne e ragazzini, consumano le formalità di rito quotidiano d'un matriarcato il quale si regge fra queste apparenti, untuose sdolcinature, e nascosti egoismi e spietatezze che possono arrivare all'assassinio a colpi di spillo. Una popolatissima scena di famiglia, con lividi, strabici e un po' barcollanti fantocci e mammozzi, d'un gusto fra longhiano e goyesco. La prima volta che anni fa lessi queste pagine, oltre che per le loro agilissime risorse stilistiche, esse mi colpirono e stupirono per una profonda cattiveria, che allora mi sembrò quasi intolleranda. Oggi, esse mi paiono stilisticamente sempre mirabili, ma assai meno cattive. Segno che, col passare del tempo, devo essere diventato piú cattivo io: e anche questo mi ha dato piacere.

Il secondo racconto del volume, è la storia di due giovani, Lucilio e Priscilla, fratello e sorella, della patrizia casata dei Valeri, che fuggendo da Roma, invasa e saccheggiata da Genserico, riparano in una località della pianura padana dove un tempo i Valeri ebbero una villa ormai rovinata e ridotta a stallaggio e mattatoio di suini. È una regione dove si sparsero e si sono allogate famiglie barbare che, sopraggiunte al seguito degli eserciti vandali, stanno inserendosi nella vita locale. E di tanto in tanto vi ricompare in visita evangelica uno od altro dei grandi vescovi; dalla cui presenza al medesimo tempo si riattesta la fede nel Cristo e il ricordo di Roma. In seguito, Lucilio verrà travolto nel grigiore di una esistenza meschina; mentre Priscilla, nella vecchia magione rurale, nettata e riadattata, diventa matrona o badessa d'una sorta di rifugio o monastero di fanciulle, con una regola nella quale riti quasi druidici s'intrecciano a quelli cristiani. In questo genere d'immaginazioni sull'antico, alcuni contemporanei dettero cose bellissime. Fra le migliori pagine di Moravia è la *Tristezza di Tiberio*; e si ricordi di Stephen Vincent Bénet: *L'ultima legione*. Nella novella della Banti, il canovaccio di materia storica è trapunto di luccichii di sogno, di fiori d'una triste e bizzarra fantasia tutta interiore. Se c'è chi non ha saputo scorgervi che un esercizio d'alto accademismo, crediamo di averne già suggerita un'assai diversa opinione.

Nel terzo racconto: *Le donne muoiono*, che dà il titolo al libro, non piú sugli albori medievali, ma siamo fra sette o otto secoli da oggi. Per una misteriosa maturazione psichica che dapprima, come una morbosa anomalia, si manifesta in pochi individui isolati, le persone di sesso maschile riacquistano lucida memoria della loro esistenza anteriore. Tale privilegio rapidamente si estende a tutti i maschi, che per dir cosí vivono in un tempo a dimensione cubica; mentre le donne restano ancora imprigionate dentro un tempo a superficie piana. E questa diversa prospettica produce incalcolabili effetti d'incomprensione e separazione fra i sessi, e di sovvertimento dei rapporti familiari e sociali.

La vita e la morte acquistano per i maschi tutt'altro senso che per le femmine. La continuità della memoria, che ipoteca anche il futuro, si traduce per essi in una sorta d'immortalità. Mentre le poverette non sono certe di vivere che nell'attimo, asserragliato d'ogni parte dalle paurose barriere dell'ignoto. Vero è ch'essendo rimaste, esse sole, col drammatico dono di quella vitale ansietà, da cui i loro compagni sono esenti, le donne ora detengono anche il dono esclusivo della poesia e della musica. Vivono nell'assoluto estetico. Mentre gli uomini sono materialmente trapiantati in uno « storicismo assoluto ». È un racconto ingegnosissimo. Che, come frequente nei soggetti utopistici, un poco vacilla nella conclusione, ed impresta, dallo stile d'utopia, una geometricità di movenze e contrapposti, che in questa scrittrice è meno consueta.

Ma la piena, splendida misura attuale del talento della Banti, si ha nel quarto ed ultimo componimento: *Lavinia fuggita*, dove è ripreso il gran tema della genialità e della solitudine muliebre, che la Banti aveva celebrato nel suo ben noto romanzo di *Artemisia*. Un disegno piú equilibrato e legato, in confronto al romanzo; una scelta piú sobria della ricchissima materia verbale; il perfezionarsi dell'arte che, senza rinunciare a nulla, è qui giunta a chiarezza suprema; l'impeto e la tenerezza degli accenti, nei caratteri delle tre protagoniste: Orsola, Zanetta e Lavinia, orfanelle nel veneziano Spedale della Pietà all'epoca che vi fu « maestro di concerto » il grande Vivaldi; l'ambiente della scuola di musica, con le sue competizioni, le gelosie, le isterie, le chimere: da tutto ciò s'è composto un racconto di cui non sai se piú ammirare la leggiadria e solidità tecnica, o l'apparato pittoresco, o la forza affettuosa; diciamo in parole anche piú povere, un racconto che sta fra quanto di meglio nella letteratura narrativa in questi anni è stato prodotto, e non soltanto in Italia.

Nonostante le sue virtú, nell'*Artemisia* si poteva talvolta sentirsi soverchiati come da un eccesso di nervosità espressiva, dalla violenza d'un ritmo che bruciava gli effetti e le tappe. Qui tutto è diventato piú sereno; l'aria circola tra le frasi lucenti; le piú sottili bravure di invenzione e di costruzione, nella cordialità della vicenda, perdono ogni particolaristica preziosità. Le due meschinelle, Orsola e Zanetta, che discorrono di quando erano all'orfanotrofio, e rievocano la ribelle Lavinia, non meno di costei sono figure di cui sarà difficile scordarsi. Il racconto, ripetiamo, è fra i piú bei doni di poesia che da tempo si siano avuti: che i lettori ne sappiano profittare.

(1952)

L'Oriente di Giovanni Comisso

Restif de la Bretonne, che Baudelaire celebrava ottimo scrittore, ma il cui nome nelle storie letterarie è citato, quando è citato, con un pudibondo abbassamento di voce: nella sua età matura dette, in un *Calendrier* d'oltre trecento pagine, una lista e descrizione degli incontri muliebri avuti nel corso della propria vita. I nominativi delle commemorate vengono classificati al giorno e mese dell'incontro. « Nulla dies sine linea »; è veramente il caso di dirlo. Ed ecco, per esempio, un ricordo di adolescenza, sotto la data mensile che gli compete: « 23 febbraio (1748?). Signora de Germigny. – È bene sapere che mio fratello parroco era un bellissimo giovane; ed a parte le sue penitenti sincere, ne aveva anche di bacate. Costei era bella, era delicata; e veniva là solo per tentarlo... Ella mi scorse; notò il fuoco dei miei occhi, e il desiderio che vibrava nei tratti del mio viso. Scelse un momento che il parroco era alle sue occupazioni. Mi fece segno. Mi accostai arrossendo come una fanciulla. Mi lasciò intravvedere incanti che mi abbagliarono... "Carino mio; la mia cameriera è a Chablis, e avrei bisogno d'un servizio..." Singolare servizio. "Os superius ego, os inferius illa conjunximus." Ecc. ». Il buon Restif aveva cominciato presto a non perdere tempo.

Nel lunario o repertorio di Restif, un ritornello un po' monotono è questo: che la maggior parte degli incontri, anche piú effimeri e casuali, a sentire l'autore si sarebbero risolti, per quasi tutte le sue amiche, in altrettante prospere gravidanze. Cosicché al tempo d'obbligo, da ogni lato egli si trovava in braccio figlioli, o riceveva notizie di figlioli seminati pel mondo. La sua lussuria ha l'entusiastica impersonalità, e direi l'automatismo d'una forza sociale. Il che non toglie che il *Calendrier* sia anche tutto punteggiato di smaglianti quadretti. Le allegre professioniste del Palais Royal son di scena a ogni pagina, con i loro enormi cappelli a cesto di lattuga, gli « incanti » che traboccano dallo scollo, e le sottane rigonfie come mongolfiere. Gentildonne tutte sussiego, nel favore dell'occasione diventano a un tratto le piú servizievoli. Accadono agnizioni mirabolanti, equivoci strepitosi. O per converso, come Donna Elvira e Leporello nel *Don Giovanni* di Mozart, una di quelle donzelle è capace di incontrarsi con Pietro (e portargli a suo tempo il dovuto ragazzino), credendo in perfetta fede di non aver fatto altro che incontrarsi con Paolo; né è detto che quando poi se ne accorgerà caschi il mondo.

Su questo libro curioso ci sarebbe da scrivere non uno ma dieci articoli. E si capisce che ai letterati dovesse stuzzicare l'immaginazione. Uno fra gli ultimi, d'ottima tradizione libertina, innanzi che il libertinaggio s'intenebrasse e diventasse esistenzialista: Eugenio Marsan, in *Passantes*, si era fatto a suo modo un piccolo *Calendrier*, di scrittura finissima. Giovanni Comisso, in *Amori d'Oriente*, ha invece proiettato nello spazio ciò che Restif, Marsan e chi sa quanti, andavano a rintracciare su per il corso del tempo. Dietro a una trasparente, quasi insussistente convenzione romanzesca, ha composto dai propri ricordi di viaggio un itinerario erotico, seguendo i paralleli e le vie di navigazione che dal Mediterraneo portano in Estremo Oriente.

Ed ha immaginato un danaroso e prestante giovanotto: certo Lorenzo, che imbarcatosi per una crociera in India, Cina e Giappone, appena a bordo comincia a montarsi la testa ed eccitarsi sui discorsi degli ufficiali e dei compagni di mensa; e non vede l'ora di giungere al primo scalo, per iniziarsi ai segreti e misteri dell'erotismo giallo. Sbarca per alcune ore a Massaua, e si dà ad assaggi preliminari. Ma sul piú bello la rauca sirena di bordo annuncia che si riparte; e gli conviene rimettere il proseguimento delle ricerche a Karachi, sulla foce dell'Indo; per sospendere ancora, e ripigliare a Colombo (Ceylon), poi a Singapore (Malacca), poi a Saigon (Indocina). D'una in altra tappa, arriva in Cina, in Corea, in Giappone; e in cotesti paesi può sperimentare con tutto comodo, e sulle piú ampie varietà di scelta. « Hic manebimus optime. » Ritornato a Pechino, sta formando infatti il proposito di dare all'Europa un bell'addio, e sistemarsi laggiú per sempre. Ma un inopinato disastro finanziario lo richiama di gran furia a una modesta esistenza nel suo paesello. Cosí finisce il romanzo.

Nella *Laus Vitae*, il D'Annunzio commemorò Elena e le catastrofi dei mitologici amori, nel lurido antro della meretrice di Pirgo. Comisso è anche lui un ulissíde; ma senza mitologie per la testa, e ridotto alla pura e semplice sensazione. Gli giova forse cercare paesi il cui linguaggio, la cui storia, la cui tradizione, a lui, come a noi, restano o quasi inaccessibili; e dove le creature non sono che apparizioni carnali, splendidi od orribili mostri. Se impegnando a fondo la sua descrittiva, la sua inimitabile agilità verbale, egli si fosse limitato a darci in un albo alcuni scorci e profili di tali apparizioni, probabilmente ci avrebbe anche dato una delle sue opere piú memorabili. Ma ci voleva il coraggio di osare un libro del tutto fuori dell'ordinario, che poi sarebbe riuscito anche un limpidissimo libro. In *Odes pour elle* di Verlaine non c'è ombra di equivocità; tutto è diventato schietta e solidissima materia plastica. È diventato massiccia verità d'arte. Mentre qui si resta sempre a mezz'aria, fra il lusco e il brusco: fra una narrazione che non quaglia, una petulante curiosità giornalistica, e una pittura non sufficientemente chiarita e approfondita, nella quale, per altro, è tutto ciò che del libro si salva.

E s'intende subito quanto valesse meglio lo schema, il procedimento di Restif. Il quale sembra appiccicare i ricordi (si direbbe i riccioli) delle sue donne sulle date del lunario. Ma in realtà, li lascia respirare in quella libera temperie interiore dove ciascuno di essi adagiandosi trova il suo naturale chiaroscuro e risalto. Ed invece Comisso vuole pigliarli dentro una trama assurda, tutta puerili ripetizioni e affettazioni; mescolando cosí il fittizio e l'autentico, le sensazioni sincere e le balle, le spontanee emozioni amorose e le insinuazioni d'un erotismo vizioso, e ormai frusto. A vedere il povero Lorenzo perennemente in orgasmo, a vederlo quando corre, si precipita all'amore giú per lo scalandrone, si ripensa a quei guerrieri che, alla fine della *Lisistrata*, arrivano in scena portando, e ne hanno ben donde, una specie di paniere davanti. L'effetto è irresistibilmente umoristico, e rende ridicolo tutto ciò che investe. Ma il riso è nemico dell'esaltazione amorosa. Ne costituisce anzi il correttivo piú deciso.

Il principale difetto del libro forse è precisamente questo: la mancanza d'una musicale gravità, ch'è la nativa atmosfera dell'amore e dei suoi riti che, se sono qualcosa, sono serissimi ed in un certo senso sacri, anche quando sembrano i piú profani. Un libro che pare fatto quasi tutto per chiasso; ma per l'appunto sopra una materia, sia angelica, sia diabolica, sulla quale forse piú che su qualsiasi altra è difficile scherzare.

(1949)

Comisso e la bella stagione

Si era lasciato Giovanni Comisso col libro *Amori di Oriente*, che aveva l'aria di poter riuscire fra i suoi piú notevoli, e che invece non gli venne poi tanto bene. Era un'escursione, proprio a volo d'uccello, in ogni qualità di ginecei: d'Etiopia, dell'India, della Cina, di Corea e del Giappone. Quante belle cose si sarebbero dovute vedere. E purtroppo se ne videro poche. Sarà stata magari la frettolosità della scrittura; o sarà stato che i doni pittorici di Comisso anch'essi hanno il loro limite, e costí si trovarono a cimentarsi su modelli troppo nuovi, strani, e per noi occidentali quasi impossibili a pienamente visualizzare.

Si aspettava che il libro riuscisse una sorta di grandiosa luminaria erotica, di lussurioso itinerario attraverso il continente specializzato nelle piú teatrali lussurie. Ed invece rapidamente impallidí e imbozzacchí. A un certo punto Comisso dette proprio l'impressione d'essersene disamorato, di volere a ogni costo lavarsene le mani, e l'affrettò alla conclusione senza il minimo riguardo. Ma non parliamone piú. Parliamo d'un nuovo volume: *Le mie stagioni* che compensa della mezza delusione subíta con gli amori orientali.

Le mie stagioni non potrebbero chiamarsi una vera e propria autobiografia. Suddiviso in ventotto capitoli, intitolato ciascuno ad un anno dal 1918 al 1945, il libro è una specie di « curriculum vitae », che in talune parti si allarga in racconto spiegato, ma in molte altre procede quasi telegraficamente, pur formicolando di fatti e di figure. Disinvolta nel tono, fin trasandata, la prosa tanto ridonda di ricchi motivi che tutta ne fermenta e impreziosisce; e in parecchi luoghi è tra la piú felice che il Comisso abbia scritto. Ma qui, prima d'andare avanti, vorrei brevemente introdurre una modesta osservazione.

Mai come oggi si sono pubblicati e si pubblicano diari, memorie, ricordi. Personalmente ne son lieto, perché non di rado si tratta di cose che effettivamente valgono; e da preferire a tante spremiture di versi cachettici, a tanti romanzetti che vorrebbero cambiare la faccia del mondo, e poi vanno avanti a forza di calci nel sedere. Ma non può a meno di tornare alla mente, quando, in questo secondo dopoguerra, indicando i necessari orientamenti morali ed estetici, tutti si erano messi a tuonare contro la letteratura troppo individualistica, imperniata sull'io. Mi ricordo articoli in cui si chiedeva d'imperio che, dagli scritti, fosse addirittura estirpata, abolita, questa maledetta parola « io ». Difatti: eccoli serviti. In verità, in verità vi dico che, nel corso di questi anni se ne sono sentite e se ne son lette delle stupidaggini. E torniamo a Comisso.

Un giorno o l'altro dovrà esser fatta la storia d'Italia dall'inizio della prima guerra che segnò la svolta fatale. E ci sarà pure chi non vorrà sentirsela di limitarsi a spartire astrattamente il pro e il contro, il bianco e il nero; e a congegnare e a far funzionare, in una direzione o nell'altra, una di quelle famose macchinette dialettiche che in realtà non macinano niente di concreto. Ci sarà, voglio dire, chi innanzi tutto si proponga di rievocare e cercar d'intendere lo spirito di quell'epoca tumultuosa, di riviverlo nella sua schietta realtà; specialmente per quanto riguarda le giovani generazioni che, in quegli anni, dalla scuola interrotta sbalzate in trincea, ne uscirono trasformate e stravolte, ed ebbero una azione decisiva sul corso degli eventi. Con non molti altri libri, *Le mie stagioni* di Comisso, per cotesto storico di buonafede, avranno un valore evocativo e documentario ch'è difficile esagerare.

Nel suo ampio resoconto dell'anno da lui speso a Fiume con i legionari (come, in tono diverso, nell'altro del viaggio in Etiopia ai primi tempi della conquista), le testimonianze di Comisso mi sembrano tra le piú forti ed immediate

A sinistra: *Natura morta marina*, un dipinto del 1923 di Filippo De Pisis (1896-1956). A destra: Giovanni Comisso nel 1929.

che si conoscano; e il futuro storico, certamente, ne profitterà. Non vanteria o sfrontatezza, nella sua solidarietà con quella gioventú scatenata. Né mortificazione a confessare le violenze, i trascorsi, magari le ribalderie. Ma una sorta di sensuale fatalismo: un impeto animale ed una animale felicità; oserei dire una sorta di inquietante innocenza e quasi candore; assai piú comunicativi di quando nelle concioni e nei proclami fiumani di D'Annunzio, li ritroviamo mitizzati, accademizzati, e adorni di posticce ideologie.

Ma a sua volta, anche il ritratto di D'Annunzio mi sembra in queste pagine d'una naturalezza e veridicità strepitosa: incredibilmente mescolato di coraggio, di rettorica, di ridicolo, di poesia e di pazzia: tutte cose alle quali, con agilissimo tocco, il Comisso sa rendere giustizia; senza scinderle artificiosamente una dall'altra, senza concedere alla esaltazione o alla caricatura; e al medesimo tempo, dicevo, senza che si avverta la minima tensione e circospezione, nella sua geniale oggettività. Autori in apparenza vicini, come potrebbero sembrare un Sachs od un Miller, al confronto risultano dei veri « scarponi ». Biechi di contumelia, neri di peccato senza allegrezza, ed impeciati di internazionale decadentismo, quanto il Comisso è italianamente luminoso e genuino. Sue parentele e relazioni, per quelle che un cosí libero scrittore possa avere, andrebbero se mai ricercate, con discrezione, verso la parte del Cellini.

L'esserci piú trattenuti sulla stagione fiumana che, per un ragazzo come allora il Comisso, coincise con la stessa rivelazione della vita e dell'arte, non vuol dire affatto che stagioni successive del libro non abbiano il loro interesse, il quale particolarmente si riaccende per gli anni dell'invasione e della Resistenza. Tanto meno occorre ricordare come tale interesse, anche documentario, nel senso prima accennato, sia sempre in funzione diretta della riuscita artistica: ché nulla, sul piano storico, è piú illuminante e probante (anche quando essa sia cosí indissolubilmente legata a fatti personali, cosí egocentrica), della buona letteratura, della buona poesia.

(1951)

«Un filo di brezza» di Gianna Manzini

Ho un po' di riguardo a dirlo, perché gli scrittori, queste cose, non si sa mai come possono prenderle. E sono capaci di vederci, soprattutto, una certa, subdola svalutazione di quello che hanno fatto prima. Mi liberi Iddio dall'essere cosí sospettato; ma, a mio parere, *Un filo di brezza* è a tutt'oggi il miglior libro di Gianna Manzini.

Mutamenti e perfezionamenti, sembreranno magari impercettibili. L'autrice è fedelissima a sé stessa, con la sua capacità davvero poetica d'instituire personaggi, ed investirsi liricamente del loro tono morale. Non tutte e sempre le figure esistono con pari nitidezza, benché non sieno mai gratuite ed oziose. E, al solito, si veggono impostate, e spesso risolte, situazioni da far sudare la gente piú in gamba.

Nell'espressione: quell'ormai noto incontro d'ingenuità e di ricerca, d'industria e candore, che increspa continuamente ed irida ed irrita il discorso. E quando saremmo per distrarci e lasciar perdere, ché la scrittrice, a forza di sottilizzare, va addirittura nell'impalpabile, qualche tratto rude e felice riesce a riportarci nel vivo della sostanza.

Quasi mai si pensa ad altri autori. Qua e là, un tempo, si poteva ricordarsi, vagamente, di Moretti e forse del Tozzi. Ma « ricordarsi » dice piú del giusto: né si trattava mai d'occasioni rilevanti e deliberate. Cosí ho sentito citare taluni francesi, per il modo frastagliato del raccontare; il rompersi e rispecchiarsi del discorso su diversi piani; il continuo saltellío del punto di osservazione, e l'alternarsi dal commento alla presentazione diretta.

Ma non credo esatto nemmeno questo richiamo francese; ai riguardi d'una tecnica certo un po' complicata e abbagliante. Fosse vero, si avrebbe un piglio piú estrinseco, un fare piú unito, come in tutte le opere di imitazione. Il metodo, la tradizione, sono impressionisti; ma ritrovati sulla schietta realtà, in procedimenti nativi, con azzardi, istintive certezze, debolezze inesplicabili; e una tal novità perfino nel garbo ad assumere espedienti che la breve ma fervida tradizione impressionista ha già logorati.

Suggestive le interpretazioni degli ambienti; e non mai ottenute spennelleggiando e svolgendo descrizioni; ma per un giuoco di prospettive interne; costruendo, a cosí dire, in un'architettonica di sentimenti, in una spazialità satura d'emozioni. Le persone vanno attorno per le piazze e le strade; ma veramente camminando dentro la propria anima; e senza dirlo a sé stesse, riconoscono il proprio passato, divenuto sostanza plastica e visiva.

Il pezzo forte del libro è « Casa di riposo (Romanzo da fare) ». Di saper comporre un vero e proprio romanzo, la Manzini dette prova otto anni fa, col suo primo volume: *Tempo innamorato*. Non credo sarebbe affatto male che tanti narratori che vanno per la maggiore volessero (e sapessero) imitarla, in questo assunto del « romanzo da fare ».

Se il termine non sembra chiaro, s'immagini una parete su cui un pittore abbia disposto buon numero di studi per una grande composizione; in ogni formato, a solo disegno, o a tutto colore; tralasciati dopo pochi colpi di pennello, o portati all'ultima rifinitura. Queste diverse parti, materialmente e idealmente, si ricollegano, sulla parete, in un insieme che a tratti rimane vago, nebbioso e problematico, a tratti ha la piú florida evidenza. Un romanzo *in fieri*, comunque; ancora imperfetto. Certamente, ma vivo; e meglio di cento romanzi saldati in una loro meccanica compiutezza; e nei quali, se mai poté splendervi, s'è spento ogni raggio di fantasia e di poesia.

Altrove (« Musica in piazza », « Colori »), la Manzini accetta le forme lirico-ragionative del saggio e del poemetto in prosa. Mentre in « Candore » e in « Gentilina », che chiudono il libro, affronta con la narrazione motivi tanto diversi quanto possono esserlo un fattaccio di sangue e la pallida favola d'una bambolina di cera che si strugge al sole.

Appunto in « Gentilina » ella tocca un estremo dove la grazia e la raffinatezza assumono un che d'ansioso e straziato. I capricci dell'invenzione e dello stile si moltiplicano ed assottigliano in un barocchismo capillare, gentilmente crudele e fin quasi macabro. La parola si bilica in una precisione magistrale e paradossale; come se fosse per cedere ad altra qualità di mezzi espressivi: quelli della pittura e della musica.

Può darsi che, in tali aspetti d'elegantissima rarefazione, la Manzini non possa arrivare piú in là; e che ormai le occorra trovare un nuovo registro. Libratasi a questi acuti, deliziosamente atroci, insopportabili, discendere di tono; per riprendere un colloquio piú pacato e disteso con le creature e con le cose.

(1937)

«Lettera all'editore» di Gianna Manzini

La querela fra il vecchio e il nuovo romanzo, ebbe in Inghilterra il suo manifesto nella famosa conferenza di Virginia Woolf: *Mr. Bennett e Mrs. Brown* (1924). Che i motivi della querela fossero vitali, lo mostrarono certe opere della nuova tendenza, fra cui alcune della Woolf stessa. E che la crisi fosse universale, e dovesse tenere gli animi a lungo occupati, si conferma tra l'altro in un recente scritto di Stephen Spender: *Two landscapes of novel* che, con minor grazia ed acume, torna ad impostare la questione press'a poco come la Woolf l'aveva presentata, e ne indaga i probabili sviluppi dopo il cataclisma della guerra. Anche piú noti sono gli esponenti ed episodi francesi di detta querela.

In Italia, la questione non sfuggí certamente alla critica, senza tuttavia condurre a manifestazioni di particolare interesse. Quanto alle opere non già di critica ma di creazione, sembra di poter affermare che la nostra nuova narrativa accettò meno che altrove l'invito a quella dispersione psicologica, a quella rarefazione e polverizzazione dell'io, che sono supremamente caratteristiche del « nuovo romanzo » come si configura nell'ultimo James, in Proust e nella Woolf. Lo psicologismo di Gide, fortemente logico, smaliziò stilisticamente gli scrittori, li incoraggiò ad assumere temi piú e piú eterodossi, ma sempre conservando la struttura morale del personaggio. Di Kafka venne combinata qualche banale applicazione, soprattutto aneddotica. E quanto ai nuovi americani, mentre l'influsso del maggiore: Faulkner, doveva rimanere presso che nullo, quello degli altri, sostanzialmente, non consisté che nel ripristino e incrudimento di una formula veristica (aggiuntivi certi procedimenti del cinema e uno spolvero freudiano): formula che derivava una qualche novità soprattutto dalla sua esotica provenienza. Benché ristudiarsi Verga ben bene, invece delle traduzioni da Hemingway, Caldwell e Steinbeck, presumibilmente ai nostri narratori avrebbe fatto anche piú profitto.

Cosí stando le cose, pare incontestabile che l'ultimo romanzo della Manzini: *Lettera all'editore*, rappresenti (tecnicamente) un assunto abbastanza raro, rispetto a ciò che fu fatto da noi, ma anche fuori d'Italia, per la complicatezza a cui la scrittrice volle portarlo. Il *Journal des "Faux monnayeurs"*, accanto al romanzo di Gide, non forniva se non ciò che avrebbe potuto trovarsi nel diario dello scrittore, nel suo epistolario, od in una raccolta di colloqui. Era il « giornale di bordo » d'un autore durante la composizione d'un dato lavoro: un libro di confessioni e autocritica che, anche materialmente, rimaneva esterno e laterale ad un libro d'invenzione fantastica. Mentre qui il caso è diverso. Come in uno di quegli scrigni cinesi che contengono, inscatolati uno nell'altro, cassetti e cassettini, casellari, falsi fondi, nicchie, segreti: la materia dell'opera è ordinata e disposta su una quantità di piani, perni, sezioni, vuoti, ribalte e strapiombi, tutti in interdipendenza di struttura e movimento. Secondo il conteggio piú grossolano, può distinguersi almeno un quadruplo ordine di proiezioni principali, che si coordinano nell'architettura di questa curiosa cristallizzazione di parole e d'immagini.

C'è, in primo luogo, il giuoco reciproco dei numerosissimi personaggi d'un « romanzo da fare », i quali sono agitati dal diretto impulso motore d'una fantasia creatrice e d'una memoria evocatrice. E c'è, in secondo luogo, il frequente e scoverto intervenire della scrittrice (come persona *lirica a sé*) in cotesto giuoco di personaggi: a orientarlo, commentarlo, sottolinearlo. Ma la scrittrice (come persona *critica a sé*) coltiva anche ed articola un terzo rapporto: con quella sorta di muta figura ch'ella ha chiamato il suo « editore », e che potrebbe anche chiamarsi la coscienza tecnica. Ella proietta dunque sopra un terzo schermo il proprio lavoro « in fieri »; via via fa il punto delle operazioni; registra i compromessi, i distacchi, le rinunce, i segreti colti alle spalle delle sue figure. È naturale che i tre suddetti punti di presa non possano ingranare uno nell'altro, e funzionare armonicamente, senza un dispositivo di tutta la macchina, che a ciascuno di essi consenta l'entrata in giuoco e il disimpegno. Com'è altrettanto naturale che questa quarta ed ultima ma fondamentale esigenza si faccia sentire in tutto l'organismo del libro, e lo condizioni, e in certo modo lo deformi, nelle minime giunture.

Ho detto che il presente schema della costruzione della *Lettera* è quanto mai sommario. Appena un disegno tracciato sulla rena con la punta d'un bastone. Ché a volere indicare le intersecazioni dei differenti piani, i riflessi ottici, le induzioni incontrollabili, e attrazioni e repulsioni dei campi magnetici, a parte lo spazio che sarebbe necessario, ne uscirebbe un discorso da far girare la testa. Né ho bisogno di ripetere quanto l'assunto generale del libro sia in sé originale e ambizioso, ambiziosissimo. Resterà a vedere in che misura ne sia uscita una vera e propria opera d'arte; o un superbo esercizio di stile e di volontà, in cui l'autrice ha profuso, con la sua piú matura esperienza, figure e motivi poetici, tendendo all'estremo le risorse della propria inventività e scaltrezza verbale.

Ora in un punto della *Lettera*, ora nell'altro, provando a rendermi conto di qualche impressione piú difficoltosa, m'è venuto di pensare che quando il Browning scrisse *The ring and the book*, che con il « nuovo romanzo » ha a che vedere piú che non paia, egli prescelse un soggetto che, adattandosi alle sue preferenze d'una psicologia capillare, polarizzava altresí su forti risalti tragici. E che quando la Woolf in *To the lighthouse* dette il suo capolavoro assoluto, la materia, affidata al commento acutamente patetico della memoria, era atteggiata in masse e movimenti d'una solenne semplicità, quanto piú noi dovevamo mirarne assorti e indisturbati il drammatico rigoglio interno.

Dove la *Lettera* può apparire meno legata si deve invece, secondo me, alle contrarie ragioni. Ad un impianto di figure ed azioni troppo tenui, numerose, frastagliate, in un decorso troppo rapido per impregnarsi di forti sapori vitali ed ambientarsi a fondo nella nostra memoria. Bisogna poter entrare in un'orribile familiarità con personaggi che si debbono vedere squartati. E la familiarità qui è talvolta supposta e indicativa, piuttosto che emotiva.

Ma l'insistenza su taluni effetti meno convincenti, potrebbe facilmente sembrare disconoscimento del merito d'avere osato una simile prova. In anni che per tutti furono tremendamente sterili, Gianna Manzini ha portato la propria arte e la propria maniera a conseguenze paradossali e inaudite; ne ha consumata una intrepida saturazione, che potrebbe essere al tempo stesso una liberazione. E il romanzo dovrà essere attentamente studiato, da quanti sul serio s'interessano ai problemi della letteratura contemporanea. È possibile che faccia anche scuola? La sua audacia formale stuzzicherà molte velleità; benché sia da sperare che chiunque voglia mettersi davvero a un siffatto tirocinio, sappia prima misurare le qualità di talento ed abnegazione che si richieggono.

(1945)

L'arte della Manzini

Si parlava di Tozzi e dell'impulso prima dell'altra guerra da lui impresso ad una narrativa che, attraverso varie avventure, sarebbe diventata la nostra narrativa odierna. Nel terzo volume della sua *Storia della letteratura italiana*, che il diligente lettore dovrebbe tenere fra i piú utili libri di consultazione, il Sapegno ha discusso sottilmente intorno al passaggio del Tozzi da una ispirazione lirica, che si espresse piú decisamente nel volumetto d'impressioni e poemetti in prosa: *Bestie*, all'ispirazione narrativa di *Con gli occhi chiusi*. Del quale romanzo, il critico suddetto naturalmente fa gran conto; pur serbando, nei riguardi dell'altro volumetto, un'accentuazione ammirativa che mi sembra lievemente esagerata.

Alle *Bestie* il Tozzi lavorava ancora intorno al 1915, e le stampò nel 1917. E sui primi del 1915, *Con gli occhi chiusi* era già composto, almeno in una prima versione che io ebbi allora fra mano, dattiloscritta; benché ora sia impossibile stabilire se e in che misura essa potrà essere stata ripresa e rielaborata, nei quattro anni avanti la pubblicazione, che avvenne solo nel 1919. Resta il fatto che *Bestie* rappresenta una fase di gusto da cui, in *Con gli occhi chiusi*, *Tre Croci*, *Il podere*, ecc., il Tozzi si venne sempre piú staccando. Era, almeno in parte, il gusto impressionista e frammentista della "Voce" e di "Lacerba": di Soffici, Campana, e di certo Papini. Il che equivale a dire che la successione cronologica delle pubblicazioni di Tozzi, sostanzialmente coincise con lo sviluppo ideale della sua arte; nella quale, dopo il 1915, non si nota piú un ritorno, né una nostalgia di ritorni, verso il lirismo dei primi bozzetti e poemetti in prosa.

Ai toni di questo lirismo, che nel Tozzi poi doveva prendere un'altra direzione, sempre il Sapegno ha ravvicinato, giustamente (e all'infuori, non occorre dirlo, di qualsiasi ragione imitativa e derivativa), i primi componimenti di Gianna Manzini. È un richiamo che sembrerà meno persuasivo, a chi abbia l'occhio soltanto a pagine piú recenti e piú nuove di questa scrittrice che, in venti anni d'assiduo lavoro, ha percorso tanto cammino. Ma ripeto che, a mio vedere, è accostamento opportunissimo: in primo luogo perché, nel giudizio critico, serve a riportare verso le scaturigini dalla viva terra, dalle sensazioni concrete e dall'eloquio corrente, un'arte che spesso e volentieri viene riferita ad un livello d'astrazione estetica troppo rarefatta, e considerata quasi soltanto come un giuoco immaginativo gratuito e prezioso.

Le cose non stanno affatto in questa maniera; ed ancora una volta lo mostra il volume ora uscito: *Ho visto il tuo cuore*, che della Manzini raccoglie quindici fra gli ultimi racconti. Vicina una all'altra, vi appaiono due invenzioni assai caratteristiche. Si potrebbe dire che esse poggiano sui due estremi da cui si libra ed inarca la trepida parabola di questa fantasia. In fatto di scrittura e di stile, la Manzini ha certamente compiuto prove ardue, acrobatiche, addirittura pericolanti. Di quelle prove che allo spettatore fanno talvolta mancare il fiato. È proprio di lei bilicare sul filo d'un rasoio i castelli in aria piú carichi di torri, di guglie e banderuole. Ma poche volte ella aveva cristallizzato, in puri termini d'autosuggestione immaginativa e di ragionata allucinazione, un tema cosí complesso e sfuggente come *Casa nel mare*; dove le eccezionali bravure verbali non riescono completamente a riscattare una certa macchinosità del fondo.

Ed ecco che, nell'altro racconto: *Un dono mancato*, ella favoleggia di rose che vuol regalare a un amico, ravvolte in un bel cartoccio di cellofane. E nel suo discorso interiore, le rose vieppiú si trasfigurano e sublimano; diventano rose del suo giardino letterario. Finché ella confessa: « A un certo punto il paesaggio mi rapí... Cominciai a discorrere con la mia vicina, una fattoressa... Fra quel suo bel parlare paesano e quella campagna, la mia costruzione del fiore invelettato e ingemmato non resse piú. Ora intravvedevo nella qualità del mio capriccio qualcosa di goduto come attraverso una speciale viziosa educazione, quasi una lunga carriera. Mi ci specchiavo con tutti i miei difetti... ».

È una confessione assai coraggiosa e toccante, nella quale la natura originaria, che si diceva poc'anzi, riemerge con una freschezza di cui questo rimorso del tempo consunto e dell'arte vorace, non fa che rendere piú acuto il profumo. Ma una nota simile è di continuo presente, anche se non cosí scoperta, nella pagina della Manzini. La scaltrezza tecnica, le ormai famose eleganze, l'imperterrita volontarietà formale, non hanno potuto in lei scancellare qualcosa, appunto direi, di paesano. Credo che molti, leggendola (oltre che a lei, naturalmente), penseranno ai simbolisti, a Valéry, alla Woolf, e chi piú ne ha piú ne metta. A me succede almeno altrettanto di pensare alla sua nativa Pistoia, con la sua spaziosa luminosità, le donne gentili e gagliarde e l'argenteo freddo dell'alpe.

Ma anche d'un'altra cosa bisognerebbe tener conto, sempre a proposito di quell'anzidetto pregiudizio dell'intellettualismo e decadentismo. Le situazioni psicologiche su cui questi racconti sono imbastiti, quasi sempre risultano tutt'altro che deliquescenti, femminee, floreali: anzi di una violenza vissuta che talora (*Duetto insolito*) rasenta perfino l'odiosità. Il professoruccio sacrificato nei suoi sogni di gloriola letteraria. La popolana avara, ambiziosa, che fa impazzire gli innamorati, immolandoli al marito imbecille. La ragazzina borghese, che ha avuto il fratellino suicida, e si avvia con proterva ostentazione a fare la « cocotte ». Tutti questi ed altri ritratti, son trattati con lucidezza spietata, con fermo studio d'umana verità. Un po' di forza è rubata loro soltanto da qualche eccesso di esecuzione; dal cercare proiezioni che abbiano sempre qualcosa di sorprendente; e da un collocare le parole troppo per spigolo e per taglio. Una conquista che ancora manca alla Manzini, è forse un po' piú di semplicità.

Frattanto essa è venuta via via maturando motivi lirici di suggestività singolarissima. Ed il loro assiduo, tornare e riaffiorare sulla volubile trama delle immagini, è testimonianza di quanto siano diventati, nello sviluppo di quest'arte, necessari e vitali. Alla sua prepotente visività, si presentano quasi sempre in una sigla plastica il cui risalto è talvolta di crudità cosí vibrante che basta da solo a riempire di gelido turbamento il campo dell'emozione. S'è accennato ai temi del logorio del tempo, della fatica di vivere. Potrebbe aggiungersi, fra i piú nuovi, una sorta di *memento mori*.

Nessuno si sente senza un brivido in compagnia del proprio scheletro. Per ricordarsi del quale non occorre aver lasciato il troncone d'una gamba sotto una incursione aerea o in un incidente automobilistico. O di andare meditando nelle cripte ed ossari dei Cappuccini di via Veneto. Può bastare sedersi sulla poltroncina del gabinetto d'un dentista. Certe sensazioni ed immagini che salgono dalla tristezza dell'organismo fisico, la Manzini le ha espresse con qualcosa di rapito ed intrepido, con un'energia insieme esatta e delirante. Se questa non è poesia, e di quella seria, bisognerà proprio confessare che abbiamo alle mani lettori molto esigenti o molto distratti.[1]

(1950)

Gianna Manzini animalista

Animali sacri e profani, un critico che sa leggere l'ha chiamato il libro « piú suo » che finora abbia dato Gianna Manzini. Giudizio che ha del vero; e in questo senso vorremmo sottolinearlo: che col passare degli anni e la pratica dell'arte, tanti autori, pur non volgari, si uniformano, si stingono, diventano sempre meno sé stessi; ed è precisamente il contrario di quanto è successo alla Manzini. Dal primo romanzo: *Tempo innamorato* a *Lettera all'editore*; e dai primi racconti, con ancora qualche intonazione alla Tozzi, a questi *Animali sacri e profani*, e al *Valtzer del diavolo*, il suo sforzo è stato sempre verso una maggiore essenzialità, anche a scapito di successi piú facili e sicuri; e il lettore non dovrebbe dimenticare di tenergliene conto.

Non c'è da meravigliarsi che, sugli autori moderni, iniziati dall'Illuminismo e dal Romanticismo alla scienza della natura, o almeno al senso della natura, il tema degli animali eserciti una attrazione altrettanto svariata che costante. I bisonti di Chateaubriand nelle praterie americane; il lupo del De Vigny; la balena bianca di Melville; lo squalo femmina di Lautréamont ed il suo octopus che sfida il Creatore; le pantere, gli elefanti e i pitoni di Kipling; i sinistri « bestiari » di Montherlant, e le eleganti bestie e bestiole in stile impressionista di Colette e di Renard; i pollai toscani di Tozzi; i fiabeschi animali di Supervielle; la caccia grossa e la toreria di Hemingway; gli innamorati gallinacei e conigli di Jouhandeau, ecc., chi ne ha voglia non ha che da chiedere, e ce n'è per tutti.

Nel suo libro, la Manzini ha una ventina di ritratti d'animali, in gran parte della sua produzione piú recente. Alle volte il ritratto si organizza e sviluppa in un vero e proprio racconto, come il *Bove dell'« Aida »*, *Il falco*, ecc. Altre volte, come nei *Capponi diventati don Giovanni*, è trattato con graziosa malizia in un tono burlesco, caricaturale; o come nell'aneddoto della capra e del pasto-

[1] Questo articolo fu pubblicato poche settimane dopo quello dedicato all'*Arte di Federigo Tozzi*, compreso in questo volume.

re e siffatti, ha qualche cosa della bucolica e dell'idillio alessandrino: laddove, altre volte ancora, e sono le piú numerose, da una movenza descrittiva e pittorica, il componimento si esalta ed impenna in una illuminazione lirica, in una interpretazione trascendentale. Inutile dire se, all'ingegno immaginoso e analogico della Manzini, ogni occasione sia buona per scrutare nel cifrario delle forme naturali quei segni che hanno piú misterioso potere di metterle in moto la fantasia e il sentimento. E se un'arte sottile e sperimentata come la sua, non si trovi proprio al suo centro, in coteste esplorazioni, riversibilità e commutazioni del visibile e dell'inconscio.

Sull'uomo e gli animali è una bella parola di Valentino Weigel, teologo e mistico tedesco del sedicesimo secolo: « L'uomo mortale è nel mondo e il mondo è in lui. Prima d'esser creato, Adamo dormí nascosto in tutte le creature, nel firmamento e in tutti gli animali, nei pesci, negli uccelli, nelle piante. E di tutte queste cose, Dio trasse l'essenza piú delicata ». Disse anche il Weigel: « La zolla di terra è la sostanza di cui l'uomo è formato; e questa sostanza, questa zolla di terra, altro non è che il vasto universo ». Nell'attrazione della nostra scrittrice per taluni motivi, qualche cosa fa ricordare le sentenze del Weigel.

Le facoltà figurative della Manzini hanno senza dubbio grande acutezza. E non meno cospicuo è il suo istinto associativo. D'una sua immagine altre se ne generano, ed ancora altre. E su un medesimo gambo sono innestati e fioriscono, a volte in eccesso, grappoli delle piú varie corolle. Il lettore superficialmente curioso, stupisce alla colorita intensità e profusione di queste fioriture. Che se poi non meno che curioso è saccente, e vuol mostrare che anche lui la sa lunga: allora, con un sorriso di simpatia che sfuma in una velata smorfia di sufficienza, dirà probabilmente che di rado gli è capitato di vedere cosí ricca raccolta di preziose e bizzarre chincaglie.

Ma la questione è che, alla medesima stregua, nel silenzio odoroso di formalina delle sale d'un museo zoologico, al visitatore ottuso e sprovveduto, le conchiglie, i coralli, i grandi ventagli delle madrepore, niente altro appaiono che chincaglierie naturali. Mentre il visitatore capace di emozione e di riflessione, da quella vista è avviato a una quantità di idee, di pensieri o almeno presentimenti, che subito oltrepassano l'esteriorità pittoresca, per splendida e suggestiva ch'essa sia; ed attingono, ben piú poetica e profonda, una regione che si potrebbe chiamare della fantasia e della memoria geologica e cosmica. Né si dica che, in una simile qualità di letteratura, si tratti d'un mondo d'eccezione; al quale ci si arrampica sulle scale di seta dell'estetica decadente, e si è ammessi soltanto con la parola d'ordine della tecnica simbolista e surrealista. Tanto poco si tratta di cose del genere, che con tutte le sue bravure stilistiche, la Manzini non se ne avrebbe di certo a male se, come il piú diretto e sincero documento iniziatico di quest'arte, uno si facesse forte d'indicare né piú né meno che l'ode *Sopra una conchiglia fossile* del buon abate Giacomo Zanella.

In un volume di due o tre anni fa: *Ho visto il tuo cuore*, la Manzini aveva toccato alcuni temi lirici d'una verità angosciosa e potente. E ai motivi del logorío del tempo, della stanchezza di esistere, dell'isolamento morale, aveva aggiunto, come una sorta di *memento mori*, l'immagine squallida di uno di quei « conosci te stesso » che stanno distesi nel nero e bianco della lastra di qualche mosaico romano. Tema nell'arte muliebre assai raro, specie con questa impronta sensuale e stoica ad un tempo. E che tutt'al piú si può intravedere, cristianizzato, nelle pagine di certe mistiche e sante.

Erano sensazioni ed immagini quali salgono dalla macerata solitudine dell'organismo fisico, dalla tristezza della sua geologia sepolta nel tempo, dall'orrida, digrignante presenza dentro di noi del nostro stesso scheletro. Sopra un tono meno esclusivo e desolato, ma non meno autentico, oggi è qualcosa di simile. Aveva scritto il vecchio teologo che « prima d'esser creato, Adamo dormí nascosto in tutte le creature, nel firmamento, nei pesci, nelle piante... ». Di cotesti sonni e sogni, nel libro degli *Animali*, è qualche pagliuzza, qualche ricordo.

(1953)

Bonaventura Tecchi

Di Bonaventura Tecchi occorre dir subito questo: che avendo cominciato, una quindicina d'anni fa, nel tono piú sommesso, ed avendo proseguito senza mai preoccuparsi di far colpo, di abbagliare, di stupire, di stordire e rintronare, si trova ormai ad essere fra i nostri narratori di fama piú robusta, e con un loro pubblico piú affezionato. Non s'è messo a servizio della moda, e non ne ha subiti i capricci e i tradimenti. Come un buon mercante all'antica, piú che a spendere soldi nella pubblicità, ha badato a migliorare i suoi prodotti. Ed oggi risulta che ha fatto un ottimo affare.

Fino dal suo libro di racconti: *Il vento tra le case*, che dette il segno preciso della sua vocazione, una cosa fu chiara: che egli non voleva appoggiarsi a modelli, e non lavorava sopra una falsariga letteraria, sia pure quel tanto che può sempre esser legittimo per un esordiente. Ma cercava di rifarsi dal primo principio, e di trovare pazientemente una propria maniera di vedere e raccontare; come un pittore che tenendo a freno le proprie capacità, e diffidando degli aiuti e degli inviti che provengono dall'ambiente e dalla scuola, si dedica invece a scrutare e interpetrare la cruda realtà con un lavoro di disegno esatto e quasi puntiglioso. Di qui una impostazione come di « studio » o di « ritratto », ch'è in molti suoi racconti. E di qui la sua predilezione per forme abbastanza brevi, raccolte, concentrate. Anche il suo ultimo romanzo: *Giovani amici*, è realizzato in uno stretto giro di pagine. Che non significa, nello scrittore, scarsezza di fantasia o di respiro, ma la ferma volontà di restar fedele a quei metodi dai quali la sua arte ha sempre derivato i successi migliori.

S'è accennato, nel Tecchi, ad una fondamentale antiletterarietà; al rifiuto di tutto quanto è ornamento, decorazione ed orpello. Non si creda per questo d'aver a che fare con un artista incolto e solitario, che procede per sola forza d'istinto. Ché, anzi, il Tecchi ha larga esperienza di letture come di viaggi; è autore avvedutissimo e preparatissimo: molto piú di tanti che si dànno aria di raffinati e d'esteti. Valgono a dimostrarlo i suoi studii critici sul Wackenroder e sul Foscolo; le sue squisite traduzioni da Carossa e da Alverdes; la sua profonda conoscenza di letteratura tedesca, ch'egli professa in una delle nostre Università. Intorno al *Scrittori tedeschi del Novecento*, è ora uscito un suo volume; e dai saggi che già ne sono apparsi in vari periodici, è facile prevedere che esso costituirà una delle piú autorevoli trattazioni di quest'argomento.

Al carattere antiletterario del Tecchi romanziere: vogliamo dire al suo gusto d'una realtà schietta e non accomodata, fanno riscontro i suoi tenaci interessi morali. Sia una sua opera maggiore o minore, riuscita o meno riuscita, è sempre una sincera preoccupazione umana quella che la determina. Gli intrecci, le figure sono sempre carichi di significati che oltrepassano la sfera del pittorico, del descrittivo, dell'avventuroso, o d'una emotività che sia fine a sé stessa. Aggiungerò che il suo bisogno di dare forte risalto ai valori morali, lo può indurre talvolta a isolarli e definirli nella loro essenzialità, con un procedimento che rivela il suo lungo tirocinio, altrettanto e piú che sui grandi esemplari del romanzo, sui veri e propri maestri di coscienza e scrittori moralisti. Tutto ciò accresce serietà e quasi severità alla sua fisionomia. Ma una severità che non ha nulla di difficile, di arcigno e discostante; perché i personaggi e gli affetti ch'egli ritrae sono sempre i piú autentici e comunicativi.

E già nel suo libro: *Il vento fra le case*, era un vivissimo scorcio: *Donna nervosa*, che a distanza di molti anni non ha certo dimenticato chi allora ebbe ad ammirarlo. *Amalia* e *La signora Ernestina* sono altri due ritratti femminili, di ben maggiore proporzione e complessità, che giustamente hanno trovato il loro posto in primissimo piano, nella nostra narrativa contemporanea. Numerose altre figure di donna, il Tecchi ha creato; e la signora Gentili del romanzo odierno non è la meno suggestiva. Ma in questo romanzo sopratutto campeggiano due giovinetti: Raffaello e Fabrizio. Ed è stata concorde osservazione dei critici, che, specialmente in tutta la prima metà del volume, la quale si impernia piú direttamente sui due « giovani amici », il Tecchi ha oltrepassato quanto finora egli aveva saputo darci di meglio.

Figli di due famiglie della borghesia di campagna, Raffaello e Fabrizio crescono insieme: il primo piú ingenuo, rozzo, inadatto; l'altro d'una natura agile e

G. B. Angioletti, il secondo da sinistra, e Carlo Bernari, l'ultimo a destra accanto a Maria Bellonci, insieme ad altri scrittori e poeti durante la proclamazione del "Premio Salento".
A destra: Bonaventura Tecchi.

duttile, uno di quei ragazzi che sembrano destinati a vincere di primo colpo nella vita. I due amici si completano reciprocamente nelle loro diverse qualità; e anche passata l'età puerile, quando vengono a Roma agli studii, la loro fratellanza si mantiene perfetta. Rimasta vedova, la giovane signora Gentili, madre di Fabrizio, si trasferisce a Roma anche lei; e Raffaello e Fabrizio vanno a vivere in casa sua. Allora, a poco a poco, quasi senza rendersene conto, Raffaello comincia a innamorarsene. E con il crescere di quest'amore, del quale non sappiamo quanto la signora Gentili si accorga, coincide un presentimento, eppoi la rivelazione intera e tremenda, che il padre di lui, Raffaello, è legato con la signora da una relazione colpevole e rovinosa. Al tempo stesso, Raffaello deve convincersi che non soltanto Fabrizio sa tutto, e da anni; ma che, in un suo equivoco indifferentismo morale, non è nemmeno turbato dal sapere, e non prova ripugnanza.

Al primo scontro con la realtà, la lunga, fraterna amicizia s'è insomma schiantata. Le latenti diversità si sono invelenite, e polarizzate in una insanabile opposizione. Raffaello, con la sua ingenuità e quasi goffaggine, col suo amore sbagliato, e con il suo dolore, resta infine il solo che ancora può credere nella vita, e che non ha tradito i propri sentimenti. Il romanzo si chiude sulla morte del padre di Raffaello. Può darsi che quest'ultima parte, con i suoi chiaroscuri molto risentiti, con una o due scene fortemente effettate, e con il suo corso forse troppo sommario, non s'innesti a perfezione sull'altra. In ogni modo, non è difetto che pregiudichi il libro gravemente; e non si vorrebbe esagerarlo. Un autore piú furbo, è probabile che avrebbe evitato di impegnarsi in pieno dramma. Il Tecchi, invece, s'è sentito in obbligo di sviluppare fino all'ultimo residuo gli elementi contenuti nella situazione. E di questa lealtà d'artista, si dovrà almeno dargli atto.

Se uno schema come quello che abbiamo abbozzato non può render giustizia al romanzo per ciò che riguarda la distribuzione dei suoi temi e motivi e la sua architettura, altrettanto è difficile illustrare elementi piú riposti dell'arte del Tecchi; come per esempio il gusto della sua prosa, magra fino ad una leggera aridità, spezzata, a volte in apparenza trascurata, e tuttavia aristocratica di timbro, e negli effetti decisa e sicura. Ed è una fatica poco proficua anche a cercarle qualche antecedente nella nostra recente storia letteraria. Il D'Annunzio, manco a dirlo, non ci ha a che vedere. Ma poco o nulla anche Panzini e Pirandello. Sembra che una prosa siffatta possa esser nata dal discorso piú comune e dimesso; di dentro al quale, per semplice virtú di lima e di erosione, a poco a poco sia caduta qualsiasi superfluità, scuoprendosi un ritmo quasi scheletrico, ma nella sua secchezza mobilissimo e sensibilissimo.

E si è insistito, poc'anzi, sulla pienezza degli interessi morali nel Tecchi. Non si vorrebbe che ciò avesse ad intendersi nel senso che, in certo modo, egli fa la predica al suo lettore; adoperando i personaggi e le loro vicende come materia d'esemplificazione e d'edificazione moralistica. Nulla piú contrario alla sua arte che una simile qualità d'interventi. Nulla piú estraneo alla sua serietà, che far sentire direttamente la sua voce nel dialogo delle sue figure. A questo riguardo, deve anche dirsi che, di tutti gli scrittori italiani d'oggi, nonostante la intensa emotività di tante sue pagine, il Tecchi è quello che piú rifugge da appoggiare sul pedale della lirica.

Con un suo pubblico intelligente e fedele, egli non ha certo bisogno della nostra parola, che accresca risalto alla nobiltà e fertilità delle sue fatiche. Comunque, noi saremmo felici e orgogliosi se il poco che abbiamo cercato di dire su di lui, servisse a fargli qualche nuova amicizia. Quanto egli è schivo e modesto, tanto chi impara a conoscerlo è sicuro di non restare deluso.

(1941)

Idilli di Tecchi

In quei tempi malinconici, Bonaventura Tecchi non s'è lasciato scoraggiare, ed ha continuato indefessamente il suo lavoro. Due diari: *Un'estate in campagna* e *Vigilia di guerra*; un libro d'« idilli » e racconti: *L'isola appassionata*; un grosso volume biografico e critico sullo scrittore tedesco Hans Carossa; dopo del quale è venuto un altro volume di racconti: *La presenza del male*; e probabilmente l'elenco delle opere dal Tecchi pubblicate nel corso degli ultimi tre anni non è neanche completo. Se si considera l'artigiana onestà e solidità di questa produzione; la qualità d'una prosa che non ostenta raffinatezze smaniose, ma nel suo tratto sommesso e bonario è tutta intimamente sorvegliata e messa a punto: può ben dirsi, senza offender nessuno, che pochi autori italiani contemporanei, in un'epoca tanto difficile, hanno confermato cosí validamente la propria vocazione. La formula chimica di parecchi scrittori è soggetta ad alterarsi, a piú o meno lunghi intervalli: per sinceri apporti culturali, per influsso di mode, e per la semplice paura di sembrare arretrati. Ma sul fondo antico, ed assiduamente coltivato, dei suoi studi germanici, il Tecchi va avanti del suo solito passo, con i suoi soliti mezzi, senza capogiri, e senza troppe avventure sulla via di Damasco. Con tutta la venerazione per san Paolo, neanche questa è cosa che in fin dei conti può dispiacere.

Fra i volumi citati, ci tratterremo sull'ultimo: *La presenza del male*. Son dodici racconti, due o tre assai lunghi, alcuni brevissimi. E come in precedenti romanzi e novelle del Tecchi, ci presentano, ancora una volta, l'inserirsi d'una volontà risentita, ed impegnata a definire e costruire, sopra una trama di impressioni mobili e dirette, che in quest'autore sovrabbondano, e che, tra altre cose, fanno di lui uno dei nostri migliori interpreti della natura, degli animali, e delle opere e della vita campestre. Fu sempre osservato che l'aspirazione del Tecchi a risolvere le situazioni di certi suoi libri giocandole in pieno, con la massima puntata, lo induceva talvolta, come nelle ultime parti dei *Villatàuri* o di *Giovani amici*, a un romanzesco piuttosto carico e chiaroscurato, che non risponde esattamente alle piú genuine qualità della sua arte. E può esser vero, anche se nel difetto debba riconoscersi l'impulso generoso d'un artista, a sollecitare e svolgere un soggetto fino alle possibilità e capacità estreme.

In grandi romanzieri, ad esempio Conrad, si nota un che di simile; e i finali di *Lord Jim* e di *Rescue* affrontano perfino una tal quale teatralità. Nei racconti de *La presenza del male*, questa eventuale esasperazione è meno accentuata. Tuttavia, in alcuni fra i piú larghi: *Quinto piano*, *Vita d'un guardiano*, ecc. ecc., specie nel secondo, con una qualche gravezza di pedale, è probabilmente un concorso d'intenzioni ed espedienti, eccessivo agli effetti ch'era possibile conseguire. La vecchia e orgogliosa scrittrice di *Quinto piano* una volta che l'abbiamo conosciuta e capita, per qualsiasi insistere che faccia il racconto, non guadagna di simpatia né di verità. Mentre il pazzo guardiano e cercatore di tesori, a lungo andare va diventando leggermente « fantastico » e « inventato ».

Il proposito antimpressionista e antiframmentista del Tecchi, non manca, insomma, di farsi pagare in un modo o nell'altro il pedaggio. E un pochino come la sua vecchia scrittrice, il Tecchi dovrebbe stare in guardia dagli inviti, certamente nobili, d'una troppo rigorosa e costante buona volontà. È quasi meglio, a mio vedere, quando in un rapidissimo bozzetto come *L'orto,* ch'è poco piú d'una notazione in punta di lapis, d'un promemoria affidato a una pagina di taccuino, la materia sembra volatilizzarsi nella sommarietà del procedimento col quale è stata colta. Perché un lettore intelligente, in cotesti pochi segni, sa ancora ritrovare quel fremito, quella scintilla di vita che, in una realizzazione artistica troppo dimostrativa, finiscono col rimanere oppressi o dispersi.

In parole povere, abbiamo detto che lo scrupolo del meglio, e la decisione di impegnarsi piú a fondo, qualche volta possono condurre il Tecchi a strafare; anche se ciò avviene quasi sempre alla sua maniera, esatta, positiva, concreta. Ha un istinto sicuro del mistero, ma non gli basta capirne misteriosamente il mistero per virtú di poesia; e sente bisogno d'ingabbiarlo e ribadirlo. In due fra i piú bei racconti del libro, a una seconda o terza lettura, si avverte sempre meglio, dentro alla pagina, qualche sottile nubescenza d'elementi non eterogenei ma già consumati, che non si decidono a sparire; e che sebbene per fortuna non prevalgono, da un momento all'altro sembra che stiano per inquinare l'incanto con le loro tardive fermentazioni. Ciò non avviene, e i due racconti arrivano felicemente in porto.

Alludo a *Adolescenti* ed *Al margine*. Nelle *Adolescenti* è l'inquietudine della libertà e la rivelazione del male (chiamiamolo genericamente cosí) in due fanciulle schiette e festose. Una specie della *Digitale purpurea* del Pascoli, riscritta nei termini della narrativa contemporanea; con le adolescenti in pantaloni lunghi, e sul dorso il loro sacco da montagna invece che vestite da collegiali, ed inginocchiate all'altare d'una chiesetta di monache. In *Al margine*, l'irrompere subdolo e repentino di un amore, non mai prima da lui cosí provato, nella coscienza di un uomo piú accosto alla vecchiezza che alla gioventú; una esaltazione ch'è al tempo stesso devastazione; un'illuminazione che ha in sé qualcosa di micidiale e funereo. E il successo di *Adolescenti* ed *Al margine* piglierebbe maggior risalto, se vicino ad essi non fosse altro breve « idillio » o racconto: *Le due signore* ch'è fra le cose piú delicate e profonde del Tecchi, e dalla piena maturità dell'autore ci richiama, vittoriosamente, a quella indimenticabile *Donna nervosa* che fu il suo piú bel racconto di gioventú.

Di temi come questi il Tecchi è maestro; straordinariamente intensi e precisi, e al medesimo tempo quasi ineffabili; sospesi come in una segreta e misteriosa immobilità, e tuttavia capaci di suscitare una infinita vibrazione. E forse nessuno da noi li sente ed esprime, oltre che con conoscenza cosí intima, con una gravità cosí sana, senza abbellimenti estetici, come senza realistiche superfluità. Perché anche dove, come s'è notato, il Tecchi può riuscire lievemente pleonastico, ciò è per altre ragioni ed in altre direzioni che coteste.

Egli è maestro di caratteristiche situazioni sentimentali e morali (per cosí dire) inesplose, che si accumulano e lievitano su un limite d'ombra, della quale è bene che le sue figure restino sempre un po' prigioniere. È un pittore d'immagini, come diceva il De Sanctis, « sparenti »; la suggestione delle quali è tanto piú forte in quanto esse si avvolgono e respirano d'un segreto piú grande di loro. Per tutto ciò l'antica forma dell'« idillio », o la moderna forma d'un racconto atteggiato su quella, gli convengono in modo perfetto. In esse l'immediatezza delle sue sensazioni si concilia col suo intellettualismo. Sono le forme in cui egli ha ottenuto finora i risultati piú puri; ed altri, e maggiori, certamente otterrà.

(1948)

«La memoria» di G.B. Angioletti

Con vero gusto si legge l'ultimo libro di G. B. Angioletti: *La memoria*, i cui dodici capitoli si compongono in una sorta di racconto autobiografico; o a dire piú esattamente, in una serie di quadri dove son tratteggiate scene dell'infanzia e dell'adolescenza. I ricordi, in altre parole, piú che disporsi nel libro secondo l'azione e la cronologia, si aggruppano in pittoresche « suites » intitolate ai luoghi e alle circostanze (« la casa », « la campagna », « le feste », « le malattie », ecc.); sullo sfondo d'una città: Milano che, nel primo decennio del secolo, lentamente viene mutando costume ed industrializzandosi; uscita appena allora da una sanguinosa rivolta e repressione. È all'incirca l'epoca che subito succede a quella delle fiorentine *Stampe dell'Ottocento*; ma in un ambiente diversissimo da Firenze, e in uno scrittore che non potrebbe essere meno palazzeschiano.

Tessendo intorno al libro parole accoglienti, affettuose, non mi sembra frattanto, almeno in ciò che ne ho visto, che i critici abbiano dato il necessario risalto a quello che vorrei chiamare il « lombardismo » di Angioletti; e che in questa opera della sua piena maturità ha spicco anche piú marcato che in altri suoi libri. Per chi un po' conosce Angioletti, è ovvio che non si vuole alludere a riflessi ed eccentricità a lui derivanti per il tramite della cosiddetta « scapigliatura lombarda »: dal Praga, al Tarchetti, al Boito, al Dossi, al Lucini ed al primo Linati, anche oggi presente in taluni aspetti dell'opera di C. E. Gadda. È il suo, un « lombardismo » piú libero, sereno e sostanziale; benissimo riconoscibile non nelle forme letterarie soltanto. Senza scomodare Manzoni od altre ombre troppo venerande, e rifacendoci alla fisionomia generale del romanticismo padano, è agevole rilevare certi caratteri che, non occorre avvertirlo, si differenziano e variamente si screziano nei singoli scrittori ed artisti.

Si tratta, essenzialmente, di un'arte e d'una scrittura le quali, piú che a disegnare ed incidere precisi e nervosi contorni, a modellare figure monumentali, e comporre ferme strutture architettoniche, sono atte e specialmente riescono nel creare suggestive atmosfere, inaspettati chiaroscuri, trepidanti smorzature, misteriosi effetti corali. L'invito, l'appello emotivo, in un'arte e una letteratura di questo tipo, è quasi sempre assai scoperto. Si può anche aggiungere che, il piú delle volte, una parte della ridondante emozione, o addirittura dell'« effetto », si riassorbe e interviene nel giuoco dell'espressione artistica. Le fa da cassa di risonanza. È all'incirca come in un modo di parlare in cui quello che parla, invece di limitarsi ad ottenere la persuasione dell'ascoltatore per virtú delle cose che dice e dei loro rapporti nel contrappunto verbale, trasfonde ed anticipa l'emozione e l'« effetto », nel tono e nelle inflessioni della propria voce e nel gesto; e come nell'eloquenza e nell'oratoria, diventa un po' l'attore di sé stesso. Cosí l'opera si fa piena e risonante anche de' propri risucchi e dei propri echi. Ed è possibile che, in talune parti, a una lettura ripetuta, perda un po' della propria comunicativa; perché la sorpresa degli « effetti », già sviluppati ed emulsionati nell'opera stessa, la seconda volta meno felicemente si rinnova, e solo con un certo affievolimento.

Sarebbe interessante discutere tali cose, anche all'infuori dell'esempio particolare. E va soggiunto che, con tutto ciò non deve affatto supporsi che in Angioletti la parola, l'epiteto, l'immagine, immersi e trascinati nell'onda dell'emozione, abbiamo poca vivezza e scintillío. La sua sintassi, caso mai, dovendo esser sempre consentanea alle esigenze d'un movimento eloquente, il quale non provochi, anzi piuttosto blandisca, le reazioni riflesse del lettore, è portata a contentarsi d'un corso piuttosto uniforme. Mentre nelle larghe sinuosità dei periodi copiosi, lampeggiano e subito scompaiono aggettivi cosí stupendi, immagini cosí innocenti e preziose, che quasi viene da dirsi: se Angioletti si fermasse un momento, e cavasse fuori tutto il tesoro di poesia ch'è in quelle due o tre parole, anche piú nuovo e profondo di ciò ch'egli viene raccontandoci. Fermarsi, invece, egli non può. Si direbbe quasi che non può scegliere: non può troppo scegliere. Sulla scorta delle quali osservazioni, del resto elementari, è assai facile scorgere dove e in che modo si producano i suoi successi piú intensi, e dove si affacci la maniera.

Il libro è fitto di siluette, figurine, ritratti; piú accarezzati quello della madre, e del nonno ceramista, simpaticissimo campione del vecchio artigiano patriarcale. Il cortile della fabbrica di ceramiche, con i suoi alberi, spiazzi, amminnicoli e rispostigli, mi fa pensare ai giardini delle trattorie di Domenico Induno (per esempio: *Il bollettino di Villafranca*). In cotesto casalingo microcosmo, il ragazzo cova la sua solitudine e le sue malinconie. Senza pur rendersene conto, pensa alla morte e all'infinito. Ha le prime vaghe intuizioni dell'amore: sente i primi urti delle diversità di classe e delle ingiustizie sociali. Tutto il capitolo: « Il viale », dedicato appunto alla fabbrica, si svolge con bel crescendo. *Memoria* non potrebbe avere una « ouverture » piú elettrizzante; e costí non siamo affatto al disotto di quelle pagine ch'or mi sovvengono, giustamente famose, dove la Serao descrisse i preparativi per il carnevale nel *Paese di cuccagna*. Tutti i temi del libro agilmente vi giuocano, come i temi del melodramma nella sinfonia. S'è notato come sempre giova ad Angioletti che le sue figure campeggino un breve istante in un'atmosfera chiaroscurata e commossa. Ed a tale riguardo poche volte egli dette qualcosa paragonabile a quella figura della madre che, passando nel giro della danza al braccio dell'estraneo, sorride al ragazzo in disparte imbronciato alla festa di ballo.

Si vede subito la differenza, allorché egli anticipa e calca un po' troppo gli « effetti »; come allo stesso capitolo del ballo, la scena con la ragazza svenuta alla quale il ragazzo infine dà un bacio. O si vede in altra scena pure lievemente « effettata »: col ragazzo malato che visitano le amiche di mamma, e per via del caldo si mettono un po' in libertà. Avesse egli detto un tantino meno, e quanto avrebbe detto di piú. Per i quali minimi appunti non è, frattanto, meno vero che questa *Memoria* sta fra le piú tipiche e complete riuscite del nostro scrittore; e volesse Dio che, non pretenderò certo tutti i giorni, ma almeno ad ogni stagione, si avessero libri del merito di questo.

(1949)

Alla ricerca della gioventú: Eugenio Montale e Giuseppe Raimondi

Son diventate quanto mai ambigue, nei correnti usi letterari, le parole « giovane », « gioventú » e loro derivati. E chi pretendesse assumerle in senso rigoroso, nei riguardi stilistici, o in quelli dello stato civile, si troverebbe, piú di una volta, a sorprese strane. Per costituirsi in figura di letterato giovane, poco interessa la qualità dello scrittore e l'età dello scrittore. Si tratta, piuttosto, di osservare un certo regime nella produzione; non spenderla su grandi giornali o riviste famose; adoperare alcuni cosmetici; conservarsi una *allure* circospetta e quasi direi sacrificata: quell'aria di « ti vedo e non ti vedo » (le giovinezze esplosive appartengono all'arte di altri tempi); e la cosa è fatta.

Con tali precauzioni, non gli anni possono sfidarsi, ma i decenni. L'opera e il nome restan preservati, canforati, in uno stato perpetuamente preliminare, che offre qualche rimunerazione. E mentre gli scrittori che consentono a impegnarsi a viso scoperto, e invecchiare, hanno le loro vicissitudini, e poi trovan la morte, in prima linea nella battaglia letteraria, la fama, piú modesta, del « letterato giovane » non conosce oscillazioni né tramonti. I critici lo tengono in serbo, come l'asso di briscola, da giuocarsi al momento buono. E il pubblico, con aspettazione d'anno in anno piú acuta, si ripromette di vederlo, come Achille, uscir dalla tenda, armato fino ai denti, a decider le sorti dell'arte nazionale.

A trentasett'anni Michelangiolo aveva dipinto la *Sistina*. Ma lasciamolo da parte, con Raffaello, Leopardi e altri sovrumani. A trentasei anni Baudelaire aveva pubblicato le *Fleurs du mal*; e intorno ai quaranta, il D'Annunzio, la sua lirica piú bella. Nessuno si sarebbe sognato, negli scritti critici e nelle conversazioni di caffè, di considerarli giovani; ché la loro responsabilità artistica era e voleva esser completa. Ma l'età giusta del nostro « letterato giovane » è, appunto, all'incirca, quarant'anni. Questo spostamento della giovinezza letteraria tien conto delle difficoltà cresciute nelle quali gli scrittori oggi si trovano, per un monte di cause che qui non dobbiamo elencare. Ma, di questo passo, se le difficoltà crescessero ancora, non sarebbe da meravigliarsi che, fra poco, il limite giovanile fosse portato verso i sessanta. E che quando gli scopritori delle novità letterarie evocassero le fresche falangi, si vedessero sbucare valentuomini con la barba fino ai ginocchi, come il grembiule di cuojo degli antichi guastatori. Rara discrezione, quella del Panzini e di Pirandello, a non pretender d'esser salutati come meravigliosi giovinetti, quando usciron con le *Fiabe della virtú* e i *Sei personaggi in cerca d'autore*! Ne avrebbero avuto diritto; ché, ancora veramente non avevan fatto breccia nel pubblico; né, d'altra parte, eran piú anziani di tanti, cui nessun critico oggi negherebbe un cavallo a dondolo, o il cerchio per correre nei viali di Parnaso.

In sostanza, l'affettazione della gioventú, dell'orizzonte aperto, della promessa intonsa, negli autori e nei critici che glie la menan buona, deve farsi rientrare in quella generale disposizione che il Péguy avrebbe chiamato « declinativa »; per cui ciascuno intende, quanto è possibile, a non esser preso troppo alla lettera, a non tagliarsi dietro tutti i ponti, e ad accompagnar l'edito con l'inedito, il fatto con le intenzioni. E sarebbe tuttavia ingiusto, dopo averne sorriso, dimenticare il rovescio della medaglia: la mal dissimulata ansietà ch'essa esprime, delle circostanze di ogni natura, spirituali e corporali, che hanno reso arduo come non mai il mestiere letterario; questo, fra tutti i mestieri, il piú tristo e povero di compensi.

Comunque: cercando fra gli scritti di giovani qualcosa da intrattenerne i nostri lettori, non abbiamo voluto incappar nell'errore di presentare come esordienti, uomini con un lungo stato di servizio piú o meno confessato. Eugenio Montale e Giuseppe Raimondi, autori di due libretti diversi di materia e di forme, ma assai vicini nelle disposizioni, non sono *bebés* ma hanno diritto ad esser chiamati giovani sul serio; sebbene questa loro qualità non voglia affatto indurci a illecite attenuanti.

Giuseppe Raimondi, noto favorevolmente ai fedeli delle poche superstiti riviste letterarie degne di questo nome, ci dà una breve *Notizia su Baudelaire*; ma piú che « notizia » dovrebbe dirsi meditazione, ché oggetto dello scrittore non era di offrire nuovi elementi storici e critici, quanto di raccogliere, direi musicalmente, alcuni pensieri fra i tanti che in ciascuno di noi hanno suscitato, negli anni della formazione, e seguitano magicamente a suscitare, l'opera e la figura di quegli che veramente è fra i Santi Padri della letteratura moderna. Come in altre prose del Raimondi, talvolta, nell'intonazione, è qualche cosa di affatturato. Gli affetti son sinceri, ma li accompagna un gesto verbale un po' carico; e il senso come di una intellettuale *mièvrerie*, che per insinuarsi in cosí formidabile argomento, anche piú ha assunto di subdolo e fastidioso.

In fondo, il Raimondi mi dà ragione, quando, insieme ai difetti, riconoscendo meriti che furon negati al saggio, schematico e forse un po' perentorio, che al Baudelaire dedicò Benedetto Croce, viene implicitamente ad ammettere che la discussione sopra un artista ha sempre da guadagnare dall'esser fatta in parole semplici e formule piane, e lasciando perdere il pulviscolo che sciama nelle regioni intermedie tra l'intelletto e il sentimento. Sotto un trattamento stilistico piú duro, anche la mozione degli affetti gli avrebbe tutto preso un risalto virile; e tanto richiedeva il poeta ch'egli s'era accinto a celebrare. Passione ridotta a logica; ribellioni della fantasia e dell'umore, domate in una linea classica; intrepido giansenismo letterario; tanto, con l'esempio delle liriche, dei poemetti e degli scritti d'arte, insegna il Baudelaire a una generazione che, come la sua, sembra non poter trovare altro equilibrio che nello stile ed elabora in forma di cesure prosodiche i propri imperativi morali. Cosicché, mentre la materia e il tono generale della *Notizia* son giusti e opportuni, e frequenti i tratti di delicatissima penetrazione, meno riesce a persuaderci quanto risente di una molle infrazione stilistica; d'una resa troppo vagante e confidenziale. Non si può parlare bene di Baudelaire, né di nessun poeta essenziale, senza, in certo modo, applicarlo, che non vuol dire rifarlo. Ma, in taluni punti, il Raimondi sembra piuttosto aver rifatto un Suarès meno spiritualizzante, e portato a un satanismo un po' decorativo.

A indicare, frattanto, la sua capacità d'investirsi d'uno dei fondamentali segreti baudeleriani, e leopardiani, e di tutta l'arte moderna, basterebbe la pagina dove parlando di questa arte, egli tocca di una grazia, disperata e malinconica, che in essa si induce come per « una immortale nostalgia di tempi e luoghi passati, degni d'essere considerati come ideali e pur respiranti un'aria umana e mortale ch'è la nostra, caduca ». La culturale fatalità e il lirico orgoglio che insieme deprimono e accendono il nostro tempo, come volgarmente è detto: *critico*; la dolorosa e ardente responsabilità di appartenergli, e di non voler tradirne l'intima legge con ingannevoli soluzioni, di rado da noi erano state espresse con parole cosí pacate. E quant'è di meglio nel saggio, vibra dell'eco di coteste parole.

Che siffatta consapevolezza critica, nello stesso tempo che le affina, possa in certo modo inaridire le facoltà della creazione, si vede in quanto succede in Italia ed in Francia. Poeti lirici, per esempio, in Italia, oggi si contano sulle

Il poeta Eugenio Montale si cimenta con la pittura. A destra: *Pastello* di E. Montale.

dita di una mano; non potendo includervi quelli che svolgono, non senza decenza, motivi formali e sentimentali affatto oltrepassati. Un senso di religioso terrore custodisce gli strumenti della poesia. E scrittori che non ci pensano un istante a prendersi libertà con la novella e con il romanzo, guardano il collega che si azzarda sui trampoli delle rime, come si guarderebbe il sonnambulo sull'orlo d'un tetto.

Eugenio Montale ha tentato d'accrescere lo scarso manipolo di coloro che ancora osano accostarsi e dar di piglio a quegli strumenti; e senza dubbio ha animo di poeta; e sa ritrovare, in fondo alla propria natura corrosa di molti veleni, temi d'una qualche ingenuità, che possan sostenere l'illusione del canto. E sebbene, talora, si abbandoni a divagazioni riflessive, e cerchi di trasportarsi dall'immagine plastica al concetto, non so vedere, come è apparso a taluno, ch'egli abbia relazioni di sorta col Valéry; del quale non dico ch'egli ritenga ma che pur s'industri a imitare il rigore nei numeri, e la simmetria nelle invenzioni ideologiche.

Il suo volumetto: *Ossi di seppia*, meglio che da qualunque diagnosi critica,

è definito dal proprio titolo; ricercato, magari, quel tanto ch'era necessario a indicare compendiosamente un assai prezioso incontro di mobilità sensitiva e di riflessa aridità. E per certi riguardi, il Montale è simile allo Sbarbaro; soprattutto in una specie di friabilità interiore; e i motivi paesistici in lui hanno la funzione che nello Sbarbaro quelli sessuali: di procurargli, cioè, una fugace fermentazione, dopo la quale il senso dell'essere nuovamente si scioglie in una amorfa tristezza. È stato anche osservato come egli condivida con Ceccardo, il Boine ed altri poeti della Versilia e liguri, la qualità di alcune visioni di paese, attonite, e colte attraverso un leggero velo di allucinazione. Ma dovendo badare a' modi ritmici e a certi usi verbali, aggiungerei, e non a titolo di demerito, ch'egli non studiò invano il D'Annunzio della lirica d'*Alcione* dov'è piú rarefatta. Tratteggiato per sommarie analogie, all'incirca, è questo il suo temperamento.

Non nuovo, in altre parole; ma definito fin nelle minime striature con un'industria scrupolosa e tormentosa. Per timore di sbandare, il ritmo non s'innalza mai, o soltanto in alcune clausole conclusive; procedendo di solito con andatura singultente, o con qualche rinsaccatura come quelle che dànno un che di balzano a certi movimenti dell'*Opera prima* di Papini. Le parole sembrano scelte soprattutto in vista dei valori di jato; con una predilezione di toni acri e vetrini; e le strofe si irritano di rime aguzze, come un muro al sole luccica di atroci cocci di bottiglia.

Inamena giovinezza! Anche qui, nei rari momenti in cui lampeggiano lontane illusioni, sugli uomini e le cose il lume d'una antica felicità si riflette con qualche cosa di irrevocabile, come di una beata naturalità, ormai corrotta e perduta. In vista ad un giuoco di ignudi fanciulli sul mare, fiorenti cespi umani nell'aria tersa:

> Il passante sentiva come un supplizio
> il suo distacco dalle antiche radici.
> Nell'età d'oro florida sulle sponde felici
> anche un nome, una veste, erano un vizio.

Piú spesso, il nitido e implacabile spettacolo della natura è deserto anche di tali memorie. E piú crudele, allora, il suo bagliore agli occhi delusi. Piú greve il peso dell'eterna macchina del cosmo, sulla volontà semispenta.

(1925)

«Ossi di seppia» di Eugenio Montale

In parte per influenza della poesia francese, dal Baudelaire a Mallarmé e Valéry, in parte per un ritorno, provvidenziale, al culto dei nostri grandi lirici dei primi dell'800, un senso di responsabilità, di sgomento, se non vogliamo dire di paralisi, trattiene i poeti. Oggi un libro in versi costituisce una vera rarità nella letteratura italiana. E gli stessi che non ci pensan due volte, quando si tratta di prendersi confidenze con la novella o con il romanzo, guardano il confratello che esce sui trampoli delle rime, press'a poco come si guarderebbe il sonnambulo che cammina sull'orlo dei tetti.

Se si eccettuano poeti e poetesse formatisi su un piano ormai remoto, e i produttori, invero sempre piú solitari, di liriche in « amore » e « cuore », « luna » e « laguna » sui quali sembra esser piovuta non so che misteriosa e fulminante polvere insetticida, poeti giovani, che operino con il senso di responsabilità detto in principio, e su una sensibilità nuova, si contano sulle dita di una mano: Ungaretti, Onofri, uno o due altri; ed ora, per questo suo nitido volumetto: *Ossi di seppia*, Eugenio Montale.

Con la solita penetrazione Carlo Linati ha parlato della poesia del Montale nell'ultimo "Convegno", osservando che in modi assai arditi essa si scioglie da un fondo comune a vari poeti e scrittori, come il Montale, genovesi: Ceccardo,

Sbarbaro, Boine, Grande. Rive scogliose con alberi stenti, e distese di mare sfavillante; una natura bruciata e consunta che sembra di continuo sul punto di sradicarsi e dissolversi in una latitudine infinita; la immensità del cielo, resa piú incombente e misteriosa dalla squallida linea di un muro bianco; un portone semiaperto che lascia scorgere in un orto i vasi rossi e il fragrante fogliame dei limoni; ecco alcuni elementi paesistici da cui il Montale trae lo spunto per brevi liriche, di un'andatura duramente scandita e talvolta quasi singultante, fiorite di cespi d'immagini acri e lustre come fiori salini; e con un che di intimamente allucinato, che assume risalto dalla precisione crudele con cui son segnati contorni e colori delle cose.

Ci muoviamo in un pulviscolo
madreperlaceo che vibra,
in un barbaglio che invischia
gli occhi e un poco ci sfibra.

Oppure con un senso anche piú nervoso del ritmo e della rima:

Meriggiare pallido e assorto
presso un rovente muro d'orto,
ascoltare tra i pruni e gli sterpi
schiocchi di merli, frusci di serpi.

E con uno slargarsi della sensazione in concetto:

Il cuore che ogni moto tiene a vile
raro è squassato da trasalimenti.
Cosí suona talvolta nel silenzio
della campagna un colpo di fucile.

Sarebbe interessante ricercare come da certo D'Annunzio (di « Undulna », di « Versilia », dei madrigali del *Libro di Alcione*) il Montale abbia originalmente svolto talune posizioni ritmiche e verbali; e lo diciamo in senso di lode, perché una delle cagioni di sterilità, nel momento presente, è stata forse l'aver irragionevolmente respinto ogni contatto con la ultima grande lirica nostrana; e aver preteso di creare nel vuoto, per sentito dire; o su modelli ineffettuali, come restan sempre quelli che provengono da altre lingue e letterature.

Il Linati ha anche giustamente notata la lieve inopportunità di risoluzioni, nella poesia del Montale, tra meditative e didascaliche; sebbene non sappiamo come lui riferirle all'influenza del Valéry, da cui il Montale ci sembra immune.

Quello che conta frattanto, è che il Montale è poeta vero. E siamo sicuri che tale apparirà a ognuno che legga il suo libretto.

(1925)

La poesia di Montale

Il cammino percorso dalla poesia di Eugenio Montale, ebbe inizio col volume degli *Ossi di seppia*, pubblicato a Torino nel 1925, editore Piero Gobetti che, nel campo dell'azione politica, doveva lasciare un nome venerato. E tale cammino si svolse in un tempo assai differente da questo tempo d'oggi, nel quale chi non scrive romanzi (parlo della nostra letteratura) scrive almeno poesie, e non sembrano, al momento presente, ammesse e tollerate altre forme. Non ricordo esattamente che cosa preferivano scrivere intorno al 1925. Certo è che la poesia pareva da quasi tutti abbandonata; non però da Ungaretti né da Montale, ai quali spettò un cosí nobile destino nella storia della lirica non soltanto italiana della prima metà del Novecento.

Del Montale fu caratteristica la cautela nei confronti di forme poetiche piú audaci e irregolari, che venivano sopratutto proposte da modelli esteri, e mai venne meno la sua illuminata fedeltà alla nostra tradizione sintattica e metrica. Ma al medesimo tempo appariva in lui completamente arrovesciato il rapporto che ebbero con la Natura i nostri ultimi maggiori poeti, incluso il Carducci. Per il quale la Natura si umanizzava in quanto testimone e teatro di gesta eroiche e di grandi fatti della storia patria; mentre al Pascoli era di conforto e compenso per tanti atroci dolori della sua storia famigliare. Infine, con la propria inarrestabile fecondità, con la bellezza muliebre e paesistica, essa esaltava nel D'Annunzio l'entusiasmo del vivere; fino a dare, almeno per un certo tempo, l'illusione che nella poesia dell'*Alcione* si esprimesse una vera e propria partecipazione cosmica.

L'atteggiamento del Montale in *Ossi di seppia* non avrebbe potuto essere piú diverso da quello di questi predecessori. Sopratutto nell'aspetto del paesaggio ligure, abbagliante di sole ed arso dalla salsedine, la Natura provocava la sensibilità visiva, nel Montale acutissima. Quasi vorrebbe dirsi che la crudezza e il colore della rappresentazione naturale non servivano che a rendere piú evidente al poeta la propria solitudine e negatività:

> Cerca una maglia rotta nella rete
> che ci stringe, tu balza fuori, fuggi...

Ma la maglia rotta non si trova, e non c'è dove fuggire. Cosí nell'antico *spiritual* negro:

Non c'è posto quaggiú dove nascondersi.
Corsi alla rupe per nascondervi il mio viso.
Gridò la rupe: « Non c'è dove nascondersi.... ».

Incorniciati fra lucidi aforismi e riflessioni gnomiche, i paesaggi di *Ossi di seppia* ci guardano come apparizioni indecifrabili e misteriose quanto piú è spietata la loro icasticità. L'impressionismo verbale del Pascoli, che tanto era parso ardimentoso, in queste liriche è già oltrepassato largamente. La tradizionale struttura dell'endecasillabo è rinnovata e inasprita di scaltre esitazioni e fratture. E perfetta è la dosatura del linguaggio, nobile e al medesimo tempo quasi popolare. Negli *Ossi di seppia*, il mondo morale e l'arte di Montale hanno trovato una loro prima espressione pressoché completa.

Ma noi non ci proponiamo di seguire e commentare a ogni tappa la carriera poetica del Montale, pigliando a felice pretesto la odierna consegna del grande Premio Feltrinelli, massimo riconoscimento letterario italiano. Quella carriera già da un pezzo è famosa. A distanza d'una quindicina d'anni dagli *Ossi di seppia* furono pubblicate *Le occasioni* (1939). E con altro distacco all'incirca della medesima durata, uscí *La bufera* (1956), terzo e per ora ultimo libro di versi montaliano. La lunghezza degli intervalli fra l'uno e l'altro volume sta a testimonianza della laboriosa meditazione sentimentale e morale e della riflessione tecnica che accompagnano lo svolgimento dell'arte di Montale.

Nelle *Occasioni*, con piú ampio respiro e fraseggiare piú lento, viene celebrata la stagione elegiaca di questa poesia nel regno delle ombre e delle memorie. Le situazioni non sono cosí prevalentemente visive e paesistiche come negli *Ossi di seppia*, ma autobiografiche. Si potrebbe pensare a una storia, o ad una successione di storie ed episodi di simpatie amorose; ma l'estrema reticenza del poeta non gli consente di ricordare ed evocare le figure della sua passione che attraverso una simbologia di oggetti, di gesti e di parole d'intesa segreta, che nella trasfigurazione lirica assumono una qualità quasi magica, rituale.

E mentre gli accenti della passione pervadono il canto, e gli danno respiro (per tal modo che *Le occasioni* sono forse il piú alto libro di Montale), da quella simbologia proviene qualche cosa di esoterico, che taluno volle approssimativamente ravvicinare ai toni del cosidetto « ermetismo ». Ad altri, invece, come il Gargiulo, ch'era stato caldo prefatore della prima edizione di *Ossi di seppia*, la simbologia delle *Occasioni* fece piuttosto l'effetto di una vera e propria deliberata oscurità. Altri infine credette di potere identificare quell'esoterica angoscia con una sorta di esistenzialismo *in nuce*. Ma di simili fraintendimenti ci sarebbe da indicarne, cosí di passaggio, una gran quantità, dal piú antico, spesso ripetuto, che accostava il Montale al Valéry, con il quale in realtà egli ha in comune assai poco; ad altro ancora piú diffuso, che di lui voleva fare una sorta di Eliot italiano; laddove le loro teologie non sono meno antagonistiche di quanto sia il loro senso prosodico, e la qualità delle loro immagini e del loro linguaggio.

Negli *Ossi di seppia*, come s'è accennato, è l'incontro del poeta con gli aspetti d'un mondo indecifrabile, e il formarsi d'una coscienza di vivere senza scampo in un carcere eterno. Nelle *Occasioni* si esprime il sentimento della reciproca pietà, fra coloro che inutilmente cercarono « la maglia rotta nella rete che ci stringe », e finirono col rassegnarsi alla insormontabile solitudine e prigionia. A un dato momento, un destino di questa specie, che ciascuno, prima di tutto, sconta e consuma nel segreto della propria coscienza, si storicizza ed è per cosí dire investito nella prepotenza d'una tirannia sociale e politica. La estraneità e cieca crudeltà della Natura, si trasferisce e materializza nelle istituzioni umane, e le imbarbarisce e inferocisce. Nella *Bufera* (1956) è la lirica denuncia delle condizioni dello spirito europeo e del suo calvario, negli anni che immediatamente precedettero la seconda guerra, e durante il travaglioso ed ancora incompiuto riassestamento che l'ha seguita. E non è tra le minori vittorie del Montale che, nell'acre lievito di questa tragica materia, la sua arte non abbia mai corso il pericolo di diventare eloquenza; la quale in sé può anche essere cosa autentica e grande, ma in una sfera estranea a quella della poesia vera.

All'ingrosso, è questo lo schema dell'attività creativa con la quale, come giustamente ha scritto Gianfranco Contini, relatore del premio: « il Montale ha elaborato il suo piú alto contributo alla costruzione della nuova poesia europea ». Frattanto rimane fuori da questo schema tutta la copiosa produzione critica del Montale, inesplicabilmente mai finora ordinata in volume, e che è da augurarsi sia al piú presto raccolta. I lettori di questo giornale[1] hanno frequente occasione di ammirarne bei saggi, nutriti d'agilissima esperienza e cultura, nei quali alla penetrazione piú strettamente letteraria e stilistica s'associa la capacità di analizzare, con acutezza pari all'equilibrio, nuovi fatti della vita e produzione intellettuale in genere e della musica in specie, non meno di quelli della vita morale.

Ma non si potrebbe chiudere questa nota senza aver ricordato quale graziosa sorpresa e rivelazione fu nel 1956 la comparsa del volumetto: *Farfalla di Dinard*, dove il Montale aveva riunito un gruppo di brevi racconti, apologhi, o come li chiamò lui: « elzevirini e culs de lampe », ch'egli era andato sparsamente pubblicando all'incirca fra il '47 e il '50. La *Farfalla*, dopo alcuni anni, diventò una raccolta piú numerosa di composizioni simili, le quali, piú che all'impegno si affidano al capriccio e all'umore, con una grande varietà d'intonazioni: dalla delicata e misteriosa *Farfalla* che intitola il libro, al disperato gambero del *Condannato*, e alla misera « pantegana » di *Sera tempestosa*.

A chi non ne avesse mai visto nulla, si potrebbe cercare di offrire un'idea di

[1] L'articolo venne pubblicato sul "Corriere della Sera".

tali scritti, ricordando piú o meno vagamente certe livide « illuminazioni » di Kafka, e la qualità di brusca presentazione che hanno taluni « poemetti in prosa » di Baudelaire. Non si tratta di riferimenti che pretendano basarsi su ragioni imitative, ma di naturali affinità di tono e dignità. In un certo senso, si può pensare a una sorta di calco ed impronta negativa della fantasia di Montale. Al deposito e alla cristallizzazione dei minerali che sono sospesi nelle sorgive della sua poesia. Al rovescio aneddotico, empirico, delle sue invenzioni e operazioni liriche. A un sottoprodotto ma estremamente raffinato, della sua esperienza vissuta e creativa; come quei rosticci di combustibile ed avanzi di fusione che, per essersi arroventiti ed esser passati attraverso altissime temperature, hanno anche essi assunto nel loro aspetto vetrino e iridescente un che di raro e prezioso.

Su questo giornale dove Eugenio Montale è di continuo presente col suo lavoro, deve esprimersi un particolare compiacimento per il grandissimo e meritato onore che oggi gli viene fatto; insieme all'augurio di ancora molti e molti anni di cosí feconda attività.

(1962)

Montale saggista

Salutiamo col piú cordiale saluto l'apparizione, che ormai sembrava quasi inverosimile, di questo primo volume di scritti critici d'Eugenio Montale: *Auto da fé*. Quante volte e da quante parti, s'era vagamente sentito ventilare il progetto d'un simile libro. Ciò fu specialmente da quando, dieci anni or sono, uscí la famosa *Farfalla di Dinard*, e ricomparve poco dopo in una nuova edizione raddoppiata. Allora ripresero fiato le speranze d'ottenere una cospicua raccolta di prose montaliane. Speranze ch'erano invece destinate a rimanere deluse un'altra volta, per almeno altri dieci anni. Giova avvertire che, in una pagina della copertina di questo *Auto da fé*, si legge la formale promessa che « il volume odierno sarà presto seguito da un altro, dove il Montale ha accettato di riunire i suoi scritti sulla poesia ed i poeti ». Tanto l'autore che l'editore possono essere sicuri che il pubblico non è per niente disposto a dimenticarsi di questo loro impegno.

La materia dell'*Auto da fé* è suddivisa in tre parti di misura diversa. La prima parte, ch'è la piú breve, si compone quasi tutta di scritti pubblicati nel periodo conclusivo della seconda guerra, ma vi sono incluse anche pagine del precedente ventennio. Nella parte seconda, e piú lunga, la data degli scritti è equamente distribuita fra il quinto e il sesto decennio del secolo; laddove con la terza parte piú o meno si rimane nel giro di questi ultimi quattro o cinque anni, e le discussioni sono piú leggere e sommarie, svolte quasi in punta di penna.

Nel volume, la successione dei diversi articoli, i quali hanno una media lunghezza di due o tre pagine ciascuno, non segue affatto l'ordine cronologico. La data di pubblicazione è regolarmente indicata in calce ad ogni articolo, ma con sbalzi di anni e magari decenni fra l'uno articolo e l'altro. Unico legame è nella spontanea convenienza e armonia degli argomenti, e nel richiamo e nell'eco con i quali le varie parti si rispondono. In questo senso il volume ha veramente qualcosa d'una complessa ma agilissima struttura musicale.

Si potrà forse restare qualche momento perplessi, dinanzi a una sorta d'ammonimento che conclude la brevissima prefazione. Avverte dunque il Montale « che se il lettore volesse intendere il titolo (*Auto da fé*) nell'accezione piú nota, sappia che io sono d'accordo con lui perché licenziando queste cronache, ho l'impressione di buttarle nel fuoco e di liberarmene per sempre ». Dove tuttavia mi sembra che, da parte dell'autore, non si tratti d'un movimento, quasi di uno scatto, improntato a stanchezza e rancore per un lavoro che forse l'ha occupato troppi anni; ma piú veramente si tratti d'un sentimento di naturale saturazione e distacco, nel quale il lavoro concluso si dispone ordinatamente nei suoi significati essenziali, e lo spirito ritrova la propria libertà.

Oggetto delle lunghe fatiche di Montale, e materia del libro che cosí ha finito col nascerne, è all'incirca la crisi della letteratura e dell'arte moderna e contemporanea, studiata nelle piú varie occasioni, senza pretesa di volere indirizzare e correggere, ma semplicemente di capire, dove almeno sia da capire qualcosa di concreto. I propugnatori dei tentativi di novità a tutti i costi, possono essere certi di non trovare osservatore e confidente piú attento e tollerante di Montale; restando tuttavia inteso ch'egli è anche il meno portato a consensi illusori e fittizi.

Il lettore ch'è abituato ad incontrare la prosa critica di Montale, un po' come a pezzi e bocconi, a seconda delle circostanze e sollecitazioni giornalistiche, ora per la prima volta ha la sorpresa di vederla liberamente svilupparsi in una trattazione di lungo respiro, e al medesimo tempo assai frastagliata, ricca di incidenti, d'imprevisti, di lontani richiami, di erudizioni peregrine. Confesserò che, essendo sempre vissuti, Montale ed io, in città parecchio distanti, con rare occasioni d'incontrarsi e stare un po' a lungo insieme, e tutti e due pigri epistolografi, m'è accaduto quasi di trasecolare, via via che nell'*Auto da fé* mi si scoprivano in lui le piú agili ed instancabili qualità di *causeur* (che mi suona cosí, meglio, e meno togato, di « conservatore »). Una certa volubilità del tono, tuttavia combinata alla elegante precisione dei concetti, l'assenza di qualsiasi velleità didattica, rendono il suo discorso estremamente piacevole e vario. E sono sicuro che una simile impressione è condivisa da moltissimi, ai quali come a me il libro farà quasi l'effetto d'essere un libro nuovo di zecca.

Il Montale non ha l'abitudine dei riferimenti storici, forse temendo che glie ne derivi un'aria di non gradita gravità. Ma non può impedire che, di fra le commettiture delle sue argomentazioni, si scorgano certi luoghi topici su cui s'impernia il suo sistema d'idee. Presentimenti di una nuova barbarie che si prepara, non mancavano in Kant, in Goethe, in Sainte-Beuve. Anche piú chiaramente furono espressi dal Burckhardt delle celebri *Considerazioni sulla vita del Mondo*. Dal quale Burckhardt le caratteristiche della cosidetta civiltà meccanica e utilitaria, il moltiplicarsi e uniformarsi delle popolazioni, il decadimento dei valori spirituali, furono previsti e descritti in termini assai vicini a quelli che potrebbero servirci parlando delle nostre esperienze odierne.

Non può dubitarsi che la vivissima curiosità intellettuale, il bisogno di rendersi conto delle novità tecniche e dei segreti dell'espressione artistica, scortarono precocemente il Montale, in quella infinità d'incontri e avventure che in Europa s'erano aperti, a benefizio di chiunque volesse approfittarne, non appena taciutesi le artiglierie della prima guerra mondiale. Avanguardie estetiche, sempre piú fitte e contradittorie, stavano prendendo il posto di quelle che, ormai spedite in congedo illimitato, erano state per cinque anni le avanguardie militari. Gli esordi della attività letteraria del Montale reduce dalla guerra devono essere stati operosissimi, quanto in fondo rimangono poco esplorati. Si vede uscirne, formato perfettamente, il poeta degli *Ossi di seppia*; prima d'esserci potuta fare una pallida idea di quante altre cose, in quegli anni misteriosi e confusi, stavano per affacciarsi alla scena del mondo.

Perché non soltanto è nel Montale, come ovvio, un amore fortissimo della poesia intesa materialmente, nella sua sostanza di vive parole; alla quale poesia egli s'è votato, e dalla quale ha ottenuto altrettanti pegni d'amore. Ma in lui la poesia e l'arte vivono anche come mito, come favola cosmica, che nella sua mente egli non si stanca di vagheggiare. Per altri pochi, come per lui, miti come cotesti, come coteste favole, sono stati e sono oggetto di meditazione. Come ad esempio ritorna di frequente, nei suoi scritti, il mito della morte dell'arte, alla quale, secondo Hegel, il mondo contemporaneo si verrebbe preparando, di pari passo che la Ragione, od in altre parole la Scienza, sembra diventare l'unica, legittima interprete della realtà.

Non troverete mai, nel Montale, la allegra e quasi lugubre disinvoltura, con la quale volgarmente sono proposte, anzi propagandate, catastrofiche proposizioni di cotesto genere; come se poi all'arte e alla poesia non fosse occorso già le mille volte di morire e rinascere. E sta il fatto che noi discorriamo soltanto in conformità della nostra presente miseria e abbiezione. Durante due dopoguerra, ai quali non si capisce quasi nemmeno come abbiamo sopravvissuto, il mondo s'è rispecchiato in tante nuove ipotesi, s'è compiaciuto ed esaltato in tanti nuovi travestimenti, uno piú grottesco dell'altro. Nuovi stili pittorici e letterari si sono trionfalmente affermati, ma subito sono stati travolti, sono scomparsi, non già nel corso di una generazione, ma appena in quello d'una stagione; e gli esempi sono troppo vicini e clamorosi per dover rievocarli e commentarli.

Nel Montale è una coscienza precisa e scrupolosa della presente crisi della letteratura e dell'arte; crisi che d'altro canto ha poco o nulla di sincero, con tutta la sua pretesa fatalità ed inevitabilità; perché se l'arte non viene al nostro invito, è segno che per il momento non c'è, e se ne può fare a meno senza eccessivo sacrifizio. Se guardiamo bene, sono scarsissimi ed estremamente saltuari i tempi nei quali il mondo effettivamente godette la benedizione dell'arte. Il piú delle volte, il mondo si contenta di ben confezionati succedanei, che tutti s'ingegnano a prendere per arte autentica e vitale. Ma il piú grosso pasticcio comincia quando i settatori dell'arte a ogni costo, con grande spirito di abnegazione, rimboccandosi le maniche della camicia, si sobbarcano a fatiche enormi perché l'arte partorisca d'urgenza, anche se non ha affatto voglia e bisogno di partorire. E progettano e macchinano nuove teoriche, architettano inedite bugie e confusioni, con gli effetti di cui tutti abbiamo ormai larga esperienza.

In contrasto con gratuiti e scomposti atteggiamenti di questo genere, nel Montale dell'*Auto da fé* è un costante riserbo, un pensoso sentimento come di *pietas*, che non può sfuggire a un lettore appena consapevole. Proprio in questi giorni, assai accresciuta, è uscita una nuova edizione del notissimo volume: *Critica e poesia* di un maestro come Mario Fubini, che ha voluto sottolineare l'intelligenza e la simpatia con le quali il Montale ha trattato dell'estetica e della critica del Croce in occasioni recenti. Il richiamo del Fubini è opportunissimo; e nelle pagine dell'*Auto da fé* potrebbero largamente indicarsi, fino da anni che ormai sono lontani, numerose quanto istruttive anticipazioni su questa qualità di argomenti. Soltanto un esame molto particolareggiato, come qui non era possibile, avrebbe reso giustizia a questi aspetti delle discussioni dell'*Auto da fé*. Non dimenticheremo di tenerne conto, allorché lasciate le questioni di carattere generale avremo il promesso volume degli scritti di Montale sulla poesia e sui singoli poeti.

(1966)

Giuseppe Raimondi

L'impressione che si prova leggendo questo volume: *Giuseppe in Italia* di Giuseppe Raimondi, è di vedere materialmente confluire in esso e cristallizzarsi, come dentro il contorno d'un'immagine prestabilita, l'esperienza vissuta e intellettuale del solingo scrittore. Un libro, si direbbe, in certo qual modo disposto dalla Provvidenza o dai Fati; fino da quando, una trentina d'anni or sono, il Raimondi cominciò a razzolare con la penna su carta. Né si va molto lontano dal vero ritenendo che quasi tutto ciò ch'egli ebbe pubblicato finora: il *Domenico Giordani*, il *Giornale*, gli *Anni di Bologna* ecc., piú o meno rientra nell'idea di questo libro medesimo, ne costituisce l'abbozzo.

Poco dopo i diciotto anni, appena maturate le sue primissime esperienze letterarie d'impronta vociana, e le prime esperienze di cultura pittorica nell'atmosfera di Morandi e Carrà, il Raimondi partecipa come soldato alla guerra 1915-1918. È a Roma qualche tempo, come segretario di redazione della "Ronda". Ma presto si separa dalla letteratura cosiddetta militante; ritorna alla nativa Bologna, abbraccia una professione che basti alla sua indipendenza materiale; mette su famiglia; e come un savio spartisce il suo tempo tra gli affari, gli affetti domestici e le letture. *Giuseppe in Italia* è il documento biografico d'una esistenza siffatta, che sembra tracciata sopra un modello neoclassico.

Potrebbe dirsi, in altre parole, che il Raimondi molto precocemente e con straordinaria lucidezza si rese conto del tipo di scrittore, d'artista, ch'egli era meglio portato a riuscire; e si dedicò puntualmente a realizzarlo. Al suo talento letterario, il mondo avrebbe anche potuto rivolgere gli inviti piú svariati e lusinghieri, convalidandoli delle migliori garanzie. La vita avrebbe potuto anche offrirgli chi sa quali combinazioni affascinanti. E tuttavia egli non si sarebbe partito dalla sua scelta. S'era messo in testa d'incarnare un carattere di « scrittore minore », nel suo destino di dignità un po' malinconica, di solitudine, di mistero. Pensiamo, in questo campo, a una quantità di figure, reali e d'immaginazione: Giovita Scalvini; Filippo Ottonieri; certi poeti e memorialisti di provincia, che ispirarono belle pagine al Sainte-Beuve; l'*Ignoto toscano* di Soffici.

E si potrebbe continuare per un pezzo: benché a dirla a questa maniera, resti certamente un po' strano che uno si sia come disegnato in anticipo la propria fisionomia, il proprio ritratto d'artista, e misurata cosí la propria vocazione. Abbia voluto dosarsi il respiro, fuorché in funzione autobiografica; se non deve intendersi addirittura in funzione d'autobiografia « esemplare ». Si sia, in un certo qual modo, atteggiato e composto come in una gipsoteca plutarchiana. Senza bisogno d'insistere maggiormente, credo d'aver fatto capire che, in sé e per sé, nella sua indiscutibile nobiltà, il genere è anche pericoloso. E nel *Giuseppe in Italia*, malgrado tanta sincerità di affetti e gentilezza di scrittura, i successi e le difficoltà si rispecchiano in un vario ordine di effetti, che potrebbe illustrarsi brevemente cosí.

Tutti i migliori risultati, e frequentissimi, sono dove il Raimondi può abbandonarsi piú ingenuamente al gusto dei ricordi e al piacere di descrivere. L'ambiente di famiglia e della parentela; la Bologna dell'artigiano e della piccola borghesia al tempo delle prime organizzazioni operaie e dei primi scioperi; gli incontri amorosi nella novità della guerra; tutto ciò è reso con molto garbo. Vero è che il grado di giudizio storico e la maturità del linguaggio sono riportati addietro, retrocessi un po' artifiziosamente, nell'intento di ritrovare, che so, una verdezza di sensazione, una crudità di frattura, quasi direi alla Stendhal. È un piccolo accorgimento, un'astuzia letteraria, che produce effetti tonificanti. O come quando il Raimondi tempera invece e corregge, con qualche sommesso intenerimento, certe baldanze e perentorietà di origine probabilmente longanesiana. Nel quale ordine di rappresentazione e commemorazione idillica, complessivamente s'è detto che il nostro autore si trova al suo meglio; e il suo libro resterà fra le buone cose prodotte dalla prima generazione novecentesca.

In altre parti, l'autobiografia investe una materia piú esclusivamente intellettuale. Raimondi ci racconta la sua « scoperta » di Leopardi, e di quale Leopardi; o di questo poeta e quest'altro; di Picasso o altri pittori. Qui le cose cominciano a mostrare qualche ambiguità di comportamento. Perché al *Giuseppe in Italia* nessuno potrà togliere anche il valore supplettivo d'un contributo alla storia del gusto; ma resterà poi sempre da sapere se cotesti contributi, in defi-

Paesaggio di Grizzana, acquaforte di Giorgio Morandi, 1932.
A destra: lo scrittore Giuseppe Raimondi nel 1956.

nitiva, ebbero mai grande importanza e stabilità. Tanto per fare un esempio: il Raimondi non dà né vuol dare una spiegata formulazione critica alla sua scelta del Leopardi: il Leopardi del 1819 negli *Appunti e ricordi* (gli « agnelli sul cielo della stanza », la famosa « uccisione della lucciola », ecc.). E tale scelta (che, in realtà, a un dato momento, era stata piuttosto un molto diffuso luogo comune del gusto e della moda letteraria) aggancia semplicemente a un'altra data: 1919, intorno a cui egli cominciò « a gettare le prime occhiate ad un suo incerto avvenire di poesia ».

Probabilmente, l'avvocato del diavolo non vorrebbe vedere che vanità ed immodestia in questo richiamo dal 1819 al 1919, da Recanati a Bologna, e da Giacomo a Giuseppe. Io non credo affatto che sia vanità, o simili; ma una sorta d'unzione poetica, di misticismo estetizzante; e non perciò roba simpatica, intendo; della quale si farebbe volentieri a meno. Come quando con ulteriore passaggio, verso la fine del libro, dalla sfera dell'arte e delle lettere, il racconto entra in quella dell'azione politica. E sempre quella benedetta unzione esce in altri toni: veramente un pochino troppo alti, stilizzati: « L'uomo in carcere è una

vecchia storia incominciata con Pascal, ecc. ». Nuovo e non ultimo fra i danni che in questa prosa, cosí piacevole al suo stato naturale, riescono a produrre, quando ci si mettono, il giordanismo, il plutarchismo, ed altri incentivi della manía epigrafica.

Ho confessato cosí di non essere completamente d'accordo con il brillante prefatore di questo volume: Remo Cantoni. Egli scorge in *Giuseppe in Italia* una progressiva, consapevole purgazione dall'egoismo intellettuale, come lo chiama; una decisa conquista di rapporti d'umanità sempre piú aperti e cordiali. Convinto quanto lui del valore e della bellezza dell'opera, credo però ch'essa debba esser letta in trasparenza altrettanto che in superficie e alla lettera. E che il Raimondi sia un figlio e testimone dell'epoca in ciò che concretamente ne rappresenta, ma anche piú in ciò che s'illude di simboleggiare. Mancava nel nostro Parnaso contemporaneo una figura del genere, non infrequente ornamento delle piú belle e famose letterature. Egli l'ha assunta e rappresentata con sottilissima grazia. Certe note della sua musica meno felici non potranno farci scordare la tranquilla pienezza di tante altre pagine, colme di verità e al medesimo tempo colorite come in un bel romanzo.

(1949)

Elogio del «particulare»: Curzio Malaparte

Fra le qualità piú rare, negli scrittori di critica e storia artistica, letteraria o politica, è la gagliardia delle reazioni; e gli autori sistematici, dottrinari, che tirano al generale e facilmente vi si acquietano, difettano di questa qualità piú spesso degli autori che lavorano d'impressione e di scorcio. E quasi avvertendo in sé medesimi tale deficienza, si sforzano di spargere il discredito sulla storia e la critica scritte dagli irregolari. Ma la loro calunnia ha scarsa fortuna. Lo dimostra il favore che, in ogni tempo, presso il pubblico piú illuminato, accolse la critica e la storia dettate da poeti, artisti, libellisti e uomini di parte. Non era il gusto dello scandalo, o del colore per il colore; ma il piacere di cogliere un fremito di verità; mentre, sotto la mutria dottrinaria, il piú delle volte, insieme alla dottrina, manca ogni sapore umano ed ogni ornamento.

Considerazioni come queste, e simili, vengono spontanee leggendo la raccolta di saggi, sul « buon italiano », la « barbarie italica », il Seicento, l'ironia contemporanea, la condizione presente degli intellettuali italiani, ecc. ecc.; da Curzio Malaparte, *alias* Suckert, pubblicata col titolo: *Italia barbara.* E se appunto i dottrinari potrebbero desiderare, in coteste pagine, un procedimento meno apodittico e immaginoso, piú regolari sviluppi dei nessi ideologici, e diverse altre cose; per parte nostra ci sembra meriti altrettanto risalto quella rara intensità di reazioni cui accennavamo in principio; e la capacità di descrivere tali reazioni, e comunicarne il convincimento.

Un libro come questo del Malaparte non si riporta agevolmente sotto un unico principio. Ma dovendo indicare quanto in esso è di piú vivo e realizzato, non può essere esitazione a fermarsi sulle parti nelle quali l'autore s'investe, con maggiore immediatezza, d'un'idea della nostra tradizione troppo vera per riuscire assolutamente imprevista; e che tuttavia rimane cosí negletta e dispersa, da apparire nuova, quando alcuno la riasserisca con questa intensità. In certo modo, si potrebbe definirla una specie di riabilitazione dell'*uomo savio* e del *particulare* del Guicciardini; che formarono oggetto di deplorazione, piú o men coperta, per parte di tutti gli storici e moralisti a tendenza protestanti; e non lasciarono senza qualche scrupolo lo stesso signor de Montaigne, tuttoché apertissimo e spregiudicato. E la riabilitazione è piú caratteristica in quanto lo scrittore riesce a mostrarci congiunta, nella tradizione, intellettuale e morale, italiana, alla prudenza del *savio* e *particulare*, una vivacità di sentimento nativo la quale contraddiceva alle velleità aristocratiche del Guicciardini. In altri termini, l'idea della praticità cinquecentesca, che forní al Beyle, al Taine, al Nietzsche e tanti altri, la chiave di tante diverse interpretazioni del carattere italiano, vien spogliata dalla pregiudiziale letteraria ed immoralista; e trasferita in un significato piú ingenuo, sano e leggero. È una « messa in foco » dalla quale il Malaparte ha tratto vantaggio con assai felicità, toccando di tempi e avvenimenti piú o meno vicini; tra gli altri, il nostro Risorgimento.

Come in questo scorcio di secolo, fu moda dir male dell'Ottocento, lo spirito del Risorgimento non ha avuto che interpreti distratti e mal disposti. È un fatto grave che la migliore storia delle gesta garibaldine sia stata scritta da un inglese; cui, di necessità, dovevano sfuggire troppi elementi etnici, segreti d'istinto e di sangue, perché cotesta storia riesca davvero a soddisfarci. L'azione di Cavour, con la sua aria di miracolo diplomatico e capolavoro tecnico, prestò una spiegazione complessiva che se, da un lato, lusingava le ambizioni di cultura politica degli italiani, dall'altro metteva, per cosí dire, in sordina quanto di piú schietto e profondo aveva concorso alla resurrezione nazionale. Si compieva la inverniciatura del Risorgimento, secondo idee e sentimenti genericamente europei, ma che avevano poco a vedere con quanto era successo in Italia; e i tipici contrasti fra Cavour e Garibaldi, legionari e irregolari, toscani e *buzzurri*, federalisti e unitari, ecc. ecc., non furono che altrettanti modi di reazione di quella che con Péguy si potrebbe chiamare la *mistica* del Risorgimento, ad un inquadramento che sembrava sacrificasse i principî vitali della rinascita. Ho letto, poco tempo addietro, i diari della Provana di Collegno, editi dall'Hoepli. Ma i giudizi che, intorno a tanti essenziali fattori dell'unità italiana, la patriottica signora raccolse nel suo ambiente troppo internazionalizzato, son poco meno odiosi di quelli che avrebbe potuto esprimere qualche diplomatico borbonico o papalino. E lo spirito del Risorgimento, in fine dei conti, non trova echi e forme che in letterati ed artisti fermamente tenuti alla terra: in alcune liriche del Càrducci e pitture del Fattori e dell'Abbati; nelle *Noterelle* dell'Abba, nei *Mille* del Bandi, in *Villa Glori* del Pascarella; come in pagine del Cattaneo o del Capponi. Sebbene coraggioso, e forse anche spavaldo, il Malaparte potrebbe sentirsi a disagio in tanto straordinaria compagnia. Diremo, dunque, che il raccostamento non tocca la importanza comparativa delle opere; ma ha soprattutto un significato di tendenza e intonazione. E chiariremo in quale riguardo cotesta intonazione è, dal Malaparte, un po' esagerata e andrebbe, a nostro vedere, lievemente corretta.

Ci sembra, in sostanza, che il Malaparte, con altri giovani scrittori che hanno risentito delle sue idee, interpreti il « particulare » e « buon italiano », questo concretissimo eppure anonimo e misterioso protagonista della nostra storia, troppo esclusivamente in senso popolaresco; mentre si tratta d'un tipo, mentale e civile, che immediatamente deriva dal popolo, ma non è già piú popolo, se si vuol mantenere a questa parola un valore esatto. E non riferiremmo nemmeno cotesto tipo ad una classe organicamente e tradizionalmente costituita; quale potrebbe essere la borghesia terriera di Francia, o la borghesia mercantile d'Inghilterra. La logica della sua azione non ricade sopra un piano d'interessi; e sian pure interessi d'ordine superiore; allo stesso modo che la sua ispirazione è mobilissima, fino a sembrare contraddittoria; impressa, sempre, d'un che di fantastico e romantico; spogliato quest'ultimo termine d'ogni allusione insana ed esotica; ed inteso come appunto può intendersi per i nostri cospiratori del primo Risorgimento per i volontari di Curtatone e per i Mille; per il fiore della gioventú di spiriti e di cultura che volle l'ultima guerra, e testimoniò il volere col sacrificio.

Latin sangue gentile. È fra le proprietà piú singolari della nostra natura etnica e della nostra civiltà, questo formarsi rapidissimo e quasi istantaneo di aristocrazie intellettuali e pratiche, su dalla viva sostanza del popolo; ma nelle quali il popolo è trasfigurato; come il fondo dell'esperienza individuale e sociale si trasfiguriva nel multiforme classicismo della Rinascenza. Una pittoresca ostentazione di brutalità plebea, qualche avvicinamento un po' sforzato del poetico e realissimo « particulare » al ciompo e sanculotto, se non ci inganniamo, alterano, in alcuni punti la rassomiglianza del tipo tratteggiato con tanto brio dal Malaparte. Se egli avesse riscontrato sulla verità storica tale rassomiglianza, non crediamo gli sarebbe occorso esemplare piú vicino al suo ideale, ed al nostro, del gentiluomo genovese di cui l'Abba racconta che, avvisato in furia, s'imbarcò con i Mille, in abito da sera e tuba a molla, e andò, in quest'arnese, a finire a Calatafimi; o dell'altro, nell'istessa schiera, lettore appassionato di Virgilio, che morendo intrise del proprio sangue il libro sacro.

Il Malaparte ha un senso acutissimo dell'ironia e dell'*humour* latenti in ogni processo storico. E quanto possiede di gusto paesano e sensibilità e sensualità verbale per riportarsi al fondo terrestre, e diremo locale, della nostra storia; altrettanto è dotato di una facoltà d'analisi ideologica, che lo fa capace a seguire nei piú capricciosi avvolgimenti il giuoco di quell'*humour* e di quell'ironia. La sua analisi non colpisce e scolpisce che di volo, e piú attraverso le immagini che i concetti; ma toccando un cosí vario ed inquieto materiale d'esperienza, da ovviare qualsiasi appesantimento rettorico. In questo riguardo non è meno cruda ed esatta la sua contrapposizione del « buon italiano » all'italiano dolciastro e *decotinizzato*, tipo d'Azeglio per intenderci; che la contrapposizione al tipo bombardiero di cui, in ogni tempo, furono piene le carte e le piazze.

Maniere e tratti da far pensare ad un Barilli meno elegante, lunatico e piú concreto, e provvisto di quei doni di definizione critica che il Barilli forse ha soltanto trascurato di sviluppare, abbondano nel capitolo sulla « Pazzia del Seicento »; per ricchezza di chiaroscuri e varietà di movenze, fra i piú notevoli di tutto il volume; e quello nel quale il concetto della perenne e salutare *barbarie* italica, vale a dire, della inesausta primitività italiana, risolve in sé piú efficacemente i concetti inseparabili di cultura e complessità spirituale: cultura e complessità che si ritemprano e rinnovano di continuo nell'istinto; e da noi escono con sí fiero e massiccio risalto fin nell'astrattismo platonico e nell'utopismo filosofico del Seicento, e nel delirio dell'arte barocca.

E si è già notato, giova tuttavia ricordarlo, che il merito del Malaparte consiste soprattutto nell'aver ritrovato e ripreso un tono; fondamentale, ma smarrito ed ottuso; un tono capace d'assai piú vasti sviluppi di quelli che l'autore ha abbozzati per il XVII secolo, o il Risorgimento, o la condizione presente della vita intellettuale italiana. Facile parlare di tradizione, di terra e di sangue: difficile sentire ed esprimere queste realtà essenziali, intensamente ed agilmente. Ma se le disposizioni da cui son nati gli scritti di *Italia barbara* potessero diffondersi e fruttificare, anche perdendo quel tanto di paradossale e di egotistico che talvolta hanno nel Malaparte, il piccolo libro avrebbe operato piú d'una infinità di libroni, a ricongiungere il nostro presente a un passato che non sia piú soltanto un'accademia, uno schedario, un ossario ingombro di ghirlande secche.

(1926)

«Storia di domani» di Curzio Malaparte

Anche l'ultimo libro: *Storia di domani* di Curzio Malaparte, è all'incirca ideato come quegli spettacoli teatrali che stanno fra l'operetta e la rivista. Da un soggetto fertile di situazioni umoristiche, ed assunto con molta libertà di trattazione, diramano e frondeggiano episodi che, il piú delle volte, diventano quasi autonomi. E non si riacchiappa senza grandi salti di fantasia il filo del racconto. A questo scrittore, il procedimento è familiare; e l'ha applicato in suoi lavori di varia epoca, mole, fortuna e qualità; forse mai sbrigliatamente come in quest'ultimo, che con i consueti colpi di talento, è tuttavia fra i piú abborracciati.

Tanti anni fa, quando ancora ero capace di leggiucchiare alla meglio qualche testo greco, un dotto professore, ch'è anche acutissimo critico, smorzò, o meglio registrò, certi miei entusiasmi dimostrandomi come quattro e quattro fa otto che per esempio l'*Elena* euripidea non va considerata che come una specie di libretto d'opera; e può darsi egli avesse ragione. Come non è dubbio che i moderni concetti di operetta e rivista siano applicabili a larghe sezioni della commedia aristofanesca. Dico tutto ciò per fare intendere come, nel caso che ci interessa, io non pretenda insinuare, con i suddetti concetti, nessuna svalutazione aprioristica. L'importante è vedere in che modo questa nuova operetta o rivista di Malaparte sia cantata e ballata, e che effetto fa in palcoscenico.

Come in tanta parte della produzione contemporanea (Huxley, Camus, Koestler, Orwell, ecc.), la impostazione del libro è « utopistica ». I russi hanno realizzato un quissimile del loro regime; e Malaparte, che è e che non è, si ritrova in carcere, a Regina Coeli, insieme agli onorevoli De Gasperi e Scelba. Il fiduciario russo, frattanto, sta dandosi da fare, per costituire con elementi italiani il nuovo governo dell'Italia russificata; ed offre allo Scelba il ministero degli Interni. « Come potrei accettare (obbietta stupefatto il siciliano), io che non feci mai altro che combattere i comunisti? »

« Per questo appunto (lo incoraggia il fiduciario di Stalin). A noi non interessano affatto i vecchi comunisti italiani, che ora vorranno presentarci il conto della loro collaborazione, ed esigeranno posti piú o meno di comando, creandoci un sacco d'impicci. Sono anzi proprio costoro che gioverà tenere in corda, e all'occorrenza deprimere, difendendo contro le loro velleità di sopraffazione, il buon popolo che di colpo è diventato tutto comunista, ed è impaziente di (credere) ubbidire (e combattere), senza sognarsi di chiedere compensi. » Come si vede, la situazione è ingegnosamente toccata; benché, e lo si riscontra in successive circostanze, la fretta, o non so che altro, abbia impedito allo scrittore di svilupparne tutti i motivi e gli effetti. Manco a dirlo, l'onorevole Scelba rinuncia all'incarico, che verrà affidato a Missiroli, per le sue qualità di temporeggiatore e conciliatore; o diciamo pure di liquidatore ineffabile. Scelba resta dunque in prigione; mentre Malaparte, non si sa in che maniera, riesce a sgusciare fuori, come già gli riuscí altre volte.

Passeggiando nella Roma bolscevizzata, Malaparte incontra colui che sarà il suo Mentore o il suo Virgilio in questo viaggio. È l'onorevole Nenni; e i due vanno attorno osservando gli aspetti che il nuovo regime ha súbito impresso

1. Curzio Malaparte accanto ad una statua nel viale della dinastia Ming, a Pechino.
2. Milano, luglio 1955. Lo scrittore al teatro "Nuovo" durante le prove della sua rivista musicale "Sexophone".
3. Una scena del film *Cristo proibito*, diretto da Malaparte.

alla vita cittadina. Passano a frotte le prostitute di Stato, con l'indicazione della rispettiva tariffa, ricamata sulla gonnella. Passano preti e seminaristi, con un loro berrettuccio e vestitino quasi marinaresco; ed invece delle àncore agli angoli del bavero hanno due piccole croci. Ci sono bar, trattorie e alberghi statali, pieni di spie. Disgraziatamente, invenzioni del genere, dall'antichità piú remota, hanno in tutta la letteratura « utopistica », un'aria di famiglia che dopo un poco disincanta. Diciamo pure la verità: che lo stesso Swift non riesce intieramente ad emanciparsene, altro che quando Gulliver giunge alla terra dei cavalli. Due boccioli spiccati allo stesso rosaio, sono nuovi e diversi come due mondi diversi. Ma due « utopie » provenienti dalle letterature fra loro piú lontane, si rassomigliano come due francobolli identici.

Il nuovo regime ha bisogno di motti, di *slogans*, i quali poi si trovano fatalmente ad essere precisi a quelli del regime abbattuto. Si istruisce il processo all'ex-re; ma esso non è che una parodia dei famosi processi antitrotzkysti di Mosca nel 1938. Alcuni di cotesti motivi potevano assumere un'intonazione piú sostenuta; consolidarsi brillantemente sopra un piano ideologico. Ma ho già notato che Malaparte questa volta ha piú fretta del solito e tira via. Spesso e volentieri siamo addirittura al *couplet* da caffè-concerto, al manesco battibecco dei macchiettisti rionali. Un'idea graziosa è quella che i russi, con la loro recente passione per gli orologi, talmente si sono fatti gelosi della propria ora personale, che non è piú possibile combinare laggiú un appuntamento, comandare una adunata, bandire una mobilitazione; ed a causa di questo irriducibile individualismo cronometrico, la potenza russa va a catafascio. Valga ciò che vale: nel libro il giocherello è dei meglio riusciti; e tra quelli che il Malaparte s'è applicato a contrappuntare, senza contentarsi d'un rapido palleggio di battute da giornale umoristico. Ed insieme a qualche altro episodio, dà un'idea di ciò che *La storia di domani* avrebbe potuto essere, se l'autore l'avesse presa meno sottogamba.

Forse anche con inconscia allusione a tratti fin troppo noti del carattere e della vita, sui quali non spetta certamente a noi d'interloquire: nelle critiche intorno a Malaparte, si trova di continuo ricordato il nome di Pietro Aretino, flagello di principi. Per ciò che riguarda la letteratura, sarebbe difficile immaginare citazione e accostamento piú sballati. Perché l'Aretino è soprattutto scrittore di sostanza plastica e sensuale. Le sue idee sono triviali e rettoriche; la loro concatenazione, affatto effimera, un grossolano giuoco illusionistico. Roba che casca da sé, e diventa cenere. Ma egli raggiunge ed esalta con tocchi fulminei la viva essenza delle cose materiali. In un suo « ragionamento », in un suo libro ingombro dei soliti pretesti infami o imbecilli, è impossibile non trovare paesaggi, scorci di figure, nature morte, d'un impressionismo cosí anticipato e violento che fa rimanere a bocca aperta. Si vegga la intelligentissima e rivelatrice antologia che, appunto dell'Aretino, alcuni anni fa, dette Sergio Ortolani.

Malaparte è di tutt'altra natura; di una follia secca, arida e logicizzante. Il suo ideale dovrebbe essere Voltaire; e purtroppo, invece, egli finisce talvolta per ricordarci Restif de la Bretonne o De Sade al loro gran peggio. I suoi libri tendono sempre piú a diventare il medesimo libro, rifatto, ripreso, rabberciato. Non dimentichiamo, frattanto, per queste, ben altre sue prove. Nella nostra epoca dannata e bestemmiatrice pochi seppero scrivere qualcosa di gelidamente raccapricciante come la sua apoteosi del *Camaleonte* sull'altare di San Pietro. Sarà, cotesto, innanzi tutto, un titolo sicuro per esser sprofondati nelle voragini d'Inferno. Ma bisogna riconoscere che, anche dal punto di vista letterario, è un titolo serio.

(1949)

«La pelle» di Curzio Malaparte

S'è visto Curzio Malaparte (*Storia di domani*) in certe sue utopistiche ed umoresche peregrinazioni attraverso una Roma, tocchiamo ferro, occupata dai russi e bolscevizzata. Su uno scenario piú vasto, e con maggiore impegno fantastico, egli ripete qualcosa del genere (*La pelle*): questa volta non con i russi o russificati, ma con gli angloamericani; e non in proiezione di futuro e d'utopia, ma in sede di ricordo; manco a dirlo, ricordo in gran parte supposto, o manifestamente truccato.

Collaboratore ed ospite di alti comandi, dallo sbarco salernitano accompagna gli angloamericani a Napoli, a Cassino, eppoi su fino a Firenze. Da mattina a sera lo troviamo fra gente di tutte le sorta; un piede in piazza, nel luridume del mercato nero, dei postriboli e dei « bassi »; l'altro piede nei saloni degli aristocratici, che cercano di fare la corte ai liberatori. Sempre di scena, come i protagonisti di quei rozzi racconti e poemi popolareschi, che si svolgevano in forma di viaggio o pellegrinaggio: la forma piú semplice e diretta per chiamare prestamente a confronto una serie di fatti ed episodi, in ciascuno dei quali il protagonista interviene e dice la sua; e figuriamoci se, a dire la sua, Malaparte vuol perdere tempo per pensarci due volte.

Il procedimento suddetto con fortuna l'ebbe adoperato in *Kaputt*; in parte romantizzando a forti tinte sue esperienze dell'ultima guerra in Polonia, in Finlandia ed altri paesi del settentrione; in parte avendole addirittura inventate di pianta, ancorché imperniandole intorno a situazioni piú o meno plausibili, e su nomi di personaggi veri. E tornò ad adoperarlo, come s'è detto, in *Storia di domani*; ma abbondantemente mescolato di comico, e giocando a carte scoperte. Il periplo, il viaggio, il pellegrinaggio, costí diventava balletto, *pochade*;

si destreggiava in incontri e incidenti, come sul palcoscenico d'un varietà. E non direi dopo tutto che ci scapitasse, per dato e fatto di questo trattamento piú svagato.

Ma diamo ora, in quattro parole, un'idea di qualche episodio dal libro odierno. Malaparte una sera cavalca solitario in una campagna dell'Ucraina. Un cupo vento avvolge e flagella le anime e le cose. Si sentono voci che parlottano nel buio, alte sulla testa del viandante. È una folla d'ebrei ucraini, che i tedeschi hanno crocifissi a certi alberi. Malaparte si ferma, compassiona, offre il suo aiuto; e sull'argomento della sua pietà cristiana, si attacca fra lui e i crocifissi una furiosa disputa teologica.

In un'altra occasione, siamo a Napoli, semidistrutta, affamata, e occupata dagli angloamericani. In uno dei palazzi requisiti, un generale americano dà un pranzo ad alcuni invitati di riguardo, incluso Malaparte. Fra le varie portate è sulla lista un cosiddetto « pesce sirena » con maionese. Oppressi da quell'atmosfera di catastrofe che incombe sulla città, e dalla fama d'orrori piú incredibili di quelli che già conoscono, i commensali trasaliscono vedendo entrare, su un letto di lattuga, in un grande vassoio d'argento, una forma molle e bianchiccia che ha tutta l'aria d'una bambina: una sirena bambina lessata.

Ancora: sui colli albani, il generale Guillaume sta per ordinare l'avanzata verso Roma alla sua divisione marocchina. Insieme allo stato maggiore, consuma frattanto il solito *kouskous* di montone e di semola. E Malaparte combina una burla, dando ad intendere d'essersi mangiata come montone la mano d'un marocchino che, strappata da una mina, e caduta fra la semola, non s'era potuta piú ritrovare. Fa vedere gli ossicini delle falangi nel piatto... Davanti alla chiesa di Santa Maria Novella a Firenze, Malaparte scende dalla *jeep* al preciso momento che i partigiani stanno fucilando cinque o sei ragazzotti. Brandendo la scopa, il sagrestano esce dalla chiesa, ed urla perché gli sporcano il sagrato... Ma è inutile seguitare; a dare una idea mi sembra che basti.

La situazione, in fondo, è sempre la medesima. Malaparte divide in due spicchi la materia che gli deve servire per la sua letteratura. Da una parte si mette lui, con il suo impassibile appiombo, con la sua divisa ben stirata di ufficiale di collegamento alleato, con il suo cinismo, il suo repertorio di aneddoti scandalosi, le sue prelibate citazioni storiche. Dall'altra parte, nell'altro spicchio, la prima cosa, falsa o vera, che capiti, indifferentemente; purché si presti a una deformazione raccapricciante, a qualche suggestione mostruosa, e soprattutto purché possa andare a finire in niente.

Malaparte è un fabbricante di bolle di sapone terroristiche: ecco quello che è. Le soffia a piene gote, finché dondolando diventano enormi come cupole; le stacca dal cannuccio con garbo; ve le fa mirare lentamente volteggianti con le pustole, il marcio e le cancrene di cui la loro pelle è iridata; v'indica col dito e fa leggere su quella lebbrosa epidermide i cabalistici segni della morte e del destino. A un certo punto, con lieve sospiro, la bolla scoppia e si riduce a una goccia d'acqua sporca e rossastra. E Malaparte agita la miscela nel pentolino, aggiunge qualche goccia d'inchiostro vermiglio, e comincia a soffiare un'altra bolla.

Prima che in italiano, *La pelle* è stata pubblicata in francese, con largo successo. Sulla coperta del volume, leggo ampollosi giudizi di quella critica. Vi si parla di Goya e di Poe, d'un'opera strepitosa, di violenza irrefrenabile, e giú cose da far rizzare i capelli. Non credevo, ma non è poi meraviglia, che a Parigi, a Bruxelles, a Nuova York, con tutto il De Sade, il Dalí, il Miller e altrettanti diavoli che avranno letto, fossero rimasti talmente provinciali. O forse si saranno caritatevolmente compiaciuti appunto della violenza; avranno voluto calcare amabilmente sulla nota dell'abiezione; perché di continuo nel libro si tratta, al solito, gonfiando e stravolgendo, di miserie e degradazioni patite dal nostro paese. E questo è il vero *punctum dolens.* È qui dove la faccenda diventa seria. Malaparte, naturalmente, l'ha preveduto: si vanta anzi di aver fatto nella *Pelle*, insieme alla descrizione e al commento di quelle miserie e degradazioni, la piú animosa difesa del popolo italiano. Ma in realtà i popoli non hanno affatto bisogno di esser difesi; specie a questa maniera.

Col talento che ha, e che solo in malafede possono contestargli, con una *crânerie* certamente di classe, e una facilità verbale disposta a tutte le dannazioni, vorrei vedere che, a Malaparte, qua e là non fossero usciti giudizi e paradossi azzeccatissimi, e brillanti schermaglie. Ma a prezzo d'una fondamentale empietà. Non forse con animo pravo, ma con animo egoistico e torbido, egli s'è servito di cose che non si potevano né dovevano toccare. Non ha odiosamente deriso, ma ha scoperto con mani profane qualche cosa ben piú sconcia e lagrimevole della nudità e ubbriachezza di Noè.

Diciamo pure, senza neanche bisogno di alzare la voce, che ha fatto, Dio lo perdoni, una di quelle cose che veramente non si fanno. Meglio quasi il silenzio e l'ipocrisia, che coteste equivoche bravure. Ha tirato in ballo, ha spogliato d'ogni decenza, miserie, vergogne, atrocità troppo gelose, per adoperarle a scopo letterario. Ha montato una gelida, macabra burla intellettuale, su una materia religiosa. Ha voluto giocare col sangue (fosse pure, nel suo giuoco, un sangue fatto con l'inchiostro rosso). Purtroppo noi non stiamo con Dalí né con De Sade; noi stiamo con Manzoni. E sia dal punto di vista dell'arte che da quello dell'umana pietà, inseparabili, a Malaparte, di questa sua ultima impresa, non ci sentiamo d'essergli grati.

(1950)

Ritorno di un bel romanzo: «Cortile a Cleopatra»

A parecchi lettori, la riedizione dell'ormai introvabile *Cortile a Cleopatra* di Fausta Terni Cialente, rinnoverà la gioia del primo incontro con uno dei piú bei romanzi italiani dell'ultimo ventennio. Ma per altri lettori moltissimi, essa costituirà un'assoluta sorpresa. Non lontano dai quali ultimi potrei mettermi anch'io; perché chi sa per quali ragioni, a me accadde di non conoscere il libro che alcuni anni dopo la sua comparsa; e da allora fu sempre stupito che, tra le nostre recenti opere narrative, esso non fosse delle piú ammirate e popolari. Potrà darsi, non vorrei giurarlo, che in talune di coteste opere, l'impegno dell'arte fosse piú consapevole e sostenuto; che in qualcuna di esse fosse piú severa ambizione di significati. Ma non so quante potrebbero mostrare una freschezza cosí indelebile; e non so di quante si sentirebbe che veramente erano nate sotto il segno della felicità.

Un carattere come il giovane Marco, protagonista del libro, s'era presentato nella nostra letteratura ancora in buon punto. La sua vaga aspirazione verso l'ignoto, il suo amore dell'avventura, la sua sensualità soprattutto immaginativa, il suo irriducibile parassitismo aureolato di poesia, beneficiavano ancora abbondantemente d'un credito lasciato aperto da certa grande narrativa ottocentesca e dei primi del secolo. Per un personaggio simile, le condizioni di vita, se non assolutamente negative, oggidí sarebbero infinitamente piú dure ed incerte. Oggidí, non appena uscito di casa, un simile personaggio incapperebbe nelle maglie dei regolamenti e coercizioni internazionali « for displaced people »; e dovrebbe incominciare dal mettersi in regola con la geografia.

Com'è invece solida e sicura, nel *Cortile*, quella base di esotismo mediterraneo: un esotismo cosí autentico, colorito, ed al tempo stesso cosí famigliare, che uno di noi potrebbe credere di averne avuta la prima iniziazione al momento dell'imbarco pel Vicino Oriente, nello sgabuzzino d'un cambiavalute sulla banchina di Brindisi o di Taranto. Per cotesti aspetti del libro, sempre mi torna alla mente un altro piccolo capolavoro, pur troppo scancellato e perduto, perché si affidava soltanto all'arte di un attore: dico la storia ridicola, straziante, e piú vera d'un trattato etnografico: quella storia d'imbroglioni albanesi e di biglietti di lotteria, che fu il *Mustafà* di Petrolini.

Patria di viaggiatori grandissimi, l'Italia ebbe sempre poca fortuna, tentando di trasferire nella letteratura d'immaginazione, d'intreccio e d'avventura, i ricordi e le dirette esperienze della sua antica e nuova tradizione di viaggi ed emigrazioni. E la principale ragione che i nostri romanzieri di terre lontane, del resto non molto numerosi, non riuscirono o riuscirono alla peggio, fu probabilmente perché avevano preteso d'abbracciar troppo, avevano tentato mediazioni inverosimili, nelle quali per forza la rettorica si fece la parte del leone.

Guidata da un'infallibile simpatia e fedeltà etnica, che nella riuscita del romanzo doveva trovare una rimunerazione stupenda, la Cialente fece la scelta piú modesta. Non si mise per un gran viaggio, una grande traversata. Si fermò in un sobborgo d'Alessandria d'Egitto, lungo la marina; in un promiscuo quartiere di piccoli commercianti ebrei e di proletariato arabo e greco. Ne ascoltò la vita, ne colse i segreti, ne indovinò le passioni. E il fatto è che quando ormai penso all'Oriente mediterraneo, al miscuglio delle razze, alle miserie, agli amori: tutte queste cose, investite nei suoni delle parole, negli odori, nelle qualità della luce, nel rumore delle imposte sbattute dal vento, rifioriscono su dalle pagine di *Cortile a Cleopatra.*

La narrazione si svolge con una naturalezza generosa: s'intreccia e si scioglie sopra sé stessa con simmetrie mai insistite e per ciò tanto piú suggestive; con un gusto di composizione pittorica i cui temi figurativi e paesistici e le cui pause spaziali scandiscono il tempo e il maturarsi del dramma. A principio del libro: la figura del vecchio imbianchino Alessandro, padre di Marco. E la figura di maestro Francesco, con le mani macchiate della stessa calcina e delle stesse vernici, che subentra e le risponde sulla fine del racconto. L'incontro tumultuoso con la scimmietta Beatrice allo sbarco di Samo. E quando la storia conclude: quando Eva è morta e Marco è sparito, la misera Kikí che insegue la scimmia sulla spiaggia del mare, per tenerla con sé come pegno dell'amore-non-amore di Marco. Il sangue del capro pasquale sgozzato, che dal terrazzo cola in cortile.

Ed il sangue della buona Eva dalle grosse caviglie, andata a suicidarsi sul terrazzo.

Si potrebbe seguitare un pezzo, sottolineando queste simmetrie, suggerite da un istinto profondo. E cosí l'instancabile giuoco scenico, con le innumerevoli alternazioni delle figure muliebri, che mentre la scimmietta Beatrice si spulcia sull'albero del fico, empiono il cortile delle loro strida, dei loro passaggi, del colore delle loro vesti. Dinah, Haiganúsh, Eva, Kikí, Polissena, che compaiono e ricompaiono continuamente come in una pantomima, in una danza o una rissa. E davanti allo sguardo assente di Marco, senza saperlo rappresentano ciascuna un'ipotesi del suo destino, ch'è invece d'ingannarle tutte e di sfuggire a esse tutte.

Ci sono narratori nei quali la realtà figurativa e l'essenza simbolica dei personaggi, delle cose e delle situazioni, si fondono in una sostanza massiccia e inseparabile. Un atto, un pensiero diventano duri come oggetti materiali, hanno i loro spigoli, il loro peso. In Conrad, a dirne uno, passano e si scambiano oggetti, per esempio l'anello di Doramin, che portano fusa nella loro materialità una fortissima carica tematica e lirica. Senza voler fare paragoni ed istituire rapporti assurdi, nel *Cortile a Cleopatra* la narrazione tende a questi procedimenti, esige da sé stessa questa qualità di riprove interne; cui a mio vedere corrisponde un preciso senso di lealtà e moralità estetica.

E non è a dire che tale intensità e legatezza di realizzazione lasci infine i personaggi come saldati in sé medesimi, e senza possibilità d'ulteriore sviluppo nella nostra fantasia; a modo d'attori che, calato il telone, si lavano il trucco e diventano niente. Quando *Cortile a Cleopatra* si chiude, il personaggio che davvero non ha piú avvenire è quello di Marco; e sentiamo che, di tappa in tappa, non potrà seguitare a vivere che con le stesse carenze e le stesse fughe da sé stesso e dal mondo. Ma proprio allora Eva comincia per suo conto a confidarci una sua vita retrospettiva, che nessuno aveva mai sospettata. Dinah avrà lasciato sull'intonaco del cortile, come una buccia di giovane serpe, le sue agre illusioni sensuali e amorose. E poiché, dopo il tradimento di Marco e il suicidio di Eva, il babbo non rifiuterà piú di cercare un'altra casa, in un quartiere piú decente, essa è già pronta per la sua nuova sorte di piccola borghese pretenziosa (« Lafayette! Lafayette! »), sposandosi magari al francese; è già pronta per un suo nuovo romanzo.

Ma anche piú indomita, tenace, è la figura di Kikí, con una sua disperata vitalità come di verdastra gramigna, e col suo bisogno d'amore che non s'è spento pur nell'abiezione. Ed è certamente, insieme ad Eva, tra i personaggi del *Cortile* che sarebbe piú difficile dimenticare. Al libro meritamente si schiude una nuova stagione. Noi invidiamo quelli che lo leggeranno ora per la prima volta.

(1953)

«Io, povero negro» di Orio Vergani

Sul romanzo di Orio Vergani (*Io, povero negro*), è già stato scritto tanto, da esimerci dai preliminari; come non si potrebbe in argomento meno scandagliato. Segniamo alcune osservazioni, in aggiunta a quelle, pro e contro, suggerite da altri; e vediamo di cavarne un costrutto.

Che un bianco non sia un negro, e neanche possa entrar bene nella pelle d'un negro, credo si sia tutti d'accordo. Gli resta sempre fuori l'orlo dei polsini, o la cocca della camicia bianca. Siamo anche d'accordo che bianco, bianchissimo, è Vergani. Ma guardiamo un po' i cosidetti negri, nelle letterature di cui possiamo parlare con meno incompetenza.

L'Otello di Shakespeare, non è specialmente moro; ma, nella violenza delle passioni, soltanto barbaro e primordiale. E i neri ed altri selvaggi dei narratori inglesi e francesi del Sei e Settecento, rientrano nel repertorio ornamentale e pittoresco; insieme ai persiani in legno verniciato che reggono le lumiere, e ai cinesi dipinti sui paraventi. Quelli del padre Bartoli, su per giú come il *Venerdí* di Defoe, stanno a far da cariatide al santo tabernacolo. Ma, verso i primi dell'Ottocento, cambiano cotesto ufficio con quello di documentare la bontà dell'uomo allo stato di natura, e la applicabilità del « Contratto sociale ».

È stato detto che anche il famoso negro del Conrad (il quale pure se ne doveva intendere) è di maniera. Sfido io. Meglio conveniva osservare la scaltra discrezione con cui vien tenuto sempre in secondo piano. Il vero argomento del *Nigger* non è il negro, ma la traversata da Bombay a Londra; a parte che, fra i personaggi del Conrad, quelli di colore son davvero i meno convincenti. Peggio che peggio in Kipling; appena si esca dalla impressione visiva. E se col Melville è altra faccenda, si deve che il Melville ha in sé realmente qualche cosa di un salvatico bestione; un sanguaccio tanto diverso dal nostro. Ma riaccostandosi a casa, si vede che, in fatto di negri, Stevenson salvò la faccia dell'arte, perché seppe rinunciare ad approfondire il negro e sviscerarlo; si contentò di metterlo in scena come in un balletto: la celebre pantomima del festino dei cannibali sembra danzata dalla Lopokova e da Nijinski. Negri da pigliare in parola, negri da fondarcisi, non si scorgono insomma, dalle nostre parti. E si può meglio intendere come, ad uno scrittore animoso, sia venuta la voglia, paradossale e disperata, di evocarli.

Le pagine del Vergani son seminate di nomi e nomignoli: Geo Boykin, Tommy Burns, Joe Field, stranieri e strambi. Né poteva esser in altro modo, dato l'ambiente, i fatti e le persone. Ciò non toglie che la trama linguistica e sonora ne resti come trinciata. E che ogni paragrafo sembri sfondarsi sotto il peso d'un greggio materiale da traduzione. Pensiamo allo scrupolo d'un Balzac nel cercare i nomi (e nomi francesi) per i suoi personaggi. Perché sapeva che il semplice nome vale per due terzi a tenere in piedi una figura, e conferirle magicamente una storia, una ragion poetica e sociale. (Il terribile in tanti racconti e drammi, nostrani e forestieri, è che, appena un personaggio dice di chiamarsi Paolo, la voce del cuore ci avverte che avrebbe fatto meglio a chiamarsi Pietro; e ogni cosa va all'aria, di colpo). E pensiamo alle nostre ballate ottocentesche, con tutti quegli Ivano, quei Misco, ed Iubmiro, e Rudolfo ed Arrigo: nomi slavi, balcanici, gotici, normanni; venuti dal romanticismo tedesco. È rimasta viva una sola figura, con uno di quei nomi?

Si assiste, oggi, ad un analogo fenomeno romantico: invece che d'un romanticismo nordico e medievale, di un romanticismo equatoriale e coloniale. Ma son certo che un negro che volesse seriamente accasarsi qui da noi, dovrebbe cominciare con la precauzione di nascere a Tripoli, al massimo a Massaua; e lasciarsi chiamare modestamente Tom. Come la nostra piú viva letteratura marinara non è ancora di gran cabottaggio. E l'ha trovata D'Annunzio, sui trabaccoli di Pescara e d'Ortona. E l'ha trovata il Viani degli *Ubbriachi*, sul molo di Viareggio e nei fondacci di Livorno.

Con queste considerazioni in punta di penna, si intende piuttosto accennare ad alcune fatali impossibilità, che togliere ai meriti del romanzo: o distrarre, per esempio, dalla scena d'amore del negro con la « padrona », da numerose notazioni di sentimento, costume e paesaggio; e dallo stesso crescendo cinematografico del finale a grande effetto. E anche il critico piú incontentabile dovrà convenire che il Vergani ha affrontato e contrastato, punto per punto, difficoltà da accapponare la pelle; sempre con agilità, resistenza e intrepidezza, che il suo negro, e non scherza, potrebbe invidiargli negli incontri pugilistici dove si fa piú onore. Ogni tanto, stiamo per darlo spacciato: K. O. L'arbitro in tuba conta sul cronometro. E, una frazione di secondo avanti il « dieci », Vergani è di nuovo in piedi; e ricominciano a volar cazzotti. La questione non sta, a dir cosí, nell'interno del libro. Costí il Vergani ha fatto quanto si poteva. La questione è tutt'altra.

Il Vergani mostrò la propria fisionomia di scrittore, in divagazioni, meditazioni, bizzarrie, fantasie liriche, di quello che, fra noi, fu chiamato il « genere » della *terza pagina*, effimera, dei giornali; ed era poi un « genere » che da secoli abita le piú illustri biblioteche. Si cerchi, nei cataloghi, sotto ai nomi di Orazio (satiro), Berni, Addison, Lamb, Poe, Baudelaire, Chesterton, Huxley, Ramón ed altri cento. Sulle attinenze di tale « genere » con il cosidetto « crepuscolarismo », son state fatte le solite freddure. Come se nove decimi di tutta la letteratura a fondo lirico non fossero crepuscolari. E come se il « crepuscolarismo », in senso piagnucoloso, non avesse la miglior probabilità di divezzarsi e lasciare le dande, in grazia di uno stimolo intellettuale e ragionativo; ed appunto tendendo a forme d'arte quali sono approssimativamente indicate da quei

In piedi su un'auto, Orio Vergani precede i corridori durante una tappa del XXV Giro d'Italia, 1937.

rispettabili quando non addirittura venerabili nomi. Le *Soste del capogiro* e i *Fantocci del carosello* furono i primi saggi del Vergani in quest'ordine; seguiti da tanti scritti, non raccolti in volume, nei quali se mai era da dolersi che, ad occasioni improvvisate e di mestiere, egli sacrificasse impressioni e riflessioni meritevoli di trattamento piú riguardoso.

Cosí, nell'esercizio giornalistico, la sua letteratura venne prendendo abitudini, buone e meno buone. Imparò ad appostarsi a certi passaggi obbligati. Le esperienze di cronista « sportivo », brillantissimo, gli fornirono una materia che facilmente si organizzava in un sistema figurativo e sentimentale. Un sistema che includeva una morale, un gergo e perfino una mistica; la mistica del baraccone, del circo equestre, del trapezio; e sulla quale è facile sorridere, mentre essa testimonia anche dell'ingenuità e del calore con i quali egli visse quelle esperienze.

Il suo errore fu di scambiare ed assumere la materia di cotesto repertorio, di cotesto sistema, come quella che soltanto può suscitare ed animare la fantasia creatrice, la fantasia che fa concorrenza allo stato civile. Non si trattava di colpa e sangue di creature; ma di motivi, delicati, ardenti e capricciosi, di speculazione lirica ed intellettuale. Stoffa, ancora, da saggi fantastici; piú che da romanzo. E gli avvenne di non poter entrare nel romanzo, che a patto di una continua trasposizione; tanto piú remota e laboriosa, quanto piú la identificazione era in pelle in pelle. Cercò la figura piú barbara, indecifrabile e nera; per ritardar d'accorgersi che, in fondo, egli seguitava a stare dentro ai propri calzoni; civilizzatissimo, consapevolissimo e bianco. Ne è venuto un libro acuto ma in parte erroneo; sincero e falsettato; autentico ma tradotto.

È ozioso discettare e prognosticare quanto e come, dalle forme riflessamente liriche, nelle quali il Vergani si trova del tutto a posto, sia effettuabile il passaggio alle forme, dicendola all'ingrosso, « oggettive »; alle liste di natalità del municipio letterario. Provando a tirare qualche carta: dagli *Inni*, il Manzoni passò alle *Tragedie* e al romanzo; ma romanzo, quanto unico in bellezza, unico nella chimica degli elementi costitutivi. E, dalla attività critica, lo Shaw passò al teatro: un teatro, tuttavia, estremamente intellettuale e ragionante. (Vede, il Vergani, che gli escono carte coi fiocchi.)

Sia come si vuole, questo *Negro* regge il confronto non dico con le cioccolate del Forzano; ma, nelle pagine di piú schietta intonazione, con quanto il Vergani dette di meglio finora; e, in genere, con tutta una letteratura di buonissimo rango. Il racconto di Dominique Braga: *5000*, ad esempio, qualcosa può avergli insegnato. Ma non gli è superiore. E se Paul Morand, come egli ci fa sapere, per combinare la *Magie noire* ebbe a percorrere cinquantamila chilometri e ventotto paesi equatoriali, il Vergani può vantarsi di averlo preceduto nei risultati, con infinita economia di mezzi.

(1929)

Diventare impossibili

Conobbi Roberto Papi nell'altra guerra, in val d'Astico, ch'egli era ancora quasi un ragazzo: un poeta ragazzo, in montura da artigliere; e non mi meraviglierei se, ripensando a quei giorni e a quegli incontri, venisse fuori che, dal ripostiglio del nostro reparto, gli avessi fatto dare una giubba usata o qualche altro straccio, per cambiarsi i suoi, pieni di pidocchi. Una volta ci ritrovammo di passaggio a Padova, che la notte prima c'era stato il bombardamento agli Eremitani. E si disse: « Andiamo a salutare Baldini » (ch'era lí per la "Illustrazione" di Treves). Si arrivò di corsa in piazza del Santo; ma Baldini con la giovane moglie stava appunto chiudendo l'uscio di casa, per andare a passare la notte piú al sicuro, in un borgo vicino. Insieme ad essi, due civili vecchierelle, le affittacamere, con tante borsette nere e fagotti; e mi pare ci fosse, tra l'altro, anche un piccolo sant'Antonio di gesso dipinto. Io e Papi ci si caricò dei fagotti; e per le strade deserte ed ansiose si accompagnarono i fuggiaschi al tram a vapore. Fece notte, e c'era una luna velata. Aspettando l'ora della nostra tradotta, si girellava interminabilmente sotto a quei portici. E di tanto in tanto, diretta a un ricovero passava qualche donna con in collo un bambino che piangeva.

Durante molti anni in cui ho avuto occasione di rivedere Papi, anche senza bisogno d'un clima di bombardamento, ho l'impressione che sia stato sempre in circostanze pittoresche, suggestive, almeno curiose. Non ch'egli ci metta, ostensivamente, nulla di suo: ché si tratta anzi di persona la piú discreta, sommessa, modesta. Della sua istintiva e quasi fanciullesca virtú di catalizzazione della realtà, la gente alla buona se la sbriga dicendo: « È un poeta ». Difatti il Papi ha composto anche versi; caratteristici come tutto quello ch'egli scrive, ma non forse il suo meglio.

E cosí egli fece uscire, avanti l'ultima guerra, un romanzo tra allegorico e parodistico: *Piripino*, di cui non tutti si sono scordati. Finché, l'altro giorno, m'imbattei nell'articolo di un critico pronto e sottile, Carlo Bo, su un recentissimo volume di racconti di Roberto Papi: *Piccolo giudizio universale*; e lo lessi con speciale interesse. Piú volte, negli anni, mi ero posto il problema di questo scrittore ch'è il Papi, senza riuscire in tutto a rendermi conto. Innegabile il molto talento, e la verbale cortesia della sua maniera appassionata, e malgrado ciò, ironica, di stuzzicare la realtà. Altrettanto innegabili, sbalzi di tono e di qualità nei prodotti della sua penna; e sibillini annuvolamenti della sua immaginazione, in altre circostanze fresca e luminosa.

Per verità, non di rado, un po' sibillino è anche Bo; specie per un lettore come me, ormai invecchiato nel « due e due fa quattro ». Ma del suo discorso su *Piccolo giudizio universale*, mi sembrarono accettabili due constatazioni, che poi sono due elogi. Che, in primo luogo, il Papi con pochi altri, ha fatto bene non ripiegando su quel conformismo neorealista che irreggimenta tanta nostra narrativa del dopoguerra. Come ha fatto bene a respingere soluzioni, intellettualistiche ed intermedie, che potrebbero essere quelle del saggio e della cosiddetta prosa d'arte; e a tentare in *Piccolo giudizio*, i piú liberi giuochi della fantasia. Non mi pare, se capii bene, che il Bo dicesse di piú. In altri termini, egli procedeva per esclusioni; non definiva gli effettuali conseguimenti dello scrittore, quali essi siano; non quello che il Papi è; ma quello che il Papi non è e non vuole essere. Muovendo dalle osservazioni di Bo, con qualche altro sussidio, forse si può fare un piccolo passo in avanti.

Amici mi dissero che il povero Buster Keaton, ormai inservibile come attore, ha alla M.G.M. un modesto incarico, e una stanzetta uso ufficio. Sulle pareti della stanzetta, insieme a fotografie e ricordi del vecchio tempo, sono alcuni cartelli con scritte keatoniane in stile lapidario. Eccone una:

PERCHÉ ESSERE DIFFICILI
QUANDO CON UN PICCOLO SFORZO
POTETE DIVENTARE IMPOSSIBILI?

Offenderei chi mi legge, se credessi di dover sottolineare alla sua ammirazione, al suo stupore, una sentenza cosí smagliante. Degna dello Pseudolongino.

E bisogna che io abbia davvero un certo rispetto per la letteratura del giovane artigliere che si spulciava in val d'Astico, se consento ad applicarle: dirò meglio, se consento ad onorarla, applicandole un testo critico di cotesta forza.

S'è già saputo che il Papi istintivamente rifugge da ogni forma d'arte realistica; da ogni materia e maniera di racconti ricadenti sull'osservazione e trattati con i metodi dell'ordinaria amministrazione. Sotto al titolo d'un suo componimento, egli non avrà ancora finito di abbozzare le prime cinque o sei righe del testo, che già vi rendete conto di non star con i piedi sulla terra, e di salpare traballando verso quella sua sfera del grottesco angelico o del comico angelico, di cui avrete sentito parlare, e che fa parte di un interessante sistema planetario; dove sulle loro mongolfiere altre volte sarete saliti, in compagnia di Palazzeschi, di Landolfi o Zavattini. Ma il viaggio di questi, e con questi, è comparativamente piú agevole.

Perché in partenza essi hanno rinunciato ad una quantità di umani pesi e responsabilità, da cui il Papi non può invece prescindere e liberarsi, a cagione che fanno parte, non della sua zavorra, ma della sua piú gelosa sostanza vitale. Il suo scrivere non s'impernia e non giuoca su brillanti apriorismi, su geniali convenzioni. Tali sono ad esempio, felicissimi, il diabolismo di Landolfi, il crepuscolarismo di Zavattini, il gusto della beffa di Palazzeschi. Il Papi ha la serietà del poeta intiero, e il rispetto per la integrità delle cose da significare. E ciò nonostante, con tutta la legittima ambizione di giungere, su tali principi, a quelle compendiose, finali evidenze, a quelle figurazioni cosí irrefutabili e lampanti da sembrare « impossibili » da quanto son vere, e nelle quali è l'approdo della fantasia creatrice: purtroppo, egli rimane spesso a mezzo cammino, a un mezzo termine; resta per ora un poeta « in difficoltà ».

Ma « perché essere difficili quando, con un piccolo sforzo, potete diventare impossibili? » È ovvio avvertirlo: che lo sforzo sia piccolo, nell'epigrafe, è detto soltanto per ironia. E l'immenso sforzo per diventare « impossibile », il Papi lo ha certamente intravvisto, ma non può dirsi che l'abbia delineato e fornito. Si capisce che non gli mancherebbe l'animo, lo slancio, mentre poi non avrebbe da scuotere nessuna servitú imitativa, ed ha già un suo linguaggio, un suo accento naturale, una sua originalità.

Forse gli difetta ancora lo studio, la disciplina; e quella tempra e pazienza di lavoro da cui risulta la definitiva chiarezza, il rapimento della visione e del segno. Forse, quel suo « miracolismo », quella sua virtú di catalizzazione fantastica, tuttora gli restano piú voltati verso la vita che verso l'arte. Non ho qui modo di approfondire e illustrare queste ipotesi: io volevo soprattutto segnalare un libro fuori del consueto, ed un ingegno che speriamo non si fermerà qui.

(1951)

Achille Campanile

Non inutilmente invocata nel titolo: *Se la luna mi porta fortuna*, la Fortuna sembra decisa a proteggere anche questo nuovo « romanzo » di Achille Campanile. Dai cartelloni, nelle vetrine dei librai e nelle edicole, lo scrittore ammicca in effigie alla gente che entra e fa l'acquisto. E l'occhietto ride d'intesa, dietro alla caramella piccola piccola; piú piccola di quella fatta fabbricare apposta per un bambino.

Non è facile portare il successo. Anche meno facile, e dico molto, di portare il *frac*; nella quale arte gentiluomini di gran lignaggio e belli spiriti e maestri di vita si lascian battere, come nulla fosse, da tavoleggianti e camerieri. Ma Campanile, il suo successo, mostra di saperlo portare; registrandolo, con quella strizzatina d'occhio, al giusto punto; badando non gli si frastorni di pretensioni e sottintesi noiosi. E direi ch'è in lui qualche cosa della umiltà del *clown*; il quale si rompe le ossa per imparare un nuovo volteggio o salto mortale, ma si guarda bene di offrirli se non come capricci da niente e improvvisate. Il pubblico sente di potersi fidare. Ecco uno il quale non ha promesso altro che scherzi; ma non si lascia indurre, neanche dall'abitudine degli applausi, a combinar brutti scherzi.

Mentre sulle colonne di qualche giornale romano cominciavano a sgranchirsi e a formicolare, con la comica grazia di certi insetti bizzarri, i drammetti campanileschi in due o tre battute, storielle come quelle del centopiedi che va dal calzolaio e i dialogucci ascoltati dal buco della chiave in Olimpo e Parnaso, io ebbi la vera rivelazione dello scrittore nelle teatrali caverne di Bragaglia. Si rappresentava: *Centocinquanta, la gallina canta*; che, sebbene offuscata dalle successive prove del Campanile in altri campi, rimane, e non per me solo, fra le rare pietre miliari nelle solitudini della commedia contemporanea. Con quale grazia si stringeva il diverbio fra i coniugi protagonisti, se la tiritera dica: *centoquaranta*, o non piuttosto: *centosettanta, la gallina canta.* Che disegno, che ritmo, nello svolgersi dell'intreccio, nell'alternarsi delle fortune. Finché all'epilogo, festoso e precipitoso, la parola parlata non bastava piú a contenere la piena del tripudio. E una banda musicale accorreva d'urgenza sul palcoscenico a rinforzare il coro annunciante che non centonovanta, né centosettanta, né centosessanta, ma: *centocinquanta, la gallina canta!*

Si tirava un respiro di sollievo. L'avevamo passata brutta. Ma ormai la verità trionfava; e il mondo tornava tutto d'un pezzo, dopo aver corso pericolo di spaccarsi in due come un vecchio popone. Non sembrava eccessivo che, come Beethoven nell'*Inno alla gioia*, come Wagner nel finale del *Parsifal*, l'autore avesse avuto bisogno di tutte le voci, e di tutte le corde e i metalli, a conclamare la fausta novella. E nelle sceniche grotte di Bragaglia, e nel propinquo buffet, al clangore sinfonico tremavano e tintinnavano i lanternoni di latta, le padelle dei lampadari e tutta la bottiglieria.

Lasciamo gli scherzi. E torniamo al punto; constatando, semplicemente, che, su per giú con i metodi di quella commediola memoranda, Campanile in *Se la luna mi porta fortuna* ha scritto il suo libro, fino ad oggi, migliore.

Che si possa dire in che cosa il libro consiste, nella invenzione e connessione degli avvenimenti, sembrerà, a chi conosca il Campanile, poco probabile; e di poca importanza sapere se si tratti, come vorrebbe il sottotitolo, o non si tratti affatto d'un romanzo. Si tratta, quest'è sicuro, di un *lasciatemi divertire*, trasferito, dalla liricità solitaria e quasi macabra del Palazzeschi, in una aria borghese e ridanciana da riviste illustrate; e invece che scandito e sillabato su un ritmo singultente, rapito in un movimento a ballo, dentro al quale movimento gesticolano i personaggi e scompaiono quasi prima che apparsi.

Battista, ragazzo povero, diventa segretario del vecchio Filippo, marito della capricciosa Susanna. Filippo, Susanna e Battista pigliano il treno; e incontrano Guerrando, giovanotto equivoco, che reca in una valigetta quanto rimane, dopo stravizi e duelli, del famoso seduttore Don Tancredi, ridotto un cosino come un cece, ma irresistibile piú che mai. Susanna scappa, con Don Tancredi nello scatolino della cipria; e Filippo, Battista e Guerrando inseguono gli adulteri. Dopo qualche tempo, Guerrando ha sostituito Don Tancredi negli amori con Susanna; ma senza rinunciare al matrimonio con Edelweiss, figlia del celebre libertino. Per fortuna, Edelweiss è riserbata a nozze piú oneste; e la impalma Battista; in premio della buonissima parte di fumista in sordina da lui recitata nel libro. Si aggiungano, come in: *Ma cos'è quest'amore*, fiabe e storielle, inframezzate al racconto principale; salacità, meditazioni, avventure di briganti, epigrammi e indovinagrilli. L'autore non ha perso tempo; e il lettore ne ha per cinque o sei ore di allegria; trecentocinquanta pagine e passa; con la instancabile esibizione dell'ottima virtú nel Campanile di annodare, su quel tempo *prestissimo*, piccoli intrecci subito sciolti con una risata e riannodati in senso opposto; quasi a mostrar che, da qualunque parte si guardi e rigiri, lo spettacolo della vita non dice niente lo stesso. E, osservando questo, già sembra aver troppo calcato la mano e sforzata la intenzione dello scrittore; ché, in fondo, egli non vuole esprimer nulla, e soltanto adopra certe immaginazioni per suscitarne e gonfiarne contrasti che scoppiano in niente; come quando parodiava nel *centoquaranta* e *centosessanta* la forma elementare di ogni dissidio drammatico.

Naturalmente, non tutto corre liscio nel libro. Non ogni molla scatta appuntino. Né tutti i gusci d'uovo si tengono in bilico sullo spillo della fontana. Campanile non lavora con la matematica implacabilità, per esempio, del Poe anche dov'è piú pagliaccesco. Abbonda, anzi, in divagazioni e svolazzi; ciò che gli facilita il trucco e rende meno avvertibili gli eventuali smarrimenti. Ma quando, per dirne una, impianta la tesi del diritto dell'autore a non proseguire il racconto, non ci si difende dall'impressione che proprio allora il racconto stesse per cascargli di mano. Per fortuna, dopo un po' di parapiglia, le sorti si rialzano e la corsa riprende piú lesta di prima.

E per coloro che, insistendo e cavillando sui momentanei illanguidimenti della vena, ora notati, dicessero che il nostro umorista difficilmente potrebbe andare avanti con volumi di calibro cosí ragguardevole e sostanza cosí inafferrabile e svagata, ecco, poco o nulla, che valgono, le nostre opinioni e previsioni.

Effettivamente, il giuoco del Campanile è rischioso. Né, d'altra parte, sarebbe interessante se non fosse rischioso. Ogni tanto si sente cigolare l'ossatura che regge le sbarre e i trapezi. E le funi sembrano dover schiantarsi nel bel mezzo di un esercizio piú arrischiato. Nell'ultimo romanzo, piú chiaramente che in: *Ma cos'è quest'amore*, si osserva, tuttavia, la possibilità di una duplice scelta e di una duplice sistemazione di elementi i quali stanno, per ora, in un equilibrio un po' incerto.

C'è la materia delle avventure strabilianti; ci sono i personaggi grotteschi e le battute di dialogo ad alto esplosivo: tutti gli ingredienti del romanzo d'appendice, per intendersi, alla Gaston Leroux, che il Campanile ha avuto senza dubbio fra i suoi modelli. Ma nel Leroux e affini siffatti ingredienti senza perdere di capriccio, senza rifiutarsi all'imprevisto, sono insaporiti di un sale sociale; si ricordano la grande tradizione comica del Sei e Settecento francese. L'ironia pur non assumendo di programmatico e moralistico, gravita intorno ad alcune specie e varietà umane ben definite; e se ne accrescono l'evidenza e il prestigio dell'opera, i risalti, il pittoresco. E i personaggi, nel Campanile, rimangono, invece, un po' scorporati. Spesso sono come voci in un concertino d'opera buffa cantato dietro al sipario. Alla lunga, tutto finirà per confondersi in un ilare pandemonio; il disegno d'un libro si smarrirà in quello d'un altro libro, e il lettore durerà fatica a rinnovare e concentrare il proprio interesse. In: *Se la luna ecc.* lo scrittore mostra, frattanto, di reagire al pericolo: con molto brio nelle sue pitture della vita alberghiera e nella sua interpretazione di Napoli; meno elegantemente nella satira dei medici e altrove. Certo è che, posando l'occhio con piú frequenza e attenzione sul panorama sociale, egli troverà a dovizia correttivi, e brillantissimi, a certi inconvenienti della sua maniera odierna; dove essa appare piú gratuita e snervata.

È questa una soluzione di prudenza e senso comune: provvedersi, per saltar bene, di solido trampolino. L'annuncio di *Goal*, il prossimo romanzo d'ambiente « sportivo » fa pensare che il Campanile già s'inoltri per questa via. Ma s'intravede anche un'altra soluzione piú ambiziosa. Campanile non ha letto soltanto Gandolin, Leroux, Jerome e Petrolini. Ha letto Palazzeschi, i « frammentisti », Ramón de la Serna, e possiede una facoltà visionaria, dalla quale torna poi a rifugiarsi nella burla con uno dei soliti sgambetti. Non alludo a espedienti di contrasto piú grossolani: per esempio alle patetiche descrizioni di tramonti, con mormorio di acque e di augellini, e che all'improvviso finiscono in una boccaccia o in una freddura. Ma a pagine d'impegno e di completa realizzazione: come quelle sulle nevose stazioncine di montagna; sull'aereo e fantomatico cimitero della luna, o sulla tristezza dell'alba; ricongiunte sempre al farsesco, ma per tramiti assai poetici e suggestivi. Potrebbe darsi che l'assetto avvenisse in questa seconda direzione; e non accenno alle varie ipotesi, a titolo di consiglio, perché il Campanile saprà bene da sé che cosa decidere, ma per mostrare quanto il suo mestiere offra di appigli, punti di ripiego e di sviluppo.

Nel suo successo, oltre all'elemento di simpatia per quel riso cordiale, si notano facilmente altre cause: di reazione alla letteratura macchinosa e indigesta; di soddisfazione per aver egli fornito una produzione scapigliata che finora si doveva importare d'America e di Francia, ecc. E converrebbe che, almeno pel momento, venissero risparmiate al nostro scrittore interpretazioni amletiche, metafisiche e fumose, come quelle che, senza riuscirvi, fecero di tutto per guastarci il piacere dell'arte, ben altra, di Charlot. Poiché i suoi doni egli li porge con tanta sincerità, non diamogli il fastidio di fraintenderli. Tanto piú che non sarebbe fuor del gusto di una ironia campanilesca, la raffigurazione di critici e lettori che, per sembrare profondi, il giocattolo ch'egli offre lo prendessero per un astrolabio; e la giarrettiera caduta a una delle sue donnine la scambiassero pel meridiano terrestre.

(1928)

Ricordo di Arturo Loria

La crudele, inaspettata perdita di Arturo Loria, a metà del febbraio 1957, è stata certamente rievocata piú volte, nel raccoglimento dell'animo, negli scritti e nelle conversazioni, da tutti gli amici e cultori della buona letteratura. Nuova occasione di ricordarla è ora la pubblicazione di un volume: *Settanta favole*. Quando egli morí, il Loria aveva corretto e licenziato le bozze di queste sue favole; cosicché, in senso stretto, non è nemmeno da parlare di un'opera postuma. A parte che questo è l'ultimo libro di Loria, l'interesse è accresciuto dal gran tempo trascorso dopo il volume che lo precedette, che era il dramma satiresco *Endimione*, stampato nel 1947. A sua volta, fra *Endimione* e i tre libri di racconti che costituirono la rivelazione di Loria, erano passati venti anni. E tutto al contrario di questa tarda e lenta produzione, i tre libri di racconti, intitolati: *Il Gieco e la Bellona*, *Fannias Ventosca*, e *La scuola di ballo*, erano usciti uno di seguito all'altro, fra il 1928 e il 1932.

Scomparso a cinquantacinque anni, il Loria aveva pubblicato questi racconti quando era intorno alla trentina: eccezionale debutto, da giustificare le piú ardite previsioni. Se non può dirsi che tali previsioni e speranze andassero perdute, è tuttavia sicuro che, nel suo svolgimento, la carriera di Loria ebbe un che di anormale e quasi inesplicabile. Il che invoglia a dirne qualcosa, prendendo occasione da questo ultimo libro.

Al tempo dei suoi primi lavori e piú fortunati, Arturo Loria fu *pars magna* della fiorentina rivista "Solaria": la principale rivista letteraria italiana apparsa dopo la "Voce" e la "Ronda". Il programma della "Ronda" era stato di richiamo all'ordine, e di restaurazione estetica, dopo la confusione del primo dopoguerra. La "Ronda" riproponeva l'esempio di Leopardi e Manzoni, e la grande tradizione classicista dell'Ottocento. Non è difficile rintracciare in "Solaria" gusti e atteggiamenti quasi rondeschi. Ma la medesima aspirazione verso una letteratura superiore, sostenuta da una forte coscienza critica, si riportava in "Solaria" sopra un piano di cultura meno rigido di quello della "Ronda". In "Solaria" era maggiore spregiudicatezza nella scelta dei modelli. Non per nulla il lavoro redazionale della rivista aveva per sede quel centro famoso di cultura europeizzante che era stato nell'Ottocento il gabinetto Vieusseux.

"Solaria" fu soprattutto il vivaio dei nuovi narratori: Tecchi, Moravia, Vittorini, Bonsanti, Manzini; Loria, il cui temperamento fantasioso, picaresco, con qualche cosa d'un romanticismo alla Callot, ebbe la sua smagliante fioritura nei tre libri dei racconti; mentre in altri scrittori del gruppo di "Solaria" sembravano piutosto annunciarsi spiriti e forme che, dopo alcuni anni, sarebbero stati caratteristici della letteratura cosidetta neorealitsa.

Il Loria non aveva nulla di professionale, aiutato in ciò dalle favorevoli condizioni famigliari. Non era di quelli che, trovato un filone, si mettono a scavare di buona voglia, e lo sfruttano scrupolosamente fino alle ultime scorie. Ma piú volte mi sono domandato se il suo silenzio, almeno relativo, dopo la pubblicazione de *La scuola di ballo*, non possa avere avuto diretto rapporto anche con le condizioni politiche italiane che andavano gradualmente aggravandosi finché, nell'estate del '38, si inasprirono ed invelenirono con le leggi razziali. È chiaro che, in Loria, la vena picaresca, il piacere di un'arte di racconto colorita e festosa come un balletto e una mascherata, avevano perso coraggio. E d'altra parte, come si è detto, egli non era entrato, come altri colleghi di "Solaria", in una corrente di gusto e di convinzioni estetiche, grazie a cui un giorno si sarebbe trovato in vista ai nuovi orizzonti della narrativa neorealista.

Il dramma satiresco *Endimione* uscí nel 1947. Non stiamo a notare il fatto inusitato dell'impiego della forma drammatica (d'un dramma da lettura, non da palcoscenico), in cui il Loria non insisté. Subito si sente di trovarsi dinanzi ad uno di quei prodotti d'ingegnoso artifizio e d'ironia, che sono tipici d'intelligenze in qualche modo inibite o turbate. Frattanto, alla ripresa della vita nazionale, il Loria, con Montale, Pancrazi, Tumiati e altri amici, aveva ritrovato il suo posto nelle migliori pubblicazioni periodiche ed altre iniziative di cultura che cominciavano a riprendere fiato a Firenze. Era ancora un lettore attentissimo, curioso delle novità letterarie di ogni paese. Tuttavia, il suo animo di

Un'immagine giovanile di Achille Campanile.
A destra: lo scrittore, editore e pittore Leo Longanesi.

« buon europeo », forse non senza un riflesso delle esperienze sofferte, anche piú che alle cose della letteratura creativa, sembrava ora aperto ai propositi e ai segni della nuova vita civile e sociale.

Quanto era possibile ad uno come lui del tutto alieno dalla politica, e fuori dal giuoco dei partiti, si prestava a collaborare sul piano pratico con la penna e la viva parola, perché fra l'altro, anche improvvisando, sapeva riuscire oratore elegante ed efficace. Noi amici si soleva dirgli, per ischerzo, che di quel passo sarebbe finito sindaco di Firenze. Ma invece che sul seggio di Palazzo Vecchio, egli ha chiuso la sua carriera con le *Settanta favole*.

Settanta favole, come lavoro del suo ultimo decennio, e lavoro pur spesso raffinatissimo, sono troppo poca cosa, dato un ingegno e una esperienza letteraria come quelli di Loria, per non dovere tornare a ripetere che qualcosa in lui doveva essere misteriosamente successo, a inaridire le sue facoltà inventive ed espressive. Tra i diversi stimoli ad assumere questa forma della favola e dell'apologo, potrà avere agito sul Loria l'*Esopo moderno* del suo amico Pancrazi. Ma badiamo bene che, in Loria, la favola non è mai imbevuta di amarezza e rancore. Non ha coerenza polemica, e non vuol fare le vendette di nulla e nessuno. È il pittoresco diagramma d'una realtà abortiva. Ritrae certi aspetti bizzarri e irregolari, certe asimmetrie della vita, certe gibbosità e mostruosità, che a volte non danno quasi nell'occhio, ma che quando le abbiamo scoperte possono diventare piú acutamente ossessive.

E quanto lo scrittore fosse cambiato, lo scorge chi appena confronti la festosa e talvolta un po' teatrale abbondanza del *Cieco e la Bellona* e altri libri di novelle, con lo squisito grigiore di questi ultimi epitaffi. Ne leggiamo qualcuno dei piú brevi, a titolo di documento; non che con qualche citazione possa rendersi l'effetto complessivo di questo strano libretto. Né il lettore si lasci ingannare dall'ostentata semplicità e quasi povertà della forma.

« *Alberi.*

Un poeta andò a far visita a un grande uomo di Stato, il quale solo da vecchio e per l'eredità lasciatagli da suo fratello aveva potuto comprarsi una casa con un po' di terreno intorno. Lo trovò che stava piantandovi degli alberi. Messosi di buon grado a secondarlo nella bisogna, ebbe la meritata ventura di sentirgli dire: "Questi alberi terranno viva la mia memoria piú a lungo di qualsiasi atto della mia vita." »

« *Argomento decisivo.*

Un uomo inquieto e facile alle passioni, avendo abbandonato il tetto coniugale, ne viveva lontano in compagnia d'una sua amante. In verità, la loro vita quotidiana non era diversa da quella di marito e moglie, e la donna, cui questa particolare e punto strana coincidenza forniva la fiducia di essere ormai dentro un castello, prese a chiedergli che iniziasse le pratiche necessarie per liberarsi legalmente della prima moglie e sposar lei. – Cerchi il tuo danno –, le rispose egli un giorno, con tono freddo ma minaccioso. – Se tu diventi mia moglie, è molto probabile ch'io vada a vivere con un'amante. Dovresti ben saperlo che sono fatto cosí. »

E questa ultima siluetta, infine, dove il concetto è cosí graziosamente immedesimato al movimento e alla sensazione ritmica:

« *Il cavallo e l'aritmetica.*

Il Cavallo, giovane e sano, non aveva cognizione di adoprar quattro zampe, tanto se ne serviva con scioltezza e a suo piacimento; ma non appena perdette un ferro si accorse di batterne sul selciato tre buone e una no ».

Riepilogando. Non dimentichiamo l'origine etnica dello scrittore dei racconti, che poi sono ciò che di Loria è piú sicuro di sopravvivere. Nato a Carpi nel modenese, eppoi stato lungamente a Firenze, il Loria, fra altre cose, fa pensare all'Albertazzi di certi motivi antiquati, talvolta si direbbe *tassoniani*, che avesse infuso nel proprio verismo umoristico una vena di macabro. Come per certe accentuazioni nordiche, potrebbe ricordarsi il Chiesa di *Istorie e favole*, a parte la loro policroma lucidezza di marmi parnassiani.

Dalla *Secchia rapita* alla *Marfisa bizzarra* e a numerosi nostri contemporanei italiani e forestieri, si fa buon cammino, in compagnia del Loria, verso una qualità di lunatica astrazione, verso un gusto mescolato di fantastico e grottesco, e verso un'estetica di stracci appesi ai raggi della luna: quell'estetica che arditamente si annuncia in seppie e guazzi del Tiepolo, con zingari e mascherotti a conciliabolo, gufi appollaiati su un ramo di abete, e qualcuna delle sette vacche magre dispersa e muggente nel paesaggio spelacchiato. Si è già ricordata la novella picaresca. Infine, qualche eco dei cantastorie da fiera, e della poesia dei carcerati.

Non si pretende aver dato con questo la formula chimica della letteratura del Loria. E non si vuole intendere che, pur con ogni grazia, egli sia riuscito soltanto a combinare contaminazioni, pantomime, e divertimenti in costume da ballo. Un lume riflesso, una infiltrazione libresca nella sua opera ci sono sempre; malgrado il suo frequente atteggiarla a truculenza, ed empirla di fatti strepitosi. E dove anche ci avviene di realizzarne piú intensamente e coloritamente le immagini, non le vediamo spiccare in un'aria inedita, intatta; ma un po' sempre come se fossero dipinte su un cartone bucato dai tarli e ingiallito e sgorato dal tempo.

Questo senso culturale, il gusto composito, non dovrebbero però indurre a conclusioni affrettate e inesatte. Si hanno idee spesso convenzionali e retoriche della novità e originalità in genere, e della « creatività ». Basterebbe pensare alla figura di un Hofmannsthal, che un tempo era di moda sottovalutare; e s'aveva l'impressione ch'egli appartenesse ad una categoria del tutto laterale ed estranea a quella dei Mann e dei Rilke. Con una migliore conoscenza della sua produzione (si pensi, ad esempio, ai « racconti », nella recente versione della Bemporad), oggi si giudica Hofmannsthal diversamente da come si giudicava una volta; il suo posto è molto cambiato nel nostro quadro della letteratura tedesca contemporanea. Sopra un piano di completa indipendenza, con l'opera di Hofmannsthal quella del Loria ha certe naturali affinità; e come essa, nelle debite proporzioni, può aspettare fiduciosamente il verdetto del tempo.

(1928-1957)

Leo e Leopoldo

C'è poco da temere di sbagliarsi, giudicando che *Un morto fra noi*, per ora almeno, è il miglior libro di Leo Longanesi; anche se messo insieme con l'identico sistema dei suoi precedenti: *Parliamo dell'elefante*, *In piedi e seduti*, ecc., su una trama fluttuante e sbadata di ricordi, aneddoti, motti di spirito, aforismi, riguardanti le vicende italiane dell'ultima guerra e dopoguerra. Veri e propri polemisti politici (di cui tra gli ultimi fu Leone Daudet, a parte la direzione delle sue idee, magnificamente dotato come artista), conducono la loro polemica battagliando sui vivi fatti della realtà nazionale. Ma altri polemisti che piuttosto chiamerei di nostalgia e d'immaginazione, ed ai quali da noi variamente appartengono, insieme col Longanesi, il Malaparte, il Montanelli, e qualche altro: arrivano al fumo delle candele, e preferiscono una polemica retrospettiva, romantizzata. Quando meglio sarebbe forse dedicarsi alla storia, stemperano i loro antichi umori e capricci personali nel malinconico senso del poi; elaborano nelle piú diverse maniere un loro fondamentale crepuscolarismo. E se anche, in qualche occasione, uno od altro di loro, alzando la voce, ha l'aria di voler dire cose enormi, scandalose, irreparabilmente impegnative: non lasciamoci ingannare; sotto sotto c'è sempre la nota nostalgica, idillica, ironica.

Un morto fra noi, nella prima parte, ha per teatro Roma, fra l'ingresso degli alleati e l'imminente caduta della monarchia. Dopo di che, nella seconda parte, la scena si trasferisce a Milano. Siamo nell'ambiente solito del Longanesi, fra piccoli professionisti, intellettuali scalcinati, equivoca gentuccia che razzola al margine di affari inverosimili; negli uffici di gerarchi decaduti che si mimetizzano, e di commendatori che sputano nel piatto dove avevano mangiato fino a ieri. Vestite in *kaki*, ragazze inglesi del P.W.B. fanno le superbe. Fingono di non riconoscere i loro ex-amici, appartenenti ad un popolo pidocchioso, che ha osato mettersi contro l'impero britannico. E anche loro finiscono, alla buona, col tornarci a letto insieme, come facevano avanti la guerra. Nel prurito, nell'irritazione dei fastidi, delle ristrettezze e meschine ingiustizie e livori, che seguono ogni sconvolgimento sociale e politico, anche in un paese elastico e accomodante come l'Italia, di tanto in tanto si fa sentire (ma non piú di cosí) il ricordo del *Morto fra noi*. Si fa sentire la intonazione infreddata del « si stava meglio quando si stava peggio »: la famosa frase dei codini dopo il Settanta. Ed è il ritornello, bisogna ammettere, piú monotono e sterile che accompagni la storia nelle sue operazioni grosse e piccine; ed al quale, in questo caso specifico, è anche impossibile attribuire un significato concreto.

Voglio dire, piú semplicemente, che nell'aspetto documentario, e come testimonianza intorno al tempo e alle vicende in cui i suoi personaggi si muovono, il nuovo libro longanesiano non potrebbe prendersi tanto sul serio. Non è una satira, un'invettiva, una recriminazione; ma un mero divertimento. Al modo d'un Palazzeschi piú giovane e meno fantasista, anche Longanesi vuol soprattutto divertirsi. Ma sono curiose e indicative, nel libro, certe inaspettate fratture di tono, certe inversioni di registro, in cui ogni tanto si denuncia il disagio espressivo dell'autore, dove la sua materia si scopre, a lui stesso, in tutta la propria arbitrarietà anche umoristica.

Citerò due o tre esempi. E per primo l'apparizione del massiccio ex-federale che, ridotto a servizi di facchino nella bottega di libraio dei fratelli Pampiglioni, diverte i suoi principali e i clienti figurando di beccare per terra e rifacendo il verso dei polli. Qui Longanesi esagera e vuol strafare; ma nella sua regolare, lucida prosa bodoniana, la enorme macchia d'inchiostro di quel bruto carponi, è stonata, un vero pugno nell'occhio, come un barbarico imprestito da Chagall. O quando la moglie dell'industriale milanese, salutando l'autore, si toglie di bocca e gli porge un ovetto simbolico; come potrebbe soltanto accadere in una pantomima surrealista. O quando, infine, Longanesi ci racconta del quadro d'un romantico castello ch'egli sta dipingendo: eppoi la notte si sveglia, va a rivedere il dipinto, e trova che le finestre del castello son come dal di dentro magicamente tutte illuminate. Stregonerie che non fanno per lui. E servono unicamente ad avvertirci ch'egli si trovava a mal partito; o che imperdonabilmente aveva il capo a tutt'altro. Come imperdonabile, per motivi d'un genere diverso, è la sua evocazione caricaturale d'un nostro poeta, che tutti amiamo e stimiamo dal profondo cuore; e che non ci gusta proprio per niente di vedere trattato cosí.

Detto questo, si ritorna però al primo principio. E cioè, che mai Longanesi aveva dato pagine, come qui abbondano, che non sono piú quelle soltanto del notissimo ometto aggressivo, senza scrupoli, che di riffe e di raffe si caccia fra cose troppo piú alte e grosse di lui; ma sono, semplicemente, bellissime pagine di artista. Né le indicherei, in particolare, fra quelle che tendono al brivido dell'orrendo; la uccisione di Carretta; l'occultamento del morto gerarca nell'ascensore, che mi sanno anzi un po' di sforzo. E le riconosco in un repertorio di tono piú calmo: scene di vita domestica, il desinare di Natale, la morte del nonno; paesaggi e ricordi, come la caccia con Balbo ai gabbiani; o conversazioni come quelle con Sara, l'ebrea polacca. Costí Longanesi ha conseguito un'agilità e trasparenza di tocco da invidiargli. Costí il suo « conservatorismo » non è posa letteraria, ma pienezza d'arte e umanità.

Ahimè, quando penso che egli si chiamava Leopoldo, tranquillamente Poldo, Poldino; e volle sostituirgli l'azzannante brevità belluina di Leo. Con tutto il suo spirito, non ebbe coraggio di portare intiero il suo nome, il suo titolo di nobiltà. Il nome di Leopoldo d'Austria, di Leopoldo di Toscana, del cavaliere Leopoldo Cicognara, e mettiamo pure dell'insigne direttore verdiano, e gran becero in faccia a Dio: Leopoldo Mugnone. Ma intendiamoci bene, una volta per tutte. In Longanesi sono le pagine di Leopoldo, di Poldo, quelle che ammiro sul serio. Leo, per suo conto, potrà sempre scrivere quello che gli pare. Io non ci sento bene che da quest'altro orecchio.

(1952)

Lo stile di Longanesi

Le qualità di Longanesi furono cosí ricche e contradittorie, che tanto agli amici che ai detrattori venne sempre di prendere la strada piú corta, tenendo conto di certi tratti della personalità che a loro piacevano o facevano comodo, come se poi il resto non esistesse neanche. E bisognerebbe invece stare attenti a non combinargli un funerale giornalistico su cotesto tono. A non fargli subire una commemorazione di cui sarebbe stato il primo a mettersi a ridire, o che gli avrebbe fatto profondamente stizza.

Ci vuole poco a consentire ch'egli fu uno squisito tipografo, un geniale impaginatore e disegnatore di frontespizi. Che sempre attento alle novità, a guardare che cosa si muovesse sotto alle foglie, in parte ebbe inventato, in parte adottato, un tipo di periodico come doveva riuscire "L'Italiano" eppoi "Omnibus", infine "Il Borghese", che tanto piú sembrò nuovo in quanto dosava e interpretava con magistrale ironia certe vecchie caratteristiche, e che non importa dire quanto fu imitato. Ad ammettere infine che egli ebbe grandi doti di scrittore, da lui impazientemente poco coltivate e sfruttate, e fu maestro d'uno stile di giornalismo perentorio, prepotente, sopraffattore, che subito si fece valere in una cultura impreparata e disorientata come la nostra nel primo dopoguerra; stile che dopo trenta anni ancora d'ogni parte imperversa, facilmente riconoscibile sotto ai travestimenti piú dozzinali.

Queste cose sono vere, e su esse non c'è il minimo dubbio. Ma la questione è che Longanesi valeva infinitamente piú di queste cose, anche se le adoperava, perfino esagerandole, come modi d'espressione, come forme di vita e d'azione, come armi.

Oserei dire che, in un senso morale e culturale, fu una di quelle « sentinelle perdute », di quei « disperati », che, in certe epoche, servono intrepidamente da catalizzatori; nella quale funzione o fatale vocazione fu davvero inesauribile. Il suo cosidetto conservatorismo, era soltanto un punto di riferimento, una mira ipotetica, che poteva servirgli all'infinito; perché nel caso specifico si trattava di mira irraggiungibile, anzi impossibile e assurda, che non sarebbe mai stata colpita. E se fosse stata colpita, o in via d'esserlo, egli avrebbe dovuto rovesciare il bersaglio, e mettersi subito dall'altra parte.

Che in tale professione di eterno fedele-infedele, di condannato all'ergastolo della contradizione, di bastian contrario a vita, e di controtutto e controtutti, egli riuscisse poi, non dirò tollerabile, ma cosí simpatico e si facesse cosí voler bene (anche se era difficile dirglielo), fu il grande segreto della sua personalità e la riprova della sua sincerità. Ma su lui ci sarebbe da scrivere pagine e pagine. E questo non è che un cenno di saluto.

(1957)

La narrativa di Mario Soldati

Non capisco che intenti abbia avuto, e che gusto ci sia stato, da parte di Mario Soldati e del suo editore, a rappezzare insieme alla meglio, col filo bianco, i tre romanzi brevi di cui sto per parlare; attribuendo loro un titolo: *A cena col commendatore*, del tutto estraneo, manierato, che disorienta il lettore, e gli fa dire, prima ancora d'aver sfogliato tre pagine, gettando lo sguardo sulla stucchevole copertina a colori: « Riecco, a questi lumi di luna, le solite caricature ottocentesche, i soliti grassocci commendatori col nastro nero alle lenti ». Mentre poi, nel libro, le cose pigliano una piega tutta diversa. Uno dei romanzi brevi: *La giacca verde*, diventò famoso non appena apparve su una rivista italo-americana; e gli altri due, se non lo valgono, meritano tuttavia di stargli vicino. In complesso, la *Cena* nella varietà degli atteggiamenti fantastici e nella concretezza dei risultati, è di quei libri che si vorrebbe davvero vederne piú spesso. Sormontato il malumore, scacciata la stizza per la presentazione sballata, veniamo dunque a quello che conta.

E per prima cosa converrà tener presente che Soldati ha avuto il gran merito di non cader mai in quel conformismo neorealista in cui si sono spente o vanno spegnendosi tante belle speranze. Elementi che gli servivano, egli può averli derivati, in certe occasioni, dal neorealismo suddetto; ma senza legarsi a una formula; senza mortificare le sollecitazioni del temperamento vivace, versatile, e arricchito da esperienze letterarie di prima mano. Davanti alla narrativa a base documentaria, Soldati non ha cessato mai di ricordarsi di una narrativa d'invenzione, di composizione, e quasi vorrebbe dirsi d'intreccio. Lo sviluppo d'un suo racconto è sempre sostenuto da una marcatissima tessitura ritmica. Ed ammette sorprese e colpi di scena, che non soltanto hanno una loro portata nell'ordine dei fatti e dei significati; ma ne hanno soprattutto (piú misteriosa e suggestiva) una musicale.

Si rilegga ne *L'amico gesuita*, un racconto, perfetto: *Il campione*, di neppure cinque pagine. Sembra veristico fino alla crudeltà, come una fotografia. E al medesimo tempo, è tutto leggiadramente contrappunto come un pezzo di musica classica. Dalla contemperanza di questi toni e di questi effetti, lo scrittore trae risultati di grande originalità. E forse anche per il fatto di accudire professionalmente alla regía cinematografica, e di non prendere in mano la penna per scrivere un racconto, altro che quando ne ha voglia sul serio, si schermisce dal pericolo di diventare, come avviene a molti, un fabbricante, un industriale della propria maniera letteraria; e ciò mantiene intorno alla sua opera un senso di freschezza e di curiosità.

Il genere dei personaggi, e gli ambienti morali di Soldati, tutti ormai li conoscono. Gente quasi sempre di superiore levatura, ma decaduta; e come in una duplice esistenza, travolta da qualche destino torbido o anche sordido. Abitudini mentali di tradizione cattolica, le quali in Soldati risultano meglio valide alla discriminazione dei moventi interni e alla esatta pesatura dei peccati: arriverei a dire addirittura, meglio valide ed efficaci nel provocare e affinare una specie di sinistro godimento della dialettica del peccato, che nel promuovere resistenze ed impulsi a liberarsi dalla voglia di peccare. Questa materia teologale, casistica, e perfino sofistica, facilmente potrebbe diventare astratta e discorsiva. Ma ciò non avviene che in momenti di stanchezza.

Di solito, il Soldati sa coordinarla intorno a qualche motivo fortemente pittoresco; imperniarla sulla storia di qualche oggetto simbolico: il dipinto che rappresenta la veduta dalla *Finestra*, nel racconto omonimo; il paio di gemelli da polsi nel *Padre degli orfani*. Se l'arte gli valesse sempre (come si può credere che, in processo di tempo, gli varrà), Soldati non desidererebbe esclusivamente che di orchestrare i casi di coscienza dei suoi personaggi, su un giuoco di contrasti e un disegno ritmico incalzante; come è per esempio nel *Diavolo nella bottiglia* di Stevenson o in *Perle false* di James.

Mi ricordo, a questo proposito, sue considerazioni, una volta che si parlava appunto dei taccuini di James; intese a sostenere la maggior suggestività (almeno in un certo senso) di taluni racconti di James, nella concisa stesura dei taccuini; in confronto alla versione definitiva, talvolta eccessivamente analitica e diffusa. È un punto di vista, trasportandolo al significato generale, che in ossequio alle mode odierne parecchi non si sentiranno di accogliere; ma che domani parrà assai piú sano e da seguire che oggi non sembri.

Ho detto che *La giacca verde* resta il migliore fra i tre romanzi brevi della *Cena*; ma *La finestra* non le è troppo inferiore. E con le tre ragazze inglesi che si aggirano nella vita segreta dell'ambiguo e poligamo pittore Gino Petrucci, emigrato a Londra: Twinkle, Magdalena e soprattutto Dawn, Soldati ha dato forse il meglio di quanto finora egli avesse saputo, in fatto di figure muliebri. Delle sue capacità di penetrazione psicologica non occorrevano speciali conferme. Ma poche volte il suo pennello era stato cosí felice, come nel tratteggiare il fisico di Dawn, enorme e violenta prostituta, che tiene su il suo corpaccione a forza di spaghi e di tiranti, ma ha mani e piedi gentilissimi, come di giovinetta. Al quale ritratto si può avvicinare l'altro, di Trude: muscolosa ballerina tedesca, che frequenta il secondo romanzetto, *Il padre degli orfani*.

Si direbbe che il tipo femminile fatto per Soldati, tenda a fissarsi in queste massicce matrone, che nell'abbondanza delle carni, nel soverchio delle stature, in alcun che di primitivo e barbarico, fanno pensare a sirene, gigantesse ed altre deità sottomarine del *Caso Motta*. Le quali, pur d'essere accolte nel mondo degli uomini, si fossero adattate a battere i marciapiedi, o a prestarsi, in alberghi e pensioni d'infimo ordine, come cameriere e serventi (è proprio il caso di dirlo) « a tutto fare ». Pittoricamente, senza nessuna insistenza lasciva, il Soldati ne ha ricavato ritratti, s'è detto, di prim'ordine. E pur lasciandole cosí materialmente quello che sono: discinte, spettinate, magari un pochino sporchette, non ha voluto negar loro certe acri finezze dell'anima, certi tratti della fantasia, che aggiungono alla loro umana verità. Cosicché quella becera *cockney* di Dawn è in fondo poeticamente piú viva della poetica Twinkle; la quale fa la smorfiosa col maledetto commendatore, che qui ci troviamo fra i piedi un'altra volta.

Non stiamo ad approfondire i sospetti che in costui sia parecchio di Soldati in carne ed ossa; con un paio di baffoni di capecchio e il *pince-nez* con la fettuccia nera, mascheratosi come sulla sovracoperta del libro, uso Maigret di Simenon o Marlow di Conrad. Diamoci l'aria di non averlo riconosciuto, che sarà forse il partito migliore; e allontaniamoci, chiacchierando fra noi di Dawn e di Trude, e facendo finta di niente.

(1951)

«Le lettere da Capri» di Soldati

Già notammo come, nei confronti della nostra odierna narrativa, l'arte di Mario Soldati si presenti con alcuni aspetti assai particolari. Ed in primo luogo, non ha mai cercato di conformarsi alla prevalente tendenza neorealistica. Non l'ha accettata in ciò che riguarda la qualità della scrittura; e tanto meno nel complessivo e preconcetto atteggiamento morale e sentimentale. In secondo luogo, e con maggior decisione nell'ultimo romanzo: *Le lettere da Capri*, quell'arte ha sempre aspirato a realizzarsi in composizioni vivacemente ritmate e contrappuntate, ed a forti contrasti e con risoluzioni sorprendenti. Vi sarà piú o meno riuscita. Ma fin dalla lontana *Verità sul caso Motta*, la tendenza era questa. Il Soldati non l'ha smentita mai, e tale fedeltà gli ha portato e piú gli porterà frutto.

Torinese, il Soldati proviene dal nostro post-romanticismo settentrionale. Ha forse qualche significato che tre dei film piú felici, da lui prodotti nella sua ben nota capacità di regista, traggono argomento da una commedia del Bersezio e da due romanzi del Fogazzaro. Superfluo avvertire che fra lo spiritualismo (o quasi direi spiritismo) fogazzariano, e la qualità dei casi di coscienza dal Soldati proposti nei suoi romanzi, corre un bel tratto. Troppa acqua passò sotto ai ponti.

Con qualche civetteria, Soldati suol richiamarsi alla propria educazione e formazione gesuitica. Ma quanto a questo, all'infuori d'una generica preferenza per difficili e talvolta sofistiche situazioni morali, non mi sembra che il richiamo sia gran che pertinente. Non lo è per ciò che riguarda la qualità morale di coteste situazioni; né per il loro rapporto con le idee religiose, e la perspicacia e competenza dello scrittore nello sdipanare e discutere la loro casistica. E mi piacerebbe, fra l'altro, di vedere la faccia di quei buoni padri gesuiti che istruirono Soldati giovinetto; se mai essi vadano a ricercare i resultati del loro insegnamento, nelle pagine del *Caso Motta*, della *Finestra* o de *Le lettere da Capri*.

Aggiungansi riflessi della letteratura anglosassone, specie in quel che si riferisce, negli anni recenti, a romanzieri cosidetti neocattolici, come Evelyn Waugh e soprattutto Graham Greene. Satirico crudelissimo il Waugh. Il Greene, di natura piú lirica ed intima. Ma teologi entrambi di mediocre affidamento; e troppo portati a compiacersi d'invenzioni morali e psicologiche piú bizzarre e paradossali che convincenti. Maestri dunque, pericolosi per un Soldati, che ha piú capriccio e scatto di fantasia, che vera capacità di penetrazione umana. Ed egli mi fa pensare a quelle imbarcazioni da regata, con un'altissima velatura ma scarso contrappeso, che volano sulla cresta spumeggiante dell'onda, ma possono ribaltare da un momento all'altro. Non sono alieno dal credere che, meglio dei romanzi di cotesti autori, piuttosto estranei e non stagionati, anche oggi saprebbero forse insegnarci *Adolphe* di Constant, *Dominique* di Fromentin e *Volupté* di Sainte-Beuve.

Nelle *Lettere da Capri*, spesso cambia lo scenario, fra Roma, Capri, Parigi, Filadelfia. La forma è in prima persona, e la materia, autobiografica. Harry, il narratore, espone lo svolgersi dei fatti in una specie di confidenziale stesura; ch'è supposto debba servire sia come confessione ad un amico regista, sia come abbozzo per la trama d'un film. Giornalista e studioso d'arte americano, Harry era venuto per la guerra in Italia, dov'è rimasto. In Italia ha conosciuto Jane, giovane cattolica di Filadelfia, addetta a servizi sanitari; ha sinceramente creduto d'innamorarsene e l'ha sposata.

Ma in pari tempo, è anche entrato in rapporti con una ragazza romana, Dorotea, di costumi piú che facili: giunonica e ardente quanto Jane è riservata e magrolina. Si ripete in questa coppia muliebre il contrasto, materiale e allegorico, fra la Sirena e le borghesucce bagnanti del *Caso Motta*; fra Dawn corpulenta e la preraffaellita Twinkle della *Finestra*. Legato a Jane dal vincolo coniugale, dalla considerazione ch'egli ha per lei, e presto, dall'affetto per i figli, Harry è tuttavia incapace ad amarla; quanto piú alla passione per Dorotea, oltre che la bellezza e il piacere, è morboso incentivo la consapevolezza che, scaltramente ed inesorabilmente, Dorotea lo tradisce col primo venuto. Harry, insomma, non può amare senza la duplice mediazione della gelosia e del rimorso. Jane, che per lunghi periodi vive in America, non sa niente di questa passione; finché, a mezzo il romanzo, d'improvviso la situazione s'arrovescia e precipita.

In una delle sue visite a Roma per vedere il marito, Jane con grandi lagrime gli confessa d'avere avuto, all'epoca dei loro primi incontri, una colpevole relazione con Aldo (*gigolo* italiano dell'ambiente di Dorotea); a cui scrisse da Capri sei lettere, compromettenti all'estremo; e di avere ora ogni motivo per aspettarsi d'essere atrocemente ricattata. Evitando di spingersi ad una confessione per suo proprio conto, che complicherebbe troppo le cose, Harry conforta la moglie, le perdona, l'abbraccia. Ed insieme febbrilmente si dedicano alle preliminari investigazioni per rintracciare le sei lettere ad Aldo, le quali, badiamo bene, erano sempre rimaste senza risposta. Su questi fatti, Jane deve ripartire per l'America, dove ha lasciato i bambini. Ma in un disastro aereo muore e sprofonda nell'oceano, presso alle Azzorre.

A forza di ricerche, Harry ha ritrovato, intatte, le lettere, che erano semplicemente andate a finire a un indirizzo sbagliato. Se il contenuto delle lettere è purtroppo quello che si sapeva, la paura del ricatto fu soltanto un abbaglio psicologico del rimorso e pentimento della povera Jane. Il vedovo Harry, che ora liberamente convive con Dorotea, matura il proposito di sposarla e portarla in America. A poco a poco, Dorotea sta diventando una brava massaia, come era stata una tormentosa ma impareggiabile amante. Sposata, va con Harry a Fila-

1. Mario Soldati, il primo a sinistra accanto ad Alida Valli, in una pausa della regia del film *La mano dello straniero*, tratto dall'omonimo romanzo di G. Greene (in piedi, a destra).
2. Una scena del film *Piccolo mondo antico*, dal romanzo di A. Fogazzaro, regista Mario Soldati.
3. Lo scrittore Mario Soldati raffigurato sulla copertina di un'edizione economica delle *Lettere da Capri*.

delfia; dove i genitori di Jane e i piccini subito le si affezionano. Harry potrebbe rifarsi una nuova vita. Ma alla lunga, Dorotea moglie, e moglie fedele, non gli compensa la Dorotea traditrice; non lo interessa piú, non gli dice piú niente.

S'è visto che, senza la carnale gelosia da una parte e il rimorso dall'altra, per Harry l'amore è impossibile. Ed egli finisce la sua confessione (con la quale finisce anche il romanzo), supplicando l'amico regista di trovargli qualche pretesto, qualche lavoruccio, magari da comparsa; tanto da piantare Dorotea a Filadelfia, al posto di Jane, e tornarsene a Roma; dove forse con una nuova Dorotea ricomincerà ad amare un'altra volta.

Questo schematico ricalco della trama, offre almeno quanto è indispensabile per distinguere in essa i perni, le simmetrie, i contrasti, le parabole principali. A liberarsi sentimentalmente e sensualmente da una donna, Harry non ha altro metodo e risorsa che sposarla. Ma fatalmente ogni nuova alternativa d'amore gli si presenta con un'ingiunzione masochista. Non direi che per Harry ciò abbia necessario rapporto con la sua natura nordica e l'educazione protestante, che nel racconto si scontrano col mondo mediterraneo. E che un rapporto che sarebbe all'incirca dello stesso genere, debba riconoscersi, nonostante l'inverniciatura cattolica, nell'amore fra Jane e Aldo: amore che, da parte della donna, come mostrano le sue lettere, non potrebbe giungere a piú estreme dedizioni. Sebbene il romanzo le chiami in causa, non mi sembra, in altre parole, che le determinanti, o aggravanti, etniche e religiose, siano da sopravalutare. Harry potrebbe non essere né protestante né americano.

Nello sforzo coraggioso, e oggi insolito, di organizzare un'azione complicata, movimentata e fortemente chiaroscurata, su fatti che debbono scattare come salteleoni al preciso minuto, il romanzo de *Le lettere da Capri* ha fatalmente alcune manchevolezze. Una di esse, forse la piú rilevante, è che il Soldati propone, enuncia e dà per dimostrata la psicologia dei personaggi, piú di quanto si curi di concretarla e sviscerarla. Il suo stile, semplice ed evidente, è troppo incalzato da una fretta, da un'urgenza espositiva; non si concede un istante d'interiorità e di respiro. Le situazioni, gli avvenimenti, si moltiplicano ed inseguono; e non si fa mai in tempo a spremerne e delibarne tutto il sapore. Sappiamo che Harry è esulcerato, ed insieme ubbriacato, dalle infedeltà di Dorotea. Che fa pedinare la donna; che le telefona da lontani paesi, in ore impensate, per cogliere prove di cui effettivamente non avrebbe piú bisogno. E con tutto ciò, restiamo sempre di fianco al suo personaggio, come testimoni esteriori, e per ciò freddi; e mai ci sentiamo trasportati *dentro* la sua gelosia.

E quanto a quel contrappunto d'azione, nel quale consiste la grande specialità e il virtuosismo di Soldati, il libro ha momenti vivacissimi: come quando Jane singhiozzando si confessa al marito; momenti senz'altro da collocare fra i piú belli del romanzo contemporaneo. Ma talvolta lo scocco della sorpresa è mancato; e quando per esempio la spasmodica ricerca delle lettere finisce col loro banale ritrovamento nel casellario del portiere d'un albergo dove il destinatario non era mai sceso, la struttura del libro scricchiola penosamente; e solo un lettore troppo ingenuo, o un lettore molto superiore, non si confessano delusi.

Cosí non mi sembra di buon stile avere ammazzato Jane d'un colpo mancino, alla chetichella. Bisogna andar cauti con l'uccidere; anche, se non soprattutto, nei romanzi. Avesse lasciato un'eredità di affetti, di azioni che restarono incompiute, di segreti ancor validi, avesse la morte servito alla sua rivelazione, Jane poteva lealmente esser tolta di mezzo; perché avrebbe continuato ad essere moralmente presente in tutte queste cose. Cosí com'è, la sua scomparsa sembra soltanto congegnata per dare modo a Dorotea di diventare moglie a sua volta; ed avviarsi, almeno allegoricamente, ad analogo destino.

Con tutto ciò, *Lettere da Capri*, rimane un romanzo piú che notevole, specie per quel che dà la piazza. *La giacca verde* che, per qualche aspetto con ragione, taluni gli antepongono, trovava il suo equilibrio in un giuoco di elementi piú tenui, che Soldati poté trattare con maggior calma, con un rendimento artistico piú delicato. L'azzardo e la complessità della prova qui hanno esasperato con le virtú certi difetti; ma il lettore sa ormai di poter seguire con inalterata fiducia uno dei nostri piú brillanti narratori d'oggi.

(1954)

Evoluzione di Dino Buzzati

La cosa fastidiosa, riguardo all'opera di Dino Buzzati, accresciutasi d'un nuovo volume: *Paura alla Scala*, è che quando se ne discute con questo o quello, quando si dà in giro un'occhiata a ciò che i critici ne scrivono, e purtroppo, non di rado, anche quando la si legge, non si può a meno di sentirsi disturbati come da una presenza larvale, ma perentoria, inquietante. Dicendola in parole povere: non vi riesce a discacciare, dai colloqui, dalle recensioni, e dalla pagina del libro, l'ombra di Franz Kafka. Naturalmente, se il Buzzati non disponesse che d'un certo talento imitativo, e se in ciò ch'egli scrive non fosse nessun altro merito, la cosa sarebbe semplicissima. Basterebbe non curarsi di lui: lasciarlo bollire nel suo brodo. Ma qualsiasi critico un po' sincero ha chiara coscienza che non potrebbe far questo senza grave ingiustizia. Mentre d'altra parte è sicuro, sicurissimo che l'ombra scontrosa di Kafka sta lí, e non la smuovi.

Uno si chiede per qual ragione un autore talmente ingegnoso poté mai lasciare formarsi, incallirsi e incrostarsi un equivoco cosí massiccio sopra il proprio lavoro. Perché la presenza di Kafka, da chiunque sapesse appena un po' leggere, fu subito avvertita nel *Deserto dei Tartari*, che una diecina d'anni or sono dette al Buzzati la notorietà. Venne riconfermata, qualche tempo dopo, nei

Sette messaggeri. E soltanto oggi il Buzzati mostra con una certa risolutezza di voler cominciare a rendersi conto anche lui, e liberarsi.

Non ha grande interesse ricercare e conoscere in che modo e su quale estensione saranno avvenuti i primi contatti. In arte, come in amore, bastano pretesti ed inviti impercettibili. Una pagina letta per caso, magari in una goffa traduzione, di punto in bianco può determinare il capovolgimento d'uno stile e d'un gusto. Né ci sarebbe da meravigliarsi a scoprire che, in molte carriere pittoriche, la crisi risolutiva, la folgorazione sulla via di Damasco, non ebbero origine e strumento piú misteriosi della riproduzione di un quadro o d'una statua su una cartolina illustrata.

D'altra parte, è inutile sottolineare quanto l'arte di Kafka dovesse riuscire incantevole, anzi intossicante, per un temperamento, come quello del Buzzati, nel quale è qualcosa di nordico, e direi addirittura gotico; insieme con una manifesta scarsezza di senso critico, e con una certa facilità a contentarsi, nei riguardi dell'espressione letteraria. La scoperta di Kafka deve essere stata per il Buzzati come un primissimo amore di gioventú. E quest'amore era cosí spontaneo, illuso e travolgente, che al Buzzati non passò per la testa, neppure un minuto, di cercare di controllarlo, correggerlo, e tanto meno celarlo. Un fondo d'entusiasmo e innocenza è nelle sue piú palesi, e forse inconsce, imitazioni e derivazioni; le quali in realtà sarebbero intollerabili se, invece della cieca passione dell'innamorato, vi si sentisse dentro soltanto una fredda astuzia letteraria, l'industria del perpetratore di « pastiches ».

Per un verso, tutti gli esemplari e tutti i maestri sono utili; per un altro verso, pericolosi e nocivi. Purtroppo, se ce n'era uno che fin da principio sarebbe occorso contrassegnare con l'emblema e l'avvertimento che si leggono sulle boccette d'arsenico e sui pali della corrente ad alta tensione, bisogna ammettere che quest'uno era Kafka. Il suo sistema morale è cosí sublime, tragico, e cosí peculiare, che, un po' come quello di Leopardi, è impossibile assumerlo, sia pure approssimativamente, senza commettere al medesimo tempo qualche cosa che rassomiglia molto a una profanazione. Situazioni nuovissime da lui inventate nella *Tana*, in *Metamorfosi*, nella *Muraglia cinese*, si difendono da sé stesse cosí aspramente, come i rovi e le iguane, con la loro armata originalità, che uno dovrà contentarsi d'arieggiarle alla larga, piú alla larga possibile, e anche allora... Insomma, come Rembrandt, o come Wagner, Kafka appartiene al novero dei maestri inaccostabili. Come il carbone, o tinge o scotta. Imprestatene una trovata, un motivo, un trucco, un ritaglio; e il vostro lavoro fatalmente piglia un'aria un po' malinconica e « primaire » di sottoprodotto provinciale.

Sotto le condizioni presso che asfissianti create dalla frequentazione d'un maestro siffatto, bisogna riconoscere che, nei volumi usciti finora, il Buzzati non poteva fare piú di quello che fece; né gli mancò il giusto compenso. E potrà anche darsi, ma spero di no, che il suo nuovo libro: *Paura alla Scala*, dapprima incontri meno dei precedenti. Credo di non sbagliarmi, ritenendolo invece parecchio significativo, per una doppia ragione. In primo luogo, perché è verosimile che, in talune fiabe e allegorie, esso rappresenti l'estrema saturazione d'un gusto e d'un metodo su cui qui s'è già parlato abbastanza. In altri termini: il serpente abbandona le sue spoglie morte. Ma in racconti, come per esempio quello che dà il titolo al libro, sembra annunciarsi, in tono minore, una maniera diversa: meno giocata sulle suggestioni metafisiche e gli effetti trascendentali, e che comincia a diffidare di allusioni simboliche ed evocazioni magiche a tutto pasto, contentandosi, per dirne una, di narrare e contrappuntare lo sgomento diffuso fra il pubblico ingioiellato di una « prima » alla Scala, da voci e bisbigli di una rivoluzione imminente.

È stato per me un gran piacere vedendo che il Buzzati non credeva piú imprescindibili al proprio stile, certe violente, convenzionali, e direi quasi abitudinarie, deformazioni e truccature della realtà. Senza perdere del loro mistero, del loro arcano, i suoi personaggi prendono corpo, rientrano in una fisionomia etnica, in una tradizione. Troppo spesso finora sembravano calati nella pagina da un repertorio internazionale; come quelli dei romanzi e delle commedie ungheresi. Carichi di galloni, soldati e generali di eserciti da operetta. Re da favola. Scienziati uso dottor Caligari. Monacelle e serventi da racconti pittorici di Usellini. È una graditissima soddisfazione di cominciare una buona volta a ritrovarsi con i piedi in terra, in compagnia d'un autore animoso e intelligente.

Ed io sono certo che, su questa strada, il Buzzati non potrà che acquistare, rapidamente e fortemente, anche in relazione al proprio linguaggio artistico. Prosatore facile, abbondante, non si può dire che egli scriva poetizzato, liricizzato. Anzi ostenta un certo grigiore, una apparente dozzinalità; su cui ad un tratto lampeggino, piú imprevedutamente e minacciosamente, i suoi rebus e crittogrammi. È comunque, la sua, una scrittura piú eloquente e faconda che realmente germinale e creativa. Una scrittura che indica ed espone le cose, piú di quanto in sé stessa le concreti e modelli. Una piú diretta presa di contatto con la realtà, un piú paziente studio del vero, possono produrre anche a tale riguardo incalcolabili effetti. E non è da escludere che proprio da questo punto si stia iniziando la parte piú nuova e profondamente impegnativa della carriera di questo narratore.

(1949)

Racconti di Buzzati

Dino Buzzati trovò la materia prima per la propria arte, in quel senso di mistero, d'angoscia e d'orrore immanente alla realtà, ch'è cosí compenetrato nella coscienza contemporanea; e che battezzato con un'infinità di nomi, ogni giorno dà pretesto a qualche nuova quanto effimera teoria filosofica e morale. Il Buzzati assunse cotesta materia senza nessuna presunzione intellettualistica. La prima ragione, come ovvio, fu che tale materia corrispondeva alle inclinazioni del suo sentimento. E che si trovava a portata di mano: come della buona pietra che, fresca di taglio dalla cava, è lí pronta per essere lavorata. Non si trattava per lui che di ridurla alle misure che volta per volta gli servivano, e scolpirla delle sue fantasie e delle sue immaginazioni.

Numerosi e famosi scrittori della nostra epoca, con maggiore o minore dottrina, bravura tecnica e gravità d'intenti, s'erano investiti della medesima materia. Kafka, Mann, Sartre, Camus, sono nomi che vengono subito in mente a tutti. Anche Pirandello predilesse gli stessi o molto simili motivi, benché gli restassero avviluppati dentro una casistica psicologica piuttosto equivoca. Orwell li trasportò sulla trama dell'utopia politica e della polemica antimarxista. Jünger li acclimatò nella disperazione della Germania nell'*entre deux guerres*. E frattanto gli autori di libri gialli s'ingegnavano a confezionare qualche surrogato, che non era poi sempre da buttar via. Con minore evidenza, una quantità d'altri scrittori si potrebbero far rientrare nelle categorie suddette: il Bontempelli di *Gente nel tempo*, e di brevi mitologie delicatissime; il Lisi con le sue parabole d'un gusto arcaizzante, come le predelle dipinte dai nostri primitivi; lo Zavattini di talune situazioni cinematografiche. E l'affinità del fondo non incide sulla loro rispettiva originalità.

Gli antichi, che seppero fare ciò che fecero, non avevano affatto quella smaniosa superstizione dell'originalità che venne esasperata dal romanticismo. I loro autori ed il pubblico non consideravano come una diminuzione che la materiale sostanza di un'opera derivasse da piú o meno lontani predecessori. L'importante era vedere che cosa ne uscisse. Agli antichi non faceva né caldo né freddo che il sesto libro dell'*Eneide* fosse legato col cordone ombelicale all'undicesimo dell'*Odissea*. E che il teatro ateniese della grande epoca formicolasse di *Elettre*, di *Antigoni*, di *Edipi*, di *Niobi* e di *Ajaci*.

Si penserebbe anzi che, secondo il modo di vedere degli antichi, tale concorso, tale concorrenza, soprattutto servisse ad acuire l'impegno degli artisti nel fare, e quello del pubblico nell'intendere. E la regale *Elettra* di Sofocle è creazione tutto diversa dalle *Coefore* d'Eschilo, e dall'*Elettra* contadina di Euripide: allo stesso modo che un *Crocifisso* e un'*Annunciazione* di Giotto, nonostante ubbidiscano a identiche convenzioni iconografiche, sono altra cosa dai corrispondenti soggetti trattati da Simone Martini o dai Lorenzetti.

Scrivendo, qualche anno fa, di un volume di racconti del Buzzati: *Paura alla Scala*, allora apparso, avevo avuto occasione di notare il graduale distacco dello scrittore da certi suoi modi giovanili, piú improntati di leggendario e favoloso, e che, all'infuori d'ogni diretta ragione imitativa, richiamavano a taluni dei nomi prima ricordati. E mi auguravo che tale distacco potesse diventare sempre piú deciso; senza che si producesse, come talvolta succede nella carriera d'un artista, un disorientamento del pubblico, che non s'è infatti verificato.

La novellistica del Buzzati è ormai cosí nota da rendere superflua qualsiasi esemplificazione. Nelle due colonne che corrono fra il titolo d'un racconto di Buzzati e la firma, all'incirca tutti sappiamo che genere di emozione ci aspetta. Ma al medesimo tempo possiamo essere sicuri, e raramente resteremo delusi, che lo scocco di questa emozione avrà sempre qualcosa di nuovo e sorprendente. È come in una esibizione di alta acrobazia. La posta ch'è messa in giuoco, il nero fondo dell'attrazione, sta in un senso d'angoscia, di rischio, di pericolo e raccapriccio. La virtú dell'artista è di eccitare questo senso fino al limite sopportabile; e sciogliere la tensione nel piacere ch'egli crea con l'arditezza ed esattezza delle sue aeree evoluzioni, con la varietà delle sue invenzioni ritmiche.

È chiaro, nel caso specifico, che si tratta di un'arte dove, superiormente intesa, è assai della natura del giuoco. Non nel significato secondo il quale alcuni romantici tedeschi interpretavano come giuoco tutta l'attività estetica. Ma in un significato piú particolare e caratteristico. Nel significato d'un giuoco di simboli, di emblemi, di allegorie, d'una araldica dello sgomento. Si potrebbe dire che di quel senso universale d'una attesa catastrofica, di una fatalità imminente, di una presenza di mostri subdolamente addormentati con un occhio solo, dentro alle pieghe del vivere quotidiano: di tale senso, cui alludevamo in principio, il Buzzati, con versatilità di combinazioni davvero eccezionale, sa darci innumerevoli simbologie e figure allegoriche.

Dal punto di vista dell'immediatezza e della intensità, non può essere lo stesso, come se l'impressione dell'angoscia e del terrore scaturisse direttamente dalla pienezza d'un fatto vivo, da una situazione d'irrecusabile forza realistica. Tra le due cose, è il divario che separa una pantomima o un balletto da un vero e proprio dramma. Un'aura di fiaba, il senso d'una vitalità gratuita, senza peso, sono infatti ancora inseparabili da certe operazioni di questa fantasia. Ma con tutto ciò, si tenga presente come nella continua rielaborazione dei propri temi fondamentali, il Buzzati sia portato ad affidarsi sempre meno esclusivamente all'immaginazione, e ad approfondire la presa nella realtà. Della quale tendenza, già palese in *Paura alla Scala*, è maggior documento il suo ultimo volume: *Il crollo della Baliverna* che raccoglie una quarantina di racconti. E cosí s'è anche detto dove questo volume ci appaia piú ricco d'aperture nuove.

Di tanto in tanto, nella *Baliverna*, il Buzzati ancora s'interessa alla costruzione di macchine metafisiche, destinate ad accrescere il disordine dell'universo; e delle quali, in romanzi che un tempo furono troppo celebrati, e ora son forse troppo trascurati, il Wells disegnò i primi, grotteschi e zoppicanti modelli. Ecco dunque (*La macchina*) gli enormi, minacciosi « robot » d'acciaio, che il nostro scrittore colloca in agguato sul verde delle valli lombarde; e che, come Golía alla sassata di David, miracolosamente crollano e vanno a pezzi, sotto al tiro di fionda d'un fanciullo. Ecco le misteriose officine che trasformano ed invertono la direzione del tempo. E i proiettili interplanetari (*Il disco si posò*), pilotati da lemuri che parlano lingue che non sono di questo mondo, ecc. Invenzioni che trovano il loro posto e fanno la loro figura nel repertorio d'una narrativa ispirata alle nuove speculazioni della fisica, alle grandi applicazioni meccaniche, e della quale fu probabilmente Richard Hughes uno dei piú sottili maestri.

A cotesti giganti di metallo cromato, alle navi volanti negli spazi celesti, e ai falansteri e opifici dell'umanità totalitaria e pianificata, io confesso frattanto di preferire, nel Buzzati, racconti d'una struttura piú libera e d'una sostanza piú intrisa di realtà. Il libro della *Baliverna* ne abbonda, a cominciare dall'episodio che gli dà il titolo. E talvolta, la caratteristica suggestione di sgomento, vi si sviluppa attraverso un contrappunto di fatti ironici, o umoristici addirittura, che sembrano diretti a contraddirla, smontarla e disperderla, e da cui invece essa esce convalidata.

Cosí nella *Frana*, di cui è confusa notizia ch'abbia distrutto un intiero paese, e travolto e macinato centinaia d'innocenti. Spedito dal suo direttore a cercarla, rendersene conto, e riferirne sul giornale con la massima ampiezza e rapidità, un solerte « inviato speciale », il piede sull'acceleratore, percorre tutta una regione solitaria: investiga, interroga; ma nessuno della frana sa nulla. Ogni località, nel corso del tempo, ebbe le sue frane infinitesime; ed ogni località si risente di quella petulante investigazione di malaugurio. Finché a notte alta, mentre il giornalista con la coda fra le gambe sta pigliando la via del ritorno, la frana orribilmente scroscia davvero, e spacca la montagna dietro alle sue spalle.

E cosí nella *Grande biscia*, che lunga come un serpente marino, nel bollore della canicola è stata vista alzare il capo e linguеggiare in fondo alla palude. Le testimonianze piú contradittorie, inconcludenti e ridicole, non possono discacciarne il fantasma. E quanto piú, in un violento dibattito da commedia villereccia, si capisce che, in sostanza, il mostro nessuno l'ha veduto, tanto piú gli acquitrini, le gore e le cisterne di tutta la regione, sembrano infetti e rigurgitanti del suo lurido orrore squamoso. Altro fra i racconti d'effetto piú acuto, concretato con un minimo di mezzi e senz'ombra di meccaniche sovrastrutture, quello dei *Reziarii*: duello all'ultimo sangue fra due grossi ragni, che un nero monsignore, per ozio o per curiosità d'esperienza, ha scatenato, gettandone uno sulla tela dell'altro, in una siepe. La mestizia del tramonto nella campagna deserta, s'aggrava del rimorso e della nausea di quel gratuito macello; ed il prete sente dentro di sé come un avvertimento di morte.

In questi racconti piú grigi, d'un corso analitico e sommesso, la vena nordica, goticheggiante, del Buzzati, trova un linguaggio particolarmente sensibile, lo satura d'una ansietà niente esclamativa, senza strappi e drammatiche concitazioni, che avvolge e penetra l'animo del lettore d'una desolazione quasi inesplicabile. È il misterioso convincimento che all'arte proviene dall'incontro con la schietta realtà. E sempre piú uno si persuade che in questa direzione Buzzati conseguirà resultati anche superiori a quelli da lui finora raggiunti.

(1954)

Nuovi racconti di Buzzati

Precedenti volumi di racconti e novelle di Dino Buzzati: *I sette messaggeri*, *Paura alla Scala*, *Il crollo della Baliverna*, ci offersero ripetute occasioni d'intrattenerci sullo svolgimento della sua maniera fantastica e della sua prosa. Il discorso può essere ripreso, a proposito d'una nuova scelta: *Sessanta racconti*, che in parte inediti, e in parte tratti dalle raccolte suddette, costituiscono a tutt'oggi una sorta di quintessenziale panorama della narrativa buzzatiana.

Una cosa è sicura: che fra i novellieri italiani della sua generazione, e non di essa soltanto, il Buzzati fu di quelli che vollero assumersi uno dei ruoli piú spericolati. E spericolato per un doppio ordine di ragioni. Come al domatore che ogni sera conclude lo spettacolo ficcando la testa in bocca alla tigre, una volta o l'altra al Buzzati poteva succedere che la tigre d'una delle sue favole chiudesse a un tratto la bocca decapitandolo, a festa finita. O poteva invece accadergli che la belva si abituasse al giuoco. Che per amore di pace e propria convenienza lasciasse che le cose proseguissero col loro trantran all'infinito. Nel quale caso, però, nessuno avrebbe levato di mente al pubblico, che fra belva e domatore fosse una collusione, un accordo. Lo spettacolo avrebbe perso ogni interesse ed autenticità; e per continuare a tenerlo in piedi sarebbe occorso al domatore piú fegato che avendo a che fare con una tigre col male di denti.

A considerarla insomma d'ogni parte: difficile carriera quella d'un autore che quasi esclusivamente manipola e somministra le sorprese dello sgomento sovrannaturale e dello spavento cosmico; e tanto piú in forme portatili e fulminee come quelle del racconto e della novella che sono richiesti dai giornali odierni. Quasi viene da pensare che, meglio che fra i narratori e i poeti, autori siffatti dovrebbero classificarsi (s'è già detto) fra i domatori di belve, fra i trapezisti d'alta scuola, i sommozzatori; o addirittura fra i paracadutisti e piloti di velocità supersonica.

Il lettore corrente si gode il prodotto che gli portano in tavola, a giusta cottura, né rassegato né troppo a bollore; e non sta a rendersi conto della lunga trafila attraverso alla quale, di continuo modificandosi, è per esempio passata la formula di racconti e novelle come questi. Lasciamo da parte i classici, gli antichi, che avevano una profonda, religiosa intuizione dell'orrido e misterioso. Lasciamo Poe, Hoffmann, Chamisso, Wells, ed altre fonti illustri, e ormai piuttosto lontane. E accettiamo, come molti sostengono, che il Buzzati sia scrittore piú d'istinto che di cultura, e d'impeto piú che di riflessione.

Né stiamo a trattenerci su Kafka, intorno al cui nome, a proposito dei primi scritti del Buzzati, venne fin troppo insistito. Ma non c'è nulla di straordinario a supporre che, con minore persistenza del Buzzati, e su un piano consimile, E. M. Forster di *The machine stops* e di *Co-ordination*, o Richard Hughes di *A moment of time*, di *The vanishing man* e cose siffatte, si fossero proposti, contemporaneamente a lui, di realizzare un genere di narrazione con il quale la letteratura del Buzzati, senza nessun rapporto direttamente derivativo, ha a comune qualche punto.

O si pensi a quanto, per taluni soggetti che in particolare si adattano alla sua immaginazione, profittarono al Buzzati gli annali e gli atlanti della fantascienza, ancorché spesso non meno puerili che spropositati. Ciò che le mongolfiere erano state per il Poe delle *Avventure d'un certo Hans Pfaall*; ciò che per il medesimo autore erano state le divulgazioni sull'ipnosi e il mesmerismo, in relazione al *Caso del signor Valdemar*; e ciò che i primi studi d'ingegneria e navigazione subacquea furono per il Verne di *Ventimila leghe sotto i mari*: i dischi volanti, i missili, i *robot* sono stati per il Buzzati.

Allo stesso modo si pensi a quanto egli dové aver trovato da utilizzare, dal semplice punto di vista della meccanica narrativa, in quegli archivi giudiziari e giornalistici ove a quel tempo attingevano Orwell, Koestler ed altri romanzieri e polemisti politici. In un certo senso, potrebbe sostenersi che la materia grezza di tanta sua produzione: spionaggi, carcerazioni, condanne, supplizi, macchine poliziesche dei regimi totalitari, ecc. ecc.; ormai da parecchi decenni è sciorinata quasi quotidianamente in prima pagina di tutti i giornali. Ch'è un elemento il quale contribuisce a spiegarci l'attrazione e l'attenzione del pubblico; ma chi guardi bene, anch'esso, elemento a doppio taglio.

Sta di fatto che i soggetti del Buzzati non potrebbero ed effettivamente non possono essere concretati in una forma letteraria in cui sia esplicito al cento per cento l'orrore che frequentemente è proposto dal loro argomento e dalle dipen-

Dino Buzzati nella sua casa di Milano.
A destra: un suo dipinto ad olio dal titolo *La portinaia dei condomini* (1968).

denti situazioni. A pretendere di realizzarli, se fosse ammissibile, con tale assolutezza e implacabilità, essi formerebbero nel loro insieme un intollerabile museo degli orrori. Vengono dunque presentati con una prudenza d'impegno e con una discrezione d'effetti, le quali non consentono mai lo sfrenato trionfo della loro materia orrorosa.

Si direbbe che come una specie di *enfant terrible* e *apprenti sorcier*, da mattina a sera il Buzzati non faccia che maneggiare bombe atomiche, micidiali culture di bacilli e raggi della morte. Ma in realtà è fra i piú sperimentati e garbati dosatori d'allarmi e spaventi, che esercitino tale mestiere con l'aiuto della penna. È un addomesticatore di apocalissi. Riduce i « Novissimi » a ordinati balletti ed altre figurazioni sceniche. La materia di consumo che, come s'è detto e ripetuto, è l'ansia metafisica, lo sgomento cosmico, riesce a confezionarla in dosi tollerabili anche dagli stomachi piú insofferenti. Vorrei non fosse vero; ma è probabile che un giorno, quando coteste paure si saranno ancora piú aggravate, e diventeranno sempre piú incombenti: è probabile che finiremo col riconoscere che il Buzzati aveva fatto quanto poteva per mitridatizzarci. E che se non ci sarà del tutto riuscito, non sarà di certo perché non ci aveva messo la sua pazienza e buona volontà.

Una delle sue caratteristiche è che la sensazione d'un orrore immanente sotto alla buccia della realtà quotidiana, egli non la mescola d'ingredienti estranei e condimenti letterari; non la infiocca di commenti liricheggianti; ma si sforza di renderla allo stato puro, come in un puro giuoco immaginativo. Non cerca ad esempio le condizioni grazie alle quali entri in ballo un moralismo come quello per mezzo del quale Chesterton riusciva a provocare le sorprendenti risoluzioni ottimistiche dei suoi incomparabili « romanzi gialli ». Studia su Orwell, su Koestler, come sui loro avversari, la tattica e la tecnica della violenza politica; ma vuotandole d'ogni scopo e significato storico e morale. Le rivoluzioni che, in poche ore, da sera a mattina, rovesciano il regime e buttano all'aria l'ordinamento sociale dei paesi dove egli ambienta le sue favole, sembra di frequente che partano da occasioni e in località dall'aria trasfigurita e mussante: l'aria di quelle inaugurazioni e premiazioni, di quelle fiere campionarie e riviste militari o navali, dove s'incontravano i sovrani, i primi ministri, e i generali e ammiragli del vecchio e leggero repertorio musicale ungherese e viennese.

Fittizi i paesi, con una loro novellesca bizzarria nordica e gotica. I personaggi, che talvolta fanno pensare a quelli delle operette. E con tutto ciò, non potrà dirsi davvero che il senso di allarme, di ansietà e di spavento non si condensi e non catalizzi in questi racconti, al momento opportuno, o che esploda a vuoto.

Ciò che conviene tener presente, è che il problema principale, il fondamentale interesse per il Buzzati sta nell'invenzione e presentazione d'uno od altro dei suoi casi di mistero. Ma che non si deve pretendere da lui la interpretazione e la celebrazione lirica di questo mistero. Egli si contenta di scavare e proporre dei simboli. Un tempo era solito partire da una tensione assai forte, su una nota esaltata. E alla continuata lettura di suoi racconti, uno di seguito all'altro, poteva accadere che da cotesta sostenutezza di tono si producesse un'impressione di sforzo e di cerebralismo. Piú tardi, circa all'epoca di *Paura alla Scala*, fu facile notare che il tono veniva facendosi piú discorsivo e sommesso. Magari con la perdita di certi elementi di fantasia, le situazioni si schiudevano con sempre maggiore naturalezza, sopra una realtà dall'apparenza meno strana e premeditata.

Racconti e novelle come *La frana*, *I reziarii*, *Paura alla Scala*, ecc., conseguivano effetti quanto mai caratteristici di questo scrittore, partendo da dati realistici, sorpresi nella comune esperienza. E non mi sarebbe spiaciuto che, fra tali racconti, altri del medesimo tipo avessero trovato posto nel volume odierno (*La grande biscia*, per dirne uno); laddove *Il bambino tiranno*, *Sciopero dei telefoni*, *Battaglia nottura alla Biennale*, *Il critico d'arte*, *L'invincibile*, sono forse da indicare come altrettanti casi limite; d'un Buzzati che lavora agli orli della propria maniera, affacciandosi verso la vera e propria satira e caricatura, come correntemente esse s'intendono; se per lui possa esserci un qualsiasi guadagno ad applicarsi oltre questo punto.

Quello frattanto che importa è che della sua bravura e versatilità, i segni sono disseminati dovunque a piene mani. S'è ricordata un'opinione sul Buzzati come d'artista impetuoso e a volte quasi rozzo. Ma si osservi invece la scaltrezza con la quale sono selezionati e disposti motivi pittorici e accorgimenti critici a perfezionare la messinscena d'una situazione oggi inverosimile e anacronistica, come la scoperta e l'arresto di un lebbroso (*Una cosa che comincia per elle*). Da un motivo simile il Buzzati ha ricavato un grottesco e atroce quadretto nello stile di Altdorfer.

Il volume dei *Sessanta racconti* conclude con un vero « pezzo di bravura »: *La corazzata Tod*, superbo nell'impianto, con tuttavia un che d'incompiuto da cui in qualche modo s'accresce la suggestività. V'è narrata la costruzione segreta di una gigantesca corazzata germanica, sul finire dell'ultima guerra; e la battaglia contro le misteriose forze soprannaturali da cui la nave è infine distrutta e sprofondata. Autentico « bozzettone » da maestro, è pieno di forza evocativa, d'un lampeggiare e tumultuare di cose ancora inespresse. Siamo grati di trovarlo a chiusura del libro, come una gagliarda promessa di nuove esperienze e di nuovi risultati.

(1958)

Buzzati e la fantascienza

Un succinto romanzo di Dino Buzzati: *Il grande ritratto*, ripropone il quesito della cosidetta letteratura di fantascienza, anche piú risolutamente di come il Buzzati stesso, di tanto in tanto, l'aveva presentato ed aveva tentato di risolverlo, in suoi romanzi e novelle. Nel suo aspetto odierno, postilluminista, la letteratura della fantascienza, inaugurata dal Poe, fu sviluppata dal Verne, su un'intonazione decisamente piú borghese. E i motivi del progresso tecnico vennero contaminandosi e intrecciandosi con quelli dell'attività esplorativa, allora in pieno sviluppo, e con quelli, ormai tramontati, del colonialismo. Altri scrittori accudivano frattanto a forme che poi si divulgarono e stabilizzarono nella convenzione del cosidetto « romanzo giallo ». E obbligati a trattare materia squisitamente delittuosa, dovettero tenersi al corrente con il progresso scientifico, specialmente in fatto di balistica e veleni.

Malgrado quanto da taluno ai nostri tempi fu detto, il Poe era un poeta e talvolta un poeta grande. Ciò che egli toccava, fantascienza compresa, se non sempre, almeno spesso, riusciva a farlo diventare poesia. E non soltanto era un poeta, ma (se dobbiamo dar retta a un altro poeta, e competente d'alta matematica, come Valéry nel suo studio su *Eureka*) era anche abbastanza seriamente addottrinato, e capace d'intuizioni precoci e profonde in materia astronomica e affini. A questo riguardo, è da tenersi presente che non pochi fra gli odierni scrittori di fantascienza hanno autentica fama di scienziati: basti citare l'autore de *La nebulosa di Andromeda*, il russo Ivan Antonovič Efremov, autorevole geologo e paleontologo. Ma, generalmente parlando, il tono poetico è scaduto. Già in Wells risente della polemica utopistica e di occasioni volgarmente divulgative. E in complesso non si può a meno di riconoscere che l'epoca di Poe, e del resto anche quella del Verne, erano assai piú favorevoli della nostra all'utilizzazione poetica di motivi scientifici.

Una delle ragioni è probabilmente che il mondo era allora piú ingenuo e sensibile che oggi non sia. Quella felice, onesta ignoranza, facilitava e difendeva lo stupore e l'entusiasmo, a vantaggio sia dei poeti, sia di quelli che ne leggevano le composizioni. A forza di libri, conferenze, esposizioni, giornali, rotocalchi, il pubblico è andato prendendo confidenza, e a suo modo grossolanamente prefigurandosi il mistero. Nel frattempo le realizzazioni scientifiche marciavano d'un passo, piú che celere, fulmineo; che si lasciava addietro d'un gran tratto le velleità ed anticipazioni letterarie. La realtà ha oltrepassato e vinto la fantasia. All'incirca è ciò che accade nella letteratura « areonautica ». Dimentichiamo il Monti con l'ode al Montgolfier, e Verne con le sue *Cinque settimane in pallone*. Ma dalle prime esperienze di volo, che offrivano all'uomo una possibilità d'impressioni del tutto inedite, sembrava dovesse nascere qualcosa da far quasi pensare a una nuova poesia. Invece, il piú schietto portato della letteratura aviatoria forse si trova ancora in certe note del D'Annunzio nella *Licenza* e nel *Notturno*, che risalgono al tempo della prima guerra europea.

Con diretto riferimento all'occasione che ci ha mossi a scrivere, potrebbe aggiungersi che non per nulla, in un grosso volume come *Le meraviglie del possibile: Antologia della Fantascienza*, fra i racconti meglio accettabili da un pubblico non troppo « fumettistico », sono alcuni dalla colorazione piú o meno umoresca. Due, per esempio, di Isaac Asimov: il racconto della padrona che finisce con l'innamorarsi del *robot* cameriere; nel quale racconto è molto ben resa la suggestione e la forza di attrazione fra macabra ed erotica d'una statua dipinta. E l'altro racconto, francamente parodistico, di taluni scienziati e pianificatori che, per i loro conteggi di forze, attriti e resistenze, si servono di perfezionatissime e costosissime macchine calcolatrici. Ma a un dato momento, scoprono qualcosa d'anche piú meraviglioso. Si tratta d'un modesto omettino che su un pezzetto di carta, con un mozzicone di lapis, ottiene gli stessi resultati, servendosi delle sorpassate e decrepite moltiplicazioni e divisioni; ed è un fatto talmente inaudito da sembrare a quegli scienziati un autentico prodigio.

Il grande ritratto del Buzzati svolge il tema dell'autonomia della macchina. Creata dall'uomo, e portata all'ultimo limite della complessità e della sensibilità, la macchina finisce col manifestare reazioni che oltrepassano, o addirittura rinnegano, gli intenti dei suoi progettisti e costruttori. In altre parole, a un dato momento, la macchina comincia ad andarsene per proprio conto, e stabilisce suoi propri rapporti con la circostante realtà. Ne derivano influssi e contrasti che a loro volta modificano ed arricchiscono il comportamento della macchina. In un senso piú strettamente economico e sociale, fatti di questo genere erano già stati considerati; e ne era stata anticipata qualche interpretazione, quasi sempre in chiave ottimista. Basta leggere *Arte e Rivoluzione* di Riccardo Wagner. Volentieri si credeva che la macchina, riconoscente d'essere stata inventata e costruita dall'uomo, fedelmente avrebbe lavorato per lui, sollevandolo dalle fatiche servili, e permettendogli di librarsi sovranamente, sempre piú in alto, nella sfera artistica e speculativa. Purtroppo ora le cose sembrano prendere la piega contraria. E il Buzzati ha presentato addirittura il caso della macchina che non soltanto assume una individualità autonoma, ma un'individualità feroce, che fa pensare a quella d'un Moloch od altro feticcio assiro o cartaginese.

Siamo in una zona di montagna, che, come quella d'un polverificio o d'un penitenziario, muraglie e sentinelle difendono dall'accesso dei « non addetti ai lavori ». A spese dello Stato, per misteriosi fini sperimentali, un gruppo di scienziati e di tecnici, agli ordini del famoso fisico atomico Endriade, già da una diecina d'anni s'è costí dedicato alla costruzione d'un gigantesco *robot*. Cosí lo chiamiamo abbreviatamente, per comodo d'espressione, e perché il complesso delle sue qualità e delle sue funzioni e capacità, all'incirca corrisponde allo schema e alla distribuzione degli organi e delle facoltà che caratterizzano la macchina d'un *robot* creato a imitazione della macchina umana. Ma le dimensioni di questo particolare *robot*, incastellato dentro sotterranei e cunicoli, tagliati nel fianco d'una montagna, sono cosí immani che se ne perde la vista d'insieme. Ed invece che dinanzi alla struttura d'un idolo enorme (un'enorme Cibele, perché si tratta d'un *robot* femmina), si potrebbe credere di trovarsi ai vari piani d'una immensa centrale elettrica.

Ideatore di questo « non plus ultra » elettronico e atomico è, come si è detto, Endriade: professore anziano, alquanto eccentrico, distratto e spettinato, quali s'incontrano nei libri di Verne, e come, nella immaginazione popolare, con in testa un panama mezzo sfondato ed in mano il violino, è venuta atteggiandosi la figura di Einstein. Ma l'ispirazione ed inventività scientifica di Endriade segretamente è influenzata anche da passioni che piú dell'intelletto interessano i sensi ed il cuore. Endriade aveva avuto una giovane moglie: Lauretta, di cui egli era e rimase sempre pazzamente innamorato. Purtroppo, senza metterci cattiva intenzione, Lauretta lo tradiva a rotta di collo; finché viaggiando con un amico restò uccisa in uno di quei disastri ferroviari od automobilistici od aerei che, da venti o trenta anni a questa parte, rendono impagabili servigi alla letteratura narrativa, tagliando di colpo situazioni ormai frolle, o diventate impossibili a sbrogliare.

Nel ricordo, o piuttosto nell'ossessione di Lauretta, Endriade ha finito con darne, nel suo *robot*, una specie di ritratto trasfigurito, colossale, portato, si direbbe, su una scala cosmica. La voce di Lauretta, come sussurro d'arpa eolia, sulle brezze della sera parla agli echi delle montagne. Anche meglio delle creature umane, gli animali sentono la misteriosa presenza di questo fantasma, come i cani e i cavalli all'avvicinarsi d'un terremoto. Attraverso le feritoie del suo osservatorio, il *robot*, con migliaia d'occhi come quelli d'un insetto gigantesco, scorge a immensa distanza i minimi particolari degli alberi, del paesaggio, delle persone. Come dice esso stesso: « Sento camminare le formiche sulla cresta delle montagne ». Da tali esperienze, insieme a tante altre, si producono innumerevoli reazioni, che sembrano comporsi in una realtà quanto mai varia e cosciente. Incredibile ma vero: a un dato momento, da gesti carezzevoli che con le sue lunghe ventose la fantasima elettronica tenta su una donna, pare legittimo sospettare che perfino fermentino in lei propensioni lesbiche (che del resto era difficile evitare, in un romanzo pubblicato nel 1960).

In breve: come disperata di non sapersi che un *robot*, la Laura d'acciaio, filo elettrico e gomma, alla fine s'ingelosisce d'una signora dabbene, cui Endriade ha confidato la propria storia d'amore; la invita con ingannevoli parole, l'attrae nella propria tana, e la strangola. Endriade ed i suoi aiutanti debbono spezzare con mazze di ferro gli organi vitali della macchina omicida. Distruggono il loro capolavoro. Ma è una distruzione tanto per effetto, e che non ha un vero significato morale ed estetico di nessun genere, o appena un significato *primaire*. Sui disegni del *robot*, si possono ricostruire quante Laurette si vuole; e questa storia figura di voler dire qualcosa mentre finisce in niente.

Nel laborioso montaggio di questo *monstrum* artificiale, fra gli elementi meno intonati è forse quello della vicenda coniugale e della amorosa demenza di Endriade. Questo elemento opprime di romantica convenzione il personaggio, lo imborghesisce. Endriade si configura come un melodrammatico gigione che canta una formula einsteiniana sull'aria d'una romanza ottocentesca. All'incirca è come se venisse fuori che il Capitano Nemo aveva costruito il "Nautilus", e s'era dato a fare le diavolerie di cui leggiamo in *Ventimila leghe sotto i mari*, a cagione di suoi dissapori con la moglie. Con una quantità d'altri inconvenienti è inevitabile che tutto l'episodio finale abbia dovuto esser trattato in maniera esageratamente sbrigativa ed evasiva, affinché non diventasse assolutamente gratuito e grottesco. A quel punto la situazione stava perdendo i suoi ultimi contorni ancora decifrabili. E l'autore ha dovuto affrettarsi a chiudere, prima che essi si sfasciassero del tutto. Forse il Buzzati, alla letteratura della fantascienza ha chiesto, in questo *Ritratto*, piú di quanto per ora essa è capace di dare. Con tutto ciò, egli può essere abbastanza soddisfatto: i modelli del genere, presentati nelle antologie non offrono, in fondo, molto di piú.

(1961)

Alberto Moravia e la tradizione

« In una città dell'Italia di mezzo, vivevano anni or sono una vedova anziana e sua figlia, a nome Giacinta e Gemma Foresi... » « ... Un pomeriggio di luglio, Silvio Merighi, giovane provinciale da poco laureato in architettura stava affacciato ad una finestra della sua pensione, contemplando il tramonto della lunga giornata... »

Sono altrettanti inizî di novelle, un bel volume d'Alberto Moravia: *L'imbroglio*. E non occorre orecchio straordinariamente sottile ed esercitato, a percepire un'eco lievemente boccaccevole ed oratoria. Si sente lo scrittore che piglia tutte le misure, e prima di muovere una gamba ci ripensa due volte. Nulla di male; se dalla critica piú petulante, il Moravia, per l'appunto, non fosse di continuo presentato quale padrino della piú audace modernità, ed eversore di tutte le pedanterie e di tutte le rettoriche.

E si ricordino quanti sospiri, quante deplorazioni, circa la tristezza, l'amaritudine, il cinismo del cosiddetto « mondo poetico » d'Alberto Moravia. Pareva incredibile che, cosí giovane, egli vedesse la vita tanto in nero. Che nei suoi libri non si trovasse una persona dabbene, nemmeno a pagarla a peso d'oro. Eppoi, uno rilegge: « Vivevano anni or sono una vedova anziana e sua figlia, a nome Giacinta e Gemma Foresi... ». E sempre piú si conviene che, anche ai riguardi morali, devono esserci state moltissime esagerazioni. « In un pomeriggio di luglio. » « In un tardo pomeriggio di mezzo settembre... » Siamo o non siamo sotto alle sante ali di Raffaello Fornaciari? Moravia potrà darsi finché vuole un'aria perfida, atroce. Il suo, è lo stile d'un ingenuo, e forse d'un ottimista; non d'un perverso.

Scherzi a parte, mi sembra che la questione, piú o meno, debba esser messa nei termini seguenti. Senza nessun dubbio, Moravia è anche un artista. Ma, soprattutto, è un moralista, un pedagogo. Negli *Indifferenti*, in *Ambizioni sbagliate*, in *Imbroglio*, nella *Bella vita*, i personaggi non si dedicano al male per irresistibile vocazione lirica, e perché al male li conducono oscure e profonde ragioni del loro temperamento. Fanno quello che fanno, perché Moravia li comanda a bacchetta, con l'intransigenza d'un maestro elementare. Saranno gentaccia: bari, beoni, adulteri, ricattatori. Qualche volta fra loro si sparano rivoltellate, un po' alla cieca, attraverso le porte. Ma ubbidiscono al loro insegnante come agnellini; e con la coda dell'occhio cercano di rendersi conto se hanno recitato bene la propria parte e se lui è soddisfatto.

Dicono prima quello che stanno per fare. Computano in parole spiegate l'effetto delle proprie azioni e dei propri discorsi. Non c'è loro atto materiale o minimo riflesso psicologico che non sieno descritti e sottolineati. Niente è lasciato in penombra. Niente si affida all'intuizione del lettore. È una provincia letteraria ferreamente governata dalla logica. Una meccanica motivata all'eccesso in ogni impercettibile vibrazione.

Da questo principalmente dipende il senso di cattiveria e crudeltà che, comunemente ed ingenuamente, viene rimproverato al Moravia. Non è tanto ch'egli prediliga rappresentare furfanti. Shakespeare e Dostoevskij ebbero alle mani campioni di ben altra forza. Ma li lasciavano rifiatare e crearsi la propria vita. Concedevano loro qualche minuto di vacanza dal durissimo mestiere del birbaccione. Moravia è insaziabile nella sua minuzia. Non consente che una figura gli scappi un istante dal binario. Ha il senso del dovere di un puritano, che cerca col fuscellino e mette in luce i piú luridi aspetti della vita e delle cose e soltanto si astiene da considerazioni morali, che parrebbero troppo antiquate; e dall'invocare l'aiuto del Signore.

Se tutto questo è vero, come fermamente crediamo, esso non esclude, oltre a una quantità di successi particolari, la mirabile serietà dell'impegno di Moravia, e la sua esemplare tenacia al lavoro. Dove egli tocca materia autobiografica, come in pagine della *Bella vita*, si ha un improvviso intenerirsi e approfondirsi del tono. Bellissimi, in racconti dell'*Imbroglio* e capitoli di *Ambizioni sbagliate*, sono intermezzi e passaggi descrittivi: visioni serali della città, paesaggi piovosi, ecc.; nei quali il Moravia non piú deduce ed esemplifica da schemi ideologici, ma liberamente esprime le sue emozioni e la sua poesia. Costí è la miglior garanzia del suo vero destino di scrittore.

(1937)

La iniziazione amorosa: «La disubbidienza» di Moravia

Il quindicenne Luca Mansi sta passando per una serie di crisi che Alberto Moravia ci descrive minutamente in un suo bel romanzo breve: *La disubbidienza.* Dapprima è la naturale insofferenza e ribellione del giovinetto, quando le cose per una ragione o per l'altra non vanno; o quando i genitori e maestri gli fanno sentire, anche in circostanze insignificanti, un'autorità, sia pure affettuosa, che limita la libera affermazione dei suoi istinti e dei suoi gusti. Ma l'insofferenza poi diventa piú astratta e uniforme; è una specie di nausea sottile che dà un sapore di cenere a tutta la realtà. Figlio di ricchi borghesi, a poco a poco Luca comincia a odiare i suoi libri, gli oggetti di cui un tempo era puerilmente orgoglioso.

Il denaro dei suoi risparmi, va a seppellirlo in una buca del giardino pubblico, tanto per non sentirne l'invito al possesso di nuovi oggetti, o a passatempi da cui è sempre piú alieno. Si rifiuta insomma alla vita, disubbidisce alla vita; si lascia invadere e narcotizzare da un subdolo e oscuro desiderio d'autodistruzione. Ma una governante lo sbaciucchia; e questa volta Luca resta perplesso: ha l'impressione di qualcosa che non si possa respingere cosí risolutamente come egli respinge una fetta di torta o l'occasione di vedere un nuovo film. Disgraziatamente, dopo alcuni giorni, muore la governante; e nel ricordo di Luca il primo sapore della carne si mescola a un tanfo di sepolcro. La crisi d'inadattamento è vieppiú inasprita. Finché il fisico cede; ed a Luca gli tocca a farsi una malattia di tre mesi, piena di deliri ed allucinazioni. Una matura e intelligente infermiera che in questi mesi gli s'è affezionata, non appena egli è in convalescenza gli entra nel letto e definitivamente lo inizia. È il toccasana, la mano d'Iddio. Ed almeno per il momento, Luca ripiglia interesse e piacere alla vita.

La disubbidienza è tra le piú riuscite cose recenti di questo scrittore indefesso. E nel quadro della sua produzione, opportunamente riafferma intenti e caratteri che sembravano essere stati disturbati e compromessi dalle intrusioni surrealiste dell'*Epidemía*, e dalle drammatiche amplificazioni che non riescono a sollevare la corporale e morale frigidità della *Romana.* Con *La disubbidienza* si torna un po' verso *Agostino*; ch'era poi stato anche un ricordarsi del vecchio *Inverno di malato.* È il gran tema dell'adolescenza, nel primo albeggiare del senso della vita e dei rapporti umani. Un tema che al Moravia porta fortuna, per molte e svariate ragioni.

In primo luogo si capisce che su questi fatti dell'infanzia e dell'adolescenza, egli ha lungamente e disinteressatamente meditato. E cosí può trattarne d'un tono naturale, piano, sommesso, e tanto piú persuasivo. I ragazzi, gli adolescenti sono quasi le uniche figure del suo repertorio, contro le quali egli non appaia mosso da un piú o meno dissimulato disprezzo o livore. Che non lo provochino alle crudeltà abitudinarie del suo moralismo antiborghese. Un moralismo che in fondo non poggia su nessuna vera convinzione, ma su un'irritazione, su un gusto genericamente dispettoso ed amaro della realtà; cosicché non perviene neanche a sanzioni superiori. E fa soprattutto pensare che tra il Moravia e il suo pubblico (un pubblico, per l'appunto, prevalentemente borghese), corra il piú delle volte una specie di rapporto masochistico. Il pubblico gode come d'un segreto piacere, nell'esser trattato da vecchia carogna, nel vedersi sciorinare in faccia i suoi cenci sporchi; d'altra parte sentendosi sicuro che il giuoco non diventerà mai davvero pericoloso e sanguinoso, perché si ricorda la pistola scarica del protagonista degli *Indifferenti.*

Sia come si vuole, a noi preme notare che *La disubbidienza* è del Moravia migliore. E non sono sicuro che da certi punti di vista non superi lo stesso *Agostino* che, fra l'altro, nel suo svolgimento, non riesce mai piú a ritrovare la piena felicità delle pagine di esordio. Qui la intonazione è piú grigia, ma la progressione è costante, fra le discrete simmetrie dei viaggi in treno nel primo e nell'ultimo capitolo. Potranno esservi episodi meno schietti. Il seppellimento del tesoro nel pubblico giardino, è magari un po' arzigogolato e puerile. La lunga descrizione degli incubi nella malattia di Luca, vorrebbe essere un pezzo di bravura nello stile di Bosch; ma Dio guardi se dovessimo giudicare il Moravia da tali risultati. Al principio del libro, Luca va un momento da una parte e si mette a vomitare. Da Faulkner, a Cain, a De Montherlant, ecc., è una quindicina d'anni che la letteratura di punta sta vomitando. E sarebbe tempo d'accorgersi che ormai è diventato un manierismo, come a dire: « Torna a fiorir la rosa », o cose al medesimo effetto. Tutto questo, frattanto, non indebolisce la lenta, faticosa ma sicura tensione con la quale il racconto cresce su sé stesso, e si compie ed invera.

Ma ho sentito qualcuno osservare che la finale iniziazione di Luca, la sua discesa, per cosí chiamarla, alle Origini, alle Madri, attraverso l'amplesso della matura infermiera, è una soluzione soltanto esclamativa, simbolica, rituale. Su per giú come quelle che, nella *Leda* o nella *Contemplazione della morte*, risolvono una dolorosa involuzione, uno smarrimento della coscienza, in un gesto o uno slancio di adorazione e partecipazione panica, che riattiva il circolo vitale. Fatto sta che, da cotesto atto rituale, nell'animo di Luca s'è prodotto, ancorché misterioso ed oscuro, un nuovo sentimento, che alle ultime pagine del libro conferisce una bella tenerezza e gravità. E badiamo bene che, anche in coteste pagine, è il solito stile un po' macchinoso, in apparenza quasi pedestre, che sembra preoccuparsi piú di fornire ed esporre logicamente certi dati, che di realizzarne i significati liricamente e plasticamente. Ma la sostanza di quel nuovo sentimento è soprattutto nella autenticità della situazione, nella giustezza di rapporto architettonico tra le figure: ed è poi la riprova della saldezza e vitalità del racconto, pur nella sua estrema schematicità.

E a me fa gran piacere che a spetrare il cuor dell'autore, e che a convincerlo di affidarle il povero Luca, sia stata la vecchiotta infermiera, anche appena un po' tinta, e con un sottile odore di medicine nelle vesti e le mani. Moravia: che si esercitò a dipingere tante mondane beltà per poi vilipenderle; ed ha promosso, senza sentimentalismi e senza nessuna rettorica, questa povera brenna a una dignità quasi sacerdotale. Mi fa gran piacere, perché ho sempre pensato, e probabilmente l'avrò detto da qualche parte, che quanto piú profondamente Moravia diventerà artista, tanto piú gli verrà voglia di riscrivere il personaggio della madre degli *Indifferenti* in tono di simpatia e compassionevole solidarietà. Non c'è dubbio che una quantità di cattive tendenze gli ostacoleranno la meta; ma non disperiamo un giorno o l'altro di vedercelo arrivare.

(1948)

Il troppo stroppia

Mi sembra che su *Il conformista* di Alberto Moravia, si siano scritte cose inesatte. A parte i comuni articoli di risciacquatura giornalistica, è uscito qualche pretensioso e poco decifrabile scandaglio in profondità, fuor d'ogni concreto rapporto col romanzo e l'autore. E si è avuta qualche pesante stroncatura. Cosí la gente non sa che pesci prendere: se si tratti d'un mezzo capolavoro o d'un mezzo abominio. Cerchiamo di stare al sodo, cosí rispetto allo scrittore che al libro. E frattanto: che il Moravia, da qualche anno, vada sempre piú « conformandosi », questo è palese; ed è accaduto, del resto, ad artisti di ben altro slancio che il suo. Dopo un fuggevole tentativo di insaporire e aggraziare l'originario realismo con il capriccio surrealista, Moravia ha ripreso il suo passo, s'è rimesso a coltivare il suo orto, ha accettato definitivamente le convenzioni e la meccanica confacenti al suo genere; contentandosi volta per volta di applicarle e sfruttarle in combinazioni piú o meno ingegnose e fortunate. Ormai è scrittore che si dedica, con ostinazione e talvolta con vera bravura, ad una materia assunta e trattata dal di fuori, e che non ha piú interne sorprese né fermenti.

Basta d'altronde osservare la sua ultima novellistica. Protagonisti sono i « bulli », i pataccari o ruffianelli e piccoli lestofanti romani. Ma non c'è quasi nessuna aspirazione ad un autentico contatto né umano né locale: non dirò come nella Firenze boccaccesca, ma come nella Napoli del Di Giacomo e nella Roma del Belli. Freddamente e accuratamente osservate, dentro uno spazio fisico e morale predisposto a centimetro, le figurine si muovono e gesticolano in un giuoco spigliato ed astratto. Si ha l'impressione che, di tali racconti, con quella precisa calettatura, con quel processo di sterilizzazione, Moravia possa darne all'infinito. Romanzieri d'un certo tipo: Zola, Galsworthy, ecc., ritrattisti mondani: Sargent, László, ecc. (per servirci di nomi grossi), non erano di qualità tanto diversa. Che taluni di essi fossero artisti dolciastri e salottieri, che altri si dessero un'aria scientifica, o perfino profetica, e portassero in giro una faccia feroce: non fa differenza. Il loro astutissimo rapporto con la propria materia era diventato un rapporto del tutto estrinseco e utilitario.

Senza stare a svolgere minuziosamente la trama del *Conformista*, sottolineiamo qualche punto. Figlio di cattivi genitori, Marcello è l'inevitabile ragazzino moraviano, d'indole crudele, d'aspetto e modi ambigui, e i compagni lo chiamano Marcellina. Non sfugge, anzi inconsciamente sollecita, gli approcci d'un omosessuale. Ma sul punto di subirli irreparabilmente, con una pistola ch'è lí, spara sul personaggio, eppoi scappa, convinto di averlo ammazzato.

Ritroviamo Marcello, anni dopo, in punto di sposarsi. Della sua « non conformità », che lo condusse, diciamo cosí, all'omicidio (il cui pensiero, del resto, lo preoccupa relativamente), si vuol liberare diventando l'uomo piú comune del mondo. E non soltanto sposa una ragazza insignificante. Non soltanto s'è messo sulle rotaie d'un pubblico impiego; ma di costí, passa addirittura a non so che servizio segreto, e prendendo occasione del viaggio di nozze a Parigi, accetta di collaborare alla uccisione d'un esule professore antifascista (e tale collaborazione è veramente un paradosso di conformismo). Durante il viaggio, la moglie gli confessa che, dall'età di quindici anni, ha avuto rapporti carnali con un vecchio amico di casa. Marcello incassa anche questo; come per conformismo s'è fatto sicario.

Non credo, ma taluni pretendono che nell'episodio del professore antifascista, si voglia alludere al dramma dei fratelli Rosselli. L'antifascista di Moravia è un bonario anzianotto, con una giovane moglie furiosamente lesbica, che s'incapriccia della moglie di Marcello. Il quale a sua volta s'innamora della lesbica, che non vuol sapere di lui. Tutto accade nel giro di poche ore. L'indomani il professore viene ucciso; e per soprammercato anche la povera lesbica ci rimette la pelle.

Marcello e la moglie son tornati in Italia. Ma nel 1940 scoppia la guerra; e una bella sera chi vediamo riapparire? L'omosessuale del principio del libro, già creduto morto, ma che invece era guarito; e non s'è affatto dimenticato di Marcello, anzi lo riconosce subito, e si scambiano qualche frase d'intonazione quasi allegorica. Votandosi al suo disastroso conformismo, Marcello insomma s'è dannato per sbaglio. E mentre con la moglie corre in automobile verso l'A-

·Alberto Moravia posa per un ritratto
nello studio di Renato Guttuso.

bruzzo, per sfuggire ai bombardamenti di Roma, una pattuglia aerea li mitraglia, e cosí finisce il romanzo.

Soprattutto la esteriorità e l'astrattismo delle situazioni e dei loro legami e contrapposti, colpiscono nel *Conformista.* Fin dalle solite crudeltà di Marcello bambino su lucertole e gatti, i moventi sono presentati didatticamente. Mancano le emozioni, i sentimenti, anche perversi; e l'assassinio del professore e della moglie è giocato nel vuoto. Di tale astrattismo il Moravia è troppo avvertito, per non volere in qualche modo compensare il suo pubblico. Donde il continuo sfoggio di situazioni provocanti all'estremo, e quasi mai funzionali; che a piú di un lettore per niente puritano hanno fatto chiedere se per avventura l'autore ormai non rasenti un po' inconsideratamente un certo pornografismo. Lasciando il primo omosessuale, e la scena in treno con la moglie sgualcita, il quadro del postribolo a S. è gratuito del tutto. A Parigi, Marcello incontra un altro omosessuale. Poi la lesbica moglie dell'antifascista aggredisce la moglie di Marcello, il quale assiste da uno spiraglio; finché la comitiva va a chiudere la serata in un club di invertiti.

Tutto ciò è poco serio. Fra l'altro Moravia non ha neppure grandi capacità pittoriche, o le adopererebbe con discrezione. Cotesti quadri non diventano neanche bella pittura oscena; restano convenzionale letteratura. Nel complesso del libro, Moravia dà l'impressione di essersi un po' troppo scatenato, d'aver concesso ad una sorta di frigida violenza. Migliori pagine non mancano: basti quella della madre di Marcello, invecchiata, con l'autista ch'è suo amante.

(1951)

L'arte di Moravia

È curioso che, con tanto pullulare in Italia di premi letterari, Alberto Moravia, o per una ragione o per l'altra, abbia dovuto aspettare fino al 1952, a ricevere un premio[1]; e per fortuna è stato un premio in sé stesso abbastanza cospicuo; ma ciò che piú conta, nobilitato da una buona tradizione. Nel distanziamento dagli altri concorrenti, a cui la votazione ha collocato Moravia; e nel vivo consenso che ha salutato la sua vittoria, qualcuno vorrà anche vedere un desiderio, da parte dei votanti e degli amici, d'esprimere allo scrittore inalterata simpatia dopo il noto provvedimento ecclesiastico. Ma non credo che gli impulsi di ritorsione polemica abbiano da essere troppo sopravalutati.

Quella ch'è stata premiata in Moravia è una vocazione di narratore ormai tempratasi durante venticinque anni di strenuo lavoro, ed intorno alla quale sarebbe assurdo nutrire il minimo dubbio; anche se i prodotti sono tutt'altro che omogenei, e magari talora, al confronto d'altri della stessa penna, piuttosto scadenti. Può fare un'eccellente riprova di Moravia al suo meglio, e qualche volta al contrario del suo meglio, chi vegga il volume che riunisce tutti i suoi *Racconti* fino ad oggi. Appunto il volume che ha offerto l'occasione materiale del premio.

Tante volte si è scritto su Moravia, tanto egli è noto al nostro pubblico, ch'è inutile ripetere cose dette e ridette, caso per caso, punto per punto. Ma ormai ch'egli è entrato nella sua piena maturità, e sembra difficile aspettarsi decisive mutazioni, sia nella sua idea della vita, sia nella sua arte letteraria, si può fermarsi su qualche considerazione d'insieme, forse non oziosamente.

Moravia è un violento; e non tanto ci riferiamo al fatto materiale che nella sua narrativa ricorrono situazioni spesso drammaticissime, delittuose. Ci riferiamo al tono della sua psicologia; e soprattutto ai procedimenti della sua arte. Un po' per istinto, e un po' per evitare i pericoli d'una scrittura poetizzata e ornamentale, insiti in una tradizione narrativa che ancora recava l'impronta del dannunzianesimo, Moravia, in un certo modo, finí col coinvolgere nella propria sfiducia, se non vogliamo dire addirittura avversione, quello stesso « mo-

[1] Il « Premio Strega ».

mento » contemplativo ch'è poi all'origine d'ogni opera d'arte. Cotesta sfiducia è minore quanto piú, nella materia ch'egli tratta, sovrabbonda un elemento autobiografico, che lo convince e lo disarma con l'incanto profondo della memoria, con la misteriosa forza di persuasione delle cose che si sono intimamente vissute e sofferte. Il quale incanto opera in lui non già solamente, secondo l'opinione di molti, nei suoi primi lavori, come *Inverno di malato* e certe parti degli *Indifferenti*; ma in opere fra le sue ultime, come *Agostino*; e, non inferiore, tutta la seconda parte della *Disubbidienza.*

La violenza di Moravia, non meno che nella fissità, nella inesorabilità quasi meccanica del suo pessimismo, si rivela nella maniera aggressiva di affrontare e svolgere i suoi temi; nella sommarietà ed a volte nell'antiartistica brutalità delle loro risoluzioni. Moravia non è un forte scrittore che, per cosí dire, si collochi dentro un argomento; e nutrendolo di sé lo lasci crescere e svilupparsi come per una naturale fatalità, ch'è poi il ritmo vitale e la musica dell'opera d'arte. Moravia è un forte scrittore che si tira dietro a rotta di collo i propri argomenti; come una locomotiva a tutta pressione che trascina i suoi vagoni.

Fu creduto un interprete di costumi, uno storico dell'epoca, d'un genere alla Balzac. Finché è diventato chiaro che la materia del costume gli serve piú a predisporla e adoperarla per i propri scopi narrativi, il che sarebbe perfettamente legittimo, che a oggettivarla, testimoniarla e scrutarla nella sua complessa verità. O si poteva attribuirgli un'intenzione, una missione di critica morale; il che sembra ugualmente improbabile, non potendosi concepire una critica degna di questo nome, e inchiodata all'assoluta negatività. L'altissima, sacra disperazione di un Kafka sbocca nel mistero cosmico. La insofferenza, l'irritazione, talvolta anche grandiosa, il disgusto, la violenza di Moravia, vanno a sbattere, senza via d'uscita, contro le muraglie della prigione sociale.

A tanto maggior ragione, malgrado egli possa ritenere il contrario, Moravia sembra legato a un destino di puro artista, di creatore di situazioni e figurazioni che si giustifichino in sé e per sé stesse. Pittore ritrattista, piú che giustiziere. Psicologo, piú che moralista. E per questo il lettore risente con particolare suscettibilità, certe sue approssimazioni, certi suoi sprezzi: il provvisorio, gli effetti troppo facili, vistosi, sgarbati; lo star piú sulla cronaca che nella poesia, ecc., appunto di lui scrisse il Sapegno (e non, come noi, in sede d'impressione critica, ma di meditata storia letteraria); al medesimo tempo assegnandogli un posto di rilievo fra gli scrittori della nuova generazione.

Osservò il Sapegno, che nella impostazione narrativa del Moravia, con quel gusto di ambienti, caratteri, intrecci, è qualcosa dell'antica novellistica. Il che è verissimo; e non da ora, ma dai primi scritti moraviani, effettivamente, in certe presentazioni eloquenti, circostanziate, anche macchinose, uno pensava, con un effetto bizzarro, all'oratoria del Boccaccio. In questa direzione, m'è avvenuto di riflettere se non potrebbe darsi che, un giorno o l'altro, il Moravia, nel bisogno di sciogliersi da atteggiamenti polemici troppo immediati e ripetuti, e di approfondire il « momento » contemplativo della sua arte, avesse l'idea di qualcosa di simile a un « romanzo storico ». Tanto per non far nomi, Tolstoi, Mann, Conrad, da altri campi, a un dato momento, con perfetta logica, entrarono in questo. E non occorre dire con quali risultati.

Né c'è bisogno, con tutto ciò, di pensare a un Moravia cambiato nei toni, nelle idee; ma semplicemente a un Moravia di respiro piú calmo, con un impegno artistico piú sereno e sapiente, e una libertà immaginativa piú ampia. L'impeto dello scrittore è ancora cosí giovanile, la sua forza di applicazione è cosí intatta, che non ci sarebbe da meravigliarsi a vedergli affrontare una prova simile, a tutto vantaggio.

(1952)

I «Racconti romani» di Moravia

La linea di sviluppo dei romanzi di Alberto Moravia, se non forse con l'eccezione della *Mascherata*, segue complessivamente una direzione abbastanza uniforme. Non cosí è dei racconti, che rappresentano una parte altrettanto perspicua nella produzione di questo scrittore. Piú apertamente sentito e sofferto nei racconti giovanili, il cosidetto moralismo di Moravia, si svolge in essi da spunti autobiografici, combinandosi a motivi polemici intorno al costume, ed a scorci di pittura sociale. La formula è assai prossima a quella dei romanzi. Ma già innanzi che cominci la guerra, tale formula, nei racconti, appare profondamente alterata. E in un nuovo aspetto, che trova piena realizzazione nei racconti e nelle favole del volume: *L'epidemia*, la preoccupazione moralistica perde terreno, e cede al gusto dell'invenzione e del capriccio surrealista e simbolista.

Gli artisti moderni, o almeno gran numero di essi, ci hanno abituati a violenti sbalzi e capovolgimenti di tono e di forma. Nel catalogo di Picasso, a distanza d'un anno, o magari appena di mesi e settimane, sono opere che non solamente sembrano dovute a personalità fisiche del tutto diverse, ma che si direbbe addirittura appartengano a differenti civiltà ed epoche storiche. Figure settecentesche, o che fanno pensare a Renoir; e mascheroni precolombiani che potrebbero essere stati scavati a Chichen-Itzá o a Teotihuacán. Non si arriva a tanto, in Moravia. L'interesse strettamente artistico, il gusto dell'avventura formale, non esercita su di lui uno stimolo cosí irresistibile ed esclusivo da indurlo ad esplorazioni e scommesse stilistiche, tanto irrevocabili quanto pericolose.

Comunque, un forte strappo, s'è detto, è fra i racconti piú giovanili e quelli de *L'epidemia*. Come un nuovo stacco, non meno sensibile, è fra *L'epidemia* e le sessanta composizioni ora raccolte in un grosso volume: *Racconti romani*. Son racconti che sparsamente si lessero, nel corso degli ultimi quattro o cinque anni; e che si inseriscono subito dopo il romanzo: *Il conformista*, che sia nei riguardi della struttura e della scrittura, come in quelli dei significati, nella produzione del Moravia rappresenta uno dei momenti piú incerti.

Non condivido l'impressione d'alcuni lettori e recensori, che i *Racconti romani* avrebbero assai guadagnato da una cernita piú severa e ristretta. La impostazione sempre in prima persona, e una prima persona che ci vuol poco ad accorgersi come poi sia sempre la medesima; la ostentata regolarità del disegno a forte contorno; la lentezza dei « tempi »; la tristezza del colore; la prosaicità degli eventi; la meccanica degli scatti che, sul piú bello, mandano a gambe levate il racconto, e lo sciolgono di sorpresa: tutte queste cose, al gusto di taluno, sono apparse troppo ripetute e sfruttate. Per parte mia, vorrei piuttosto sostenere che, all'effetto complessivo e dei racconti e del libro, questa specie d'impressione un po' greve e monotona, conferisca forse piú che non nuoce.

S'è notato che la prima persona dei sessanta racconti è all'incirca sempre la stessa: un poveraccio, per lo piú scapolo, che agogna di trovarsi anche lui una ragazza, e che nei bassifondi romani vive di qualche infimo mestiere, ma anche piú d'espedienti e di malefatte. Assai spesso, egli è fisicamente tarato, il che inasprisce la sua condizione, e lo tiene alla mercè di compagni baldanzosi e feroci. Non è il bravaccio trasteverino di Bartolomeo Pinelli, che nella impostatura rissosa arieggia i gesti atletici della scultura ellenistica e dell'accademismo neoclassico. E non è il « bullo » di G. Gioachino Belli.

Perché a proposito di questi racconti romani, son stati fra l'altro rammentati il Belli, il Pascarella e Trilussa. Ma quella di Trilussa è gente piccolo borghese, modesto ceto impiegatizio. Laddove il popolano che in Pascarella racconta in prima persona, non ha appena assolto le prove giovanili del *Morto de campagna* e della *Serenata*, che diventa una maschera intellettualistica di rapsodo carducciano, il quale si aiuta a conferire, per mezzo del dialetto, un tono e un'andatura epica alla sua narrazione di gesta risorgimentali. Infine, quanto al Belli: lasciamolo pure da parte, col suo dono d'evocazione fulminea e il suo linguaggio di formidabile poesia. Né col Moravia, né con tutte queste altre cose, il Belli ha a che vedere né poco né niente.

Se cotesti pretesi influssi della nostra immediata tradizione letteraria non esistono, da essi non poté determinarsi nessuna valida specie di rapporto. Ma il Moravia, nei *Racconti romani*, ha respinto altri antecedenti e rapporti che, fin dal principio, avevano avuto nella sua opera un'azione positiva; e dai quali, anzi, tra l'altro, derivò a lui il prestigio d'una specie di funzione « di rappresentanza », come al primo fra gli scrittori nuovi (si può dire che allora di Svevo non si sapeva nulla) che avesse cercato di acclimatare nella prosa italiana, idee, sentimenti e situazioni che avevano cominciato a trapelare dalle pagine di Freud, di Gide e di Lawrence.

Di tali idee, situazioni e sentimenti, rimase negli *Indifferenti*, come un'impronta d'internazionalismo. Ed in forma particolarmente calcata, con qualcosa che faceva anche pensare alle vecchie mitologie positiviste, la ritroveremo, ad esempio, nell'*Amore coniugale*, in quei notturni riti della coppia adultera, che ricordano le danze nuziali delle mantidi e degli scorpioni. Con altra leggerezza di tocco e acutezza interpretativa, sono ripresi cotesti temi in *Agostino* e quasi altrettanto in *Disubbidienza*. Ma dai *Racconti romani*, tutto ciò è stato espulso. E si potrebbe dire che l'interesse e l'originalità di questi *Racconti*, guardando bene, consistono nell'apparente rinuncia e ripulsa d'ogni risoluzione intellettualistica, come d'ogni industria di letteratura *à la page* o d'avanguardia, nel rifiuto d'ogni deliberato sforzo d'originalità.

Non credo si vada troppo lungi dal vero, a supporre che, certamente insoddisfatto della esasperata e un po' traballante esperienza del *Conformista*, il Moravia, in questa serie di grossi bozzetti romani, si sia proposto come di fare *tabula rasa*, e riorganizzare il proprio lavoro disciplinandolo sul piano della massima concretezza e materialità. Il che aiuta anche a rendersi conto d'una quantità di condizioni che concorrono a tale effetto: la scelta dei motivi in un campo prosaico e delimitato, e tutti motivi di breve sviluppo ed imparentati; con fatti ed azioni di cosí evidente rilievo che non richiedono colorazioni né commenti; e una quantità di personaggi che se ne stanno chiusi e saldati in una elementare, inarticolata realtà; in una sfera, in una categoria premorale, che crocianamente si direbbe la categoria dell'utile, dell'« economico », della nuda e cruda « vitalità ».

A servirmi d'una immagine piuttosto barocca: sembra come se, di dentro a questi personaggi, il Moravia abbia accuratamente pompato via ogni emozione ed ogni impulso che non appartengano, nella maniera piú immediata, all'ordine pratico. Sembra che abbia cauterizzato ogni notazione psicologica che non trovi riflesso nel tornaconto, nel bisogno, nella lotta per la vita, nella brutale necessità. Cotesti meschini personaggi: fannulloni, disoccupati, sbafatori, manutengoli, commettono le loro birbanterie e canagliate (quasi sempre di gravità non eccessiva), senza interno contrasto; e, dopo averle commesse, senza rimorso e pentimento. Cercano la femmina come gatti, sono gelosi ma senza amore; e nei loro trasporti non è traccia di quel momento sentimentale e contemplativo che non manca neppure nelle attrazioni sessuali piú rozze. In questa estrema semplificazione dei caratteri, l'unica forma espressiva si determina nel giuoco lucidissimo e nel rimbalzo dell'azione; al di fuori dei sensi d'umana simpatia che i personaggi non richieggono né comportano; al medesimo tempo che non è sollecitata la responsabilità d'un giudizio morale, perché queste figure vivono, direi innocentemente, fuori d'ogni morale.

C'è chi dunque ha pensato a una sorta di « picaresco », trasportato sotto i riflessi d'un *neon* suburbano. E mi vien fatto anche di ricordare, immaginandole a passo rallentato, le concise e violente cinematografie alla Mack Sennett, nella grande epoca delle « torte alla panna »; con relativi agguati, inseguimenti, bellissime partite a pugni, e l'arrivo finale dello sceriffo che schiaffa tutti in prigione. Solo che la poetica delle « torte con panna » era francamente gaia e spensierata; e la poetica dei *Racconti* ammette una quantità di situazioni ridicole e buffonesche, quanto nel fondo è piena di desolazione.

Mi guarderei tuttavia dall'attribuire ai *Racconti* un significato di testimonianza storica. E non si potrebbe dire: « Guardate, questa è la plebe della Roma d'oggi »; ché sarebbe falso e calunnioso. Gli stagnini, i lattai, il garzone macellaio, i facchini, le serve, gli accattoni che conosco, non si riconoscerebbero in queste macchiette. Protesterebbero a gran voce, e non per ipocrisia. Tanto meno si potrebbe seguitare, e incalzare: « Guardate come li hanno ridotti; guardate che cosa, di cotesta povera gente, hanno fatto l'eredità clericale, il ventennio, il crasso egoismo capitalista e borghese ». Perché una volta il discorso su questo tono: allora verrebbe da osservare che anche i vagabondi e raccoglitori di cicche bene o male dispongono di libero arbitrio. E questi non hanno nessuna voglia di metterlo in atto, neanche per fare la rivoluzione.

Essi hanno semplicemente servito a Moravia come massicci modelli antiletterari, in una fase nella quale egli aveva bisogno di ritemprare la sua maniera, di rifarsi la mano in composizioni ben costruite, di vigorosa chiarezza, tenute in perfetto controllo. Nella successione del suo intenso lavoro, a questa serie di racconti la critica un giorno non mancherà di trovare un nome. Ne farà il *periodo verde* di Moravia, o il suo *periodo grigio*, o di non so che altro colore. Comunque un periodo abbastanza fortunato.

(1954)

«Il disprezzo» di Moravia

Con l'ultimo romanzo di Alberto Moravia: *Il disprezzo*, si ritorna, dopo la disordinata scorreria del *Conformista*, a quella forma, piú lineare e raccolta, di narrazione a pochi personaggi, nella quale con *La disubbidienza*, con *Agostino*, e potremmo metterci gli stessi *Indifferenti*, il Moravia aveva dato i suoi libri piú belli. *Il conformista* non fece che confermare quanto *Le ambizioni sbagliate* e *La romana* avevano fatto capire da un pezzo. Che cioè una polifonia troppo numerosa, e un'azione a molte figure e con lungo e frastagliato decorso, non convengono a questo scrittore, per una quantità di ragioni su cui non è qui il luogo d'insistere.

Può essere superfluo osservare che in altri fra i massimi romanzieri contemporanei, basti citare Mauriac, l'impianto è semplice, regolare e scoperto fino allo schematismo. E che un trio od un quartetto possono essere artisticamente importanti e significativi, quanto e piú d'un melodramma o di una sinfonia; anche se richieggono e mobilitano un numero infinitamente piú ristretto d'interpreti e di strumenti.

Altra cosa che, di solito, ha giovato al Moravia, è il partire da una situazione o un'azione quasi completamente matura, e seguirne la parabola risolutiva. *Agostino* idealmente si compone nel breve arco d'una giornata. Mentre, per esempio, nella *Disubbidienza*, i capitoli meno necessari e perciò meno validi, sono quei primi dove vuol fornirsi una giustificazione quasi documentaria dell'argomento, descrivendo dalle origini il carattere del protagonista, che effettivamente, per conto suo, si trova già a piena carica, e non ha bisogno che d'essere lasciato libero per fare, come infatti fa poi a perfezione, la parte che gli spetta.

Fu sempre notato che un limite del Moravia non consiste in qualche vera e propria incapacità, ma piuttosto in una certa impazienza, che gli rende difficile soffermarsi, abbandonarsi e dimenticarsi nell'atto contemplativo. Il pericolo di Moravia è nel suo bisogno di darsi da fare. La forza elementare, e si potrebbe dire la violenza del temperamento, lo induce spesse volte a sostituire, senza rendersene conto, alla raffigurazione estetica una interpretazione moralistica, o una macchinazione polemica. Ove per fortuna ciò ha meno luogo di succedere (come nelle situazioni in pieno sviluppo, alle quali si è prima accennato), il suo atteggiamento risulta piú umanamente comprensivo, quanto la sua prosa diventa piú lieve, ariosa, perde d'una sua bruschezza e uniformità informativa e didattica. Ed è allora, a dirla in breve, che ci troviamo davanti, cosí appunto nel *Disprezzo*, al Moravia migliore.

Come i recenti romanzi del Parise e del Soldati[1], *Il disprezzo* è in forma autobiografica. Riccardo Molteni è un giovane che ha ambizioni letterarie specialmente teatrali. Ma in attesa di poter consacrarvisi, è costretto a lavorare accanitamente come « sceneggiatore », e nell'ambiente cinematografico romano è riuscito a farsi un buon nome. Da non molto ha sposato una bella dattilografa: Emilia, ragazza del popolo, e n'è innamoratissimo. Sul primo, gli sposi novelli hanno meschinamente abitato in una camera d'affitto. E soprattutto per far piacere alla moglie, Riccardo s'indebita, acquista un piccolo appartamento, l'ammobilia, e ci vanno a stare. L'appartamento è grazioso, luminoso; ma le

[1] *Il prete bello* e *Le lettere da Capri*, di cui si parla nella presente raccolta.

scadenze e le altre spese non dànno respiro. Battista, grosso produttore per il quale Riccardo abitualmente lavora, gli propone, in buon punto, a ottime condizioni, la sceneggiatura di un film importante: *L'Odissea*, da girarsi nella marina di Capri, con il celebre regista tedesco Rheingold. All'incirca di qui la macchina del romanzo entra in movimento, e cammina diritta fino in fondo.

Perché Emilia, all'apertura del libro, ha concepito per Riccardo un furioso disprezzo; e (senza mai consentire a spiegargliene le cause) glie lo dice sul muso e ripete in tutti i toni e a tutte le ore? Perché c'è in aria qualcosa da convincerla che Battista, il produttore, ha delle mire su lei. Che insomma, Battista dà lavoro al marito, e largheggia nei compensi, cercando in qualsiasi maniera di tenerselo vicino, soltanto per aver agio di frequentare lei ed insidiarla. Alla istintività e ombrosità popolana di Emilia, sembra assurdo che Riccardo non si accorga di niente. Nell'ingenuità del marito ella sospetta, completamente a torto, una connivenza interessata e obbrobriosa. E quanto piú la disgusta la viltà di Riccardo, letterato da tre soldi, che, per aiutare la baracca, offre la moglie al suo principale; tanto piú l'indifferenza se non l'antipatia per Battista, rozzo, ignorante, ma ricco, audace, « un vero uomo », va cedendo ad un senso di minore avversione.

È allora che Battista decide di portarli con la sua macchina, ed insieme al regista Rheingold, in una villa che ha a Capri; dove piú tranquilli che nella confusione romana, lavoreranno alla sceneggiatura dell'*Odissea*. Purtroppo, la stessa notte dell'arrivo, Riccardo, suo malgrado, da una persiana socchiusa, vede Battista che porgendo un bicchiere ad Emilia, la cinge d'un braccio alla vita e la bacia sulla spalla. Dalla reazione d'Emilia e dall'espressione del suo viso, Riccardo non sa rendersi conto se veramente ella ci stia o non ci stia. Ma una cosa è sicura che, a un dato momento di quell'episodio, Emilia ha scorto il marito, dietro alla persiana socchiusa. Ed ormai fra loro dovrebbe esser possibile, anzi inevitabile, una franca spiegazione.

Sebbene, da un punto di vista economico, per lui equivalga al disastro. Riccardo intende rinunciare subito alla sceneggiatura dell'*Odissea*, e ripartire con Emilia per Roma. Come già, con altri motivi, di buon mattino, l'ha comunicata al regista Rheingold, comunica questa sua decisione alla moglie, chiedendo che essa l'approvi. Ma Emilia elude tale responsabilità. E finisce che Emilia torna a Roma insieme a Battista, e Riccardo rimane a Capri. Ma piú che il rancore per il disprezzo e l'abbandono, è in lui un doloroso e appassionato stupore; nel quale a un certo punto gli sembra addirittura di rivedere Emilia, e le parla come in istato d'allucinazione. A quell'ora precisa, sulla strada di Roma, Emilia muore di colpo in un incidente automobilistico.

Oltre al *Disprezzo*, in tre recenti romanzi italiani, uno dei rispettivi protagonisti viene estromesso dal giuoco, per qualche incidente del genere: vale a

Mercato, un dipinto di Mario Mafai. A destra: Vittorio De Sica, la « troupe » e i curiosi durante la lavorazione del film *La ciociara*, tratto dall'omonimo romanzo di Alberto Moravia.

dire con un pretesto del tutto esteriore. Il ragazzo Cena del *Prete bello* finisce sotto a un camion. Al bel Riccardo Mayer della *Nuora* di Cicognani si arrovescia la macchina a Maccarese. La moglie di Harry, nelle *Lettere da Capri* di Soldati, sparisce in un disastro aviatorio. Ed Emilia del *Disprezzo* muore presso Terracina, perché Battista ha il viziaccio di guidare a rotta di collo. Sono coincidenze che dànno da pensare. Evidentemente anche la morte romanzata viene motorizzandosi. Ma l'estetica della narrativa non avrà fatto indispensabili progressi, se prima fra l'altro non sia ristabilita una piú severa disciplina stradale; e se i personaggi dei romanzi non imparino a guidare con maggiore considerazione per l'incolumità degli altri personaggi diventati superflui.

È chiaro che questo è detto incidentalmente; e senza voler attribuirgli, per ciò che riguarda *Il disprezzo*, un rilievo speciale. Si tratta d'una fra varie approssimazioni, incongruenze e sforzature, che s'incontrano negli ultimi episodi del libro. E fra di esse non metterei ultima la lettera che Emilia fa trovare a Riccardo, dopo ch'è partita per Roma: lettera che recide, con una brutale notificazione di fatto, una situazione sentimentale e psicologica che i colloqui fra i due coniugi, dopo l'aggressione di Battista, non avevano risoluta né chiarita.

Quanto ai confronti che Riccardo fa dentro di sé, tra la condizione sua propria e di Emilia, e quella di Ulisse e di Penelope assediata dai Proci nell'*Odissea*, essi potranno forse servire come mascheratura di certi strappi e lesioni dello svolgimento narrativo. Ma hanno anche l'aria d'una idea un po' tardiva; la quale non abbia fatto in tempo a risalire ed imbevere organicamente di sé tutta la trama. D'altra parte, è pur vero che il balletto erotico della ninfa e del satiro, o si potrebbe anche dire delle due màntidi, nell'*Amore coniugale* (ch'è una prova infelice del *Disprezzo*); e la iniziazione amorosa, o discesa alle Origini, alle Madri, nella *Disubbidienza*, documentano una persistente inclinazione del Moravia, verso allusioni e simbologie a fondo mitologico, che vanno riportate a Freud ed a Jung. Senza obbiettare alla loro legittimità estetica, si può distinguerne la maggiore o minor riuscita, in una od altra occasione particolare.

E malgrado tutto ciò, a mio fermo parere, è specialmente nell'ultima parte che il nuovo romanzo del Moravia trova la sua piena ragion d'essere, e segna un punto rilevante nella evoluzione di questo scrittore. Le debolezze e fenditure sopra indicate, e che mi paiono innegabili, contano ben poco, in paragone all'approfondimento d'un tono del quale, finora, non s'erano avuti che accenni, in racconti di memorie infantili, o in *Agostino*, ma soprattutto nella *Disubbidienza.*

Non si tratta, o non si tratta soltanto, che il Moravia ormai dimostri di consentire ad atteggiamenti meno distruttivi di quelli che, per solito, furono espressi dalla sua letteratura. Non si tratta, come da taluno è suggerito, ch'egli stia diventando « piú buono »; il che, in sé e per sé, artisticamente, non avrebbe grande importanza. Si tratta della graduale conquista d'una qualità di pensosa partecipazione, e di virile, grave tenerezza, che penetra il suo racconto; e vi sostituisce una sbrigativa, irascibile giustizia e moralità, dal cui gelido fuoco i caratteri ed i significati restavano talvolta combusti e inceneriti.

A quello che abbiamo chiamato l'atto, il momento contemplativo, senza di che non potrà mai parlarsi d'arte in un vero senso superiore, Moravia accede per un trasporto che diviene piú intimo e frequente. Pagine che precedono la fuga di Emilia, la allucinazione di Riccardo nella grotta marina, allorché Emilia è già lontana, hanno di certo le discontinuità cui abbiamo fatto cenno, e su cui anche altri critici si sono esercitati. Ma sono pervase d'una emozione e d'una capacità visionaria che quasi ci sorprendono, e che recano nell'arte di Moravia elementi nuovi e vitali.

(1954)

«La ciociara»

La impostazione dei romanzi d'Alberto Moravia chiaramente traspare fin dal loro titolo: *Gli indifferenti*, *L'amore coniugale*, *Il conformista*, *La romana*, *La ciociara*. Voglio dire che, dal primo principio, è evidente l'intenzione di dare risalto a qualche qualità « tipica »: sia che essa corrisponda a determinati caratteri etnici (come nel caso de *La romana*, *La ciociara*, ecc.), sia che venga riferita ad una od altra categoria morale o sociale. Non bisogna dimenticarsi mai che, nonostante quell'aria di *enfant terrible* e di sfegatato rivoluzionario che gli s'attaccò addosso al tempo degli *Indifferenti*, nel Moravia è una costante inclinazione tradizionalista. Non venne forse osservato che, in certi spunti e movimenti della sua prosa, egli impresta addirittura una solennità boccaccesca? Cosí accade che, per quei titoli, viene fatto di pensare a titoli balzacchiani: *Il medico di campagna*, *Il curato del villaggio*, *Scene della vita parigina*, *della vita di provincia*, *Piccole miserie della vita coniugale*, ed altri piú o meno del medesimo stampo.

La romana è un prototipo erotico, popolaresco, che si aggira nei bassifondi della capitale; allo stesso modo che Cesira, protagonista dell'ultimo romanzo (*La ciociara*) è il « tipo » rurale che s'è inurbato, ma che durante gli sconvolgimenti e i pericoli della guerra, taglia la corda, e per istinto torna alla campagna, ch'è il suo ambiente nativo, e a dispetto di tutto riesce a salvarsi. A volte sembra che il Moravia si chieda: – « Supponendo un personaggio di questo calibro, che si trova in questa particolare situazione, che cosa ci dobbiamo aspettare che faccia? E quando abbia fatto questo, e le condizioni in cui verrà a trovarsi saranno diventate quest'altre, che cosa di nuovo cotesto personaggio si metterà a fare? » – Le risposte del Moravia a tali domande (che poi sono le domande che il lettore fa a sé medesimo) sono semplici e chiare. E al lettore che non chiegga piú di tanto, danno la soddisfazione di verificare che, nel racconto, succede proprio ciò che, a passo a passo, egli era stato invitato ad aspettarsi.

Ecco infatti la brava ciociara, ch'è venuta a stare a Roma, dove sposa un piccolo bottegaio, già piuttosto anziano, e che fra l'altro le mette le corna. Hanno una bambina: Rosetta, che al tempo che le cose del fascismo e della guerra precipitano, s'avvia ad essere una bella ragazza. È allora che Cesira resta vedova, ma s'industria con la borsa nera, e i suoi affari vanno a vele gonfie. Purtroppo i tedeschi s'insediano e spadroneggiano in Roma. I bombardamenti diventano sempre piú fitti. E Cesira piglia paura, soprattutto a cagione di Rosetta. Mette insieme un po' di fogli da mille, affitta il negozio e il quartierino, e con la figliuola e due valigie cerca rifugio oltre Terracina, in località di Fondi.

Nel tentativo di rintracciare certi parenti che poi non si trovano, Cesira e Rosetta dalla pianura salgono alla montagna, che ormai l'inverno è vicino. E qui cominciano a sfilare sotto gli occhi al lettore il lugubre repertorio e la processione della guerra; come disgraziatamente, chi in città e chi in campagna, ci trovammo tutti a vederli, e quel che non si vide lo leggemmo sui giornali, o si sentí raccontare un'infinità di volte. Nei luoghi dove capitano Cesira e Rosetta, i fascisti si sono messi a completo servizio dei tedeschi e si sfogano nelle ultime prepotenze e ruberíe. Praticamente le popolazioni vivono asserragliate in cima ai monti. Dopo gli sbarchi a Salerno e poi ad Anzio, ogni tanto misteriosamente in fondo ai boschi passa qualche angloamericano travestito: sono paracadutisti, agenti di collegamento, prigionieri riusciti ad evadere. E la gente, il poco che può, non manca di soccorrerli, cercando di non farsi pizzicare da quei birboni dei tedeschi.

È un panorama intorno a cui il Moravia esercita abbondantemente la sua versatilità descrittiva; ma con mano leggera, attento a non lasciarsi troppo impegnare, anche perché allora sarebbe piú facile a un lettore perspicace accorgersi che il tessuto documentario di questa materia qua e là è piuttosto stanco. In ogni modo, sono presenti fino ad uno tutti quelli che si possono considerare i personaggi e gli incidenti tipici d'una simile situazione. I contadini con le loro avidità e ipocrisie. I militari con quella maniera sprecona e disordinata che hanno sempre nel fare (eroismi compresi) tutto ciò che fanno. Una figura meno comune è quella di Michele, figliuolo di campagnuoli che ha studiato, ed ha un fondo di generosità; e per ciò stesso si trova come tagliato fuori dal miserabile ambiente che l'ha prodotto. È il solo che ha delle convinzioni, vorrebbe inculcarle agli altri, per loro sostegno morale; ma i « nazi » la pensano diversamente, e finisce che Michele ci rimette la pelle.

Naturalmente, come d'obbligo, su questo scenario, a un certo momento, di corsa, incappucciati, arrivano anche i marocchini. E i marocchini fatto la festa a Rosetta. Fino allora, e cioè fin verso l'ultima parte del libro, Rosetta era stata una bella e buona figliuola, tutta mamma; e magari, a non voler nascondere nulla della verità, era un po' quello che si direbbe un « pollo freddo ». La violenza sofferta trasforma di colpo il suo carattere. Rosetta si sfrena. Non soltanto non ha piú un filo di pudore, e in certe cose diventa quasi una ossessa; ma non sente piú nemmeno il minimo rispetto per la madre. Il che non toglie che, non senza altri drammatici incontri, dopo che gli alleati sono entrati in Roma, Cesira e Rosetta tornino insieme a casa loro; ma qui il romanzo finisce all'improvviso, e delle due donne non sappiamo piú niente.

Al principio della sua carriera, Moravia venne considerato soprattutto un *moralista*, un romanziere, un narratore moralista. Non potendo per il momento investirsi nella realtà politica, la sua polemica faceva leva piú che altro sui fatti sessuali: talvolta con una bile satirica realmente feroce. Moravia ci dava la rappresentazione di qualche scorcio d'una società che sembrava avvoltolarsi, come suol dirsi, nel fango dei sensi; quando ci si accorgeva che in cotesta società non esistevano e non avevano corso nemmeno quelle illusioni, quegli impulsi e slanci di vita che sono necessari anche per peccare. Ne nasceva il senso d'una inutilità e di un vuoto terrificante; mentre il Moravia piú e piú incrudeliva contro cotesta gente condannata a professare una gioia che non riusciva mai ad afferrare. Tipica la bolsa madre degli *Indifferenti*, che era esibita e direi torturata nello stile delle caricature di Grosz, con tale implacabilità che il lettore finiva col sentirsi un po' come il testimone e il complice d'un assassinio.

Piú tardi, essendo caduti i divieti politici, tale crudeltà perse alquanto della sua forza di concentrazione. Il campo d'osservazione dello scrittore s'andò ampliando. E sebbene le situazioni fossero sempre assai squallide e torve, lo stile era meno irto di pungiglioni, meno aggressivo. Questa fase coincise con l'avvento della cosidetta narrativa *neorealistica*, di cui il Moravia in Italia fu tra i primi e piú robusti assertori. Superfluo avvertire che queste distinzioni che stiamo facendo non devono esser prese alla lettera. Anche dopo la produzione piú giovanile, il *moralismo* di Moravia riappare di continuo; allo stesso modo che, al suo *neorealismo*, in certi volumi di racconti e novelle, si intrecciano elementi fantasisti e *surrealisti*.

Infine, con la lunga serie dei *Racconti romani* e con *La ciociara*, si ha l'impressione che questo neorealismo, esercitato, perfezionato e affaticato, nel corso ormai d'una quindicina d'anni, tenda sempre piú a distendersi e comporsi nell'aspetto di un dignitoso e personale *manierismo*; adoperato questo termine nel senso oggi corrente, non in quello che si richiama all'arte figurativa cinquecentesca. Materia come quella cosí profusamente trattata dal Moravia, era impossibile gli avesse serbata intatta tutta la propria freschezza e sorpresa. Se il Moravia potesse essere diverso da ciò ch'egli è, questa materia avrebbe ora indubbiamente da offrirgli nuovi inviti, appigli ed impegni sul piano della storia e della saggistica. Ma il Moravia è assolutamente legato alla vocazione di narrare.

Nel timore che forse il suo manierismo alla lunga diventi piú o meno grigio e monotono, anche nella *Ciociara* il Moravia ha distribuito salaci colpi di pennello, tratti provocanti, ha insistito su descrizioni sanguinolente, come quella dell'aggressione marocchina. Non vorrei di certo sostenere che siano questi i suoi momenti migliori. E restano cose esterne, volute. Ma allo stesso tempo non vedo che, di coteste pretese audacie, sia il caso di fare la grave questione che, a un certo momento, sembrò che si volesse farne. E mi limiterei piuttosto a considerarle non dirò come delle vere e proprie ragazzate, ma come ingenui e facilmente evitabili errori di gusto.

Personalmente, a molti di noi interesserebbe talvolta incontrare un Moravia con piú severe ambizioni creative; in prove e ricerche stilistiche come quelle che s'imposero ma anche tanto profittarono a un Pavese, un Carlo E. Gadda e un Vittorini: pur riconoscendo che, nell'estensione e nel raggio d'una produzione come la sua, il prescelto assetto manieristico era forse inevitabile. Non si possono avere, nemmeno in arte, specialmente in arte, cose fra loro in contrasto. Occorre una scelta. E la scelta del Moravia è convalidata da tradizionali esempi troppo autorevoli, per non doverla valutare con la piú rispettosa cautela.

(1957)

La nuova letteratura

«L'orologio» di Carlo Levi

Noto negli ambienti della cosidetta « avanguardia », come pittore che s'era interessato anche al cinema, e come curioso di novità e preziosità estetiche, nostrane e forestiere, Carlo Levi, tutto d'un colpo, si acquistò fama di scrittore da gran pubblico, all'uscita del *Cristo s'è fermato a Eboli*. E la sorpresa del libro fu doppia: per l'intrinseco pregio dell'opera, dovuta ad uno che fino allora non aveva scritto niente; e per il fatto che l'opera stessa poteva apparire sotto certi aspetti diversa da quanto, in ogni caso, un temperamento come quello del Levi aveva dato ad aspettare. Il libro si collocò subito fra i piú significativi della condizione italiana alla caduta del regime. Né mancarono, com'è naturale, i soliti mezzo analfabeti, a salutarlo specificamente come un miracolo antiletterario, come un vero sboccio di energie primigenie; senza accorgersi di quanto dentro vi fosse anche di Norman Douglas, D. H. Lawrence, e modelli siffatti; né del rapporto strettissimo con la prosa in un trentennio coltivata dal miglior « decadentismo » italiano.

Tutto ciò va ad onore del *Cristo s'è fermato a Eboli* che, fra tante altre cose, ai riguardi politici, non rincarava e inveleniva le dosi polemiche, né bruciava incensi a nessun mito populista; mentre si asteneva da far spreco di parolacce e porcherie, che del nuovo realismo già formavano un ingrediente obbligato. Il libro era stato concepito in una congiunzione di eventi, d'influssi e disposizioni d'animo straordinariamente propizia. Si sa che esso racconta avventure ed esperienze d'un anno di confino. E qualcuno osservò umorescamente che nello spedire, fra due carabinieri, il giovane Levi in Campania, e nel fornirgli cosí la materia delle esperienze suddette, Mussolini, una volta tanto, aveva avuto la mano felice. Quasi piú di Augusto, quando spedí in riva al mar Nero un Ovidio cinquantenne, ormai troppo bravo, e stanco e incimurrito.

Il nuovo libro di Levi: *L'orologio*, piú o meno riprende la maniera dell'altro; con intrecci di vera e propria narrativa, di ricordi, impressioni ed aneddoti, e divagazioni etniche e sociali. Ma questa volta il disegno dell'opera è meno scolpito. Da Firenze, dove nelle file della « Resistenza » ha atteso l'arrivo degli alleati, il Levi viene a Roma; lavorando insieme ad amici in un quotidiano che vuol portare il suo contributo ai nuovi orientamenti e ordinamenti dell'Italia democratica. Siamo nella Roma dell'autunno 1945, quando gli affittacamere ficcano la gente a dormire nei cessi e nelle bagnarole; e accosciati presso alle loro cassette, i lustrascarpe contano pacchi di biglietti da mille. In questo momento si formano nuove gerarchie del censo; reclutate fra i ladri di gomme d'automobili, i manipolatori di valuta e preziosi, e gli spacciatori di sigarette fatte con le cicche e lo sterco di cavallo. Ambiente disastroso e caricaturale, dove il Levi guizza come un pesce nell'acqua. Osservatore minuzioso, infaticabile, con una quantità di relazioni in tutti i ceti, e sempre in bocca il suo mezzo toscano, si direbbe che non abbia abbastanza occhi per guardare attorno, ed orecchi per ascoltare.

La verità è che in quell'atmosfera di recente catastrofe, come nei luoghi percossi dal fulmine, almeno per qualche momento, ed in qualche particolare effetto di luce, tutto può anche assumere un'aria funebremente favolosa. Altrettanto che verso l'osservazione realistica e cinica, la fantasia visiva del Levi è portata verso un gigantismo barocco e macabro. Sotto cotesto sguardo, l'ovvio, il triviale, il sublime magari, entrano nei contorni uno dell'altro. Si scambiano le parti. Formano una immagine indistinta della fatica, del dolore, della follía ond'è materiata l'azione. La realtà storica assume la fluttuante maschera d'una larva.

Levi assiste alle dimissioni e al ritiro di Parri. Ma la scena, impostata drammaticamente come in un'aula di tribunale rivoluzionario, poi si disgrega nella inerme e borghese desolazione d'una notte piovosa, e nel buio delle orribili strade intorno al Viminale. Una mesta congiuntura domestica, improvvisamente chiama a Napoli il Levi; e un'aggressione brigantesca aggiunge chiaroscuro al viaggio. È la Napoli ferita, affamata e gloriosa della guerra e del dopoguerra, che ha commosso e incantato sí gran numero di scrittori italiani e stranieri; anche se finora la palma è rimasta, almeno per quello ch'è virile affettuosità di

Lo scrittore e pittore Carlo Levi
in una fotografia del 1950.

accenti, all'americano J. H. Burns di *Galleria*. Nei pochi giorni che sta a Napoli, Levi ritrova alcuni dei suoi momenti di partecipazione piú immediata. Ma il libro già volge alla fine.

E benché l'autore non si dichiari in esplicite considerazioni, questo sembra d'intendere o sentire: che una quantità di cose che un tempo avrebbero potuto riuscire ripugnanti e intollerabili al suo rigorismo politico, alla sua intransigenza partigiana: debolezze, collusioni, puerilità ideologiche, compromessi, attraverso ai quali la vita continua il suo corso, l'offendono e turbano sempre di meno.

Non perché anche lui scivoli nel compromesso. Ma perché la tristezza e il peso dell'azione lo inducono meglio ad accettare e cercar di comprendere gli uomini come appaiono, se non anche come realmente sono; che a volontà e speranza di cambiarli ed agire su di loro. Al tempo d'un orologio astratto, matematico, che segnava e scandiva le sue certezze, o le sue illusioni, si sostituisce un tempo, se non pietoso, non cosí disumano. È una conclusione rassegnatamente contemplativa; che qui si accenna senza pretendere che sia la piú esatta e vera; ma nella quale ci sembra che l'opera, almeno in approssimazione, e fuori di certi aspetti contraddittori, si compia nel proprio significato.

Tecnicamente, *L'orologio* non deve considerarsi inferiore al *Cristo s'è fermato a Eboli*: voglio dire per l'impegno dell'esecuzione; e sebbene abbia un polso piú greve e monotono, e un poco vi difetti quel naturale risalto delle parti che al *Cristo* proveniva dalla novità e stupore dell'occasione: come nell'incontro d'un primo amore. Qualunque sia la causa, vi è rimasto piú scoperto e scarnito il canovaccio intellettualistico. E non sempre valgono a dissimularlo, sia descrizioni molto cariche e insistenti, come quella delle promiscuità e delle miserie nella Roma del suburbio; sia certe bizzarrie e divertimenti fantastici, come le fiabe nobiliari di taluni inquilini d'un vetusto palazzo romano. Con le prime, infatti, si ripiomba in un repertorio realistico, in questi anni talmente sfruttato da sembrar quasi impossibile di poterlo ancora rianimare. E con le seconde, come in certe altre mitologie ed immaginazioni metafisiche, che il Levi tratta con bel gusto decorativo, siamo in un giuoco di curiosità estetizzanti, fortemente estetizzanti; che anch'esse ormai formano materia d'altra qualità di repertorio, letterario, anziché materia di vera invenzione e poesia.

Piú schiettamente poetici sono ricordi d'infantili illuminazioni, quando la mente per la prima volta si schiude ad un presentimento del tempo, o del rapporto fra la coscienza individuale e il mistero che la circonda; pagine sui quartieri poveri di Napoli; e costí le lancette dell'*Orologio* veramente indicano e misurano le ore piú intense.

(1950)

I polli di mercato

Il primo dei due lunghi racconti (o romanzi brevi come oggi si chiamano) riuniti nel nuovo libro di Francesco Jovine: *Tutti i miei peccati*, tanto ovviamente è fallito che si ha quasi scrupolo a parlarne. Cosí sarebbe ad infastidire e inasprire con raffacci e querele una faccenda ormai andata male ed irreparabile; e non si può farci altro che dire che quel ch'è stato è stato, e non pensarci piú.

Puramente in via informativa, può aggiungersi che si tratta di una lettera-confessione, lunga una settantina di pagine, che una penitente in gravissimo dubbio morale indirizza a un dabben sacerdote. Impazzita d'amore, e concessasi, ancor giovinetta, a un ufficiale di marina che dopo averla posseduta s'era deciso a sposarla soltanto per paura di gravi provvedimenti disciplinari, presto il marito l'ebbe abbandonata fuggendo in terre lontane e riuscendo a farsi credere morto. Passati alcuni anni, nel disordine del dopoguerra, egli torna nascostamente, sotto falso nome e completamente rovinato; allorché la derelitta alla bell'e meglio s'è rifatta una vita, sposando un galantuomo parecchio piú anziano di lei. Il fuggiasco si propone di ricattare la donna; l'attira in un alberguccio, e si capisce che non dura gran fatica a riprendere su lei, che pur s'illude di resistergli, un dominio sessuale rafforzato dallo stesso sgomento e smarrimento.

Minacciando di rivelarsi al secondo marito le estorce denaro. E la donna è nell'alternativa di vedere distrutta la nuova esistenza, nella quale infine ha trovato un po' di pace; o d'infamare il secondo marito e derubarlo, a tener l'altro tranquillo. O tradirà il compagno buono. O raccogliendo tutto il suo coraggio, ucciderà il compagno cattivo, verso cui oscuramente la risospinge l'antica passione (e come se poi l'assassinio non accrescesse inutilmente l'orrore di questa diabolica situazione).

Poco o nulla da eccepire (in teoria) contro un intreccio a tinte cosí violente, e cosí fitto di lampi e di tuoni. Come poco o nulla da eccepire (sempre in teoria), contro l'artifizio della lettera-confessione di settanta pagine, per quanto possa sembrare barocco. Ma il grosso romanticismo dell'intreccio e il greve pretesto della lettera, all'atto pratico non si sono riscattati e risolti per virtú d'arte; e su tutto il racconto rimane diffuso un imbarazzo penoso. Momenti accettabili mi paiono nelle vicende scolastiche della protagonista, oriunda della provincia, tra le compagne eleganti e ammalizzite. Momenti pessimi agli incontri nell'alberguccio tra la protagonista e il primo marito. C'è qui un tono « gangster » (l'ineffabile tono « gangster » dei nostri film di banditi); e lo ritroveremo ma assai alleggerito nelle scene di casa da giuoco del secondo racconto. Quanto si vorrebbe che i nostri narratori e cinematografari piú interessati alla vita equivoca, e che a preferenza ci raccontano di imbroglioni e prostitute, di ricattatori e ruffiani, ecc., si facessero una cultura un po' piú approfondita; si mettessero insomma all'altezza della situazione. Tante volte, leggendo un racconto o romanzo di questo o quello, io mi chieggo perché nessuno si sacrifica, e non accompagna gli autori su per le scale di bische e bordelli, come si fa coi ragazzi di primo pelo. Affinché si erudiscano e tocchino con mano. In una cultura piú organizzata potrebbero provvedere, chi sa, i sindacati letterari, o il Ministero della Pubblica Istruzione. Io denuncio il difetto; altri pensi al rimedio. Ma occorre d'urgenza che il nostro neorealismo pigli piú diretta conoscenza della materia di cui tratta; e non l'assuma sempre di seconda mano.

Uno cattivo e uno buono: come si dice dei polli di mercato. Se *Tutti i miei peccati* è fra le meno felici riuscite del Jovine, l'altro racconto: *Uno che si salva*, è assolutamente delle migliori e va a mettersi accanto a *Giustino d'Arienzo* e a *Il pastore sepolto*. Nei quali la scrittura era forse piú ariosa, ma anche sopra un piano piú stretto, e specialmente nel racconto del pastore, non senza un velo o direi quasi una pallida iridescenza del sonno di Aligi: non affatto cosa da vergognarsene, ma che in qualche modo denunciava la tendenza o il bisogno di servirsi ancora di certe cadenze un po' letterarie.

Si badi bene che, con tali riserve, io intendo parlare di due fra gli scritti piú notevoli della nostra ultima narrativa. E ad essi è venuto ora ad aggiungersi

Uno che si salva, che soltanto per ragioni estrinseche (probabilmente bastava lasciarlo un po' riposare) non ha conseguito la purezza del *Giustino d'Arienzo*. Jovine ha forte il senso della sua terra, e non dovrebbe mai rinunciarvi. È il suo contrappeso, il suo polo magnetico. Ed è cotesto senso che insaporisce tutto il nuovo racconto, e gli conferisce, prima direttamente, nelle belle scene in provincia, poi per riflesso, la sua virtú di persuasione.

È il tema, cosí sostanzioso e perenne, del richiamo della città: del passaggio delle generazioni dal campo ai commerci; dall'avarizia e dal risparmio all'azzardo borsistico; dalle religioni e superstizioni avite alla libera cultura, ivi inclusi traviamenti, illusioni e confusioni. Come allora seppero e poterono, i narratori ottocenteschi insistettero su questo tema. Inutile specificare esempi, che sono nella mente di tutti. E non a caso uno dei meno trascurabili romanzi d'innanzi la prima guerra, fra quelli d'autori oggi presso che dimenticati: il *Giovanni Fràncica* di Luigi Siciliani[1], trasse un certo vigore appunto da cotesta realtà. Jovine tratta il motivo di scorcio: il professorino che con un concorso vuol migliorare la propria condizione. E viene a Roma, allogandosi alla meglio nella promiscuità d'una pensionuccia ch'è poco meno d'un antro fornicatorio. Si monta la testa, trascura il concorso, tenta qualche affaruccio, ma si mangia i quattrini racimolati con tanto stento; si innamora e naturalmente lo ingannano; giuoca ma lo sbagliano per un baro, e fra l'altro anche lo scazzottano; e riprenderà infine la strada di casa con i pochi soldi imprestatigli da una brava figliuola che, senza dirgli nulla, l'ha capito e compatito, e lo aiuta a salvarsi.

A rigore non si vorrebbe dire neanche un racconto, se si pensa alla molla di un intreccio preciso, allo scatto di un congegno di rapporti e situazioni. E un'ampia serie di studi, figure, macchiette, quasi tutte vive e interessanti. Ottima quella della scalcagnata e famelica amante di campagna. E quella del prete parabolano. O la figlia minore della padrona della pensione, segnata in pochi tratti e umanissima; mentre la figlia maggiore, che funziona finché sta a letto, scade poi un tantino nel cinematografico e teatrale; si riassorbe nella convenzione esteriore del personaggio ch'ella vuol essere; si schematizza nei gesti e nei lineamenti d'una « vamp » rionale. E in parole brevi: *Uno che si salva* riafferma in pieno le capacità d'un artista, che talora ha il torto di presentarsi in un modo inadeguato, se non addirittura calunnioso. Non si capisce in onore di che santo lo faccia, dato che egli può scrivere pagine come coteste.

(1948)

[1] Su questo romanzo (1910) di Luigi Siciliani (1881-1925), Cecchi scrisse un articolo ristampato negli *Studi critici*, nonché la voce su Luigi Siciliani nell'*Enciclopedia Treccani*.

«Le terre del Sacramento» di Francesco Jovine

Il romanzo postumo di Francesco Jovine: *Le terre del Sacramento*, segna una tappa ulteriore, sventuratamente l'ultima, su quel cammino che, dalla *Signora Ava*, al *Pastore sepolto* e ad *Uno che si salva*, nel corso di pochi anni e nonostante incertezze e deviazioni, portò questo scrittore nelle prime file della nostra narrativa odierna. Come in tutte le sue produzioni migliori, anche ne *Le terre del Sacramento* Jovine narra della regione nativa; o almeno ne trae figure e motivi essenziali. Luca Marano di quest'ultimo libro potrebbe essere, con poco scarto, ed in altro momento della propria carriera, il Giustino d'Arienzo che insegna in un tetro collegio provinciale. O il professoruccio che, in *Uno che si salva*, viene a Roma per partecipare a un concorso, e si mette nei pasticci.

Un tema di Jovine, tutt'altro che fittizio, e ben degno d'essere coltivato e approfondito, è quello della gioventú povera e non incolta, che si dibatte nelle strettoie d'una realtà miserabile, e che (in un certo senso, tirandosi dietro la provincia) vuole aprirsi la strada nella vita nazionale. Un tema di tale verità e gravità, che non potrebbe neanche esser nuovo. Senza risalire piú in là della Serao, esso allettò una quantità di romanzieri oriundi del Mezzogiorno. Chi guardi bene, perfino Giorgio Aurispa è ficcato fino al collo in una sua propria « questione meridionale ».

Si potrebbe appunto accennare ad una « questione meridionale » sotto specie letteraria; e il vantaggio di Jovine fu d'esservi cresciuto dentro, quando, a poco a poco, se ne erano sfrondati ed erano caduti i colori convenzionali e le esteriorità folcloristiche. Al quale riguardo si può anche essere sicuri che, nel seguito, egli avrebbe saputo darne un'interpretazione artisticamente piú valida, e al medesimo tempo, storicamente sempre piú ampia e vera. Non gli mancava, a parte l'interesse, la preparazione culturale. Possibilità sue e nostre speranze, frustrate dalla morte precoce.

In una regione del Molise, alcune terre già intestate ad enti ecclesiastici, e perciò chiamate le terre del Sacramento, marciscono nell'abbandono. I latifondisti non hanno soldi né capacità di rimetterle in valore. E la gente del luogo, nottetempo cerca di spostare qualche pietra di confine, abbatte gli alberi, e pratica in quelle terre il pascolo abusivo: è tutto quanto essa può fare. L'avvocato Cannavale, tra i maggiori e piú squattrinati proprietari, non è privo d'ingegno e di qualche velleità politica, vagamente socialista. Ma incompetente, dedito al bere e alle donne, si fa ricattare dal proprio fattore, al quale deve chiedere il denaro per i suoi vizi.

Ormai d'età matura, Cannavale sposa un'ambiziosa Laura, che si mette a riorganizzargli il patrimonio, trova le somme piú urgenti; ma soprattutto, coadiuvata da certi suoi soci e corteggiatori, convoglia verso le terre del Sacramento non soltanto le illusioni ma la mano d'opera dei borghigiani di Morutri, ai quali vien fatto credere che se (a condizioni manco a dirlo strangolatorie) lavoreranno di buona lena al risanamento delle terre, un giorno, in una forma o nell'altra (« censo a vita », « enfiteusi perpetua », eccetera), ne condivideranno la proprietà. Si arriva cosí al tempo della marcia su Roma, in piena reazione agraria. Invece dei primi contratti di proprietà, i contadini si veggono recapitare gli sfratti. E nel tentativo d'opporsi all'espulsione dal suolo su cui si accampano e faticano, sono presi a fucilate. Luca Marano rimane ucciso. Il libro si chiude con la sua veglia funebre.

Questa figura di Luca Marano è forse la piú solida di quante Jovine avesse create. Figlio di infimi braccianti, tra l'invidia dei fratelli è destinato alla carriera ecclesiastica. Ed è ancora un sorcetto di seminario, e la madre lo venera come un santo. Allorché egli si rende conto di non avere la necessaria vocazione, e onestamente gitta la tonaca, la madre è percossa come dal senso d'una maledizione e d'una sventura che li travolgerà tutti. Ingegnandosi in meschini servizi di studio notarile, Luca per la sua istruzione è diventato il mediatore fra compaesani e proprietari. Ma abbocca all'amo dell'« enfiteusi perenne » e del « censo a vita »; e comincia a capire d'essere stato uno strumento nelle scaltre mani di Laura, solo quando tutto precipita irreparabilmente.

Nella costruzione del romanzo e in taluni episodi, può esserci qualcosa che convince meno. La relazione fra l'avvocato Cannavale e una cugina orfana e povera: Clelia, che egli tiene presso di sé un po' come maestra di casa, un po' come eventuale compagna di letto, perde quasi ogni funzione e significato allorché subentra Laura. E sembra esser rimasta nel libro come la traccia, non ben scancellata, d'una primitiva idea, poi respinta. L'amplesso di Luca e d'una amica di Laura: la baronessa di Santasilia, nel fienile, fa pensare ad una di quelle solleticanti gratuità che certi registi mettono in un film, per mascherarne qualche passaggio un po' fiacco. Il finale, con quel movimento arcaico di litania o di compianto sopra il Cristo deposto, è in sé e per sé suggestivo; ma, o m'inganno, anche un po' fuori tono; come un'inserzione mitologica, una soluzione jeratica e musicale, dentro un testo realistico. In una quantità di luoghi, la scrittura è meramente informativa, il che può essere anche inevitabile; ma cosí senza levità e trasparenza, che se ne patisce l'ingombro.

Nel complesso, si direbbe che il romanzo non abbia nulla che, come suol dirsi, avvampa e fa veramente colpo. Gli stessi spiriti polemici sono rattenuti e smorzati; in confronto, per esempio, all'*Impero in provincia*. E cosí del resto era giusto che fosse, se il disegno complessivo non doveva degenerare in uno schema meccanico; e se dentro al quadro delle illusioni, degli errori, degli inganni e delle violenze, doveva serbarsi una intonazione, un chiaroscuro, di verità e di umanità. Non si tratta neppure della raffigurazione romanzesca d'un grande episodio di lotta di classe. Coscienza classista non c'è da una parte né dall'altra. C'è un brancolamento di forze oscure, semicieche; sullo sfondo, infinitamente triste, d'una antica miseria ed inerzia, d'un marasma sociale.

La forza di Jovine e del libro, sta precisamente nella affettuosa autorità con la quale è espressa questa tristezza che ne *Le terre del Sacramento* s'è irrobustita, e s'è spogliata anche di quell'ultima sfumatura sognante e favolosa che aveva nel *Pastore sepolto*. Il religioso terrore della madre, i peccaminosi segreti della vita paesana, il disperato amore della famiglia e della terra, gli svaghi e le brutalità da penitenziario d'una gioventú affamata di piacere e senza un soldo in tasca, ecc. ecc.: tutte queste cose che sono nel libro, Jovine le conosceva e soffriva sul serio.

Soprattutto con la sua purità e il suo coraggio, ed al tempo stesso con la sua gentile inferiorità dinanzi a Laura, che lo domina d'un fascino tra sessuale e feudale: Luca è vivo e vero, un magistrale ritratto. Fra i piú poveri e scontrosi che ci sedettero accanto sui banchi d'università, e alle mense militari, ne abbiamo conosciuti di suoi compagni: Jovine c'introduce alla loro storia. S'è detto che, tra le molteplici figure della nostra nuova narrativa, questa di Luca è di quelle che avranno maggiore probabilità di sopravvivere. In lui si concentra l'umiliazione, la poesia e la speranza della sua regione. Nelle pagine che dovevano essere le sue ultime, Jovine non poteva toccare soggetto piú vero.

(1950)

Nascita di Venere

Il nuovo libro di Giuseppe Marotta: *Gli alunni del Sole*, si compone di due parti; e la prima, da cui assume il titolo, consiste d'una serie di tumultuose conversazioni e discussioni nelle quali l'ex-bidello di liceo don Federico Sòrice illustra ad una comitiva di « allegri straccioni » napoletani i principali personaggi ed avvenimenti della mitologia classica. Ma basterebbero da soli, a consacrare il volume, tre o quattro racconti d'una diecina, che ne costituiscono la parte seconda: "Il mandolino", "Nel vico impagliafiaschi", "Gli specchi non sanno", "L'albero perduto", ecc.; fra i bellissimi che il Marotta abbia mai scritto, e nei quali, con leggerezza ed eleganza suprema, la sua arte è al piú vivo della propria partecipazione con gli esseri e le cose.

È un intreccio leggiadro, di spunti autobiografici, di motivi d'ambiente ed innumerevoli figure. Rifiutando, con sempre maggior destrezza e diversità di risorse, lo sviluppo consequenziale del racconto, e la tradizionale sillogistica di cause, fatti e significati: il Marotta, intorno ad un personaggio come l'incomparabile maestro don Aniello Aponte del « Mandolino », o il misero « dandy » del Vicoletto 3° Cavone, e tanti altri, fa danzare e volteggiare un pulviscolo, uno sfarfallio d'incandescente materia poetica, che in ogni cantuccio di queste sue composizioni, porta la animazione d'un microcosmo. Che indiavolata varietà di situazioni, nelle sei striminzite paginette del « Mandolino ».

Lo svenimento della zarina al Cremlino, a un'esecuzione mandolinistica della serenata di Toselli. La sposina che, alla sua festa di nozze, presa d'entusiasmo musicale, abbraccia don Aniello Aponte, ed assaggia i primi ceffoni dell'esordiente, geloso marito. Don Aniello, quando gli piglia uno sbocco di sangue, e non potendo interrompere una polka, vomita dentro lo strumento; e due giorni dopo è stecchito sul letto di morte, con sulle coltri il suo mandolino.

O nella storia di don Aurelio Migone, il Brummell rionale, che da anni vive alle spalle della moglie Concetta, modista meschinella, e hanno un figliuolo unico e scemo. « Cuor mio, parliamoci chiaro », don Aurelio aveva avvertito Concetta, fin dalle prime effusioni amorose. « Io *vesto*, indubbiamente, ma chi sono? Non ho né arte né parte: che sarà di me? Tu devi sapere che io *vesto*, che io *figuro*, e basta. Posso creare famiglia, io? » Ma Concetta se l'è sposato lo stesso; e lo mantiene, ingegnandosi di contentare le clienti, con i suoi cappellini che prova in testa al figliuolo.

E cosí, tutto il santo giorno don Aurelio vagheggia le cravatte nella vetrina di Old England; mentre il Marotta sembra allontanarsi e svagare, ed invece raccoglie e concentra accordi e suggestioni. (Come, nella sua prosa, gli oggetti materiali s'influenzano e ricollegano: « La punta delle sue scarpe subito accetta un riflesso dalla maniglia dell'uscio »; oppure: « Tagliò una melagrana, vi attinse un raggio di fanale, e la osservò come un orefice una scatola piena fino all'orlo di rubini ».) La soluzione arriva d'un tratto, in un'immagine smagliante, in una figurazione decisiva; particolarmente felice nel racconto in parola. Eccolo a casa, don Aurelio: « Svolge il pacchetto, avvicina la cravatta alla lampada, s'incanta, esclama: "Concetta, dimmi tu." Il figlio ride e continua a ridere; ha tuttora sul capo (quei riccioli senza età) il cappellino della signora Giaquinto ».

Per parte loro, le ventidue conversazioni di mitologia greco-romana che costituiscono, abbiamo detto, la prima metà del volume: rissosi trattenimenti della peripatetica accademia degli scalcagnati « alunni del Sole », in sé recano una trovata, un'idea cosí gustosa, e al medesimo tempo vitale e profonda, che a qualsiasi momento il suo latente calore può compensare eventuali, lievi scarti dell'esecuzione. Oltre all'ex-bidello Sòrice, personaggi come il gobbetto Rosario Nèpeta, come il cornuto fruttivendolo e pregiudicato don Salvatore Cadamartori, o il fattorino telegrafico Vincenzino Aurispa, e i tre o quattro restanti, tralasciando interlocutori d'occasione, sono brillantemente presentati e manovrati; come i pretesti e gli incidenti degli incontri, nelle varie stagioni, località e solennità. Né sarebbe poi da far troppo caso, se la messa in moto di qualcuno dei ventidue dialoghi fosse meno riuscita: che succede anche nei dialoghi di... Platone.

Ovvio dirlo, il Marotta rivive fino in fondo la ricchezza d'una tradizione fantastica e sentimentale che, sulle banchine e nei « bassi » di Napoli, non meno che nel sublime scenario dei Campi Flegrei, si testimonia, nei sembianti, negli sguardi, nelle parole, nel costume, come nei toni della luce e negli aspetti delle cose, con una forza di suggestione che a chi la intende fa traboccare il cuore. Nella coscienza dei piú miseri e ignari egli ha risuscitato, come da atavici ricordi, qualche immagine e senso della vita cosmica che si esprimeva nelle grandi figure mitologiche. Perché negli *Alunni del Sole* l'intonazione umoristica giuoca piú che altro in superficie, come è del resto in tutta la psicologia partenopea; e basterebbe ricordarsi il dovizioso amalgama di buffonesco e di senso delle realtà naturali ch'è, per esempio, nel *Pentamerone*.

Si vorrebbe poter citare, da capo a fondo, l'episodio in cui Giove si trasforma in nuvola per accostarsi alla fanciulla Io. Ma darò almeno qualche riga dalla nascita di Venere dal mare: « ... Si alza un'onda strana, piena, carnale, un'onda madre che slitta fabbricando e smerigliando Venere dentro di sé... L'onda fatale approda e si sminuzza. Dai merletti e dalle frange di schiuma sorge una figura stupenda, *sorge Venere che si sfila il mare di dosso come una camicia...* la spiaggia rabbrividisce; l'universo trema; l'Olimpo con tutti gli Dei affacciati per vedere, sembra una balconata di Toledo quando spuntano i carri di Piedigrotta ». Con immagini cosí prestigiose l'ex-bidello Sòrice fa il suo sortilegio; e noi l'ascoltiamo con non minor trasporto di quello con il quale l'ascoltano nel libro i buoni camorristi.

(1952)

I racconti di Giuseppe Marotta

Con grande brio e ricchezza di trovate, ne *Gli alunni del tempo*, Giuseppe Marotta ha combinato un genere di divertimento che, in qualche maniera, e forse anche per contrasto, può far ripensare a *Gli alunni del sole*: fra i libri di questo scrittore uno dei piú felici e famosi. Non si accompagna al ricordo, come del resto s'è già fatto implicitamente capire, nessun senso di derivazione o di ripetizione. Si tratta d'un germe, d'un seme, d'un embrione fantastico ch'è caduto ed ha rifiorito, con nuove tinte, su un terreno nuovo. Negli *Alunni del sole*, l'ex-bidello Sòrice illustrava figure e situazioni della mitologia greco-romana a un uditorio di piccoli bottegai, di artigiani, e di pregiudicati e camorristi d'estrazione varia, che interloquivano con i piú imprevedibili e sballati commenti. Negli *Alunni del tempo*, il vigile notturno don Vito Cacace (l'unico abitante in via del Pallonetto a Santa Lucia di Napoli, che compri e legga un giornale) spiega ai suoi vicini le novità quotidiane, allorché dopo desinare seggono un'ora tutti insieme sull'uscio di casa a far quattro chiacchiere. Insomma: negli *Alunni del sole*, è il regno delle idee immortali, sia pure cammuffate sotto alla scorza di mitologie corpulente, come quelle che possono attrarre mentalità cosí elementari. Negli *Alunni del tempo* è la fuggevole crona-

Totò vestito da « pazzariello » nel film *L'oro di Napoli* tratto dall'omonimo libro di Giuseppe Marotta e diretto da De Sica nel 1954. A destra: Giuseppe Marotta in un vicolo di Napoli, 1960.

ca, nella quale tuttavia si rispecchiano fatti meravigliosi, allarmanti, decisivi; da cui giorno per giorno, ora per ora, sotto ai nostri occhi, viene cambiando, fino a diventare quasi irriconoscibile, la faccia del mondo.

Come nell'invenzione dei motivi, Marotta è bravissimo e pronto a secondare gli inviti della fantasia nella scelta e caratterizzazione dei suoi personaggi. Fra i suoi nuovi alunni, il vigile notturno don Vito Cacace necessariamente primeggia. S'è detto che è il solo che legge il giornale, e che ai propri interlocutori può offrire inesauribili argomenti e novità intorno a cui discutere. Ma la sua rionale onnipotenza di vigile non lo fa mai diventare nelle dispute troppo autoritario e prevaricatore. Essa aggiunge, se mai, un innocuo sbaffo umoristico alla sua erudizione da terza elementare, rinforzata da qualche meditazione sulle rubriche scientifiche dei rotocalchi. Don Vito Cacace è un personaggio certamente azzeccato. E azzeccatissima è la figura del giovinetto Armanduccio Galeota, figlio di pescatori che, in conseguenza della poliomielite, non può camminare senza l'aiuto delle grucce. È un angiolo mutilato, che abbastanza presto, purtroppo, in quei bassifondi, finirà almeno un poco con l'incarognire. Frattanto

ha una sua grazia malinconica, lievemente beffarda, che nei colloqui al Pallonetto, si fa ogni tanto sentire con qualche uscita toccante.

Ma lasciando in disparte la severa e taciturna donna Brigida, moglie di don Vito Cacace, con don Fulvio Cardillo venditore ambulante e don Leopoldo Inzerra, mantenuto dalla moglie guantaia ecc., intorno ai quali, benché lo meriterebbero, non abbiamo tempo di soffermarci, la vera eroina del libro è una vedova: donna Giulia Capezzuto, ormai piuttosto anziana, ma ancora piacente, dignitosa come una marchesa ed ingenua come una bambina. I delitti piú incredibili che don Vito Cacace va scremando specialmente per lei sul giornale; gli amori, le ricchezze e i misteri dei privilegiati dalla sorte; le strepitose novità della scienza con i giovanotti che diventano ragazze e le ragazze che diventano giovanotti, e con quelle altre che acconsentono alla fecondazione artificiale; le meraviglie e i connessi pericoli delle conquiste atomiche, nella povera testa di donna Giulia Capezzuto fanno un carosello, un pandemonio, una confusione non meno eccitante che terrificante; dal fondo della quale tuttavia, spesso e volentieri, finisce con uscire il lucido giudizio, la lapidaria definizione dettata da un'istintiva saggezza di cui la buona donna, con tutta la sua ignoranza, la sua miseria e la sua vedovanza, non perde mai completamente il segreto.

Fra cento altre cose, il libro fa in tempo a registrare una conversazione intorno alla goffa bubbola di quella fine del mondo che, preannunciata per il 14 luglio, don Vito s'immagina e descrive come una specie di Piedigrotta funebre, e una baraonda piena di luci come la festa del Monacone o del Carmine. « Questo è il brutto, don Vito », lo interrompe seccamente donna Giulia. E attacca una splendida tirata: « Per carità, pensateci. Io voglio morire sola sola, riparata, nascosta. Voglio il prete, voglio i ceri, voglio qualche pianto. La morte in comitiva, affollata, mi disgusta. Mamma mia bella! Fareste l'amore, voi (scusate l'ardire), con centinaia di migliaia di persone intorno, che pure facessero l'amore? No, no, no. Questa Apocalisse del 14 luglio 1960 mi pare la stessa cosa,... mi riempie, non lo so, di una tale vergogna. Vi scongiuro fate ch'io muoia sottovoce, in punta di piedi, lasciando in eredità Napoli a tutti i napoletani vivi che ci stanno... Fino a che c'è vita, chi ha vissuto non muore. Un mio ritratto d'aria va e viene fra questi muri e fra questa gente. Armanduccio, vecchio, dirà a qualcuno: "Donna Giulia Capezzuto, una volta...". Fallo, Armanduccio, non te ne scordare... E non dare udienza all'Apocalisse. Dio non lo farà mai questo macello... Dio è testamento e continuazione! Se ci ammazzasse tutti, frantumerebbe la Santissima Trinità... perché quello è Padre, Figliuolo e Spirito Santo, finché sulla terra c'è il passato, c'è il presente e c'è l'avvenire... ».

Non sarebbe difficile mostrare in che modo qualcuno fra gli interlocutori di *Alunni del tempo*, con i suoi diretti interventi nel dialogo, e attraverso ciò che gli altri personaggi raccontano o fanno capire di lui, assume nel corso del libro una consistenza e struttura a tutto tondo, né piú né meno paragonabile a quella dei protagonisti d'un romanzo. Il lettore può divertirsi a delucidare e staccare per proprio conto i pezzi con i quali ricomporre un ritratto a piena figura e una storia completa di don Vito, della Capezzuto o di Armanducció. Ma per quello che mi riguarda, ritengo piú utile concludere su un punto che non mi stanco mai di toccare, ogni volta mi avvenga di scrivere del Marotta.

Per propria natura, ed anche per l'intenzione e il trasporto che ci mette, il Marotta è scrittore brillante, quasi direi mirabolante. Dalla pratica dialettale, com'è giusto, la sua prosa non tanto profitta e si arricchisce di vocaboli, quanto di vivacissimi scatti e movimenti sintattici. Ho tuttavia l'impressione che tanta vivacità e tanto movimento finiscano con l'indurre a una sua lettura eccessivamente svagata, e, in fondo, a una lettura fuori chiave. Marotta finisce col prendere soprattutto l'aria di un inventore di spiritosaggini a getto continuo, d'un instancabile *diseur de bons mots*. La gente l'aspetta al punto di arrivo, si allinea dove suppone che accada lo scoppio dei suoi petardi. E in confronto ho sempre dovuto notare quanto pochi sanno scoprire e godere la fitta trama d'immagini (e quali immagini) di cui la frase e il periodo del Marotta sono contesti.

Marotta va quasi sempre bene, a leggerlo come a ognuno gli pare. Ma va meglio e forse soltanto allora è davvero Marotta, leggendolo non dirò fra le righe, ma in trasparenza, cosí da dare il dovuto risalto anche a rapide sentenze, invocazioni, figure, a scorci paesistici, sentori di stagione, intercalati alle battute dei suoi colloqui, diverbi ed intrecci burleschi. Non lo faccio qui perché già lo feci altre volte, offrendo qualche concreta indicazione ed esemplificazione di questo vivificante pulviscolo lirico. Esso dà chiaroscuro e mistero alla pagina di Marotta; e *Gli alunni del tempo* mi sembrano uno dei libri che ne sono piú densi.

(1960)

Narratori: Pavese, Piovene, Brancati, Benedetti

Gli ultimi mesi hanno visto uscire una serie numerosa di romanzi e novelle. In gran parte d'autori nuovi; ed alcuni, di qualità notevolissima. Segno che, tralasciate le discussioni circa la superiorità d'una forma letteraria su un'altra, e le polemiche pro e contro la prosa d'arte o la prosa narrativa, quelli che realmente avevano qualche cosa da dire hanno preferito di mettersi all'opera. Ch'è il partito migliore.

Accennerò subito ad un breve romanzo, o racconto lungo, di Cesare Pavese: *Paesi tuoi*. Nella recente sfornata di pubblicazioni narrative, *Paesi tuoi* è una di quelle che hanno ottenuto maggior consenso. Piú esattamente, una di quelle che hanno davvero colpito, anche se con una certa crudezza. Il Pavese era noto per alcune coscienziose traduzioni di autori americani: prima fra tutte quella di *Moby Dick* del Melville, che fu una fatica veramente meritoria. In *Paesi tuoi*, egli ha preso due figure di giovinastri, che hanno avuto qualcosa da spartire con la giustizia. È il principio dell'estate; e i due lasciano Torino, dove la sorte è stata loro cosí poco benigna, e si mettono in cammino per la campagna. Uno d'essi è figliuolo di fittaiuoli; e alla casa paterna spera di trovar lavoro per sé e per il collega. Gli avvenimenti son raccontati da quest'ultimo, ch'è operaio meccanico, e nell'azienda di quei campagnuoli fa appunto andare una vecchia trebbiatrice. S'innamora di lui la sorella dell'amico. L'idillio, torbo e fugace, si svolge nel clima affocato della mietitura e della trebbiatura. In un tragico urto, provocato da un'insana gelosia, la fanciulla resta uccisa. E il romanzo si chiude sulla sua veglia funebre.

La novità e il pregio del libro non stanno nelle qualità costruttive, architettoniche. Anzi, a questo riguardo, si deve ammettere che la struttura è piuttosto scarsa, e il contrasto dei caratteri piú abbozzato che approfondito. E d'un'altra cosa va tenuto conto, e non cercar d'occultarla. Assiduo studioso e traduttore di letteratura americana, il Pavese non ha saputo dimenticare le proprie esperienze in quel campo culturale. Le quali esperienze, in taluni aspetti del racconto, s'avvertono anche piú del necessario. Per dirne una, il ricordo di *Uomini e topi* di Steinbeck, oltre che nella impostazione dei protagonisti, è presente in una quantità di situazioni ed episodi minori. Detto questo, ci affrettiamo a soggiungere che se, in *Paesi tuoi*, non fossero soprattutto che questi elementi derivativi, non ci saremmo neanche messi a parlarne. Ma c'è molto di piú.

L'esempio della letteratura americana ha spinto, o per lo meno incoraggiato, il Pavese a proporsi il problema d'una lingua che, in primo luogo, non fosse aulica e concettuale, e non scendesse al dialetto; ma fosse capace di aderire alla vissuta realtà e renderne i sapori piú intrinseci. Nella prosa narrativa italiana, da Manzoni e Nievo ai giorni nostri, questo problema si è continuamente ripresentato, ed è anche oggi di piena attualità. Il Pavese ha voluto affrontarlo con decisione. La qualità del prodotto stilistico che ne deriva è appunto ciò che piú vivamente tocca i lettori e piú interessa i critici, che si sono provati a cercare le ragioni le quali dànno un cosí aspro interesse a questa operetta.

Sono stati fatti discorsi lunghi e difficili. Chi ne ha detta una e chi un'altra. E chi ha anche tirato in ballo il famoso « monologo interiore »; che ormai sta diventando il serpente di mare della letteratura contemporanea: tutti ne parlano, tutti lo hanno visto, ma come sia fatto nessuno precisamente lo sa. Sforzandoci di mettere le cose nei termini piú semplici, mi pare che, press'a poco, si dovrebbe venire a constatazioni come le seguenti. Nel tentativo di rifarsi una lingua piú immediata e mordente, il Pavese non ha introdotto, o assai scarsamente, termini vernacoli, e di ciò gli va lode. Ha invece ricalcato la sintassi sulle forme parlate della sua provincia; in molti punti con belli effetti; in altri punti, con innegabili durezze e oscurità. Ma non fu qualche cosa di molto simile, il vecchio procedimento del Verga all'epoca della sua rinnovazione? Il Pavese ha preso lo slancio dall'America; si è fatto dell'America il suo trampolino. È stata un'occasione come un'altra; anzi, meno felice d'altre, perché l'ha indotto, come altri nostri scrittori giovani, a veri e propri imprestiti ed imitazioni. Egli ha fatto, figuratamente, il giro del mondo, per ritornare a casa sua. Quello che conta, è che il viaggio non è stato inutile. La distanza era piú che altro illusoria; ma ha servito ad accrescergli il senso del rischio e l'impegno dell'avventura. In ogni modo, un giorno sarà curioso constatare anche piú chiaramente (e non per il Pavese soltanto) che tutto, in sostanza, poteva ridursi a capir bene Verga, e profittare della sua lezione. Per gli atteggiamenti e gli sviluppi stilistici che interessavano al Pavese, ce n'era abbastanza.

Un altro libro, quanto mai diverso, ma ugualmente fortunato, è quello di Guido Piovene: *Lettere di una novizia*. Tanto il Pavese vuole esser rude, barbarico, tanto il Piovene è sottile e raffinato. Il Pavese è andato a cercarsi i suoi modelli nella primitività transoceanica; e il Piovene nella civiltà settecentesca ed illuminista, che creò il cosí detto « romanzo epistolare »; ma, assumendo questo modello, il Piovene ne ha subito smorzato il rigore, ne ha allentate le simmetrie. Le epistole nelle quali è raccontata la storia della sua novizia, non circolano fra un molto ristretto numero di corrispondenti, e non rappresentano un gioco serrato di mosse su una scacchiera ben delimitata; ma rispondono a combinazioni piú libere e intenti piú descrittivi, e per ciò, agli effetti di questa tecnica, meno stringenti. Nel vecchio « romanzo epistolare », un po' come nella tragedia classica, gli interlocutori appartenevano quasi sempre ad una classe superiore, erano tutti giocatori di rango; non vi erano fra essi personaggi di comodo, o che fanno soprattutto da tappezzeria. Avevano tutti un'omogenea dignità e responsabilità mentale e sociale. Mentre, fra le lettere del Piovene, ve ne sono a carattere subalterno e meramente informativo: lettere di servi e confidenti. Altre hanno una funzione lontanamente retrospettiva. La formula « romanzo epistolare », va, insomma, intesa piuttosto genericamente, per queste *Lettere*. Quando il romanzo comincia, i fatti, in gran parte, si sono già svolti, e da tempo, e le lettere ne intraprendono la ricostruzione e la interpretazione; mentre nei « romanzi epistolari » di vecchio stampo, le lettere erano esse stesse in funzione di avvenimenti materiali e determinanti.

Il libro è la storia e l'analisi d'una vocazione sbagliata: una storia pallida e intricatissima d'incomprensioni, riserve mentali e sofismi; dentro alla quale scoppiano e fanno macchia uno poi un altro omicidio, per mano della protagonista giovinetta. Dapprima l'omicidio, non si sa fino a che punto involontario, del fidanzato. Poi quello d'un servo, che doveva riportare la novizia in clausura. Il romanzo è un po' fuori del tempo; e fatti pur cosí enormi vi assumono quel tono attenuato, e direi quasi recitato, che hanno certi colpi di spada o di pistola nelle pagine, per esempio, di *Manon Lescaut*. Non tanto però che il lettore non avverta qualche cosa di simile a un'incongruenza o un'esagerazione.

Lo stesso si dica dell'uso che il Piovene fa del paesaggio: il paesaggio veneto, ch'egli ritrae con una grazia vaporosa d'acquarellista. Talvolta, questo paesaggio è chiamato a partecipare nella vicenda con la stessa determinatezza di un fatto materiale o di un pensiero morale. Viene adoprato come leva per rivoltare una situazione, per modificare le disposizioni d'una coscienza. Tenendo conto della qualità di episodi, fin cruenti, cui abbiamo accennato: tale intervento paesistico sembra non avere altro effetto che d'accrescere il senso di incongruenza detto prima, e conferire una tinta d'estetismo, dove pareva richiedersi un colore piú diretto e vibrato.

Queste riserve erano forse utili per caratterizzare un'opera straordinariamente curiosa e intelligente; della quale esse non infirmano il valore sostanziale. Nell'analisi dei sentimenti, il Piovene ha una penna agile e leggera. Nella invenzione delle situazioni, un gusto che cerca di far scusare la propria novità assumendo qualcosa di graziosamente antiquato. Non è, come il Pavese, alla sua prima prova di romanzo; ma, come il Pavese, ha già toccato un segno al quale molti veterani sarebbero contenti di arrivare.

Siciliani faceti e umoristi non credo ce ne sieno mai stati troppi. Umorista, per molteplici aspetti, fu Pirandello; ma sempre inclinato al tragico e perfino all'atroce. Con le generazioni piú giovani, la cosa sembra prendere una piega differente. D'un siciliano: Ercole Patti, è un felice libretto: *Quartieri alti*, di satire del costume borghese. E un altro siciliano: Vitaliano Brancati, ci dà una specie di romanzo: *Don Giovanni in Sicilia*, seguíto da cinque racconti, dove l'autore si esibisce in una varietà di maniere da lasciare un poco perplessi. In questa breve segnalazione, preferiamo restare intorno al *Don Giovanni*, che magari sarà un romanzo soltanto per modo di dire, ma è certo un libro riuscito, ed insieme al quale si passa un'ora d'allegria intelligente.

Il Brancati immagina una città cui ha messo nome Catania, che con la Catania effettiva non ha che un vago rapporto fantastico e umoresco. E descrive la vita di quei giovani « catanesi », in specie signori e benestanti: descrizione ch'è, piú esattamente, una trasposizione in istile di balletto o d'opera giocosa. Il rimanente della popolazione appena si scorge nello sfondo, all'ora del passeggio; o si affaccia in macchiette che subito scompaiono. Nel quadro campeggiano insomma i Don Giovanni e gli Adoni, assorti nella contemplazione d'inaccessibili bellezze. E il racconto, o romanzo, potrebbe meglio esser considerato un trattatello, di capricciosa invenzione, sulle costumanze e le mitologie erotiche dell'isola; un allegro saggio di psicologia e casistica sessuale; o, come avrebbero detto a metà dell'Ottocento, una fisiologia dell'amore siciliano. Cosí cambiano i tempi! Quarant'anni fa, in fatto d'amore siciliano, c'erano le coltellate, i ruggiti e i salti da tigre di Giovanni Grasso. Venne poi Musco con la sua risata ventriloqua da mimo alessandrino. Ed ora c'è l'elegante ironia di Brancati.

Non si creda, del resto, che il Brancati abbia addirittura inventato lo stampo di questa ironia, che in gran parte rientra in un tipo e in un tono i quali ebbero ed hanno assai impiego nella nostra letteratura giornalistica. Suo merito è di averla sviluppata sul piano narrativo, con un lavoro ingegnoso, in una scrittura esatta, a tocchi di fresco colore; d'averla diffusa di una sensualità piacevole e sana, e d'averla resa piú ghiotta con i condimenti d'un garbato scandalismo.

Un fatto e un intreccio vero e proprio nel *Don Giovanni in Sicilia* non ci sono; o sono quello che sa piú di appiccicato. Sulla metà del libro, il protagonista riesce a fissare e poi realizzare le proprie aspirazioni amorose: si fidanza con una bella ragazza e la sposa. Dopo il viaggio di nozze, vanno a stare a Milano, frequentano gente alla moda, salotti di pretesi intellettuali. Pur troppo, una tal vita, che di fondo all'isola sembrava cosí attraente, vedendola da vicino e praticandola, non offre loro che motivi di delusione. Tornano presto in Sicilia, con animo ben mutato da quello col quale erano partiti; e può immaginarsi che, a questo punto, quando precisamente il romanzo si chiude, il loro rapporto stia per diventare qualche cosa di vero, in un paese vero, in una vera realtà sentimentale e sociale, e non piú in un paese da opera buffa. Che potrebbe anche essere la morale di questo *Don Giovanni.*

Non si vuol negare al Brancati, ch'è giovanissimo, la possibilità di trasportarsi, nei successivi lavori, su quest'altro piano d'ispirazione, e di approfondire nuovi significati. Fatto sta che, nel *Don Giovanni*, tutto ciò sopraggiunge troppo tardi; dopo che l'ironia e l'umorismo hanno compiuto le loro brillanti e irreparabili devastazioni. Non è possibile, tutt'a un tratto, restituire un cuore, una volontà e una responsabilità, a personaggi ai quali s'era insegnato a farne benissimo a meno. O, in sede piú strettamente estetica, diremo che la piena riuscita d'un giuoco esige il piú assoluto rispetto dei limiti e delle convenzioni su cui il giuoco s'impernia. Sebbene occorra subito aggiungere e tener presente che, finché egli rispetta tali limiti, il Brancati, il suo giuoco, sa condurlo da maestro.

Anche Arrigo Benedetti lavora su un canovaccio di stame provinciale. Il Brancati, sulla amorosa commedia catanese; il Benedetti sulla commedia e il dramma, suburbano e villereccio, in terra di Lucchesía. Cotesto hanno a comune, e condividono con altri giovani una disposizione che li rende tanto dissimili dai vecchi veristi e naturalisti; i quali sembravano tenere a modello la campagna e la provincia, per derivarne, nei loro bozzetti e romanzi, spiriti piú gagliardi e ingenuamente poetici; mentre questi guardano alla provincia con occhio ammalizzito, senza la minima illusione di poter credere ed affidarsi alla sua innocenza, e alla primitività, sia pur relativa, dei suoi abitatori.

Un Benedetti, come un Bilenchi, come un Lisi, ciascuno alla propria maniera, sembrano dire: Certi creduti atteggiamenti d'una nuova sensibilità (che molti considerano un fiore di serra letteraria) non immaginatevi mica che non si producano anche nelle coscienze apparentemente piú chiuse e inarticolate. Sogni, mitologie e teologie, oscure germinazioni dell'inconscio, fermentano anche sotto pelli aduste e poveri panni; e con una vivacità e un potere d'allucinazione che la solitudine di quelle rozze coscienze forse non fa che rendere piú acuti. È un po' come la scoperta d'una « provincia » sotterranea. È il rovescio d'ombra e mistero che sta sotto ai colori dell'idillio. È il giovanile e faceto Strapaese, che diventa adulto e pensoso; conquistando cosí una nuova sincerità, che gli sarebbe mancata, qualora avesse preteso ostinarsi nei primi atteggiamenti muscolarmente polemici e caricaturali.

Non badiamo all'esigua quantità dell'opera finora consumata appunto da un Bilenchi, da un Lisi o da un Benedetti; ma badiamo alla serietà del tono, alla autenticità dei risultati, e alla fertile impostazione. Il nuovo libro del Benedetti si compone di sei novelle brevi e due lunghe: *La romanza* e *Misteri della città*, la quale ultima dà il titolo al volume. La lettura è agevolissima; d'una agevolezza da cui bisogna però stare attenti a non essere ingannati, perfino quando la pagina può avere un'aria di trascuraggine e faciloneria.

Ciò che soprattutto conta, nel Benedetti, è la giustezza e suggestività dei rapporti; una capacità di mettere spazio e atmosfera intorno a quelle sue figure tozze, lente, quasi imbarazzate, che fanno o dicono una cosa, credendo fermamente di non fare o dire che cotesta, ed invece ne lasciano intendere un'altra, magari lontanissima, che poi è l'unica necessaria e significativa. I gesti, gli avvenimenti, sembrano discontinui, a volte restano in tronco; ma si completano e accordano in una quarta dimensione, dentro alla quale ciascuna parola trova la sua vera risonanza, e ciascun racconto trova il suo equilibrio e la sua prospettiva.

Per ora, il Benedetti si trattiene su una tastiera di emozioni e sentimenti acerbi, per non dire acri; e ciò, forse, per una sorta di precauzione antirettorica. Tale precauzione non dovrebbe diventargli un'abitudine e un'esibizione, o sarebbe danno; quanto piú si sente ch'egli è ormai preparato a cimentarsi su una realtà intiera, cordiale, ch'è poi sempre la meglio atta a trasfigurarsi in poesia.

(1942)

«Prima che il gallo canti» di Cesare Pavese

Sotto il titolo: *Prima che il gallo canti*, Cesare Pavese raccoglie due lunghi racconti: *Il carcere*, scritto nel '38-39, e *La casa in collina*, scritto nel '47-48, che vengono a convalidare quanto s'era abbondantemente capito da *Paesi tuoi* e soprattutto da *Il compagno*. Per l'appunto questo: che il Pavese non soltanto è nel novero di quei nostri narratori che rasentano o da poco hanno passato la quarantina, e sui quali sono basate le nostre maggiori speranze. Ma che tali speranze con lui appaiono eventualmente meglio fidate che in mano altrui; sia, non occorre dirlo, per la ricchezza del dono naturale, sia per una costante e caratteristica serietà dell'impegno, per il coscienzioso rifuggire da arrivistiche arroganze e avventure, e per il laborioso ma solido affidamento dei mezzi espressivi. Il Pavese, insomma, procede senza fretta ma senza incertezze; e sembra ormai una profezia a buon mercato che di questo passo egli dovrà arrivare assai lontano.

Circa alla linea del suo sviluppo: da una lettera dello stesso Pavese (17 gennaio '49), risulta che *Il carcere* « non venne piú ritoccato dopo il 1938, se non nei nomi propri — per ragioni di discrezione... Lo scrissi cosí nel mio primo tentativo di uscire dal mondo di *Lavorare stanca*, e due mesi prima di buttarmi, stimolato dal *Postino* di Cain, a *Paesi tuoi* ». Al confronto, *Paesi tuoi* (1941), che qui non s'intende affatto di sottovalutare, era ingombrato da una quantità ancor ingente di residui formativi. L'influsso americano vi si denunciava, incrudito, in segni aspri, brillanti, ma un poco esteriori. Il dialogato non sapeva evitare sforzature e divincolamenti; e non avrebbe del resto stabilmente trovato la sua piena novità e verità fantastica se non nel *Compagno* (1947). Una analisi del *Carcere* da questo punto di vista stilistico prometterebbe risultati interessanti. Ma ci basti l'accenno; e veniamo a considerazioni meno retrospettive.

I due racconti di *Prima che il gallo canti*, sono evidentemente a fondo autobiografico. Il protagonista del *Carcere* fa un anno di confino in un paesetto costiero del Mezzogiorno: prigionia amaramente blanda, e visitata da rustiche immagini di donna. Elena, malmaritata, che si concede, corpo e anima, ma per la sua stessa bontà quasi maternamente gelosa, provoca nell'amante un senso latente di difesa e ribellione. L'altra, piú giovane: Concia, bislacca e proterva come una capra selvatica e che resta, in penombra, una figura di desiderio. Su e giú per il paese, giovinastri facoltosi, libidinosi ed oziosi; la guardia di finanza, il bonario maresciallo dei carabinieri, qualche accattone; in uno svolgersi di fatti monotoni e insignificanti, a parte il risalto che assumono nella solitudine morale del protagonista; e la sua crescente facoltà di leggervi dentro la vita segreta di cotesta gente cosí diversa da un « intellettuale » par suo, e dalla quale, come tutti da tutti, egli ha anche tanto, umanamente, da imparare.

Non che la narrazione, intendiamoci, arpeggi sopra le famose corde della santità degli umili, e della bontà degli ignoranti e dei cretini: staremmo freschi. Di tratto in tratto, negli anni, ritornano in ballo affettazioni simili: dal buon selvaggio di Rousseau alle virtú dei villani del Wordsworth eppoi del Pascoli; agli intenerimenti sociali del De Amicis o del D'Annunzio (*O giovinezza, ahimè, la tua corona*, ecc.); od a quando il vecchio De Bosis, sceso dal treno, cavandosi tanto di cappello davanti al macchinista che si stava lavando le mani nel bugliolo, di tutti lo proclamava il migliore, l'ottimo ed esemplare; quasi che sia una speciale investitura morale a fare il macchinista o il contadino, anziché il dentista o il pianista. Non so se in altri racconti del Pavese possa scorgersi qualche traccia di simili affettazioni. Ma, frattanto, i discorsi di politica, per esempio fra gli operai nella seconda parte del *Compagno*, non subiscono estrinseche accentuazioni, diciamo cosí, propagandistiche. Sono veri d'una verità mitologica, come nel suo farsi assume la storia in menti ingenue, fanciulle. E fu anche una delle prime volte dopo Verga che i braccianti italiani parlavano non come altrettanti redattori d'un locale foglio fusionista, ma come braccianti.

Cosí è, con un tratto sempre piú umano, in *Prima che il gallo canti.* Noi tutti abbiamo dovuto leggere, in questi anni, una quantità di confessioni, diari, esami di coscienza, memorie, di persone che in uno o nell'altro campo piú o meno primeggiarono nell'orribile storia recente. E credo che tutti siamo rimasti umiliati ed esasperati dall'intellettuale meschinità, generalmente parlando, di cotesti prodotti: dalla loro ipocrisia, e talvolta addirittura dalla loro viltà.

Ciò che piú colpiva era ed è la totale incapacità di distacco; il rifiuto di provarsi ad intendere la umana realtà e necessità dei moventi e delle azioni; la velenosa pervicacia degli odi, anche dopo lutti sí enormi. Nei racconti del Pavese, accampati dentro a questa medesima storia, quale profonda consolazione dalla calma apertura di mente, dall'affettuosa chiarezza delle ragioni morali; e senza il minimo sentimentalismo e la minima eloquenza, dalla grande capacità di compatimento. Per quanto tutto ciò sia in stretta dipendenza dalla bellezza artistica, sembra uno di quei casi, purtroppo sempre piú rari, in cui s'era cercato uno scrittore, un artista, e si è trovato anche e soprattutto un uomo.

La casa in collina è d'ambiente piemontese, tra la caduta del regime e le prime stagioni partigiane. E il raffronto con il *Compagno* può mettere in luce quanto il Pavese abbia acquistato in trasparenza di tocco, e con l'abbandono di certe deformazioni un po' cariche. Due fra le piú spiccate figure del *Compagno*: il macchiettista da caffè-concerto, e la padrona dell'officina di biciclette, a Roma passato ponte Milvio: quando uno dopo ci ripensava, nella loro straordinaria evidenza, accusavano, non dirò qualcosa di voluto, niente affatto, ma come una lievissima ridondanza di « artisterie ». Nel libro odierno, il cresciuto dono di simpatia umana rende superflue queste vaghezze, queste piccole teatralità espressive; e l'insieme ne guadagna di verità e di cordiale austerità.

Ma allo stesso tempo, sopra un piano piú largo, una cosa viene da chiedersi. La capacità del Pavese a saturare di significati qualsiasi scorcio e frammento di realtà, ormai quasi senza bisogno di atteggiare questa realtà nelle prospettive e fra i chiaroscuri di un intreccio, non potrebbe finire a poco a poco con l'indurlo ad una disposizione genialmente dispersiva; come quella alla quale, per esempio, Sherwood Anderson, con gli anni, andò sempre piú cedendo? Nell'equilibrio presente non potrebbe nascondersi un pericolo di questo genere? Splendido pericolo, che non ha nulla a che vedere con i compromessi commerciali e con la fabbricazione a un tanto il metro, da cui altri si lasciano sedurre; ma contro il quale tuttavia ci farebbe piacere a poter fino ad ora considerare il Pavese completamente assicurato.

(1949)

1. Cesare Pavese, il secondo da sinistra, al confino di Brancaleone Calabro nel 1935.
2. Lo scrittore a Cervinia con Constance Dawling. 3. Pavese nel 1950, qualche tempo prima di lasciare la vita.
4. Pagina di una lettera scritta da Pavese nel periodo del confino.

l'incenso al Padre Eterno che
evidentemente profitta del
fatto di [illegible]
essere un puro spirito [illegible]
[illegible]
[illegible]
malcontento s'infischia se uno
medita di [illegible]
il filone della schiena
[illegible]
[illegible] ho notato che le scrofe
viste di dietro hanno una somiglianza impressionante con
la [illegible] vista di dietro
in genere
delle signorine — [illegible] tacco alto
[illegible] nervoso, vivace
[illegible] sculettamento
[illegible] di condurmene una
a letto. [illegible] ma non lo faccio perchè la carne
di maiale [è] un afrodisiaco.
[illegible]

«La bella estate» di Cesare Pavese

Con viva soddisfazione, a cosí poca distanza da *Prima che il gallo canti*, si leggono tre nuovi romanzi brevi, che Cesare Pavese ha raccolto sotto il titolo del primo: *La bella estate*. Tre romanzi che furono composti fra il 1940 e il 1949, e riprendono e sviluppano, con arte cresciuta, il piglio narrativo della *Casa in collina*, all'incirca dello stesso periodo; e che nel precedente volume annunciava un fare piú libero e arioso, una maggiore indipendenza dai legami descrittivi, e una virtú dialogica che, specialmente nel secondo e terzo di questi ultimi romanzi, tocca addirittura la perfezione.

Per ciò che riguarda la materia narrata: *La bella estate* è una storia di modelle da pittori e commesse di negozio, negli studi e nelle soffitte della « bohème » torinese. Nel secondo romanzo: *Il diavolo sulle colline*, un laureando porta due amici a passare alla buona qualche settimana in provincia, nella casa paterna; ma poi si lasciano sedurre dall'invito d'un conoscente, ricco, debosciato e malato, che sta con la moglie in una villa solitaria da quelle parti; e lí fra l'ozio, il grammofono e i liquori, il marito ha un trabocco di sangue mentre la donna s'incapriccia d'uno di quei ragazzi. Infine, nel terzo romanzo: *Tra donne sole*, una giovane torinese che ha lavorato alcuni anni presso una grande sartoria romana, viene rimandata a Torino per impiantarvi una succursale; riannoda amicizie, ne fa delle nuove, nel giro della borghesia danarosa e spregiudicata; e l'arredamento della succursale va di pari passo con la vicenda del suicidio prima tentato eppoi compiuto d'una di queste giovani borghesi, Rosetta.

Si sarà almeno inteso, da questi cenni, che ancora una volta il Pavese scava nell'ambiente ch'è suo naturale: quello di Torino e del Piemonte; ed al solito senza restar chiuso nel documentario e nel colore locale. La intelaiatura dei tre romanzi è leggerissima, ed anche se improvvisamente si trova a dover reggere situazioni assai intense, non si irrigidisce, né tira sforzatamente sulle causali. Negli ultimi due romanzi, si procede per brevi e uniformi capitoli, ciascuno sulle quattro pagine, rifacendo continuamente capo a nuove situazioni; ma cosí armoniche e d'incastro cosí preciso, che la narrazione non ci rimette un minimo di naturalezza, mentre guadagna a usura nel ritmo.

Nella presentazione delle figure, nessuna insistenza; e si sa del resto quanto il dipingere e il misurare (il famoso: « era alto sei piedi e due pollici », ecc.) poco profittino in letteratura. Per qualche ritratto portentoso, come quello di suor Gertrude dietro alla grata, o di madama Arnoux col suo scialle, quante pagine sfocate o deserte. I personaggi del Pavese si realizzano nel reciproco rapporto creato dalla loro conversazione; trovano rilievo e prospettiva soprattutto nella conversazione. Una conversazione che si tinge d'intellettualismo (con le solite formule freudiane da orecchianti; o con il gergo della critica figurativa, in bocca a estetucci come Lori e Febo di *Tra donne sole*), ma soltanto dove essa vuol riuscire ironica e caricaturale; e per tutto il resto ha il tono e il decorso piú facile e immediato: senza ormai tracce di americanismi, senza oscurità provinciali, senza sforzature di ritmo e senza sentenziosità moralistiche: la piú bella, vera ed umana conversazione, ripetiamo pure, che possa incontrarsi nella nostra prosa narrativa d'oggi.

E non vorrei aggravare di codicilli troppo empirici queste semplici constatazioni. Ma a volte non so trattenermi dal pensare che, da un diverso fondo etnico, il Pavese probabilmente non avrebbe mai svolta e raffinata un'arte del colloquio siffatta. In Toscana, per fare un esempio, non direi che la gente abbia sempre voglia di prendersi cosí alla lettera, e che stia ad ascoltarsi e rispondersi con cotesta tolleranza e umanità. Le intelligenze sono piú irrequiete, ed il loro incrocio ed urto piú secco. Con la distruttiva spiritosità vernacola, e sul filo della puntigliosa logica toscana, la conversazione arriva presto ai ferri corti. Fra gli interlocutori di Pavese corre invece un'intesa, un'amicizia agiata, senza sentimentalismi; è sottintesa una confidenzialità discreta e piena di buona fede, anche se ostenta per civetteria montanare bruschezze e scontrosità. Direi ch'è in essi l'istinto e la pratica d'una maggiore socialità, d'un civile rapporto piú connaturato e comprensivo. Sarà, in tutto ciò, da riconoscere qualche residuo d'una casalinga eredità d'educazione francese? O senza bisogno di scomodare la critica marxista, si potrà chiedersi anche se, in tutto ciò, non si riflettano tradizioni di vita e costume maturatesi in quei grandi agglomerati del lavoro industriale; e se magari non vi abbia parte altresí un cameratismo sportivo legato all'ambiente industriale e nordico?

Il Pavese tratta con esemplare imparzialità e discrezione i suoi personaggi, anche piú esosi. Non li fa servire a scopi dimostrativi; non li adopera come cavie. E quando pure (*Tra donne sole*) è costretto a cacciare le mani in quel nido di viscide serpicine che sono le amiche di Rosetta, le quali con sottile sadismo riattizzano in lei l'estro del suicidio, si guarda bene da isolare e sottolineare il senso dell'orrore morale. Lo tiene versato, emulsionato nei fatti. A parte che, in realtà, si tratta di orrori quasi senza coscienza, decapitati, e che non hanno voce. Clelia, protagonista di questo ultimo romanzo: la sarta che ha lavorato a Roma, ed ora sta mettendo succursale a Torino, in un certo modo rappresenta l'unico punto, o almeno l'unico barlume, di consapevolezza, nell'aggrovigliata matassa delle intenzioni, degli atti, delle parole e delle demenze di quelle creature sentimentalmente e moralmente paralitiche che brancolano intorno a lei. Ma è ovvio che il Pavese sta ben guardingo a non fare di essa, involontariamente, qualcosa come un *exemplum*, un paradigma, o diciamo pure una specie di professora.

Stanca, stonata, irritata, fra tutti quei merli, quei malati e quelle maschere senza saperlo, da ultimo Clelia ha bisogno di tirar fiato un istante, di toccare terra; e una sera che proprio non ne può piú, va a letto con il giovane operaio Becuccio, che l'ha assistita nell'arredamento della succursale. Da donna che ormai sa il fatto suo, lo fa senza slanci di sentimento, per pura simpatia fisica, forse riattirata dalle proprie origini popolane; o come se facesse una gita al mare o in montagna. E Becuccio è riuscito nel racconto cosí simpatico, che nessuno si sente di volergliene per questa improvvisa quanto passeggera buona fortuna.

Può darsi se mai che, per un momento, uno tema di vedere assumere da Becuccio una funzione emblematica: l'onesto, vigoroso proletario che dà la famosa spallata a un mondo marcio. O una funzione di solvente pànico: di reagente che scioglie contrasti e patemi nella felicità dell'istinto: un po' (per spiegarmi) come sulla fine della *Contemplazione* l'immagine della cagna che allatta. Ma sarebbe davvero un disconoscere il senso di misura e la leggerezza di tocco del Pavese. L'incontro d'amore fra Clelia e Becuccio scavalca vittoriosamente qualsiasi interpretazione pericolosa. E costituisce nel libro una delle pagine piú schiette.

(1950)

Il Diario di Pavese

Intorno al taccuino segreto di Cesare Pavese, uscito ora col titolo, indicato dallo scrittore: *Il mestiere di vivere*; *Diario 1935-1950*, non si pretende, in breve spazio e a troppo poca distanza dalla lettura, di saper dare che qualche sommaria impressione. Opere e documenti di cotesto genere, per la loro natura estremamente frammentaria, richieggono un discorso il piú possibile analitico e circostanziato. Il corso della vita anche piú semplice comporta una quantità di meandri e andirivieni. E per voler sintetizzarlo e comporlo in un'immagine coerente e di forte risalto, si può finire col lasciare nell'ombra situazioni e significati in apparenza laterali, e che invece sono di primaria importanza. Per non dire altro: si ricorderà come, della drammatica fine di Pavese, circolassero le piú recise e diverse interpretazioni. E chi voleva spiegarla con la delusione politica, e chi con la delusione amorosa. Fra il sí e il no, fra il pro e il contro, fra l'ingenuo compianto delle anime sensibili e le insinuazioni di quelli che la sapevano lunga, ne nacque un sussurro, un pettegolezzo, che è da augurare non abbia a ripetersi ora alla pubblicazione del *Diario*.

Gli ordinatori del quale ci avvertono di non essere intervenuti che con pochi tagli, dove il testo assumeva un tono eccessivamente intimo, e dove si trattava di private questioni con persone viventi. Non c'è da dubitare affatto di coteste assicurazioni. E parrebbe dunque di dover concludere, ad una prima lettura, che fra le supposte causali del suicidio, quella delle difficoltà e degli scrupoli politici, è una che si scorge meno delle altre. Meglio che a precisa memoria d'avvenimenti, persone, sensazioni, ecc., il *Diario* sembra aver servito al Pavese come una sorta di brogliaccio d'idee, specialmente letterarie e critiche, che a volta a volta egli riesamina, corregge, e cerca di formulare con maggiore approssimazione di verità. Dato che il *Diario* è da considerarsi almeno relativamente integro, non si vede come le difficoltà e delusioni morali e politiche, che avrebbero dovuto prestarvisi a lunghe meditazioni, non vi abbiano avuto un riflesso infinitamente piú spiccato.

Tutt'altra cosa è rispetto al motivo della delusione amorosa. All'epoca della morte, nell'agosto 1950, lo scrittore, sia sentimentalmente sia fisicamente, è all'estremo d'una crisi di cui non si delineano con chiarezza le origini e gli sviluppi (e del resto importerebbero poco); ma che fuori del minimo dubbio s'impernia su un nome e una figura di donna. Al medesimo tempo il Pavese, sebbene con apparente scontrosità, si mostra coscientissimo del proprio successo letterario; e altrettanto competente, da un punto di vista tecnico, a valutare i suoi risultati. Dirò anzi, e non è un rilievo inatteso, che nel suo complesso il *Diario* ce lo conferma come uno dei piú lucidi e sottili artisti-critici, non soltanto della sua generazione. Della propria ed altrui letteratura s'intende sul serio. A quell'epoca, ha ogni sorta di ragioni, personali e sociali (« Ho lavorato, ho dato poesia agli uomini, ho condiviso le pene di molti »), d'essere soddisfatto di sé. E nel *Diario* lo riconosce, magari temperando il suo orgoglio d'una sfumatura ironica: « Nel mio mestiere dunque sono re ». Il che non toglie che, il giorno appresso (18 agosto 1950), sulla pagina, la decisione del suicidio si ripresenti piú scoperta che mai: « Basta un po' di coraggio... Sembrava facile a pensarci. Eppure donnette l'hanno fatto... » « Non parole. Un gesto. Non scriverò piú », ch'è l'ultima frase del *Diario*: e il 27 agosto Pavese era morto.

Morto, insomma, come suol dirsi, « per dispiaceri amorosi »; morto « per una donna? » Per questa C., misteriosa e non misteriosa, ch'è partita, ch'è andata lontano, di là dal mare? Ma il Pavese stesso, qualche mese prima, e già in pieno affanno, ha annotato: « Non ci si uccide per amore d'*una* donna. Ci si uccide perché un amore, qualunque amore, ci rivela nella nostra nudità, miseria, inermità, nulla ». E la verità, né c'è lettore distratto che non la vedrà sinistramente lampeggiare a ogni riga: la verità è che l'idea del suicidio, la vocazione del nulla, era presente in qualsiasi attimo di questi quindici anni di *Diario*.

In un certo senso, Pavese visse tutto il tempo nella ipotesi, nella preparazione del proprio suicidio: direi, nella sanguigna trasparenza del proprio suicidio. Ripetutamente, nel corso del *Diario*, agli incontri piú impegnativi con una donna o con l'altra, si osserva un inacerbirsi di tale vocazione del nulla. Allora Pavese s'ingegna di ostentare, perfino brutalmente, una misoginia, in realtà cucina col filo bianco; la quale non è che il rovescio piuttosto ingenuo d'un fondamentale e costante erotismo autodistruttivo. Le particolari occasioni, le determinate persone, non c'entrano, non hanno importanza. Il processo è quasi automatico. E a questo punto, potremmo anche abbandonare l'autore e il *Diario* in mano ai freudiani e consimili, che, avranno pane per i loro denti, e non si faranno pregare due volte.

Ma c'è una parte, per fortuna assai ampia, dove il *Diario* risolutamente trascende una materia cosí tetra ed informe. Ed è la parte, come già si accennava, di riflessioni letterarie, interpretazioni e giudizi; di osservazioni del Pavese sulla formazione e la natura del proprio stile narrativo, ecc., ecc. Da essa sarebbe facile estrarre ed organizzare un volumetto, un « breviario », di considerazioni estetiche fra le piú acute ed esatte che da noi si siano avute da un pezzo. Vi si chiarisce il laborioso concentrarsi di quell'idea del « mito » che, enunciata nei *Dialoghi con Leucò*, trova la sua artistica pienezza nell'ultima opera del Pavese: *La luna e i falò*. Su cotesta parte di varia « umanità », di gran lunga superiore ad una recente raccolta postuma, piuttosto eterogenea, come *La letteratura americana e altri saggi*: su cotesta parte, concentri soprattutto la sua attenzione, il lettore del *Diario*; e l'ingegno del Pavese, ancora una volta, gli si mostrerà in taluni dei suoi aspetti piú fecondi.

(1952)

I racconti giovanili di Pavese

È stato pubblicato, col titolo: *Notte di festa* un gruppo di dieci racconti inediti di Cesare Pavese, che trovati manoscritti fra le sue carte, recano date di composizione fra il 1936 e il 1938; e sono dunque antecedenti a romanzi brevi come il bellissimo *Carcere*, compiuto nell'aprile del 1939, e *Paesi tuoi*, di cotesta stessa annata, ed in cui più si avverte un certo influsso della narrativa americana. Prima dei racconti ora apparsi in *Notte di festa*, il Pavese aveva dato un libro di versi. Ma non c'è nulla di male a riconoscere che tutte le poesie di Pavese, incluse quelle che leggemmo postume, hanno un significato soltanto marginale. I racconti di *Notte di festa* debbono insomma considerarsi come il primo, vero risultato artistico da lui conseguito. E alcuni di essi: *Le tre ragazze*, *Notte di festa*, *Il campo di grano*, *Carogne* (nel quale, come poi in *Carcere*, sono ricordi della sua esperienza di confinato politico in Calabria), per sicurezza d'intuito dei caratteri e delle situazioni, se non ancora in tutto per compiutezza di stile, stanno sulla linea della sua produzione migliore.

È già, in questi racconti, la continuità e pienezza di umana vibrazione che, nell'opera del Pavese, verrà facendosi sempre piú intima e tersa; e in virtú della quale il suo linguaggio, senza mai esaltarsi e prendere un'aria poetizzata, si satura di valori lirici, che poi non sono altro che l'accento della partecipazione in una piú profonda verità. Sarà sempre mirabile che un esordiente avesse potuto disimpegnarsi con tanta lucidezza in un partito di contrappunto sommesso e complicato come quello di *Tre ragazze*; mentre in *Carogne* la scena amorosa fra Concia e Rocco, scappato dal carcere col proposito di uccidere la donna che l'ha tradito, ha, nel dialogo non meno che nell'azione, un rilievo e una rapidità degni d'un maestro.

O si vegga, sempre in questo racconto: *Carogne*, la pittura dell'interno della prigione, con quella infernale promiscuità; e con la compassionevole figura del prete in borghese, ch'è lí per poche ore in sosta di transito verso la sua destinazione di confino; e sull'atto che i carabinieri della scorta, all'ora della partenza, vengono a pigliarlo per rimettersi in viaggio, porge i polsi alle manette come un *Christus patiens*. In *Notte di festa*, è tutt'altro carattere di sacerdote: il superiore d'un ospizio di trovatelli ed orfani di campagna: imperioso, violento, e ciò malgrado con una sua brutale saggezza, e a modo suo, si direbbe quasi bontà.

Personaggi cosí numerosi e variati, si paragonino a quelli d'altri nostri scrittori di romanzi e novelle, e si sentirà subito un'aria differente. Non si tratta soltanto che Pavese si applica ad animare e colorire le sue figure con una pazienza infinita, e un'affettuosità come s'è detto inesauribile; pur senza mai scivolare in romanticherie e sentimentalismi; tanto è vero che, a lettori superficiali o frettolosi, il suo costante rifiuto di qualsiasi effetto eloquente, fa un'impressione di vera e propria freddezza e aridità. Si tratta che, dell'esperienza umana e sociale di cui egli si serve per il proprio lavoro, il Pavese ha un possesso addirittura eccezionale, lentamente vissuto, maturato in ogni parte. Onde non è mai costretto a ricorrere a soluzioni di maniera, e non va mai nel generico, nell'approssimativo.

Il suburbio dove la vita della provincia trova quotidianamente la sua saldatura provvisoria con la vita della città; l'accostarsi e adattarsi del ceto rustico alle professioni industriali; la ragazzotta inurbata che diventa serva, operaia, commessa, « maschietta », e lascia le prime penne nei ballonzoli rionali; il logorarsi della borghesia campagnuola nelle mutate condizioni economiche e politiche: nessuno li ha interpretati come lui, con una competenza cosí stratificata, con una visione cosí complessa e tranquilla, senza escandescenze polemiche. Veramente egli sa di che cosa parla; e per dare autorità al suo discorso, non si crede in obbligo di sermoneggiare, di fare la faccia severa; allo stesso modo che non si dilunga in minuzie ed oziosità di descrizione, in inventari veristici: in un documentarismo ch'è poi quel solito, zoliano, rinfrescato come usa oggi con lo spizzico di qualche banale procedimento cinematografico. È sufficiente, del resto, riferirsi alla qualità creativa e tutta interiore del dialogo dei suoi personaggi; che non è mai un dialogo di imitazione vernacola, nel quale alcuni fantocci, di natura completamente gratuita, alla peggio rifacciano il verso a operai e contadini con i quali non hanno nulla a che vedere.

Riconosciamo cosí, ancora una volta, che della sua generazione, Pavese fu tra gli spiriti non solo artisticamente piú dotati, ma nell'insieme di tutte le facoltà, intellettualmente e moralmente piú esemplari. Il libro odierno lo conferma. Racconti di un tal merito, dall'autore furono lasciati dormire manoscritti, in fondo a un cassetto, per quasi un ventennio. Considerando il ritmo con il quale oggidí si produce e si pubblica, e tanto piú che il Pavese aveva a propria disposizione una potente casa editrice: è la riprova piú concreta del disinteresse, dello scrupolo dello scrittore, e della sua profonda moralità.

A precoci e robusti risultati come i racconti di *Notte di festa*, il Pavese era pervenuto, innanzi tutto, è superfluo dirlo, per i suoi doni naturali; ma in aggiunta a cotesti, per virtú del suo illuminato ed assiduo tirocinio umanistico. Né in altra maniera potrebbero definirsi la sua volontà culturale, l'ampiezza delle letture, antiche e moderne e l'inesauribile bisogno di rendersi conto criticamente, di cui sono testimoni tante pagine del *Diario*. Soprattutto, non potrebbe altrimenti definirsi la sua enorme operosità di traduttore; esercitata su autori che particolarmente lo appassionavano, e il problema del cui linguaggio era talvolta assai prossimo a quello che egli s'era proposto di risolvere, come infatti gli avvenne, con la invenzione del linguaggio suo.

Senza voler sottolineare oltre misura il loro influsso: Sherwood Anderson, Melville, Defoe, Dickens, Gertrude Stein, ecc., dei quali egli tradusse numerosi volumi; ed altri scrittori alle cui versioni, eseguite da diversi, egli prestò dotte e pazienti fatiche di revisore: con uno scolaro della sua forza, non potevano non dimostrarsi i grandi maestri di prosa che sono. Alla drammatica esperienza di vita sentimentale che si riflette nel *Diario*, e all'esperienza sociale e politica in cui interamente egli pagò di persona, fu insomma accompagnato sempre un lavorio filologico e critico, dal quale ogni piú fuggevole segno della sua penna, non importa in qualsiasi materia, deriva una caratteristica impronta d'intellettuale responsabilità e dignità. Per lo stesso motivo, nella sua arte, il sentimento d'umana partecipazione è di un cristallo talmente puro; e si distingue e separa in modo cosí reciso dagli atteggiamenti e dalla comune pratica realistica e neorealistica.

Col progresso del lavoro, in Pavese, il bisogno di bellezza ritmica e verbale si fa sempre piú intenso. Si notò già come, nei tre grandi racconti della *Bella estate*, che stanno fra le sue prove piú alte, la tendenza ad una formazione per brevissime scene regolari ai capitoli staccati, risponda alla necessità interiore d'una accentuata scansione ritmica; senza che la continuità narrativa perda evidenza e coerenza, mentre piú acquista d'intima musicalità.

E tutto, ormai, anche ogni piú labile occasione, a un leggerissimo tocco, può trasformarsi in racconto; da far pensare ad una disposizione non dissimile a quella, riccamente trasfigurativa (benché in un certo senso anche dispersiva), alla quale nel corso degli anni, Sherwood Anderson andò piú concedendo; come si vide in componimenti inediti del suo ultimo periodo, pubblicati nello *Sherwood Anderson Reader*, 1947.

Ma per ciò che riguarda il Pavese, la solidità di struttura del racconto, non apparve, come s'è detto, mai compromessa. Altrettanto sembrarono fuori luogo gli allarmi di taluno circa i pericoli d'un presunto « estetismo », nel Pavese ultimo; a non considerare come l'odio istintivo per la proprietà e bellezza della scrittura, ed in genere per la nobiltà dell'arte ed ogni disposizione umanistica, autorizzi certi critici ai piú sballati sospetti.

In realtà, dal principio alla fine della breve ma cosí feconda carriera, fu in lui continua conquista, integrazione e perfezionamento. La passione, andatagli sempre crescendo, per gli studi di mitologia ed etnologia, tutt'altro che estranei al suo ideale della creazione « d'un linguaggio che tanto si identificasse alle cose, da abbattere ogni barriera tra il comune lettore e la realtà simbolica e mitica piú vertiginosa »: cotesta passione, probabilmente nata, come nella maggior parte dei suoi coetanei, sotto il segno di Jung e di Freud, e cioè su una base fisiologica e psicopatica, s'era poi chiarita e naturalizzata, aveva trovato la sua tradizione, orientandosi verso i miti mediterranei, sotto il segno di Vico.

Vuol concludersi che il valore dei giovanili racconti ora scoperti, non dovrà indurre (come purtroppo sembra ci sia qualche tendenza) a ritenere che piú tardi il Pavese ebbe deviazioni e complicazioni, che in un certo senso lo diminuirono come artista, allontanandolo dalla originaria concretezza e spontaneità. Figlio di un'età difficile, egli ne condivise tutte le responsabilità ed i patemi; ma il suo ingegno ne trasse costante incremento, anche se a un prezzo di dolore infinito.

(1953)

Un nipotino di Aristofane

Del *Bell'Antonio* cominciamo col dire che Vitaliano Brancati gagliardamente vi ritrova un gusto e un movimento i quali sembravano essergli scappati un poco di mano dopo il *Don Giovanni in Sicilia*, che fino a ieri, della sua arte di narratore, era rimasto la prova piú generosa. In verità i tempi non erano allegri, allorché uscí il *Don Giovanni*. Ma non molto dopo quell'epoca, diventarono addirittura calamitosi. Brancati, non appena possibile, cercò di riprendere il vento della letteratura nella sua vela. In bozzetti, racconti, composizioni teatrali, si trovò a poco a poco portato nella corrente della satira politica. Ed ecco il *Vecchio con gli stivali*, ecco la commedia: *Raffaele*; che in cotesto genere non mancarono certo di distinguersi fra la produzione circostante. Con la qual cosa, tuttavia, non si dice gran che; se tale produzione, generalmente parlando, da noi e non soltanto da noi, doveva riuscire finora quello che purtroppo è riuscita. Per un uomo di talento come Brancati, costituiva una ben magra vittoria non essere andato intieramente confuso e travolto in siffatta competizione.

Fu l'aspettativa e il forte desiderio ch'era nel pubblico, di godersi, dopo tanta compressione, un po' di divertimento satirico. E fu anche il pressapochismo ed un certo servilismo dei critici, nel volere intonare in fretta e furia l'« habemus pontificem ». Brancati ne venne appunto sospinto fino a *Raffaele* che, a nostra opinione, rappresenta il suo limite deteriore: al margine e nel tono di una commedia dialettale che poi non accede neanche al dialetto. Rituffata nelle linfe vernacole, sul palcoscenico d'una compagnia alla De Filippo, la commedia: *Raffaele* probabilmente farebbe la sua figura. Come la leggiamo, malgrado qualche episodio piú scoppiettante, non propone nuove idee umoristiche, né ci tocca con tratti di vera umanità. Può darsi che Brancati, nel seguito, riesca a maturare questa materia sociale e politica. Oggi come oggi, quando egli l'adopera cosí per sé stessa, senza altri ingredienti, essa gli risulta piuttosto arida, letterale, « primaire ». E meglio assai la vedremo servirgli combinata abilmente con i temi piú sentiti e caratteristici della sua arte: ch'è proprio quello che avviene nel *Bell'Antonio*.

Nel quale il Brancati ha ripreso i motivi erotici su cui nel *Don Giovanni* aveva giocato con tanto brio. Anche questa volta siamo a Catania. Anche questa volta la città e l'isola, nel forte profumo della zàgara, sembrano apparecchiate ad una perenne festa d'amore. Giova al Brancati ritagliare i suoi intrecci nel tessuto d'un'emozione collettiva. Gli giova imprestare situazioni come all'incirca potrebbero essere in una opera buffa; dove i caratteri e le loro relazioni fin da principio appaiono pienamente carichi dei propri significati, in perfetta comunicazione reciproca, in una intesa completa fra loro stessi ed il pubblico; e piú che altro si tratta di orchestrarli e guidarli con arte.

Non sfuggirà a nessuno il grande progresso che, nei confronti del *Don Giovanni*, il Brancati ha appunto compiuto in fatto di orchestrazione. Si potrebbe forse anche temere che l'assoluta padronanza dei propri strumenti, una straordinaria versatilità di invenzioni ritmiche e verbali, abbiano dovuto talvolta lusingarlo ad uno sfoggio di contrappunti e sviluppi fin troppo nutrito. Nei contrasti fra il babbo ed il suocero di Antonio Magnano, quando la bella Barbara risulta malmaritata; nella baruffa teologica fra il babbo d'Antonio e Padre Rosario; nei lunghi dialoghi e nelle isteriche confidenze di Antonio con lo zio Ermenegildo: questa gioia contrappuntistica, in un continuo sforzo di sormontarsi e piú salire, sembra a momenti diventata quasi fine a sé stessa. Colpa felice, frattanto; in una stagione d'arte generalmente cosí povera e tirata via. Felice incontentabilità, d'uno scrittore che sa il fatto suo, fra tanti abborraccioni e incompetenti.

Il *Bell'Antonio* è stato assai letto, ed appena occorre accennare al suo argomento. Circondato dalla fama di conquistatore irresistibile (la qual fama si accrebbe dal fascino della distanza, al tempo ch'egli si trovava nella Roma d'anteguerra, a cercare di farsi strada, aiutandosi anche un pochino con la politica), il bell'Antonio effettivamente soffre di strane irregolarità e capricciose intermittenze funzionali. Ha praticato l'amore quanto era necessario a persuadersi che

Un fotogramma del film *Il bell'Antonio*, tratto dall'omonimo romanzo di Brancati.

non c'è al mondo migliore occupazione di cotesta. Ma quando torna a Catania, e s'entusiasma e perde la testa per la bellissima e castissima Barbara Puglisi, e in men che si dice se l'è bell'è sposata: le sue irregolarità, forse anche per l'eccesso d'amore, diventano definitive inibizioni; e dopo tre anni il matrimonio è ancora incompiuto.

La notizia dapprima trapela nei parentadi interessati, poi fra i conoscenti e serpeggia in città. Se ne fa una questione d'onore, la questione si complica di cavilli giuridici e patrimoniali; si esalta in un problema teologico, non sfugge ai riflessi elettorali e politici. Diventa insomma il gran tema d'un'opera buffa; prevalentemente, come richiede la sua sonorità maligna e grottesca, trattato da strumenti chiocci, beffardi, sornioni: oboe, corni, fagotti, contrabbassi. Non starò a ripetere, ancora una volta, quale direttore d'orchestra sia riuscito l'autore del *Bell'Antonio*.

Limiti, ovviamente, sono imprescindibili dalla qualità del soggetto come dal tipo dello scrittore. Ed è naturale che l'attrazione e l'amore del bell'Antonio

Un aspetto di vita siciliana.

per Barbara e di Barbara per Antonio, non possa tanto sentimentalizzarsi e liricizzarsi; come d'altra parte non possa assottigliarsi in una casistica psicologica troppo elaborata; altrimenti diventerebbe poco manevole agli effetti burleschi che si trattava di ricavare. Come non può nemmeno ricevere ed imbeversi dal senso, ritrovando per cotesto tramite la greve e talvolta spaventevole moralità della passione e ossessione carnale.

Nell'elemento comico è sempre una buona dose d'astrazione. E prescindendo un momento dalle specifiche deficienze d'Antonio: un conte di Almaviva e una Rosina mai potranno amarsi come Manrico e Leonora, o come Isotta e Tristano. Come Don Bartolo è tutt'altro carattere di Re Marco. La grazia dell'artista si dimostra nel modo in cui egli sa rendere accettabile e interessante una specie di ateismo e nichilismo passionale, che tuttavia impresta aspetti e situazioni della passione viva. Ma come si fece già intendere, il fondo del romanzo è specialmente ambientale e corale. E anche piú che dal bell'Antonio e da Barbara, la spesa dell'opera è sostenuta da una quantità di personaggi minori o minimi.

Non però al modo del *Raffaele*; ma piuttosto, oserei dire, come nella antichissima commedia sbarcata da Atene nella Magna Grecia.

E non vorrei che questo richiamo assumesse nessuna pesantezza rettorica. Ma neanche mi stupirei se, nel duetto del babbo di Antonio con Padre Rosario sotto al portone, e consimili scene, davvero al lettore avvenisse di sentire un ritmo, un giuoco immaginativo, da ricordargli qualche lontano, lontanissimo modello aristofanesco. Mesciute a piene mani: le allusioni priapee, le parolacce, i sottintesi si scorporano e pèrdono il loro fortore realistico e il veleno della libidine: per diventare musica e trascendente buffoneria, come nell'antica commedia.

(1949)

«Paolo il Caldo» di Vitaliano Brancati

È singolare come il destino abbia voluto infierire contro quel gruppo di sei o sette scrittori, nati nella prima decade del secolo, che rappresentarono e in parte rappresentano le migliori forze della nostra narrativa. Da Moravia, da Vittorini, da Soldati e da Piovene, noi possiamo ancora attendere molto. Non senza tuttavia riconoscere che, nel giro di quattro o cinque anni, la morte di Jovine, di Pavese, e, per ultima, quella di Vitaliano Brancati, ha decimato un cosí valido gruppo di coetanei nella maniera piú crudele.

Brancati pubblicava sui giornali meno spesso di quanto i suoi lettori ed i suoi compagni di lavoro avrebbero gradito. E piú che altro ormai si mostrava non tanto in veste di novelliere, quanto in quella di « diarista », e commentatore di fatterelli e figure della cultura e del costume sociale e politico. Al quale compito lo disponevano, con la scaltrezza psicologica e con la siciliana acutezza dialettica, la versatilità del senso umoristico, e la vivacità d'uno stile che ogni giorno acquistava di sveltezza e precisione.

Il ritratto di G. A. Borgese, che fu l'ultimo suo scritto era assolutamente un piccolo capolavoro. Nell'ariosità del disegno robusto ed insieme elegantissimo, s'incontravano e fondevano una capacità interpretativa che non avrebbe potuto essere piú esatta ed umana, ed una birichineria mai irriverente, che di punto in bianco cedeva alla piú sincera commozione. Un ritratto da vero maestro; e resterà fra le prose di Brancati piú belle e piú nuove.

Forse in ragione di questa maestria, che lo invitava ad un impegno d'arte sempre piú libero e coraggioso, avveniva a Brancati di trascurare il racconto e la novella di misura e cadenza piú o meno obbligate. Benché a rinfrescarci la memoria riguardo a ciò ch'egli sapeva dare come scrittore di racconti, basterebbe il gruppetto, d'una varietà quasi sconcertante, che egli ne raccolse in fondo al romanzo: *Don Giovanni in Sicilia*. All'epoca del quale romanzo, ch'è del

1941, si può dire ch'egli già fosse nella pienezza degli intenti e dei mezzi, ed aveva da poco passata la trentina. Il *Don Giovanni in Sicilia* uscí nella medesima stagione dei *Paesi tuoi* di Pavese, che fu un altro debutto non meno memorando. E i due ricordi sono oggi riuniti nel medesimo compianto.

Nel *Don Giovanni*, Brancati immaginò una città cui aveva messo nome Catania, ma che con la vera Catania non aveva che un rapporto vagamente paesistico e umoresco. E descrisse la vita dei giovani benestanti e signorotti catanesi, sempre in cerca d'avventure d'amore: descrizione che, piú esattamente, era una festosa trasposizione di motivi di costume locale, in istile di balletto o d'opera giocosa. Il resto della popolazione appena si scorgeva all'ora del passeggio, balenava in macchiette fuggitive. Campeggiavano insomma nel quadro i don Giovanni e gli Adoni, assorti nella contemplazione di bellezze inaccessibili. Finché uno di essi riusciva ad impalmare la fanciulla vagheggiata. E se ne andavano a stare sul continente: a Milano, città del loro sogno d'una vita moderna, vorticosa, cosí diversa da quella della provincia. Ma vi raccoglievano le immancabili delusioni che susseguono ai sogni di cotesto genere; e presto tornavano in Sicilia, con animo mutato da quello col quale erano partiti. Può immaginarsi che, quando il romanzo si chiudeva, il loro rapporto reciproco e con il loro ambiente, stesse per diventare qualcosa di vero, in un paese vero, in una vera realtà sentimentale e sociale, e non piú in un paese da opera buffa.

Dopo tutto, il romanzo avrebbe potuto in parte considerarsi anche come un trattatello di capricciosa invenzione sulle costumanze e le mitologie erotiche dell'isola: un allegro saggio di psicologia sessuale: un decalogo del cosidetto « gallismo », che appunto fu messo in moda da Brancati; o come avrebbero detto sulla metà dell'Ottocento, una *Fisiologia* dell'amore siciliano. Tanto cambiano i tempi. Cinquanta o sessanta anni prima, in fatto d'amore siciliano, c'erano state le Lupe e le Santuzze di Verga; le coltellate, i ruggiti e i salti da tigre di Giovanni Grasso. Venne poi Musco col gorgoglio della sua risata ventriloqua da mimo alessandrino. Venne Pirandello con le dissociazioni dell'io, e fortissimi mali di testa trascendentali. E venne infine la sensuale ironia di Brancati.

Il curioso è che un artista talmente colto, squisito, si direbbe avesse preso senz'altro le mosse da un tipo di scrittura scanzonata, beffarda, che allora furoreggiava nella letteratura giornalistica. Il che è una conferma che non di rado gli artisti piú autentici partono da modelli modesti. Suo merito fu d'avere sviluppato tale letteratura sul piano narrativo, in una prosa agilissima; d'averla saturata di una sensualità sana e vigorosa; e d'averla resa piú ghiotta con i condimenti d'un indiavolato e tuttavia innocente scandalismo.

In una nota scritta due giorni avanti la morte, Vitaliano Brancati autorizzava la pubblicazione del suo nuovo romanzo: *Paolo il Caldo*, pur avvertendo ch'esso era rimasto incompiuto di due capitoli conclusivi. E in queste condizioni ora lo leggiamo con una prefazione di Alberto Moravia. Ma è da ritenere che se, oltre ad aver finito di scrivere il libro, Brancati avesse potuto seguirne la stampa, non si sarebbe trattenuto dall'intervenire qua e là sulle bozze con brevi tagli, ritocchi e colpi di lima. A non supporlo, faremmo torto alla sua coscienza tecnica, ch'era in continuo progresso, nonostante la fatale malattia ed altri affanni. Affrettiamoci d'altra parte a soggiungere che, nonostante che il romanzo ci sia pervenuto in una forma diciamo pure imperfetta, una cosa ad ogni attento lettore apparirà sicura, ed è questo: che *Paolo il Caldo* non demerita affatto, in confronto al *Don Giovanni in Sicilia* e al *Bell'Antonio*; mentre in esso s'esprime un'idea della vita profondamente mutata da quella che anima cotesti due notissimi libri.

Nel *Don Giovanni* lo slancio sensuale, che fu sempre alla base dell'ispirazione del Brancati, era pieno di brio e festevolezza; e se ne giustificavano le impressioni di chi, a proposito di quel romanzo, aveva pensato alla commedia classica e all'opera buffa. Nel *Bell'Antonio*, la virile celebrità del protagonista subiva l'umiliante e inopinata smentita d'un matrimonio rimasto inconsunto. Ma la vicenda aveva ancora sostanzialmente un'intonazione burlesca. E con arte sempre piú scaltrita, il Brancati aveva saputo orchestrare tale comicità, distribuendone le varie parti, le varie voci, fra una quantità di personaggi minori, sullo scenario, come nel *Don Giovanni*, d'un angolo della provincia siciliana.

In *Paolo il Caldo*, come s'è detto, le cose cambiano. La sensualità di Paolo Castorini, che dalla nativa Catania è venuto a Roma per studiare legge, ha fino dagli anni dell'adolescenza, invece d'un lievito di illusione e di gioia, un che di tetro e furibondo. E costituisce l'unica, verace occupazione di Paolo, che a Roma consuma tutta la sua gioventú, a parte rarissimi e brevi ritorni in Sicilia; senza accudire agli studi, con saltuarie velleità di far lo scrittore. Ha relazioni amorose piú o meno insistite, e tutte ugualmente indegne. S'aggira nel cosidetto mondo intellettuale, portandovi attorno una sogghignante disperazione.

Giunge cosí sui quarantacinque anni, ch'è appunto l'età alla quale Brancati s'impegnò nella composizione del libro. Si sposa con una brava ragazza di Catania, e la porta a Roma; ma sappiamo che presto la moglie fa fagotto e torna a casa sua. Sommariamente, la nota di Brancati ci ragguaglia sulla conclusione del romanzo: « In successivi accessi di fantastica gelosia, Paolo si aggroviglia sempre di piú in se stesso, fino a sentire l'ala della stupidità sfiorargli il cervello ».

L'erotismo giovanile e a tutta valvola del *Don Giovanni* e del *Bell'Antonio*: il famoso « gallismo » siculo, che Brancati denunciava in termini farseschi, e dal quale, con l'avanzare nell'età, i suoi protagonisti finivano col liberarsi, lasciandosi assorbire e narcotizzare dalla torpida vita isolana, e lentamente trasformandosi in obesi ed avari padroni di campagne, in *Paolo il Caldo* cambia radicalmente aspetto. Diventa una malattia di natura diabolica. Paolo Castorini è un ossesso, un vero e proprio dannato.

Sia nell'intonazione generale, sia nella qualità dello stile, è questa la novità del libro. Nonostante, come s'è detto, che dal suo autore non abbia potuto ricevere tutte le cure necessarie, si tratta d'un forte libro. Nella sua testimonianza morale cosí torva e spietata, direi addirittura che si tratta di un tremendo libro. E di tale fermezza di tono come da noi, negli ultimi decenni (con l'eccezione di Pavese, nel quale tuttavia era sempre presente, oltre al senso della natura, un accento compassionevole), ne furono davvero scritti pochi. Irrimediabilmente, Paolo Castorini sprofonda nella sua ossessione, nell'infernale putrescenza delle sue maníe. E il Brancati, nella nota predetta, non sa prevedere per lui altro destino che quello della demenza.

Come sempre in questo scrittore, la forma è limpidissima e spiccata; benché in confronto agli altri libri, si noti una maggiore inclinazione all'analisi e al discorso interno. Il lettore, se mai, dovrà porre qualche attenzione a trapassi e raccordi fra talune situazioni che, con pochi tratti di penna, il Brancati avrebbe di certo resi piú evidenti. Ma è questione d'inezie. E credo che nessuno, fin dalle prime pagine, possa rimanere insensibile a quello che conta: la gravità e l'amarezza dell'ispirazione; nella quale gli incidenti anche minimi, talvolta grotteschi, dell'erotismo di Paolo, assumono una sinistra eloquenza di sintomi del progressivo disfacimento morale.

Alla fine della carriera di Brancati, *Paolo il Caldo*, con la sua bieca tristezza, che a momenti è quasi grandiosa, si impone con tal forza che tutta la produzione del romanziere ne viene avvolta come d'una tragica luce retrospettiva. Quando torneremo a rileggerle a questa luce, forse anche nelle vicende del *Don Giovanni* e del *Bell'Antonio* cominceremo a scorgere dove, sotto alle pieghe del riso, segretamente covavano i germi di tanta disperazione.

(1955)

«Le donne di Messina» di Elio Vittorini

Su Elio Vittorini varrebbe la pena che qualche critico di grande autorità impiantasse un discorso comprensivo e positivo, come questo autore si merita; ma al medesimo tempo, un discorso piuttosto a muso duro: senza lasciarsi intimidire da quell'aria rabbuffata che il Vittorini ama darsi, senza lasciarsi contagiare dai suoi famosi « furori », e senza incassare tutte le sue intimazioni politiche ed estetiche. Gli accenni ed inviti ad un simile discorso per verità non mancano: veggasi ad esempio la ineccepibile pagina al Vittorini dedicata dal Sapegno nel suo *Dal Foscolo ai moderni*; o il saggio di un giovane dalle idee chiare: Geno Pampaloni ("Belfagor", marzo 1949); critici sinceramente preoccupati dal pericolo che uno scrittore dotato cosí felicemente, ma che ormai non è piú neanche un ragazzino, di questo passo debba finire col rompersi irreparabilmente la testa. L'ultimo romanzo: *Le donne di Messina*, che rinnova e forse accresce l'impegno di *Uomini e no*, non è proprio fatto per dissipare tali paure; e si presterebbe, anche piú d'altri libri del Vittorini, a un'analisi minuziosa e, quant'è possibile, esauriente.

Contro l'opinione di taluni, non può considerarsi il giovanile *Garofano rosso* come il romanzo di Vittorini piú ricco e realizzato; senza prescindere da importanti qualità di sentimento e d'ispirazione ch'egli doveva conquistare piú tardi, e che nella *Conversazione in Sicilia* hanno un'espressione assai genuina e armoniosa. Ma a questo punto, con l'ineffabilismo e una certa deliquescenza alla Saroyan, nel « recipe » letterario di Vittorini comincia ad entrare il « dialogato » di Hemingway, cosí fertile di suggestioni ritmiche; nonostante che, in una lingua plasticamente legata e a « tutto tondo » come l'italiano, l'applicazione ne risulti incomparabilmente meno agile e sinuosa che nell'inglese.

E da Hemingway proviene a questo punto, quell'atteggiamento un po' da cazzottatore, quel portamento « a dài » (come si dice a Firenze), quell'intonazione uniformemente provocatoria, che il lettore d'altra parte impara a smontare molto facilmente; e succede che dopo poco non fa piú paura a nessuno. Si sarebbe intanto desiderato che il linguaggio di Vittorini si purgasse e chiarisse: si calmasse specialmente: diventasse sempre meno il linguaggio dell'eloquenza, e sempre piú quello della poesia. Ma gli sforzi dello scrittore sembrano invece diretti soltanto a complicare le architetture del racconto, a escogitare scorci sorprendenti, a rendere difficile il facile, e affastellato ciò che poteva essere evidente. Ed eccoci cosí a *Uomini e no*, e alle *Donne di Messina.*

Il soggetto delle *Donne* è stupendo; e se vagamente ci fa ricordare *La colonia felice* del Dossi e *La nuova colonia* di Pirandello, non è tanto perché queste due opere nell'ideazione possano competere con l'altra: ma perché i tre scrittori si somigliano in certi caratteri scabri, urtanti, antitradizionali della loro materia espressiva. Un centinaio di fuggiaschi e disperati, uomini e donne, alla fine dell'ultima guerra, si fermano in un villaggio semidistrutto. D'ogni classe sociale e opinione, ma brutalmente affratellati dalla necessità, non pensano che a ritrovare le condizioni elementari del vivere. Faticosamente riattano il villaggio, risanano la terra dalle mine, la lavorano, e vendono i prodotti alla vicina città. Come in un'umanità primitiva, vichiana, dopo anni di tenebra e di sangue, ricominciano nel villaggio a formarsi i nuclei delle nuove famiglie, a delinearsi i segni d'un ordine sociale. Vittorini sente queste cose sul serio. Ad un uomo che riaccomoda e finalmente riesce a far marciare un camion scassato, ad un altro che con quattro pezzi di legno combina un telaio da finestra, sa addirittura conferire un che d'epico, di rituale e sacerdotale.

E si contentasse di raccontare semplicemente e robustamente. Con tanto amore ch'egli ha per le cose schiette e per il popolo, si rifacesse, con i propri mezzi, magari alla tecnica antica e immortale dei racconti di Pierino. Invece, purtroppo, Vittorini è stato morso da una brutta tarantola. Vittorini, come dice bene il Pampaloni, ha preso quella che potrebbe chiamarsi la maledettissima « malattia dell'avanguardia ». Ha sempre paura di non essere abbastanza moderno, e di non arrivare in tempo. Su una base di gusto tutt'altro che solida, e dove si sono frettolosamente incontrati e contaminati troppi influssi: con un istinto verbale impetuoso, ma certamente, s'è detto, anche disordinato ed impuro, complica i procedimenti, drizza pericolanti amminnicoli; ed a scàpito della forza dei rilievi, della serietà dei significati e della cordiale efficacia degli effetti, coltiva per sé stessa ed impreziosisce una sussultante ed atletica artificiosità.

Ma, per dirne una, i modelli di Saroyan e di Hemingway, che lo tengono cosí affascinato, in realtà sono inconciliabili. Un giorno che dal Saroyan mi facevo illustrare alla buona le sue idee ed opinioni sulla contemporanea letteratura americana: dopo avermi ripetutò che, tirate le somme, considerava Hemingway come di gran lunga il massimo scrittore dell'America d'oggi, egli aggiunse sempre sul tono della piú convinta ammirazione: « Hemingway does not take chances »: Hemingway non si mette nei pasticci, sa quello che vuole, non piglia quello che viene. Ch'è verissimo. Hemingway è calcolato e calibrato come un francese formatosi alla scuola di Flaubert e Mérimée. Mentre il bersaglieresco Vittorini si butta (ma chi glielo fa fare) a ogni sbaraglio; e sulla prima cantonata che capita è pronto a giocarsi a « scassaquindici » tutto il suo talento.

A volte il dissesto e la stonatura sono piú striduli, da domandarci quasi se per avventura il Vittorini stesso non si burli un po' delle proprie invenzioni. Sul reticolato a filo di sinopia delle linee ferroviarie intorno al villaggio, vediamo passare affacciato al finestrino del vagone lo zio Agrippa, che va su e giú per l'Italia, in cerca della figliola Siracusa, rifugiatasi appunto con gli altri fuggiaschi: una figura, questa dello zio Agrippa (a cui in un primo tempo s'intitolava il romanzo), che ogni tanto scappa fuori come da un orologio a cucú, e crea il contrasto d'un capriccio umoristico in tutt'altro gusto. E cosí, a dirne un'altra, quegli sforzati soprannomi: Faccia Cattiva, Fischio, Spine, Carlo il Calvo, ecc., che vogliono accentuare come in una sigla facinorosa il carattere d'un personaggio, e non riescono invece che ad un effetto di monotona caricatura.

D'altra parte, nella prolissa inchiesta o intervista giornalistica sulla vita del villaggio; e nel referto e compianto delle varie voci, dopo l'uccisione di Siracusa per parte di Faccia Cattiva, i piú diretti elementi d'emozione vengono come sottratti dal vivo del racconto, e consegnati in un contrappunto corale dove se ne stanno spersi e diminuiti. E conclusivamente: anche in queste *Donne*, e forse piú che in *Uomini e no*, il Vittorini troppo concede alle sue ambizioni d'una tecnica strabiliante, che poi risulta soltanto approssimativa e cervellotica. Malgrado ciò è ovvio ripetere che parti belle non mancano; e che la generale impressione delle possibilità di questo scrittore rimane intatta: si tratterebbe soltanto ch'egli volesse decidersi a coltivarle piú meditatamente e con rigore, per infine raccoglierne tutto il frutto.

(1949)

Elio Vittorini con Gianni Testori, a destra, nel febbraio 1955, a Milano. Sotto: un numero del "Politecnico", periodico « della nuova cultura », fondato nel 1945 a Milano da Elio Vittorini.

TIMANALE DI CULTURA TEMPORANEA Edito da Einaudi

Lire 12

IL POLITECNICO

1

diretto da ELIO VITTORINI

...one · Redazione · Amministrazione
...0 · Viale Tunisia 29 · Tel. 67.285

29 Settembre

...Politecnico *si pubblicava a Milano, ...al '45, e ancora, dopo il '60, il più bel perio... cultura e di scienza che avesse in quel tempo ... Lo faceva Carlo Cattaneo, quasi da solo. E si ...* il Politecnico.

...un ideale pratico la cultura di Cattaneo. « Pri... mo è quello di conservare la vita », afferma il ... d'Associazione alla prima annata del Poli... Ma completava: « la Pittura, la Scultura, l'Ar... la Musica, la Poesia... e le altre arti dell'im... ne, scaturiscono da un bisogno che nel seno ...tà diviene imperioso non meno di quello della ...».

Chi controlla la Fiat controlla metà del lavoro industriale nell'Alta Italia. **Prima parte di un'inchiesta sulla Fiat.** Storia della fabbrica e dei suoi padroni. Pesenti dice **come nazionalizzare la Fiat.**

"...Settembre", dice Alberganti, ...segnare una svolta decisiva nello ...no della produzione..."

...ismo può risorgere **in America. servizio speciale** con un articolo ... Z. Foster, segretario del Partito Co... americano, uno del romanziere H. ...na poesia proletaria di M. Gold, ecc.

...è ancora divisa **in staterelli.** Una ... Ducato di Montaltino.

Popolo spagnolo e antifascismo di tutto il mondo nella guerra di Spagna. Servizio speciale con articoli, una breve storia, un elenco di atrocità, un racconto di Ra...

Una nuova cultura

Non più una cultura che consoli nelle sofferenze, ma una cultura che protegga dalle sofferenze, che le combatta e le elimini.

Per un pezzo sarà difficile dire se qualcuno o qualcosa abbia vinto in questa guerra. Ma certo vi è tanto che ha perduto, e che si vede come abbia perduto. I morti, se li contiamo, sono più di bambini che di soldati; le macerie sono di città che avevano venticinque secoli di vita; di case e di biblioteche, di monumenti, di cattedrali, di tutte le forme per le quali è passato il progresso civile dell'uomo; e i campi su cui si è sparso più sangue si chiamano Mathausen, Maidaneck, Buchenwald, Dakau.

Di chi è la sconfitta più grave in tutto questo che è accaduto? Vi era bene qualcosa che, attraverso i secoli, ci aveva insegnato a considerare sacra l'esistenza dei bambini. Anche di ogni conquista civile dell'uomo ci aveva insegnato ch'era sacra; lo stesso del pane, lo stesso del lavoro. E se ora milioni di bambini sono stati uccisi, se tanto che era sacro è stato lo stesso colpito e distrutto, la sconfitta è anzitutto di questa « cosa » che c'insegnava la inviolabilità loro. Non è anzitutto di questa « cosa » che c'insegnava l'inviolabilità loro?

Questa « cosa », voglio subito dirlo, non è altro che la cultura: lei che è stata pensiero greco, ellenismo, romanesimo, cristianesimo latino, cristianesimo medievale, umanesimo, riforma, illuminismo, liberalismo, ecc., e che oggi la [illegible] ... Thomas Mann e Be...

l'uomo dalle sofferenze invece di limitarsi a consolarlo? Una cultura che le impedisca, che le scongiuri, che aiuti a eliminare lo sfruttamento e la schiavitù, e a vincere il bisogno, questa è la cultura in cui occorre che si trasformi tutta la vecchia cultura.

La cultura italiana è stata particolarmente provata nelle sue illusioni. Non vi è forse nessuno in Italia che ignori che cosa significhi la mortificazione dell'impotenza o un astratto furore. Continueremo, ciò malgrado, a seguire la strada che ancora oggi ci indicano i Thomas Mann e i Benedetto Croce? Io mi rivolgo a tutti gli intellettuali italiani che hanno conosciuto il fascismo. Non ai marxisti soltanto, ma anche agli idealisti, anche ai cattolici, anche ai mistici. Vi sono ragioni dell'idealismo o del cattolicismo che si oppongono alla trasformazione della cultura in una cultura capace di lottare contro la fame e le sofferenze?

Occuparsi del pane e del lavoro è ancora occuparsi dell'« anima ». Mentre non volere occuparsi che dell'« anima » lasciando a « Cesare » di occuparsi come gli fa comodo del pane e del lavoro, è limitarsi ad avere una funzione intellettuale, e dar modo a « Cesare » (o a Donegani, a Pirelli, a Valletta) di avere una funzione di dominio « sull'anima » dell'uomo. Può il tentativo di far sorgere una nuova cultura che sia di difesa e non più di consolazione dell'uomo, interessare gli idealisti e i cattolici, meno di quanto interessi noi?

ELIO VITTORINI

Il 30 settembre

Siamo arrivati alla data del 30 settembre, in cui avrebbe dovuto scadere l'accordo dell'8 luglio per il blocco dei licenziamenti. ... la C.G.I. ...

DISOCCUPAZIONE e caro-vita

Intervista col Segretario della C.G.I.L. Oreste Lizzadri

Oreste Lizzadri è il rappresentante della corrente socialista in seno alla C.G.I.L. Lo abbiamo interrogato su due dei problemi che più assillano oggi le masse popolari italiane.

« Scusami, caro Lizzadri. Vengo a chiederti quello che oggi si chiedono un po' tutti: come si risolverà questa lotta contro il caro-vita? ».

Era tardi, e Oreste Lizzadri era un po' stanco.

« E' una fucilata questa tua domanda, caro mio. Siedi e spiegati meglio ».

« Sta a sentire. Una volta mi sembra che proprio tu in un articolo sul *Lavoro* hai scritto che non soltanto i partiti popolari e proletari, ma anche la C.G.I.L. segue una *sua* linea politica, in difesa delle masse popolari, ben netta e precisa. Ora, vorrei sapere, che cosa rappresenta oggi, nel quadro della politica impostata e seguita dalla C.G.I.L., la battaglia contro la disoccupazione e il caro-vita? ».

Classe operaia, classe di Governo.

« In due parole. E' necessario premettere che la C.G.I.L. chiede da tempo l'adeguamento dei salari e degli stipendi al reale costo della vita ».

« Già, ricordo: la richiesta di applicazione della scala mobile ».

« Esattamente. La C.G.I.L. tuttavia — responsabile non soltanto davanti alle masse dei lavoratori, ma di fronte a tutto il paese, a tutto il popolo italiano — si è resa conto di un fatto molto preciso: limitarsi, oggi, a richiedere che tale adeguamento venga applicato meccanicamente, porterebbe inevitabilmente a questi risultati: 1) aumento ...

classe operaia e i lavoratori siano classe di governo.

Sindacati e C.L.N. all'opera.

« Bene, caro Lizzadri: questa è grande linea è la meta a cui punta la C.G.I.L. Ma esiste un obiettivo immediato e concreto, un traguardo intermedio, una tappa verso il fine che essa si è proposta? »

« La lotta è nella sua fase iniziale, e quindi un piano di lavoro preciso ancora non può farsi; sarebbe astratto. Bisogna che il movimento si estenda in ogni provincia, che divenga rapidamente e solidamente nazionale e che sia retto saldamente dagli organismi periferici della C.G.I.L. Altro obiettivo parziale ma importantissimo: *bloccare localmente, attraverso le Camere del Lavoro Provinciali e con la collaborazione delle commissioni popolari di controllo e dei C.L.N., il rincorrersi tra salari e prezzi ovunque affiori.* In questa gara chi ci rimette sono sempre i lavoratori i cui aumenti (quando riescono a strapparli) risultano sempre scontati dal rialzo dei prezzi ».

« Praticamente tu nel collegamento tra organismi sindacali e organismi di auto-governo popolare vedi un'arma efficace per combattere speculazioni e caro-vita ».

« Un'arma potentissima. Ti dirò che dove tale collaborazione è vivace e operante, le agitazioni per aumenti salariali o di stipendio si fanno più rare ».

« Ma non credi che ci sia bisogno di qualche iniziativa di qualche misura dall'effetto più rapido?

I disoccupati verso la ricostruzione.

« E allora noi diciamo che sarebbe necessario iniziare subito i lavori pubblici e privati porre mano alla ricostruzione industriale ed edilizia. Ai primi arrivi di carbone noi indicheremo quali industrie dovranno avere la precedenza nell'assegnazione e, a parer mio, dovrebbe essere quella dei trasporti dato che i trasporti costituiscono uno dei punti più dolenti per la ricostruzione ...

I caduti per la libertà di tutto il mondo ci hanno dettato quello che scriviamo

INCHIES... SULLA F.I...

L'ITAL... E LA F...

Cosa deve fare il Governo della Costituente.

«Gente qualunque» di Indro Montanelli

In un grosso volume che riprende un vecchio titolo: *Gente qualunque*, Indro Montanelli ha raccolto una scelta di suoi scritti: romanzi brevi e racconti lunghi, cronache, ritratti e aneddoti vari, sparsamente pubblicati fra il 1937 e il 1963. Sono pagine che in parte ogni buon lettore rammenta. Ma in ispecie se di data meno vicina, non sempre sono facilmente reperibili. Altre di esse, che erano comparse in sedi piú laterali od effimere, possono anche riuscire del tutto inaspettate. In questa alternativa di ricordi e sorprese, il libro ha una andatura piacevolissima. Accade che, di tanto in tanto, si sarebbe voluto ritrovarci, per rileggerselo subito, anche uno od altro di quegli « incontri » che restarono piú particolarmente famosi: quello ad esempio con Irene Brin ch'è dei primissimi, o quello con Paolo Monelli ch'è dell'altro giorno. Ciò che non càpita mai, è d'imbatterci in cose da farci l'effetto che fosse meglio non avercele messe.

Alla riuscita ed utilità d'un volume sul genere di questo, oltre all'agilità della scelta conferisce l'ordinamento cronologico della materia. Esso aiuta a chiarirci, insieme alla istintiva natura dello scrittore, i diversi contatti e rapporti che accompagnarono la sua formazione e il suo sviluppo; e a identificare le preferenze e le costanti della sua ragione e del suo gusto. Perché nonostante l'aria balzana, spavalda e perfino aggressiva, Montanelli in fondo è fedelissimo a certe tradizioni famigliari, paesane e culturali. Non senza legittimo orgoglio, talvolta si richiama all'avo Giuseppe Montanelli, ferito nel battaglione universitario a Curtatone, ed insieme al Guerrazzi membro del triumvirato toscano. Ma il rivoluzionarismo del triumviro non gli vieta di riconoscere le civili benemerenze della stessa Toscana granducale che, come ricordava il Pareto, fu tenuta a modello d'istituzioni agricole dagli oratori e dagli articolisti della lega di Cobden.

Accostandoci ai nostri tempi, e lasciato da parte il Capponi, che appartiene ad un'età piú antica e a una sfera diversa, il Montanelli fra i numi indigeti del proprio ambiente famigliare e letterario, con piú accentuata simpatia ricorda Ferdinando Martini e Renato Fucini. Sono essi i visitatori di riguardo, per i quali due volte alla settimana veniva aperto il salotto buono e la biblioteca della villa "Le Vedute" presso Fucecchio. Nella brillante carriera del Montanelli, Ugo Ojetti compare soltanto una diecina d'anni dopo la morte del Martini; ed è il primo degli anziani che ufficialmente dà al nostro amico il benvenuto nel giornalismo e nella letteratura.

La caratteristica vocazione di Montanelli lo portò fortunatamente fin da principio a fare il preciso contrario di quanto in Toscana avevano invece fatto parecchi altri, del resto tutt'altro che privi di talento. Lo portò cioè a cercarsi e trovare una materia viva e diretta, fosse pure d'occasione giornalistica; e a non ostinarsi sull'esempio (diventato presto del tutto accademico) di quei bozzetti rusticani che nel Fucini, erano mescolati di naturalismo e umorismo, mentre nei nostri narratori meridionali un naturalismo assai piú robusto quasi sempre finiva in tragedia. Per il lungo racconto: "Giorno di festa", col quale s'apre il volume odierno, possono essere stati studiati sul Martini e il Fucini certi procedimenti descrittivi e mosse di dialogo, certe coloriture facete; ma il resultato manifestamente è già qualche cosa di nuovo, anche se tenuto in una mezza luce, in un tono volutamente sommesso. Due o tre figure minori, come il vecchio colonnello Ernesto di Poggio Ottocarri, o il trafficone fascista Foglianti, in qualche tratto rasentano un genere di caricatura che da fuciniano sta diventando longanesiano. Ma i personaggi che piú contano, in ispecie la protagonista Signora Ida col figliuolo e il nipote, sono disegnati con altra comprensione umana, altra finezza di significati e contorni.

Piú che un racconto è il gruppo d'insieme d'una famiglia di borghesia provinciale, nella sera d'un ricevimento. La famiglia è dissestata; quasi senza rendersene conto è ormai alla mercè dei creditori che neppure loro sanno decidersi a vibrare il colpo di grazia; allo stesso modo che la Signora Ida quella sera è ancora lontana le mille miglia dal sospetto d'avere un cancro a una mammella, e che i suoi giorni sono contati. Il racconto è del 1936. Ma quando uno lo rilegge dopo tanti anni, è simpaticamente colpito da una quantità di cose: l'accuratezza tecnica o la pulizia del lavoro, l'innocenza, il candore letterario, la completa assenza d'intrugli. Una quantità di coetanei di Montanelli s'erano già tuffati e perduti nei piú profondi gorghi e misteri dell'« ermetismo ». Per proprio conto, Montanelli aveva fatto la sua scelta bonaria, senza esitazioni e con lealtà perfetta. E gli è riuscito in tanto bene d'esserle rimasto fedele, mentre con la fatica di tutti questi anni s'è cosí distaccato dai suoi giovanili modelli che ogni loro eventuale ricordo piglia quasi un sapore di novità.

Per dirne una, ritroveremo in lui, d'un Fucini, quella che si potrebbe chiamare la predilezione delle cause minime, ironiche, ovvie: quel gusto di spiegare fatti anche ingenti e clamorosi con motivi in apparenza trascurabili, incongrui o parodistici; il che dà un tono sempre un poco capriccioso e paradossale alla sua interpretazione della realtà. Nella terza parte, evidentemente autobiografica, del breve romanzo *Qui non riposano* (1945), la figura e l'azione del cosidetto « Antonio Bianchi », travolto nel crollo del regime e nell'ultima guerra, sono ricostruite attraverso un ironico intreccio di cagioni quasi tutte di questa specie, ma che non resultano perciò meno persuasive e comunicative.

A questi riguardi, frattanto confesserò che, in tutto il volume di *Gente qualunque*, uno dei miei preferiti è il personaggio di Meline, imperterrito squadrista d'un paesetto pisano; Meline che ha rifiutato di partire per la marcia su Roma perché il giorno della marcia coincide con la sua festa, e la vecchia mamma alzatasi appena da una grave malattia, ha promesso per quel giorno di fargli le « pallette » di farina gialla. Da questo rifiuto di partecipare alla marcia, nasce una serie di conseguenze incalcolabili. E cosí una volta Meline malinconicamente ne parla: « Si ricorda che per via delle "pallette" non volli fare la marcia? Maledetta la farina gialla... Avessi fatto la marcia, a quest'ora sarei di ruolo, avrei cento lire al mese in piú di stipendio, e la pensione assicurata... ».

Un protettore o benefattore si muove a compassione e gli combina un attestato da cui resulta che Meline la marcia l'ha fatta. Ma ecco che rapidamente cambiano i tempi, e proprio questo attestato costerà a Meline tre buoni anni di epurazione e non so che altro guaio. Finché, per non farla troppo lunga, gli viene procurato un nuovo documento il quale dimostra in modo ineccepibile che il giorno della marcia Meline mangiava le « pallette » e alla marcia non c'era; e non è poi detto che una storia raccontata cosí per ischerzo alla fine sia meno vera e istruttiva d'una storia presa troppo sul serio.

Sarebbe peggio che superfluo caricare di citazioni un articolo come questo, che esce sulle colonne d'un giornale [1] dove i lettori continuamente si trovano

[1] L'articolo di Cecchi fu pubblicato sul "Corriere della Sera".

davanti a un Montanelli non tagliuzzato e fatto a pezzetti, ma intatto e nella sua piena vitalità. Come poco meno superfluo sarebbe, a voler concludere richiamando partitamente l'attenzione di questi lettori su alcuni evidentissimi elementi dell'arte di Montanelli. In essa ha di certo gran parte la felicità d'una lingua fresca, agile, nativa, e che non diventa mai trasandata né vernacolare. Come vi hanno almeno altrettanta importanza il fermento d'una curiosità e di un buonumore inesauribili, e l'impegno istintivo di affrontare ogni fatica di questo mestiere (e spesso non sono piccole fatiche) come si trattasse sempre di piacevoli avventure, e vere e proprie feste. Né tornerò a riferirmi al naturale contrappeso di convinzioni sociali e politiche che in massima provengono dalla vecchia tradizione liberale, scaltritasi con l'esperienza di quei tempi calamitosi nei quali ci siamo trovati a vivere per almeno cinquanta anni.

Ma sia ben chiaro che tutti questi pregi, queste virtú e tante altre cose belle avrebbero servito e servirebbero a poco, se la prosa di Montanelli non possedesse e continuamente non avesse perfezionato ciò che io considero il suo dono supremo. Esso consiste in un senso del ritmo e del movimento che, fra gli scrittori della medesima generazione, sopra una chiave del tutto diversa (anarcoide e macabra anziché umoristica e ottimista), troverebbe un confronto piú o meno approssimativo forse talvolta in Malaparte. Vi sono autori di opulenta grandezza, il cui senso del ritmo rimane tuttavia stridulo e intricato. Hanno concetti potenti, immagini decisive, ma il ritmo sembra artificiale. Una materia originale sembra affidata a un movimento sforzato e d'imprestito. Anche nelle cose di Montanelli buttate giú evidentemente con minore impegno e piú fretta, è raro che il ritmo e il movimento non respirino a pieni polmoni d'un senso d'agio e di quasi insolente facilità.

Di solito Montanelli muove da spunti, motivi, pretesti, quasi indifferenti, di poco conto, di tono sommesso. Con tocchi leggeri, come se stia baloccandosi, pezzo per pezzo posa le fondamenta d'uno o d'altro dei suoi castelli di carte da giuoco. Rapidamente si profilano i primi ballatoi, le grandi terrazze. Tremolando salgono le prime torri. E si capisce che istintivamente egli debba evitare quanto potrebbe trascinarlo troppo a fondo nel descrittivo e coloristico; e verrebbe ad appesantirgli il discorso, e a fissarlo a certi punti obbligati. Direi addirittura abbia a giovargli piuttosto un che d'improvviso e quasi sbadato; che poi dà anche maggior risalto ai sottili richiami e legamenti di cui, guardando bene, è facile accorgersi come il suo lavoro sia tutto cosparso.

La freschezza delle invenzioni, la loro ariosità, ci fanno capire per quali ragioni, con una enorme sopraproduzione come la sua, Montanelli già da anni non si sia già tutto bruciato. E come il pubblico non sia meno divertito del primo giorno, a vedergli combinare i suoi giuochi leggeri, i suoi miracoli d'intelligenza e di grazia. I competenti di teatro e di storia antica forse s'interesseranno maggiormente seguendolo nei suoi saggi scenici ed in certe sue caricaturali interpretazioni di vecchie civiltà. Di gran lunga io vado di preferenza a ricercarlo nei suoi « incontri », e in « mescolanze » sul genere di questa di cui ci siamo occupati; e sono sicuro che come a me il libro debba essere piaciuto a un sacco di « gente qualunque ».

(1964)

Racconti di Mario Tobino

In due volumi di Mario Tobino: *L'angelo del Liponard* e *Il deserto della Libia*, sono tre lunghi racconti nei quali si ritrova anche la miglior sostanza di ciò che finora egli aveva dato in alcune pubblicazioni di prose e di versi. Armonicamente, e tuttavia con uno stacco abbastanza risentito, i tre racconti rappresentano non diciamo tre orientazioni eterogenee, che sarebbe assurdo, ma tre differenti dosature dei modi e dei toni di questa fantasia. E conviene cercare di identificarli e definirli ad uno ad uno; cominciando da *Bandiera nera*, che accompagna *L'angelo del Liponard* e che dei tre dev'essere, o mi inganno, il meno recente.

Bandiera nera è un racconto, come oggi usa dirsi, corale. Non vi sono figure che spicchino con rilievo soverchiante sopra le altre. E cosí, l'intreccio e l'azione non hanno forti lumeggiamenti e sorprese, com'è ad esempio nel *Liponard*. Con lento ritmo, si svolgono in un quasi indistinto brulichio, in un'ambigua penombra. Si direbbe perfino che taluni personaggi non hanno viso; e malgrado ciò, nei gesti e nelle voci sono completamente caratterizzati, vitali. Chi ha voluto ricordare, con ogni discrezione, atteggiamenti e procedimenti gogoliani, ha detto cosa assai giusta.

La sostanza del racconto è soprattutto nell'atmosfera; in una sorta di squallida nebbia che avvolge le figure e ne sfuma sinistramente i contorni. Si tratta di un inghippo scolastico al tempo della dittatura. Un minimo ed ignorantissimo gerarca, che deve subire l'esame di Stato per l'abilitazione professionale medica, pensa di aggregarsi ad un gruppo di bravi studenti, che si presentano allo stesso esame in una vicina università. Le protezioni ch'egli metterà in giuoco a proprio vantaggio non perderanno della propria efficacia, anzi resteranno meglio dissimulate e quasi adonestate, estendendosi a favore di gente che davvero le merita; e le merita per la buona ragione che effettivamente ne può anche fare a meno.

I bravi studenti accettano d'entrare nella combinazione, perché i tempi sono cosí iniqui che uno non si ritiene mai coperto abbastanza. Per proprio conto, gli esaminatori, dapprima impauriti per quelle inframettenze ed intimazioni che sentono in aria, restano lietamente sorpresi, quando invece si trovano dinanzi giovinotti preparatissimi; ai quali non possono distribuire, in tutta coscienza, che bei trenta con lode. E bocciano con piú zelo il meschino architetto della frode superflua; la pecora rognosa che aveva contato di infilarsi nel branco.

Fra varie persone che mettono mano in questo pasticcio, è un albergatore « sansepolcrista », ingenuo e fanatico, e uno scaltro impiegato universitario, che sono capíti alla perfezione. La sordidezza di cui è invischiata la materia del racconto, e che contamina piú o meno tutti i personaggi, come insetti che rimangono incollati su una carta moschicida, non viene denunciata dal Tobino con scandalizzate esagerazioni d'orrore; come quelle che fecero tanto ridere, quando le leggemmo in goffi e tardivi caricaturisti della dittatura, che avrebbero meglio provveduto a starsene cheti, e ripensare a quello che in altri tempi avevano scritto. A parte la schiettezza dell'arte con cui è condotto, il racconto, anche per quella umana misura, ha un autentico valore documentario. Il clima morale d'un'epoca è reso in queste cento pagine, come finora era riuscito soltanto ad altri pochissimi.

E valore documentario non manca di certo a *Il deserto della Libia*: parte della guerra libica vissuta in una sezione di sanità. Ma piú che di composizione narrativa vera e propria, l'andamento è quasi diaristico. Il violento affollarsi dei fatti, l'imprevisto degli incontri, l'atrocità e il grottesco di certe situazioni, si oppongono ad un trattamento per analisi e sfumature, come nella *Bandiera*. C'è piú colore e piú invettiva. Un altro elemento entra in giuoco: l'interesse visivo, sollecitato dalla novità dei paesaggi e delle scene naturali. Ed anche assai nuova (da un punto di vista piú generale) è una capacità di penetrazione della psicologia e del costume indigeno: rara negli stessi scrittori che fecero piú lunga esperienza di paesi esotici. Qui le dobbiamo i bei capitoli sulle visite mediche alle donne dell'arabo Mahmud, nell'oasi di Sorman e la storia della ragazza olandese in casa dei negrieri Alua e Murzuk nel Fezzan.

1. Indro Montanelli assorto nel lavoro di giornalista.
2. Guido Piovene
nello studio della sua villa a Induno.
3. Lo scrittore Mario Tobino nel cortile
dell'ospedale psichiatrico di Magliano,
medico primario per il reparto femminile, 1962.

Fra i tre racconti, *L'angelo del Liponard* ha un ritmo piú serrato e una costruzione scattante, sempre sopra un fondo corale. Le circostanze dei fatti non sono, come in *Bandiera nera* e nel *Deserto*, da riferire ad una condizione storica determinata; ma rispondono ad impulsi ed influssi d'istintiva umanità e naturalità. « L'angelo » è un barcobestia a vela, con una diecina d'uomini d'equipaggio. Carico di stoccafisso, salpa da un porto del Mediterraneo; e il capitano ha portato seco la giovane moglie Fernanda, che graziosamente civetta con la gente di bordo.

Dopo qualche giorno, « L'angelo » chiude l'ali nel bel mezzo a una tepida bonaccia. E nel lungo ozio e nel tedio di quella sosta forzosa, i marinai per passatempo fanno una gara di agilità sull'alberatura. Vi partecipa anche il capitano: ma precipita e muore sul colpo. Fernanda resta sola fra quegli affamati di carne, ai quali la sua bellezza ha sconvolto i sensi e l'immaginazione. Nottetempo, ad uno ad uno come ladri, scivolano nella sua cabina. Nel pieno di questo erotico delirio sopraggiunge una tremenda bufera: tutte le braccia sono di nuovo alla loro fatica; finché « L'angelo » alla meglio entra in porto.

È il racconto del Tobino dove la fantasia piú liberamente e gagliardamente fermenta di immagini poetiche; e dove il linguaggio è piú ricco di quei sentori della nativa Apuania, che tornano in tante pagine di Viani e soprattutto di Pea. Ed è il racconto di Tobino che finora ci pare destinato a piú larga popolarità. Si svolgerà lo scrittore in questo senso piú lirico e colorito; o non piuttosto nei modi della *Bandiera*? È ciò che speriamo, ci dicano, al piú presto, nuove opere non meno gradite di quelle di cui abbiamo fatto cenno.

(1952)

«Le libere donne di Magliano» di Tobino

In manicomio ci sono stato diverse volte. Non intendo, Dio liberi, che mi ci portassero con la camicia di forza. Ma ci capitavo un po' diversamente che come un casuale, effimero visitatore. Fino a qualche tempo addietro, un mio stretto parente fu direttore d'uno od altro fra i nostri manicomi provinciali. E recandomi di tanto in tanto a vedere lui e la sua famiglia, mi accadeva di stargli vicino parecchie ore, d'accompagnarlo nelle sue ispezioni, e conversare con qualcuno dei suoi pazienti che, in molti casi, si sarebbero potuti scambiare benissimo per le persone piú normali e giudiziose del mondo. In quelle corsíe, in quei laboratori, in quegli orti, avevo finito col sentirmi quasi una persona di casa. Ragione per cui, con maggiore interesse ho letto il libro di Mario Tobino: *Le libere donne di Magliano* ch'è tratto appunto da esperienze manicomiali.

Di poco oltre la quarantina, autore di liriche e di romanzi, anche di recente il Tobino si confermò scrittore di razza con un racconto marinaro e amoroso: *L'angelo del Liponard*, e un diario: *Il deserto della Libia*, di sue vicende ed incontri durante l'ultima campagna africana. Medico primario di spedale psichiatrico, da diversi anni egli soprintende allo stabilimento di Magliano presso Lucca, che ospita un migliaio di alienati. Il libro delle *Libere donne* è in forma d'una « suite » di bozzetti, ritratti, macchiette, frammenti: taluni d'andamento narrativo, altri d'una intonazione piú riflessa, altri infine come rapidissime, abbaglianti apparizioni di paesaggi e figure. Donne specialmente: sul tetro sfondo del manicomio, si profilano rassegnate o stravolte, spariscono, ritornano; recano seco il pulviscolo della vita circostante; si drappeggiano in lembi di storie familiari che in quell'aura esaltata assumono una grandiosità fosca e misteriosa.

Dovuto anch'esso alla penna d'un medico professionista, uno dei primi libri di questo genere, sull'ambiente degli spedali di guerra, invece che su quello degli spedali psichiatrici, fu il famoso *Vie des martyrs* di Giorgio Duhamel. Da allora molte acque sono passate sotto ai ponti letterari. Il piglio della scrittura s'è fatto piú e piú disinvolto. La confidenzialità degli autori verso i modelli presi a descrivere è diventata sempre piú aggressiva. Ed il pubblico viene a grado a grado assuefacendosi all'audacia di certi scorci, alla bruschezza di certe spezzature, alla sommarietà di certe notazioni. Mi risulta tuttavia, circa *Le libere donne di Magliano*, che mentre unanime e commosso è il consenso per ciò che riguarda il patetico o il drammatico delle situazioni, e la suggestività delle figure che il Tobino ci presenta, qualcheduno si lagna che, nell'insieme, la scrittura sia troppo tesa, spavalda, azzardosa. E affatichi piú del giusto il lettore che, alla fine del viaggio, ha visto sí una quantità di cose indimenticabili, ma si sente con le ossa rotte.

Il Tobino è di Viareggio; appartiene cioè, con Lorenzo Viani ed Enrico Pea, ad un gruppo di scrittori particolarmente sensibili all'influsso della locale parlata, viareggina e della Lucchesia. Nel Pea, col volgere degli anni, il vocabolario s'è fuso e decantato. Ma in un vecchio libro: *Moscardino*, che rimane del resto fra i suoi piú belli, certe preziosità dialettali, sobriamente prescelte e incastonate da maestro, hanno una densità di colore da vere gemme. Per parte sua, il Viani, scrittore estroso, improvviso, troppo inconsideratamente concesse all'invenzione verbale. E mi raccontò Ferdinando Martini d'essere andato espressamente a farsi spiegare sul posto che cosa significassero certe parole adoperate dal Viani. A lui erano incomprensibili; ma nessuno in Versilia seppe mai dargliene conto. È probabile che il Viani le avesse inventate di pianta; o che fossero variazioni d'una specie di « lingua furfantina », o d'altri modi gergali.

Quanto al Tobino: non direi che propriamente egli inventi vocaboli, e fa bene ad astenersi. Rammentiamo l'ammonizione di Giulio Cesare: « Fuggi come uno scoglio ogni parola nuova e non usata ». In Tobino l'influsso paesano, piuttosto che nelle parole, si avverte nel disegno e nel movimento popolaresco (o atteggiato alla popolaresca) della frase che, quanto ai significati, quasi sempre è chiarissima. Allo scopo di sottolineare certi effetti di sveltezza, di forza o di sorpresa, il Tobino abuserà, per esempio, nel voler far sostenere da certi verbi un trasporto d'azione cui essi non consentono: « L'alga, quell'erba marina che *ondeggia i baffi* presso certe scogliere... » « Suor Maria Concetta da tempo *profumava gioia e amore...* » « La pianura di Lucca *sfavilla le messi* dal prorompere della primavera fino all'autunno... » « Il prato *urla tutte le foglie*, e d'un tratto sembra invece sonnolento... » « Ripetute volte su loro *percorsi lo sguardo...* ». Non occorre scandalizzarsi. Non meno in prosa che in verso, a ben altro ci ha abituati la letteratura degli ultimi decenni. Ma sarà sempre legittimo chiedersi se queste tracotanze grammaticali, tutto sommato, siano di effettivo vantaggio; e non ingombrino e ritardino l'espressione, anziché irrobustirla e accorciarla.

Nel grosso racconto: *Bandiera nera*, una delle sue prove di maggiore impegno, e cosí ancora nel *Deserto della Libia*, con qualche accentuazione caricaturale e grottesca, la scrittura del Tobino serbava un corso piú lentamente tortuoso, procedeva con movenze tardigrade, sensibilizzata in tutte le sue giunture. *L'angelo del Liponard* apparve piuttosto come un'improvvisa fiammata, festosa nella sua stessa drammaticità. I contorni secondari, i frastagli della narrazione, bruciavano animosamente senza quasi residui, come nei piú bei ritratti e passaggi de *Le libere donne di Magliano*. E forse è da pensare che l'arte del Tobino vada ormai sempre piú determinandosi in questi procedimenti compendiosi. Meglio che quello dell'analisi e della descrizione, il suo vero metodo può esser quello dell'evocazione e dell'apparizione. Per i quali fini, già si dimostrava ne *L'angelo del Liponard* e di nuovo si dimostra nel libro odierno, nulla conviene al temperamento di questo scrittore come togliere a soggetto delle operazioni della propria fantasia qualche figura di donna.

Pazzia è discontinuità ed assurdità di rapporti. E d'una condizione del sentimento e dello spirito intieramente sovvertita dalla pazzia, in un certo senso la rappresentazione artistica è inconcepibile, o inevitabilmente arbitraria. Per solito, non appena aprono bocca e cominciano a discorrere, i pazzi della letteratura diventano insopportabilmente dimostrativi, indecentemente simbolici quanto piú vogliono sembrare pazzi davvero. S'investono della propria parte, sono attaccati alle proprie caratteristiche, gelosi delle proprie tesi come tanti professori. Per ciò gli artisti che, per un motivo o per l'altro, se cosí posso esprimermi, furono obbligati a servirsi di pazzi: di pazzi, intendo, che dovessero apparire autentici e sinceri, si guardarono bene dall'ammetterli, fuorché in fugacissimi interventi. Affidarono loro il ritornello d'una canzone in musica, due o tre parolette che non volessero dir nulla, e li fecero uscire al piú presto dalla scena o dalla pagina, sapendo bene che, un minuto di piú, e quelli avrebbero finito col guastare ogni cosa.

Di pazzi, il Tobino mostra di intendersene, sia come medico che come scrittore. Ed appunto per questo li adopera con assai discrezione. Le sue figure che, come s'è detto, piú che altro sono figure femminili, quasi sempre si veggono il tanto che basti perché in un loro aspetto, in un momentaneo atteggiamento, indicati con arte vigorosa, cominci ad animarsi lo spunto d'una storia, s'innesti il fremito d'un mito. Ma non piú di tanto. La pazzia è mistero; e il mistero non si circoscrive in termini logici, non si ferma nella trama di un organico disegno.

Ad accostarsi, quanto è possibile, a tale mistero, o a renderne meno recisa la inaccessibilità, qui aiuta la poesia dell'ambiente. Triste è il manicomio di Magliano, come un penitenziario; ma pur aperto al sole, alla varietà delle stagioni e delle fioriture, in mezzo ad una delle piú dolci e affettuose campagne italiane. La sua popolazione di malati, di suore e serventi, in gran parte proviene dalla limitrofa gente contadina e dalla piccola borghesia provinciale. Un'aria di rustica famiglia riunisce queste creature, nella casalinga promiscuità di una specie di Giorno del Giudizio, eternamente sospeso; e le cui ore scorrono nell'alternativa tra i grandi sogni e deliri, e minimi, infantili incidenti (la morte della civetta addomesticata, l'arrivo di un nuovo gatto, un piccolo furto di fiori, ecc.), per ricominciare identiche la mattina appresso.

Un Giorno del Giudizio, nel quale è come se tutti sapessero tutto di tutti, nell'innocente impudore dell'al di là; quanto piú, invece, effettivamente, il segreto di ciascuno è sigillato sotto un sigillo sovrannaturale. Le anime sono diventate indecifrabili e possono star nude. Di tanto in tanto, in questa folla, uno sguardo lampeggia, risuona una parola; e per un istante sembra che sia ricostituito il rapporto, ritrovato il tratto d'unione fra un larvale popolo d'ossessi e il mondo nostro, che ai loro occhi appare forse come ai nostri occhi il loro mondo.

Bastano questi attimi alla virtú dell'artista per evocare figure stupende: la giovane Amazzone livornese che passa a Magliano pochi giorni di furiosa demenza, e ritorna alla sua vita di lieta fanciulla, ignara d'aver attraversato il regno delle ombre; la snella, aristocratica professoressa di belle lettere, tormentata da fantasmi amorosi; la chiromante napoletana; le due sorelle che si sono reciprocamente trasmesso un delirio di persecuzione; e tante altre. Quasi mai il Tobino dà il senso d'aver forzato l'interpretazione di queste figure (come, ad esempio, gli accade con la malata che chiamano « la faina », la quale si avventa agli occhi della gente). Comunque, il suo solo pericolo sta in qualche scatto e scarto di violenza espressiva. E quando egli abbia finito di liberarsene, la sua arte si sarà ancor meglio consolidata nella sua robusta e cordiale bellezza.

(1953)

«Il clandestino» di Mario Tobino

Anche nel nuovo romanzo: *Il clandestino* di Mario Tobino, si osserva qualche cosa di simile a quanto recentemente s'ebbe a notare ne *Le mosche d'oro* di Anna Banti[1]. Accingendosi a una prova piú complessa delle sue precedenti, e nell'intento di fornire una sorta di figurazione storica, un vasto e drammatico quadro di vita e costume, il Tobino, come appunto la Banti, ha creduto all'opportunità di diminuire la tensione del suo stile, e di diluirne, in un certo qual modo, il colore e l'impasto. Da uno stile gemmante, ricco di modi locali, ed evidentemente temprato alla robusta scuola del Pea, è passato a una maniera neutra, informativa, che in larga parte si limita a indicare invece di modellare e dipingere. Si dirà che, volendo, anche in Balzac o perfino nel Tolstoi di *Guerra e pace* e di *Anna Karenina* si scoprono zone e passaggi che hanno sopratutto una funzione espositiva e di collegamento. Ma ciò soltanto significa che quei geni sapevano meglio sopperire a talune occorrenze strutturali; e che la loro arte dissimula il meccanismo e l'artificio, ottenendo la dovuta chiarezza e legatezza senza dare un senso d'impoverimento e di prosaicità.

Come ormai tutti sanno, *Il clandestino* vuole essere una raffigurazione della Resistenza in un territorio della costa tirrena dov'è una città di tradizioni anarcoidi e dal nome dannunziano: Medusa, che potrebbe essere Viareggio o Livorno. Il romanzo, come oggi è consuetudine, reca l'avvertenza che « i fatti narrati sono tutti inventati ». Confesserò che, tanto piú nel caso specifico, poco mi riesce d'apprezzare questo genere d'avvertimenti. Il lettore sincero istintivamente presta sempre una specie di vissuta realtà anche a personaggi del mito o dell'antica epopea. Per lui, Achille, Ettore, Orlando sono esistiti, e furono vivi e veri. Ed è una pedanteria, direi addirittura una provocazione, ostinarsi a dirgli che invece sono sogni, fantasmi, visioni. La quale osservazione maggiormente vale per i fatti e le persone d'ieri, che recalcitrano a sottomettersi e ad indossare le gualdrappe della fantasia, anche perché da tale travestimento in realtà non hanno da guadagnare un bel niente.

Se guardiamo bene, la verità e la poesia dei Mille, le quali poi in fondo formano una cosa sola, piú che nella celebre orazione del Carducci o nella dan-

[1] In un articolo pubblicato il 27 aprile 1962 sul "Corriere della Sera", e non compreso in questa raccolta.

nunziana *Notte di Caprera*, il lettore preferisce andare a ricercarle nelle *Noterelle* dell'Abba ed in poche altre composizioni a carattere diaristico o documentario. Altrettanto dicasi per figure e vicende della recente lotta clandestina, o per le passioni, le disperazioni e i furori delle grandi catastrofi belliche. Meglio che in racconti ed intrecci romanzeschi, tali cose si rivivono in lettere dei nostri partigiani, come quelle che furono pubblicate con gran commozione di pubblico, o in messaggi testamentari come quelli dei morituri di Stalingrado. Voglio dire che, in un certo senso, almeno a mio modo di vedere, il Tobino non ha fatto la scelta migliore investendo nello schema del romanzo suoi ricordi della vita partigiana in Versilia. E non si può a meno di pensare a ciò ch'egli avrebbe saputo cavarne, in una forma piú diretta e succinta, ma quanto piú intensa, come quella de *Il deserto della Libia* o de *Le libere donne di Magliano*.

Il romanzo comincia al 25 luglio 1943 con l'arresto di Mussolini, la caduta del fascismo, il maldestro proclama del governo Badoglio, e un comizio che i partiti democratici tengono su una piazza di Medusa, e che viene subito guastato dall'intervento della polizia che taglia corto a tutti i discorsi e a tutti gli « evviva la libertà ». L'azione diventa piú convulsa l'8 settembre, allorché il fascismo tenta di riorganizzarsi, e i tedeschi iniziano i rastrellamenti e le deportazioni. Già fatto infinite volte, il processo ai quarantacinque giorni almeno altrettante volte dovrà esser rifatto. È ovvio che i partiti di sinistra e tutti gli storici sinceri lo riaprano con particolare diligenza. Si tratta di evitare quanto successe nel 1860 quando, abilmente e tempestivamente, moderati e volponi subentrarono e si attribuirono e riscossero tutto il merito e i frutti spettanti all'iniziativa rivoluzionaria. Non c'è dubbio sulla legittimità del processo, mentre sono discutibili i modi nei quali la materia di questo processo può esser meglio rievocata e presentata.

Nel romanzo del Tobino è innegabile un senso di discontinuità, a seconda che quella materia si atteggi con maggiore o minore convenienza e naturalezza nel predisposto disegno degli avvenimenti. Alcuni motivi che potrebbero essere di forte suggestione non riescono a trovare il tono o lo sviluppo di cui avrebbero bisogno. Per dirne una, fra tante altre c'è la figura d'un qualsiasi giovanotto, emigrato in Scozia dove ha vissuto lungamente, tanto che quasi tutti in Versilia si sono dimenticati di lui. Nottetempo gli alleati lo lanciano col paracadute in un suburbio della Spezia, dov'è la sua casa paterna. E munito d'una radio e delle necessarie istruzioni, il giovanotto atterra felicemente. La sua missione è di assicurare il collegamento inglese con le forze clandestine. Non visto da nessuno va a barricarsi in casa del padre. Ma tanto è difficile e rischioso per lui prendere contatto con i partigiani (circondati come sono da un esercito nemico, e da una popolazione terrorizzata e piena di spie), quanto ad essi è difficile rintracciarlo sulle vaghe notizie che di lui sono trapelate non si sa di dove, e che potrebbero anche essere non altro che ingannevoli falsificazioni del controspionaggio.

Per parte sua, la famiglia del reduce piovuto dal cielo non può dirsi propriamente entusiasta di questo ritorno. Perché se la radio viene scoperta, sono inevitabili feroci rappresaglie dei fascisti e dei tedeschi. E nemmeno il radiotelegrafista vede rose e fiori. Non è un eroe, nemmeno vuole essere un traditore; ma ci terrebbe a guadagnare il compenso promesso dagli inglesi, senza rimetterci la pelle. Intanto è mezzo atterrito perché sente d'avere preso a pelare una gatta troppo grossa. Ne nasce una situazione sinceramente umana, piena di contrasti, equivoci, contrattempi. Ed è un peccato che, dopo averla laboriosamente preparata, lo scrittore la lasci illanguidire, la sciolga in una maniera formale e indiretta, e sembri fare tutto il possibile per dimenticarsene.

Di tanti e tanti episodi che stipano il libro, altri cosí finiscono in nulla, sfumando sulla pagina in un'aria un po' gratuita. Cosí dopo l'8 settembre, quando una ventina di partigiani con le loro armi lasciano Medusa, e fra le colline salgono alla villa del filosofo Duchen dove vengono ospitati. È un'ottima combinazione per fare la conoscenza di Teresa, coraggiosa sorella del filosofo. Ma dopo una visita d'un paio di giorni, di punto in bianco i partigiani decidono di rientrare a Medusa. Perché tutto questo andare e venire a vuoto, con tante SS e tanti « repubblichini » che sono in giro? La verità è che, fra le cose che a Tobino piú interessano, è di osservare e interpretare i rapporti degli intellettuali, i professionisti, o diciamo i borghesi in genere, con gli operai ed altri proletari delle formazioni clandestine; e le conversazioni nella villa Duchen offrivano un'occasione propizia.

Altrettanto dicasi degli incontri dell'ex-ammiraglio Saverio e della sua amica Nelly con i partigiani e con gli sbandati della marina da guerra. Frutto di tale collaborazione è l'incendio d'un deposito di bombe navali nel balipedio di Medusa; ma la conflagrazione colossale sembra avvenire silenziosamente (come in un film muto), e nell'economia del romanzo si può quasi dire che appena ci se n'accorge.

Ovviamente, in complesso, è nel romanzo un forte eccesso, quasi si direbbe un ingombro di materia rimasta grezza, non fusa. E di ciò l'impressione s'accresce con l'incalzare e il sovrapporsi degli avvenimenti, e con l'esasperarsi della loro atrocità, quando infine i tedeschi esigono l'immediato abbandono di Medusa, e la gente è ricondotta a vivere allo stato selvaggio. La lotta partigiana si trasferisce in campo aperto; e il racconto si copre d'un'orrida tinta di fuoco e di sangue, dentro a cui si perdono i contorni delle figure e delle fisionomie materiali e morali.

Un discorso a parte deve tuttavia essere fatto per il personaggio del giovane medico Anselmo, che reduce dalla Libia, nello svolgersi del romanzo vediamo assumere un ruolo sempre piú significativo. Il che avviene non già perché egli primeggi nel comando dell'azione clandestina: che anzi egli preferisce quasi sempre operare in sottordine; ma per un naturale dono di simpatia, in virtú del quale egli finisce col diventare una specie di mediatore ed interprete fra il lettore e i diversi personaggi di questa vicenda, specialmente i piú umili, selvatici, e chiusi in sé stessi.

Dove Anselmo è presente l'atmosfera del racconto prende un insolito calore interno, si ravviva d'una piú sicura qualità di partecipazione umana. E non si può a meno d'intravedere in questa figura, con i suoi impeti di generosità, con il suo senso di giustizia, il suo spirito cavalleresco, e la sua capacità d'intuizione dell'animo femminile, qualche cosa dell'autore medesimo, quale conosciamo dai nostri precedenti incontri con altre sue opere. Il lirismo del Tobino, la sua facoltà visionaria, la sua rapidità d'espressione riescono allora a liberarsi dagli avvolgimenti d'una narrazione troppo greve. E la scrittura ritrova tutta l'immediatezza, il guizzo e il bagliore che sempre la caratterizzano nei suoi momenti piú belli.

(1962)

«Metello» di Vasco Pratolini

A *Un eroe del nostro tempo* e alle *Ragazze di Sanfrediano* di Vasco Pratolini, frutti d'una stagione un po' stanca, oggi succede fortunatamente *Metello*, primo romanzo d'una trilogia che si intitolerà « Una storia italiana ». Ed insieme al *Paolo il Caldo* di Brancati, benché in uno spirito del tutto diverso, dà bene a sperare d'una annata letteraria che piú o meno si è inaugurata con essi.

Metello è figlio d'un renaiolo fiorentino: Caco, atletico e sentimentale come certi personaggi di Cicognani o di Rosai; anarchico militante, che rimasto vedovo, muore affogato in Arno per una disgrazia sul lavoro, mentre Metello è ancora a balia in un paesetto vicino. L'orfano cresce in campagna, per la carità della rustica famigliuola presso alla quale è stato allattato. Ma appena in età di cominciare a industriarsi e provvedere a sé stesso, scende a Firenze. È robusto, simpatico, di buona voglia; e qualche cosa da fare, sia pure a salari di fame, riesce a trovarla quasi sempre, finché si mette al mestiere del muratore.

Siamo al declino del secolo scorso, allorché il nero e fatuo terribilismo degli anarchici e il vago messianismo mazziniano hanno cominciato a concretarsi nel socialismo riformista; e con i primi tentativi di sciopero, entrano in azione le prime camere del lavoro. La paterna vocazione petroliera, che i compagni piú vecchi talvolta gli rammentano, serba per Metello tutt'al piú il valore d'un mito ormai lontano. Se nelle vene ha qualcosa di quel sangue rissoso, egli è carattere, nella sua semplicità, piú equilibrato e sensibile. Vorrebbe istruirsi. Legge, con una certa difficoltà, qualche articolo di Turati. I compagni tengono conto del suo parere in questioni di lavoro.

Pratolini ha voluto dare alla vita di Metello come una specie di sfondo storico, con le gesta di quel socialismo nascituro. E dirò volentieri, in qualità di fiorentino come lui, ma di lui parecchio piú anziano, e perciò testimone diretto: volentieri dirò che la sua rappresentazione del proletariato di Firenze, intorno all'epoca dei famosi « fatti di maggio », mi sembra riuscita ed autentica; non soltanto in una quantità di episodi, ma soprattutto nel tono della passione politica cosí ingenuamente ed intensamente sentita e sofferta da quella misera gente. In paragone ai metodi freddi ed atroci che la lotta di classe ha assunto oggi, si ha l'impressione che a quei tempi si vivesse in una civiltà sostanzialmente superiore.

Era ovvio che il Pratolini evitasse di fare di Metello e dei suoi compagni altrettanti *sanctificetur*. E con lo stesso senso di realtà, egli ha tratteggiato certi datori di lavoro, gelosi naturalmente del proprio utile, e tuttavia non incapaci di comprensione. Nei cantieri deserti, durante un lungo e vittorioso sciopero di muratori, che occupa l'ultima parte del romanzo, gli incontri degli imprenditori con le commissioni degli scioperanti sono resi con bella freschezza di linguaggio e argomenti. Che non meraviglia troppo chi conosca libri del Pratolini. Mentre meraviglia come questa parte riguardante lo sciopero, sia da taluni meno apprezzata; quasi che per la propria natura, una simile materia non si presti al trattamento dell'arte. Ed altri infine, d'estreme opinioni, per conto loro vorranno svalutare e deridere come idillica una lotta di classe cosí interpretata; e come romantica e nostalgica l'emozione di cui il Pratolini l'ha pervasa. Ma hanno torto. E sbagliano per idillico e sentimentale ciò ch'è semplicemente vero ed umano.

C'è in *Metello* una parte propriamente idillica; ma alla buon'ora: nei riguardi di questa parte, mi pare che tutti siano d'accordo ad ammirare. Appena fuori dell'adolescenza, prima d'andar soldato, sullo scenario suburbano d'un orto e di una casetta di fruttaioli dove egli lavora, Metello conosce una vedova piacentissima, Viola, che generosamente perfeziona la sua iniziazione amorosa. È l'incontro, ardente ma senza illusioni, d'una gioventú ancora acerba con una bellezza quasi matura, bonaria, esperta della vita.

Altro incontro, artisticamente anche piú fine, si dà qualche anno appresso, allorché Metello s'è sposato con una brava figliola, e le vuole un monte di bene; ma purtroppo le fa un torto con l'Idina, che sta al piano di sopra: una specie di astuta scimmietta, maritata a un artigiano che ne coltiva le pretensioni a piccola borghese. Questo secondo idillio finisce a schiaffoni (forse superflui) della moglie all'Idina. Poi Metello dovrà fare un po' di carcere per le sue attività socialiste; ma quando esce di prigione, la pace domestica è tornata piú salda di prima.

Sono due episodi senza i quali il carattere di Metello finora sarebbe riuscito un poco povero d'interni chiaroscuri. Ed accrescono di due vivacissimi ritratti: Viola e soprattutto l'Idina, la galleria della nostra narrativa odierna. Ritroveremo probabilmente Metello nel sèguito di questa « Storia italiana ». E vedremo se ha fatto altri progressi, dopo la sua evoluzione da figlio d'anarchico a sincero riformista.

(1955)

Un romanzo inflazionista: «Lo scialo»

Non sono di quelli che, quando si parla di Vasco Pratolini, autore del romanzo-fiume: « Una storia italiana », di cui è ora apparsa la seconda parte: *Lo scialo*, deplorano ch'egli non sia rimasto strettamente fedele all'ispirazione e all'arte di suoi vecchi libri come *Via de' Magazzini*, *Cronaca familiare*, e mettiamoci pure le *Cronache dei poveri amanti* (1947). Secondo costoro, la deviazione si sarebbe all'incirca prodotta con *Un eroe del nostro tempo*, dove il Pratolini si staccò da una forma di racconto a sfondo autobiografico e « intimista », piú o meno avvicinandosi alla corrente del cosidetto nuovo realismo narrativo; di cui, almeno nella comune opinione, egli doveva diventare assai presto uno dei rappresentanti piú accreditati.

Si può concedere, senza troppe esitazioni, che *Un eroe del nostro tempo*, e aggiungerei le successive *Ragazze di San Frediano*, fra i libri del Pratolini sono dei piú incerti. Ma qualche anno dopo, ecco *Metello*, di gran lunga de' suoi migliori, e del quale nessuno può avere dimenticato certe figure di donna: la Viola, l'Ersilia e l'Idina. Come nessuno avrà dimenticato la scena, cosí robusta e quasi direi elettrizzante, delle popolane, che, dal cortile della prigione, ad una ad una chiamano a nome e dicono addio ai mariti, ai fidanzati e ai figliuoli che si preparano a partire per il domicilio coatto. Una scena, che nella mente del lettore s'imprime indelebilmente con una straziante esattezza fonica, come se egli stesso avesse sentito echeggiare quelle voci su nel camerone dei carcerati.

Com'è noto, *Metello* costituiva la prima parte della trilogia: « Una storia italiana », di cui gli odierni due volumi de *Lo scialo* sono, s'è detto, la seconda parte. In *Metello* era un quadro della vita proletaria fiorentina negli ultimi anni dello scorso secolo, e primi di questo; allorché il nostro socialismo riformista s'impegnava nelle sue piú serie battaglie. Nello *Scialo* (ch'è di tre o quattro volte le dimensioni materiali di *Metello*), la « storia italiana », dopo la guerra

1914-1918, riprende, ancora a Firenze, con personaggi nuovi, fino a tutto il primo decennio fascista; ma piú che nell'ambiente operaio si svolge in quello della media e piccola borghesia cittadina e della campagna suburbana.

Gli avvenimenti, ne *Lo scialo*, si raggruppano, diciamo cosí, per famiglie e clientele. C'è la famiglia piccolo borghese di Giovanni Corsini, ex-socialista, reduce di guerra, velleitario politicante, che dopo essere stato bocciato alle elezioni comunali, cerca d'intrufolarsi negli affari, di qualsiasi sorta. Insieme alla moglie Nella (forse, con una sua amica Niní, il piú riuscito carattere del libro), avvicina qualche fascista influente. Ma è un inetto; nel continuo insuccesso commerciale s'incanaglisce sempre piú, e le sue cose vanno a rotoli.

Figlia d'un grossista in generi di mesticheria e possidente di campagna, Niní Batignani, fascista della prima ora, cerca (figuriamoci) di strusciarsi agli aristocratici di Firenze. Ma dopo alcune delusioni, si decide a sposare Adamo, l'onesto e melenso primo commesso del fondaco paterno. Niní si potrebbe chiamarla la « invertita di turno », visto che un personaggio di questo tipo ormai sembra che non possa assolutamente mancare in nessun romanzo contemporaneo. S'indovina ch'essa la deve sapere molto lunga, in merito alla misteriosa uccisione d'un « ras » fiorentino: Folco Malesci. Ma questo avvenimento, con altri non meno truci, rimane mezzo campato in aria, e perde della sua forza drammatica, per mancanza d'una motivazione e d'una realizzazione convincenti. Altrettanto dicasi per ciò che riguarda il disgraziato Giovanni Corsini, che a un dato momento, senza che si capisca bene perché, viene estromesso dal libro, facendolo materialmente portare via dalle guardie. Lo stesso, infine, per il suicidio di Niní, con il quale il romanzo bruscamente e inaspettatamente si chiude; ma si chiude come su una nota in falsetto.

La verità è che, nonostante queste bruschezze, queste sordità, questi strappi, nelle oltre milletrecento pagine de *Lo scialo*, il Pratolini, con una scrittura estremamente analitica, ci ha messo di tutto. Talune cose, anzi, ce le ha messe e rimesse una quantità di volte. E si conferma un'osservazione di Leone Piccioni (in *Narrativa italiana tra romanzo e racconto*, Mondadori): che probabilmente la forma, il taglio, il ritmo naturale in questo autore, sono di racconto o romanzo breve; se di tipo « intimista » o neo-realista, ha meno importanza. Ne resulta che *Lo scialo* è come una enorme addizione e accumulazione di situazioni e storie particolari, bozzetti, frantumi, spunti, che non fanno architettura, non fanno edificio; legati gli uni agli altri, come i segmenti della tenia, con una saldatura fragilissima. E si rompono e separano al minimo urto, ma per ritrovarsi e risaldarsi quasi automaticamente, ciecamente, magari alla rovescia, all'incontrario, capovolti.

Figurine abilmente osservate e lavorate, ma assai spesso superflue, e di cui ci

Una scena del film *Le ragazze di Sanfrediano* tratto dall'omonimo romanzo di Vasco Pratolini.
A destra: Via dei Camaldoli, a Firenze, Sanfrediano.

si dimentica subito; minuziosità infinitesime; episodi, che si specchiano e si confondono uno con l'altro; deliberate oscurità e indeterminatezze, che mascherano e suppliscono raccordi inefficienti. In una quantità di luoghi il lettore cerca a tastoni di seguire la continuità dei fatti. E un organico riassunto di tutta la trama sarebbe impossibile. D'altra parte, con quale ostinatezza lo scrittore torna e ritorna a metterci sotto il naso i miseri tentativi, le inutili furbizie affaristiche del Corsini. E le squallide porcherie di costui, prima con due sigaraie buone figliuole, poi con una terza: Erina, temibile ricattatrice, infine con altre donnaccole postribolari.

In questi casi sembra che il Pratolini patisca d'un vero invasamento loquace; senza saper fermarsi e rendersi conto che ormai il lettore ha capito e comincia a essere sazio. In tre se non quattro occasioni, obbliga il Corsini a correre alla ritirata, e sulla seggetta gli fa compiere interminabili meditazioni autobiografiche, che oggi forse meglio si direbbero « monologhi interiori ». Una vol-

ta un entusiasta, un fanatico, un patito domandò al Croce in quali esatte circostanze gli fossero venuti in testa i suoi pensieri, le sue idee piú importanti. Il Croce amava un discorso piuttosto popolaresco e le romanticherie gli facevano rabbia. Raccolse comunque l'invito e burlescamente rispose che a lui i pensieri e le idee piú importanti solevano nascere in occorrenze simili a quelle sopraccennate. Il peccato è che, quanto a idee, il povero Corsini non sia un Croce. E non so perché; ma nella attrezzatura e simmetria quasi simbolistica con la quale il Pratolini organizza questi « monologhi interiori », mi ha l'aria ci sia anche una puerile, provinciale intenzione d'emulare certe bravazzate alla Joyce.

Sarebbe assurdo voler negare la profonda vocazione narrativa del Pratolini, la sua pratica di vita e di mestiere. E con tutto ciò, procedendo nella lettura de *Lo scialo*, sempre meno persuade il tono col quale oggi egli le esercita. In confronto a *Metello*, il tono è diventato piú molle ed enfatico, ha preso qualcosa di torbido; non oserò dire di equivoco. Quella torbidezza lusingherà, inviterà taluni lettori; ma non so per quanto. Invece di decantarsi, il libro sembra marcire e putrefare nella memoria di chi lo ha letto. Neppure ai momenti piú drammatici e disperati è una di quelle parole di pietà e schietta partecipazione umana che sono in *Metello*. Ma dovunque profuse notazioni di disgusto, di raccapriccio e d'orrore, con una violenza verbale invelenita dal vernacolo. E non insisto su certe oscenità e bestemmie, che ormai nella letteratura di tutto il mondo sono all'ordine del giorno; ma sarebbe la stessa cosa se non ce le mettessero, tanto non impressionano piú nessuno. Sono un po' come le onomatopeie ed altre « armonie imitative » della vecchia rettorica; e se mai fanno ridere. Né insisto sulle centocinquanta pagine del diario di Niní; che d'altra parte sono fra le piú forti de *Lo scialo*. Ma riapra il lettore dopo visto cotesto diario, le *Pièces condamnées* di Baudelaire, per la gravità del loro lirismo. E sfogli, ad esempio, il *Calendrier* di Restif de la Bretonne, per la sua felicità d'evocazione plastica. Tanto per « ridimensionare » (come ora si dice), col paragone, la decadenza dell'arte moderna.

Forse la ragione per cui *Lo scialo* non riuscí come poteva fu, benché sembri paradossale, l'eccesso dell'impegno. Che il Pratolini meditasse un gran colpo, basta a mostrarlo l'ampiezza della tela preparata. Ma l'ambizione d'affermarsi in modo irrefutabile era stata incrudita dalle ingiuste e stolte polemiche su *Metello*. E lo sfrenò, lo indusse a strafare. Impresse ai suoi sforzi un tono, un impulso piú di natura volitiva ed attiva che contemplativa. Gli fece credere piú all'eloquenza e alla volontà di potenza che alla misura e allo stile. Sull'origine « pratica » dell'errore, anche o soprattutto, estetico, il Croce ebbe acute considerazioni. Purtroppo esse non consolano, quando ci troviamo dinanzi alle conseguenze dell'errore in atto.

(1960)

«La costanza della ragione» di Vasco Pratolini

Quest'ultimo romanzo di Vasco Pratolini: *La costanza della ragione*, riprende la cronaca della vita fiorentina, dopo che *Lo scialo* (1960), con altrettanta crudezza che insistenza, ci aveva trattenuti su tutta una serie di malefatte, crimini e crisi locali del passato regime. Ma ormai il regime è caduto; ed è finita anche la seconda guerra mondiale, sebbene qua e là restino a presidio contingenti di truppe angloamericane e di colore. La produzione e la vita sociale a poco a poco si riorganizzano. I giovani non fanno che discutere e progettare di politica, manco a dirlo estremista. Ma è chiaro che non debbono passarsela poi troppo male. Bevono una quantità di *gin* e di *whisky*. Si tengono al corrente delle ultime novità in fatto di balli, di film e di *blues*. Se in politica sono russofili, nella vita voluttuaria sono del tutto americanizzati. E l'ammirazione e l'entusiasmo per il progresso meccanico non fanno che confermarli in queste loro disposizioni, che all'apparenza si direbbero contraddittorie.

Insieme all'intonazione sociale piú calma, nel nuovo romanzo di Pratolini è qualche cosa che fa ripensare al suo *Metello*, che sette anni fa ebbe forse accoglienze meno generose di quelle che avrebbe meritate. Protagonista di *Costanza della ragione*, Bruno Santini, operaio non ancora ventenne, abita con la madre a Rifredi, una delle zone piú industrializzate a nord-ovest di Firenze. Il padre di Bruno, che aveva appartenuto alla famosa « Officina Galileo », grande orgoglio tecnico della Toscana e di tutta Italia, partecipò come volontario alla seconda guerra mondiale, e scomparve ad El Alamein, all'epoca che Bruno cominciava appena a camminare. La moglie Ivana, assai piú giovane del marito, del quale dopo la battaglia nessuno aveva mai saputo piú niente, si mise in testa che un giorno o l'altro egli potesse far ritorno. E di questa idea si fece un mito, una fissazione, o una protezione immaginaria, che la sostenesse nel proposito di restare fedele allo scomparso e al figliuolo.

A Bruno, frattanto, allorché giunga la sua età, e se tecnicamente egli lo meriti, spetterebbe secondo gli ordinamenti della « Galileo », un posto nell'officina dove lavorò il padre. In parte come rievocazione di tempi passati, in parte come annotazione di esperienze immediate ed in corso di svolgimento, il romanzo, ch'è in forma autobiografica, accompagna l'adolescenza di Bruno e la sua prima giovinezza; finché l'incontro e il fidanzamento con una sua nuova amica, la Lori, dopo i soliti inconsistenti amorucci da ragazzo, sembra segnare il compiersi e maturarsi della sua formazione.

A questo punto, e cioè a poche pagine dalla fine del libro, del tutto inaspettatamente, e quasi si direbbe gratuitamente, una violentissima malattia e la morte della povera Lori fanno pensare a quei ciechi e spietati interventi della nemica Natura che, per dirla con Hegel o con Leopardi, in un baleno distruggono quanto gli affetti, l'intelligenza e la volontà morale erano miracolosamente riusciti a strappare e salvare dal convulso disordine della realtà. Di Bruno abbiamo soltanto la formale certezza che, sorpassate infine alcune residue difficoltà procedurali, potrà realizzare la sua grande aspirazione d'operaio; e che all'« Officina Galileo » appunto domani assumerà il posto ch'era stato del padre. Nel fatto, la narrazione è cosí bruscamente troncata, che quasi neanche abbiamo il tempo e il coraggio di augurare a Bruno buon lavoro.

La struttura autobiografica de *La costanza della ragione*, il procedere della storia attraverso situazioni e incidenti spesso molto fuggevoli, nei quali di continuo affluisce e si rinnova una quantità di figure minori, esigono da Bruno, in tutto il libro, una partecipazione quasi ininterrotta. Gli impongono una prestazione talmente assidua ch'è inevitabile finisca col togliergli assai della sua nativa freschezza e ingenuità. Bruno è tipicamente uno dei tanti personaggi a tutto fare su cui particolarmente s'aggrava la condanna di quel subdolo, fatale senso di delusione che (come scrive E. M. Forster nel suo mirabile libretto: *Aspetti del romanzo*) accompagna inevitabilmente le cadenze conclusive di qualsiasi anche piú degna invenzione romanzesca. E la tragica, inopinata sparizione della Lori, che ormai pareva destinata a diventare parte essenziale della esistenza e del futuro di Bruno, lascia l'amico immiserito, bruciato e senza piú ragion d'essere. Lo lascia, starei per dire, come se, senza accorgersene, fosse morto pure lui.

Ma allo stesso modo che in altri, anche in quest'ultimo libro la forza creativa del Pratolini non tanto si manifesta nello scoprire ed approfondire organicamente l'intima sostanza e il processo evolutivo d'un carattere o d'un rapporto di caratteri. E da questo punto di vista, il severo titolo: *La costanza della ragione*, nonostante la sua altissima origine dantesca, non appare molto piú chiaro né pertinente, allorché torniamo a riflettervi intorno, dopo finita la lettura del romanzo. Come in *Metello*, nella *Cronaca dei poveri amanti*, ed altri lavori che precedettero, e che non debbono affatto ritenersi fra i meno significativi, le scoperte poetiche di Pratolini molto spesso sono laterali, discontinue, apparentemente incidentali, ma non per questo meno autentiche e vigorose. Pratolini è un lirico del romanzo. E piú forte riesce dove piú innocentemente si abbandona alla sua vena, come appunto nei ricordi di *Via de' Magazzini*, nelle confidenze della *Cronaca familiare*. Basti del resto constatare la potente suggestione di motivi e temi che sono piú tipicamente suoi; anche quando vengono adoperati indirettamente, affidandoli a un diverso mezzo espressivo; come per esempio s'è visto in un recente film, tratto appunto dalla *Cronaca familiare*.

Leggendo *La costanza della ragione*, difficile per chiunque non partecipare al calore, alla cordialità con la quale è sentito e vivificato quello che potrebbe dirsi il « tema della fabbrica », che nel romanzo è poi l'« Officina Galileo », o la « Gali » come familiarmente la chiamano nel quartiere delle Cure e a Rifredi. Durante l'ultimo ventennio, con il rinverdire delle ideologie politiche, e il naturale sviluppo della produzione meccanica, il « tema della fabbrica » ed in genere dell'organizzazione tecnica, s'è fatto sempre piú strada nella nostra letteratura, ed è stato tentato e ritentato con varia fortuna. Basti ricordare racconti e romanzi di Bernari e di Ottieri, il trattamento che di questa qualità di situazioni era in Vittorini, e piú tardi in Arpino, ed infine il largo impiego ch'esse trovarono in *Metello*, che circa dopo la metà finiva col diventare piú che altro una sincera e animatissima cronaca degli urti, scioperi e patteggiamenti fra la nascente organizzazione industriale edilizia ed il proletariato toscano.

Sempre sul « motivo della fabbrica » si produsse l'anno scorso uno dei piú bei frutti della nostra narrativa contemporanea: il *Memoriale* di Volponi, il quale finora, chi sa mai perché, fra tanto diluviare di premi, non ha ottenuto un giusto riconoscimento. Ma in Volponi il rapporto dell'operaio con la fabbrica.

si perdeva in una nera ossessione quasi kafkiana; laddove in Pratolini è sostenuto da un senso tutt'altro che fatuo di fiducia sociale. La « fabbrica » è sentita come un'invisibile potenza, esemplare e protettrice, che alla necessità non si vieta qualche dolorosa severità e magari ingiustizia; ma tiene efficiente ed attivo, ben meglio che nella forma d'un contratto di lavoro e salario, un organico patrimonio di capacità tecniche, ogni giorno verificato, passato sotto controllo; e non meno carico di vitali energie di quanto un giorno avevano potuto essere, tanto per fare un'immagine, la coscienza e lo spirito dei primi ordini cavallereschi e delle antiche corporazioni.

E insistendo nel riferimento prima accennato: anche nella *Costanza della ragione*, come in *Metello*, è da osservare la particolare felicità d'alcuni di quelli che dovrebbero considerarsi personaggi di secondo piano, o minori e minimi addirittura. Fra cotesti, certi coetanei di Bruno, con i quali giorno per giorno egli svolge la sua spicciola polemica politica; anche se talvolta possano sembrare scelti un po' troppo puntualmente con l'intento di presentare un campionario completo della gioventú lasciata in secco dal passato regime e dalla guerra. Fra essi, un fascista sentimentale: Benito, che fugge nella Legione Straniera, eppoi farà una fine disperata. O l'ambiguo Dino, che non s'è fatto pregare per arruolarsi nella grande caterva internazionale degli invertiti. O Gioe, scialbo e disorientato figliuolo d'un soldato americano morto in Italia. E Armando che, al contrario, non concepisce se non il profitto, l'utile materiale, e lo realizza con una precoce abilità tecnica, innocentemente spietata.

La casa di Bruno e della madre Ivana a Rifredi quotidianamente è frequentata da Milloschi, che già alla « Gali » era compagno del padre di Bruno, ma poi fu licenziato per le sue idee estremiste. Probabilmente quasi tutti lo credono amante di Ivana; e cosí anche Bruno sospetta, ma si sbagliano. Docilmente il Milloschi presta la sua collaborazione agli obblighi interlocutori di Bruno che, come s'è detto, non sono pochi. Ma ci mette una gravità rivoluzionaria, che ancora serba simpaticamente qualche cosa di romantico e vittorughiano; e che dà una specie di profumo tradizionale, come un *bouquet* di vendemmia storica, al confusionismo dei piú giovani, troppo meccanico e sbrigativo, con i suoi aforismi tattici, e le sue sigle che sembrano vere e proprie formule di prodotti chimici.

Non dovrà ricercarsi, nella *Costanza della ragione*, il ripetersi d'un assoluto miracolo come quelle tre figure della Viola, dell'Ersilia e dell'Idina, che sarebbero bastate da sole a fare di *Metello* uno dei maggiori libri di Pratolini. Ma a parte l'apparizione della Lori, che fra le giovani donne del Pratolini è delle piú nuove, e a parte macchiette come quelle d'una confidente dell'Ivana, la vecchia signora Cappugi, che con i negri traffica in razioni di carne in conserva e altro scatolame, il personaggio dell'Ivana, mamma di Bruno, nella galleria pratoliniana avrà sempre molto risalto.

Per certi tratti lo metterei vicino a quello della misteriosa « Signora » che quando la prima volta si lessero le *Cronache dei poveri amanti*, ci parve strano fino all'inverosimile; come se ci avessero detto che, sotto alle arcate del Ponte Vecchio, era stata pescata un'orca od altro mostro dell'antartica Baja delle Balene; finché si dovette convenire che ci stava veramente bene. Ma uno studio un po' approfondito del carattere e del significato della figura di Ivana, ci costringerebbe a riaprire problemi della personalità e della evoluzione estetica del Pratolini, che già si erano aperti all'epoca dello *Scialo*. Quell'opera animosa quanto farraginosa non aiutò affatto a risolverli; e forse essi aspettano ancora il tempo della loro naturale maturazione.

(1963)

Giorgio Bassani

Nonostante l'età ancora giovane, nel quadro della nostra ultima narrativa, Giorgio Bassani è figura già ben definita. Può darsi che in parte dipenda, come vedremo, dall'essersi il Bassani formato in tempi per lui specialmente difficili e pericolosi; che l'obbligavano a ripiegarsi sopra sé stesso, e lo distoglievano da quegli inviti prematuri, da quelle occasioni confuse, che spesso sono causa di passi falsi e delusioni. Sta il fatto che, nella sua produzione, fino dal principio, ci fu il minimo di spreco e d'incertezza; perché fin da principio, egli portò nel proprio lavoro una nitida e rigida consapevolezza di tutto quel complesso d'esigenze e problemi, morali e formali, che si riferiscono alla cosidetta *realizzazione*.

Argomento, questo della realizzazione, su cui, oggi in ispecie, non si potrà mai insistere abbastanza. In ogni periodo la spinta di nuovi ideali e l'ansietà di nuove conquiste, influiscono all'istesso tempo nel vivificare quanto nello sconvolgere i mezzi espressivi. L'entusiasmo per le ultime formule, tende a favorirne un impiego meccanico ed esagerato. Impossibile non accorgersi come recentemente si sia avuto in Italia un certo numero di romanzi e racconti notevoli e piú che notevoli. Ma anche impossibile negare che almeno altrettanti siano mancati; per dato e fatto d'una realizzazione approssimativa, d'imprestito.

Non è questione del cosidetto scrivere bene o scrivere male. Dello scrivere realistico o dello scrivere liricizzato. Si può scrivere come si vuole, pur di non scrivere approssimativamente. In questo il Bassani è di esempio. Perché, nei limiti del proprio temperamento, egli potrà avere scritto meglio o scritto peggio, ma è sicuro che, sia in versi che in prosa, approssimativamente egli non scrisse e non ha mai scritto. E non scrisse approssimativamente, perché aveva da dire cose che nascevano non soltanto dal piú vivo della sua esperienza individuale, ma che altresí provenivano dalla piú gelosa sostanza d'un fondo etnico.

A voler rendere questo secondo punto ben chiaro e circostanziato, occorre rifarsi un po' addietro col nostro discorso. In Italia, già quella medievale e rinascimentale, allorché i finanzieri ebrei erano considerati i piú forti e fedeli banchieri pontifici, e soprattutto nell'Italia moderna, la condizione degli israeliti, fuorché in una luttuosa ma fortunatamente breve crisi d'ora è un ventennio, mai conobbe le severità, le odiosità e gli orrori di cui furono testimoni altre Nazioni. Le cause di ciò possono essere state molteplici.

In primo luogo, in Italia, se si eccettuano rapide e confuse vampate, non è istintiva intolleranza etnica né ideologica. Ciò suole riferirsi a un innato scetticismo, ad un senso cauto e sperimentato dell'interesse pratico: diciamo pure, alla necessità e al gusto del compromesso. Ma bisognerebbe anche domandarsi se, per converso, tutte queste cose, oltre ai significati negativi, non ne abbiano altri da interpretare positivamente. Bisognerebbe domandarsi se, con tanta mistura di sangui, e con tanto peso ed esperienza di storia, non sia da noi e non prevalga, un intuito complesso e tollerante dell'umana realtà, una sorta di elementare solidarietà compassionevole.

In Italia non fu mai uno spontaneo antisemitismo. Già il numero degli israeliti in Italia fu sempre ristretto; e non dette luogo al formarsi di gruppi sociali e coalizioni d'interessi, da cui la circostante comunità potesse sentirsi minacciata. In Italia sarebbe stato inconcepibile un affare Dreyfus, che per alcuni anni tenne la Francia in una guerra civile. Vero è che il corso piú tranquillo e indifferente che la convivenza degli israeliti ebbe in Italia, finí con il logorare certi caratteri e snervare certi fermenti. E allorquando Riccardo Bacchelli scrisse il saggio introduttivo alla sua grossa antologia dalle opere di Alberto Cantoni, il senso ch'egli esprimeva della vita nelle comunità ebraiche intorno a Mantova, a Gonzaga ed altre località della valle padana, probabilmente derivò una intonazione patriarcalmente e religiosamente piú alta ed intensa, da un che d'arcaico che, in quella eloquente evocazione, si trovò infuso. Un'intonazione che, quando poi si legge il Cantoni, quasi non si riconosce piú.

Nell'Italia moderna non s'è avuto uno Zangwill, la cui opera peccherà, per certi aspetti, di un romanticismo troppo colorito; mentre in altri aspetti, piú tardi, concede a un decadentismo un po' turistico ed internazionalizzato; ma contiene pure un capolavoro come *Chad Gadya*, che il nostro caro Péguy, ultimo dei grandi cristiani, or è mezzo secolo, presentò, e fu davvero una rivelazione, in uno dei suoi « quaderni » famosi. Non si sono avute in Italia pagine sulla politica e sulla mistica ebraica, come quelle di Péguy in *Notre Jeunesse*. Né ritratti come il suo di Bernard-Lazare nell'ultima malattia; o la descrizione dello sparuto funerale di Bernard-Lazare nella canicola parigina.

Nella generazione cui appartengo, ho conosciuto in gioventú soltanto due ebrei che deliberatamente, nella loro arte e nella loro speculazione filosofica, attinsero alle proprie ragioni etniche. Uno di essi, ormai famoso: Carlo Michelstaedter, goriziano, moralista e poeta, morto suicida nel 1910; e il cui sistema potrebbe dirsi una distillata combinazione di pessimismo talmudico e di dialettica presocratica. L'altro: Guido Pereyra, di origine lusitana, amico di Borgese, di Giannotto Bastianelli e mio; volontariamente nascostosi nella modestia dell'insegnamento medio, dopo aver pubblicato un singolare poema: *Il libro del collare*, che pochi hanno letto, e nel quale l'ebraica angoscia si amalgama col mistico nichilismo indiano[1].

E anche in Saba risuona la grande tematica ebraica; ma turbata da un motivo avverso. Nel Saba l'ascendenza semitica è dal solo lato materno; e la figura del padre interviene come quella dell'intruso, violento e rapace, che s'è inserito nel corso di una ragione etnica aliena. Nulla di ciò nel Bassani. Il suo semitismo, niente metafisico, è colto nel vivo d'una realtà provinciale e famigliare. È un possesso spontaneo e tranquillo. Non implica privilegi né diminuzioni; ma è come il peso, il colore, o qualche altra qualità naturale.

Chi voglia conoscere l'arte del Bassani nei suoi aspetti piú completi, legga i due grossi racconti, o romanzi brevi, come oggi usa chiamarli: *La passeggiata prima di cena* e *Una lapide in via Mazzini* nel volume che porta il titolo del primo. Il quale è la storia del matrimonio d'una ragazza d'estrazione contadina: i cosidetti « contadini di città »: allieva infermiera nello spedale di Ferrara, sugli ultimi dell'Ottocento. Di lei s'innamora un giovane dottore: Elia Corcos, dello stesso luogo e di famiglia ricca; studiosissimo e destinato a una bella carriera. I due sogliono incontrarsi per una breve passeggiata quando, finito il suo lavoro, Gemma Brondi con la sorella si reca alla serale benedizione nella parrocchia di Sant'Andrea, vicino a casa sua. Ma senza troppi indugi il dottor

[1] Cecchi recensí il libro sulla "Tribuna" del 19 giugno 1920: l'articolo non è compreso in questa raccolta.

Corcos, si presenta in casa Brondi. Fa al capoccia la regolare richiesta matrimoniale; e Gemma ed Elia si sposano.

Elia Corcos è uno di quei bravi clinici provinciali, che tecnicamente non sono inferiori a quelli delle metropoli. Per riflesso dell'ambiente piú ristretto e piú suggestionabile (e si aggiunga il clima positivista e il fanatismo progressista dell'epoca), la sua fama ha un che di quasi taumaturgico. Insomma: in fondo alla provincia, un astro della scienza, se pure un astro minore. Ed accanto a lui Gemma, la buona moglie, figlia di contadini, che ha appena fatto la quarta elementare; ed in cuor suo probabilmente odia tutti quei libracci del marito.

Malgrado ciò, il matrimonio riesce benissimo. Il suo corso pacifico e fortunato, senza molti eventi, è descritto dal Bassani con una inesauribile benché dissimulata affettuosità interpretativa, anche delle diversità originarie, delle veniali incomprensioni. Intorno alle due figure, cosí comuni nel nostro ceto borghese, brulica tutto un ambiente sociale: vero senza nessuna sforzatura realistica; poetico proprio in quella nudità d'immaginazioni e colori, in quel rifiuto d'ogni concitazione. La prosa riesce a disarticolarsi, snodarsi, a perdere ogni letterarietà, in modo da seguire le minime increspature della vita morale e del sentimento. Se in Italia qualcuno può mostrare d'aver profittato della lezione dell'Henry James dei racconti: dove cioè il James è piú sottile e penetrante, questi è Bassani. Il suo bravo dottor Corcos sopravvive d'un ventennio alla cara moglie. Ma soltanto per esser portato a morire, durante l'ultima guerra, in un campo di concentramento tedesco.

Da uno di cotesti campi, torna invece alla sua città, inopinatamente, un altro della facoltosa borghesia israelita ferrarese: Geo Josz; quando ormai tutti lo credevano morto, e già il suo nome era stato inciso nella gran *Lapide di via Mazzini*, insieme a quello d'altri correligionari. Anche per il fatto che bisognerà rifare la lapide; e poiché ormai tutti, compresi gli ebrei, hanno ripreso, con piú vigore di prima, la vita d'un tempo, e non vogliono essere disturbati: il ritorno, la riapparizione di Josz, diventano un inconveniente, una seccatura.

Carattere contemplativo, uso a starsene in disparte, Josz ha tutto l'agio d'osservare, distaccatamente, con una rigorosa benché non maligna oggettività, gli aspetti della nuova vita. Vede i nuovi travestimenti, poco men ridicoli e sordidi di quelli di prima; vede i compromessi, le collusioni. E un bel giorno scompare, come silenziosamente ed inaspettatamente era ricomparso. Ripiglia il suo tradizionale destino d'ebreo errante; non prima però di aver mollato un paio di schiaffi a un tipo di procacciante politico che proprio se li è meritati. Due schiaffi che in fondo son niente; in confronto al pericolo corso da Josz di morire a Mauthausen in una camera a gas.

Molto ci sarebbe da osservare su questo secondo racconto; anche a voler considerarlo soltanto come un vero modello di non rettorica letteratura *engagée*. E da molte parti ora si chiede che cosa il Bassani potrà dare; dopo aver cosí egregiamente interpretato motivi di vita della sua gente nella regione emiliana. Se potessi dargli un consiglio sarebbe di non abbandonare cotesti temi. C'è lavoro per tutta una lunga esistenza, cui auguro d'esser fruttuosa come in questo principio.

(1954)

«Un cuore arido» di Carlo Cassola

Come l'altro anno *La ragazza di Bube*, anche *Un cuore arido*, uscito ora, va per molti aspetti a collocarsi fra i migliori libri di Carlo Cassola. Ed anche esso sostanzialmente può dirsi il « ritratto » d'un personaggio che campeggia tra figure di minore interesse, le quali naturalmente non debbono mancare d'una propria vitalità e necessità. Anna, la ragazza appunto creduta di cuore arido, è presente dalla prima all'ultima pagina del romanzo. Allo stesso modo, la malinconia del boscaiolo Guglielmo ed i suoi ricordi della moglie defunta, saturano l'atmosfera, l'umana fatica e i paesaggi dell'ormai famoso *Taglio del bosco*. E con la sua tacita remissività e dedizione, la ragazza di Bube si fa mediatrice di perdono e d'oblío perfino alle forsennate violenze del suo infelice compagno.

Da questo punto di vista: dell'assoluta supremazia d'un carattere, non c'è forse documento tipico dell'arte del Cassola come il lungo racconto: *Rosa Gagliardi*, appartenente ad una stagione ormai alquanto lontana. E ogni lettore perspicace, di tanto in tanto dovrebbe riprenderlo. Non solamente per la intrinseca bellezza, ma per poter anche rendersi conto della persistenza e della bravura con le quali, dopo cotesto « ritratto » di *Rosa Gagliardi*, che come la figura d'un bassorilievo arcaico potrà magari sembrare eccessivamente schematica e ferma, lo scrittore, tentando nuove strade, sia venuto acquistando alla sua arte nuove virtú.

Resta il fatto che, alle narrazioni del Cassola, non conviene uno scenario e una trama con troppa gente e con troppo movimentate complicazioni. E il loro « tempo », il loro ritmo nativo, il « cursus » della loro prosa, lo direi un *andante piuttosto lento e spiccato.* Risuonano le parole, e talvolta quasi rimbombano, in un attento, allarmato silenzio che costituisce la loro naturale camera sonora. Senza mai diventare allusivo o simbolico, anzi aderendo strettamente alla piú cruda realtà, il loro significato ha una straordinaria forza d'intimazione emotiva. E mentre l'andamento del discorso e la struttura della pagina sono quanto mai semplici e scarni, la carica lirica di quelle casalinghe sentenze è intensissima.

Intrecciati di pensieri e voci apparentemente banali, dozzinali e logorati dall'abuso quotidiano, i dialoghi raggiungono spesso un'alta bellezza. Ciò non soltanto in opere di elaborata architettura e realizzate col massimo impegno stilistico; ma anche in bozzetti e *suites* di fuggevoli episodi del tempo della guerra, del partigianato e della lotta politica, raccolti sotto vari titoli: *Baba, I vecchi compagni*, *Un matrimonio del dopoguerra*, eccetera. In scritti come cotesti, di solito vuole vedersi un Cassola del periodo di formazione, o comunque un Cassola minore. Ma è un pregiudizio; e una lettura un po' illuminata basta a distinguervi situazioni e scorci indimenticabili. Valga per tutti, in principio alle storie dei *Vecchi compagni*, il suicidio di Armando alle Balze di Volterra.

In *Un cuore arido*, il romanzo odierno, Anna e Bice sono due sorelle che, rimaste orfane da bambine, furono cresciute da una zia. Ed insieme a questa, lavorando da sarte, vivono in un paesetto: Marina, nelle vicinanze di Livorno. Personaggio un po' bisbetico, ma leale e industrioso, che dovrà presto andare di leva, Enrico è innamorato di Anna, e glie lo fa rozzamente e insistentemente capire, ma con poca fortuna. Comincia invece a bazzicare in casa alle ragazze un giovane soldato: Mario, che si fidanza con Bice. E nelle ore di libera uscita, recandosi a trovarla, famigliarizza e simpatizza anche con Anna, la sorella. Accade che la simpatia di Mario per Anna finisce col prevalere, e presto divampa in amore violento. È una situazione penosa; ma potrebbe esserci qualche rimedio. Per sfortuna, il padre di Mario, che da anni si è sistemato a Chicago, e laggiú ha trovato lavoro anche per il figlio, ora pretende che, appena possibile, Mario vada a raggiungerlo, ed intanto gli sta facendo preparare i fogli per il viaggio.

Nell'avvicinarsi del congedo militare e della partenza per Chicago, i segreti incontri di Anna e di Mario diventano sempre piú ardenti e disperati. E vinti infine gli onesti scrupoli di Mario, ch'è un figliuolo dabbene, Anna gli si dà deliberatamente. Gli si dà quasi sentisse che, all'infuori che con lui, ella non potrebbe realizzare nella sua pienezza e verità il proprio destino d'amore. E non le importa nulla se questo destino fiorirà per lei soltanto questa volta, ch'è l'ultima ch'essi stanno insieme; lasciandola, tutto il resto della sua vita, menomata e sacrificata.

Qui termina la prima parte del romanzo, che senza dubbio rimane la piú forte. Nell'andare del tempo Anna ha una relazione di qualche mese con un giovane di famiglia facoltosa, che poi preferisce fare un matrimonio d'interesse. Del resto Anna non s'è mai illusa sulla qualità e sull'esito di questa relazione, e non l'ha accettata che « per cancellare il ricordo di Mario che non la lasciava piú vivere ». Com'era inevitabile, nel meschino ambiente di provincia, piú o meno le cose si risanno, e già era trapelato di quei primi amori con Mario. Il vecchio pretendente, Enrico, lunatico quanto laborioso, torna da fare il soldato; ma rinunciando ad Anna si accosta a Bice, e se la sposa subito. Un senso di solitudine e di sconfitta potrebbe aggravarsi su Anna fino a schiacciarla, se la coscienza e l'orgoglio d'avere una volta amato davvero non le valessero a compenso dei disinganni e dei dolori inevitabili a un carattere fiero e senza compromessi come il suo.

Ed ecco che, dopo un certo periodo, Mario d'improvviso si fa vivo con una lettera da Chicago, e propone ad Anna di sposarla. Anna gli conferma il proprio amore, ma gli confessa la relazione che ha avuto, e rifiuta, con gratitudine, la sua offerta di matrimonio. I suoi ricordi, e fra i piú essenziali quelli con Mario, si sono assorbiti nei luoghi dove ella ha vissuto e sofferto: « Hanno fatto una cosa sola con tutti gli altri, fin quelli remoti della sua infanzia. – Io sono come i gatti, pensava Anna: mi affeziono piú ai luoghi che alle persone. – Perché se una persona amata la lasciava, lei ne soffriva, certo, ma poi la ferita si rimarginava; mentre se l'avessero strappata di lí, dai luoghi che amava, allora sarebbe morta di dolore... Era ormai una donna soddisfatta, quieta e saggia; non aveva desideri né rimpianti, e non temeva la solitudine ».

Su questa nota di malinconica serenità contemplativa, conclude il romanzo. E l'arte del Cassola ottiene uno dei suoi piú delicati successi nel fare sí che un sentimento come questo resulti del tutto necessario e connaturato ad un animo semplice e incolto come quello di Anna. Lo scrittore riesce ad esprimere tale sentimento nella sua calda e misteriosa intimità. E non occorre dire quanto gli siamo riconoscenti d'aver respinto ogni tentazione di convalidarlo con l'aiuto di sofismi morali e presuntuosi ammennicoli intellettualistici, come quelli che forniscono scappatoie e conclusioni piú verbali che reali a una quantità d'opere narrative contemporanee, e non italiane soltanto.

Detto questo, bisogna tuttavia confessare che, nella seconda e terza parte del romanzo, specialmente un lettore che sia molto in confidenza con i libri del Cassola, può avere di tratto in tratto l'impressione di certi sviluppi un po' gra-

1. Vasco Pratolini sul ponte di S. Trínita a Firenze, nel maggio 1960.
2. Copertina per un'edizione tascabile della *Ragazza di Bube* di Carlo Cassola. La prima edizione risale al 1960.
3. Carlo Cassola in un disegno di Pericle Fazzini.

tuiti, dell'intervento di figurine e macchiette in sé e per sé magari riuscite, ma che nell'azione non trovano un significato capace di giustificarle a fondo. Impressione che già s'avvertiva nella *Ragazza di Bube*, nel *Soldato*. In *Un cuore arido* c'è il brutale parente anziano che cerca di abusare della povera Anna; c'è la pruriginosa e goffa ragazzetta di città che durante la stagione dei bagni affitta una stanza in casa delle due sorelle, e la sera s'appiccica a loro per andare a ballare insieme; c'è la figliuola del ricco medico, nasuta e cavallona, che poi si fidanzerà con l'amante di Anna; e non sono i soli.

Nelle pagine d'un romanziere meno costruttivo e compendioso, queste figure e le corrispondenti situazioni potrebbero passare benissimo. Nessuno ci troverebbe da dire. Ma il Cassola ha nobilmente abituato il lettore a una tensione e a una nudità espressiva, in rapporto alle quali si è urtati da ogni minimo allentarsi del tono, da ogni superfluo ornamento e divagazione. Anche peggio (se dobbiamo dir tutto) quando evoca, gentile, dolorosa immagine d'una lontana parente di Anna, la contadinella Ada alla quale il falcione per fare il « segato » ai buoi ha portato via una mano. Eppoi mette quella poverina in una situazione pietosamente fra ridicola e scabrosa, non si sa in onore di che santo. Se non conoscessimo la sua artistica probità, diremmo quel che diciamo di suoi numerosi colleghi: che « fa per far gente ».

È probabile che nel complesso non si tratti che d'un errore di misura, di dimensioni: in altre parole, della passione, in sé generosa, di fare in grande; che poi in pratica, il piú delle volte, si riduce allo sforzo materiale di tirare le cose piú in lungo del giusto. Come se in arte l'importante fosse di fare in grande materialmente, e non di fare intenso e senza misture. E come se (per dirne una) nel repertorio di un Henry James, che pur conta qualcosa, *The altar of the dead*, *In the cage*, *The beast in the jungle*, ed altri brevi romanzi, non fossero perfino piú belli e importanti di tanti altri suoi romanzi voluminosi. Questi rilievi non tendono che a sottolineare un valore essenziale del libro del Cassola, forse anche maggiore di quello che resulta a una prima lettura; valore essenziale che queste sovrapposizioni in qualche momento tengono seminascosto. Cassola è tra le forze veramente autentiche della nostra odierna narrativa, e come tale merita e non deve essere giudicato e ammirato che nelle sue qualità piú originali e piú schiette.

(1961).

«Menzogna e sortilegio» di Elsa Morante

Diceva Lessing che « un grosso libro è un grosso guaio ». E *Menzogna e sortilegio*, di settecento fitte pagine in ottavo grande, è certamente quel che si dice un grosso libro. Forse anche un po' troppo grosso. Ma è tutt'altro che un guaio. Oltre che dall'interesse delle principali situazioni, la lettura è alleviata dal corso d'una trama comoda e lenta, che offre vaghi riposi al lettore, e gli consente talvolta d'impigrirsi e magari di sonnecchiare. Elaborati ma non faticosi, i periodi si scartocciano in larghe cadenze d'una sonorità lievemente trasognata. E gli aggettivi, assai profusi e di capricciosa arditezza, serbano quel tanto d'una intonazione tra fiabesca e teatrale, ch'evita d'impegnarli oltre la funzione d'un divertimento che non debba mai esser preso troppo alla lettera.

Come certe antiche carrozze da viaggio, il romanzo ha un aspetto pesante, casalingo e tuttavia avventuroso. Può rapirci in lontani paesi e campagne, sul ruzzolío delle ruote dal grosso cerchione, e sull'oscillare delle grandi molle barocche. Ma in certi imbottiti cantucci (con quei paesaggi che danzano nel sole o nella nebbia fuori del finestrino) ha l'intimità d'uno studiolo, d'una camerella dove, cosí pigramente andando alla deriva, si può appartarsi e fantasticare. Costrutta di materiale eccellente e lavorata in ogni minuzia con pazienza e scaltrezza artigiana, la macchina del libro fa anche pensare a un enorme balocco. Un balocco veramente coi fiocchi.

Difficile riassumere una trama cosí vagabonda. Dalle lontane origini (che qui tralasciamo), Elisa racconta una complessa storia familiare. In una piccola città del Mezzogiorno, nell'urto implacabile d'interessi, privilegi ed orgogli di casta, la bella Anna, che poi sarà la madre di Elisa, ha trascorso in sordida miseria la propria adolescenza, sognando il bel cugino Edoardo, che appartiene all'altro ramo, ricchissimo ed inaccessibile della stessa casata. Casualmente senza conoscersi, Anna ed Edoardo s'incontrano e s'innamorano; quanto almeno può innamorarsi Edoardo, ch'è una sorta di Don Giovanni isterico e spietato. Ma entra ora in scena Francesco, bastardo di certi contadini, butterato dal vaiuolo, e giunto in città, studente senza un soldo, e con in testa fumosi propositi di messianismo politico e di rivoluzione sociale. In parte con la velleità di redimerla, in parte per un vero attaccamento sensuale, Francesco si mette con Rosaria, giovine prostituta d'infimo rango. Ha il torto di farla conoscere ad Edoardo, che fra le mani ha ben altra mercanzia, ma per mero capriccio di malvagità, non tarda a sostituirlo presso Rosaria; al medesimo tempo che con abili insinuazioni a poco a poco fa in modo che Francesco, disgustato di Rosaria, si accenda per Anna di un amore irrevocabile e sciagurato come quello di Anna per il ricco cugino.

Quando definitivamente ha capito che Edoardo non vuol piú saperne di lei, Anna accetta Francesco, ma senza nascondergli il misero conto in cui lo tiene. È il matrimonio da cui nasce Elisa. Nemica al marito e alla figlia, Anna vive come un fantasma, allucinata dal pensiero di Edoardo, che dopo un certo tempo s'ammala, e muore lontano, in un sanatorio. La sola con un po' di fortuna è Rosaria, ormai divenuta una grassa baldracca per vecchi commendatori. Ma nonostante tutto, Francesco è rimasto l'ideale amoroso di Rosaria, come Anna è l'ideale di Francesco, e come in vita ed in morte Edoardo fu l'ideale di Anna. Francesco va qualche volta a trovare Rosaria, insieme alla bambina Elisa; e si drappeggia dinanzi a lei nell'amore per Anna, quanto piú Rosaria lo supplica, gli si offre e gli si prosterna. Francesco, ch'è finito impiegato postale del personale viaggiante, muore una notte in un incidente ferroviario. Anche Anna muore poco dopo il marito. Ed Elisa rimane nella protezione di Rosaria, e ci racconta la storia che avete sentita.

Nelle anfrattuosità, nelle curve e nelle adiacenze di cotesta storia, si annidano episodi laterali, che hanno talvolta lo sviluppo di veri e propri piccoli romanzi. C'è l'episodio di Cesira e Teodoro, i genitori di Anna e nonni di Elisa: ed anche Teodoro, come Edoardo, come Francesco e il padre di Francesco, è dilettante di canto, fanatico di melodrammi, e fa echeggiare di cabalette la sua

Elsa Morante, consorte di Alberto Moravia,
nella sua casa di Roma.

stamberga all'ultimo piano. C'è il gran quadro della vita nel palazzo di Edoardo, con la crudeltà, le bacchettonerie e le pazzie della madre di costui: Concetta, simile ad un personaggio borbonico. O l'adulterio della contadina Alessandra e i sogni e le ambizioni di Francesco bambino; e costituisce una delle parti piú felici del libro. Nel quale, come si è visto, intervengono selvagge passioni, destini si suggellano per l'eternità, ed accadono tante altre cose deliranti ed eccessive, di cui è impossibile dar conto in breve spazio.

Avverta il lettore che non dovrà ricercare tali cose in una raffigurazione diretta. Non dovrà aspettarsi d'essere realmente chiamato a partecipare a quelle passioni, a investirsene e viverle nella loro immediatezza; ma piuttosto ad assistervi direi quasi come fossero recitate e cantate. È questa in parte la sottile originalità, in parte il limite dell'arte della Morante; che da tale maniera di presentazioni e narrazioni si trova certamente aiutata a narrare; nel medesimo tempo che l'umana sostanza del racconto fatalmente viene a perdere d'intensità, e tende a scorporarsi in una fotosfera musicale.

L'epoca dei fatti non è lontana. C'è il telegrafo. Ci sono i treni e l'ambulante postale. C'è il grammofono che strilla in fondo a un cortile. Ma le figure sembrano muoversi in un'atmosfera remotissima. E sebbene vestite piú o meno come noi, agli occhi dell'immaginazione appaiono vestite come personaggi di fiaba. Qualche cosa di simile è nel *Grand Meaulnes*. O in *Angela* di Fracchia. Dicevo che, in questo curioso romanticismo di ritorno, l'emozione che dovrebbe direttamente scoccare dai fatti e dai significati, s'è come diffusa e adagiata nella scrittura, e la imbeve di una risonanza musicalmente un po' uniforme ma assai suggestiva.

L'urto, il rimbalzo dei sentimenti è attutito. Non per nulla (come nell'ambiente infantile di Alain-Fournier) viene naturale la continua presenza e mediazione di Elisa, che rivede sé stessa e si racconta bambina. Ma non si finirebbe piú ad annotare da un libro cosí ingegnoso e forbito; le cui limitazioni sono implicite nella stessa forma prescelta, né già derivano da impazienza, trascuraggine e incapacità. È probabile che si sarebbero potute recidere utilmente quelle cento pagine che il Thibaudet voleva togliere a un capolavoro di regolare misura: appunto il *Grand Meaulnes*. Ciò che soprattutto conta per noi è che, se il successo di questo fantasioso esercizio e divertimento, di questa pittoresca scorribanda di avventure, non indurrà la Morante a una cifra e ad una maniera, da lei sono da aspettarsi prove ben maggiori.

(1948)

«L'isola di Arturo»

Sui primi lavori di Elsa Morante si può sorvolare. La sua vera affermazione risale al 1948, con *Menzogna e sortilegio*, grosso romanzo con un'infinità di personaggi, storia che traboccava in mille rigagnoli da tutte le parti. Ma la parola « sortilegio » del titolo non cadeva a vuoto. L'epoca dei fatti narrati non poteva essere molto lontana dalla nostra. C'era il telegrafo, c'erano i treni. Un grammofono strillava di fondo a un cortile. Vestite come noi, le figure sembrava tuttavia si muovessero in un'atmosfera leggendaria. Impressioni piú o meno di questo tono s'erano potute avere dal *Grand Meaulnes* di Alain-Fournier, dal *Moscardino* di Pea, piú scialbamente da *Angela* di Fracchia. Il nuovo romanzo della Morante: *L'isola di Arturo*, conferma come ella sia profondamente affezionata a queste intonazioni, che ora ha saputo portare a un'intensità e a una purezza da lei prima non raggiunte.

E affrettiamoci a notare alcune cose. In confronto a uno scrivere tracotante e approssimativo come in genere è quello dei giovani d'oggi, ciò che nella Morante colpisce subito è l'ariosa pacatezza del ritmo, la affettuosità della composizione e del dettato. *Menzogna e sortilegio* è di dieci anni fa. Non è assurdo pensare che gran parte di questi dieci anni fu dedicata al nuovo romanzo, che nella mole di poco oltrepassa la metà del primo. Diceva Valéry che in un'opera d'arte si sente il peso del tempo.

Non alludeva al tempo materiale né alla materiale fatica, allo sgobbo; ma alla lentezza di maturazione dei motivi determinanti, alle naturali fatalità secondo cui oscuramente si organizzano in un'opera le piú valide ragioni emotive e intellettuali. Non è da dubitare che *L'isola di Arturo* abbia avuto una gestazione molto profonda. E volesse il cielo che la bontà dei risultati potesse servire d'esempio ad infrenare l'improntitudine di tanta nostra produzione narrativa, che spesso e volentieri, come conseguenza della propria furia arrivistica, non lascia dietro di sé che uno sventolio di stracci.

Sul limitare fra adolescenza e giovinezza, orfano di madre, Arturo vive in un'isola che nel libro si chiama Procida, ma poco ha che vedere con la Procida vera. Suo padre: Vilelm Gerace, è mezzo tedesco, biondastro, sportivo, cinico, con nell'aria qualcosa di ribaldo. Arturo l'adora d'una adorazione ragazzesca, senza avere neanche il coraggio di dimostrargliela. Loro due soli, in una casa troppo vasta, cadente; la giornata quasi tutta spesa alla pesca, od oziando sul mare. Ma ogni tanto il padre di Arturo parte per misteriosi viaggi, sta fuori settimane, a volte mesi, senza far sapere nulla. Riappare d'improvviso, riparte. Alla fine, di ritorno da uno di questi viaggi, porta seco una ragazza del popolo, Nunziatina, che ha sposata a Napoli. Il primo moto d'Arturo è di odiarla, perché ora gli toccherà a dividere con lei la presenza del padre, che frattanto li tratta tutti e due con identica insolenza e disprezzo. Freudianamente qui potrebbe parlarsi di un « complesso di Edipo » in formazione; e complementare ad esso è il nascere dell'amore di Arturo per Nunziatina, poco piú anziana di lui: Nunziatina che, quando finalmente capisce, è inorridita dell'amore del figliastro; al medesimo tempo che, schiava battuta e disperata come lui, sarebbe portata a sentire quest'amore e rispondergli.

Poi Nunziatina partorisce un bambino: Carmine, biondiccio come il padre. Questa nuova presenza, e l'amore sempre respinto dalla matrigna, rendono piú intollerabile l'esasperazione di Arturo; che a un dato momento scopre anche il segreto dei viaggi e della personalità paterna: orrido e immondo segreto di luridi affari e inconfessabili amicizie, che Vilelm coltiva perfino nel locale penitenziario. Arturo decide di lasciare l'isola, il che avviene mentre sta per cominciare la guerra. Se in questo finale della partenza è un che di astratto e quasi rituale, come quando a sciogliere i nodi delle antiche tragedie intervengono Apollo o i Dioscuri, anche le pagine conclusive del romanzo hanno situazioni umanissime.

Nel nuovo romanzo, Arturo è al medesimo tempo una delle principali figure e lo storico della vicenda. E in questa duplice natura il suo carattere guadagna nella sua capacità di comprensione, quando perde della sua forza d'azione. La sua disponibilità è piú quella d'un testimone onnipresente che di un protagonista.

Nel personaggio di Vilelm, può forse rintracciarsi qualche venatura letteraria, culturale, del resto legittima. La famiglia di poetizzati delinquenti cui egli appartiene, affidò parecchi rampolli alla tradizione simbolista. La prussiana crudeltà che nel 1870 ringagliardiva Rimbaud, pure entusiasta dei « forzati dalle fisionomie di piombo », e quella delle SS di tristo ricordo, sembra siano andate a combinarsi in questo lemure, piú sconcertante quando poi in ultimo da incubo diventa succubo.

Ma il personaggio di Nunziatina basterebbe da solo a testimoniare la virtú creativa della Morante. Personaggio nella sua naturalezza estremamente complesso; in apparenza tutto sentimento e animalità, e allo stesso tempo inafferrabile e sottilissimo. Si tratta d'una delle immagini piú vive e sorprendenti del nostro romanzo contemporaneo. Allorché Vilelm, Arturo e il galeotto si incontrano di notte in casa di Vilelm, il racconto un poco vacilla. Ma si ha appena tempo di riflettere che la tensione creata dalla canzone di Vilelm sotto alle mura del penitenziario, per la sua stessa potenza, non era a lungo sostenibile; e già nell'addio di Arturo a Nunziatina, *L'isola di Arturo* ha ritrovato uno dei suoi momenti piú belli.

(1957)

Scrittori al lampo di magnesio: Domenico Rea

Si è diffusa, negli ultimi lustri, anche da noi, una maniera di scrivere non priva di brio e talvolta di genialità; e poiché, a parte le naturali distanze fra le singole opere, essa ha finito con assumere i caratteri d'una tendenza collettiva, si può forse dirne qualcosa alla buona, da un punto di vista generale: ma badiamo bene, ripeto, senza pretese di profondità, con qualche osservazione affatto empirica, e qualche esempio fra i primi che vengono in punta alla penna.

Chi in Italia, con largo successo, cominciò a scrivere a questa maniera, che per intenderci chiamerei: « a lampo di magnesio », fu senza dubbio Barilli. E tutti ricordano come fosse ieri la grande sorpresa delle sue prose fosforiche e tempestose: Barilli, che prendeva la mossa dalle proprie esperienze di critico musicale; che lavorava, cioè, su una materia già decantata ed intellettualizzata. Tale materia gli s'accendeva ed esplodeva fra le mani; vampeggiava in figure, architetture e mitologie, sopra un fondo di tenebra, vulcaniche e accecanti. E non era difficile accorgersi come fatalmente Barilli fosse subito costretto a calare di tono, non appena provava ad accostarsi un tantino alla realtà, nella evocazione d'un paesaggio vero, nei racconti o qualsiasi altra cosa che somigliasse a un vissuto racconto. Intendiamoci: anche nei suoi « viaggi », nelle sue « avventure », ecc. ecc., Barilli seppe dare cose bellissime; ma con una pirotecnica attenuata. I suoi maggiori sortilegi si effettuano sempre sul proscenio o nel ridotto d'un teatro d'opera, o davanti alla pedana d'una sala da concerto. Serpentina e bilingue, la fiamma che brucia sul suo tripode magico, è inseparabilmente nutrita di musica e poesia.

Altri vennero dopo Barilli. Non bisogna tuttavia voler scorgere, fra il loro nome ed il suo, nessun rapporto di derivazione, o tanto meno d'imitazione. L'arte di Barilli era cosí eccentrica che non poteva far scuola, neanche per dispetto. Ed Aniante e Gallian[1], con ogni probabilità, da Barilli non trassero che un esempio di disperato anarchismo. Per primissima cosa ruppero la seggiola su cui eran seduti, presero il coraggio a due mani e si buttarono a capofitto. Lievitava nella pagina d'Aniante non so che superstite fermento di miti erotici del nostro Mezzogiorno. Mescolato a profumi dozzinali, una sorta di degradato soffio pànico. Un ricordo d'antiche religioni naturaliste, ma travolto in moderne situazioni caricaturali. Mentre Gallian principescamente scialava un istinto verbale anche piú ricco, mettendo in iscena gli eroicomici sconquassi, le collisioni e i terremoti d'un surrealismo rionale. Se questi due scrittori, eccezionalmente dotati, non dettero, o per lo meno non hanno ancor dato, tutto ciò che poteva aspettarsi, non sarebbe forse inutile che sulla loro vicenda meditassero attentamente quei piú giovani confratelli che, magari non avendoli neanche letti, camminano sulle loro pedate. Ne imparerebbero come sia tremendamente rischioso, senza le dovute precauzioni, e ci sia da bruciarsi le dita e il naso irreparabilmente, a voler scrivere a ogni costo « a lampo di magnesio ».

All'incirca fu questo il tempo che c'entrarono di mezzo gli americani. E quando un giorno saranno criticamente studiati gli influssi della penultima letteratura americana sull'ultima letteratura italiana, si vedrà una cosa curiosa, che tuttavia non di rado ha riscontro nella storia della poesia e delle arti. Gli scrittori americani che esercitarono il maggior influsso e piú largamente furono tenuti a modello, non erano già i piú veramente creativi (James, Sherwood Anderson, Faulkner, Hemingway); ma autori secondari, derivati, minori, o minimi addirittura. Di Hemingway, artefice meticoloso, fin puntiglioso, venne messo a partito, cosí a occhio e croce, il « dialogato » celeberrimo. Ma l'audacia veristica, soprattutto come esibizione sessuale, l'approssimativo della composizione, lo sfrenamento e l'arbitrio grammaticale, la tastiera dei sentimenti, che piú o meno sono poi sempre i medesimi: tutto ciò fu imprestato e volgarizzato da altri, che

[1] Antonio Aniante, pseudonimo di A. Rapisarda (nato nel 1900), scrittore, autore tra l'altro di una *Vita di Bellini* (1926), *Ultime notti di Taormina* (1930), *La baja degli angioli* (1951), *L'uomo di genio dinanzi alla morte* (1958); Marcello Gallian (1902-1968), scrittore e giornalista, autore di racconti (*Pugilatore di paese*, 1931; *Il soldato postumo*, 1935, ecc.) e di varie opere teatrali.

già a loro volta avevano imprestato e volgarizzato. La nuova scrittura italiana, liricizzante, immaginifica ed anarchica, la scrittura insomma « a lampo di magnesio », s'innestò su questo neorealismo d'origine americana. E il realismo, o neorealismo, com'è ovvio, e come è sempre accaduto, induce gli autori a rifornirsi di temi nel vivaio provinciale.

Il discorso andrebbe per le lunghe. Ma ritengo d'avere ormai sufficientemente caratterizzato una formula che, com'è naturale, in mano d'alcuni rende meglio che ad altri. Né c'è bisogno d'aggiungere che, a una quantità di nostri autori, giovani o meno, e piú o men famosi, tale formula non si potrebbe applicare affatto. Mi sembra invece ch'essa non disdica a racconti ora apparsi: *Spaccanapoli*, di Domenico Rea. Sul fondo partenopeo tornano i procedimenti della scrittura visionaria, tutta luccichii, fiammate e fumacchi. Immagini felici, delicate preziosità, si mescolano a rozzi idiotismi; il surrealismo alle canzonette del povero ciechino; tenebrosi misticismi carnali e sfacciate porcherie e parolacce, in una specie di continuo « saltarello » o ballo di San Vito, che sul principio tira l'attenzione ma in seguito diventa monotono.

Il dono verbale del Rea è notevolissimo. Purtroppo, già altre volte abbiamo visto dove andavano a finire doni simili, e forse maggiori, per non provare soprattutto un senso d'allarme. Il Rea non è pienamente consapevole del limite cui i suoi mezzi possono arrivare e sostenersi nella realizzazione. Ed ai suoi racconti dà un'invariabile inclinazione di beffa e di burletta, che in parte risponde al temperamento, ma in parte non è che un modo per esimersi dall'assumere piena responsabilità, figurativa ed umana. Butta all'aria il giuoco, prima d'aver finito di distribuire le carte. Che sarà anche divertente, ma non oltre un certo segno.

Sull'eccesso d'enormità, gratuite indecenze, parole sconce, e costrutti grammaticali sforzati o abusivi, ecc., torna in mente quando Tolstoi disse una volta di Andreiev, che voleva anche lui fare il diavolo a quattro: « Andreiev vuol farci paura, ma noi non abbiamo paura! ». Proprio cosí. Nulla è piú nemico all'arte che una sistematica truculenza espressiva; e i giganti di Michelangiolo son disegnati con linee « sensibilissime ». In fondo a questa beffa torrenziale, a questa scorpacciata di colori e risate, a tutto questo sfarfallío, è una vuota e immobile tristezza. Si direbbe che ogni tratto sia incancellabile; e quando poi s'è finito, non si ricorda quasi piú niente. Come dopo una festa di fuochi artificiali: un gran buio, qualche vagabondo straccio di fumo, e diffuso nell'aria un sottile puzzo di bruciato.

(1948)

Nuovi racconti di Domenico Rea

Intorno al primo libro di Domenico Rea: *Spaccanapoli*, già ci trattenemmo rintracciando gli antecedenti e i rapporti, non poi tanto sibillini, di quella scrittura « a lampo di magnesio ». E si prospettarono, di tale scrittura, anche certi pericoli che purtroppo, nelle successive *Formicole rosse*, parvero diventati addirittura allarmanti. Accendendo i suoi razzi e le sue girandole, spesso l'autore si bruciava, crudelmente, le dita. Aspettiamo, ci dicemmo, che le scottature guariscano. Eccoci cosí ad una nuova raccolta di racconti: *Gesú fate luce*. E bisogna subito riconoscere che il Rea, questa volta, è stato piú cauto; e che contemperando l'impeto dei doni naturali e la prudenza, ci ha dato quello che, finora, è forse il suo miglior libro.

Ad una proficua lettura di *Gesú fate luce*, gioverebbe potersi soffermare, uno per uno, sui dodici racconti, od almeno sui cinque o sei piú impegnativi: analizzarne la struttura, la meccanica, il linguaggio; chiarire la qualità degli effetti che il Rea si propose. E caso per caso, mostrare dove e come lo scrittore è riuscito appieno, dove è riuscito meno, o magari non è riuscito affatto. Intanto, una impressione innegabile, appena a qualche giorno dalla prima lettura, se uno scorre l'indice del libro, è che questi racconti non si ripresentano alla memoria, ciascuno nella propria tonalità, nel suo schema di figure e di fatti, e col suo inconfondibile risalto; come (per fare il primo esempio che càpita), nel complesso d'una delle giornate del *Decamerone*; dove non c'è il minimo rischio di non riconoscere mentalmente e di confondere Ser Ciappelletto con Abraam giudeo, o Guglielmo Borsiere con Alberto da Bologna.

Personaggi, eventi e significati dei singoli racconti di Rea, tendono a confluire e dissiparsi gli uni negli altri; ad impastarsi in una massa animata e agitata, ma al medesimo tempo piuttosto uniforme ed amorfa; e piú abbagliante in certi lampi e luccichii della superficie, che segnata nella modellatura e nei contorni. Fatte tutte le concessioni alla speciale natura del nostro scrittore, dovrà anche esserci qualche difetto, qualche insufficienza di costruzione, di legatura e di messa a fuoco. Le soluzioni, le cadenze finali sono di frequente abborracciate, frettolose, evasive (pure nella loro brutalità e perfino truculenza); come se l'autore si senta scottare il terreno sotto ai piedi, e abbia fretta di far fagotto e di andarsene; egli stesso accorgendosi d'aver lavorato piú d'illusione che di sostanza. Il *desinet in piscem* è qui talvolta, piuttosto, un *desinet in fumum*.

A parte questi inevitabili rilievi generali, in *Gesú fate luce*, come già si è detto, le cadute di tono, in confronto ai due libri precedenti, sono attenuate. Il livello di esecuzione è piú omogeneo; e l'eloquio è purgato da quelle voci troppo crude che noi respingevamo, non per un pregiudizio puritanesco (in Aristofane o in Rabelais, nessuno pensa affatto a respingerle), ma perché rappresentavano veri e propri errori di gusto. Lo stesso uso dialettale appare alleggerito; e salvo poche eccezioni, non introduce parole insolubili, che restano nel magma verbale come ciottoli appartenenti a geologie estranee.

Ma giacché ormai s'è imparato a conoscerlo bene, converrebbe che il Rea si tenesse sempre piú in disparte dal racconto; dove invece lo sentiamo ancora di continuo riaffacciarsi e intervenire, come una specie di petulante folletto o mazzamuriello. E si diverte a spinteggiarlo, irritarlo, cacciargli il pepe sotto alla coda. A giocar di capricci e mattane, e altre cose che esprimono il suo personale atteggiamento dinanzi all'opera della propria fantasia (uno sdoppiarsi che, in letteratura, è piú frequente che non paia); e che in fondo distraggono il lettore, come le superflue gesticolazioni d'un esecutore di musica, o le mimiche e gli ammicchi di un conferenziere.

Fra i racconti che a me son meglio piaciuti, metterei *Il mortorio*, della vecchia mendicante strozzata da un giovinastro e che tutti credono morta di morte naturale. Su un disegno come all'incirca d'una novella di tradizione naturalistica, la scrittura di Rea vi dispiega colori di robusta suggestione. E metterei *La cocchierería*: storia di un vecchio cocchiere di Napoli, che al tempo dell'occupazione alleata ha un po' di fortuna; e porta con la carrozzella a fare il bagno le amiche mercenarie di certi sergenti americani. Graziosissima pittura di queste scene del bagno, e anche d'altre. Ma con la partenza degli alleati, col ritorno alle condizioni normali e col rapido moltiplicarsi degli automezzi, il cocchiere ha sempre meno lavoro. E finiti i risparmi, muore in un cantuccio della scuderia.

E non è inferiore altro racconto: *Il bocciuolo*: l'anzianotto burocrate, con la pancetta, che si lascia accalappiare, menare pel naso e svergognare; e tuttavia alla fine sposa la ragazzuccia, viziata e piú furba del demonio. *Cappuccia* è un galeotto settantenne, per buona condotta passato ai servizi di cucina e fureria. A una data epoca della guerra, il penitenziario, scambiato per una fortezza, è quotidianamente bombardato dagli alleati, e i prigionieri che vogliono andarsene son lasciati scappare. Unico, Cappuccia rimane, padrone del vapore, e felice come in una reggia. Brevissima felicità, ché arrivano i marocchini e l'ammazzano; ma per troppa fretta ammazzano malamente anche il racconto.

Allo stesso modo, fra le principali, tre altre novelle: *Piededifico*, *Estro furioso* e *Una scenata*, per questa o quella ragione, sono rimaste piú o meno sacrificate. Nell'ultima, ch'è un interminabile litigio di marito e moglie per gelosia, alla presenza di tutti i casigliani, la situazione è troppo statica; e si affida eccessivamente al pittoresco dell'insulto, che il Rea può variare, con le risorse del suo istinto e del suo virtuosismo, ma soltanto fino ad un certo segno. In *Estro furioso*, un motivo verghiano d'amore tra Mínico e la Turla adolescenti, fiorisce negli episodi sul fiume, con la ferita e il sangue del colpo di zappa, e il connubio delle rane. E si sviluppa nelle forti pagine del servizio militare di Mínico a Firenze, della sua carcerazione a Gaeta, e del matrimonio di Turla incinta col fratello di Mínico. Ma anche questo racconto alla fine precipita.

Si direbbe che il Rea diffidi delle sue capacità nel tragico; e spazientito ricorra ad espedienti d'una sommarietà che sarebbe ammirevole se fosse appena espressiva. In realtà, essa vale soltanto come una materiale indicazione di fatto. E il lavoro di un artista cosí dotato e cosí scaltrito, sembra allora che concluda fuori dell'arte.

(1950)

L'arte di Fenoglio

Tre volumi di Beppe Fenoglio: *I ventitre giorni della città di Alba* e *La malora*; *Primavera di bellezza*; e *Un giorno di fuoco* (che insieme a dodici racconti contiene il secondo romanzo di Fenoglio: *Una questione privata*), rappresentano quasi completamente la produzione narrativa di questo scrittore piemontese. Nato ad Alba nel 1922, e fattosi conoscere con *I ventitre giorni* nel 1952, il Fenoglio moriva ad Alba nello scorso febbraio a poco piú di quarant'anni. Alla medesima età, nel 1950 era morto Cesare Pavese, che tanto vigoroso impulso aveva dato al movimento « neorealista » in Piemonte, e che era coetaneo d'altro dei nostri piú coraggiosi narratori della stessa tendenza, Elio Vittorini.

Fra svariate altre cose è da notare la comune attrattiva esercitata su questi tre scrittori dalla letteratura anglo-americana, e particolarmente dai suoi romanzieri ottocentisti e novecentisti, anche se il Fenoglio, a quanto mi è dato sapere, non le dedicò come il Vittorini e il Pavese costanti fatiche di antologista e traduttore. E non dovrà essere dimenticato che la scoperta del Fenoglio si dovette proprio al Vittorini. Vero è che, insieme alle affinità e simpatie, anche le diversità sono numerose. In primo luogo questa: che nonostante il successo dei *Ventitre giorni della città di Alba*, il Fenoglio non si sentí affatto di abbandonare il lavoro che fino a quel tempo gli aveva dato da vivere, e non volle abbracciare professionalmente, come invece fecero tanto il Pavese che il Vittorini, una carriera letteraria. In ispecie per la sua conoscenza dell'inglese, finita appena la guerra egli aveva trovato impiego nel settore commerciale d'una grossa ditta vinicola di Alba. E le sopracoperte dei suoi volumi seguitano a presentarlo sempre come « dirigente d'industria »: ufficio ch'egli mantenne finché glielo permise la sua ultima malattia.

È questo un tratto di grande importanza. Perché significa che il Fenoglio preferiva la decisa schiavitú dell'impiego commerciale, al subdolo pericolo che una produzione obbligata e la coercizione del guadagno lo potessero ridurre, come spesso succede, a tradire senza volerlo le sue genuine ispirazioni, trattandole affrettatamente e presentandole al pubblico in forma approssimativa e non abbastanza meditata. Altresí significa come per il suo lavoro di scrittore egli ritenesse essenziale di dover rimanere nel proprio ambiente nativo, e di non perdere il contatto con la cruda sostanza della vita pratica e dei negozi, non fosse altro per farsene una specie d'argine e scudo contro la infiltrazione di quei vaghi, ibridi intellettualismi che inquinano parte della produzione, pur cosí ragguardevole, del Vittorini e del Pavese.

Donde la tranquilla fermezza della sua presa di possesso della realtà, il profondo senso di autenticità delle sue esperienze, sia nelle piú tragiche congiunture della guerra partigiana, sia nell'esplorazione della vita normale in fondo alla provincia; infine la solidità e chiarezza incomparabile delle sue realizzazioni. Oggi che ci troviamo davanti all'insieme della sua opera, viene da chiedersi se la rappresentazione della grigia vita campagnuola, e grandiose e terribili vicende come il disfacimento di parte del nostro esercito dopo l'8 settembre, e come la guerra partigiana, abbiano avuto, negli scrittori delle ultime generazioni, altro interprete dell'altezza e gravità di questo.

La produzione del Fenoglio ch'è raccolta nei volumi di cui s'è fatto cenno, può essersi svolta all'incirca in quest'ordine. Dapprima i racconti dei *Ventitre giorni della città di Alba*, mescolati di figure e ricordi della provincia ed episodi della guerra partigiana, alla quale il Fenoglio partecipò fino alla vittoria. *I ventitre giorni* furono pubblicati da Vittorini nei « Gettoni » di Einaudi nel 1952. E presso lo stesso editore furono seguiti dal racconto lungo: *La malora* (1954) che è una fra le maggiori creazioni del Fenoglio, tale da farci dubitare non ch'egli abbia dato altre cose quasi altrettanto valide, ma che quanto a perfezione artistica abbia mai oltrepassato quel segno.

Alcuni anni dopo, esce il romanzo *Primavera di bellezza*, in cui distintamente, anche per la sua letteraria anglomania, si riconosce il Fenoglio sotto l'uniforme di Johnny, giovane allievo ufficiale in uno dei battaglioni della G.I.L. Allorché a Roma l'8 settembre l'esercito comincia a dissolversi, Johnny insieme ad alcuni compagni di ventura piglia la strada per tornare in Piemonte, ma durante il viaggio rimane ucciso in una scaramuccia. Quantunque il romanzo sia robustamente concepito e lavorato, la sua conclusione, anche per il lettore ingenuo o disattento, ha qualche cosa che convince poco.

Difatti esistevano due versioni del finale di *Primavera di bellezza*, m'informa Pietro Citati che collaborò alla pubblicazione di questo e dell'ultimo libro del Fenoglio; e l'autore rimase a lungo incerto fra le due. Scartò infine quella nella quale Johnny si aggregava ad un gruppo di partigiani e compieva con essi azioni e rappresaglie di guerra come son raccontate nei *Ventitre giorni della città di Alba*. Verosimilmente lo scartò perché essa avrebbe introdotto nella vicenda una materia del tutto nuova e che sarebbe andata eccessivamente in lungo. Ciò non toglie che il finale adottato della morte di Johnny ci lasci insoddisfatti.

Ma una volta stuzzicata la curiosità con questi piccoli segreti e rammendi della composizione artistica, ci sarebbe parecchio da aggiungere per uno scrittore quanto mai laborioso e sapiente, al quale la pagina, in apparenza cosí schietta e bloccata, costava un infinito travaglio. Perché scrivo?, si chiede una volta il Fenoglio. « Scrivo per un'infinità di motivi. Per vocazione; ed anche per continuare un rapporto che un avvenimento e le convenzioni della vita hanno reso altrimenti impossibile; ... anche per restituirmi sensazioni passate: per una infinità di ragioni, insomma. Non certo per divertirmi. Ci faccio una fatica nera. La piú facile delle mie pagine esce spensierata da una decina di penosi rifacimenti. » Ed è forse questa la unica diretta dichiarazione che abbiamo sulla sua attività di scrittore.

Si sa che Joyce preparava in un inglese regolarissimo sentenze e figurazioni che nell'*Ulysses* e in *Finnegans Wake* non si decifrano poi sempre agevolmente. Un artista esplosivo come Barilli tante volte abbozzava in francese le sue trovate pirotecniche. Dalla fonte che poco sopra ho ricordato mi resulta che questo secondo ed ultimo romanzo di Fenoglio: *Una questione privata*, prendeva le mosse da una larga stesura in inglese; e che la sua elaborazione fu talmente faticosa e intricata da non poter giungere mai al vero compimento. Il che non esclude che, insieme alla *Malora*, questo romanzo sia destinato a rimanere fra le piú alte e concrete espressioni non soltanto dell'arte del Fenoglio ma di tutta la nostra narrativa del Novecento.

Allo stesso genere d'argomenti appartiene quanto riguarda l'uso del dialogo in lingua straniera. I romanzi e racconti del Fenoglio non abbondano affatto di vocaboli e modi di dire strettamente locali, perciò incomprensibili a chi non è di quel dato posto; e che giustamente davano tanto sui nervi a Carlo Cattaneo. Il Fenoglio non esitò invece a introdurre, per esempio in *Primavera di bellezza*, molte battute di dialogo non solamente in inglese, ma in un inglese addirittura vernacolo o dialettale. Mi sembra questa una delle molteplici tracce del culto che evidentemente egli deve avere sempre avuto per Tolstoi, di cui tutti ricordano i dialoghi francesi in *Guerra e pace*. Si osserverà facilmente che il caso tuttavia è diverso; perché in Russia, almeno nell'ambiente aristocratico e d'alta borghesia descritto in *Guerra e pace*, il francese era stato veramente una seconda lingua, come nel Settecento in diversi altri Paesi dell'Europa settentrionale e occidentale. Neanche oggi l'inglese ha una diffusione e penetrazione equivalente. Cosicché il Fenoglio è costretto ad appendere a piè di pagina traduzioni che tolgono immediatezza alle scene e raffreddano l'effetto. La sua anglofilia, a me per altri aspetti assai simpatica, una volta tanto ha prevalso sulle convenienze dell'arte.

Nei tre volumi che sono ora a disposizione del lettore intelligente, si definisce nei suoi essenziali contorni una delle maggiori figure della nostra narrativa dell'ultimo ventennio. E chi volesse negare alla personalità del maestro di Fenoglio, Cesare Pavese, il gran fascino che le proviene dalla precocità ed intensità dell'apostolato artistico, dalla intrepida fedeltà ad un romantico destino, e pretendesse fondare la valutazione esclusivamente sull'intrinseca vitalità delle realizzazioni narrative, credo che non farebbe altro che far maggiormente risaltare, in questo confronto, quanto si debba riconoscere al solitario, scontroso e silenzioso scolaro.

Rari sono coloro che scrissero di quegli anni insanguinati con la concreta e sofferta conoscenza ch'egli ebbe di cosí terribile e gelosa materia, e col suo virile senso di pudore, dinanzi a certi estremi della ferocia e dell'orrido. Anche piú rari quelli che, come lui, naturalmente e indissolubilmente seppero unire la giustizia e la compassione. Nei romanzi e racconti del Fenoglio, la robustezza e bellezza dell'arte è immedesimata con un valore documentario e storico che si garantisce di per sé stesso, nella sua infallibile risonanza umana. Certi racconti ci vanno diritti al cuore come altrettante pagine del *Libro delle lettere di condannati a morte nella Resistenza* o delle *Ultime lettere da Stalingrado.*

Fra le piú forti caratteristiche di questi scritti è il rapporto dell'evento e dell'uomo con il paesaggio. Non è esagerazione che, negli autori contemporanei, il paesaggio è invitato ad intervenire in maniera troppo spicciola e abitudinaria. Tante volte esso offre la battuta quando il personaggio non saprebbe proprio che cosa dire. E dietro al paravento d'una ingegnosa descrizione paesistica, sovente vengono combinati furbi passaggi di tono e altri giuochi di bussolotto.

Nei romanzi e racconti del Fenoglio, le cose hanno una ben diversa serietà. Il paesaggio ha una sua personalità non meno precisa e perentoria di quella delle creature. E sia nelle monotone ed aspre fatiche dei campi, sia nelle necessità ed astuzie guerresche degli agguati, delle fughe e degli inseguimenti, il paesaggio e l'uomo si aiutano, si compatiscono, o si odiano e tradiscono, come in un appassionato e durissimo giuoco di vita e di morte. Se si prescinde dai nostri primitivi, o dal Manzoni e dal Verga, nella nostra letteratura è tutt'altro che frequente questa relazione disperatamente fraterna o spietatamente antagonista dell'uomo e della terra. E anche da essa il Fenoglio ha saputo ricavare una quantità di profonde emozioni e di mirabili effetti.

(1963)

«Il visconte dimezzato» di Italo Calvino

Con *Il visconte dimezzato*, è la prima volta che leggo un libro di Italo Calvino senza dovere ogni tanto ripescare faticosamente e rimettere a fuoco la fiducia e l'attenzione. Notevole, cinque anni fa, *Il sentiero dei nidi di ragno,* con tanti paesi e persone, fra le quali basti ricordare il giovinetto Pin, fratello della prostituta; benché di continuo anche lui pericolante fra le convenzionali brutalità del dialogo e i contorcimenti di un'azione che diventava monotona a forza di volere essere concitata. E tre anni or sono, d'una mescolanza in verità troppo grezza: *Ultimo viene il corvo,* dove sono alcuni fra i piú schietti ed alcuni fra i piú stonati racconti della « Resistenza ». Si restava perplessi, dovendo ogni momento saltare dal buono nel pessimo.

Sembrava difficile ammettere fossero d'una stessa penna l'avventura del partigiano e della spia nella nebbiosa boscaglia di *Andato al comando,* e le dozzinali comicità del *Furto in una pasticceria*; il tocco leggero di *Un pomeriggio, Adamo* (sciupato purtroppo verso la fine), o di *Un bastimento carico di granchi,* e le grossolane caricature di *Dollari, e vecchie mondane*. Figure stereotipe, battute di dialoghi alla Salgari, una freddezza, un gelo da tirarsi su il bavero del cappotto. Una sforzatura che già si sentiva nei titoli, memori talvolta delle raccapricciante inversioni e bilicature da qualche anno venute di moda in cima alle colonne della stampa quotidiana ed ebdomadaria.

Leggendo *Il visconte dimezzato* e ripensando alle pubblicazioni antecedenti del ligure e giovane Calvino, mi sono ritornati in mente libri di Mario Tobino. Non perché fra i due autori siano somiglianze di fondo o di tecnica, la quale poi nel Tobino è piú attenta e purgata. Ma perché in entrambi ricorre una alternativa curiosa. In gran parte della loro opera è una carica realistica o neorealistica. In un'altra parte, su dal realismo spicca a volo il favoloso. A un dato momento della sua carriera Tobino scrive *L'angelo del Liponard*, racconto marinaresco nel quale davvero il fatto mette le ali (come qualche volta succedeva a Viani), ed assume un che di leggendario. A quel modo che il *Visconte* è una vera e propria favola di tempi remoti, piena di stregonerie, di barocchi miracoli e di capricciosi grotteschi; come una pittura di Girolamo Bosch. Curioso, dicevo, che realisti o neorealisti d'impegno deciso, come Tobino e Calvino, pur in modi diversi, sentano il bisogno di tali, felici evasioni. Ma a questo punto si dovrebbe forse mettersi in un lungo discorso; ed è meglio torniamo senz'altro al *Visconte* e a Calvino.

Durante una guerra contro i turchi, il visconte Medardo di Terralba nel Genovesato partecipa a un tremendo combattimento in Boemia. E una palla di cannone lo spacca dal cranio alle piante, come un coltello che taglia in due parti una mela. Una di queste parti rimane seppellita fra mucchi di cadaveri e cavalli che perdono le budella. Recuperano l'altra parte, l'altro spicchio, certi frati chirurghi, la ricuciono alla meglio; e dopo lunga convalescenza ricompare a Terralba un Medardo ch'è la metà destra di quello che n'era partito. Ha un unico braccio, una gamba sola; e la testa incappucciata si può guardare soltanto di profilo. Gli costruiscono una stampella. Gli combinano un apparecchio per tenersi in arcione. E il visconte Medardo, di stregata vitalità, galoppa per le sue campagne, di cui diventa l'incubo e il terrore: vero demonio incarnato, quasi a vendicarsi della propria disgrazia facendo piú male che può.

Nottetempo dà fuoco a pagliai e casolari. Per minime infrazioni, fa impiccare dozzine di servi e coloni. Ricatta e tormenta una pia comunità di ugonotti, accampata nel suo territorio. D'altra gente si libera, chiudendola in un lazzaretto di lebbrosi che praticano le piú ripugnanti promiscuità sessuali. Pretende sposare la pastorella Pamela. Cosí passano mesi e stagioni; quando infine si viene a sapere che nel paese copertamente si aggira un altro mezzo visconte, identico al primo, senonché mancino.

Ma quest'altro mezzo Medardo è buono quanto l'altro è perverso. È la metà angelica d'un essere di cui finora s'è visto la sola metà dannata. Finisce che i due mezzi visconti si scontrano, e il cattivo sfida a duello il buono, che non può rifiutare. E quando si sono ben bene massacrati, all'accorso dottore, che in essi riconosce due spicchi della stessa persona, non resta che riappiccicarli con balsami e bende. Cosí reintegrato, il visconte sposa la pastorella Pamela; e torna a Terralba la pace e la prosperità.

Magari il lettore potrà ricordarsi, ma per un richiamo puramente estrinseco, del *Dottor Jekyll e Mr. Hyde*; o del fratello buono e del malvagio nel *Master of Ballantrae*. Una vena nordica, gotica era palese in Calvino già dai primi racconti, dove pigliava aspetti « espressionistici » alla tedesca, mescolati d'inevitabili formalismi americani. Il suo compiacimento per certe sembianze di vita naturale, per l'orrido zoologico o botanico, la stessa icasticità figurativa, erano di puro gusto gotico. E il piccolo Eden popolato di mostri casalinghi, in *Un pomeriggio, Adamo*, faceva pensare ai balocchi degli animalisti e marmorari nelle cornici e nei capitelli delle vecchie cattedrali.

Staccandosi da sollecitazioni politiche e sociali piú vicine e imperiose, e investendosi in motivi di libera fantasia, nel *Visconte* l'arte s'è piú fruttuosamente ricongiunta alle proprie tradizioni; e cosí viene spontaneo il ricordo di Altdorfer, di Grünewald, dei Brueghel, di Bosch. La qualità degli ambienti e dei paesi, la scelta dei personaggi da apologo, gli animali che partecipano alla mascherata umana, i lebbrosi, gli eretici, gli impiccati; le ribattute simmetrie di certe immagini araldiche: ci riportano a questo gusto, a questo clima; c'è ritmo, c'è disegno, c'è una grazia grottesca, sia pure un po' burattinesca. E mettendosi a fare come per scherzo, Calvino ci ha dato il suo libro finora piú riuscito (nel quale, fra l'altro, coi dovuti accorgimenti, potrebbe essere anche l'ottimo spunto per un film).

(1952)

«Il barone rampante» di Calvino

Italo Calvino ha dato un séguito, o per essere piú esatti, un « pendant » al suo romanzo: *Il visconte dimezzato* che, meritamente, quattro o cinque anni or sono, ebbe molta fortuna. Un suo nuovo romanzo s'intitola: *Il barone rampante*. Ma non si creda trattarsi, sia pure in chiave giocosa, d'una autoimitazione. Si tratta di due agili e brillanti macchine narrative; che se deliberatamente sono fatte per accompagnarsi una con l'altra, testimoniano, al tempo stesso, d'una straordinariamente versatile capacità d'invenzione e di realizzazione.

Scrivendo intorno al *Visconte*, poteva accadere di riferirsi a certi romanzi dello Stevenson (ad esempio: *Dr. Jekyll*, *Master of Ballantrae*), fondati sul motivo d'una doppia vita, o sul rovesciamento sorprendente di un carattere da buono in malvagio, e viceversa. Sulla nuova traccia del *Barone*, che finisce

A destra: Domenico Rea, a Napoli, nel 1955.
Sotto:
Italo Calvino, a sinistra, e Piero Jahier assistono all'assegnazione del premio "Viareggio", nel 1957.

tuttavia per portarci sopra un piano alquanto diverso, avverrà di ripensare anche a *Lady into Fox* e a *Man in the Zoo* di David Garnett, che furono tra le piú squisite novità della letteratura inglese nel primo dopoguerra. E non occorre avvertire che tali richiami trovano la loro origine in vaghe, naturali parentele di gusto, ed affinità di eleganza letteraria; senza che possa pensarsi, neppure da lontano cento miglia, al minimo rapporto di derivazione.

Ma veniamo senz'altro, brevemente, a questo nuovo lavoro; perché credo che saremo d'accordo di lasciare in disparte, per esaminarlo a comodo in qualche altra circostanza, il curioso problema della convivenza in Calvino di due anime, e di due « poetiche », cosí differenti: ad una delle quali dobbiamo le fantasiose ed un poco estetizzanti invenzioni del *Barone rampante* e del *Visconte dimezzato*: ed all'altra, romanzi e novelle come il *Sentiero dei nidi di ragno. Ultimo viene il corvo*, e l'*Entrata in guerra*, che stanno di certo fra i prodotti piú significativi della nostra letteratura neorealista, e cosidetta *engagée*.

Cosimo dei baroni Piovasco di Rondò, poco piú che dodicenne, scacciato di tavola dal padre, il 15 giugno 1767, a causa della sua ostinazione a non volere assaggiare una data pietanza (esattamente: uno stufatino di lumache), si arrampica su un grande albero del parco baronale, e non rimetterà piede in terra per tutta la vita. Con questo semplice enunciato s'è fatto capire che il romanzo del *Barone rampante*, né piú né meno di quello del *Visconte dimezzato*, parte e si svolge fino alla fine sul taglio di rasoio d'una duplice scommessa, del protagonista e dell'autore, seco stessi e con le ragioni e le risorse dell'arte.

Dapprima i familiari del baroncino Cosimo credono e sperano si tratti di un capriccio passeggero, d'una ragazzata. E con l'intermediario del fratello minore (che poi racconterà tutta la vicenda), cercano di non inasprire l'orgoglio del ribelle; mentre gli fanno pervenire mezzi e strumenti mercè i quali la sua vita arborea sia il meno possibile scomoda e pericolosa. Ma passano le settimane, passano i mesi, le stagioni e le annate, e Cosimo non si decide a scendere. Si nutre di frutti e cacciagione come un selvaggio. S'è costruito aerei capanni, specole, nidi; e percorre in lungo e largo vastissimi territori boscosi, saltando sulle impalcature dei rami, come si dice che facciano a Giava e Borneo gli orangutani e altre scimmie.

Siccome è buono, amico dei poveri, soccorrevole, amante della giustizia, la popolazione accetta la sua stranezza di vivere; anzi le donne hanno per lui una speciale simpatia. A un dato momento egli dirige perfino un'azione armata contro i corsari che infestano quelle spiagge liguri. In qualità di figlio maggiore, alla morte del padre, riceve il titolo e le prerogative baronali. In quel secolo illuminista, durante il quale gli interessi per le cose della natura prevalgono, e s'apre definitivamente l'epoca della scienza, questo nuovo Adamo o Robinson Crusoe diventa famoso, e ha corrispondenti in Francia, eppoi in tutte le parti del mondo. Neppure gli manca l'opportunità d'un colloquio con Napoleone, che dalla guerra è portato in Italia; e s'intende che parla col condottiero, senza mai scendere dal ramo su cui si tiene appollaiato.

Il riassunto potrebbe seguitare un pezzo, perché le situazioni del racconto sono cosí pittoresche, spiritose, graziosamente sorprendenti, che il solo rievocarle dà piacere. Il punto di vista obbligato sul mondo, sempre dall'alto d'una quercia o d'un pino, non ingenera affatto monotonia: il Calvino sa ricavarne una quantità d'effetti. La scrittura, il movimento sono maggiormente liberi e svagati che nel *Visconte*, dove una certa drammaticità del disegno esigeva una tessitura espressiva piú serrata e concitata. In altre parole, nel *Barone*, il giuoco è piú dichiaratamente un giuoco; e quando da ultimo il barone Cosimo entra in corrispondenza scientifica con Diderot, e quando arriva Napoleone, ed arrivano gli ufficiali inglesi sulla mongolfiera che poi si porta via Cosimo, il giuoco sta sbriciolandosi e riassorbendosi nei suoi pretesti e supporti culturali; ma già il libro è finito, e chi s'è visto s'è visto.

(1957)

«Il prete bello» di Goffredo Parise

Che il vicentino, venticinquenne Goffredo Parise avesse talento, poco ci voleva ad accorgersene fin dal suo primo romanzo: *Il ragazzo morto e le comete*, di tre o quattro anni fa. Il Parise viene direttamente « dalla vita »: ch'è una maniera come un'altra per significare che egli non ha passato disciplinatamente la trafila della scuola, della cultura e della letteratura. « Ha trascorso l'infanzia di cortile in cortile, di vicolo in vicolo, con piccoli mendicanti, figli di ladri, di prostitute, di povera gente. Ha avuto modo di conoscere a fondo la vita intima di quell'ambiente e di quei personaggi del Veneto di retroterra; ecc., ecc. » Cosí ci informa una targhetta editoriale; e c'è motivo di credere che sostanzialmente essa risponda al vero; sia pure con quel tanto di coloritura e romanzesco ch'è inevitabile in questo genere di imbonimenti.

Nel *Ragazzo morto e le comete* era la luttuosa materia di una città sconvolta dalla guerra. La vita trogloditica, le promiscuità, le sordidezze, i delitti. Paesaggi di distruzione, fosforici castelli di rovine, che si animavano di fuggiasche figure fantomatiche. Leggendo, mi veniva in mente *Altre voci, altre stanze* di quell'altro giovanissimo allucinato: Truman Capote. *Altre voci* era stato tradotto nel 1949. Io non pensavo tuttavia a nessun diretto rapporto di derivazione. Pensavo piuttosto che, come dopo l'inflazione neorealistica, in America, il gusto simbolista, con Truman Capote, improvvisamente era rientrato dalla finestra; qualche cosa di simile sembrava che stesse succedendo in Italia con *Il ragazzo morto*.

Un secondo libro: *La grande vacanza*, rappresentò, se non mi inganno, un momento di stasi. E il nuovo fortunatissimo romanzo del Parise: *Il prete bello*, ch'è giunto in pochi mesi alla quarta edizione, si svolge su un tono di visionarietà meno funebremente pittorica e capricciosa, con una forte dosatura d'effetti caricaturali. Se prima, per una ragione o per l'altra si ricordava Capote, ora, per certe situazioni, si potrebbe pensare a Palazzeschi. *Il prete bello* racconta d'un giovane ecclesiastico: don Gastone che, durante il passato regime, ha anche mansioni militari e politiche; e in una cittadina del Veneto, per una sorta d'attrazione fra sessuale, divota e patriottica, fa perdere la testa a certe zitellone e signorinette. Non ci mette, don Gastone, un deliberato proposito. Si lascia pigramente adorare; finché una giovane pantera rionale: Fedora, ha ragione delle sue reticenze, e se lo beve come un uovo *à la coque*. Intorno all'equivoca figura di don Gastone, è tutto un intreccio di pettegolezzi, dispetti, gelosie, alterchi e disperazioni. E in funzione di mezzani, di spie, di ladruncoli e ricattatori astutissimi, primeggiano due ragazzini, veri topi di fogna: Cena e Sergio, il protagonista, che narra in persona propria. In un cerchio di lacrimanti donnette, il prete bello è ormai al lumicino; mentre Cena, fuggendo dal riformatorio dove l'avevano rinchiuso, perde una gamba sotto un'automobile, e muore allo spedale. Cosí il romanzo finisce. Vale la pena di rivederne il principio.

« C'était à Mégara, faubourg de Carthage, dans les jardins d'Hamilcar. » È un'apertura epica, di tre accordi ben staccati, che annunciano il tema d'una grande sinfonia. Ma *Il prete bello* incomincia: « Il nonno aveva un cancro alla prostata e la custodia biciclette non andava avanti; ribassò i prezzi sul cartello da 30 centesimi a 25, ma andò male lo stesso; i clienti erano pochi, e i giorni buoni solo quelli del mercato ». (Non si vorrà dire che in un secolo i gusti non abbiano fatto un bel salto.)

Fin dal primissimo rigo, scaraventata sotto il naso al lettore, l'infermità del nonno stabilisce quello che sarà il tono del *Prete bello*; come Megara e i giardini di Amilcare dànno il tono di *Salammbô*. E tutto *Il prete bello* va avanti a forza di simili bravate e aggressioni; che, in fondo, meglio si chiamerebbero ragazzate; come di certuni che, per impressionare gli interlocutori, non sanno che parlare di cose atroci o nauseabonde; e tirano fuori di tasca, e fanno saltare sul palmo della mano, il lombrico, o mettiamo lo scarafaggio, o un dente rotto.

Dentro a questo tono generale, è nel *Prete bello*, un incontro di qualità e risultati poco conciliabili. C'è una vena di angosciosa poesia; particolarmente intensa nelle pagine su Cena al riformatorio, e nell'apparizione della bicicletta a

Lo scrittore Goffredo Parise in un ritratto eseguito da Dario Cecchi nel 1958.

Cena morente. C'è un dono verbale agile e impetuoso. Dall'altra parte, il giuoco satirico è elementare, povero di articolazioni. Cosí dicasi della capacità d'interpretazione psicologica. Don Gastone è un personaggio che non dà senso. E la sua parabola, da trionfante Adone in veste talare a rattrappito ospite del tubercolosario, è la cosa piú gratuita di tutto il libro.

Il Parise ha un forte intuito degli impulsi e rapporti carnali, torbidi, peccaminosi. Ma li percepisce come diffusi sentori in un ambiente catastrofico, piú di quanto li determini in vive situazioni e figure. Ha perciò il continuo bisogno di ribadire astrattamente tali motivi per mezzo di notazioni esasperate, di gridarli puerilmente in parole irripetibili. La sua ostinazione in questi espedienti potrebbe indicare come, in fondo, egli se ne senta poco sicuro; se al medesimo tempo non destasse il sospetto ch'egli si serva di essi anche ad un fine rumoroso e scandalistico.

I palesi difetti del romanzo, e l'increscioso sospetto, non devono comunque indurre a respingere, con quattro male parole, un autore cosí giovane e dotato. D'altra parte, al Parise corre l'obbligo di non ritardare piú oltre un atto di coscienza molto severo, riguardo ai propri mezzi espressivi, che nella loro baldanza sono cosí dubbi da indurre all'equivoco sulle sue stesse intenzioni. Diversamente il successo del *Prete bello* potrebbe essere per lui, in quanto artista, una grossa sventura.

Sembra inammissibile non si sia accorto come, finora, tutta la sua piú autentica lirica stia nel senso di straziante pietà che emana dalle figure di Sergio, di Cena e, a momenti, della stessa Fedora, ch'è un peccato egli non abbia piú approfondita. Non si sia accorto come tale poesia comincia a respirare liberamente non appena, sulla ostentazione *ordurière* e la rozza esagerazione satirica, riescono a prevalere le ragioni della verità e del gusto.

E si direbbe invece ch'egli prenda sul serio quell'« alone » di caso letterario, quella fama di dannato ragazzo-prodigio e di precoce avventuriero della penna che, cristallizzandosi intorno alla sua personalità e alla sua opera, minacciano di alterarne e comprometterne gli sviluppi; benché a tale riguardo occorra soggiungere che lo incoraggiarono nel malinteso anche taluni critici piú eloquenti che competenti.

A chi un poco abbia avvicinato Parise, è frattanto una sorpresa e direi un conforto sentire come, in fondo al suo animo, dietro alla esteriore audacia e insolenza, siano ancora intatti l'ingenuo amore della sua provincia, la compassione e solidarietà con quei dolori, quelle miserie. Alla buon'ora. Sia davvero fedele il Parise, anche sulla pagina, al suo fratellino Cena. E sulla bella bicicletta che Cena non fu a tempo a rinnovare, egli arriverà al traguardo.

(1954)

Critici e saggisti

Inventario della critica

Nell'ultimo ventennio, il lavoro critico seguitò a svolgersi dai capisaldi rappresentati dal pensiero del Croce nelle sue formulazioni in *Aesthetica in nuce*, 1929, e in *La poesia*, 1936; e dal disegno dell'estetica gentiliana: *La filosofia dell'arte*, 1931. Quali che fossero le difficoltà fra il Croce e il regime fascista, la posizione del crocianesimo andò in complesso rafforzandosi; ed esso penetrò zone della cultura che, forse per ragioni di specialismo tecnico, erano rimaste piú chiuse: le letterature classiche, l'archeologia, la storia dell'arte, la critica figurativa, la stessa filologia, persino quella testuale.

Si tratta di un crocianesimo che continuamente si arricchisce e precisa, per opera anzitutto dello stesso Croce, instancabile a meglio determinare le proprie idee, e sempre vigile contro il pericolo massimo del suo sistema, cioè la frantumazione della poesia. L'odierna tendenza è di superare l'antitesi poesia-non poesia, riconoscendo non solo la legittimità dello studio della non-poesia in sede di storia della cultura, il che aveva fatto anche il primissimo Croce; ma la « storicità » di essa. Del resto, il tentativo di assorbire nella storia l'impressionismo latente nell'estetica crociana, era stato fatto per tempo: ad esempio da G. A. Borgese e da R. Serra (ciascuno per la sua via); e fu poi l'assillo d'un crociano di stretta osservanza, L. Russo.

Già la seconda generazione del « metodo storico », soprattutto per opera di E. G. Parodi, C. de Lollis, V. Rossi, M. Barbi, tutt'altro che indifferente all'insegnamento crociano, era rimasta ben ferma su alcune posizioni, del resto mai combattute dal Croce: che per giungere al « vero » della poesia, altro punto di partenza non possa esserci che il « certo », dato dalla filologia. Principale caratteristica dell'attuale generazione dei critici italiani, è cosí un rinnovato fervore per gli studi filologici e l'erudizione; ed è ormai raro, tra i migliori, chi non sia in grado di alternare ricerche dell'uno o dell'altro genere; né manca chi sa genialmente fonderle nella necessaria unità (A. Monteverdi, M. Praz, P. P. Trompeo, L. Vincenti, S. Battaglia, U. Bosco, M. Fubini, N. Sapegno, ecc.).

Comunque, questi nuovi eruditi, a differenza dei predecessori, hanno presente il limite del lavoro d'erudizione, e si guardano dal considerarlo fine a sé stesso; ben sapendo che il « fatto » accertato non basta a spiegare un poeta e una poesia. Si dà anche il caso di chi, come G. Contini, può muovere dal possesso della piú rigorosa preparazione filologica per i suoi studi di letteratura modernissima, basati su un gusto pronto ad accogliere, magari un po' audacemente, anche le piú nuove e spericolate esperienze. Del resto, la connessione fra critica e letteratura militante poche volte, o mai, fu piú stretta di oggi. Il grande interesse, ad esempio, che la critica odierna mostra, con frutti eccellenti, per la disciplina filologica apparentemente piú arida e « scientifica »: la critica testuale (G. Billanovich, V. Branca, F. Maggini, V. Pernicone, R. Spongano, ecc.), se da una parte nasce dalla sazietà di certo futile e verbalistico crocianesimo, dall'altra è visibilmente correlativo all'amore per il concreto e all'attenzione per la parola, che determina taluni aspetti della poesia contemporanea.

Si diceva che, persino nella critica testuale, l'insegnamento idealistico ha agito in profondità. Pur accettando come base il metodo che potrebbe chiamarsi lachmanniano, non piú si aspettano da esso risultati sempre matematicamente sicuri, e si reclama la libertà di modificarlo e integrarlo, secondo le esigenze varie dei varî testi. La scoperta dell'individualità dei problemi testuali è l'importante punto di approdo della scuola italiana di filologia testuale moderna; la quale non si astiene piú dall'intervenire, né piú ha paura del « soggettivo », poiché esso non è di necessità l'arbitrario.

D'altra parte tale contiguità, o continuità, di esigenze e di esperienze è attestata anche nel campo della storiografia letteraria: per es., da opere che sono di certo fra le piú ambiziose e fortunate di questo periodo: la *Storia della letteratura italiana* di A. Momigliano, che la tradizione cosidetta « universitaria » felicemente contempera con un gusto della poesia trepido, umbratile ed elegiaco; e quella di F. Flora, che nell'applicazione del metodo crociano come nella trattazione propriamente erudita, non sacrifica una sensibilità visiva e musicale educata anche sul miglior D'Annunzio. Mentre nell'ambito d'un crocianesimo non rigoroso, e conformandosi con gusto ed equilibrio alle esigenze d'una critica di *feuilleton*, a carattere cioè superiormente giornalistico, l'attività di letterati come G. Bellonci, A. Bocelli, P. Pancrazi, ecc., non mancò certamente al proprio effetto.

La corrente gentiliana direttamente non produsse molto, nel campo critico letterario; ma determinò una quantità di disposizioni favorevoli a nuove tendenze, emananti da svariati settori della cultura europea. Con il suo accostamento d'arte e religione, il Gentile era venuto a spostare l'interesse critico al di là dei valori strettamente estetici, nella sfera vitale dove si formano sentimenti ed emozioni che poi diventeranno arte: nella sfera insomma della pre-arte. Si era cosí assai lontani dal razionalismo e storicismo del Croce. Difatti, quelle nuove tendenze, principale fra esse l'esistenzialismo, piú o meno confusamente si innestarono sul fondo gentiliano. L'inquietudine morale e politica che, nell'imminenza della guerra, in tutto il mondo diventava piú acuta, facilitò questi incontri e contaminazioni. In Italia si ebbe il fenomeno dell'« ermetismo » che, nei riguardi della creazione poetica, va genericamente ricollegato ai postumi del simbolismo, e agli influssi dell'immaginismo, del surrealismo, ecc.

Nel campo critico l'ermetismo, piú che un sistema d'idee, fu sostanzialmente una disposizione mentale capace a investirsi di differenti contenuti ideologici; sempre con l'intesa che il fatto letterario dovesse essere immerso e risolto nel fatto vitale. In alcuni ermetici (C. Bo), l'elemento risolvente poté essere costituito dai postulati cattolici. In altri, da un senso lirico o drammatico dell'esperienza, libera da ogni principio, e giustificata e valida in sé stessa: com'è per esempio in un Gide o in un Du Bos. Spunti freudiani, e come si è detto esistenzialisti, in un impiego spesso malsicuro, si riconoscono ad ogni tratto nei periodici di questi anni: "Corrente", "Campo di Marte", "Prospettive", "Letteratura"; piú tardi aggiungendosi ad essi, o intervenendo a sostituirli (G. Ferrata, G. Debenedetti) le tesi marxiste. Senza la pretesa di stabilire quanto sopravviverà della produzione « ermetica », sembra almeno non doversi escludere ch'essa abbia giovato a introdurre, sia pure in maniera approssimativa, certi argomenti e problemi, e ad incrinare certe superficiali cristallizzazioni dell'accademismo storicista; mentre è facile parodiare lo stile di taluni « ermetici », ma soprattutto quanto piú si sia inadatti a coglierne non infrequenti e innegabili finezze psicologiche.

La resistenza all'estetica del Croce non si limitò del resto all'« ermetismo » di discendenza gentiliana, cattolica o esistenzialista. Già il Serra, con infinita prudenza, aveva rievocato l'insegnamento del Carducci: l'impareggiabile carducciana virtú di saper veramente leggere un testo classico. E sulla *Ronda* era stata promossa una sorta di campagna umanistica; ma invece del Carducci avendo a palladio il Leopardi. La crociana negazione della tecnica e della pluralità delle arti, non poteva d'altra parte non essere avversata da critici come A. Gargiulo e G. De Robertis, tutti fondati sul fatto espressivo. E poiché essi furono anche fedeli ed intelligenti sostenitori della letteratura succeduta al D'Annunzio, al Pascoli, al Panzini, ecc., era naturale si trovassero in implicito contrasto col Croce che, ripetutamente, di cotesta letteratura cosidetta « giovane » aveva mostrato, quasi senza eccezioni, non fare che scarsissimo giudizio.

E s'è già accennato a riflessi del crocianesimo ed altre dottrine nella storia dell'arte e nella critica figurativa che, in rapporto diretto all'altissima qualità e all'universale importanza del patrimonio artistico italiano, furono e sono coltivate in Italia con speciale assiduità e copiosi, bellissimi frutti: basta citare l'opera di R. Longhi, e la sua scuola. Nel campo dell'archeologia classica, che fin qui era rimasto loro quasi completamente precluso, R. Bianchi Bandinelli cominciò ad introdurre la teoria idealistica della storia e dell'arte, ed i metodi critici che ne dipendono. Infine, ultimamente, C. Brandi forniva un acuto e complesso ripensamento delle teorie idealistiche. Se i concetti d'intuizione-espressione, liricità, linguaggio, ecc., operano nell'*Estetica* crociana come puri e semplici schemi dialettici, nella trattazione del Brandi la genesi del fatto artistico si chiariva attraverso una straordinaria abbondanza di notazioni psicologiche e tecniche, e corollari che toccano una quantità di precisi problemi pittorici. Fra altre cose, notevole nell'opera del Brandi la discussione sulla natura intrinseca ed i limiti della piú giovane fra le arti, o pseudoarti, visive: il cinematografo; forse la prima volta, non soltanto in Italia, in cui tale argomento veniva portato su altro piano che quello della divagazione letteraria o della meccanica.

Le condizioni determinate dalla guerra e dal dopoguerra resero a lungo malagevole formarsi un'idea precisa delle recenti tendenze critiche in alcuni paesi: per esempio, l'Austria e la Germania, donde frattanto avevano mosso le teorie di S. Freud, e di M. Heidegger e K. Jaspers, destinate ad esercitare sí vasta influenza letteraria. Né ci sarebbe forse da meravigliarsi, se F. Gundolf e la ragione critica ch'egli rappresentava, avessero ancora preminente rilievo. Il famoso libro di E. Bertram su *Nietzsche* non perde della propria originalità per avere i suoi modelli nello *Shakespeare* e soprattutto nel *Goethe* di Gundolf; e sebbene l'attività saggistica di T. Mann, negli ultimi anni, si sia soprattutto impegnata nel campo politico e morale, i due superbi studi su *Goethe* e su *Wagner*, apparsi nell'imminenza della rivoluzione nazista, non sono estranei ai predetti influssi. L'ultimo impegno piú strettamente critico di S. Zweig sembra essere stato nell'*Erasmo*, come studio del drammatico disagio d'una natura contemplativa dinanzi alle necessità dell'azione politica. Successivi lavori biografici dello stesso autore forse concessero troppo ad un tono eclettico e romanzesco.

Intorno al 1930, in Francia poteva dirsi scontata la polemica dei patrocinatori d'una restaurazione classica e cattolica (Maurras, Massis, Maritain, ecc.) contro i puri sensibilisti da un lato ed i puri intellettuali dall'altro. Ma si tenga conto delle innumerevoli e complesse circonvoluzioni e ripercussioni di tale polemica, in una cultura come la francese, che le tesi in sostanza piú irrazionali riesce, almeno esteriormente, a mettere in forma ed a svolgere in termini di stretto razionalismo. Comunque, verso quell'epoca, l'ascendente teorico di Paul Valéry è in incipiente declino. Lo stesso vale, probabilmente, per ciò che riguarda il misticismo letterario di H. Bremond. Anche l'elegante relativismo di Alain sta ormai segnando il passo. In A. Thibaudet, frattanto, s'era prodotta la sottile combinazione d'uno psicologismo e sensibilismo educatosi prima sul Sainte-Beuve, poi (attraverso il Bergson) sull'esperienza simbolista, con una capacità straordinariamente mobile d'interessi culturali. Anche se l'opera piú schietta del Thibaudet rimane la prima: il libro sul *Mallarmé*, i volumi sul *Barrès* e sul *Maurras*, la *Histoire de la litt. française de 1789 à nos jours*, ecc., forniscono un ricchissimo repertorio dei fermenti intellettuali e morali nell'epoca che precedette la prima guerra mondiale. L'impressionismo originario sopravvive tuttavia anche dove il Thibaudet piú s'impegna in argomenti teorici e storici. Con l'andare degli anni, la sua versatilità diventa maniera; continuamente, è vero, rinverdita da una agilissima curiosità ed erudizione. Un critico cosí descrittivo e dispersivo non poteva crescere una scuola omogenea e vigorosa; né evitare d'essere attratto verso le forme di una pubblicistica sia pure assolutamente superiore. D'altra parte, anche meno per il surrealismo e movimenti affini (Breton, Éluard, ecc.) può parlarsi di vero pensiero critico: ma solo di « poetiche » e « retoriche », dedotte soprattutto dal simbolismo. E una nuova posizione estetica e critica in Francia, forse soltanto ora si sta delineando (con addentellati in Bergson e nel pensiero freudiano e degli esistenzialisti tedeschi), specialmente con l'opera di J.-P. Sartre.

Tributaria in parte della Francia, dell'Inghilterra e della Germania, nell'internazionalismo culturale di J. Ortega y Gasset, e nel classicismo un po' artificioso e snobistico di E. D'Ors, la Spagna non offre rilevanti modelli di teoria e metodo critico; ma piuttosto brillanti esemplari d'una letteratura saggistica che sta certo ad un buon livello di gusto.

Quanto all'Inghilterra: al solito senza gran cura dei fondamenti filosofici, la sua critica letteraria continua tradizionalmente a procedere da una chiara erudizione e dalla scuola dei classici (l'Inghilterra è rimasta oggi probabilmente il paese di piú forte cultura greco-latina), con molta grazia espositiva e una solida pulizia di lavoro, sul piano di un illuminato eclettismo. Nell'ultimo ventennio, sia in letteratura sia nelle arti figurative, l'influenza francese non vi ha mai perso terreno. Ed è significativo che, sulla cattedra di « professore di poesia » ad Oxford, supremo presidio della critica accademica, ad E. de Selincourt, famoso editore e critico del Wordsworth e del Keats, succedesse (1946) C. M. Bowra, esegeta della poesia simbolista francese.

Se i cultori della critica accademica e di quella giornalistica, sono in Inghilterra cosí numerosi da impedire un'elencazione benché sommaria, non può almeno tacersi di Lytton Strachey e di Virginia Woolf, nella cui viva originalità di critici-artisti rifiorisce qualcosa dell'armonioso ed umanissimo intellettualismo settecentesco. Rimane a sé D. H. Lawrence che, non fosse stata la sua maggiore vocazione, avrebbe potuto riuscire critico di prim'ordine. Come un posto a sé occupa T. S. Eliot, che potrebbe anche risultare, almeno in un certo senso, il piú profondo critico di poesia dell'Inghilterra d'oggi. Non ci riguardano qui i suoi presupposti teologici e religiosi, certamente autentici ed autorevoli. E teniamo presente il fatto che la sua critica nasce quasi sempre in funzione piú o meno diretta d'una ricerca o d'una esperienza morale o tecnica, nel campo della creazione artistica dell'autore. In ogni modo, si tratta di una critica d'assai alta qualità; con discontinue ma frequenti illuminazioni, talvolta addirittura decisive; non sorda alla lezione, ma purgata dal nichilismo del Valéry.

S'è considerato Eliot come autore inglese. Al suo paese d'origine, la critica letteraria ha comparativamente avuto nel ventennio forse maggiore incremento che in ogni altra nazione. Un tempo potevano citarsi: lo Spingarn, quale esponente della critica accademica americana; H. L. Mencken, come lancia spezzata dell'opinione progressiva; il Brooks per le sue campagne contro l'incultura e l'utilitarismo; poteva citarsi l'ingente e durevole apporto del Berenson nella critica figurativa; e piú o meno s'era detto tutto. Non è qui il luogo d'investigare le probabili ragioni d'un mutamento già ad esempio annunciato in L. Lewisohn, che nell'applicazione, pur rudimentale, di alcuni schemi freudiani, temprò un acume interpretativo ch'ebbe i suoi effetti. La critica di questi ultimi anni, niente affatto sistematica, e quasi sempre espressa in forma faticosa ed impervia, impresta motivi e reagenti al freudismo, come s'è detto, al marxismo, allo stesso crocianesimo; e convoglia il proprio materiale come una lenta e disordinata fiumana. Cosí in F. O. Matthiessen, con i suoi massicci studi in *American Renaissance* (su Emerson, Hawthorne, Thoreau, Melville, Whitman), e i volumi su *H. James* e *T. S. Eliot*. Cosí in A. Kazin, con le sue « interpretazioni della moderna prosa americana ». Ma altre testimonianze sovrabbondano: basta sfogliare le ottime riviste universitarie.

In E. Wilson, un piú stretto contatto con la cultura europea ha servito fra l'altro a maturare una migliore disciplina formale. E in suoi studi come quelli su *Dickens* e *Kipling* (*The wound and the bow*), o nella trattazione del Matthiessen sul *Melville*, sono da riconoscere alcuni fra i caratteristici prodotti della nuova critica d'America, che dalla letteratura della cosí detta « generazione perduta » (Faulkner, Hemingway, ecc.) trasse senza dubbio impulso e coraggio psicologico, ma già procede piú largamente a prender coscienza della tradizione nazionale; e nei suoi spiriti, se non sempre nelle forme, ha ormai da apprendere qualcosa anche alla cultura del Vecchio Mondo.

(1948)

Girolamo Vitelli

Come spesso mi accade, ripensavo a Girolamo Vitelli (1849-1935) alcuni mesi fa, ricorrendo il venticinquesimo anniversario della sua morte, e con qualche parola, avrei voluto ricordare il grande grecista su queste colonne. Invece, fra una cosa e l'altra, mi sfuggí l'occasione. Ma un'altra occasione, e questa del tutto inaspettata, è venuta a ripresentarsi quasi subito. Da Teresa Lodi, scolara del Vitelli, e per molti anni direttrice nientemeno che della Medicea Laurenziana, è stato ritrovato il manoscritto d'un libro inedito del Vitelli: *Filologia classica... e romantica*. Il manoscritto autografo di questo inedito, che deve datarsi intorno al 1917, dalla Lodi fu rintracciato fra le carte di Medea Norsa, che era stata collaboratrice instancabile del Vitelli nella decifrazione e pubblicazione sia dei *Papiri greco-egizi dei Lincei*, sia dei *Papiri della Società Italiana*, fondata a Firenze ai primi del '900. Il libro uscirà tra breve, con introduzione d'un'altro vecchio scolaro: Ugo Enrico Paoli, per i tipi del Le Monnier, nella « Bibliotechina del Saggiatore », oggi diretta da Bruno Migliorini.

Con l'eccezione dell'indimenticabile padre Pistelli, nelle poche righe che precedono, è avvenuto di rievocare quasi tutti i piú bei nomi della sezione di filologia classica nell'Istituto di Studi Superiori fiorentino, ai primi del secolo. Queste personalità si muovevano nell'orbita del Vitelli, che alla cattedra di grammatica greca e latina nell'università di Firenze era salito nel 1874; vale a dire poco dopo il conseguimento della laurea. Nella stessa università, successivamente egli passò alla cattedra di letteratura greca, lasciata da Domenico Comparetti, e la tenne fino al 1915. A tale data, e cioè, dieci anni prima di aver raggiunto i limiti di età, spontaneamente si ritirò dall'insegnamento ufficiale, per potere accudire con maggior impegno alla pubblicazione dei papiri dei Lincei e di quelli della Società Italiana; e restando, non occorre dirlo, la figura maggiore che a Firenze e in Italia stesse a rappresentare la filologia classica.

A parte quanto di lui scrisse il Pasquali (che il Vitelli stesso aveva indicato a succedergli sulla cattedra fiorentina, dove infatti il Pasquali gli succedette); e quanto alla morte del Vitelli e nel centenario della nascita, scrissero la Norsa, il Paoli, l'Arangio Ruiz e tanti altri, italiani e stranieri: è tutt'altro che facile mettere in rilievo le ragioni che, alla figura e all'opera di questo maestro, conferivano cosí particolare suggestività e autorevolezza. Compilata dalla Lodi, e stampata nel 1936 a cura dell'università di Firenze, la bibliografia del Vitelli è certamente ragguardevole. E folto è il catalogo dei papiri da lui interpretati e pubblicati. Ma le ragioni di quella supremazia debbono ricercarsi anche al di fuori del reperto strettamente tecnico e bibliografico.

Fra l'altro, bisognerà tener conto che al Vitelli non si offersero mai opportunità strepitose, come per esempio al Comparetti, allorché a Creta, nel 1884, dal suo prediletto scolaro Halbherr, fu scoperta e ricostruita la muraglia su cui è incisa quella che siamo soliti di chiamare la « grande legge di Gortina ». Oltre a pubblicare, in associazione con l'Halbherr, detta legge nel "Museo italiano d'antichità classica", da lui fondato e diretto, il Comparetti acquistò a proprie spese terreni limitrofi allo scavo dell'Halbherr, rendendo possibili ulteriori scandagli che rivelarono frammenti d'una legislazione assai anteriore a quella della iscrizione di Gortina, ch'era sembrata vetustissima, mentre ormai viene collocata verso la metà del quinto secolo. In ogni modo (è il Pasquali che scrive), per merito del Comparetti, non solo la Creta greca, ma la Creta minoica, pregreca, veniva stabilmente conquistata alla scienza italiana.

Nella carriera del Vitelli non fu nulla di simile. Il lavoro della sua vita si svolse tutto nel raccoglimento delle biblioteche e nella severa disciplina della scuola; ridotta al minimo anche la concessione a quelle forme divulgative che sembrano inseparabili dall'attività didattica. Ma benché possa apparire in contrasto con ciò che ora si è notato, non è forse da escludere che la piú alta misura della sua dottrina e del suo acutissimo istinto critico, anche piú che negli scritti il Vitelli riuscisse a darla dalla cattedra. Nessuno fece mai lezioni piú scarne e meno colorite delle sue, né cosí frementi d'un virile e profondo spirito poetico. Chi seguí i corsi nei quali egli leggeva e commentava una tragedia di Eschilo o di Euripide, o un gruppo d'odi di Pindaro, se a confronto riapre, ad esempio, i noti studi del Comparetti sulla commedia attica, ha certamente l'impressione d'una eloquenza piú briosa di quella del Vitelli, ma d'una partecipazione filologica ed estetica del tutto inferiore.

In una tiritera composta nel 1913, il Comparetti si divertí a prendere garbatamente in giro quelli che a lui sembravano difetti della nuova scuola fiorentina di Vitelli e Pistelli. Per citarne qualcuno: l'estrema cura delle cosidette minuzie filologiche, che poi non sono affatto minuzie; l'eccesso dello scrupolo critico; l'ossequio alla tradizione della filologia teutonica. La tiritera è in un latino maccheronico-goliardico che non ha neppur bisogno d'esser tradotto: [Il Pistelli] *ridet etiam cum Vitellio in minusculo subsellio: / cum Vitellio criticizans, claudicanter syllogizans, / papyrizans, germanizans, Italosque stigmatizans: / nam qui dicet de Pistellio debet loqui de Vitellio. / Sicut Terra currit una cum satellite suo Luna, / sic Pistellius cum Vitellio, sic Vitellius cum Pistellio: / iste laetus iuvenilis, / ille tristis et senilis, graviterque sententiosus, iste levis et gaudiosus...*

Col sopraggiungere della guerra 1914-1918, quell'allusione del Comparetti a un tal quale « germanesimo » della scuola fiorentina, doveva diventare, in bocca d'altri, e nell'incalorirsi delle polemiche per l'intervento, il pretesto ad una specie di vero e proprio atto d'accusa, adoperato, come succede, a scopi assolutamente profani. In tempi piú vicini a noi, si sono viste troppe confusioni e distorsioni di questo genere, per doverci qui trattenere a illustrarne il meccanismo e gli intenti. Non occorre avvertire che, nella polemica filologico-politica, il Comparetti non ebbe parte. La capeggiò il buon Romagnoli, che, nella *Minerva e lo scimmione*, a colpi di grancassa, proclamò addirittura un suo ingenuo *delenda philologia*! Lo seguirono il Barbagallo, il Fraccaroli e minori. E il Vitelli ne rintuzzò gli argomenti, appunto nel volume inedito: *Filologia classica... e romantica*; ma senza mai rivolgersi alle persone, e senza mai direttamente nominarle, come del resto era della sua natura aristocratica e orgogliosa.

In realtà, piú che ai grecisti e filologi di professione, il libro era dedicato ai sinceri amatori dell'antichità classica. E si affrettava a dimettere il tono strettamente polemico, non appena rimosse, né ci voleva molto, le goffe insinuazioni di disfattismo e germanesimo intellettuale, e rivendicati gli autori e le opere che, alla tradizione filologica tedesca, assicurano il rispetto dovuto. Maggiormente premeva al Vitelli di asserire e illustrare quei concetti critici e didattici che sono indispensabili alla conservazione e coltivazione dell'inestimabile patrimonio spirituale rappresentato dalle grandi testimonianze letterarie del mondo greco e romano. E per tale riguardo il libro ancora è valido, e si leggerà sempre con profitto.

Nelle pagine massicce, *sentenziose*, non manca, talvolta forse sovrabbonda, l'ornamento di eleganti, peregrine erudizioni, e trasparisce qualcosa come di una nobilissima, aurea inattualità di questo intelletto preclaro. Contro nemici che non gli arrivano al ginocchio, e dei quali di continuo sembra essersi dimenticato, egli ha bisogno d'imbracciare se non proprio lo scudo di Achille almeno quello di Enea; ligio alla sua necessità di conferire a tutto ciò in cui s'impegna, un massimo, quasi un eccesso, di gravità, di decoro, e di compiutezza anche formale.

Viene tuttavia da chiedersi perché, una volta composto il libro, il Vitelli rinunciasse alla pubblicazione. In proposito, la Lodi fa diverse ipotesi. Nel 1917, quando il libro fu scritto, il disastro di Caporetto e l'invasione d'una parte del Veneto avrebbero fatto apparire veramente stonata una difesa italiana, sia pure soltanto filologica, della cultura tedesca. Nel 1920 il libro era stato annunciato dall'editore come « imminente ». Ma proprio quell'anno uscí il saggio *Filologia e Storia* di Giorgio Pasquali: altra confutazione del famigerato *Scimmione*. E il Vitelli può avere preferito di ritirare il proprio lavoro, sia a favore di quello del prediletto discepolo, sia per il buon gusto di evitare un'impressione di « duplicati ».

Ma soprattutto credo, con la Lodi, che passato un lasso di tempo e sbollita la collera, subentrasse nell'autore un sentimento di rammarico, per essersi troppo concesso ad avversari mediocri. Il loro torto era talmente dozzinale e manifesto, che in fondo diventava superfluo avere scritto il libro. E meno male che egli non lo distrusse. Ma lo scordò; come scordava e lasciava perdere le superbe traduzioni orali e le acutissime postille che formavano parte delle sue lezioni universitarie sui poeti greci.

Intorno a coteste celebri lezioni, con tutte quelle studentesse innamorate del gran vecchio, esiste piuttosto una leggenda che, come dovrebbe, una vera e propria storia. Per gli scolari d'un tempo esse sono indimenticabili. E ne parlano fra loro quando s'incontrano, come d'uno di quei miracoli ai quali non siamo degni di assistere che nella gioventú. Ma quando questi superstiti scolari saranno anch'essi scomparsi, le dirette testimonianze di quell'eccezionale insegnamento risulteranno, come sono, scarsissime: in brevi ricordi ed accenni del Borgese e del Paoli, in un capitolo del Pasquali, e una bella pagina del De Robertis, nella quale il sentimento non turba la valutazione critica.

Ho già espresso il mio convincimento che, in tali lezioni, dove fra l'altro si direbbero anticipati problemi e tendenze dell'odierna « critica stilistica », si atteggiasse la piú alta e genuina espressione intellettuale ed umana di cosí grande maestro; e se ne accresce il rimpianto che non vi sia stato un giovane Platone o almeno un giovane Senofonte, a raccogliere dal vivo discorso i « memorabili » di questo vero Socrate della filologia classica.

(1961)

Ernesto Giacomo Parodi

Dovette essere nel settembre 1909, che Benedetto Croce s'era fermato qualche giorno a Firenze. E un pomeriggio, in piccola comitiva, partendo dall'albergo Bonciani dove egli era solito scendere, andammo a passo a passo a San Domenico di Fiesole, e ritornammo in città, sempre a piedi. Qualche cosa nell'andatura del Croce ricordava che, giovanetto, dal famoso terremoto di Casamicciola egli era scampato, ma con tutte le ossa rotte. Malgrado ciò era un arzillo camminatore. E quel pomeriggio si saliva la collina: lui in mezzo, che di poco aveva passato i quarant'anni; da una parte, non molto piú anziano, Ernesto Giacomo Parodi; e io dall'altra parte, ancora studente, che a quell'epoca stavo traducendo i *Nuovi saggi sull'intelletto umano* del Leibniz, per la collana dei « Classici della filosofia moderna », diretta dal Gentile e dal Croce.

Dopo tanto tempo, sarebbe difficile rammentare nei suoi precisi sviluppi quella peripatetica conversazione. Di sicuro so questo: che la parte del leone, anche a spese del Croce, se la fece il Parodi. Nel mondo universitario era stato fra i primi a inclinare verso le idee crociane. Ma il suo temperamento era portato al dubbio, all'obbiezione; per scrupolo scientifico, ma anche per una sorta di civetteria: soprattutto per l'ingegnoso piacere di snidare e tirar fuori da ogni

Carissimo Cecchi,

La Voce mi raggiunge fin,
in questo eremo alpestre e
mi dà un piacere indescri-
vibile! – Devo ora dire
grazie a Lei e non so
come fare.. Ah! Lei
sa deliziosamente ricercare
i panni addosso e sa
radioscopizzare alla perfezione un organismo
poetico.. Grazie e grazie
infinite!
Da un pulpito come la
Voce e da una voce come
la sua le tante cose che Ella
dice di me mi lusingano
e mi inquietano molto.
Ella aggiunge una cifra
spaventosa a un
debito di pubblica benevolenza
che già mi pesa.
Vedremo se saprò rimbor-
sare ai troppi giudici
di buon umore i troppi...

Lettera di Guido Gozzano a Emilio Cecchi datata 14 agosto 1909.
A destra: un documento sull'attività de "La Voce".
Gli appunti manoscritti sono di Armando Spadini.

argomento i germi, gli spunti delle idee e delle osservazioni, pur contradditto-rie, che potevano esservi dentro avviluppati.

Argutamente disse una volta lo Schiaffini (uno dei suoi principali discepoli e continuatori), che a chi discorrendo esponeva qualche nuovo fatto o nuova teoria, la risposta del Parodi immancabilmente cominciava con un « Però... ». Discuteva il Parodi (scrisse il Pancrazi) « con una curiosità, uno spirito cosí pronto e vivace che, invece di imbarazzarlo stimolava l'indipendenza e magari il dissenso dell'interlocutore. Teneva in ciò della natura socratica ». Mentre bi-sogna riconoscere che la forma mentale del Croce e la sua dialettica, non era-no socratiche per niente.

Ma il Croce assai stimava il Parodi, in specie come dantista; né occorre qui ricordare la loro comune venerazione per il De Sanctis. Naturalmente era me-no disposto a seguirlo in una conversazione di princípi e di metodo, come ap-punto fu quella fiesolana; quando cioè il Parodi, benché fuori del proprio ter-reno, ch'era strettamente filologico, assumeva la solita parte del « bastian con-

... servirò come nell'arte di persuadere

... invece di una copertina minaccio di

...enire un quadro, e che quadro: un Dio silva...

che suona, e intorno una quarantina di

...nimali e poi piante, palme, ... ecc

...oce ecc

Questo titolo così è

Come deve esser fatto così:

Mandami 10 lire per questo lavoro e te lo farò ...

... come se fosse la copertina di

Saluti ...

Giuseppe Prezzolini

LA VOCE

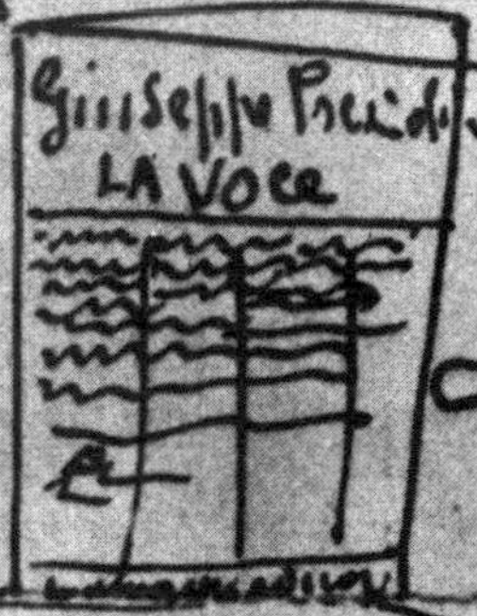

o così:

o così con l'ex-libris

o così

Giuseppe Prezzolini

LA VOCE

Giuseppe Prezzolini

LA VOCE

T. LUMACHI 1906

Firenze

trario »; e mi pare ancora di sentirlo con la sua voce agretta e un pochino aggressiva. Me ne accennò, in quell'occasione, lo stesso Croce, discretamente, con la semplice sottolineatura d'una parola, in un biglietto del giorno appresso: « Fui dolente che la *discussione* col Parodi ci tolse il modo di discorrere. Volete venirmi a cercare sabato o domenica alla solita ora? Mi farete piacere... ».

Deve aggiungersi che cotesta manía di cercare sempre il pelo nell'uovo, non toglieva che il Parodi fosse benamato dai propri studenti di linguistica e filologia romanza, insieme ai quali volentieri s'intratteneva anche fuori delle ore universitarie. Al caffè delle "Giubbe rosse" s'incontrava con quelli della "Voce". Se in vita ebbe fama inferiore al merito, in gran parte dipese che alla sua produzione mancò un'opera che ne costituisse il centro perspicuo, e fosse un punto di riferimento delle sue laboriose ricerche e geniali intuizioni che invece, spesso e volentieri, egli disperse in scritti di nessuna apparenza e rimasti quasi irreperibili.

Quello di cui altri avrebbe fatto pompa in qualche articolo vistoso, o avrebbe diluito addirittura in un volume, egli si accontentava di adoperarlo, quasi clandestinamente, recensendo qualche pubblicazione anche mediocre. « Per tanti che vivono a scrocco sui libri altrui » (cito ancora il Pancrazi), « il Parodi era di quegli scrittori che, se occorre, in una nota di recensione sanno dire piú del libro recensito. » Il guaio è che la recensione andava a collocarsi in uno od altro bollettino o periodico d'alta erudizione, in una od altra raccolta di atti accademici. E vi restava nascosta, sepolta, fuorché all'occhio di qualche raro specialista.

Alfredo Schiaffini e Gianfranco Folena si sono fatti promotori della raccolta di cotesti scritti, e ne pubblicano intanto due cospicui volumi col titolo: *Lingua e letteratura*, e il sottotitolo: *Studi di Teoria linguistica e di Storia dell'italiano antico*. La minuziosa fatica di mettere insieme e ordinare la materia di detti volumi, è principalmente toccata al Folena, che ha dato altresí, in un centinaio di pagine, la piú completa bibliografia oggi possibile delle pubblicazioni del Parodi; mentre lo Schiaffini forniva l'ampio, ottimo saggio introduttivo sulla vita e sull'opera.

Il Parodi era nato a Genova nel 1862, e a Genova studiò e si laureò. Fece i suoi corsi di perfezionamento a Firenze col Rajna, e a Lipsia col Brugmann; finché nel 1892 fu chiamato all'università fiorentina. Filologia romanza (piú specialmente italiana) e linguistica (in prevalenza italiana) furono le materie ch'egli professò, e i territori in cui soprattutto si esercitò. Scapolo, nel trentennio del suo insegnamento universitario (egli morí nel 1923) può dirsi che non si mosse da Firenze.

Da uno scritto del Rajna, che fu suo maestro eppoi collega: « Col passare degli anni, si era ridotto a un tenore di vita particolare, mangiando a ore insolite, uscendo la sera a ore insolite... Venuti a mancare certi ritrovi che gli erano stati carissimi, era divenuto sempre piú casalingo. Viveva in stanze piuttosto che modeste, meschine; un tempo anche buie; tra libri che avevano finito per occupare ogni spazio, la piú parte disordinati, accatastati, polverosi. Chiunque entrava in quelle stanze (e ognuno poteva essere sicuro di esservi bene accolto), subito vedeva di trovarsi nella dimora di uno studioso indefesso. E del lavoro suo proprio dava manifestazione evidente la moltitudine delle carte manoscritte ».

Mancherebbero frattanto in queste note certi tratti che hanno la loro importanza, a non ricordare che il Parodi, raro caso nel mondo universitario d'allora, scrisse con impegno anche intorno ad autori nuovi: Rimbaud, Verhaeren, Lucini, Panzini, Roccatagliata-Ceccardi, la Guglielminetti, Corazzini, Palazzeschi, ecc. Come sarebbe ingiusto tacere della sua passione politica a tinte nazionaliste, irredentiste e interventiste. Si sarebbe potuto piú o meno discutere talune idee: ma lo slancio e la purità del sentimento patriottico erano esemplari.

Del resto, al tempo del Parodi, e cioè fino ai primi del fascismo, l'università fiorentina ospitò una quantità di esponenti delle tendenze piú varie. E il nazionalismo del Vitelli, del Pistelli e del Parodi, il socialismo del Salvemini, l'agnosticismo del Pasquali, non impedivano a questi valent'uomini di lavorare d'amore e d'accordo.

Nei volumi dello Schiaffini e del Folena, gli scritti del Parodi sono raccolti sotto alcune principali rubriche. Precedono le trattazioni di glottologia ovvero linguistica, inclusa la commemorazione, ch'è una monografia vera e propria, di Carlo Salvioni, filologo del Canton Ticino. Seguono saggi ed articoli sulla lingua, lo stile e la cultura nella letteratura italiana prima di Dante. Il secondo volume è interamente occupato dagli studi intorno alla lingua, allo stile, alla cultura di Dante, Petrarca e Boccaccio; fra tali studi, alcuni quasi ignoti, che poi sono i piú importanti, come quello sulla rima e i vocaboli in rima della *Divina Commedia.*

Ogni volta si posano gli occhi su una pagina della *Commedia*, anche oggi viene fatto di considerare quanto poco sia stato scritto di veramente serio e valevole intorno alla lingua di Dante. Per siffatta penuria, il vasto saggio del Parodi sulla rima e i vocaboli in rima nella *Commedia*, piglia vivo risalto; e direi piú che nelle sintetiche pagine introduttive, nel suo apparato e corredo di puntuali osservazioni, e di spogli e raffronti con gli autori e con modi e voci dialettali. Secondo il Folena, questo saggio « resta ancora lo studio piú penetrante della lingua di Dante, oltre che un profilo essenziale di grammatica della lingua letteraria antica ». E una cosa da esso si conferma, che il Parodi è critico piú forte e comunicativo quanto piú si lascia sorprendere sull'atto della lettura, nell'immediato contatto con la parola. Con tutta la sua deferenza per il De Sanctis, non avrebbe mai potuto applicarne la massima che la critica si fa a libro chiuso.

Questi caratteri fondamentali del suo talento, e gli atteggiamenti che ne derivano, ci aiutano ad intendere le ragioni per le quali, intorno alla sua produzione, s'è acceso un nuovo interesse, testimoniato fra l'altro da questi due volumi. Nell'orientarsi della nostra piú moderna e attiva filologia verso le ricerche intorno alla storia della lingua, all'intelligenza storica dello stile, e alla tecnica letteraria dei nostri scrittori (nel caso specifico, specialmente medievali), la figura del Parodi è venuta a delinearsi come quella d'un precursore che ora appena incomincia ad ottenere il dovuto riconoscimento.

L'influsso del Croce e del Gentile, d'una natura prevalentemente speculativa, alla quale il Parodi era alieno, non fu determinante, e forse nemmeno concomitante; e dapprima venne forse accolto soprattutto attraverso la mediazione del Vossler. L'importante è che assai presto, cercando di ricavare dalla esperienza filologica e critica ottocentesca i propri strumenti di lavoro, il Parodi era riuscito, sia pure empiricamente, ad armonizzare e fondere eredità e disposizioni diverse: la linguistica dell'Ascoli, il metodo storico del Carducci e del Rajna, e la critica letteraria del De Sanctis.

Nella introduzione dello Schiaffini, questi schemi della formazione e dell'attività del Parodi, s'arricchiscono ed avvivano di sfumature e chiaroscuri, s'integrano degli accenni alle numerose opere rimaste interrotte, e che si dispongono intorno ad alcune delle maggiori fatiche; quali l'edizione del *Tristano* riccardiano, quella del testo del *Convivio* dantesco, con una gestazione durata vent'anni, e quelle infine del *Fiore* e il *Detto d'Amore* (che giustamente il Parodi non poté mai decidersi, come invece il Rajna e il Mazzoni, ad attribuire a Dante). Del suo disinteresse e distacco dal proprio lavoro, è tipico che le uniche raccolte che finora si ebbero di suoi scritti, erano uscite, la prima: *Poesia e Storia nella « Divina Commedia »*, alla vigilia della morte; e postume le altre due (1923): *Il dare e l'avere*, e *Poeti antichi e moderni*.

Dalle pagine dello Schiaffini, non meno che il filologo e il critico rivive l'uomo. E nella rievocazione, lo Schiaffini non ha sdegnato aiutarsi con una preziosa scelta di autorevoli e poco note testimonianze. Vorrei mi fosse permesso concludere con questa, d'un vecchio maestro: Vittorio Rossi, che mi sembra offrire un ritratto completo: « Dotato da natura di qualità che difficilmente vanno congiunte, il Parodi fu insieme glottologo, filologo, critico letterario, dei primi; e alle attività intellettuali cui natura lo portava s'abbandonò ingenuamente, quasi senza un proposito deliberato, dimenticando nell'opera se stesso. Di qui la semplicità della sua vita,... tutta assorta nell'adempimento di quello che sentiva essere il suo dovere di studioso, di maestro, di cittadino; di qui quella sincera e serena distrazione, che poteva anche dar noia nei rapporti con lui, ma che sarebbe stato di pessimo gusto prendere sul tragico. Egli lavorò assiduamente, intensamente, senza mai chieder nulla; e la vita non gli diede le soddisfazioni di cui sarebbe stato meritevole; neppure quella larga, festosa rinomanza di cui il mondo fa cosí buon mercato. »

(1957)

«Il pastore, il gregge e la zampogna» di Enrico Thovez

Cosa manca alla nostra odierna poesia, per finire davvero d'essere una grande poesia universale?

Enrico Thovez è venuto ricercandolo, in una sua vasta e meditata requisitoria, la quale, senza forse toglier nulla che non sia equo togliere, ai tre grandi nomi del Carducci, del D'Annunzio e del Pascoli, cerca di fermarli in una luce piú larga e severa che non quella nella quale li vediamo nella solita critica e nella consuetudine dei discorsi e delle comuni apprezzazioni.

Poiché anche pel Carducci, finora, l'opera dei critici e degli esegeti fu, generalmente improntata, in modo troppo diretto, dalla vibrante, violenta personalità dell'uomo; e solo di rado la sua poesia batté nuda e soletta come si conviene alle porte solenni della storia. Il Thovez, per lui e per gli altri, ha dispogliato le timide simpatie e le antipatie servili. Se di una partigianeria è da accusarlo, è di partigianeria per l'arte dei Dante e dei Leopardi, dei lirici greci e dei grandi poeti stranieri. La quale partigianeria gli ha fornito, è vero, elementi di giudizio e criteri di singolare gravità, al corrosivo contatto dei quali, quasi con rammarico ci sembra disgregarsi piú assai di quella poesia che non vorremmo. Ma un fervore ed una passione purissima respirano in tutto il libro, ne avvivano tutte le pagine, e la loro fragranza refrigerante non si smarrisce, anche là dove lo spirito polemico piú incalza e sembra eccedere. Dall'assiduo contatto con opere nelle quali l'arte sembra essersi fusa alla piú profonda meditazione a farne piú ardente la risposta a quelle eterne domande che pesano sui destini dell'uomo, ci è venuto un libro di critica pregno di una solennità quasi religiosa. Un libro di critica che è un vibrante atto di fede; una voce che ammonisce: « piú oltre », e accusa nel suo tono appassionato una consapevolezza di solitudine e di dolore, una dura scienza di intime battaglie, che le sono diritto a tale ammonimento. Nella sua ingenua tristezza, libro di elevazione, accorata preghiera ai numi tutelari della divina poesia; nella sua fierezza, nel suo disdegno, nel suo coraggio, libro schiettamente aperto sull'avvenire.

Vi son critici i quali purificano il loro sguardo per virtú di ordinata meditazione, ed esercitandolo con disciplina di studi, lo fanno lucido e sottile a penetrare le fibre piú intime della realtà, a quel modo che il clinico si educa alle diagnosi chiare ed irrefragabili, nella solitudine delle corsie e dei laboratori. E sono forse i veri critici. Le loro idee sono organiche e confluenti e costituiscono un sistema nel quale, sia esso empirico o idealista, si può ad un modo orientarsi; dal quale si può passare per itinerari guadabili e navigabili ai sistemi affini e lontani. Ma fra la ricostruzione d'un'opera, quale uno di questi critici può darcela, e l'opera che ne forma oggetto, sembra non di rado intercedere come un setto insuperabile ed opaco che ce ne rubi qualcosa di vivo. E noi sentiamo che se quell'opera non può esser pensata nella storia se non come il critico mostra, e la sua significazione non può essere espressa se non colle parole che egli dice, essa, non sappiamo come né perché, è pur astratta da una sua realtà piú palpitante e piú drammatica, nella quale la somma del suo contenuto ci appariva piú ingente, la sua efficacia piú diretta e precisa.

Vi sono critici, invece, che sono critici solo perché nel loro momento storico la strada dell'arte dovette essere scavata a colpi di piccone. Le linfe della poesia erravano per cammini molteplici, e a voler rintracciare le piú limpide e fresche era necessario scavare, e scavare profondo. Questi improvvisati minatori portarono dunque nella nuova impresa l'audacia ispirata che erano destinati ad infondere nel canto. E se la storia, come essi la intesero, e le opere quali essi le ricostruirono, ebbero invero un che di singolare e di poco conciliabile con la storia e le interpretazioni piú accettate, seppe in esse rivivere, non so se a cagione della loro stessa amorosa parzialità, quanto là trovavamo in difetto; forse perché come chi sofferse sa intendere piú di ogni altro chi soffre, cosí solo chi ha penato o sta penando a trovar la forma del proprio sogno, ha sagacia incomunicabile per cogliere il senso piú fuggevole delle volubilità dei tentativi, intendere tutta la profondità delle inquietudini, leggere con occhio veggente nell'ambiguità degli arresti e degli indugi. Per questi critici-poeti un artista diventò un personaggio drammatico del quale essi vestirono l'anima, una forza che mostrarono in atto. E nella storia della poesia essi videro una sorta di dramma, i personaggi del quale, se atteggiati meno olimpicamente di quelle figure che gli altri critici amano mostrare nella calma luce del definitivo, furono indimenticabili di vivacità, giacché i creatori non si amano né si possono adeguatamente immaginare che nel travaglio della creazione, come i pensatori si rivelano pienamente nella crisi del loro pensiero, e i guerrieri nella urgente audacia dell'invenzione strategica o nell'impeto che strappa la vittoria.

Il Thovez è appunto critico di questa seconda specie.

Non si dilunga in esegesi, perché il suo intento non è esegetico, sí vitalmente polemico, vivacemente drammatico; sebbene la sua polemica possa sembrare qualche poco fabulosa: un duello tra ciò che è stato e ciò che avrebbe dovuto essere; e il suo dramma sia talvolta meccanico e poco articolato, nel giuoco di quella ricca libertà di immediatezza fantastica, che pur gli sembra, a quando a quando, essersi chiaramente affermata nell'opera dei tre ultimi nostri poeti, contro il *deux ex machina* di un retorico peso della tradizione italiana, secondo il Thovez, vinto solo una volta: da Giacomo Leopardi. Ma è necessario intendersi. Alcuni critici esaminando questo libro, esasperati dalla apparente incongruenza di uno schema che risolve tutta la poesia italiana in due nomi, hanno fatto velo delle mani pudibonde agli occhi certo piú miopi che casti. Era meglio chiedersi se sotto la singolarità di quella formula non si celasse un'idea che valesse la pena d'essere scavata o polita. Se non si pensa a questo, bisogna dire che è stato spettacolo quanto mai spassoso vederli correre alle difese, mettendo la mano, ahi quanto inesperta!, su quelle stesse teorie liberiste dell'estetica napoletana già da essi quotidianamente, benché prudentemente, scomunicate. Si trattava ora di scagionare la patria letteratura dalla diffamazione forse piú turpe di cui, dopo il Padre Bettinelli, critico nato di donna l'abbia mai fatta segno. E quando brucia la casa, si sa, non si bada a imprestar la secchia dal nemico!

Ma, chi riflette, scuopre facilmente un senso sincero ed attivo in quei miti dell'eccellente poesia cui il Thovez si indugia a narrare, con un candore autobiografico pieno di vero lirismo.

È stata la poesia nostra, in generale, e, in particolare, la poesia da Carducci a Pascoli, immediata ad un tempo e profonda di passione come quella di Saffo, vasta e ponderosa di umanità come quella di Goethe, e alata di fuoco come quella di uno Shelley, e universale e precisa come quella di uno Shakespeare, e terribile di impeto ma pur calda di verità come quella di un Eschilo, o piuttosto non ha espresso, fuori che in Dante e in Leopardi, mondi fantasticheggiati, assai piú che vissuti, idilli e nostalgie, assai piú che attualità feconde; poesia di arazzo, piú che scultoria, come pure le sue tradizioni volevano; irretita in una ambage libresca o tendente le mani verso fantasmi che non si lasciavan mai afferrare? In realtà, chi smaga l'occhio dalle favole pittoresche di Messer Ludovico e cerca verità piú dirette e piú vive di quelle dei sogni, « piú spesso non trova in questa poesia se non solitari sforzi titanici o riso di arcadiche Filli. La sua maestosa antichità, la malinconia colossale del suo passato, fanno la sua solitudine e le danno un aspetto di rovina. Pochi querce consacrate dal fulmine vi spargono l'ombra come in un tempio. Ma i ragazzi ruzzano e saltano intorno e schiamazzano che il sasso s'incendia, se, a quando a quando, la primavera allieta la maceria di rose fiammanti e di rosolacci.

E, certo, è assai dolce, in un'epoca di fertilità letteraria, come gli ultimi trent'anni in Italia, lasciarsi condurre dal comune entusiasmo, come quei galantuomini di campagna che, sballottati, con la faccia rossa, ridente, in estasi, vanno, travolti in una luminaria politica o nella baraonda di qualche dimostrazione.

Ma gl'ingegni virili non s'abbandonano a questi spassi e neppur sanno conoscere malintesi pudori che possano vietar loro di dubitare del presente e di saggiarlo insistentemente alla pietra di paragone dell'eterno e della storia. Né stimano, perciò, che il Thovez abbia fatto dell'anticarduccianesimo, né dell'antidannunzianesimo, né dell'antipascolismo, per aver mostrato l'artificiosità di parecchia poesia carducciana, e di quale ingente contrappeso di zavorra di varia mistura il D'Annunzio ed il Pascoli abbiano bisogno a tener ritta un'opera, spesso grande per fervida scienza ed infiammata tensione di volontà, piú che per spontaneità d'emozione che tutto equilibri nativamente e tutti sollevi e riempia.

A dirigersi nel suo cammino il Thovez ha cercato sublimi colonne che si potessero scorgere da ogni parte, ed ha scelto, ho detto, principalmente Dante e Leopardi. E, pur di non perderle di vista, ha moltiplicato i suoi passi, ha raddoppiato la via, si è intricato in sentieri spesso impossibili ingannevoli ciechi. Perciò la sua critica, nata da un bisogno pratico del suo spirito che in una crisi volle riconoscersi ed orientarsi nella solitudine della sua creazione, se persuade, avvince e conquista per virtú d'intimo calore, a volte appare complicata senza necessità, viziosa nei procedimenti, contraddittoria e poco sicura nei resultati. Ma in realtà non lo è mai. Perché quelli alti amori poetici, nei quali si adombra a Enrico Thovez un grande ideale di arte moderna, sono tali che posson travolgere un intelletto nel loro impeto, e, forse, vuotarlo e isterilirlo nella loro solenne esaltazione ma non sanno veramente ciurmarlo, né posson trarlo per cammini mediocri.

E se la nostra ultima grande poesia resta grande, come egli pur sa ed esplicitamente dichiara, non è meno vero che essa non possa non essere accusata di quello di cui egli l'accusa, che le preclude maggior grandezza. Essa è ancora una poesia di arte complicatissima, e di psicologia rudimentale; borghesemente ricca di ciondoli, e povera di movimenti; medaglistica, decorativa, filtrata dalle pagine dei libri; costruita sopra l'immagine d'una vita infinitamente piú semplice ed ignara di quel che la nostra vita sia. E i suoi organi veramente intatti ed attivi sono sproporzionati alla sua mole e funzionano faticosamente sotto la massa morta dell'adipe.

Ignudare, alleggerire, fare che il verbo ed il ritmo sieno immediati all'atto stesso che li genera, sieno la sua voce e non la sua eco, la sua luce e non la sua ombra, la sua carne e non il suo velo, bandisce dunque il Thovez in questo libro, che parrà romantico come tutti i proclami di idealità non comuni, parrà strano in ragione della sua stessa novità, ma è certo sincero e severo come nessun nostro libro odierno di critica.

V'è nei recenti atteggiamenti letterari molto che, nel processo storico della nostra poesia, può giustificarli assai piú profondamente che il Thovez non creda? Io ne son certo. Ma non importa meno, per questo, aver mostrato che se questo processo non che esaurirsi in essi, li sostiene e dà loro senso, la ignuda altitudine verso la quale dovrà volgerlo la legge di una grandezza piú compiuta, è da essi assai lontana.

(1910)

«Il filo d'Arianna» di Thovez

Sulla consuetudine di raccogliere in volume articoli apparsi nei giornali, non c'è lirico senza grammatica, o romanziere anche piú sprovveduto, che non abbia la sua opinione: opinione, non occorre avvertire, severissima, o addirittura intransigente. Perché tutte le forme e qualità di letteratura, comprese le prose e liriche summentovate, hanno diritto ad essere discusse, magari per il valore che non hanno. Unica eccezione, gli articoli di giornale. L'articolo di giornale è, per definizione, qualche cosa, diciamolo francamente, che nemmeno esiste. Si potrà tollerarlo in veste d'amabile recensione di quelle tali liriche e di quei tali romanzi. Ma quando l'insolenza del giornalista arriva a voler spacciare per l'augusta cosa ch'è un libro, il *libro*, un centone di coteste composizioni effimere, i poeti e gli scrittori veri, quelli che custodiscono il fuoco sacro, cospargono la testa di cenere, le muse strillano come sotto l'estremo oltraggio, e Pegaso spara coppie di calci. Allora veramente si sente che viviamo in tempi dannati.

Senza stare a scrivere un'altra volta, dopo averne scritte delle diecine, la difesa generica dell'articolo, preferisco avvertir subito che oggi i vati posson vestirsi di gramaglie e le muse piangere a loro piacimento. Per conto mio non muterò virgola a quanto ho da dire intorno agli « scritti di giornale » che Enrico Thovez ha ristampati col titolo: *Il filo d'Arianna*. La mia obbiezione è che qualcuno di questi scritti sia stato ristampato nel libro una volta soltanto; laddove conveniva ripeterlo due, tre volte, per veder se le cose che vi son dette avessero finito con l'entrare in testa a chi di ragione. Si osserverà che essendo anch'io, come posso, scrittore di giornali, il mio atteggiamento a proposito del libro di Thovez ha il difetto di ubbidire ad una specie di spirito di casta o d'interesse di parte; né avrò la debolezza di difendermi. Non ho mai potuto capire quella disposizione, vile e tutta moderna, per la quale ciascuno sembra vergognarsi e voler farsi scusare del mestiere che fa. E il giornalista racconta a chi non vuol saperlo che la sua vera vocazione sarebbe la paleontologia. E l'usuraio pretende convincervi, mentre state firmandogli la cambiale, che, francescano e buddista d'educazione e d'istinto, egli impresta all'interesse del trenta soltanto perché questo dove ci troviamo a vivere è un tristissimo mondo.

La serie di cinque tomi, a parte: *Il Pastore, il Gregge e la Zampogna*, nella quale, dal 1919 ad oggi, il Thovez ha radunato articoli di letteratura e d'arte plastica, fantasie critiche, ecc., per prima cosa sta a dichiarare ch'egli non rinnega affatto la sua attività giornalistica, persuaso di averla esercitata con competenza e convinzione. *Il filo d'Arianna*, ultimo della serie, ci servirà, come del resto servirebbe qualunque dei volumi precedenti, a dimostrare che, in siffatta persuasione, egli non ha torto.

Una disposizione polemica, che predomina nel Thovez, anima tutti i suoi scritti, e forse in modo speciale i piú recenti. E non soltanto nella loro prosa, accurata senza preziosismi, e chiara, senza mai diventare ovvia e pedestre, suscita una bella varietà di movimenti e riprese; ma validamente li ricollega, perché è disposizione meditata e rispondente ad una larga esperienza d'arte. Anche dove tale disposizione non si afferma in primo piano, è facile riconoscerla fra le pieghe del discorso. Non è critico, il Thovez, che davanti a un libro o ad un quadro, dimentichi tutto, sforzandosi d'interpretare la loro natura piú caratteristica. Contrariamente a molti, nati allo stato civile qualche lustro dopo di lui, ha il pudore delle proprie impressioni; e preferisce derivarne argomenti logici da battere in breccia qualche errore corrente. Al Caravaggio, per esempio, e all'arte del seicento, son dedicate in questo volume tante pagine quante basterebbero ad una piccola monografia essenziale. In realtà, il soggetto v'è come frantumato in cento sfaccettature polemiche. E ogni autore, per il Thovez, diventa un autore rivendicato, riconquistato. È naturale che, nella schermaglia, almeno in parte vada smarrita quella gioia serena che costituisce la piú vera atmosfera di tali studi, e il loro piú umano ornamento.

Data la natura del Thovez, antirettorica, positiva, al punto di offrire queste qualità con qualche cosa di romantico, le tendenze critiche, e d'arte plastica specialmente, venute di moda in Italia nell'ultimo decennio, non potevano non riuscirle fieramente avverse. Forse il Thovez esagera la responsabilità diretta del Croce in tali tendenze, nelle quali, togliendolo all'estetica crociana, fu utilizzato il principio dell'essenza lirica d'ogni opera d'arte, implicante l'altro principio della illusorietà, in sede filosofica, dell'imitazione del vero. Ma per quello che posso intendere, nulla piú di tali tendenze è povero e incerto, quanto ai fondamenti teorici. Da ogni parte v'è stato derivato qualcosa, e spesso di seconda e terza mano. E quando si è sottratto alla bizzarra combinazione ciò

Enrico Thovez, critico d'arte e di letteratura, pittore e poeta.

che appartiene al Berenson ancora sotto l'influenza del Morelli e del Frizzoni, e al Berenson, maturo, insuperabile rivelatore degli elementi essenziali nei diversi stili plastici; e ciò che vagamente appartiene al Baudelaire, al Fromentin, agli apologisti francesi dell'impressionismo e della reazione neoclassica, e un sacco di altra gente, di specificamente crociano pochissimo resta.

Fu il Longhi che, aiutato da una rara pratica d'arte, da un intuito stilistico sicuro fino alla spavalderia, e da un profondo dono di scrittore, creò il *tipo* di critica cui il Thovez fa un processo tanto severo. Quanto cotesta critica longhiana colpisse la fantasia dei nostri studiosi d'arte, è palese perfino nel Venturi *senior*, che ne fu, nel modo di visualizzare e di descrivere, come ringiovanito. Certamente, il Longhi, se poteva vantare ottime autorità tradizionali, nel Lomazzo, nel Boschini, nello Zanetti e nello stesso Aretino, quanto all'origine della propria maniera di tradurre in valori verbali il frizzo di una pennellata, l'impasto e la colata d'una tinta, costituiva, letterariamente parlando, un modello pericolosissimo; e per l'appunto si sa che nessun maestro seduce come cotesta qualità di maestri. Parallela alla critica letteraria dei « sensibilisti », nacque, dunque, una critica plastica, contro la quale, considerandone certe manifestazioni meno equilibrate, il Thovez può aver buon giuoco. Gli è facile rinfacciarle procedimenti, diciamo pure, un po' spacconi, che non son mai stati nella tradizione dei buoni studi; e deriderla per le generalizzazioni frettolose, la informazione talora scarsa, le affermazioni confusionarie (tali la divisione di colore e forma, come elementi dissociabili nella pittura; l'idea che, nel '600, mancò il senso della forma, ecc.); e per l'abuso di formule liricheggianti, che si disfanno sotto la penna e finiscono col non significare piú nulla. Soprattutto egli mi convince rilevandovi la incertezza del concetto di stile, confuso con deformazione grossolana e schema preconcetto. È un gusto, leggere alcuni di questi critici, benché ora mi paia che certe affettazioni vadano in loro attenuandosi; e veder come risolvono ogni cosa dicendo che il tal pittore costruisce nella losanga, e il tal'altro nel trapezio, come se questo, in sé e per sé, fosse qualcosa piú d'un abbominevole mitologismo geometrico. Tuttavia, con le riserve già espresse, son convinto che questa critica, ancor disordinata, contiene qualcosa di buono e promettente: un senso piú intrinseco e non mendace della realtà pittorica. E il Thovez, correggendone le deviazioni e le manifestazioni abortive, può contribuire a disciplinarla, che sarà piú utile del pretendere di disfarla.

Ma gli oppositori del Thovez sbaglierebbero, a lor volta, credendo di colpirlo in un punto la cui vulnerabilità è solo apparente; intendo il concetto d'imitazione della natura. Il Thovez cerca di ristabilire questo concetto « d'imitazione », come si trova nei greci, nel Vasari e in tutta la critica classica. Al solito, lo propone con mossa polemica; ma basta la piú mediocre conoscenza dei suoi scritti per sapere che non è possibile accusarlo d'idolatria veristica e di confondere la funzione del pennello con quella della camera oscura. Egli insiste sul « realismo » d'un Caravaggio, d'un Vermeer van Delft, ecc. E a nessuno sarebbe facile negare che lo studio piú rigoroso delle forme naturali abbia costituito l'unico e sufficientissimo metodo con il quale questi artisti crearono i loro capolavori. La questione, come si è detto, è che la nuova critica fa a confidenza con lo stile; come in certe scuole teologiche, abbondevoli e un po' ereticali, si faceva a confidenza con la grazia. Tutti, o quasi tutti, gli artisti piú forti: Giotto, Masaccio, Velasquez, e in una sfera minore: Degas e Renoir, furon persuasi di non dover altro che studiare il vero; e questa stretta persuasione bastava a mantenere la loro arte in cosí attivo fermento e cosí fiera salute. Lo stile veniva da sé. E si legga, per esempio, il Milizia, che non è sospetto di viltà fotografica e dovrebbe esser molto caro ai teorici del neoclassicismo. Il principio della « imitazione » è da lui asserito a ogni pagina; e non esclude ciò che egli chiama: « l'interesse personale », che sarebbe il nascosto e diffuso lievito lirico, e appunto lo stile.

Abbiamo indugiato su questi punti, perché intorno ad essi sparsamente si combatte da un capo all'altro del nuovo libro. Per altri riguardi, non avremmo che da riesumare nostre vecchie pagine, a mostrare almeno come il consentimento sia in noi fondato e naturale. Sulla « manía del seicento », e il senso della forma tesa nel seicento sopra un registro fin troppo rigido: *Valori Plastici*, n. III, 1922. Su Flaubert, maggiore come uomo e maestro che come artista: *Studi critici*, 1912. Sulla crociana risoluzione della *Divina Commedia* in episodi lirici, collegati in una sorta di romanzo teologico: "Tribuna", 19 dicembre 1920[1]. E non sottoscriviamo, per questo, tutto l'anticrocianesimo che il Thovez ostenta, forse volutamente, per la solita tattica polemica contro i dirizzoni e le mode.

Il Thovez predilige le verità di senso comune, e che la gente quando può figura di non vedere. È scrittore fatto apposta per i centenari, le commemorazioni ed altre apoteosi; nel senso ch'è fra i rarissimi i quali si sentono impegnati a comparirvi, in mezzo alle code di rondine e alle tube lustre, con il loro vestito e la loro testa di tutti i giorni. Direi, anzi, che una tuba e un centenario soprattutto si associano, nella sua mente, all'idea del sasso che, in buon punto, sfonda la tuba dell'oratore ufficiale o sbocconcella il naso della statua. È un po', insomma, come il personaggio che, nei trionfi cesarei, aveva officio di rammentare al trionfatore la caducità delle sorti umane e l'invidia degli dei.

Ammiratore di Anatole France, sa denunciarne nettamente l'aridità intellettuale, e non si fa illusioni sulla vera natura del soviettismo franciano; in questo piú acuto del Maurras che, in un libretto da poco uscito (*Anatole France politique et poète*, Edit. Plon, Paris. 1924), riesce a vedere nel France un reazionario, o almeno un conservatore, travestito, ma non per ciò meno convinto e benemerito. Consapevole della grandezza dell'arte latina, non rinuncia a reagire alle fantasticherie d'un nazionalismo archeologico che vorrebbe gabellarci la scultura e l'architettura greca come un prodotto levigato e quasi decadente, al cui confronto l'arte romana sarebbe uscita con prepotente e maschia severità; e all'altra pretesa di negare che l'arte greca influisse decisamente anche sull'etrusca, com'è chiaro, non fosse altro, in uno dei massimi esemplari vejensi: l'Apollo di Vulca. Ma commentare, a una a una, tutte le occasioni nelle quali il Thovez ha restituito una verità nella sua giusta luce o bucato un pallone rettorico, ci porterebbe a troppo lungo discorso.

Aspetti della cultura, o meglio della crisi della cultura contemporanea, indubbiamente gli sfuggono. Davanti ad altri, il suo atteggiamento è forse troppo insofferente. Con tutto ciò, l'accolta di questi suoi scritti forma uno dei piú seri e completi documenti critici dei nostri giorni; e la chiarezza quasi popolare delle sue idee e dei suoi giudizi non è che un segno della sincerità con cui egli ha saputo viverli, della maturità cui ha saputo portarli.

(1924)

[1] Il saggio su Flaubert è ora ristampato in *Aiuola di Francia*; quello sulla *Poesia di Dante* in questa raccolta.

Due critici: Gargiulo e De Robertis

Il nostro pubblico segue la letteratura italiana contemporanea, infinitamente piú di quanto vorrebbero far credere i soliti pessimisti. Qualche libraio intelligente, se lo interrogate, aggiungerà che questa tendenza è in aumento continuo. Molte e svariate sono le ragioni d'un fatto, in fin dei conti, cosí naturale. E, in primo luogo, sembra sicuro che, dal momento che la leggono con tanto interesse e costanza, è segno che una letteratura contemporanea italiana deve esistere. Ma non soltanto essa esiste; oltre che letta, è accuratamente studiata. Si può addirittura affermare, senza paura di smentite, che una gran parte, e non affatto la parte piú scadente, del lavoro critico che oggi si compie in Italia, ha per oggetto la nostra letteratura contemporanea.

Cosa non meno notevole e significativa, è che tale interesse per la letteratura d'oggi ha toccato e penetrato l'Università. Ch'è un'altra fra le tante testimonianze del rinnovamento e ringiovanimento di spiriti il quale pervade tutti gli organismi della cultura e della vita nazionale. Sessanta anni fa, una tesi di laurea intorno al Carducci, avrebbe suscitato scalpore, avrebbe dato un senso di scandalo. Oggi si legge, di Umberto Olobardi dell'Università di Pisa, una ottima tesi di laurea, dedicata a Federigo Tozzi ed Enrico Pea. Nessuno trova da ridirci nulla. E non è questo il solo esempio.

Fra le opere piú serie e meditate, apparse durante le ultime settimane nella vetrina dei librai, due rientrano direttamente in questo ordine di considerazioni; edite entrambe dal Le Monnier di Firenze: vale a dire da una delle case italiane che piú gelosamente serbarono il rispetto degli studi severi e le tradizioni della letteratura classica. Tutte e due queste opere, affini nel titolo, e di considerevole mole, trattano della nostra letteratura del Novecento: vale a dire della produzione che seguí al Pascoli e alle *Laudi* del D'Annunzio. La prima di tali opere: *Letteratura italiana del Novecento* è dovuta ad Alfredo Gargiulo, che sebbene fresco di spiriti e di curiosità, non potrebbe ormai piú dirsi un giovane, ed è fra i giudici letterari di maggior circospezione. L'altra: *Scrittori del Novecento*, è dovuta a Giuseppe De Robertis, studioso ed editore di Leopardi e di Foscolo, e titolare della cattedra di Letteratura all'Università fiorentina. Se la operosità letteraria novecentesca avesse avuto bisogno di riconoscimenti canonici, era difficile ne potesse desiderare piú insigni. E non credo affatto che in Francia, in Inghilterra, in America, paesi con la cui letteratura odierna ho piú dimestichezza: non credo si troverebbero, dedicati ai piú recenti scrittori, libri da sostenere il paragone con questi due.

Cominciamo dal Gargiulo. Fra i suoi coetanei, a lui spetta, già da una trentina d'anni, d'aver avuto fede che una nuova prosa e una nuova poesia sarebbero sorte, anche dopo una lunga epoca, come quella del Carducci, del D'Annunzio e del Pascoli, che aveva fatto enorme spreco di fermenti lirici, aveva rovistato in tutti i vocabolari, ed aveva lasciato la letteratura come spossata dalla sua stessa prolificità. Piú precisamente, la speranza e le convinzioni del Gargiulo erano queste: che la prosa e la poesia si sarebbero rinnovate, proprio attraverso il ripiegamento e la mortificazione ch'erano succedute a quella sfrenata abbondanza. Dalla estrema consapevolezza letteraria, dall'estrema elaborazione tecnica, le parole ed il ritmo avrebbero acquistata nuova freschezza, nuova emozione, nuovo candore.

Fedele a queste idee, nessuno piú del Gargiulo fece guerra animosamente all'enfasi, alla rettorica e allo scrivere casuale. Nessuno piú di lui sottopose gli scrittori a diagnosi cosí ferme e tenaci; le quali assumono particolare severità anche da questo, che il Gargiulo è prosatore esatto e tutt'altro che privo di energia, ma quasi scolorito; volutamente senza passione nella polemica; ed attento a non alzare il proprio tono anche dove ammira e si commuove. Si aggiunga il suo sistema preferito, che è di servirsi di lunghe, talvolta lunghissime, citazioni dall'autore, ricollegate appena da un nervo logico. Si tenga conto della sua ripugnanza a raffronti, certamente sempre approssimativi, ma anche chiarificatori, con altri testi, antichi o moderni. L'assenza d'ogni descrittività psicologica. E se ne avrà l'immagine di un critico al quale è stata talvolta imputata non so quale frigidità e caparbietà; mentre è assai piú rilevante, a parte la somma del lavoro da lui direttamente compiuta, l'influsso esercitato sui giovani, che per molti anni stettero attentissimi a non lasciarsi sfuggire la minima increspatura del suo ciglio.

Partendo da Panzini ed Ojetti, fra quelli della generazione intorno al 1865, che tennero il passo con le generazioni giovani: il panorama del Gargiulo raccoglie ed esamina, fino a Montale e Quasimodo, le principali esperienze letterarie, maturatesi in Italia a tutt'oggi. Può darsi che, una volta egli ha definito, nel suo nucleo essenziale, uno scrittore o un poeta, sia nel Gargiulo una certa riluttanza e impazienza ad ammetterne e seguirne i successivi sviluppi. È un difetto che fu sovente notato nel Croce, col quale il Gargiulo ha indubbiamente alcune affinità di metodo e di gusto. Può darsi, altresí (e del resto è troppo umano), ch'egli sia portato ad impegnarsi con particolare attenzione, con inconscia longanimità, sugli autori la cui formazione si effettuava in quell'atmosfera di macerazione critica alla quale si è prima accennato. Sugli autori, diciamo, che sembrano piú adatti a convalidare i suoi principî. Con un Tozzi, per esempio, con un Cicognani, ed in genere con i narratori, egli sembra avaro, eccessivamente. Ma si tratta, tutto sommato, di lievi mende. Altro carattere della sua critica è l'assenza assoluta d'ogni sfondo storico, d'ogni genealogia letteraria; nessun richiamo agli antichi classici, o a quelli dei primi dell'Ottocento. Le figure dei suoi autori restano ciascuna circoscritta in sé stessa; come nudi schemi formali, come diagrammi d'una cristallografia lucida e astratta. È curioso, ad esempio, come a non inquinare questa rarefazione, in luoghi dove, per un motivo o per l'altro, gli occorra qualche rilievo piú temporale, qualche notazione (quasi sempre negativa) piú rozzamente psicologica, egli preferisca, a cosí dire, non metterci mano di suo; ma si serva d'altri critici contemporanei; adoperandoli un po' come esecutori delle basse opere di giustizia e polizia letteraria. Per il tassellamento delle citazioni da questi critici, insieme a quello delle citazioni dagli autori, la sua pagina, al lettore comune, può riuscire eccessivamente allusiva e indiretta. Che ci spiega come, con tutta la sua solidissima autorità, egli sia rimasto sempre alla mezzaluce d'uno stoa frequentato soprattutto da iniziati.

Ma nella risoluzione dal crocianesimo ortodosso verso nuove forme e aspirazioni critiche, nessuno ha portato un contributo paragonabile al suo; ed è questo che conta. La nuova letteratura non ha avuto testimone piú appassionato e intransigente; anche se talvolta, a torto o a ragione, per fedeltà alle proprie idee, egli poté apparire un po' sofistico e scontroso.

Molto diverso, per varî riguardi, è il De Robertis, che si formò sull'esempio di Renato Serra, e ne raccolse, corresse e sviluppò amorosamente l'eredità. In Gargiulo non è quasi traccia delle sue impressioni di lettore; mentre la critica del De Robertis rimane tutta tepida e penetrata dal calore della lettura. Il Gargiulo costruisce le sue prove su un giudizio conclusivo; mentre in De Robertis si assiste alla lenta formazione e allo sboccio di questo giudizio, attraverso la lettura, dal vivo contatto con la pagina. Punto per punto, il giudizio è appoggiato alle parole di un testo. A grado a grado, si plasma e si modifica su quelle parole.

La critica del De Robertis è come una pittura intessuta di piccoli tocchi, vibrazioni di colore, giustapposizioni di tinte, distacchi impercettibili; ma che si legano tutti in una saldissima armonía generale. La sua convinzione è preparata e propagata da accenni, cadenze, sottintesi. Piú che formulare giudizi, e ricalcare dalla figura di uno scrittore uno schema logico, il De Robertis si propone di leggere, ed insegna a leggere. E sebbene nella sua mentalità non sia nulla d'idillico e arcadico; sebbene egli sia tutt'altro che incline a facili ammirazioni, a consensi meno vigilati, una delle sue doti inesauribili, e che piú fanno presa, è la sua facoltà di partecipazione; diciamo pure, con parola piú risentita, la sua larghissima e pieghevole capacità d'interessi: la sua umanità.

E questa è, chi ben consideri, qualità fondamentale d'un critico, e d'un gran critico. E tanto piú riuscirà feconda al De Robertis che, nutrito di studî eccellenti, e per il continuo colloquio con i classici temprato al senso piú alto della poesia, è in età da darci ancor molto, dopo il non poco ch'egli ha già dato. Se come tutti ci auguriamo, la nostra giovane letteratura avrà ancora assai cose da compiere, nessuno meglio del De Robertis, assumendone il governo dal punto dove il Serra e il Gargiulo l'hanno scortata, si mostra oggi capace a seguirne e sostenerne il cammino.

Caso rarissimo, egli è un critico che sa mescere simpatia anche nelle riserve e nelle eventuali negazioni; spogliando da esse, per quella cordialità e quel calore del suo interessamento, il tanto di amaro che potrebbero contenere. È un critico che collabora direttamente alla fatica dell'artista; che sa penetrare senza intrusione, nella fatale solitudine dell'artista. Non sono molti i giudici di letteratura, antichi e moderni, con dottrina pari alla sua, dei quali sia possibile dire altrettanto.

Manca lo spazio per trattenerci piú a lungo intorno a lui; e sarà per qualche altra occasione. Il punto essenziale ci sembra questo: che col De Robertis la critica può ormai ricominciare, ed ha ricominciato, su altre basi, con premesse affatto naturali, un discorso semplice e piano, il quale sa insinuarsi nei piú sottili meandri dell'espressione artistica, senza perder di vista, delle opere e dei temperamenti, le ragioni e i sentimenti complessivi e vitali. Se mai, la cosa bizzarra è che un critico talmente esatto, perspicuo e polito sia reso, dagli orecchianti, in qualche modo responsabile non di ciò che l'« ermetismo » ha di buono, come ha di certo; ma anche delle pigrizie, pose e nebulosità che, non meno certamente, infestano nella critica questo maldefinito « ermetismo ».

(1940)

Ricordo di Alfredo Gargiulo

Nato a Napoli nel 1876, e formatosi sui primi del secolo nell'ambiente crociano, Alfredo Gargiulo cominciò a farsi conoscere con articoli e recensioni pubblicati sulla "Critica" del Croce, sulla "Cultura" del De Lollis, sul "Giornale d'Italia" e la "Tribuna"; mentre alle stampe del Laterza egli forniva una bella traduzione della *Critica del giudizio.* Altra parte considerevole della sua produzione andò a finire negli archivi dell'Accademia Pontaniana; che fra l'altro volle premiato un suo voluminoso lavoro di storia della critica figurativa. Forse per mancanza di fondi, od altra ragione, detto lavoro è rimasto fino ad oggi inedito; e converrà che qualcuno lo ricerchi, per vedere se non gli spetti una sorte migliore. È curioso osservare che gli studi di critica delle arti plastiche, come assai interessarono gli inizi della carriera del Gargiulo, cosí tornarono a prevalervi in anni recenti. E la sua attività piú strettamente letteraria occupa il periodo mediano; documentandosi in due opere principali: la grossa monografia su Gabriele d'Annunzio, pubblicata nel 1912, ed in nuova e accresciuta edizione nel 1941; e il volume sulla *Letteratura italiana del Novecento.*

Scrittore meditato e scrupoloso, il Gargiulo non avrebbe mai voluto staccarsi da un proprio manoscritto, ed accettarlo come compiuto. Costretto a lavorare per vivere: durante lunghi anni, allo scopo di mettersi al riparo dalle frettolose esigenze giornalistiche, cosí contrarie al carattere del suo ingegno e al suo temperamento, egli preferí una servitú burocratica, come bibliotecario dell'Istituto Internazionale di Agricoltura in Roma. Non aveva vanità né ambizioni. Senza l'abnegazione del Falqui, è probabile che il materiale della *Letteratura italiana del Novecento* non sarebbe mai stato raccolto e coordinato; e questo libro cosí importante non avrebbe mai visto la luce.

Dopo che già era annunciata da qualche anno, a un dato momento si cominciò quasi a temere che la monografia sul *D'Annunzio* non uscirebbe mai; perché quando la pubblicazione sembrava piú imminente, il poeta dava fuori un altro romanzo o un'altra tragedia, che il Gargiulo doveva mettersi a studiare per includerli nella sua trattazione; e cosí interminabilmente. Non ricordo per quale contrattempo, alla fine il Gargiulo ce la fece; e dopo piú d'un trentennio, il volume non ha perduto del proprio valore fondamentale. L'immagine ch'esso propone del D'Annunzio è anche oggi in gran parte valida; basti vedere ad esempio nel giovane e fresco libro di Adelia Noferi su *Alcyone*, la quantità di addentellati con il vecchio studio del Gargiulo.

E cosí abbiamo detto che, fino a tutta la prima guerra, la figura del Gargiulo era rimasta quella d'un critico piú o meno d'estrazione crociana, autore d'una monografia sul D'Annunzio, la quale mostrava di resistere assai meglio di quanto non avessero resistito le esegesi parallele del Borgese e del Croce. Disgraziatamente il Serra era morto. Il Borgese piú e piú si disinteressava della critica; nei suoi violenti tentativi, o meglio si direbbe nelle sue aggressioni alla lirica, alla novella e al romanzo. Flora e Russo erano alle loro prime armi. E Pancrazi e De Robertis, ancora in cerca della propria originalità. Nel momento in cui si rassodavano le sue migliori energie, il Gargiulo si trovò presso che solo ad esercitarle su una letteratura allora allora uscita dalla prova della guerra, e che non era piú la letteratura del dannunzianesimo o del pascolismo ufficiale, e neppure del vocianesimo, il quale ormai aveva esaurita la propria funzione ed aveva fatto il suo tempo.

Il Gargiulo ebbe il merito di accompagnare cotesta letteratura per un bel tratto senza risparmiare ammonimenti e giudizi severi, ma sentendosi in essa profondamente impegnato. Fu almeno per un certo periodo il suo confidente, il suo complice. Oggi il libro sul Novecento ha preso la sua pàtina, e stagionatura; e si può rendersi ben conto di come nelle simpatie del Gargiulo non entrasse mai a giocare il minimo criterio ed elemento opportunistico, demagogico. I suoi eventuali errori di valutazione: pochissimi del resto, che si contano sulle dita d'una mano, erano ardui a portare piú che se si fosse trattato di chi sa quali peregrine e dibattute scoperte. E ci colpiscono soprattutto per la loro singolarità, la loro stranezza. Non si vorrebbero scrivere, in questa occasione della

1. Il critico letterario Giuseppe De Robertis.
2. Manara Valgimigli, a sinistra, con Diego Valeri.
3. Alfredo Gargiulo. Molti suoi scritti di critica sono tuttora inediti.

scomparsa di Alfredo Gargiulo, parole da dispiacere a chicchessia. Ma allorquando all'acutezza di quello sguardo e all'essenzialità di quella lettura, si paragona la mutria di certi nostri zoticoni ineffabili, la goffaggine e malaventura di certi nostri emeriti furbacchioni: allora ci si sentono davvero cascare le braccia; e si ha un'idea di quanto prestigio la critica di letteratura contemporanea abbia perduto, da quando la lunga malattia allontanò il Gargiulo da un campo nel quale, per almeno una dozzina o quindici anni, egli era stato d'esempio cosí egregio.

Non sappiamo quanto i cartoni del Gargiulo serbino di inedito e d'utilmente pubblicabile, oltre agli scritti di cui s'è già fatto cenno. Né qui è il luogo ove dilungarci a mostrare per quali modi, da un originario ed illuminato crocianesimo, senza rumorose reazioni, il Gargiulo passò ad una critica che intendeva contrastare alla crociana negazione della tecnica e della pluralità delle arti; al medesimo tempo che, facendosi intelligente sostenitrice della letteratura succeduta al D'Annunzio, al Pascoli e al Panzini, essa accentuava il proprio distacco dal Croce che, guidato da altri gusti e con altre curiosità culturali, ripetutamente di cotesta letteratura, quasi senza eccezioni, aveva mostrato di non fare che scarso giudizio. È nel lavoro dei critici piú giovani e promettenti che le direttive e l'esempio del Gargiulo sono evidentissimi. Ed ai piú giovani spetta dire su lui la parola che, nella sua novità, superi la tristezza del compianto.

(1949)

Santi neri

Non ci occorse una gran fantasia, quando eravamo ragazzi, per risparmiarci la lettura di tutti quei libri e giornali positivisti che allora venivan lanciati contro il pensiero, il « soprannaturale », la fede. Il che non toglie che, ogni tanto, qualcuno di noi uscisse a far giustizia, senza leggerli, di quelli piú rumorosi, con fierissime e azzeccatissime recensioni.

Ma presto si smise. C'eravamo accorti che cotesti libri, che pretendevano cancellare dalla faccia del mondo la fede, il concetto puro e la poesia, in realtà servivano alle nostre cause liriche, filosofiche e religiose, piú e meglio di qualunque crociata metafisica e di qualunque quaresimale spirituale. Eran cosí idioti che tutta la gente, scorrendoli si sentiva costretta, con vocazione irresistibile, a pensare il contrario. Per persuader qualcuno della dottrina degli opposti, bastava fargli leggere non la logica di Hegel, ma le pagine del James dove è dimostrato che, con un po' di buona volontà, e sottoponendosi a certe inalazioni ossido nitrose, di pensieri come quelli di Hegel, ma anche piú belli, se ne producono centinaja. E, passando in altro campo: quante copie dell'"Asino" di Podrecca mi ricordo d'aver comprato e distribuito con queste mani, a onore e gloria dell'Immacolata Concezione!

Volevan far credere che il *Pensiero dominante* fosse stato dettato, non da un uomo, e tanto meno da un genio, ma dal microbo, dal bacillo di non so che orrenda malattia. Volevan far credere che l'*Epistola ai Romani* fosse l'effetto demenziale di non so che tremenda isteria. Ce n'era abbastanza perché tutti cominciassero a sospettare che, insomma, di sani e liberi di spirito, non c'erano che i cretini. Tutti si congedarono in fretta dai sanatori della psicologia sperimentale. Ringraziarono, con effusione, delle sue offerte di libertà spirituale, il direttore dell'"Asino". E tornarono a quei bacilli e a quei patemi.

Dirò una cosa che non è bugia. Questa faccenda della letteratura positiva, cosí suicida nei suoi resultati, m'è tornata in mente a proposito della bella *Antologia dei Cattolici francesi del XIX secolo*, curata dal Giuliotti. C'è da temere che libri come questo, e, peggio ancora, tendenze letterarie che s'orientino, né manca da noi qualche segno, su questo genere di libri, non finiranno per riaccreditare, ch'è impossibile, l'"Asino" e il professor Morselli, ma non gioveranno neppure al cattolicismo e alla fede.

Perché eccettuato Balzac, che qui non campeggia, e sarebbe occorsa un'intiera libreria, questi scrittori, vivaci, fervorosi, e tutto quel che vi pare, son scrittori di distruzione e non di creazione. Di tristezza e non di fede. Di sforzo e non di forza. Di contrasto e non di vittoria. L'immagine della loro Chiesa non è l'immagine della Chiesa trionfante né di quella contemplante. Ed è a malapena quella d'una Chiesa militante. Piú spesso è un'immagine divorante, uso Moloch; e, in alcuni come il Bloy, addirittura un interno di macelleria.

Io non giudico da sentimentale. E il sangue e le appese interiora di tutti gli anticristi macellati, non m'impediranno, fra poco, d'andare a cena. E non giudico da liberale e nemmeno da gesuita. E in cotesti scrittori, o meglio in cotesti vendicatori, l'incapacità ad ogni attenuazione mi piace. Il guajo è ch'essi rassomigliano come due gocciole d'acqua ai loro avversari. Fino al punto che diventa difficile distinguerli. Per i minori (d'Aurevilly, Bloy) non sembra illecito il dubbio se, senza i loro avversari, sarebbero esistiti mai. Un altro guajo è che mentre la loro inconciliabilità coll'epoca, per certi tratti, è nobilissima, per molti altri dà nell'assurdo. E non tutte le assurdità, anche viste a un riverbero d'*autos sacrementales*, riescono a parer sublimi.

Rassomigliano ai loro nemici; son stati stregati dai loro nemici. (Come il loro satellite Léon Daudet, che a forza di sforzarsi a dir male di Zola, si riduce a scagliargli contro delle fecalità perfettamente zoliane). E la Chiesa, è vero, ne ha benedetto piú d'uno. E fra qualche centinajo d'anni è probabile che piú d'uno magari passi fra i beati, fra i santi. Santi, badiamo bene, la cui teologia si impernia soprattutto sul demonio. Santi che ebbero bisogno quasi piú che dell'idea di Dio, di quella del demonio. Santi neri come il carbone. Santi che puzzan di bruciato.

L'esistenza del diavolo è per essi almeno altrettanto essenziale di quella della divinità, non in relazione al concetto generico del dualismo cristiano; ma per la qualità quasi diabolica del loro sentimento della divinità, e della loro collaborazione con lei. Nel loro sistema, Voltaire, Rousseau, Zola fanno la parte dei diavoli inferiori, e infine dei poveri diavoli, che sbrigano i bassi servizi della ruffianeria infernale: agenti provocatori che si carican di fellonie, al servizio di una giustizia che non arriveranno mai ad intendere. Mentre essi raccolgono le fila di coteste congiure; istruiscono i processi, come magistrati che sono addentro alle segrete cose della giustizia suprema. E anticipano in terra qualche saggio delle pene eterne. Fanno una parte di santi diavoli, insomma; che un buon cristiano, con ogni rispetto, non considererà mai senza una sottilissima suspicione. E le stragi si calcano nella loro pagina, tanto che non ci resta lo spazio per un pezzetto di cielo. Come nelle loro conversioni non s'arriva alla libertà e alla pace, ma difilato alle vendette. A una sorta di giacobinismo cattolico. E, in realtà, non nelle formule che poi contan poco, ma nel tono ch'è tutto, è piú facile, leggendoli, ricordarsi di Marat e di Robespierre che di san Matteo.

La miseria dei tempi li astrinse alla polemica; e finirono col non essere altro che polemisti, anche quando non se lo credevano, o non ce n'era bisogno. Finirono col diventare di quegli uomini d'opposizione, che campano dell'opposizione, e fuori dell'opposizione si sgonfiano e cascano come vesciche. Castigatori, avevan bisogno di accusati. Carnefici, avevan bisogno di vittime; magari in effigie. Le inesauribili riserve della iniquità umana, le risorse spesso altrettanto inesauribili della personale rettorica, non permisero loro di restar mai inoperosi. Ed è certo che oggi in paradiso si devono tremendamente annoiare.

Furono i professionisti dell'opposizione. Ma cotesta professionalità, in una causa varia e profonda come quella del cattolicismo, pesa come un pregiudizio. Furono i professionisti della forza, i forzisti, i forzatori. Ma in una schiera dove, per l'appunto, i forti sono i deboli, e i deboli i forti. In una schiera dove la piú gran colpa forse consiste proprio in quella nietzschiana *virtus* della loro insolenza e del loro orgoglio di cuore

La loro critica della barbarie contemporanea: finanziera, politecnica, anarchica, atea; critica giustissima nell'impostazione, e simile, in fondo, al processo che tutti gli scrittori divoti di tutte le fedi e di tutti i tempi fecero al mondo, resta immobile, e, perché immobile, monotona e meno valida di quanto poteva riescire se, come nel De Bonald, fosse stata calata di piú nella realtà storica, fosse stata piú storia e meno apocalissi. E tuttavia non è costí, ma nei tratti e volumi autobiografici, che maggiormente si avverte, dove si sarebbe dovuta meno avvertire, l'angustia e povertà del loro sentimento religioso. Si confrontino il Veuillot delle pagine sulla *Macchina e il Pensiero*, il Bloy dell'*Incendio del Bazar delle Carità*, quando insomma dal loro banco d'estrema destra scagliano grossi fulmini al secolo e, purtroppo, il Bloy anche sterco; si confrontino con il Veuillot di quegli untuosi capitoli della conversione, in *Roma e Loreto*; e col

Bloy che, in tante pagine del "Journal", sembra insidiato d'acredine d'odio e di fortore sessuale anche nella preghiera. Un'anima inquieta e in certo senso fragile, Tyrrell, per esempio, in fatto di sentimento religioso avrebbe avuto parecchio da insegnare a cotesti leoni a tre code.

Finalmente, Daniello Bartoli riconosce una prova d'Iddio nella bizzarria dei gusci delle conchiglie, « dipinte a capriccio, o granite, gocciolate, moscate, o con certe leggerissime leccature di minio, di cinabro, d'oro, di verdazzurro »; e cosí per dodici pagine. Joseph de Maistre deduce la stessa prova d'Iddio dalla necessità del boja. Non illudiamoci. Tra quella frivolezza coloristica e questa terribilità, c'è piú d'un rapporto. Sebbene opposte e lontane, son chiuse dentro i confini d'uno stesso regno: il gran regno della Rettorica.

Fosse giunto, questo libro, in una coltura ricca di preparazione e sensibilità cattolica, vi avesse trovato equa accoglienza, eran rilievi tutti questi, da potersi piú o meno risparmiare. Ma veggo che gli « scrittori d'ordine » tendono a lumeggiarlo, sotto le esigenze e preoccupazioni attuali, come ritrovata tavola della legge, e allo stesso tempo tavola di salvezza; o come *Manuale o Vademecum del perfetto fascista*, per intenderci in poche parole.

Legge sforzata, paradossale; e perciò caduta. Tavola di salvezza piena di tarli. Manuale, prontuario, che potrebbe convalidare soltanto il ridicolo e il grottesco.

E non è di mia competenza, se ci sia ancora tempo, a cotesti effetti, per ricorrere alle antologie cattoliche e alle tavole della legge.

In ogni modo, senza tanti boja e digrignamenti di denti, e di certo senza « fascismo », ma con ben altra comprensione storica e orizzonte morale, autori cattolici quanti ne abbiamo in casa nostra; senza bisogno di questo « cattolicismo » estraneo, equivoco, letterario, inumano!

(1920)

«L'ora di Barabba» di Domenico Giuliotti

Quando, nell'autunno dell'anno scorso, Domenico Giuliotti pubblicò la sua *Antologia dei Cattolici francesi del XIX secolo*, che fu, in quel momento politico, un atto di coraggio oltre che un interessante contributo di coltura, io non volli naturalmente, lasciarmi sfuggir l'occasione di scriverne, e difatti ne scrissi a lungo, non ricordo piú se in questo o in un altro giornale. Ed ebbi la fortuna di trovarmi d'accordo con valentuomini di studi e tendenze varie: il Buonajuti, il Giovannetti, il Missiroli, i quali, con la piú larga simpatia per lo scrittore, non nascondevano, unanimemente, parecchi sospetti riguardo alla qualità del cattolicismo ch'egli mostrava di prediligere traducendo, con un compiacimento che trapelava perfino dalle virgole, il famoso elogio del boja di De Maistre e le truculenze del d'Aurevilly, del Veuillot e del Bloy.

Anche veniva rilevata la povertà della parte filosofica e dottrinaria, in confronto a quanto nell'*Antologia* era polemica, libello e, talvolta, turpiloquio addirittura. Del resto io non intendo di ricopiare qui la mia recensione; o, tanto meno, le recensioni degli altri. Ho messo giú questi precedenti, solo perché m'erano necessari per quello che ho da dire ora.

Appunto, poco tempo dopo la comparsa del mio articolo, un ragazzo di redazione entrò una mattina nella mia stanza, ed annunciò: « il signor Giuliotti ». Io che il Giuliotti non l'avevo mai visto, e lo conoscevo soltanto attraverso l'elogio del boja e la prefazione all'elogio del boja, pensai a quello cui tutti, nei miei panni, avrebbero pensato: a una « spedizione punitiva », dallo scrittore, che non potevo non figurarmi feroce almeno quanto i suoi autori prediletti, condotta con tutti i sacramenti, contro il critico non reo, certo, d'averlo vilipeso, ma reo d'averlo discusso. E si sa che il dogma e il Sant'Uffizio non scherzano; e non c'è differenza, nei loro riguardi, fra vilipendio e discussione.

Preparai dunque l'animo. E, per ogni buon fine, tirai le mani fuori di tasca. « Che Iddio ce la mandi buona! »

Ma il Giuliotti non era truculento. Non portava nemmeno un randello. E neanche pareva irritato. Un'occhiata al suo viso magro e consunto di passione bastava a disperdere tutte le immagini rumorose e fallaci. Ancora una volta si ripeteva quella sorpresa eternamente deliziosa di scoprire e non solo in un libro ma in una persona, dentro l'autore l'uomo, incomparabilmente piú ricco dell'autore. Ancora una volta dietro la maschera gonfia e congestionata d'un oratore apocalittico, si profilava un volto intento, improntato di consapevolezza e quasi di timidezza.

Non è il caso di fare un complimento, che sarebbe del resto anche empio, paragonando Domenico Giuliotti, cavaliere cristiano, a uno che fu, o almeno si illuse d'essere, il cavaliere, il battistrada dell'anticristo. Ma dicono i biografi che un'impressione di accorata bontà e dolcezza, che dovette essere (*si licet parva* ecc.) non molto diversa da quella di cui ho parlato, provava, avendo letto qualcuno de' suoi scritti catastrofici e incendiari, chi accostava per la prima volta Nietzsche.

A parte le tesi religiose, il Giuliotti, non è un Nietzsche, né per l'arte, né per la statura morale, né per la capricciosa finezza dell'intelletto. Non è ancora un Nietzsche. Ma ripete di Nietzsche, ingenuamente, senza pose, il contrasto fra la grandiloquenza quando scrive, e una umanità che si sente nascosta e piena delle esperienze piú sincere: il contrasto fra una gentilezza e una serenità vissute, e una ferocia verbale spesso, involontariamente, matamoresca. Persuaso, e forse non a torto, della cattiveria del mondo, quando nella sua solitudine piglia la penna, e si decide a mandare la sua parola nel mondo, non sembra mai sicuro che l'arme piú forte di cotesta parola sarà, come in certe sue pagine semplicissime e bellissime, la stessa nudità e naturalezza. E non soltanto, come a tutti i timidi, gli succede d'urtare e mandare a pezzi il vaso della Cina, entrando nel salotto. Ma ci mette un impegno vendicativo, nel precipitarsi contro il vaso della Cina, magari con quel bastone che per fortuna non aveva in mano il giorno che lo vidi; quasi egli voglia anticipare, esagerandoli con una determinazione rissosa, i probabili inconvenienti della sua lirica timidezza.

Potrebbe parlare come uomo, con l'innata autorità di chi parla come uomo.

Ma non gli basta; e vuol parlare, per missione divina, come un apostolo e di quelli piú tempestosi. E allora gli succede di somigliare piú che a san Paolo, a Léon Bloy.

Con queste osservazioni non si vuole affatto concludere che il libro: *L'ora di Barabba*, di Domenico Giuliotti non sia dei piú notevoli fra quanti uscirono in Italia gli ultimi tempi. Sopratutto ove si corregga e completi l'immagine dell'autore Giuliotti con quella dell'uomo Giuliotti. Nei riguardi della cosidetta rinascita cattolica, si può anche aggiungere che cotesto è l'unico libro nel quale siano accenti di indubitabile passione religiosa; e di piú, e piú intensi, ce ne sarebbero, se il Giuliotti si fosse maggiormente tenuto nell'autobiografico e lirico, invece, come s'è detto, di esagerarsi nella polemica e nell'apocalisse.

Io non nego, intendiamoci, che una polemica politica, dal punto di vista del cattolicismo sia feconda. Ma occorre, allora, prender contatto con la realtà; tanto piú che il cattolicesimo del Giuliotti crede alla realtà anche nelle specie nazionali, storiche; e non conclude come il cattolicismo d'altri, che sarebbe piú giusto chiamare un ibrido nihilismo cristiano, coll'escludere che in questo mondo ci sia qualcosa da fare per chi ha riposto tutte le sue speranze nell'altro.

Purtroppo, invece, la polemica del Giuliotti resta generica, puntata nell'astratto; e passa sopra le teste, piú spettacolosa che micidiale, come un rovinio di cannonate che poi vanno a stramazzare nella sabbia. Sarebbe tuttavia ingiusto non riconoscere che, in ciò, la sua responsabilità è diminuita dalla considerazione che nessun soccorso ad un intelletto delle sue tendenze può offrire un ambiente come il nostro, dove la eredità cattolica deve raccogliersi tra le gretterie pretine ed i compromessi dei popolari; in Francia a quest'ora, egli sarebbe sceso dal monte, ed avrebbe trovato il suo vero posto di combattimento.

Dovrà ritenersi assolutamente impossibile, qui da noi, una nuova polarizzazione ed organizzazione delle forze culturali cattoliche, in forme, riatteggiate su quelle tradizionali, e ricondotte a una dignità dalla quale certamente, per ora, noi siamo quanto mai discosti, ma che hanno saputo ritrovare, appunto in Francia, il Maurras, il Daudet, il Barrès; in Germania il von Hügel, in Inghilterra il Belloc e i fratelli Chesterton? Chi concepisce la vita superiore di un paese come una resultanza dal contrasto quanto piú intenso, delle opinioni e tradizioni quanto piú definite e raffinate, deve augurarsi che cotesta impossibilità sia soltanto apparente e transitoria.

In tale senso il Giuliotti potrebbe veramente essere un elemento di prim'ordine. Rinunciando all'enfasi, al paradosso; ed adoprandosi a trovare, un terreno di azione letteraria e politica, degno della sincerità delle sue convinzioni.

(1921)

Manara Valgimigli

In due grossi volumi: *Poeti e filosofi di Grecia: I, Traduzioni; II, Interpretazioni*, Manara Valgimigli ha raccolto e riordinato gran parte della propria produzione di traduttore e di critico, che nel corso di parecchi decenni, affidata ad una quantità di editori e largamente diffusa, oggi sarebbe solo parzialmente e difficilmente reperibile, fuorché andando a ricercarla e rileggerla nelle pubbliche biblioteche. Si tratta, nel primo volume, di traduzioni dai tragici greci e da Platone e Aristotele. E nel volume secondo, di saggi critici sul complesso dell'opera, o su qualche opera particolare, dei suddetti autori, e d'altri maggiori e minori, fra cui Omero, Saffo e Teofrasto.

Formatosi nella famigliarità col Pascoli, Manara Valgimigli compié il proprio tirocinio scolastico al tempo che il Croce finiva di preparare e pubblicava la sua *Estetica.* E le interpretazioni ed i saggi raccolti nel secondo volume rispecchiano il processo di rinnovazione che, nel corso d'una cinquantina d'anni, anche per l'influsso crociano, si svolse appunto nel campo dei nostri studi classici. Alle varie sezioni dei due volumi ci introducono dediche ad amici e colleghi che contribuirono all'opera di rinnovamento; ed epistole confidenziali dove rivivono ambienti, vicende e persone fra cui il Valgimigli esercitò la sua attività di studioso e docente. Piene di poesie e piú toccanti altre dediche e intestazioni, come quella agli scolari morti nelle due guerre, o quelle alla memoria della figlia Erse e del figlio Bixio, entrambi precocemente scomparsi, quando già la figlia aiutava il padre in piccole ricerche di biblioteca, nella correzione di stampe; ed è qui rievocata in un gentile incontro con il grande grecista Girolamo Vitelli, ormai vicino alla morte, e la sua collaboratrice, la paleografa Medea Norsa:

« Poiché la mia figliola aveva voglia di vedere e provarsi a leggere papiri greci, la signorina Norsa andò e tornò con un suo cofanetto, e ne trasse frustoli e brandelli, di un colore giallo grigio, come ricami ammuffiti e appassiti... Io guardavo quella dolce creatura, e la mia Erse vicina a lei, chine tutte e due e attente. Avevano quei papiri sulle ginocchia. E, come ricami, a trarli a districarli a isolarli a metterli in luce, li toccavano appena con le dita lunghe e sottili, appena li sfioravano con una delicatezza trepida e pia. Io guardavo, e ripetevo fra me, il verso di Saffo: "Ramicelli di anèto intrecciando con delicate mani" ».

Questi ricordi di vita, vissuta e mescolata con la poesia svariano e ventilano il folto della severa erudizione. Per conto mio avrei voluto (ma evidentemente era impossibile) che, insieme ad essi, avesse trovato posto nella presente edizione almeno una parte di quelle agilissime analisi verbali che il Valgimigli condusse in nota ad alcuni fra i piú belli e famosi canti dell'*Odissea*, e che ogni tanto mi piace d'andare a ritrovare nel cantuccio d'un mio scaffale, in certi ingialliti volumetti d'una collezioncina scolastica, edita a Messina da G. Principato. I raffronti tra le sfumature del senso d'un vocabolo o d'una costruzione sintattica, i chiarimenti fra le diverse interpretazioni e ricostruzioni d'una vicenda epica o di un mito, in quelle note a piè di pagina hanno la confidenzialità ed il calore del discorso d'un vecchio maestro in un piccolo cerchio d'affezionati scolari.

E costí il Valgimigli è quasi materialmente presente, fino all'evidenza del gesto, e oserei dire al suono della voce. La cordialità del tono riscatta la minuzia e il rigore delle argomentazioni, dietro alle quali trasparisce, senza che sia minimamente ostentata e insistita, la profonda dottrina. Si capisce costí, forse meglio che da qualsiasi altra cosa, di quale immensa preparazione erudita, oltre che dal gusto naturale, dal finissimo dono espressivo e da tante altre virtú, sia nutrita quella sua arte di traduttore dal greco, nella quale oggi in Italia egli non ha competitori.

Dell'esercizio del tradurre, e in ispecie « del tradurre l'antica poesia », egli trattò varie volte, per iscritto o dalla cattedra, e anche di recente in un piccolo libro, riprendendo un lavoro piú antico che ritroviamo fra queste sue pagine. E convalidate da una pratica tanto altamente fruttuosa, le sue osservazioni in proposito inviterebbero a lunghi commenti; se non c'invogliasse anche di piú soffermarci intorno ad alcuni di quelli che sempre ci sono apparsi fra i piú completi successi del Valgimigli in questa difficilissima arte.

Uno dei pregi costanti è che, nel lavoro del Valgimigli non si insinua mai quella qualità di cadenze manieristiche ch'è tipica degli infaticabili traduttori a tuttofare, gli ambiziosi traduttori di « opere complete ». Nel passaggio da una all'altra lingua, fatalmente deve accettarsi che molto vada perduto, purché l'espressione tradotta abbia mordente, e serbi qualche seme e favilla del fuoco originario. In un rapido *excursus* sul lavoro di traduzione dall'antica poesia, effettuato in Italia nello scorso mezzo secolo, il Valgimigli non si prevale della propria forza, e nei suoi giudizi è assai tollerante, fin generoso. Non tanto però che da essi non appaiano sostanzialmente confermate oscure impressioni che sono anche del lettore comune e senza troppe lettere.

Contro alla pratica dei traduttori onnivori, totalitari, vale per esempio il caso dell'animosissimo Romagnoli, che nelle enormi quantità di poesia greca da lui tradotte, non fu mai piú capace di crearsi un'occasione congeniale e felice come al suo debutto con l'*Aristofane*. O del Bignone, col moltissimo che anche lui si sentí in obbligo di tradurre; e forse il suo primo libro sull'*Epigramma greco*, tratto dalla « Antologia Palatina », è quello che di lui ricordiamo piú volentieri.

In confronto, le scelte del Valgimigli sono prudenti, discrete, coerenti, sostenute da una meditazione esemplare tanto per la finezza che per la concretezza. Basta riferirci per questi riguardi all'ampio saggio in cui è inserita la versione di buon numero dei frammenti di Saffo, e ricostruito il carattere della poetessa su linee innovatrici, assai discoste da quelle della tradizionale convenzione d'una Saffo romanticamente disperata e suicida. O basta attentamente seguire le mirabili interpretazioni morali e filologiche dell'*Alcesti*, del *Filottète* e forse soprattutto delle *Coefore*.

Ma un altro pregio nel Valgimigli trova continua conferma, ed è il nessun ricorso a quelle piú o meno lievi sforzature vocabolaristiche, a quelle appoggiature arcaizzanti che fanno groppo e al medesimo tempo dànno qualche leziosità alla lingua dell'Acri e non di rado del Pascoli, nel quale l'arcaismo talvolta assume un'intonazione quasi fanciullesca. La lingua del Valgimigli è la piú spoglia e naturale. È lingua del tempo nostro, ma perfettamente capace a scavare e rivelare i segreti delle anime e delle favelle d'antichissimi tempi.

Non sapremmo dire se con lui non si giunga all'altezza di certe traduzioni orali di Girolamo Vitelli, da quanto potemmo conoscerne sia per dirette esperienze che per testimonianze validissime. Certo è che nel frammentario, superstite *Agamennone* del Vitelli, eccellenti grecisti giudicarono come della piú straordinaria versione che di questo capolavoro si sia mai avuta in qualsiasi lingua e letteratura. Nelle *Coefore* ed altre tragedie, come nei frammenti di Saffo, il Valgimigli sembra mirare e accostarsi ad una simile perfezione.

S'è accennato ch'egli tradusse anche da Platone e Aristotele. Tali versioni occupano all'incirca due terzi del primo volume di *Poeti e filosofi di Grecia*. Lasciamo le fatiche ch'egli spese, come commentatore e traduttore, sulla *Poetica* di Aristotele, e intorno alle parti piú strettamente tecniche e speculative di due fra i maggiori dialoghi platonici: il *Fedone* e il *Teeteto* da lui prescelti: e cioè il dialogo sul commiato dal mondo e sulla immortalità dell'anima; e il dialogo sul contrasto fra sentire e conoscere, fra impressione e verità, ed insomma sull'essenza della conoscenza.

In parte è perché i due dialoghi hanno a protagonista un Socrate già consacrato alla morte. E fino dalle prime pagine, nella loro atmosfera è un altissimo senso d'addio. Non occorre ricordare la situazione e gli interlocutori del *Fedone*, tanto essi sono famosi. Ma la maggiore difficoltà della materia nell'altro dialogo, può forse spiegare perché il giovane Teeteto, fra i personaggi del mondo socratico e platonico, non raggiunse mai la popolarità di Fedro, di Fedone mentre egli è senza dubbio uno dei piú indimenticabili ed entusiasmanti.

Bisogna essere grati al Valgimigli per aver dedicato tanto amore e tanta arte a questo liceale in cui era la stoffa d'un grande matematico; eppoi invece sapremo che, prima della piena maturità, fu destinato a morire in battaglia. Affatto privo della grazia fisica d'un Fedone o d'un Alcibiade, anzi piuttosto brutto di viso, quasi addirittura come Socrate, il giovane Teeteto è incantevole, sia per il suo rispetto, la sua adolescente timidezza, sia per la smania di sapere, ma senza nessuna presunzione e improntitudine. Non si poteva personificare in una figura piú affascinante la civiltà ateniese in uno dei suoi momenti piú inquieti, ma ancora cosí ricchi di futuro, di spirituale energia e (nonostante l'incombente processo e la cicuta) ricchi anche di schietta felicità di vivere. Come volentieri scherzando con Teeteto, il vecchio Socrate rammenta la propria madre; la levatrice, che ormai doveva essere decrepita. Tranquilla, luminosa, ma ogni tanto percorsa, come da un brivido, da quel senso d'addio, la prosa ha nella sua affabilità qualcosa di solenne. Nelle versioni del Valgimigli sono gemme vere e proprie; e queste del *Teeteto* e del *Fedone* stanno certamente fra le piú belle.

(1965)

Concetto Marchesi

In proda al campo strettamente filologico e storico, Concetto Marchesi, negli ultimi tempi, è venuto stampando alcuni lavori che si rivolgono anche ad un pubblico non specializzato. Ed in merito ad essi può essere meno presuntuoso interloquire da parte nostra. Uscí prima: *Il libro di Tersite*, raccolta di commosse confessioni in veste di racconto, e ricordi autobiografici; il cui embrione è forse da rintracciarsi nei famosi scorci paesistici, negli sfoghi di sentimento e nei soprassalti di scherno e d'ironia, che interrompevano il discorso critico, in certe pagine carducciane. Dalle quali pagine si può dire che mosse la prosa tra narrativa e saggistica, tra fantastica e meditativa, del Panzini, del Valgimigli; ed appunto anche del loro piú giovane collega di studi e d'insegnamento, il Marchesi.

Altro libro, le *Favole esopiche tradotte*. Senza nessuna esagerazione arcaizzante, nella scarna prosa della versione, le favole sembrano aver ritrovato qualcosa di una originaria adustezza, che poi dovevano perdere definitivamente nella sentenziosità piuttosto accademica di Fedro. Traduzione (e direi, in un certo senso, « ripristino ») davvero mirabile; come il lavoro di certi archeologi che, dietro tardive sovrastrutture e abbellimenti, riscuoprono le linee severe di un antico edificio alterato e deturpato. E mi ha fatto risovvenire dell'arte di vecchi, amatissimi maestri, come il Vitelli e il Pistelli; che dalla cattedra commentando e traducendo, ai nostri anni felici, un coro di tragedia o un frammento lirico, ci avviavano ad un senso nativo dell'espressione poetica e della parola. La introduzione alle *Favole esopiche tradotte* (« Uomini e bestie nella favola antica ») è opportunamente riportata in apertura di un terzo volume e piú recente, e dei tre il piú ragguardevole: *Divagazioni.* Dove fra i capitoli su Omero, Sallustio, Lucrezio, Catullo, Svetonio, ecc., si inseriscono nuovi bozzetti e ricordi nel genere di quelli del *Libro di Tersite*; e completano l'immagine di questo singolare temperamento di artista e di critico.

Quel senso drammatico della realtà che, eventualmente sotto un velo ironico, è cosí presente nei componimenti di immaginazione e confessione, si riflette, come del resto è ovvio, nelle letterarie preferenze del Marchesi; e bastino a confermarcelo nomi come quelli di Lucrezio, di Sallustio e Catullo che, nelle *Divagazioni*, hanno ispirato pagine tra le piú illuminanti. Si capisce che, ad esempio, nei riguardi dell'*Iliade*, poema di collere e battaglie, di sangue e di lutti, non occorressero particolari accentuazioni. Mentre è curioso notare, circa l'*Odissea*, il fortissimo rilievo concesso alle figure muliebri: Calipso, Circe, Nausicaa, e non diciamo Penelope; che pur quando, come Circe e Calipso, sono di natura divina, agiscono e patiscono nel poema come semplici creature mortali. Fortissimo rilievo, al disopra dell'elemento avventuroso e leggendario delle peregrinazioni, dell'incontro col Ciclope, ecc.; e dello stesso elemento sovrannaturale, nella discesa al regno degli inferi. Perché, in realtà, quanto piú acutamente, e talvolta quasi ossessivamente, sensibile ai motivi dell'amore, del dolore e della morte, il Marchesi piú si sente impegnato a sottrarli ad ogni incidenza mistica, ad ogni idealistico compenso e conforto; per riconoscerli e definirli nettamente nel loro duro e irrevocabile contorno e significato umano.

Cosí è naturale che, in letteratura latina, fra i poeti che piú sollecitano, insieme alla sua emozione, il suo zelo di studioso e la vena di critico, sia Catullo, con la sua sconcertante e del tutto nuova sincerità carnale. E il Lucrezio del libro sulle passioni, e dell'impassibilità dinanzi alla morte. Come può supporsi che, nella letteratura ellenica, egli non sarebbe del tutto alieno dal condividere le predilezioni di Nietzsche per l'idea della vita e l'idea della prosa in Tucidide, contro le idee corrispondenti in Platone. I quali dissensi di vita e d'arte, in un « excursus » intitolato: *Storia e poesia*, s'illustrano brillantemente d'una quantità d'esempi tratti dalla lirica e dalla storiografia romana. E non escludo che io ubbidisca a miei gusti personali, compiacendomi in special modo di quanto il Marchesi scrive di Sallustio. Ma delle pagine sallustiane sulla congiura, e soprattutto di quelle sulla battaglia e la morte di Catilina, non sentirò mai parlare senza gratitudine; quando se ne parli con accenti cosí alti ed esatti.

Marchesi ha una particolare capacità d'intendere ed esprimere figure e tempi travagliati. Quel tanto d'eloquenza ch'è necessario alla fusione e al pieno slancio del suo stile, si avvantaggia di una materia drammatica; come altrove si vide, quando egli scrisse di Tacito, di Marziale; e qui nuovamente si vede nel saggio su Svetonio, dove l'indignazione morale non mai gli fa confondere ciò che nel biografo dei Cesari è verità documentata, e ciò ch'è eccesso calunnioso, postuma ritorsione venefica dell'aristocrazia romana contro il principato giulio-claudio.

Un forte e giusto senso umano, è in fondo tra i migliori apporti del Marchesi allo studio della letteratura latina, che nei suoi giudizi si fa straordinariamente viva e attuale. Troppo lungo sarebbe a voler qui accennare perché e come, dal nuovo impulso critico ottocentesco, piú guadagnarono la cognizione e l'apprezzamento della letteratura greca che della latina, di certo ammiratissima, ma sotto specie d'una letteratura derivata, riflessa, se non addirittura accademica, sia pure d'uno splendido accademismo.

Nietzsche che qualcosa aveva fatto per l'intendimento della civiltà e dell'arte ellenica, a un certo punto esce a dire: « Dai greci non s'impara... Chi avrebbe mai imparato a scrivere dai greci? E chi avrebbe mai potuto impararlo, se non dai romani?... Il mio senso dello stile si destò al mio primo incontro con Sallustio » (*Crepuscolo*, XI, 1, 2). Paradossi? Può darsi. Ma paradossi altamente indicativi. Pieni di sostanza.

(1952)

Giovanni Amendola

Alla ristampa di *Etica e Biografia* e di altre pubblicazioni filosofiche e politiche di Giovanni Amendola (1882-1926), ha ora fatto seguito, a cura della moglie Eva Amendola Kühn e del figlio Giorgio, un grosso volume: *Vita con Giovanni Amendola*. Si tratta d'una biografia dettata dalla moglie, con una semplicità e immediatezza che, meglio di qualsiasi industria letteraria, subito conquistano l'animo di chi legge. La biografia è divisa in capitoli ai quali corrispondono i diversi periodi d'una esistenza che fu relativamente breve, quanto travagliata ed intensa. Ogni capitolo e periodo è illustrato da una copiosa documentazione, tratta da lettere inedite ed altre testimonianze dell'Amendola stesso e di suoi corrispondenti ed amici. E da tali lettere e testimonianze, il racconto biografico, già di per sé pieno d'interesse, piú si anima e colora.

Ciascuno s'intratterrà per proprio conto, come noi abbiamo fatto con viva partecipazione, su quanto nel testo e nei documenti riguarda gli affetti e gli eventi privati, che tanto efficacemente la Kühn ha saputo rievocare. Ma la figura di Amendola ha soprattutto importanza per i suoi significati morali e politici, che trascendono la sfera domestica e sentimentale. E a meglio intendere questi significati, non è forse inutile richiamare il lettore anche ad una pubblicazione su cui di recente (19 maggio 1960) scrivemmo su queste colonne[1]: intendiamo il volume critico e antologico: *La Voce 1908-1914*, curato da Angelo Romanò. La formazione di Amendola, e le sue prime, valide affermazioni intellettuali, avvennero infatti contemporaneamente all'organizzarsi dell'ambiente culturale e allo svolgersi e maturarsi del cosidetto movimento « vociano ».

L'Amendola aveva cominciato a farsi conoscere come studioso di filosofia morale, negli anni che precedettero la prima guerra. Nato a Napoli, da gente della piccola borghesia e senza tradizioni di cultura, aveva frequentato gli ambienti teosofici e letterari di Roma e di Firenze. Aveva stampato racconti e altre prose di fantasia, d'un violento chiaroscuro romantico. In lettere fra quelle che accompagnano l'odierna biografia, egli invita esplicitamente chi si occupa e occuperà di lui, a non tener conto di sue inclinazioni teosofiche al tempo della prima gioventú, e di suoi tentativi letterari, pubblicati con pseudonimo nella "Riviera ligure". Non che in quella teosofia e in questa attività letteraria fosse qualcosa di cui piú tardi egli avesse a rammaricarsi. Al contrario. E dirò addirittura che già in tali manifestazioni, giovanilmente approssimative ed elementari non sarebbe stato difficile riconoscere, sia pure in confuso, le precoci preoccupazioni etiche ed i segni d'un carattere volitivo e intransigente che, quando l'ora fu giunta, dovevano affermarsi, come tutti sanno, in maniera tanto drammaticamente gloriosa.

Ma un'altra cosa vorrei aggiungere, che non riguarda soltanto Amendola. In quel movimento che abbiamo abbreviatamente chiamato « vociano », insieme a tante cose che non andavano, insieme a tanti difetti che, col senno di poi, tutti si presero perfino esageratamente la briga di denunciare e postillare, erano alcune virtú. Ed in questo come in altri epistolari dell'epoca, esse prendono il piú vigoroso risalto. D'accordo; né in letteratura, né in filosofia, né in politica, Prezzolini, Papini, Soffici, Amendola, Jahier, Boine ed altri « vociani » di prima grandezza, erano forse riusciti nella quadratura del circolo, quando "La Voce" cambiò programma e poco dopo morí; e venne la guerra che doveva trasformare irriconoscibilmente il quadro della morale e della cultura europea. Ma di quale passione e disinteresse avevano dato e davano prova! Meno poche eccezioni, con quale desiderio, con quale scrupolo di verità, avevano cercato di fare ognuno del proprio meglio, senza reciproci riguardi, senza convenzionalismi, senza nessun genere di considerazioni pratiche.

In tutto l'epistolario, che costituisce tanta parte del presente volume, è un continuo guizzare e scoccare d'interne polemiche, mai pettegole, mai egoistiche e utilitarie; ma intese al miglioramento del comune lavoro. Particolarmente amico del Papini, con il quale ha, ed ha avuto, maggiore affinità d'interessi

[1] L'articolo, pubblicato sul "Corriere della Sera", non è compreso in questa raccolta.

Il filosofo, giornalista e uomo politico
Giovanni Amendola. A destra: il critico Renato Serra.

culturali, Amendola (per dirne una) non esita un istante a prendere posizione con la piú spregiudicata franchezza contro *Un uomo finito*, che era destinato a rimanere la prova piú impegnativa del Papini artista, sia prima che dopo la « conversione ». Di quel romanzo, l'Amendola risolutamente rifiuta il latente superomismo, il dilettantismo « magico », gli elegiaci intenerimenti. Non per ciò l'amicizia è turbata. Si paragoni al costume letterario della nostra epoca, in cui sembra quasi completamente spenta la capacità di dire pane al pane e vino al vino, e formulare un preciso giudizio di valore. E nella quale, alle ridicole ambizioni personali e al giuoco delle camarille, vengono sacrificati i piú elementari doveri della sincerità e della chiarezza critica.

Ma proprio in cotesto tempo, nell'imminenza, cioè, della prima guerra, Amendola, ormai passata la trentina, entra per non piú uscirne nell'agone pubblico. Nel miraggio d'una carriera di studi e di una sistemazione universitaria che, per una ragione o per l'altra, gli restarono precluse, egli aveva vissuto per anni in una miseria appena dissimulata; potendo contare soltanto sulla rimunerazione di lavori meschini e saltuari, con frequenti e faticosi mutamenti di residenza, e con ogni sorta d'ansietà e delusioni, coraggiosamente condivise dall'autrice di questa biografia. Si ebbe un miglioramento delle sue condizioni economiche e, in pari tempo, l'avviamento sempre piú deciso alla politica attiva, allorché egli accettò un regolare lavoro giornalistico. Ma per parte sua non fu nemmeno una risoluzione in tutto gradita; anche se presto doveva diventare palese ch'essa si trovava sulla diretta via a lui segnata dal destino.

Come si legge in queste lettere, fino allora, con Mario Missiroli aveva particolarmente discusso di trascendenza e d'immanenza, di Kant e di Hegel, della nuova corrente gentiliana che stava succedendo al crocianesimo, e di altri argomenti siffatti. Ma ora che Amendola era diventato corrispondente romano e articolista del "Resto del Carlino", dalla sfera filosofica il dialogo col suo direttore necessariamente si trasferiva sopratutto nella sfera politica. E la politica, a quel tempo, anche od in specie per un paese come l'Italia, di troppo recente formazione statale, presentava alternative ed imponeva scelte estremamente gravi e pericolose. Non è esagerato pensare che, dopo quasi mezzo secolo, l'Europa ed il mondo a tutt'oggi stanno ancora pagando le cambiali grosse e piccine convulsamente sottoscritte in quegli anni.

Dal "Carlino", frattanto, Amendola era passato al "Corriere della Sera", e s'era trovato nei crudi contrasti che infine conclusero con la rottura della Triplice e col nostro intervento. Al fronte aveva poi fatto brillantemente il suo dovere. E nel tumultuoso dopoguerra, insieme alla sua autorità e al suo prestigio, le sue responsabilità erano cresciute, portandolo al governo; ma allo stesso tempo privandolo, com'era naturale, delle funzioni e proventi giornalistici. Cosicché, durante i periodi nei quali egli fu in carica, dapprima come sottosegretario eppoi come ministro, nei due ultimi gabinetti liberali che l'Italia abbia avuto, le sue difficoltà economiche furono di poco minori di quelle che avevano pesato su tutta la sua gioventú.

L'azione e la figura di Amendola non si fondono nella pienezza del loro significato che al tempo della marcia su Roma e dei fatali sviluppi di tale avvenimento. Strano è che, in studi anche assai penetranti, intorno a cotesta pagina della nostra storia (citiamo ad esempio: *Da Giolitti a Mussolini* di Nino Valeri), la parte spettante ad Amendola o non appare affatto, o manca di risalto e di concreta articolazione. Gli avversari di Amendola, mostravano di valutarla ben diversamente; e la grave aggressione da lui patita a Roma nel dicembre 1923 fu una delle prime tappe in quella alternativa di violenze e di finti assestamenti che infine sboccò nel delitto Matteotti.

Di certo, era stato un grosso danno che la discordanza di opinione, riguardo all'intervento e alla guerra 1915-1918, avesse in antecedenza quasi compromesso, ed ora in qualche modo ritardasse una piú robusta intesa fra Amendola, Giolitti e lo stesso Croce. Dopo il discorso del 3 gennaio 1925, sotto al crudele pungolo della realtà, e quando era diventato del tutto assurdo seguitare ad illudersi sulle disposizioni della Corona, quell'intesa si fece piú stretta e sincera;

ma era troppo tardi. Ad Amendola, nuovamente e piú ferocemente aggredito presso Monsummano nel luglio 1925, e costretto a riparare in Francia per curarsi le sue ferite, non restava da vivere nemmeno un anno.

Ma fu singolare e mirabile che la forma della lotta e del sacrificio, sull'ultimo di quella vita, sembrò che avesse sempre meno riferimento con le ragioni tattiche e tecniche, con i personalismi e le combinazioni della politica in atto. Si trattava ormai di qualcosa di molto superiore. E piú veramente somigliò ad un grande fuoco lirico, allo slancio d'una vocazione religiosa ed eroica che, com'era nel suo carattere, Amendola austeramente, senza nessuna ostentazione, realizzò nel silenzio e nel dolore. E qui si confermò la splendida unità del suo temperamento. L'essenza della sua filosofia morale egli l'aveva enunciata già nel titolo: *La volontà è il bene*, d'una delle sue pubblicazioni piú importanti e concise. Tale sentenza: « La volontà è il bene », riassume a perfezione lo spirito dell'intiera sua vita, fino a quell'ultima battaglia senza speranza, nella quale la indelebile vittoria fu conseguita appunto dalla sua strenua volontà di immolazione.

(1960)

Renato Serra

Belle pagine leggère, al solito ricche di osservazioni molto sottili; pagine ariose, sospese in una mobilità volubile e conscia, morbide nei passaggi, ha scritto Renato Serra, nel volumetto: *Le lettere*, discutendo la produzione italiana degli ultimi tempi. Non ci sono rivelazioni; piuttosto qualche esagerazione, strana, data l'abitudine finora in questo scrittore di cercar fondo sicuro, con le doppie àncore del senso comune e d'un tal grammaticale scetticismo da vecchio umanista di provincia. La linea della nostra letteratura odierna è distesa, desolata; e il libretto del resto la riproduce. Carovana in un deserto. Ma, a spiegar certe apparenti omissioni, e ad apprezzare il punto di vista nel quale ha creduto mettersi l'autore, guardiamo subito l'avvertenza, e poi una nota che annuncia un libretto nuovo per studiarvi uomini e movimenti che qui non hanno trovato posto; gli scrittori di storia, per esempio, i filosofi, i politici ecc. In altre parole, qui non leggiamo che del mercato editoriale; e de' letterati in senso esatto, che vivono oggi e preparano versi, prose narrative o di critica: D'Annunzio, Di Giacomo, Gozzano, prima di tutti; poi i soliti novellieri ironici e salottieri; poi Panzini, Papini, ecc. Il Croce, essenzialmente in quanto autore de' saggi sulla letteratura italiana contemporanea; infine i critici, spartiti nelle due schiere de' giornalisti e degli eruditi.

Forse, questo riferirci a un libro avvenire, dove leggere intorno ai fondamenti d'una attività le cui manifestazioni qui paion discusse, per quel che è del Serra, esaurientemente, è davvero, come io temo, postumo, posticcio. Croce è la viva origine del risveglio critico, nel quale il Serra riconosce innumerevoli difetti, e anche il segno piú fattivo della nostra epoca? Ma analizziamo, allora, i fondamenti del pensiero crociano prima, per venir poi a giudicare le emanazioni spicciole, spurie. Non se ne fa nulla. Ciò che il Serra qui propone sulla filosofia del Croce, è infantile. Quanto al Croce studioso di letteratura italiana contemporanea, gli concede senso comune, garbo espositivo, sale aneddotico, gusto quel ch'è strettamente necessario, scaricandolo, dopo tutto, in una vecchia critica di tipo anteriore a quella di cui l'*Estetica* pose l'esigenza. Ma Croce, definisce in altra parte lo stesso Serra, è essenzialmente progresso, concrescenza, inglobamento perpetuo di ogni facoltà e qualità in una. Come va allora, siamo costretti a chiedergli, che la critica crociana, piena di zelo, di doti accessorie, intanto è rimasta tagliata fuori dalla speculazione; è restata a piedi, addietro, nella lontananza? Era un problema molto importante; un problema che avrebbe potuto intensamente modificare il significato di questo volume. Il Serra l'ha sfiorato col gomito, non se l'è affatto posto. Il Serra non soffre problemi. Non si propone concordanze, architetture. Non crede tanto che la critica sia giudizio.

Discute di questo o di quest'altro; e vi dirà: « Il tale è confuso, indigesto, uno scrittore ingrato; però non si rinuncia a leggerlo, e ci dà sempre qualcosa ». Lo stringete, allora, desiderosi: « Di grazia: siete critico, e stimato, apposta per dirci perché, malgrado tutto, si legge costui; ed estrarre dalle nebbie e definirci la sua ragion vitale ». Vi risponderà, quasi sempre, che cotesto o cotest'altro « ha un dono »; con l'aria d'uno scolastico che parla della *virtus* dormitiva. Un dono. Ma il tono lirico, ma il meccanismo logico, ma il senso etico di questo dono? Niente: un dono. E cava una astrazione stilistica dalle esperienze della sua sensibilità che è mirabile; trasfigura lo scrittore in uno schema di mobili linee vuote, senza corpo. La semplicità persuasa con cui, quasi sempre, si chiude in questi limiti, forma metà almeno della sua forza e della sua grazia. Non dà una critica; ché gli elementi connettivi del suo giudizio, dove questo deve per forza saltar fuori, sono ovvii, volgari; dà una mimetica vegetazione di sensazioni, un alberello sempre verde di stile, librato in sé, senza richieste, pulitamente.

E cosí ha avvertito, declinando: « Scrivo una cronaca, in cui si rende conto dei libri e dei loro scrittori, dal punto di vista del pubblico che legge e secondo la piú comune impressione. Ciò non consente personalità di analisi o di idee. In compenso, ci troveremo sopra un terreno sicuro; almeno per oggi ». Qui, però, il candore dell'evasione è tale che par sofisma. E per quanto le disposizioni di letterato avvezzo all'antica possano istigarlo a ostentare di verginità filosofica, egli non riesce a far credere di avere assunto sul serio il punto di vista del « pubblico »: d'un astratto e non lusinghiero. Vorremmo, per eccesso di scrupolo, figurar d'intendere alla lettera l'avvertenza; e pigliare il libro appunto come una cronaca triviale e minuta? Non si può.

Quante assenze, nel campo de' puri scrittori di letteratura, niente giustificate! Una cronaca, al vecchio modo, avrebbe avuto da esser completa e obbiettiva; come un elenco. Ma il Serra è troppo sensuale e pigro, per riuscire erudito, anche di scritture contemporanee soltanto. A volte ignora; a volte ha letto senza tagliar le pagine; a volte gli par fatica a rammentarsi. Ha dato una pagina a Guido da Verona, ha raccattato, e ha fatto bene, le ecloghe del Bontempelli. Ma allora bisogna tener conto, e come, del *Carso* dello Slataper, per esempio: del *Filo meraviglioso* del Bacchelli; operette molto piú dimostrative. O la sua intolleranza di esse, poniamo, è da giustificare. Il Linati, il Gerace, la stessa Tartufari, non son nomi giunti al gran pubblico? Ma assai piú di altri che egli ci sottopone; e nomi che cuoprono maggiori meriti. Fra i critici, per esempio, manca G. A. Levi. Ciò che il Serra dice del Gargiulo non è serio; e intendo anche solo in un senso informativo. Mette il Cardarelli fra certa rigaglia pseudofuturista. Ma è segno che non l'ha letto; e allora poteva tacerne; per quanto le sue attenzioni, che si vengono incontro a volte da opposti poli, gli tolgano diritto di escludere, di tacere. Le sensazioni nel libretto hanno per altro una certa geografia. Colgono un vento che vien di Romagna, e indugiano assai intorno a un gruppo di scrittori fiorentini, non senza motivi veri. Ma principalmente si tratta che il Serra è pigro, dicevamo; e dove càpita rimane. E dunque, perché brontolare contro certi giovani critici che le loro affermazioni e ricostruzioni non sostengono di quella vasta, calma disciplina, di quella umana affezione e religione ch'egli indica, e giustamente, come unico principio risanatore delle lettere e dell'arte? L'esempio ch'egli dà, gli mangia in bocca la prèdica. E il libro manca di quello stesso obbiettivo amore che fa utili le cronache; e la pretesa di aver scritto una cronaca resta soltanto un garbo con cui il Serra ha inteso proteggere un poco, legittimare le sue discontinue predilezioni; un vestito di modestia pel suo temperamento crudo e fuggiasco.

Ma non fermatevi tanto su questo libretto, se volete conoscerlo nel suo meglio! Si ha il senso, qui, d'una fatica raffinata ma meno congeniale. Per conoscere il Serra bisogna andare al saggio sul Pascoli, a quello sul Beltramelli, alle pagine su Severino: per tanti aspetti preziose. O al capitolo sul Panzini dove metteva la sua arrotata sensibilità a lucidare cose che altri avevano già detto, a parafrasare migliorando; e la sua astuzia di lettore non brillava meno in questo lavoro di verifica, di ritocco, di messa a punto. Verifica; ritocco. Il Serra, ultimamente, e qui, s'è messo a questo, principalmente; ma le possibilità contenute nella materia paiono spesso troppo minori delle inquietudini imitative del suo temperamento.

Poco o nulla allora lo soddisfa; e non è poi nella sua critica una sostenuta esigenza nuova, fuorché vaga e insufficiente, la quale possa fecondar la negazione.

Come un ingegnere sale sui ponti a lavoro finito, il lapis sull'orecchio, e sbircia un po' qui e là, scotendo il capo, e intendendosi seco stesso, con sulla bocca un sorriso di superiorità affettuoso anche. Fa il collaudo. In fondo ci collauda tutti, mettendo il dito sulla nostra modesta screpolatura; come dire: « ho capito, ho capito »; ma non si spiega. Si ferma davanti a ciascuno, piglia dello sbadato con eleganza; quasi a far intendere che ne trattò, ne giudicò già, al tempo de' tempi: cose andate, cose trapassate. L'aria è dignitosa, ricca direi; la stessa insolenza è offerta come un dono. Cosí un signore sbaglia il nome del sottoposto chiamando, e il sottoposto si riconosce lo stesso e accorre, la mano al berrettino, pensando: « Ha tanti pensieri! ».

I suoi sforzi di giustizia, non dico la giustizia che gli piove naturale dalle mani su questa materia facile, i suoi sforzi di giustizia non vanno piú in là d'una parola che punga l'estranea, monotona sprezzatura. E il libro, fuorché nelle mende della cattiva informazione, è tutto o quasi giusto: ma giusto nell'ovvio; giusto perché s'è messo piú basso possibile; e l'acqua tira in giú, come dicono; e piú che in terra non si casca. Forse intendeva questo il Serra, parlando del « punto di vista del pubblico ». La scelta di un simile atteggiamento è pure una definizione.

Preferiremmo cadesse, si sbagliasse; ma si compromettesse, una volta. Anche la meschina odierna letteratura italiana può esser trattata magnanimamente. Qui, invece, le giustificazioni un poco superiori, levata la felice *aisance* verbale, son piú ciniche ed aspre dentro delle repulse; si senton trovate sulla pagina, per virtú d'un aggettivo ambiguo e scaltro; son simmetrie ironiche, guardando bene; equivoci di cordialità e serenità dietro tutti irritati di repressi rancori e minacce silenziose. In ciò sta una sorta di letteraria cattiveria del Serra: un amaro ch'è nel suo pensiero; un amaro inedito quanto il viso della sua arte si finge piú spianato. E i suoi possessi, cosí, sembran tutti ripari contradditorii. Le sue concessioni sono accordi soltanto apparenti; declinazioni cortesi di baccelliere ironico che nella parola erudita e coperta intana un pensiero muto. Diffida del suo pensiero e non vuol lasciarlo; troppo fine e coltivato per non soffrir di queste ubiquità come d'un malo indizio, troppo debole per romperle e risanare. E dà quasi sempre l'idea che non accetti con l'intelletto, ma che subisca e si rassegni; sembra che la esperienza, qualsiasi, lo menomi, e gli sfoghi su, in vendette leggère. Le sue liricità sono ammorbidimenti, a volte madori; invece che impeti di forza e sollevazioni. Qui nel libro egli piú si riconosce in caratteri letterari d'ironisti, che consentono alla sua ambiguità di prese e lasciamenti, d'inviti e ripulse; ha momenti quasi espansivi davanti al Gozzano; e nella materialità di Soffici sembra per una volta illudersi completamente e rinunciare, come disperso in un contatto primitivo; e parla di Soffici, ch'è soltanto grazioso, quasi d'un grande. C'è, magari, un voluto eccesso di reazione a quelle drammatizzazioni di temperamenti di cui la nostra critica abusa (per quanto la critica non sia che testimonianza drammatica) in questo suo isolarsi in temperamenti neutri e neutralizzar quelli che non sono. E smonta le forze in aloni; le volontà in sentori; e l'odore delle situazioni morali gli giunge solo in dolci nausee.

Intanto, le sue delicatezze e cautele non lo portano, abbiamo detto, a scoperte spiegate. Anche le sue domande finali, intorno al D'Annunzio e al Croce, cioè a quelli che contano, son vecchie ormai di parecchi anni. Egli le orna, le stilizza nell'esposizione; ma non annette loro un attivo interesse; anzi conferisce una sorta di colta arguzie e d'irriverenza accademica, cosí contribuendo a privarle d'urgenza etica ed intellettuale. E, in complesso, i suoi molti rimproveri alla ingratitudine e cerretaneria letteraria nostrana, mostrano un che di retorico e iperbolico, quando, intervenuto egli colla sua umanità, col suo orecchio per gli impercettibili, a rifare il lavoro delle volgari cronistorie, a riesaminarle, tutto nell'essenziale resta immutato. Il suo libro è appena la trascrizione in linguaggio personale, di risultati pacifici, non pel pubblico che se ne ride della letteratura, ma per taluni di quelli studiosi duretti. E chiunque conosce il Serra e sa apprezzarlo avrebbe preferito, allo spreco elegante di questa trascrizione, uno de' saggi ne' quali egli consegna i minuti movimenti delle sue facoltà di lettor di poeti, lasciando a' faticanti, lontano, la mansione delle stalle.

(1914)

Serra e i Serriani

Abbiamo visto un lungo studio inedito di Renato Serra, intorno ai libri di Vincenzo Morello e di G. A. Borgese su Gabriele d'Annunzio; studio che presto uscirà, insieme ad altri inediti, nel quarto volume delle *Opere*. Non ci sembra che esso debba considerarsi contribuzione molto notevole alla critica dannunziana. Nelle *Lettere*, soffermandosi principalmente sul D'Annunzio delle *Faville* e della *Leda*, il Serra aveva saputo dire assai piú. Questo, evidentemente, è un lavoro dimenticato nei cassetti, o buttato giú per uso personale. E alcune parti non esistono che come labilissimo accenno.

Ma proprio in questo carattere riservato e provvisorio sta, a nostro vedere, uno speciale vantaggio dello scritto in parola. E, in questo senso, la polemica contro il Morello e il Borgese; le concessioni che, in qualche punto, il Serra sembra decidersi a fare all'uno ed all'altro; le osservazioni circa una dignità letteraria che sopravviveva negli usi dei vecchi *chroniqueurs*, e circa la improntitudine filosofica e indelicatezza artistica dei « nuovi critici », tutto questo non interessa gran che; come quel giuoco di gatto e topo ch'egli seguita a lungo col Borgese, e che non è, forse, del miglior gusto. Può darsi che, nel Borgese, fosse la preoccupazione d'un fatto personale, ogni volta scriveva intorno al D'Annunzio. Non ci troviamo troppo da ridire, dal momento che, in un modo o nell'altro, egli giunse a intuizioni e giudizi, sbagliati in parte, ma, in parte, anche pel Serra, inoppugnabili; al di là dei quali non arrivò di certo, almeno in questo scritto, lo stesso Serra.

Insomma, questo scritto ci par significativo, sopratutto in quanto permette di cogliere, in una fase preliminare, il metodo del Serra, confermandone la sincerità e, nello stesso tempo, certe caratteristiche deficienze. Le quali sarebbe stato naturale egli avesse ricoperte o drappeggiate, in vista del lettore; ch'è portato di decenza, ed artifizio di persuasione. Vedendo, invece, come le accetta, e l'ufficio al quale, discorrendo, solo con sé stesso, le adopra, vien da dubitare se, di tali deficienze, egli avesse assolutamente coscienza. La sua maniera di subirsi apparisce troppo liberale, almeno per un critico.

Vien da dubitare, in altre parole, che l'opera del Serra debba esser ricondotta su un piano d'intenzioni piú speciali di quelle che si attribuiscono, abitualmente, alla critica. E allora perderebbero d'ingiustizia ed acrità anche certi procedimenti serriani, nei quali si finirebbe per riconoscere la franca arbitrarietà del letterato, distaccato da tutto, fuorché da certe sue condizioni di quel dato momento, ch'egli tenta significare non in una maniera diretta, ché ciò lo condurrebbe alla vera lirica, ma traducendole in un sistema d'insoddisfazioni colturali e nostalgie. « *La chair est triste, hélas, et j'ai lu tous les livres...* » È singolare che, dove egli ammira, la sua ammirazione si orienti sempre verso un'opera che egli potrebbe ammirare anche di piú, e non è mai quella che si ritrova sottomano. E cosí dove nega: occupato subito a smentire la sua negazione, o attenuarla. Perché il suo interesse non è di ricreare criticamente l'opera bella; o di risolvere nella sua contraddizione l'opera mancata. Il suo interesse è verso sé stesso; e difatti non è mai in lui traccia di uno sforzo per spostarsi, come fa il critico, verso i piú convenienti punti di vista: ma quella ingenua e a volte insolente affermazione del proprio modo di essere e sentire, ch'è alla base dell'attività d'ogni artista.

Ma essendo egli rimasto, in gran parte, un artista potenziale, non ebbe modo di differenziarsi se non per cosí dire, respingendo o accomodando le soluzioni e risposte alla sua personale esigenza, che egli trovava in giro nella letteratura contemporanea. Lo faceva con ogni riguardo: con sottile capacità di sfumature. Ma una continua definizione per contrapposti ed esclusioni, per quanta industria vi si impegni, di necessità riesce mancata. Che dove egli si accorgesse, come in queste pagine sul D'Annunzio, che, a un dato punto non si poteva continuare con fughe e sottintesi, e occorreva pigliare il toro per le corna, e affrontare il rischio d'una spiegata definizione, ciò non gli era di pretesto che a un'altra forma di effusioni personali, e rinvii critici. Sul quale metodo di sfoghi e reticenze, si disse a lungo, sono ormai parecchi anni, a proposito del volumetto *Le lettere*, né intendiamo ricopiarci. Se mai vorremmo diminuire la parte che allora si faceva a un disegno definito ed acerbo; per riconoscere, invece, che tutto proveniva, assai naturalmente, dalla fatalità del temperamento.

Comunque sia, oggi rimane il rammarico di non aver avuto del Serra molte piú espressioni propriamente liriche e paesistiche; come in certe parti del saggio su *Pascoli* e dell'*Esame di coscienza*, e in alcune lettere; mentre la critica, germinata da un'ottima disposizione umanistica, si complicava, nel processo descritto; e finiva in qualche cosa che ha meno a che vedere con quel tipo letterario tutto chiaro e sostanziale che il Serra vagheggiava.

Il paradosso del Serra fu, probabilmente, nel ritenersi, come per una certa atarassia, fuor d'una posizione nella quale invece egli era impegnatissimo: la posizione, cosí comune ai giovani di sette o otto anni fa e ai non piú tanto giovani d'oggi, dell'artista involuto, che bene o male cerca d'esprimersi attraverso valori critici: ma è convinto di non fare che della critica pura. Sainte-Beuve, De Sanctis, Croce, c'insegnano che la critica è tutt'altro. Siamo ancora lontani dall'averlo imparato. Per la stessa schiettezza ed intensità del suo impulso lirico, in quel tempo, con tutto che potesse parere, Serra era quanto mai lontano dalla possibilità di profittare di cotesti esempi. Di qui la maniera, e a volte la posa, dell'estendere in funzione di giudizio staccato e responsabile il suo « sensibilismo ». Di qui, anche l'odiosità d'un sistema d'intransigenze, il quale in fondo non si basava che sopra alcuni presupposti individualissimi: e teneva come paragone assoluto quello che lo scrittore aveva per suo particolare stato di grazia: insomma il preciso contrario d'una posizione di scienza.

Notevoli osservazioni, intorno al « caso Serra », e in uno spirito assai vicino a quello delle nostre, ha dato recentemente Francesco Flora, in un volume: *Dal romanticismo al futurismo*: benché forse, dal disegno polemico dell'opera, sia stato portato, nei riguardi del Serra, a qualche asprezza che conveniva mitigare. Valga questo come semplice accenno; perché del libro del Flora dovremo tornare a discutere partitamente.

Bisogna guardarsi, frattanto, dal confondere la diretta responsabilità che il Serra può avere avuta nel valorizzare alcuni di quegli equivoci, con la responsabilità, ben maggiore, di coloro che, prima su lui, poi sulla sua memoria, impiantarono una vera speculazione letteraria. Il disordine di quegli anni, per quanto riguardava le cose della poesia e della critica; il confuso eccitamento che dalla guerra si propagò anche sulle piú estranee opinioni; il sentimentalismo balbuziente, il purismo inzuccherato dei cosidetti « umanisti » sul genere dell'Angelini; lo sfrontato arrivismo di altri che, per una parola, di solito assai cauta, dal Serra spesa in loro favore, fremevano di canonizzare il critico, persuasi cosí di canonizzare, in quella parola, anche sé stessi; la luce patetica, che, dalla nobilissima fine sul campo, s'irraggiò su tutta la figura dello scrittore; il vivissimo desiderio di molestare il Croce: tutte queste cose, ed altre infinite, si combinarono in una delle piú indegne manovre giornalistiche che sia possibile immaginare. All'uscita delle *Lettere* (1914), in un momentaneo rilassamento di quella scontrosità nella quale, fino allora, aveva vissuto in fondo alla provincia, il Serra un poco volle sbilanciarsi, verso un gruppo, quanto mai eterogeneo, di letterati che allora tenevano il campo. Ci fu qualche scambio di complimenti, qualche civetteria. Ma se il Serra avesse potuto supporre a quali conseguenze i complimenti e le civetterie avrebbero condotto, non c'è dubbio che si sarebbe delicatamente astenuto.

In tutta questa faccenda, De Robertis recitò, framezzo ai farisei, la parte dell'innocente, dell'ispirato. L'involontaria caricatura del Serra, ch'egli offerse nella prefazione all'*Esame di coscienza*, è la riprova d'una sincerità di ferro. Veramente non si sapeva, leggendola, dove finisse il mistero eleusino e cominciasse la farsa. Erano anche nel De Robertis, vivaci preoccupazioni teoriche; e accenti di gran dolore, quando parlava, inascoltato come Isaja, della difficoltà infinita e dell'infinita responsabilità dell'atto di « leggere ». Tutta la gamma della tristezza profetica era sfiorata in coteste omelie, con annesso anatema sugli usi correnti. Tutto il salterio – *Cognovit bos possessorem suum, et asinus praesepe domini sui: Israel autem me non cognovit, et populus meus non intellexit...* Ma fu atteso e mancò fino all'ultimo un esempio concreto dei nuovi risultati ai quali il vaticinante intendeva condursi, con il suo sistema di lettura integrale. Alla tragica figura dell'artista soltanto d'intenzione, che inesauribilmente discetta intorno alla bellezza, allo stile, ai trucchi e agli artifizi, e non ci dà mai, comunque piccola, un'opera di arte, s'era aggiunta, nel museo della teratologia letteraria, l'altra figura: del critico talmente investito della propria responsabilità, da non far altro che smaniare pensando alla terribilità del « leggere », senza mai decidersi ad aprire un libro.

Assai diversa la posizione del Pancrazi che, del resto, nel tempo del quale ci occupiamo, era ancora a' primi preludi, mostrando, d'aver capito quanto nelle forme in corso, conveniva al suo temperamento. Si potrebbe dire, all'incirca, che egli seppe riattaccarsi subito al Serra migliore; con minor brivido; ed evitando di emulare quanto nel Serra, per un impeto profondo, talvolta saliva alla vera poesia. Si contentò dunque di darci un Serra in prosa, lievemente disseccato: ed è poi venuto combinandolo, con crescente successo, in quanto a gusto filologico e in fatto di stile, con gli scrittori toscani, o vissuti nell'atmosfera toscana, della seconda metà dello scorso secolo.

Ma non par dubbio che, anche a' meglio intenzionati, mancasse, almeno in quel momento, una sensibilità propria e un originale orientamento; e cercavano di sostituire la prima arieggiando le stanchezze del Serra, che ogni tanto gli interrompevano la lettura, muovendogli l'anima come in traccia della sua poesia; mentre, nei riguardi del secondo, si illudevano d'essere a posto, e forse contrastare al rigore critico crociano, vagamente accennando a un cotal umanesimo, non mai meglio definito, che in realtà puzzava d'estetismo francese e di lattigine pascoliana lontano un miglio. In mancanza di sostanza si cercavano le quintessenze. Nulla sembrava abbastanza immacolato, alla nuova estetica dell'ineffabile. I massimi poeti venivano scrutati, auscultati, e rimondati di tutte parti ove avessero potuto apparire anche storici, moralisti, ecc.; e ridotti a quell'unico verso nel quale finalmente eran poeti davvero, poeti per la pelle, o come allora si diceva « lirici puri »...

A queste plaghe assurde, a queste isole dannate, fermò la sua travagliosa navigazione quella vera zattera della Medusa che fu l'ultima "Voce". Non stiamo a ricordare tutti i fatti orrendi o pietosi che successero in codesto viaggio; e come i poveri naufraghi arrancavano furiosamente con le formule del piú disperato decadentismo, stimolandosi l'un l'altro, e a volte anche mangiandosi l'un l'altro, e ripetendo tutti gli eccessi della follia.

Una cosa è sicura: che non potevan commettere imprudenza piú grande, piú grave indelicatezza (e valga a scusarli lo sgomento e il digiuno) che cercando, come fecero, d'attirare il nome, l'autorità, e, in certo modo, la responsabilità del Serra, su quella che, in fin dei conti, non fu che una loro avventura personale, e un loro personale disastro.

(1922)

Omaggio a Renato Serra

Nel volume di *Scritti in onore* di Renato Serra, testé uscito, sono raccolti saggi critici, conferenze e pagine di ricordi, con i quali venne celebrato il trentesimo anniversario della gloriosa morte di Serra sul Podgora. Come non sempre succede in queste occasioni, poche nel libro sono le pagine vane, o d'un puro e semplice interesse aneddotico. E dall'insieme della lettura sembra risultare un notevole approfondimento nella definizione d'una personalità, come quella del Serra, non poco significativa; che al medesimo tempo ebbe sempre qualcosa di indefinito e quasi inafferrabile. È il piú che possa sperarsi da pubblicazioni siffatte.

Cerchiamo senz'altro di dire in che cosa essenzialmente ci sembra che consista questo avanzamento critico. Dinanzi all'opinione corrente, quando appena il nome e gli scritti cominciarono ad essere meglio conosciuti, il Serra impersonò una specie di ritorno alla schietta e calma tradizione umanistica, dopo le travolgenti vittorie dell'idealismo crociano. Ossequente al Croce e ben consapevole di quello che il Croce rappresenta nella nostra cultura, il Serra tuttavia si teneva al Carducci. Il Carducci, che non rifletteva nelle proprie letture le esigenze dello idealismo storicista. Che tutt'al piú concedeva all'animazione d'un certo moralismo patriottico, tenuto sempre a portata di mano; e per il resto leggeva e godeva la letteratura e la poesia come un artista, talvolta addirittura come un artigiano: l'artiere e manuale del *Congedo* famoso. Nell'opinione comune, per siffatta maniera, il Serra diventò uno degli esponenti, se non vogliamo dire assolutamente il corifeo, d'una ripresa critica nella direzione d'un neoumanesimo d'impronta carducciana. Il fatto stesso d'esser romagnolo, scolaro dell'Acri e del Carducci, e venuto su nell'ambiente dove s'erano formati Severino, il Pascoli e il Panzini, dette maggior credito alla investitura, della quale effettivamente non si sarebbe potuto immaginare un piú degno.

Ma ha osservato bene il Gargiulo, nel libro di cui stiamo trattando, che si parla correntemente del Serra soprattutto come di un tecnico della letteratura, d'uno squisito degustatore di poesia, e di un critico delle quintessenze espressive; mentre in realtà nella sua opera, quando si sono lasciati da parte i saggi sul *Pascoli* e sul *Beltramelli*, che poi sono i piú antichi, in luogo di decantazioni e degustazioni verbali sovrabbondano i fatti personali, i ritratti e autoritratti, le confessioni. E non basta. Sia nell'opera che nell'epistolario, cento volte il Serra torna ad insistere che i suoi interessi non sono specificamente critici o tecnici, e a guardar bene, neanche letterari. La motivazione delle sue opere, tra cui quelle di maggior impegno, è prevalentemente od esclusivamente affettiva. La letteratura e la poesia, piú che offrirgli materia d'investigazione stilistica od erudita, gli sono oggetto, come egli diceva, di *consolazione*.

In altri termini: al fulcro del suo interesse sta una disposizione sentimentale. In lui agisce largamente lo stimolo d'una effusione autobiografica. E ciò che gli preme di chiarire, in primo luogo a sé stesso, è la qualità, il tono di cotesta disposizione del sentimento; e districare le associazioni psicologiche che in germe vi s'innestano. Si ricordi la frequenza delle sue cosiddette « aperture di paese », nelle pagine dei saggi critici come dell'epistolario. Se in origine forse esse rispondevano ad un gusto educato sul Carducci prosatore, e vibravano come d'una calda vitalità naturalistica, nel seguito scolorandosi diventano piú trasparentemente simboliche d'una condizione interiore, che col Carducci ha ormai a che vedere poco o niente. E sono vere e proprie formulazioni di stati d'animo, appena oggettivati nell'occasione contemplativa e descrittiva; impressi d'una intonazione quasi sempre elegiaca, ma che negli ultimi scritti, come l'*Esame* (1915) ed alcune lettere, si acuisce in un'angoscia che si vorrebbe quasi dire religiosa.

Nel libro che ci occupa, il Bo ed il Macrí, diversamente, ma con interessante accordo di risultati, rintracciano questa maturazione intellettuale e morale del Serra, in distacco sempre crescente dalla « letteratura ». E in sostanza, anche il Flora esce a indicare, piú schematicamente, il medesimo corso; vedendo nel Serra « preannunziati motivi che si chiamano, con parola di moda, esistenzialismo ».

Ma il capitolo a questi sensi decisivo, nel volume in parola, è quello di Gianfranco Contini: *Serra e l'irrazionale*, sia per la qualità ed acutezza delle osservazioni di fatto, sia per la delicatezza del tocco nell'orientarle, senza sforzatura, di guisa che in esse vengano a rispecchiarsi e illuminarsi interessi, modi e problemi della crisi attuale. Ed ecco, ad ogni occasione, ribadita dal Serra la futilità del distinguere e giudicare: « Non giudicare, no, mai, ch'è di gaglioffi senza pudore; ma comprendere, *sentire la qualità* dell'animo, del pensiero e dello stile... ». E l'aspirazione ad un'istintiva immediatezza e totalità: « Ho bisogno di confessarmi per trovare in fondo ai particolari vani qualche cosa seria e certa... fermare un poco di ciò ch'è intimo ed essenziale... ». Tutte cose contrarie all'immagine di Serra piú divulgata, ch'è quella dello scaltro orefice di parole, dell'umanista cinico ed epicureo.

La scarsità del tempo concesso dalla sorte al lavoro del Serra, può spiegarci come mai tanti motivi contraddittorî rimangono e si urtano fin nella stessa pagina. Schermendosi dalle richieste e sollecitazioni di suoi scritti, scherzando sulla propria indolenza ed accidia, il Serra si diffonde spesso con gli amici in civetterie, ironie ed attucci, leziosi e meno simpatici; e sarebbe stato difficile davvero, dietro a coteste futili mascherature, non scambiarlo per un letterato di tre cotte. Ma preso l'abbrivo nell'opposta direzione, oggi bisognerebbe anche stare attenti a non puntare su parole troppo cariche; come quando, per l'*Esame*, fu parlato addirittura della « socialità » dell'ultimo Serra. Il quale sentí, e fortemente, l'impresa libica e la grande guerra. E fra gli uomini affidati al suo comando scriveva: « Sento il loro passo, il loro respiro confuso col mio... Non ho piú altro da pensare. Questo basta alla mia angoscia... Marciare e fermarsi, faticare e tacere; file e file d'uomini che calcano la stessa terra: cara terra, dura, solida, eterna, ferma sotto i nostri piedi, buona per i nostri corpi... ».

Angoscia; e il senso dell'eternità terrestre, dove fraternizzano perché si annullano, i dubbi e le opposizioni. Son fra le parole piú risolute in cui il Serra abbia mai fermato la coscienza dell'ultimo destino. E prima di attribuire loro un senso sociale, storicamente articolato, si dovrà piú esattamente pesarle in un senso religioso. Ben è vero che, in trent'anni, dopo tanti cataclismi, oltre a cotesto senso non si può dire si siano fatti acquisti ragguardevoli e da potercisi fidare. Ed è perciò che l'angosciosa solitudine di Serra, e il suo istinto di virile abbandono e rinuncia alla terra, ci sono anche oggi cosí vicini.

(1948)

Missiroli e il liberalismo

È un'abitudine, anzi una vocazione nazionale in Italia, dir male, fino al parossismo della maldicenza, di tutte le cose italiane, e fra queste del giornalismo italiano. Di solito coloro che si dedicano a questa particolare forma di *sport* son dei gravissimi filosofi, i quali poi, alla prima occasione, non chiedono di meglio che diventare dei leggerissimi giornalisti. O si tratta di qualche povero professore inacidito, che, invece d'imparare a pensare e a scrivere, trova piú comodo specializzarsi in una particina uso Ecclesiaste.

Quando ero alle prime armi, confesso che, sotto coteste deplorazioni, ebbi la debolezza di lasciarmi intimidire da un certo scrupolo, dalla cosidetta voce della buona coscienza. Ridiventai studente, e per qualche settimana frequentai non so piú quanti corsi di cinese arcaico, di filosofia della storia e di pedagogia trascendentale.

Da allora non so piú entrare in una redazione di giornale, fosse pure il "Corriere di Canicattí", che col cappello in mano e con i segni della piú compunta venerazione. Vorrei che i nostri usi occidentali potessero consentirmi, quando varco le soglie di coteste vere moschee della sapienza, di lasciare addirittura, senza esser preso per matto, i miei stivaletti in portineria. Infine, non oso rivolgermi ai miei colleghi, e parlo dei piú modesti, che servendomi d'allocuzioni ciceroniane.

Tutti sanno che se a qualcuno capita di mutar paese, questo qualcuno va istintivamente cercando, pei climi piú remoti, sempre le cose che si riferiscono alla sua particolare competenza o vocazione, al suo mestiere, alle sue abitudini e a' suoi vizî. Un bevitore vorrà informarsi delle specialità enologiche anche in casa di Maometto. Un amatore di politica estera vorrà rendersi conto dello stato e condizioni di cotesta speciale attività, anche se si trovi a esser disceso in casa del barone Sonnino. Io non sono un diplomatico e non son neppure un bevitore. E, senza assolutamente disprezzare il *whisky*, il tempo che passai in Inghilterra lo dedicai, fra l'altro, a farmi un'idea concreta di ciò che appunto interessava la mia professionalità. Essendo giornalista, cercai il giornalismo; tanto piú che si trattava di quella cosa famosissima ch'è il giornalismo inglese, che m'avrebbe fatto sentire ancora piú la miseria di quell'altra cosa infamatissima ch'è il giornalismo italiano.

Non dico ora d'essere stato costretto a riconoscere che la cosa famosa era la cosa infame, e che la cosa infame era quella che avrebbe dovuto esser famosa. Dico però che il giornalismo inglese è superiore a quello italiano soltanto come le ferrovie inglesi son superiori alle nostre, o come un altro servizio pubblico è superiore al servizio corrispondente, esercitato da noi con meno capitale, con materiale piú logoro, con personale peggio pagato.

La questione, insomma, è se si considera il giornalismo come un'industria o come un'arte. Se si considera come un'industria, la differenza che in questo momento stiamo discutendo è almeno quella del cambio attuale fra la sterlina e la lira. Se si considera come un'arte, la cosa cambia: e cambia riportandoci verso l'equilibrio, e di parecchi punti. Ma allora non si parla piú d'un tipo di organismi anonimi, destinati alla confezionatura d'un certo genere di articoli adatti al gusto locale. Non si parla piú della indiscutibile capacità chimica degli inglesi a produrre per esempio una qualità di stampa gialla, a confronto della quale la nostra stampa piú gialla è a mala pena una stampa rosea. E si parla, invece, di nomi e individualità. Nomi di giornalisti inglesi, nell'accezione onorevole della parola giornalista, cioè a dire nomi di scrittori che si sollevano dal volgare empirismo politico, e dalla commercialità della propria firma, le proprie convinzioni e non quelle degli azionisti del giornale dove scrivono, si fa presto ad elencarli; e quando s'è detto H. Belloc, G. K. Chesterton, Bernard Shaw, A. Bennett, e J. L. Garvin, C. P. Scott, e due o tre altri, s'è detto ogni cosa. Non s'è detto, però, che lo Shaw che si serve del giornale per esprimere le proprie idee di satira e ricostruzione sociale, è troppo da meno dello Shaw che si serve del teatro. Non s'è detto che includendo il Bennett in cotesta nobile compagnia si viene ad adulare un po' lui e a umiliare un po' gli altri. Non s'è detto infine che, quanto al direttore dell'"Observer", il Garvin, forse noi teniamo piú conto delle intenzioni, elevatissime, che delle attuazioni, piuttosto confuse o vorremmo dire glutinose, e alle quali farebbe veramente comodo, per raffermare, qualche stilla di spirito realistico latino.

Questo preambolo, che potrebbe continuare a lungo, c'è caduto dalla penna mettendoci a scrivere della raccolta di articoli: *Polemica liberale* che Mario Missiroli ha pubblicato or sono alcune settimane. Non tutti coloro che la leggeranno vorranno portare nella lettura la conoscenza comparata di ciò che, nel campo affine, oggi viene prodotto dal paese ch'è per antonomasia il paese del giornalismo di grandi mezzi, di potenti individualità e d'antica tradizione. Ma allora si vedrebbe che se certe cause d'invidia posson permanere, riguardo alle condizioni d'organizzazione tanto piú robusta del giornalismo inglese, spariscono altrettante ragioni di vergogna, e cadono altrettante calunnie circa l'intrinseca inferiorità e irredimibile iniquità del giornalismo nostrano. Giornalisti della qualità del Missiroli non sono da noi una legione. E dirò che non sono nemmeno un grosso plotone. Ma non sono una legione neppure in quelle terre decantate; e nel gruppetto di scrittori che ora si contano sulle dieci dita, un Missiroli non si metterebbe certamente al primo posto e neanche al secondo, ma non dovrebbe, d'altra parte, neppure scendere all'ultimo.

Ormai, però, vediamo i significati piú urgenti del libro.

Questi significati piú urgenti non abbiamo neppur bisogno di affaticarci a ritrovarli noi. La guerra con la sua azione riduttrice, e la campagna elettorale, tanto piú in quanto impostata sul sistema della proporzionale, hanno dato pubblico risalto ad alcune fra le tesi fondamentali del Missiroli, e prima di tutte quella della decadenza del cosidetto liberalismo e della sua incapacità attuale a formulare un programma, e, a quanto pare, fino a costituirsi le liste. E tutti i giornali liberali son pieni di querele contro la fiacchezza dei candidati liberali e degli elettori liberali, che, davanti alla coalizione dei socialisti e dei cattolici, non trovano di meglio che seguitare a indebolirsi, suddividersi e contrastarsi secondo innumerevoli sottospecie e varietà di liberali puri, liberali temperati, democratici costituzionali, e radicali; pretendono cioè di perpetuare le frazioni del vecchio giuoco parlamentare, mentre è questione della loro esistenza.

Vale a dire che l'esistenza del liberalismo come partito era pacifica finché i liberali erano pressoché soli, o separati soltanto per via di sfumature dai gruppi di destra; ed è diventata quanto mai problematica, quando la lotta politica s'è fatta intensa e ha separato i campi. Al primo momento nel quale si rendeva necessario asserire e fortemente la propria identità, i liberali non riescono a metterci mani sopra e a ritrovarla. S'erano tanto abituati alla gratuità della propria esistenza, che nulla pare piú lontano dalle loro attitudini mentali quanto il dover constatare che, in un senso concreto e responsabile, probabilmente non erano esistiti mai. Cosí, nella crisi odierna del liberalismo, i liberali piú coraggiosi e chiaroveggenti tutt'al piú accusano le deficienze dei propri uomini, legati dagli

Mario Missiroli nel 1919.
Dal 1952 al 1961, ha diretto il "Corriere della Sera".

antagonismi personali e dalle meschinità del parlamentarismo; fanno il processo alle persone e ai metodi tattici; e non mettono, e non sanno mettere in discussione, la sostanziale natura del partito.

Nossignori, interviene il Missiroli; è invece proprio costí la questione: e il cosidetto liberalismo si scolora e perde sostanza accanto all'affermarsi dei partiti politici, appunto perché esso non è un vero partito e assume l'aspetto di partito quanto meno ci sono partiti. Non è un sistema d'azione, ma è la risultante storica delle contrastanti forze sociali; è soluzione delle antitesi sociali e dottrina di governo; e in questo soltanto è una realtà, e anzi realtà perenne e suprema, per il resto è appena un nome che copre il compromesso politico e la paura. C'è, in altre parole, un liberalismo pratico, che trae il suo vizio di origine da Rousseau, il quale credeva che la natura umana è intrinsecamente perfetta, e che per realizzare la sua perfezione le basterebbe un regime di semplice libertà; e cotesto è il liberalismo che agisce prescindendo da qualsiasi convinzione, pretendendo tenersi estraneo e superiore: in sostanza un puro e semplice opportunismo, del quale appunto oggi assistiamo alla catastrofe. E c'è un liberalismo concreto e davvero superiore, che risolve in giudizio storico il giuoco delle forze politiche e le contempera ed integra reciprocamente. Il primo è una truccatura della borghesia, che nata dalla rivoluzione, ma ormai ridotta alla funzione conservatrice, un po' fregiandosi dei titoli dei propri antenati e un po' concedendo e mollando, s'illude di stornare l'urto rivoluzionario. Il secondo coincide con la stessa idea di Stato.

« Fra conservatori e rivoluzionari sta lo Stato, non creatore di storia, ma testimone della storia. *Rettamente intesa, la dottrina liberale si risolve in un'arte di governo*, che ha coscienza delle antitesi sociali e le compone evitando le violenze. Contro questa funzione reagisce sempre il partito liberale, in quanto si ispira a criteri e interessi di classe. E non può non ispirarsi a tali interessi e criteri se vuol vivere. Se vuole esercitare un ufficio nella storia. Si lotta con le tesi estreme: con quelle medie si governa; ma queste non sussistono senza quelle. Guai a quei partiti che assumono, come programma, un'arte di governo! Un governo non può essere riformista senza una borghesia forte e senza un proletariato deciso. » Liberale insomma non può essere che lo Stato, come prodotto e sublimazione della lotta dei partiti. Ed è tanto piú concretamente liberale quanto piú i partiti sono autentici e dinamici. I partiti creano; lo Stato constata, assiste, compone, registra: è lo spirito critico e storico che definisce i resultati dell'azione; e l'errore consiste nel credere che l'azione emana di là dove invece essa torna e si pacifica in forme logiche e in istituti legali.

Ma a chi gli domanda quale è infine la sua teoria d'azione politica, dato che il liberalismo come partito ed espressione di classe non è ormai che una maschera del conservatorismo, e che l'unico liberalismo possibile non è d'azione ma di risultato, il Missiroli risponde press'a poco come Taine alla veccnia dama puritana che gli chiedeva quale fosse dunque il sistema ch'egli proponeva per riformare il mondo. Nessun sistema, poiché il suo compito non è d'agire ma di intendere. « L'azione esige fede cieca nella propria verità, intolleranza, infallibilità. Non abbiamo nessuna difficoltà ad ammettere che l'intolleranza e l'infallibilità son forme eterne dello spirito, ma si conceda che esse presuppongono una certa ottusità. Noi rinunziamo alle gioie dell'azione; ma lasciateci quelle dell'intelligenza... Solo i filosofi sono liberali... Si muove, agisce, opera, chi non ha la coscienza della storia; ma chi l'ha già?... Al *Manifesto dei Comunisti* preferiamo ancora il libro dell'*Ecclesiaste*... » E qui si tocca anche un Missiroli ironista, e ironista a tinte nere, nel quale ripara con i suoi presupposti piú gelosi, il Missiroli critico e storico; quando, nella disabitudine italiana, ma non soltanto italiana, alla discussione filosofica in materia sociale, la polemica gli offrirebbe contatti troppo rozzi e insoffribili contrasti.

Il libro è denso anche d'altra materia, sulla quale avremo tempo di ritornare. Abbiamo detto che si preferiva estrarne quel tanto, ed è poi la parte principale, che s'incastra e può agire piú direttamente sui fatti politici in corso. Perché malgrado gli atteggiamenti fakiristi or ora notati è chiaro ch'esso contiene (e quale opera umana, anche la piú nihilista, non la contiene?) una teoria dell'azione: e s'è già detto quale. I socialisti son quelli che hanno meno da imparare; o hanno da imparare la responsabilità storica che ormai si connette alla loro funzione di partito meglio definito. La lezione maggiore tocca all'altra metà; ai liberali, come li abbiamo chiamati, di classe; in altre parole ai conservatori che hanno paura di chiamarsi tali e d'agire da conservatori.

(1919)

«Opinioni» di Mario Missiroli

L'atteggiamento di M. Missiroli, nei riguardi dell'eredità politica della guerra e davanti al conflitto sociale trova la sua definizione piú recente nel volume *Opinioni*: scelta delle note che, appunto sotto la rubrica « Opinioni », furon dal Missiroli pubblicate, quotidianamente e anonimamente, nel "Resto del Carlino", lo scorso anno. E può, grosso modo, paragonarsi all'atteggiamento dell'on. Turati, nel suo ultimo nobilissimo discorso. Nella minaccia del disastro spirituale e temporale, che incombe sul nostro paese e sul mondo, alzarsi al disopra dei partiti, e abolire in una giustizia superiore la misura dei diritti e dei torti particolari, riconoscendo come in una tara e in una fatalità comune, le responsabilità di ciascuno negli avvenimenti che prepararono la situazione presente.

Ma se quella posizione del Missiroli e del Turati ha qualche cosa di simile, per certi altri aspetti i loro temperamenti sono antitetici addirittura. Nel Turati prevale una gravità e monotonia sentimentale; e il ragionamento si avvalora sempre d'un che di patetico, da cui il Missiroli sembra, invece, difendersi, per impegnarsi in acutezze ed ironie. Sebbene modificato da trent'anni di esperienza riformista, nel Turati sopravvive lo stoico ottimismo rivoluzionario. Ma le origini del pensiero del Missiroli sono nel pessimismo e nell'ascetismo cristiano. Il che non toglie che cotesto pensiero, senza scadere dalla dignità di tanta origine, prediliga le forme piú strette e minuziose dell'analisi. Ed è estremamente caratteristica del Missiroli, la compenetrazione di qualità che paiono contraddittorie; appunto quel tono di *pietas*, di superiore compassione, che aleggia, e non retoricamente, in ogni suo scritto; e la veemenza e l'acerbità dei tratti particolari della critica. Si direbbe ch'egli tenti di investire e sciogliere le singole questioni della vita politica e colturale, dapprima con le sole armi dell'intelletto logico: ma da ogni parte, allora, gli si parano davanti le mostruose incompatibilità di posizioni assurde e dannate, dalle quali si rivolge, come a cercare salvezza, nel trascendente.

È assai nota, del Missiroli, la dottrina dello « Stato liberale » (vedi: *Polemica Liberale*), che si cercò a suo tempo di commentare su queste colonne; e intorno alla quale si possono leggere con molto profitto alcune pagine del Tilgher, nel volume *Voci del tempo*. Liberalismo, affermava il Missiroli, non è il nome d'un partito: ma la risultante storica delle forze politiche in contrasto. È soluzione delle antitesi sociali; e coincide con la stessa idea di Stato, come prodotto della lotta dei partiti. « Rettamente intesa, la dottrina liberale si risolve in un'arte di governo, che ha coscienza delle antitesi sociali e le compone evitando le violenze. » Non è difficile scorgere, in questa dottrina, uno squisito tentativo per conciliare, o almeno accostare, alla realtà storica in corso, il pessimismo cristiano, fondamentale nel Missiroli. La dottrina dello Stato liberale sarebbe stata, in altre parole; per quel tanto di valori pratici che contiene, una specie di dottrina del « minor male », una dottrina dello Stato meno infesto; e nel significato psicologico e speculativo una sorta di teoria ironica delle formazioni politiche.

Gli straordinari avvenimenti degli ultimi tempi, su cui la critica del Missiroli si esercitò nelle *Opinioni*, non avevano in sé nulla, certamente, che non potesse rientrare in cotesta teoria. Ma portavano seco un'infinità di elementi che, a un commentatore tanto acuto e commosso offrivano occasione di lumeggiare di cotesta teoria gli aspetti piú profondi, e di estenderla nel significato piú tragico. Perché nel libro della *Monarchia socialista*, e nell'altro libro della *Polemica liberale*, lo scintillio del giuoco dialettico nascondeva, in certo senso, la drammaticità della partita, come in un duello combattuto con troppa eleganza. Le ragioni ultime della posizione spirituale del Missiroli, che in fondo, come ha veduto il Tilgher, è quella d'un mistico, o, piú esattamente, d'un mistico ironico, restavano in parte coperte. Non s'era ancora arrivati alla precisa denuncia del razionalismo, e dello storicismo, al quale il Missiroli cercava di adattarsi con la dottrina dello Stato liberale. E non s'era arrivati, almeno con tanto calore di confessione, all'invocazione del trascendente. Per tutti questi motivi, il volume delle *Opinioni*, anche se si svolge rigorosamente da premesse che il Missiroli vuole si riconoscano immutate dagli inizii della sua carriera, rappresenta qualche cosa di nuovo nella vita di questo scrittore. « Son persuaso di avere scritto la mie cose migliori nella furia di commentare frammentariamente, direi epigrammaticamente, i fatti del giorno, risalendo dalla cronaca alle idee eterne, nelle quali credo e trovo la mia fede. » Migliori, specialmente nel senso, che parrebbe proprio escluso da quell'idea di frammentarietà: migliori, nel senso di piú definite e complete.

Ma poche volte se non erro, il Missiroli, come nella prefazione a questo libro, aveva anche raccolto le linee madri del suo lavoro in pagine dove il rigore critico si fondesse, con altrettanta efficacia, a quella vibrazione e a quel tono di confidenza, che di necessità sono gran parte in un pensiero che, costretto all'ultima determinazione, deve infine riconoscere in sé, piú che un compiuto pensiero, « un orientamento ». L'esperienza della guerra, rivelatasi in questi anni, piú tristi degli stessi anni di guerra, ha quasi intieramente consunte alcune fra le piú maestose ideologie delle quali s'era nutrito il secolo XIX:

l'ideologia del progresso e la concezione evoluzionistica della vita, la teoria della razionalità storica, la fiducia nella scienza. Un Tilgher, per esempio, dopo una diagnosi press'a poco simile, indicherà nell'apocalisse marxista le forze onde il mondo moderno sarà portato all'estrema contraddizione e all'estrema catastrofe, dalle quali finalmente possa risorgere purificato e rifatto. La tradizione del pessimismo cristiano consiglia il Missiroli diversamente: « Mi pare », egli scrive, « che il nostro tempo si consumi in uno sforzo titanico per liberarsi dal razionalismo assoluto, senza, peraltro, riuscire ad abbatterlo in alcune posizioni fondamentali; nello stesso tempo mi pare che la scienza, rinnovati i proprii metodi col sussidio della stessa filosofia, vada liberandosi dagli assurdi del vecchio positivismo per prendersi una rivincita, rimettendo in onore l'esperienza immediata e la relatività.

Ho l'impressione, insomma, che, attraverso la confusione odierna, si vada verso uno scetticismo che aspira a rinnovare la trascendenza, primo passo verso un misticismo senza Dio ».

È l'affermazione piú avanzata in tutto il libro: e quella nella quale il Missiroli sembra abbia vinto, per un attimo, lo scrupolo congenito che lo trattiene dai programmi e dalle asserzioni. Ma anche costí egli si affretta a smontare ogni senso imprudente che potrebbe venire attribuito alla sua trascendenza, con quella ipotesi d'un misticismo senza Dio. Perché (sebbene appena necessario avvertirlo per chi lo conosce) sarebbe davvero ingiurioso confonderlo, anche dubitativamente, con quelli, che van diventando legione, i quali da una coscienza retorica delle contraddizioni nelle quali si dibatte l'epoca presente, son traboccati, con una improntitudine che non testimonia della loro serietà, verso le forme superstiziose della trascendenza. La trascendenza del Missiroli, non esclude, egli ha detto, certe posizioni del razionalismo assoluto. Come la sua insofferenza dello storicismo degenerato, piú che altro è il segno di una coscienza straordinariamente sensibile a ogni increspatura e sfumatura dell'ironia storica. Appunto la legge d'ironia storica dei romantici (implicita nella dottrina dello Stato liberale) e la teoria dell'azione del Blondel, prima che il Blondel la sforzi, negli ultimi capitoli dell'*Action*, dentro lo schema ortodosso, ci possono istruire in merito a quel concetto di trascendenza. Come, se si dovesse parlare di Dio, bisognerebbe, piú che al Dio del dogma, pensare al Dio ironico di Cartesio o al Dio provvisorio di Unamuno.

« Oggi si fa un passo avanti [sul razionalismo assoluto e lo storicismo meccanico]: si riguarda la storia come un'esperienza, che verifica perennemente alcune verità note fino dalla prima origine del mondo. » Oppure: « La storia ritrova la propria legge, guardando all'indietro come gli indovini nell'Inferno di Dante. Quale differenza fra la storia e la storia naturale? Per superare questa obiezione insormontabile, i recentissimi razionalisti, quali il Croce ed il Gentile, hanno trascinato questa dottrina alle conseguenze estreme, negando la stessa possibilità della filosofia della storia. Cosí la storia si risolve in un coro di balbettii individuali e la vita in una delle tante forme del *cupio dissolvi* ».

E qui entra in giuoco il pessimismo cristiano del Missiroli; ma (a parte un tono generale di *pathos* di cui si diceva in principio) piú che come formula, come elemento di risalto, onde mostrare come il prodotto ironico della storia, ricada in ogni fatto, in alcune verità morali eterne. Alla sua discrezione e al suo pudore, alla severità della sua critica, il filosofo e l'analista non poteva concedere di piú.

Come, poi, nelle *Opinioni*, egli abbia riportato, verso queste verità eterne, le crisi e i mali della recente travagliatissima vita nazionale e mondiale: le multiformi aberrazioni rivoluzionarie, l'ignavia ostinata dei conservatori, le degenerazioni della scienza ufficiale, gli errori della scuola, e i compromessi della Chiesa, sarebbe impossibile esaminarlo qui, punto per punto. Certo è che le *Opinioni*, a parte il significato d'insieme sul quale s'è voluto insistere, costituirono per la loro intransigenza e audacia critica un fatto raro e per certi aspetti unico, nel giornalismo e non soltanto nostrano. Un mormorio di scandalo, giorno per giorno, le accompagnava: quel mormorio di scandalo che accompagna sempre la verità. Finché gli interessi e gli equivoci prevalsero. E la verità fu obbligata a tacere.

Ed è per questo che esse lasciarono nell'animo dei lettori onesti tanta eco e tanto desiderio. E per questo che, uccise sulla pagina del giornale, hanno dovuto rinascere e tornare a testimoniare nella forma perenne d'un singolarissimo libro.

(1921)

Ricordo di Giorgio Pasquali

Non è da escludere che la morte, drammatica e prematura, di Giorgio Pasquali (9 luglio) sia il colpo di gran lunga piú aspro che la nostra letteratura ha subíto in questa ultima stagione, già visitata da tanti lutti. In un amplissimo arco di tempo, la carriera di Simoni s'era conclusa armonicamente e naturalmente; mentre l'ultima poesia di Barilli, come una selvaggia cometa che divampa e si sbriciola, spariva oltre l'orizzonte in una terra di nessuno. Ed è a chiedersi se ormai Savinio serbasse alla letteratura il fiore delle sue energie piú fiduciose; che si andavano affermando e consolidando, con maggiore impegno e risultati piú sorprendenti, nel campo della musica e dell'evocazione scenica.

Per Giorgio Pasquali la cosa era diversa. Egli aveva pienamente superato una crisi di depressione, che coincise con gli anni della guerra e dell'immediato dopoguerra: crisi certamente dovuta alla quasi morbosa sensibilità d'un temperamento, per altri aspetti concretissimo e lucidissimo; ma anche in parte acuita da beghe, sospetti, rancori tanto ingiustificati, quanto a lui esageratamente penosi ed intollerabili. Queste cose erano passate. Pasquali si trovava nuovamente nel pieno delle forze e dell'attività; e valse a dimostrarlo il volume delle *Stravaganze quarte e supreme*. La scuola era ancora il suo ambiente vitale; il luogo degli incontri e degli affetti a lui piú preziosi. Ma, fra non molto, la sua fatica didattica si sarebbe alleviata dagli obblighi piú grevi, lasciandogli maggior tempo per la sua opera di studioso e di prosatore.

Voglio dire che dal Pasquali, che non aveva mai scritto con mano cosí ferma e leggera come nel *Testamento di Teodoro Mommsen*, nel *Biasimo della goliardia*, o nel « *Cuore* » *di De Amicis*, appunto delle *Stravaganze quarte*, era era ancora da aspettare moltissimo. Le prove di ieri, il continuo incremento della dottrina, il maturarsi delle piú profonde qualità dell'animo, lo stesso avvicinarsi della vecchiezza, avevano fruttato al suo lavoro un tono piú calmo, un distacco piú autorevole, non senza una velatura di malinconia, che, proprio nella prefazione alle *Stravaganze quarte e supreme*, sembra esprimersi come in una sorta di presentimento, con parole che oggi ci danno una piú precisa emozione di quando la prima volta le leggemmo nel libro: « *Supreme*, nel titolo, non indica accresciuto allontanamento dalla mia attività principale; e neppure ricerca di bizzarria portata all'eccesso: indica la probabilità che a questo libro non ne seguano altri dello stesso genere. Se contrariamente alle previsioni ne metterò insieme ancora un altro, riparerò al guaio chiamandolo *Stravaganze di un sopravvissuto*. Se altri articoli dello stesso tipo saranno raccolti dopo la mia morte, se la cavino gli editori: io suggerisco fin da ora, conforme a un modello celebre: *Stravaganze di oltre tomba* ».

La figura intellettuale di Pasquali e la qualificazione dei suoi meriti insigni di filologo, di critico, di saggista, continuamente correvano il pericolo (almeno presso un certo pubblico) d'esser sopraffatte dalla sua « aneddotica », che com'è noto era copiosissima e di straordinaria, capricciosa originalità. Non so quanto potessero gustarla uomini della gravità di un Wilamowitz, che a Berlino ebbe a lungo scolaro il Pasquali; o di un Vitelli che lo designò alla cattedra di letteratura greca nell'università fiorentina. Ma perché un Vitelli, squadrato fino alla rigidezza, severo fino all'asprezza, patrocinasse a proprio successore sulla cattedra di piazza San Marco un giovanissimo e cosí « stravagante », era necessario che della confacenza tecnica e morale del Pasquali fosse convinto, lo sa bene chi l'abbia un po' conosciuto, senza la minima incrinatura di dubbio, senza la piú impercettibile eccezione.

Grazie ai suoi meriti tecnici, ai suoi doni d'artista, all'ardore della sua vocazione didattica, e a quella tradizione « aneddotica » di cui s'è fatto cenno: presso due generazoni di studenti, destinati poi in gran parte a diventare a lor volta professori, Pasquali ebbe una sua vivida « leggenda », quale non credo potesse vantare nessun altro che in Italia oggi occupa una cattedra universitaria. Questa vissuta « leggenda » era divulgatissima; e naturalmente trovava il piú valido anche se indiretto sostegno in una quantità di lavori d'erudizione e di critica, come le edizioni di Proclo e di Gregorio di Nissa; la splendida traduzione di Teofrasto, il massiccio volume su Orazio lirico e i rapporti fra la poesia oraziana e la greca; gli studi sulla autenticità delle epistole platoniche, sulla tradizione e critica del testo, sulla preistoria della poesia romana. Ma era nato frattanto un Pasquali che avrebbe ottenuto fama e consenso perfino maggiori; e fu quello dei quattro libri delle cosiddette « pagine stravaganti » (che voleva significare: laterali alla stretta professione filologica), e di tante altre consimili, piú o meno recenti, non ancora raccolte in volume. Nei quali libri, la sua intelligenza, la sua cultura e la viva figura si integrano reciprocamente e si caratterizzano al grado supremo, nella luce dell'arte.

La piú sottile dottrina, il piú acuto spirito critico, si esprimono in una prosa che, nella sua cordialità e naturalezza, ha la dignità dei classici. A parte il lavoro scientifico, Giorgio Pasquali resterà fra i piú alti rappresentanti di quella letteratura saggistica che esercita funzioni cosí agili e vitali nella cultura moderna. Pensare che lo strumento di tali, delicatissime operazioni è andato brutalmente distrutto, per dato e fatto di un « motorizzato », che magari non era neanche in regola con la disciplina stradale. Sembra un evento simbolico, marinettiano: la dottrina e l'arte travolte e stritolate dalla cieca, irresponsabile baldanza della macchina. E le speranze che la magnifica ripresa dell'attività di Pasquali aveva rinnovellate, in un attimo sono diventate lutti.

(1952)

Pasquali postumo

Giorgio Pasquali credette ripetutamente di dover respingere l'accusa che, nella sua critica dei classici, egli tendesse a sopraffarli con l'erudizione e i confronti. E che piú della poesia e della letteratura, per sé stesse e nei loro intrinseci significati, lo interessassero le loro fonti nella tradizione, nel costume sociale e nella storia delle idee morali e filosofiche. Piú vibratamente egli tornò a difendersi, nell'ultimo libro che fece in tempo a pubblicare: *Stravaganze quarte e supreme*. Ma la stessa insistenza nell'autodifesa, lascia sospettare ch'egli riconoscesse qualche verità in quell'addebito, se addebito può veramente chiamarsi; ché, dopo tutto, la critica si fa ottimamente in cento modi e maniere. Il fatto è che quando egli illustra e commenta sia un'opera di poesia, sia la personalità d'uno scrittore o d'un erudito, riportandole nel vivo fermento della cultura in cui esse nacquero e a cui dettero espressione, si può esser certi che entrano in giuoco le sue preferenze e disposizioni piú connaturate e propizie.

Ecco cosí le splendide ed ormai famose biografie intellettuali del Comparetti, del Wilamowitz, del Mommsen, del Vitelli, del Pistelli, del Warburg, ecc. Ed era destino che la piú ampia e laboriosa dovesse esser ritrovata nella sua scrivania, fra le carte su cui, all'epoca della morte, egli stava ancora affaticandosi.

È una sorta di lunga rievocazione e meditazione sulle *Memorie* (1950) dell'illustre archeologo e prosatore tedesco: Ludwig Curtius, già direttore dell'Istituto archeologico germanico di Roma, e deposto da Hitler nel 1937. Curata nel testo da scolari ed amici del Pasquali, essa esce ora col titolo: *Storia dello spirito tedesco nelle memorie d'un contemporaneo*. E in una bella pagina introduttiva, Giacomo Devoto osserva giustamente come seguendo passo passo le *Memorie* del Curtius, il Pasquali « allinea parallele le memorie sue, con un costante confronto di ambienti e di esperienze, di famiglia, di scuola ». Cosicché ne deriva, sullo sfondo della vita culturale e sociale in Germania e in Italia nell'ultimo sessantennio, una sorta di doppia autobiografia: quella del Pasquali non meno di quella del Curtius.

Quanto nella sua genialità e cordialità fosse bizzarro e « stravagante » il Pasquali, tutti lo sanno: e si sente sempre ripetere da chi scrive su lui, con un compiacimento che sembra talvolta non curarsi di lasciare in ombra sue qualità di ben maggiore importanza. In tutt'altro genere: ma le sue stranezze le ebbe anche Ludwig Curtius. Ed a parte le sue *Memorie* e le pagine del suo agiografo, può dirne qualcosa la maniera nella quale, molti anni fa, mi avvenne di conoscerlo e di cominciare a frequentarlo. Avevo allora stampato un libriccino di saggi, che non so come gli era capitato sott'occhio, e che a quanto pare non gli era spiaciuto; e per mezzo di amici mi invitò a desinare a casa sua. S'era a una tavola ovale, in sette o otto persone; io sedevo di faccia a lui, e il suo italiano ricchissimo anche se un po' strano sapeva farsi valere nella conversazione vivace e divertente.

Ma sulla fine del pranzo ci fu come una piccola sospensione, un impercettibile stacco. E che è e che non è, vidi apparire sulla tovaglia, alla destra di Curtius, una copia del mio maledetto libruccio, che riconobbi subito alla copertina verde. C'era abbastanza da mettermi in allarme. Al medesimo tempo, non senza precauzioni nelle quali Curtius cercava di coadiuvarla, la donna di servizio posò sulla tavola una enorme coppa greca. Era una di quelle coppe del VII-VI secolo, nere e rosse, di gambo elevato e robusto, che hanno il fondo orizzontale, a mo' di tegame, e l'orlo piuttosto alto, dipinto all'esterno con gorgoni e sfingi. Serio come un officiante, Curtius aprí il libretto a una pagina dove aveva messo un segno, e lesse ad alta voce due o tre paragrafi, fra un certo disorientamento dei convitati e con mio vivo disagio. Disse che, modesto privato quale era, non poteva offrirmi onori, né premi o riconoscimenti; ma questo mi offriva volentieri: di bere vino del Reno, vecchio di non so quanti decenni, in una coppa greca del VI secolo.

Sulle quali parole si alzò, versò la bottiglia del vino nella coppa; e sollevò questa a due mani, porgendomela attraverso la tavola. Anch'io m'ero alzato, e ricevetti la coppa con trepidazione. Ne bevvi e la passai alla mia vicina; e cosí lentamente la coppa cominciò il giro della mensa, in un grave rituale fra omerico e nibelungico. Sudavo freddo che il prezioso cimelio avesse a finire in cocci. Chiusi gli occhi quando, cosí massiccio e barbarico, lo vidi arrivare barcollando fra le mani sottili di mia moglie. Come Dio volle, la cerimonia ebbe fine. Bei matti, però, anche questi grandi archeologi.

Sulla *Storia dello spirito tedesco nelle memorie d'un contemporaneo*, a voler estrarne e prospettarne fuor del contesto narrativo e aneddotico i significati d'interesse generale, occorrerebbe un discorso troppo elaborato. Ed è piú agevole spigolare da altri inediti del Pasquali, che raccolti e ordinati dall'affetto di Gianfranco Folena, escono col titolo: *La nostra lingua*. A parte certi ragionamenti critici: sul *Dizionario* del Panzini, sul vernacolo fiorentino negli scherzi comici di Giovambattista Zannoni (1774-1832), e sull'italiano del filologo tedesco Carlo Vossler, quale risulta dal noto carteggio col Croce; si tratta di contributi che il Pasquali, con ogni cura e nel suo miglior stile colloquiale, dedicava alla trasmissione radiofonica; in sé stessi chiarissimi, come tutto che usciva dalla sua penna, ma che per l'abbondanza e sottigliezza dei rilievi, riusciranno anche piú proficui leggendoli che ad ascoltarli.

È probabile che molti siano ancora fermamente persuasi che la lingua italiana si pronuncia come si scrive. E il Pasquali non durerà fatica a disilluderli; mostrando su esempi dell'uso quotidiano un'infinita varietà di suoni che non rispondono affatto ai loro segni grafici. « Noi scriviamo *e poi* e pronunciamo *eppoi*. Scriviamo *a Roma, da Roma, da te, a te*, e pronunciamo *arroma, darroma, datté, atté*; scriviamo *come lui* e pronunciamo *comellui*. » Due costrutti come *va via*, 3ª persona singolare indicativo, e *va via*, 2ª persona singolare imperativo, hanno gli identici segni grafici. Ma il primo si pronuncia *va vvia*; mentre nel secondo l'*a* del verbo è assai piú tenuta. « È come farà un non toscano a distinguere la *s* di naso da quella di *caso*? La *z* di *mozzo* da quella di *rozzo*? » Come indicargli le sfumature di tono nelle quali la prima *o* di *mozzo* della ruota, è diversa da quella del *mozzo* di bastimento, e da quella di *mozzo*, in senso di mútilo, mozzato?

Osservazioni simili sembrano inoppugnabili; e si potrebbe seguitare un pezzo a elencarne. Tante ne raccoglie il Pasquali che, a un dato momento, la pera gli sembra matura. E col suo solito brio, mette allora in tavola la questione se, in fine dei conti, non potrebbe essere utile una risoluta riforma ortografica, « per ovviare alla contradittorietà, alla incompletezza, a quel lasciare inespresse distinzioni che sono chiare all'orecchio: tutte cose che rendono cosí difficile l'apprendimento della scrittura, e piú della pronuncia, a stranieri e bambini ». È un po' il medesimo « pallino » del povero Bernard Shaw, che destinò per testamento il proprio patrimonio, o parte cospicua, agli studi d'una riforma della ortografia e fonetica inglese.

Troppe cose dovrebbe raddrizzare quella riforma, di cui il Pasquali traccia un succinto disegno. E fra le tante, dovrebbe sceverare la *s* sorda dalla sonora; e per la prima, dice Pasquali, potrebbe adoperarsi la comune *s* piccola; per la seconda, la *s* lunga, all'antica, che somiglia un po' alla *f*. Cosí per le due *z*; e la *z* lunga, e cioè con il ricciolo o búccola che pende sotto alla riga, sarebbe riservata alla sonora. Ci sarebbe poi da spartire fra *i* e *u* vocali e consonanti. La *i* consonante si scriverebbe lunga, come in *noja*. Ma per la *u* consonante (cito ancora Pasquali, benché lo citi piú controvoglia) potrebbe servire la *w*, con la stessa funzione che in inglese; e ne verrebbe fuori: *womo, wovo, lwogo* (*uomo, uovo, luogo*). « Cosí sarebbe eliminato anche l'incomodo e inutile *qu*; e *qui* e *acqua* si scriverebbero con *k* e *w*: *kwi* e *akkwa.* » Ma a dispetto di tutte le sconcordanze tra fonetica e ortografia, vorrei cento volte morire di mala morte, prima di veder stampato in un *Canzoniere*: *Kiare, freske e dolci akkwe.*

Forse, il Pasquali, a volte gli succedeva, era sdrucciolato nella parodia, come senza accorgersene. Per fortuna, egli rimette subito i piedi sul terreno solido. E la sua trattazione dei « nomi di battesimo », è delle piú vaste, concrete e bril-

Il filologo Giorgio Pasquali nel suo studio di Firenze.

lanti ch'egli abbia mai scritto. Ivi si ammira la perfetta fusione della sterminata dottrina storica e letteraria, con un senso formicolante della realtà quotidiana, con la penetrazione psicologica e il dono inesauribile d'umana simpatia. Dai palinsesti e dai codici venerandi, il suo metodo d'investigazione si riporta sui registri parrocchiali e di stato civile, sulle cronache e gli annunci mortuari della stampa quotidiana; col risultato d'impreviste osservazioni e scoperte in ogni ambiente sociale: nel « generone » romano e nella borghesia lombarda; fra i patrizi e i beceri di Firenze e i petrolieri romagnoli. Quante cose da imparare: sulle origini religiose e politiche dei nomi; sulle norme e consuetudini della loro trasmissione familiare; sulle fonti romane che le invasioni barbariche non valsero a deviare, e le fonti medievali germaniche; sui riflessi onomastici dell'Umanesimo, dello spirito della Controriforma e della tradizione risorgimentale; su ermetiche ed erratiche formazioni, che potrebbero sembrare del tutto inesplicabili.

Per una combinazione curiosa, tali ricerche nel libro si chiudono proprio su persona della nostra famiglia giornalistica. A un dato punto, Pasquali s'è trovato davanti al problema del nome Indro. E delle sue considerazioni e conclusioni non si può defraudare il lettore: tanto meno il proprietario di quel nome unico. In gioventú studioso o dilettante di sanscrito, il padre di Montanelli volle chiamare Indra il figliuolo, in onore del grande dio indiano. Come al solito, cambiò la finale, affinché il nome non sembrasse di femmina, e ne fece Indro. Ma dal punto di vista indianistico, aveva commesso in partenza un grossissimo sbaglio. Perché nessuno nell'India antica, osserva Pasquali, e nemmeno nell'antica Grecia, avrebbe osato mettere al proprio figlio il nome d'una divinità. Un antico indiano, tutt'al piú, avrebbe dato al figliuolo il nome di *Indradatta*, che vale « donato da Indra ». E soltanto sotto cotesta forma il nome di Montanelli potrà mettersi in regola con una seria filologia. Bisognerà sentire, naturalmente, il parere dell'interessato.

(1953)

Un compagno di scuola: Francesco Maggini

La scomparsa d'un vecchio compagno d'università: il dantista Francesco Maggini, avvenne in un periodo nel quale, durante una lunghissima malattia, presso a poco ero anch'io incamminato verso la medesima destinazione. Non ebbi notizia della perdita, se non parecchi mesi dopo che, senza saperlo, l'avevo subita: precisamente quando un necrologio del Maggini comparve in "Lettere Italiane", la bella rivista degli « Istituti di Letteratura Italiana delle Università di Torino e di Padova ».

Ed ecco ora un denso volume della « Bibliotechina del Saggiatore », con *Due letture dantesche inedite ed altri scritti poco noti* del Maggini, una bibliografia ragionata a cura di Antonio di Preta, e un cenno biografico di Giovanni Nencioni. Veggo con soddisfazione che gli scolari ed estimatori non hanno lasciato passare troppo tempo, senza sollecitare il nostro ricordo di questo studioso che, secondo Giacomo Devoto, potrebbe addirittura essere considerato « il maggiore dantista del nostro tempo ».

Il Maggini era nato ad Empoli, presso Firenze, il 3 agosto 1886, e morí a Firenze il 5 gennaio 1964. A Firenze, fra il 1906 e il 1908, ci incontravamo di frequente all'Istituto di studi superiori in piazza San Marco, specialmente alle lezioni di Girolamo Vitelli e di Ermenegildo Pistelli; ed a quelle del sabato, di

Guido Mazzoni, nelle quali gli studenti del corso di perfezionamento avevano l'opportunità di esercitarsi in discussioni col docente, e dando lettura di propri lavori. Per un certo tempo, dopo la prima guerra, il Maggini occupò la cattedra di lingua e letteratura all'Università cattolica di Milano. Ma era inammissibile che potesse stare a lungo lontano da Firenze. E nel 1936 c'era già tornato, alla cattedra di lingua e letteratura del Magistero, che tenne fino al 1956, quando ebbe raggiunto i limiti d'età e lasciò l'insegnamento.

Forse a Firenze, nella cerchia di quei grandi professori, fra tutti egli predilesse il Parodi, sia per l'amore che entrambi ebbero per Dante, sia per il gusto d'una vita appartata e modesta, benché nel Parodi questo bisogno d'indipendenza fosse piú inquieto e scoperto. Non è senza significato che, delle amicizie del Maggini, fra le piú congeniali probabilmente furono quelle col Calcaterra e con Attilio Momigliano, il cui commento alla *Divina Commedia* sembrava al Maggini « il piú bello ch'egli avesse mai letto »; e certamente non è lontano da poter esserlo. Nel carattere e nella forma mentale d'entrambi, il Calcaterra e il Momigliano, era un elemento fortemente romantico. Sembra difficile che qualcosa di tale elemento non entrasse nella temperie intellettuale e morale del Maggini. Ma non se ne scorge traccia. La cordialità del fondo, la sincera modestia non escludevano una certa campagnola bruschezza nel tratto, e all'occorrenza la sorpresa di giudizi recisi e crudetti.

L'esemplare bibliografia ragionata che accompagna il volume di cui s'è fatto cenno, ci aiuta a seguire proficuamente il corso della produzione del Maggini, nel suo progressivo distacco dall'impostazione rigidamente filologica e storicistica dei lavori d'esordio. Non s'immagini tuttavia nessuno scatto avventuroso, nessuna audace improvvisazione. Difficile trovare impegno piú cauto, piú scrupoloso, piú realisticamente toscano del suo, tutto legato all'oggetto: un impegno che, per sessanta anni, costituí al medesimo tempo il suo diletto e il suo martirio. Non per nulla a Firenze qualcuno aveva messo al Maggini addirittura il soprannome di *Ser Sgomento*.

A un certo punto di cosí erudite e delicate operazioni, si sente la voce d'altro dantista toscano, non meno autorevole del Maggini. Con una certa inflessione vernacola, è la voce di Michele Barbi. E fra stizzosa e giocosa, essa interpella e ammonisce appunto il Maggini: « Ora un ti buttare co' il Croce ». Che come battuta pedantesca è certamente impagabile; e cosí la registra Carmine Jannaco, nell'ottimo elogio del Maggini da lui stampato in "Lettere Italiane". In questi tratti, in queste situazioni vissute è un'atmosfera quasi direi artigianesca. Sembra di trovarsi nella bottega di qualche artista o artigiano fiorentino del tre o quattrocento, mentre sono lí che discutono di cose del mestiere, e di certe novità che qua e là cominciano a far capolino e a dare scandalo. E i ragazzi di bottega, tutt'intorno a sentire a bocca aperta, senza capirci niente.

Ma figuriamoci se al Maggini, con il suo sottile istinto critico e il suo solido gusto popolano, poteva a suo tempo essere sfuggito quanto di vero e di nuovo era nel famoso saggio del Croce sulla *Poesia di Dante* (1920). Alludo specialmente a dove il Croce sostiene che « la poesia di Dante deve esser letta e giudicata con metodo non diverso da quello d'ogni altra poesia; e che l'interpretazione allegorica, filosofica, etica e religiosa della poesia di Dante, che fu occasione di secolare rettorica, deve cedere a una interpretazione piana e naturale, ecc. ». Il crocianesimo del Maggini, di cui il Barbi si allarmava, all'incirca sta in questi termini. E una *Introduzione allo studio di Dante*, pubblicata dal Maggini nel 1937 e piú volte ristampata, ne rende la migliore testimonianza; mentre per parte loro le sue numerose e forbite letture dantesche rispondono in atto alla norma crociana dell'interpretazione piana e naturale.

Con assoluta prevalenza d'argomenti danteschi e trecenteschi, la bibliografia del Maggini ne esibisce anche gran varietà d'altre epoche ed altri autori. Fino dai primi tempi, studiando la prosa delle origini, il Maggini aveva seguito la traccia di ricerche specialmente dovute a un maestro come Alfredo Schiaffini. Ma soltanto nel 1952 s'era deciso a divulgare, nel libro *I primi volgarizzamenti dai classici latini,* il frutto delle sue fatiche, e ad illustrare l'importanza di quelle traduzioni di Brunetto Latini da Cicerone, di Bartolommeo da San Concordio da Sallustio, del Boccaccio e d'altri da Livio e da Seneca, ecc., che dettero alla prosa della nostra tradizione retorica un'impronta d'alta dignità intellettuale, che non si scancellò mai piú.

Il secondo autore che, dopo Dante, nella bibliografia del Maggini piú frequentemente viene proposto, è il Manzoni; e tuttavia si capisce che intorno al Manzoni, oltre al volumetto *Il Manzoni e la tradizione classica*, il Maggini scrisse meno di quanto avrebbe voluto e saputo, e molto gli rimase fra i progetti e le cose lasciate in tronco. Insieme alle quali ultime non va dimenticato un vocabolario dantesco a cui egli accudiva già nel 1921. Coloro che raccolsero il suo insegnamento, e che onorano la sua memoria come nel volume testé apparso, avanti di disperdersi per le vie del mondo, per andare a legarsi ad altri compiti eppoi invecchiare, hanno voluto essere sicuri che nel cantiere del Maggini non c'erano ormai da fare altre scoperte, e della loro diligenza possiamo fidarci.

In realtà il Maggini fu uno degli ultimi se non l'ultimo testimone ed erede d'una grande tradizione degli studi e dell'insegnamento. Appunto nello scrivere di lui, sul "Giornale storico della letteratura italiana" (fasc. 433), lo Schiaffini rievocava cotesta tradizione, ch'è poi quella del famoso « Istituto di studi superiori di piazza San Marco quando questa scuola di filologia e critica, la piú insigne che avesse l'Italia e ad effettivo livello europeo, viveva in una stagione particolarmente feconda e operosa. Il Vitelli, il Rajna, il Parodi, il Mazzoni avevano raggiunto il colmo d'una attività intensa di studiosi;... il loro magistero esercitava piú che mai un'efficacia liberamente formatrice e innovatrice... »

Ed Eugenio Garin, tracciando la storia dell'Istituto di studi superiori, nel centenario della fondazione, ossia nel 1960: « La "filologia" fiorentina destinata a incider cosí profondamente per oltre un secolo, rimase un fatto di primaria importanza...: una disciplina volta a cogliere il processo della realtà nella sua dimensione umana, e come tale, solidale, almeno nei suoi momenti piú alti, con una visione della vita fatta di fedeltà alla ragione... Su tutto questo una grande poesia, allorché leggendo il Vitelli l'*Agamennone*, sparivano le squallide mura di San Marco, e i suoi scolari vedevano solo la porpora del tappeto di Clitemnestra... ».

Come lo era con tutta l'anima, il Maggini sembrava anche fisicamente legato a quelle tradizioni, a quelle memorie e a quelle sedi; sembrava ne fosse una specie di presenza tutelare e rituale. Non so ricordarlo che in un ambiente veramente suo come verso la fiorentina piazza San Marco o nei pressi della basilica di San Lorenzo e della biblioteca Laurenziana; e costí, naturalmente oltre che nei suoi lavori, per quelli che lo conobbero qualche cosa di lui resterà sempre.

(1966)

Un critico collaborazionista: Adriano Tilgher

L'amico Tranquillo che, per antica abitudine, quasi un vizio segue queste mia *cronache*, mi domandava l'altro giorno:

« E per la prossima volta, che articolo ci prepari? »

« Ho letto », risposi « il nuovo libro di Tilgher, e quasi quasi quasi vorrei dirne qualcosa... »

(Il nuovo libro di Adriano Tilgher è intitolato: *Studi sul Teatro Contemporaneo*; e contiene scritti su Pirandello, Rosso di San Secondo, Andreieff, Crommelynck, Synge ecc.; e un saggio sull'*Arte come originalità.*)

« Pover' a te! » fece Tranquillo. « Dove ti vai a ficcare! Non le senti tutte le polemiche che si son scatenate? » E qui una descrizione da accapponar la pelle.

La verità è che, come tutti i buoni giornalisti, io sono un pessimo lettore di giornali: ho già abbastanza di doverli scrivere. E di coteste polemiche non ne sapevo nulla. Ma quando Tranquillo mi ebbe detto di certi professori che, in coteste polemiche, si vedevano scappare con le budella ciondoloni, cominciai a sentirmi, non in qualità di professore, interessato. E mi raccontò anche fatiche e sudori dei ragazzi delle tipografie, che correvano di qua e di là, a raccogliere tutte le *l* reperibili, per il gran consumo che, dalle due parti, si faceva della parola *imbecille.* Allora non resistei piú; e con le precauzioni, di chi entri in zona di bombardamento, mi misi a leggere anche le polemiche, né fu occupazione d'un giorno.

La prima cosa che dovetti riconoscere, fu che, fino allora, di Tilgher, avevo avuto un'opinione inesatta se non addirittura sbagliata. Tranquillo, poi me l'aveva dipinto piuttosto facinoroso, o almeno irascibile. E invece lo trovavo paziente, ostinato, come un precettore del vecchio stampo. E quando la pazienza gli scappava, io non mi meravigliavo che gli fosse scappata, ma che ci avesse messo tanto a scappargli. E quando rispondeva male, non mi meravigliavo che avesse risposto male, ma che avesse avuto la bontà di rispondere. Agli *imbecille*, dei quali egli gratificava, ogni tanto, certi avversarî, avrei voluto quasi sempre aggiungere, di tasca mia, un altro paio di *l*. Avevo sentito dire ch'era uno scettico, un « relativista ». Ma per trovare un entusiasta, un assolutista della sua fibra bisognava, invece, che mi rifacessi molto addietro nel tempo, forse alle Crociate. Poteva essere ch'egli non credesse, come Pirandello, e i suoi altri autori preferiti, che alla infinita relatività del tutto. Ma la questione è che cotesta fede relativa la portava e diffondeva, come il piú formidabile assoluto.

E capii anche un'altra cosa che, in realtà non si capisce bene limitandoci ai libri. E cioè che quell'interessamento popolare, che si è diffuso non soltanto intorno alla sua opera ma anche intorno alla persona, è perfettamente giustificato. Forse, soltanto, ai tempi, innocentissimi, del povero Manca e di Domenico Oliva[1], mentre le signore nei palchi si lasciavano sfilare la mantiglia, e deponevano sul davanzale di velluto rosso la *lorgnette* incrostata di madreperla, soltanto a cotesti tempi latte e miele accadeva di sentir bisbigliare: « Ecco Oliva »; « Quello laggiú è Manca »; oppure: « Stasera manca Manca ». Oggi si sente bisbigliare, in tutt'altro tono: « Lo vedi Tilgher? » oppure: « Stasera Tilgher ha l'aria di voler farne una delle sue ». E la comprimaria, frattanto, che l'ha scorto da un bucolino del sipario, si schiarisce la voce per le prime battute; mentre il pompiere di servizio si rizza anche lui sulla vita e stringe d'uno o due punti il cinturone. È come quando i marinai sciolgono l'ultimo canapo, e il capitano sale sul ponte di comando. Uno squillo di campanello: l'ondeggiamento del velario. E la gran macchina teatrale si mette in moto anche per stasera.

È chiaro che tanta popolarità, a questi lumi di luna non si guadagna a buon mercato come vent'anni addietro. E conviene insistere contro un pregiudizio (di capocomici squattrinati e autori fischiati) che vuol farla apparire tutta tinta di un nero e sanguigno color di ferocia professionale e di *vendetta*; quanto la popolarità d'un Manca e di un Oliva era tinta di rosa, tinta d'un bellissimo rosa, e profumata alla vaniglia come un confetto. Perché in sostanza, i

[1] Domenico Oliva (1860-1917), direttore del "Corriere della Sera", critico teatrale del "Giornale d'Italia" e dell'"Idea nazionale".

metodi di Tilgher, e dei suoi migliori confratelli, non sono altro che quelli che la critica letteraria applica ormai da quindici o vent'anni; e nessuno ci trova piú da ridire nulla. E i giudizi non sono eccessivi, non sono inumani. Sotto le unghie di Benedetto Croce, giudice fra tutti serenissimo, Sem Benelli, Roberto Bracco se la sarebbero vista molto piú brutta. La sola volta che Tilgher ho potuto trovarlo inumano: nella sua sbrigativa condanna di Goldoni, anche piú che inumano direi che doveva essere distratto. E sebbene ogni critico, anche fra i piú versatili, non disponga fatalmente che di una limitata tastiera sensitiva, non credo che egli possa restare indefinitamente, in compagnia di Baretti, sordo e cieco alle grazie musicali, all'arabesco scenico, alle squisite convenzioni di struttura e di eloquio d'una commedia ch'è diversa da quella di Molière, di Marivaux, di Congreve e di Farquhar, e probabilmente minore; ma ha una sua ragion d'essere, estetica e storica, profonda. In altre parole, son sicuro che la necessità del contatto col pubblico dei teatri, piú grosso e meno selezionato del pubblico che legge, o che visita le esposizioni, l'obbliga, caso mai, a *ménager*, a concedere attenuanti, come in altra sede forse non avrebbe voglia di fare. Le ragioni piú attive di quella popolarità non vanno, insomma, ricercate nel rosso e nel nero dell'abito, come si dice, *stroncatorio*. Vanno ricercate nell'assolutezza della vocazione.

Grattate (in via d'immagine) il Martini critico. E trovate subito l'artista. Grattate Lucio d'Ambra. E trovate, amabile e un po' tediato, l'uomo di mondo, il *chroniqueur*. Grattate, per limitarci ai principalissimi, Silvio d'Amico. Qui sí che davvero vien fuori il rosso. Ma il rosso d'una mozzetta da cardinale! E se io fossi una prima donna o un autore di *grotteschi*, delle critiche di Silvio d'Amico farei certamente grandissimo conto; ma la verità piú vera e l'assoluzione piú assoluta, anderei sempre a domandargliele in confessione. C'è non dirò una reticenza, ma il senso come d'un ritardo, d'uno spostamento temporale in talune critiche del d'Amico. Certi suoi scritti sembran nascostamente subordinati a un giudizio, sfavorevolissimo, e taciuto, su tutta l'epoca, e i gusti dell'epoca. E io ho avuto sempre l'impressione che il suo articolo piú giusto e penetrante, per esempio su Pirandello, d'Amico avrebbe potuto scriverlo, con piena effusione di spirito, soltanto nella Roma papale, avanti la Breccia di Porta Pia. È un vero guaio che allora egli non fosse nato! E che Pirandello, se era nato (ma non vorrei calunniarlo) non fosse ancora uscito di fasce.

Ma se l'orologio di d'Amico, veramente non ha troppa furia, e può fargli perdere qualche appuntamento, l'orologio di Tilgher è un orologio scappatore; e non garantisco che, per farlo correre di piú, di tanto in tanto, l'amico Tilgher non gli tiri anche delle ditate. C'è una nobile impazienza intellettuale in questo tormento del Tilgher, di anticipare, di precorrere la maturità delle opere e dei tempi. E c'è anche il pericolo che, a volte, in momenti di naturale stanchezza, quest'impazienza diventi un sistema retorico; un modo di evasione dalla realtà nell'atto stesso che dovrebbe esserne il potenziamento.

Ma in fin dei conti Tilgher è un romantico, nel senso superiore della parola, e con un valido richiamo ai fondamenti e alle tradizioni speculative della rivoluzione romantica, dei principi del secolo scorso. È un uomo dello *Sturm und Drang*; con questo, si capisce, che ha saputo farsi il suo proprio *Sturm und Drang*; e non già contentarsi di uno *Sturm* retrospettivo. Il suo attivismo, o misticismo dell'azione, le applicazioni che egli ne fece alla critica della realtà politica (nelle quali applicazioni specialmente ci pare che entrino, talvolta, alcuni di quegli elementi retorici dei quali s'è fatto cenno), il drammatico superamento dell'attivismo, ch'egli ha creduto di scorgere in un gruppo d'opere singolarmente affini del teatro europeo contemporaneo, procedono tutti assai logicamente dall'origine romantica. Lo strano fu che Tilgher prendeva coscienza di quelle posizioni filosofiche e critiche, nello stesso momento che Pirandello, per altre vie, andava esplorandole in forma d'arte. Di solito, l'opera d'arte, e la critica o lo spirito critico adeguati, si producono come momenti anche temporalmente distanti, ma qui esplodevano con simultaneità quasi perfetta. Si sarebbe detto che mentre Pirandello arrivava con in mano l'ultimo dramma, s'apriva un'altra porticina ed entrava Tilgher con in mano la critica d'un dramma ch'era precisamente cotesto. La gente meno benevola, in qualche momento, può aver creduto si trattasse di una di quelle manovre con le quali un critico sveglio sa farsi prendere a rimorchio da un autore fortunato. Niente di tutto questo: la verità è che a una certa ora, la voce dei tempi, per servirci di quest'astrazioni, parlò simultaneamente per due bocche. E ciò è tanto sicuro, che la critica di Tilgher, nei momenti piú creativi, riman sempre, né potrebbe diversamente, una critica di situazioni intellettuali e morali, piú che una critica di realizzazioni estetiche. Le è mancato, per questo, non la capacità, ma il distacco. Non c'è troppo da dolersene, poiché quello che importava piú di tutto, sul primo momento, era di porgere agli spettatori, piú che un vero giudizio, un quadro di formule colturali su cui potessero cominciare a riconoscere e dare dei nomi alle proprie esperienze del nuovo teatro. Tilgher forniva queste formule. E se non c'è da farsi illusioni che il grosso pubblico abbia realmente « capito » quel che c'è da capire nel secondo atto dei *Sei personaggi* o nella situazione dell'*Enrico IV*, non è neanche facile immaginare che cosa si sarebbe messo in testa, senza il sussidio di quelle illustrazioni tanto piú eloquenti in quanto germinavano, su un piano diverso, dalla stessa crisi di coltura e di coscienza dalla quale era nato il dramma. Il pubblico è stato riconoscente di questo servizio. Donde quella popolarità; e infine quella specie di identificazione ch'è avvenuta della critica di Tilgher col nuovo spirito drammatico.

Moltissimo ci sarebbe ancora da dire; ma bisogna mi limiti a qualche osservazione piú importante.

Per lo stesso calore col quale egli ha sentito quella crisi di coscienza e di coltura, mi sembra che Tilgher sia disposto a farne partecipi, senza guardar troppo per la sottile, autori ai quali, per conto mio, mi guarderei bene da concedere tanto. È come un Noè che fa imbarcar troppi animali, o troppo grossi animali, sulla sua Arca. Ce li fa montare, riconosciamolo, a calci e legnate; ma credo che il partito piú giusto, giacché abbiamo la fortuna del Diluvio, sarebbe stato di lasciarli affogare silenziosamente. Il suo trattamento, severo, di molti autori del « grottesco », secondo me ha il torto di non essere stato severissimo, micidiale.

Cosí io credo che l'amore di certe tesi e tendenze, l'abbia condotto ad esagerare il valore concreto d'una parte almeno del teatro di Andreieff.

E che cosa diremo di Rosso di San Secondo? Rosso di San Secondo se seguita cosí, sarà una delle piú fosche tragedie della nostra giovane letteratura. Di rado si son viste piú instancabilmente mandare al macello tante idee geniali, tante immagini felici, tante speranze! Ora, lo studio di Tilgher su Rosso di San Secondo fa l'effetto della positiva d'una fotografia della quale Rosso di San Secondo sa offrirci appena, coi visi e con le mani nere, e gli alberi e i vestiti bianchi, la lastra. È uno di quei casi di « anticipazione » dei quali s'è parlato. Ed uno di quei casi nei quali il critico può influir malamente sull'artista, fomentandogli l'illusione d'aver realizzato quel che non ha realizzato affatto. C'è in questo equivoco del critico, un impulso generoso. Ma l'ostinazione di Rosso di San Secondo ad abbandonarsi sempre al peggio ci persuade a rilevare gli inconvenienti di tale generosità. Una piú sottile aderenza di valutazioni il Tilgher sa raggiungerla, per la necessità di sorvegliarsi, quando parla di autori un po' meno immediati alle sue tesi e al suo temperamento; come in questo libro, Martini o Synge.

E venendo per concludere, a quelle pagine sull'*Arte come originalità* che fanno largamente le spese delle polemiche odierne, non si può dire che il Tilgher abbia davvero giustificato il dubbio che si trattasse di un'estetica contenutistica, che la sua « originalità » dovesse soltanto essere riferita alle « situazioni », ai « soggetti », ed altri canuti errori della stessa specie. Anche quest'ultima originalità, intendiamoci, non è da disprezzare: né la disprezzava Euripide nell'*Elettra*, Sofocle nel *Filottete*. In ogni modo costituirà sempre, come diceva Poe: la piú « obvious and easily attainable source of interest ».

Ma quando Tilgher identifica l'originalità vera e necessaria, di cui egli intende parlare, con l'attività, con il senso germinale della vita, con « un nuovo gusto, un nuovo sapore », ecc., non si capisce che cosa ci sia da obbiettargli, dal momento che si tratta, sostanzialmente, di cosa simile a ciò che Vico e

De Sanctis chiamarono « fantasia », che Bergson chiama « intuizione », e che Croce chiama « liricità ».

Perché, allora, il Tilgher avrà voluto riatteggiare questi concetti, impresa non scevra di pericoli, in una forma nuova, senza contentarsi delle forme in corso? Da quanto abbiamo detto finora, credo si possa in breve, dedurre una spiegazione sufficiente.

L'estetica delle epoche di decadenza come la nostra, è, fatalmente, un'estetica (e una critica) strettamente « edonistica », grammaticale, alessandrina; o un'estetica (e una critica) « pragmatista »; e, in questo secondo caso, implica, almeno, la coscienza della decadenza e lo sforzo per uscirne. Piú che di una « dottrina », si tratterà, dunque, di una « tendenza »; e in realtà si è visto, che il Tilgher, meglio che alla contemplazione e all'analisi del « fatto », è portato alla partecipazione nel « fare », è, in altre parole, uno di quei critici impegnati piú di tutto, a creare uno stato di coscienza e di coltura, quel che si dice un « movimento », o almeno una preoccupazione. Son sicuro che se, a un certo punto, lo reputasse indispensabile a stimolare la coscienza di un « problema », a mettere insomma una pulce nell'orecchio, non esiterebbe ad andare personalmente a tirare una bomba, benigna, o ad accendere un mazzo di razzi sotto le finestre dello studio di Pirandello.

« Il critico », scrive Tilgher, « pone all'artista dei problemi da risolvere. Si attende dall'artista che li risolva, e, attendendo, glieli espone, ecc. ecc. » La formula, qui, potrà sembrare meno felice; perché fissa, con troppo intellettualistica esclusività, la relazione fra ispirazione ed opera d'arte. L'arte non nasce tanto da una « nozione » di problemi, quanto da una « passione » di problemi. Nessun critico, nessun artista, comunque acutissimi e delicatissimi, potranno proporsi completamente, in sede d'intelletto, quello che soltanto in regioni piú profonde, trova vitalità e organicità. Riportata, frattanto, in un senso piú largo, nel rapporto generale dell'artista con tutta la coltura dell'epoca, anche quella formula può essere accettabile. Riceve conferme storiche dall'attività di tutta una serie di critici considerevolissimi. Non allungheremo con l'elenco dei loro nomi questo già lungo discorso.

(1923)

Giuseppe De Robertis: la formazione e gli esordi

Nonostante la modestia e ritrosía del suo carattere, e la sua vita cosí in disparte, negli ambienti della cultura la presenza di Giuseppe De Robertis fu sempre profondamente sentita. Ancora piú quando, all'interesse per il suo geniale ed assiduo lavoro letterario e didattico, vennero ad unirsi sempre piú ansiose le preoccupazioni per la sua inesorabile malattia, fino al recente, unanime compianto per la sua scomparsa.

Intorno ad un'epoca meno nota della biografia del De Robertis, suole insistere specialmente la curiosità dei piú giovani. Si tratta del tempo della sua prima gioventú, allorché da Matera, dove era nato nel 1888, egli giunse a Firenze, e dal 1907 ne frequentò l'Università, allora nel massimo splendore. Lentamente lavorò ad una voluminosa tesi di laurea sulla poesia di *Salvatore di Giacomo*, ed intorno al 1912 cominciò a collaborare alla "Voce".

Per il fatto che dal 1906 anche io avevo frequentato quell'Università, che avevo scritto sul "Leonardo" e dal 1909 scrivevo sulla "Voce": per il fatto insomma, che in parole povere, io sono uno dei pochi superstiti di quei tempi che nella lontananza hanno assunto un che d'avventuroso, poté sembrare che molto dovessi conoscere degli esordi del De Robertis. Ma le cose non stanno cosí. E piú vecchio come sono del De Robertis, i quattro anni di differenza

Un'opera di Ardengo Soffici (1879-1964)
dal titolo *Composizione*.

ch'erano fra noi bastarono sul primo a non farci incontrare né nelle aule universitarie né nella tipografia della "Voce". Nel 1912, quando egli cominciò ad apparire piú spesso sulle colonne di quel battagliero settimanale, già da due anni m'ero stabilito a Roma. E la "Voce" originaria, ch'era la "Voce" del Prezzolini, nata nel 1908, già aveva subíto vari cambiamenti di direzione, ed ormai stava entrando in un periodo critico.

In sostanza, ciò che di piú prezioso aveva appreso all'Università, il De Robertis lo indicò parecchi anni dopo, in uno di quei « foglietti » che sono intercalati in qualcuno dei suoi volumi. Il « foglietto » ricorda le lezioni e « versioni orali » di Girolamo Vitelli, come rivolgendosi colloquialmente a Renato Serra. Ma lo stesso De Robertis mi avvertí, cinque o sei anni or sono, che il riferimento al Serra cronologicamente era inesatto; e valeva soltanto in un senso allegorico, augurale, propiziatorio; come d'un nome segnato in un esergo. Ed ecco il « foglietto » dove egli parla del Vitelli.

« Quel poco che io ho imparato, come si leggono i poeti, io lo devo a lui. E avessi saputo imparare di piú. Tra i primi io glie ne diedi testimonianza, e sempre mi piacque che subito gli piacesse di saperlo. Schivo, severo, troppo

A sinistra: *Rissa in galleria.* Da un quadro ad olio di Umberto Boccioni, 1910.

piú in alto di noi che davanti a lui ci annullavamo come davanti a nessuno, non gli sfuggí la particolare attenzione di noi irregolari, o addirittura cattivi scolari, al suo modo di leggere i poeti, che poi non ne conoscemmo uno piú superbo. Con quella sua voce pacata e ardente, chino sulle grandi pagine, anzi un poco rannicchiato, egli ci offriva tutte le volte una lampante prova di come non si dovesse per nulla aggredire la poesia. Con discrezione somma, con impercettibili accostamenti, con approssimazioni vaghissime, che valevano a crear l'aria intorno alle parole, dava a noi il senso di quel che fosse l'inaccessibile della poetica bellezza, e che cosa bisognasse per cogliere un'ombra sola del suo segreto. Quel vecchio era per noi veramente un grande maestro, il piú felice accoppio di dottrina sterminata e d'ingegno e sopra tutto d'eleganza; e superbamente s'è portato quasi tutto con sé. A noi ha lasciato, solo, il ricordo d'un miraggio ». (1939).

Scoppiò la guerra europea. La "Voce" di Prezzolini morí alla fine del 1914. Ad essa subentrò una nuova "Voce", d'altro formato tipografico ed altra periodicità, bimensile; e con un programma prevalentemente letterario. Sotto l'occhio di Papini, di Soffici e Prezzolini, maggiorenti della prima "Voce", il De Robertis tenne la direzione fino al trentesimo numero, quando il periodico morí nel dicembre 1916. Miei incontri non casuali e significanti col De Robertis, è probabile che avvenissero soltanto col primo dopoguerra. Da allora cominciò la nostra corrispondenza, e a poco a poco si saldò una amicizia scarsa di contatti diretti, perché si viveva in città lontane, ma che non fu mai turbata o interrotta.

La ponderosa tesi di laurea del De Robertis su Salvatore di Giacomo non venne pubblicata che in sparsi e limitati frammenti. E le testimonianze piú facilmente reperibili sulla produzione del De Robertis agli inizi della sua carriera sono da ricercarsi nelle due antologie critiche della "Voce", compilate da Giansiro Ferrata per l'editore Landi, e da Gianni Scalia per l'editore Einaudi, tutte e due apparse nel 1961. Le antologie traggono il loro materiale da due periodici fiorentini: "Lacerba", che visse dal 1913 all'entrata in guerra dell'Italia, e la "Voce" del De Robertis che, apparsa alla fine del 1914, due anni dopo come s'è detto cessò le pubblicazioni.

In brevi paragrafi, spesso veri e propri versetti, o frasi esclamative, si riconoscono a prima vista le tesi di Renato Serra circa il « saper leggere », preso come base ed insieme come compimento d'ogni seria attività critica. O come appunto specifica il giovane De Robertis: il « saper leggere » quale fondamento « di una critica frammentaria di momenti poetici, riducendo l'esame a pochi tratti isolati, e di quel che si dice essenzialità ». Dal sommesso, calmo tono del Serra, queste tesi erano trasportate dal De Robertis d'allora in una perentorietà quasi giacobina, in un intransigente giovanile assolutismo; dentro al quale poi si vedevano insinuarsi accettamenti e consensi, provvisori e contraddittori, che oggi non ci sapremmo piú nemmeno spiegare.

Chi vuole avere un'idea diretta e quanto è possibile precisa di questo De Robertis delle origini cerchi specialmente e legga, nell'antologia dello Scalia, articoli e manifesti come « Collaborazione alla poesia »; « Sfoghi, spine e verità »; « Saper leggere ». Non infrequentemente, sarebbe facile sorridere di certe ingenuità d'idee e d'intonazione, d'una sicurezza cosí marchiana, dove la violenza di "Lacerba" pari pari è trasportata dall'azione politica all'estetica e alla critica. Sarebbe facile: se ciascuno piú o meno non avesse da rimproverarsi peccati come cotesti. E non occorre soggiungere che assai presto il De Robertis si equilibrò, dimise il tono petroliero. Si ha l'impressione che dopo la morte di Serra, il senso della solitudine, le angosce della guerra, abbiano in lui favorito una silenziosa e fruttuosa meditazione, nella quale egli si purgò di gran parte di coteste violenze; e quei documenti della sua formazione non si vanno forse a cercare che per ritrovarvi il sentore agro e rissoso della sua immatura personalità.

In aggiunta alle antologie ed ai commenti del Ferrata e dello Scalia, uno dei piú attendibili rapporti di cui possiamo disporre, riguardo alla formazione ed ai primi passi del De Robertis, ed una delle guide piú illuminate alla lettura di quei giovanili documenti, credo che siano da riconoscere in alcune pagine di un « Ritratto di Giuseppe De Robertis » che il suo vecchio e affezionato scolaro Felice Del Beccaro pubblicò nel "Belfagor" del settembre 1963.

Non appena le sue inclinazioni intellettuali cominciano a coordinarsi, appare manifesto che, fra i critici italiani della nostra epoca, il De Robertis sarebbe stato destinato ad essere e rimanere il piú tenacemente estraneo, se non addirittura ostile, all'influsso del Croce. La sua scarsa disposizione filosofica gli facilitò tale indipendenza. E mentre la sua mano andava sciogliendosi nella critica spicciola, assai gli conferí la pratica dell'insegnamento, e il suo familiarizzarsi con nostri scrittori come il Parini, il Foscolo, Leopardi, Manzoni, intorno ai quali in seguito egli doveva dare alcuni dei suoi contributi critici piú profondi. In ciò egli si distinse da altro studioso di grandi virtú affini alle sue, benché non cosí provveduto riguardo alla nostra vecchia poesia: Alfredo Gargiulo, che come il De Robertis dedicò solo una misurata e quasi sospettosa attenzione alle moderne letterature straniere.

Cosí da molteplici disposizioni si compose nel De Robertis una attitudine agilissima, continuamente esercitata e raffinata nella lettura e rilettura del nuovo e dell'antico. E bisogna tener conto che, di tale attitudine, noi conosciamo soltanto i risultati in forma di libri, articoli, antologie, edizioni di autori, ecc.; e ci rimangono nascosti il lavoro dalla cattedra, e la diretta comunicazione con i giovani che, anche fuori dell'università, per tanti anni il De Robertis tenne viva, con una passione diversa ma non inferiore a quella di Giorgio Pasquali, e con non minore risposta da parte degli studenti.

Ho detto che questo immenso lavoro ci rimane nascosto. Ma la parola è inesatta, perché poi, in larga misura, anche da esso si irradia il prestigio di questa personalità, e l'eco dei suoi insegnamenti. In modo speciale, l'eco del suo insegnamento supremo, che potrebbe chiamarsi « amore di poesia », e ormai risuona da numerosissime aule scolastiche tenute da suoi antichi scolari in tutta Italia.

Avrebbe potuto nascerne, e magari in qualche momento fu temuto che nascesse, una specie di « pietismo » o « quietismo » letterario, come in altri casi di portata minore. Ma cosí non fu. Il carattere della critica praticata dal De Robertis, dalla cattedra e negli scritti, non favorí neanche per equivoco nessuna tendenza ermetica o ineffabilista. Fra altre cose nel De Robertis, non meno delle qualità di entusiasmo e di fede, erano sempre vigili e pronti a scattare, alla minima occorrenza, anche se dopo la prima gioventú sembravano domati o un poco assopiti, gli stimoli e i risentimenti polemici. E in ragione di questo felice contemperamento, dopo decenni di fatiche, il suo ingegno, nonostante la lunga malattia, serbò fino all'ultimo la inquieta animazione della gioventú.

(1964)

Roberto Longhi scrittore

I primi scritti d'arte di Roberto Longhi risalgono intorno al 1909, ch'egli non aveva vent'anni. E non si può dire che la successiva produzione, fino al libro recente su Piero della Francesca, ed ai vasti saggi: *La « Notte » del Rubens a Fermo*, *Di Gaspare Traversi*, *Cartella tizianesca*, ecc., da poco apparsi in "Vita Artistica", non abbia ottenuto, in Italia e fuori d'Italia, fior di consensi. La restituzione del Seicento italiano, intorno alla quale il Longhi cominciò a travagliarsi giovanissimo, e presso che solo, è ormai fra i piú solidi risultati di critica, prodottisi da noi in questo scorcio di secolo. E se il Longhi si lasciasse governare da un criterio pratico, e badasse a riunire in volumi quanto su cotesto tema egli ha sparsamente pubblicato, la quantità, oltre alla qualità, dell'opera fornita, apparirebbe anche piú considerevole.

Sul valore del Longhi come studioso, sulla convenienza di tante nuove attribuzioni da lui propugnate, sulla efficacia della sua polemica, ed altre cose, tutti son all'incirca d'accordo. E qui si vorrebbe soffermarsi su un aspetto della sua personalità, anche da tutti avvertito, ma al quale mi sembra non sia stato concesso, in sede critica, sufficiente risalto. L'arte, intendo, dello scrittore; e, per comodità di discorso, cerchiamo d'astrarre il piú possibile dalla materia in cui cotesta arte si investe.

Veramente, il debito di ammirazione avrebbe dovuto esser pagato da qualcuno dei tanti, giovani e anziani, che dello stile del Longhi prontamente e calorosamente, si fecero, non esegeti ed illustratori, ma imitatori. Meglio, se la imitazione si fosse rivolta a qualità dell'opera non meno intrinseche, e tuttavia non cosí gelose. E che del Longhi si fosse voluto emulare la erudizione acuta e abbondante, l'ardore nelle ricerche, il gusto spregiudicato. Questo non fu; invece di investigare ed applicare i metodi di lavoro con i quali certi risultati erano stati raggiunti, si preferí adottare, agli effetti immediati e di superficie, il bagliore delle immagini, l'arditezza delle associazioni; e un vocabolario inventivo, talvolta, fino a rasentare la temerarietà. Un dato momento, nel campo degli studi d'arte, parve fosse entrata una vera mania. E le conseguenze si fanno sentire ancora; e dureranno.

Nello stile del Longhi son punti di contatto con quello di Bruno Barilli. Come accadde già per il Barilli, non è improbabile che il piú aperto e disinteressato apprezzamento sia per toccargli da chi magari vagheggia tutt'altra qualità di orazione. Riguardo alla eloquenza e al colore di cotesto stile, è anche da osservare qualche cosa di simile in alcuni fra i nostri scrittori d'arte che non vollero limitarsi, come il Vasari, alla biografia, e alla storia delle opere; o, come il Lanzi, a rintracciare caratteri generali di pittori e scuole; ma cercaron di penetrare i segreti della fucina pittorica, e quasi di riprodurre in parole le forme ed i modi di altra arte che verbale. Si sarebbe detto ne nascesse una paradossale emulazione, che sforzava le parole fuor del loro ufficio piú spontaneo; e le accalorava e accendeva d'un lume e d'un ardore, riflessi, ma non per ciò meno vigorosi; a parte che una certa artificiosità e mediazione è forse inevitabile nello stile di qualsiasi critica, e tanto piú quando la critica esce, come si è detto, dalle genericità normative e si distacca dagli schemi precettistici della tradizione classica. C'è da supporre che come l'artista e lo scrittore classico, e a maggior ragione accademico, respingevano determinati soggetti, considerandone la minor convenienza alle leggi stilistiche della tradizione da essi ubbidita, il critico di questa tradizione rifiutasse di segnare sui propri quaderni impressioni cui avrebbe creduto non poter dar forma senza turbare le consuetudini e le simmetrie di quello stile.

Tutto ciò, per confermarci quanto fosse naturale al Longhi cercar gli addentellati alla propria arte letteraria lungi da ogni esempio, anche approssimativamente, classico o neoclassico. Quelli della sua formazione non eran tempi che un uomo, sebbene di gusto venturoso, potesse riesumare a modelli il *Panegirico ad Antonio Canova* di Pietro Giordani, e le descrizioni della « Fiducia in Dio » e del « Pigiatore » bartoliniani. Il futurismo compieva allora la sua stagione piú proficua. E in luogo di affilate nudità marmoree, il Longhi si trovava davanti, nientemeno, le *Espansioni spiraliche di muscoli in movimento* e le *Teste + Case + Luce* del Boccioni. Anche facendo parte a un certo gusto di scommettitore che fin da allora era in lui, e gli è sempre rimasto, e alla passione di portar con spavalderia pittoresca ed erudita le tesi piú rischiose, l'impegno con il quale il Longhi discusse la scultura, appunto del Boccioni, era troppo vivace, per pensare ad un semplice esercizio rettorico, ad una esibizione di bravura. Si aggiunga, dunque, pur con ogni discrezione, un sentore di lievito futurista; e sarà meno incompleto il quadro delle disposizioni con le quali il Longhi finí d'impadronirsi della propria scrittura, con i suoi movimenti sontuosi, i suoi lampi di fantasia, i suoi dotti capricci; soprattutto avendo tenuto come esemplari quei critici lombardi e veneti dal Cinque al Settecento: il Lomazzo, il Boschini, lo Zanetti, ecc., che paiono gareggiare di fuoco e bravura con i piú illustri veneti pennelli.

Questo strumento letterario doveva piegarsi a due scopi principali, dalla cui realizzazione risulta la novità e la importanza della critica del Longhi.

Si trattava, in primo luogo, di rievocare concretamente l'ambiente storico, o meglio: il *terroir* culturale e il clima formale in cui crebbero gli artisti e furon prodotte le opere. E a ciò poco istruivano le astrazioni e descrizioni sociali e letterarie alla Taine o alla Burckhardt; o morali, del De Sanctis; o estetizzanti, del Pater: tutte troppo lontane dal fatto dell'arte; o le evidenze documentarie sulle quali si concentrò, non senza profitto, la critica pittorica degli ultimi dell'Ottocento e primi del secolo successivo.

E si trattava, soprattutto di interpretare l'opera d'arte, fondandosi essenzialmente sulle sue ragioni interne, sulle leggi della sua invenzione e del suo stile; e non menando buono, dei significati psicologici, sentimentali, morali e via dicendo, se non quanto risultasse in atto in coteste leggi e cotesto stile. L'esempio del Berenson e quello dell'Hildebrand (con la sottigliezza delle sue analisi compositive, e i geniali rilievi sulla dialettica plastica, ecc.) furon certamente fondamentali per il Longhi. Ma bisogna aggiungere che egli estese la applicazione in nuovi campi, specie ai riguardi della funzione coloristica; e che a lui fa capo quanto in questo genere d'influssi e tendenze si ravvisa nella critica nostrana, la quale nel Berenson vedeva unicamente un compilatore di elenchi d'attribuzioni; e ha seguitato ad ignorare l'Hildebrand, anche dopo che il Maraini, nel 1922, si fu data la pena di tradurlo ed esporlo.

Considerando la complessità di questi compiti, non soltanto, e piú meritamente, pare da pregiarsi l'arte letteraria con la quale il Longhi giunse a effettuarli; ma sono spiegati, se non sempre giustificati, aspetti piú audaci ed eterodossi di quest'arte. Tutto al contrario del critico accademico, trovandosi fra dover sorvegliare e attenuare le proprie impressioni, o esprimerle a costo di qualsiasi violenza verbale, il Longhi non esita un momento. Ma in realtà non si richiedeva minore energia e industria stilistica, per le sue esplorazioni di panorami pittorici, per le sue derivazioni di gerarchie e discendenze, non scolastiche e fittizie, ma native e vitali; per la realizzazione, addirittura mimetica quanto alla immediatezza, ma sviscerata dal piú lucido intelletto critico, dell'opera d'arte, che egli riesce a gettare come in una nuova materia, ricca quanto gli originali nel colore e nella passione, ma dentro alla quale, come l'ossatura sullo schermo medico, si disegna ed isola la logica formale che l'opera viva in sé nasconde.

E la riprova del successo si effettua facilmente; e anche dove poté sembrare che il Longhi insistesse nei suggerimenti, moltiplicasse le associazioni, e intrecciasse trame di rapporti troppo labili o troppo folte, si vede poi che l'opera accoglie tutto questo, agevolmente, e se ne rischiara. Un'altra prova, men gradevole, esce dal confronto del dettato longhiano, cosí pingue e tutto cose, con le languidezze degli imitatori. Non si esclude che il Longhi scuota talvolta di tratti un po' bruschi chi legge; dove la espressione verbale è troppo toccante per un concetto od una impressione subordinati, i quali finiscono, invece, col primeggiare. Per esempio nella pagina, superba, sulla *Madonna di Sinigallia*: l'angiolo dal « viso meticcio smaltato dagli occhietti di elefante sacro », e quelle chiome come sostanza madreporica: cose di un fantastico da leccarsi i baffi, ma che ci sviano in qualche modo dal punto, e traggono per cammini che a seguirli si perderebbe di vista Piero e la sua pittura. Ma ecco gli angioli del *Battesimo* di Londra. E si potrebbero, accanto a questa, o a quella degli Adamiti, riportare, dal solo libro su Piero, venti altre descrizioni non meno criticamente esatte e rivelatrici che piene di lirico afflato:

« È codesta un'umanità certamente di prima covata come quella di Masaccio, ma piú incolta ed attonita: una progenie sublimemente rustica e non villana; semplicità di pastori e non di filosofi; soprattutto quegli angelici adolescenti, venuti su dalla terra come fusti di quercia, di grossa caviglia, che in pochi anni saranno incrollabili e da viver centenni. Vestono abiti di colori interi ed opposti, di pieghe naturali cadenti, come furon naturali un tempo le cannulature delle colonne, e come naturalmente colonnari sono ancora i corpi che se ne rivestono; i capelli cresciuti in zazzere perfette ed incoltamente intrecciate, di quei volumi compatti che tolgono col tempo i velli degli animali. Gli ornamenti pochi ed acconci: semplici nastri o filzette di perle che non serrano ma van misurando dolcemente il giro del torso o del braccio, o, sul capo, un serto di foglioline o di rose conteste... I gesti poi, sono di una grave e dolce confidenza, quasi patti di amicizia e di sposato riposo ».

Non c'è bisogno di mostrare all'attento lettore come in questa scrittura, tutto che raffinatissima di lavoro, ed ornata nel vocabolario che di continuo si richiama, per mezzo di tentacoli e antenne filologiche, a linguaggi classici e dottrinari, sia lasciato a disegno qualche cosa sempre di scabro, di elementare e pungente. Mi fosse consentita una immagine, ricorderei le incrostazioni della salsedine e degli acidi marini che irritano e macchiano il cristallo della conchiglia piú gentile di tinte.

Non è fretta e, ancor meno, imperizia del prosatore sapientissimo questo rifiuto di scegliere e levigare, e il lasciar tutto su un piano, e come in continua formazione. Ma direi che egli intende affermare in atto la natura mediata e quasi provvisoria di qualunque linguaggio critico, anche cosí eletto; e con la frequenza degli appigli, offrirci di meglio seguire lo sviluppo delle sue impressioni e il processo mentale che ne consegue, e di ripeter le singole reazioni per nostro conto. Non soltanto dà i resultati delle sue indagini; ma trasporta dalla pagina del taccuino le sensazioni da cui mosse; e l'accento originario di queste, è come un ricordo ingenuo, quasi campestre, tra i fogli del volume erudito.

E chi crede aver motivo di compiacersi meno di questa prosa, romantica, mista di astratte modernità, di vestigia paesane ed incastonature del piú raro antiquarismo, vegga se soprattutto non dipenda che gli manca un vero interesse nelle esperienze che essa descrive; o addirittura la capacità delle esperienze stesse. Quanto a noi, a parte i frutti che, in sede critica e storica, essa ci porge, e che qui non possiamo neanche accennare, mai la vorremo meno laboriosa, o comunque diversa. Quando in poche scritture di minor conto: recensioni, pagine fugaci, essa diventava piú facile e fluida, la agevolazione non era di compenso; e nulla ci sarebbe stato piú caro di ritrovarci, d'improvviso, in mezzo alla pagina piú impervia e scoscesa del Longhi; in realtà, forse, la piú aprica e ridente.

(1928)

Stile di Roberto Longhi

Resterà sempre fra le piú belle sorprese della nostra giovinezza, quando sull'"Arte" del vecchio Venturi e sulla "Voce" di Prezzolini, si lessero i primi scritti di Roberto Longhi. Fuorché nella cerchia universitaria, il nome e la persona erano si può dire sconosciuti. E da ciò non saprei come e perché, si acuiva l'entusiasmo per quella splendida rivelazione letteraria. A parte una quantità di recensioni e altre cose minori, si trattava dello studio, rimasto fondamentale, che dopo piú di dieci anni diventò il famoso volume su *Piero della Francesca.* E si trattava dei grandi saggi sul *Borgianni*, sul *Preti*, sul « *Battistello* », ecc.; con i quali veniva a riaprirsi la questione del nostro Seicento.

Era senza dubbio una questione importante, vivificata dalla immensa erudizione del Longhi, e dalla scoperta e testimonianza d'opere fino allora restate ignote o con un'attribuzione erronea. Ma direi che, alla fine dei conti, il Longhi come scrittore ci aveva colpiti e conquistati piú che, come pittori, non fossero riusciti il Preti, il Borgianni e il « Battistello ». Anche qualche altro studioso avrebbe saputo investigare e sollecitare i vecchi testi, con non minore industria e scaltrezza. Nella penombra delle sagrestie, nei malinconici depositi delle grandi pinacoteche, e sotto alle croste di polvere delle quadrerie provinciali: malgrado le deturpazioni del tempo e di restauratori iconoclasti, avrebbe potuto riscoprire la vera fisionomia di tanti dipinti misconosciuti. Ma nelle sue ricerche e rivendicazioni, non sarebbe stato seguíto che da un piccolo gruppo di specialisti. Con il Longhi, la cosa andò in un modo del tutto diverso. E l'avvenimento critico e i nuovi acquisti alla storia dell'arte pittorica, per ingenti che in sé e per sé fossero, quasi risultarono inferiori all'avvenimento stilistico.

In un *excursus* bibliografico di parecchi anni dopo, riandando le vicende del saggio su *Piero della Francesca*, ch'era stato dettato, ricordiamolo, nel 1913, il Longhi ebbe di passaggio a notare che, sul primo, « il saggio non ottenne troppo buona stampa, anche per ragioni di difficoltà di lettura ». Non c'è dubbio che difficoltà e sordità di cotesto genere ce ne saranno state nell'ambiente accademico; il quale, del resto, tanto in Italia che fuori, non tardò eccessivamente a convincersi alla geniale tesi longhiana, della formazione della pittura veneta su quella sintesi prospettica di forma-colore ch'è alla base dell'arte di Piero della Francesca. Ma quanto a una diversa e piú numerosa categoria di lettori, l'effetto su di essi del saggio su Piero, e degli altri saggi giovanili d'argomento seicentesco, non ebbe nulla di « difficoltoso ». Basti pensare all'immediato profluvio degli imitatori. E si potrebbe piú propriamente chiamarlo un effetto magnetico e quasi intossicante.

È però tutt'altro che facile indicare il segreto di cotesta attrazione che, sono ormai quarant'anni, emana dallo stile di qualsiasi fuggevole pagina di Longhi. Chi volesse fare l'analisi chimica di tale stile, audace e sprezzante nel movimento, quanto laborioso e composito nella materia verbale, avrebbe da citarne di autori, antichi e moderni, nostrani e forestieri. Perché l'esperienza e l'erudizione letteraria di Longhi non è meno cospicua di quella che specificamente pertiene alle nostre arti figurative; se non forse un po' meno per ciò che riguarda l'antichità classica.

Un imprestito talmente sconfinato e spregiudicato, dagli autori di qualsiasi tempo e civiltà, sarebbe inaccettabile, anzi inconcepibile, da parte di chi avesse da esprimere un proprio mondo fantastico; come lo scrittore di romanzi, di novelle o « prose d'arte ». Ma la vocazione e il compito di Longhi sono cosa assai differente da questa. Longhi ha da introdurci in certi mondi pittorici che già esistono in sé e per sé stessi. Deve farceli realizzare piú esattamente e piú intensamente di come fosse riuscito a tanti altri critici e storici che lo precedettero. La materia verbale ch'egli consuma, nel processo di tali evocazioni e realizzazioni, può avere un'origine impura quanto si vuole. Può essere stata estratta dalle piú strane miniere, dalle piú eterogenee stratificazioni della cultura e del gusto. Può esasperarsi fino al barocco, al grottesco. Giuocare su romantiche capricciosità. Tutto ciò ha scarsa importanza; perché a tale materia, nonostante la bellezza di cui essa s'accende, una volta che sia morsa dal fuoco di questo stile, in definitiva non compete che una funzione mediata, strumentale.

Direi quasi ch'essa ha la funzione della cosidetta « materia di supporto », indispensabile in talune operazioni chimiche. È ovvio, da un certo punto di vista, che quello che sopratutto conta è il risultato di coteste operazioni: e cioè la scoperta e la conoscenza di qualche nuovo vero. Difatti, la magía, l'illusionismo e mitologismo, la stregoneria evocativa, nelle pagine di Longhi, concludono sempre con la formulazione d'una realtà (l'essenza d'una particolare opera d'arte, o di tutta una personalità artistica), cosí positiva e concreta che sembra fissata in termini scientifici. Ma Longhi è cosí forte critico e storico, proprio perché è anche cosí artista.

Approssimativamente, si potrebbe parlare, per il suo, d'uno di quegli stili a molteplici dimensioni e sfaccettature, dei quali il Sainte-Beuve dette uno dei primi esempi moderni. All'epoca e nella personalità del Sainte-Beuve, il gusto era piú cauto d'oggi, e le inibizioni tradizionali erano piú rigorose. Cosicché l'accusavano di servirsi d'una forma rotta, disossata, allotropica, equivoca, infida; che frattanto ugualmente riusciva a passare per la cruna d'un ago, e a lievitare e spaziare come il tappeto delle *Mille e una notte.*

Il Longhi non ama le postulazioni teoriche. E non dialettizza i mutamenti formali in qualche astratto schematismo; tanto piú che la sua sconfinata e minuziosa erudizione, gli consente di rintracciare e cogliere, nel documento vissuto, scritto, oltre che nel documento dipinto, l'attualità degli incontri e contatti delle singole personalità artistiche e delle scuole. Né per conto mio lo prediligo in qualche trascrizione piú distesa e deliberatamente poetizzata: come per esempio nella pagina, mirabile, sulla *Madonna di Sinigallia*; dove nella preziosità di tante notazioni, il suo tratto è meno libero, e può far pensare alle equivalenze immaginative escogitate da un Walter Pater di oggi.

A mio vedere, la sua forza piú cruda e piú specifica e rivelatrice, è dove egli s'impegna insieme al lettore in una sorta d'interna mimesi dell'opera d'arte; realizzando l'opera nell'organismo delle sensazioni liriche e dei segni che la costituiscono; vivendola, per dir cosí, nell'« interno della partitura ». La sua frase accompagna la linea di un contorno e risponde alle sue varie tensioni, fermenta nella granulazione d'un impasto coloristico; non per un procedimento descrittivo e didascalico, ma come per un'immediata innervazione ed immedesimazione nelle forze e nei valori espressivi. La quale immedesimazione si produce, fra l'altro, attraverso un gusto cosí saturo d'esperienze dell'arte moderna, che quando il Longhi parla d'un capolavoro di sei o sette secoli fa, è come se esso stesse appeso fraternamente e luminosamente accanto a un capolavoro d'oggi. Si capisce che i primi che cominciarono ad intendere Longhi avessero la strabiliante impressione che le opere d'arte di cui egli parlava erano assolutamente nuove, e ch'essi le vedevano allora per la prima volta. Longhi aperse gli occhi a un'intiera generazione di studiosi e amatori d'arte Vennero poi, come inevitabile, breviari espressamente composti per insegnare come si guarda una pittura. (Ma fecero l'effetto degli occhiali neri).

Singolare, che le virtú d'uno stile come questo, che brucia e si consuma tutto nella rivelazione critica, mentre sono tanto largamente ammirate e imitate, non abbiano ancora ottenuto preciso rilievo nelle storie della nostra letteratura (che del resto tacciono sui meriti, d'altronde diversi e minori, d'un Lomazzo, d'un Milizia, d'un Lanzi): si dice per dire come, in certi settori, siano tenaci la superstizione dei generi letterari, il conformismo accademico, e altri pregiudizi[1].

(1955)

[1] Il volume *Piaceri della pittura*, da cui è tratto il presente articolo, comprende anche recensioni al *Piero della Francesca* e alla *Camera di San Paolo* di Roberto Longhi.

Dal Romanticismo al Futurismo

Di questo grosso libro di Francesco Flora (*Dal Romanticismo al Futurismo*), si dette una notizia sommaria, quando esso apparve parecchi mesi fa; e si promise di tornare a occuparsene; ciò che oggi facciamo, con un ritardo del quale quasi vorremmo lodarci se ci ha permesso di constatare, in alcuni scritti del Flora usciti nel frattempo, l'assidua correzione di quello che, secondo noi, era il peggior difetto nel libro; alludiamo allo stile approssimativo e bombardiero.

Va benissimo, si osservava, che uno, come il Flora, intenda fare una specie di Giudizio Universale di tutta l'arte contemporanea, spartire i reprobi dagli eletti, indicare le vie della salvazione. Ma l'assunto sembrerà alquanto compromesso se, dopo poche pagine, chiunque potrà sentirsi in diritto di chiedere al giudice e scrittore perché mai egli sia tanto crudele contro ogni sorta di « sensuali », « frammentisti », « simbolisti », ecc., ecc., e tanto corrivo con sé medesimo. Non si tratta ch'egli avrebbe dovuto scriver leccato: anzi avrebbe potuto scriver faticoso, difficile, urtante; purché antirettorico e vivo. Far della rettorica contro la rettorica: occupazione mediocre; e le idee buone contan meno che niente, se, afferrate di peso, vengon trasportate dal di fuori dentro la pagina, invece di rinascervi per una germinazione affatto spontanea ed interna. Letteratura e filosofia non hanno da guadagnare dai procedimenti della « propaganda ». E uno scrittore profondamente nuovo, un creatore, potrà anche dire – non casca il mondo – qualche banalità e inesattezza intorno a Baudelaire, Rimbaud; ma un critico, che si esprime interpretando appunto, e giudicando questi Baudelaire, Rimbaud, Bergson e simili, prima di tutto deve averli digeriti. In un suo giovanile commento a Lucrezio, il Bergson ha una osservazione bellissima, dove dice che è facile confutare un filosofo: difficile è averlo capito. Quello che per i filosofi, vale per i poeti e gli artisti. Purtroppo, il libro del Flora non sembrava nutrito di ricche digestioni. E se la sua critica e polemica intorno ai piccoli scrittori dell'Italia d'oggi rientrava, a volte addirittura con ripetizioni e ricalchi, nel cerchio di diagnosi che ormai da dieci o quindici anni fanno parte della comune letteratura giornalistica, sebbene in veste migliore; nei riguardi un poco piú ambiziosi lasciava anche meno soddisfatti.

Vero è che il Flora insisteva sull'intento personale e quasi autobiografico del libro; sul carattere di « sfogo » e di confessione. Ma queste, evidentemente, sono riserve che valgono appena in via d'immagine. E quando s'è detto che un certo libro ha voluto esser soltanto un diario, resterà sempre da spiegare perché, invece d'essere un diario bello, è un diario brutto.

Ma io credo che *Dal Romanticismo al Futurismo* possa considerarsi come uno fra i numerosi prodotti di quella affettazione, anche ingenua di *superismo*, sulla quale il Croce è ritornato piú d'una volta con parole brillanti e scottanti; un'affettazione che ha molte affinità con quella del *superuomismo*, tutt'altro che desueta. Ed è curioso che tale affettazione di *superismo* compaia non infrequente in schiettissimi anzi calorosi crociani, come appunto il Flora; e addirittura nello stesso Croce. Il quale, pochi giorni fa, scrisse un'ottima noterella a favore degli « studi eleganti »: vale a dire, ricerche letterarie, storiche, a carattere aneddottico, erudito: lavori quanto mai schivi d'ogni teorica prosopopea, e tutti fondati sull'analisi, il documento, l'osservazione di fatto. Fu gran gioja legger questa noterella. Sentire illustrare da tal voce la nobiltà d'obliarsi nel passato, non a modo di maniaci viziosi e suicidi, ma con animo d'affettuosamente riviverlo e farlo rivivere. E si dimenticava quante volte il Croce sembrò proprio lui, involontariamente, dar esempio d'odio per quegli studi; por mano, e l'ironia è che lo faceva con tratto realistico, obbiettivo, al Cataclisma e al Finimondo. Accanto a pagine bellissime, altre dei suoi studi recenti su poeti e scrittori dell'ultimo secolo, sembrano, per esempio, concepite in uno spirito frettoloso, sommario e oseremmo dire brutale. E come ci fa pagar salate quelle due o tre acute osservazioni, per solito di carattere generale, che non posson mancar mai in uno scritto della sua penna! A volte le paghiamo addirittura con la testa di un poeta; il qual poeta, frattanto, senza aspettare che

Francesco Flora, scrittore, critico
e storico della letteratura italiana.

abbiamo chiuso la pagina, rinasce piú intiero di prima. E se questo succede nel Croce, immaginiamoci negli altri.

Chi è senza peccato scagli la prima pietra. E la prima pietra, da gran tempo, per quel che mi riguarda, io me la son tirata da me; e altro che la prima! Il piú dei giorni, l'aria sotto queste colonne risuona di *mea culpa*, e pugni che mi dò sul petto che ci pare una gran cassa o la novella di Calandrino. E non dipende perché quell'Adorazion Perpetua del Verbo che, fraintendendo il povero Serra, alcuni grottescamente incappati instituirono soprattutto per aver occasione di farsi gran riverenze gli uni con gli altri, oggi mi paja meno ridicola di quanto m'è parsa sempre. Non dipende da lussuria frammentista, da ipocrisia classicista, da eclettismo panciafichista, e altre e simili cose. Ma la gran benedizione dell'arte è che, quanto piú uno se ne satura, e piú ne desidera, invece di stancarsi; e vorrebbe meritarne. E soltanto nell'estrema delicatezza e nella piú ricca facoltà di penetrazione, sembra poter consistere l'estrema severità. C'è un momento che nel mondo si crede esistano appena dieci libri davvero belli; ed è un momentaccio; uno di quei momenti che a mettersi a scrivere si può essere sicuri di scrivere delle idiozie. E c'è, dopo, un altro momento, e bisognerebbe cercar di conservarselo vita natural durante, che i libri belli diventan molti, tanti che si comincia ad aver paura di non poter leggerne neanche la decima parte un po' a modo. Il ragazzo, questa caricatura dell'uomo, si chiude in una stanza con un Leopardi che intende alla rovescia; a volte si sbottona giú in due o tre quartine; piú di solito scrive allo zio una lettera sgrammaticata per chiedergli dieci lire. Via via, col crescere, se la sente sempre meno di fare a confidenza coi massimi, comincia a contentarsi dei comprimari; infine è portato a giudicare con fastidio quelli che hanno sempre la bocca piena di Michelangioli e di Danti. Ha capito che, per capire un libro, un quadro, bisogna averne capiti tanti, e tanta vita; averne viste, diciamo la verità, di tutti i colori. Ma se si contenta di poco, è perché questo poco lo realizza appieno; non perché abbia abbassato il canone; tutt'altro. E guardate gli artisti, quanto piú forti e piú sani. Un artista non vorrebbe per nulla confonder le proprie espressioni con quelle d'un altro; o farsi batter da un altro nelle naturali e fatali competizioni. Ma quanto ad intendere, è un altro pajo di maniche. Parlate d'arte e d'artisti con un vero artista: preferibilmente a quattr'occhi. Cercate di conoscer le sue letture. O sfogliate le *Crestomazie* ordinate dal Leopardi: c'è tanto che basta.

Per tutte queste considerazioni, trattando del Flora, ci sembrerebbe ingiusto insistere su molti atteggiamenti e sullo stile d'un libro che egli ormai s'è lasciato alle spalle. Anche oggi in alcuni giudizi potrà persuader meno; o tradire certi residui della vecchia ed esteriore polemicità. Ma la disposizione è profondamente cambiata; e i suoi gusti realistici e antirettorici egli dimostra di saper non soltanto bandirli, ma concretarli; portarli originalmente alla misura dei fatti. Nell'aula degli « studi eleganti », intesi anche piú largamente di come il Croce sembrava intendere, ha insomma il suo scranno. Non crede, purtroppo, che, quando è entrato, egli abbia visto di gran gente ad aspettarlo.

(1923)

«Letteratura e vita nazionale» di Antonio Gramsci

A parte le *Lettere dal carcere*, con il loro dolente contenuto di ricordi e di affetti, è probabile che questo sesto volume delle opere di Antonio Gramsci: *Letteratura e vita nazionale*, sarà quello destinato a piú larga fortuna. Si anima da esso un'immagine singolarmente vivace dell'uomo, con le sue numerose curiosità culturali, con le sue morali intransigenze e i suoi scatti polemici. Nel contatto con una quantità di argomenti particolari, la sua capacità d'osservazione si fa piú snodata e penetrante, sciogliendosi da certi immaturi schematismi che un poco appesantiscono e aduggiano le trattazioni di altri volumi sul *Materialismo storico*, il *Risorgimento*, ecc. Il forte istinto critico, l'acutezza psicologica, sprizzano in tratti non di rado meramente incidentali, ma sufficienti alla testimonianza di tutta una formazione mentale, di un gusto e di un temperamento; sullo sfondo costante di una umanità del sentire e di un amore del vero, che del carattere del Gramsci costituiscono infine il segno piú bello.

A differenza dagli altri cinque tomi delle opere, una parte di questa *Letteratura e vita nazionale* non proviene esclusivamente dai *Quaderni del carcere* ma accoglie le cronache di teatro scritte dal Gramsci durante il quadriennio 1916-1920, per la edizione torinese dell'"Avanti!" Cronache che a me sembrano oltre che sostanziose, gustose; ma che, per la mia scarsa competenza dell'argomento, tralascio. Non occorre sottolineare l'importanza che il teatro doveva avere per un critico come Gramsci, preoccupato soprattutto dei rapporti fra cultura, letteratura e vita della nazione. Su Pirandello, allora nel pieno sboccio del suo talento drammatico; sulla relazione fra teatro e cinema, anche dal punto di vista dell'industria dello spettacolo; su talune fra le nostre principali figure di attori, e un'infinità di altri motivi e pretesti: quello che il Gramsci ha da dire, non ha perso nemmeno oggi la sua opportunità e il suo mordente.

Ma la sezione piú importante del libro è costituita da oltre centocinquanta note di critica e varia letteratura, tratte da una ventina dei « quaderni » suddetti, e ordinate per argomento. Filo conduttore, già abbiamo accennato, la questione dell'impopolarità della letteratura italiana: il cronico distacco fra la letteratura e la realtà nazionale e popolare. Per i quali riguardi, il Gramsci si richiama al De Sanctis delle ultime pagine della *Storia*, con quel loro appello eloquente a favore d'una poesia non piú arcadica e d'una cultura tuffata nella vita; e non c'è bisogno di aggiungere come per lui il toccasana, l'elemento risolutore, non possa essere fornito che dall'ideologia marxista. Piú o meno, le centocinquanta note battono e ribattono tutte su cotesti punti; ora nel tono della vera e propria discussione critica, ora in quello della schermaglia, ed infine dell'invettiva. Il Gramsci è uomo di azione, né fa niente per nasconderlo. E malgrado quanto prima s'è detto, e riconfermiamo, circa il suo senso d'umanità e il suo amore del vero; anche lui, nel calore dell'azione, ogni tanto torna alla pratica del vecchio proverbio « che i colpi non si dànno a patti ».

Sbaglierebbe, per altro, chi credesse di vedergli esasperare uniformemente, nei suoi giudizi, le misure d'una bigotta ortodossia. Sensibilissimo alle ragioni morali e d'una fede sincera, la sua polemica è frequente di eccezioni, ed anche di apparenti contraddizioni. È troppo chiaro, per dirne una, che intorno al significato ideologico di Oriani, egli non potrebbe illudersi neanche un istante. Non per ciò il suo atteggiamento si fa ostile e irrispettoso. Il vago e oratorio socialismo nazionalista di Pascoli, gli è piú accettabile dell'agnosticismo di altri letterati. E sebbene a un dato punto egli perda la pazienza, e diventi severo fino alla crudeltà, nei riguardi di taluni uomini della "Voce"; gli intenti di questa rivista, e i risultati che in parte essa riuscí ad ottenere, trovano nei « quaderni » un apprezzamento assai equo.

Che in Manzoni, nei confronti del popolo, non sia che un compatimento benevolo e colorito d'ironia, parrà opinione tutt'altro che sicura. Il guaio è che tale opinione di Gramsci ebbe ed ha corso anche in forme piú imprudenti, e che nemmeno giustifica la polemica cui egli cercava di farla servire. Nel cenacolo carducciano, per esempio, sul Manzoni ne furono dette di piú gratuite e piú grosse. E quando infine ci s'incontra, fra cento altre cose, nell'ammirazione tanto fervidamente espressa dal Gramsci per Cesare, generale, uomo politico e prosatore, che qualsiasi ranocchio radicaleggiante ostenta di guardare col cipiglio di Bruto, una volta piú si ha la conferma che il Gramsci era restato essenzialmente un uomo libero, nel cervello e nel cuore.

Per l'accennato fenomeno del distacco fra letteratura italiana e vita nazionale, Gramsci, ancora sulla scorta d'uno scritto del De Sanctis, adottò un termine: *Brescianesimo*, che, con piú diretto riferimento alle ragioni dell'eredità e dell'educazione forcaiola e gesuitica, in sostanza corrisponde ai termini di *Estetismo, Dannunzianesimo, Decadentismo*, ecc. adoperati da altri storici e critici della letteratura recente. Una serie di macchiette, caricature, ritrattini in punta di penna, è appunto intitolata nel libro ai *Nipotini di padre Bresciani.* Ma la frattura, il distacco, chi osservi bene, non colpiscono esclusivamente l'Italia: affatto. Lo stesso Gramsci li indica con precisione nella moderna letteratura francese; come non sarebbe difficile in quella delle isole britanniche. Il che trasferisce tutta la questione su un piano molto piú vasto: morale e religioso, oltre che estetico ed economico. E non soltanto coinvolge il meschino provincialismo italiano, ma l'intiera situazione dell'arte nella civiltà postrinascimentale. Su cotesto piano, il Gramsci non poteva piú seguirla, se non come egli fece, da uomo d'azione, col sacrificio della propria vita. È in tale sacrificio che la sua letteratura trascende sé stessa, e trova la pienezza dei propri significati.

(1951)

La crisi della critica e Pancrazi

S'è sentito da piú parti discorrere, recentemente, d'una specie di crisi della critica nostrana, nel senso che i critici, scoraggiati, andrebbero ritirandosi sotto la tenda. Io non direi.

La curiosità e la baldanza con cui quest'attività venne ripresa in Italia, quando, all'incirca verso il 1907, le idee del Croce cominciarono realmente a penetrare e ad agire nella nostra coltura, certo non hanno potuto durare, né sarebbe stato augurabile durassero a quel modo, senza dubbi e pentimenti. Ci sono state, insomma, nei migliori: Gargiulo, Borgese, ecc. crisi e crisette, ritocchi e ritorni, con un bisogno, quasi sempre, di concretezza maggiore. Ma di crisi della critica, nel senso sopra accennato, non è il caso di discorrere.

O se tutti non facciamo che criticare! Gli autori ci dànno del boja, se criticandoli li arriviamo un po' troppo. Ma, se poi non li critichiamo, ci dànno titoli anche peggiori, onde conviene far buon viso a cattivo giuoco, e criticarli e non pensarci piú. Anche gli editori fremono di passione critica, anzi autocritica; e si discutono da sé i propri scrittori, o li fanno discutere da giovanetti di belle speranze, appositamente reclutati. Si tratta non occorre dirlo, d'una critica piuttosto ottimista. E, leggendo tanti periodici editoriali, parrebbe che ciascuno degli scrittori a cotesto modo criticati fosse, rispettivamente, il piú grande scrittore d'Italia. Forse voglion dire che ciascuno è il piú grande, nel suo genere. E ora che i generi letterari sono stati uccisi e ci sono tanti generi quanti scrittori, anzi quanti libri, se ne ricava che ciascuno è il piú grande in quanto è sé stesso, anche se, in fondo, è il piú piccolo. Filosoficamente non fa una grinza. Ma credo che agli autori piacesse di piú in quell'altra maniera, alla maniera di prima; quando dicendo che uno era il piú grande, s'intendeva ch'era proprio il piú bravo, e che contava piú di tutti. Salvo poi a vedersela fra loro, i cinque, otto, venti, ch'erano ognuno il piú bravo; e risolvere fra loro, magari a cazzotti, la gran questione di chi fosse il vero Pandolfo.

Crisi dunque no. Basterebbe osservare quante nuove reclute accorrono nell'agone, scotendo armi che altri, piú sperimentati, hanno da tempo sostituite con nuovi modelli, o date a rimodernare. Si rivedono in giro elmi arrugginiti, spadoni a sega, fucili a pietra. E piú d'uno strascina sulla posizione qualche decrepita colubrina, e si tiene, con la miccia in mano, pronto a far fuoco, avendo accuratamente caricato a noci e fichi secchi.

Dopo un breve periodo d'oscuramento, ai giorni della moda sensibilista e futurista, la critica a base di drammi dialettici e sintesi degli opposti ritrova favore. È la critica alla maniera forte, che attacca, d'abitudine, con un « S'ode a destra uno squillo di tromba; A sinistra risponde uno squillo »; e fa manovrare intieri battaglioni di scrittori su immense carte topografiche segnate di bastioni, fortezze, campi trincerati, e bandierine. In mezzo al sangue e allo stridere della pugna, il Soggetto cerca l'Oggetto, ansiosamente. E quando infine si ritrovano e s'abbracciano, polverosi e feriti, è una festa da far piangere i sassi. Prediligono cotesto genere quelli che meno si intendono di filosofia, di poesia e d'arte. E quanto meno se ne intendono tanto piú son convinti di servire, con coteste pratiche, una formidabile vocazione...

Ma il lettore ha già sentito tanto da saper che cosa rispondere, almeno sulle generali, se mai in una conversazione gli càpita l'argomento della crisi della critica.

Passiamo a qualche esempio concreto.

Nei mesi che immediatamente precedettero la nostra guerra, i curiosi di novità letterarie avevan cominciato a notare, su qualche giornale, la prosa e il nome di Pietro Pancrazi. Il Pancrazi, a quei tempi, fece anche la sua apparizione, su quella vera zattera della "Medusa" che fu l'ultima "Voce" fiorentina. Era facile osservare che, fra i naufraghi e derelitti, aggrovigliati su cotesta zattera, egli non si mostrava per nulla stravolto. Stava in panciolle, in mezzo alla catastrofe, come in un salottino. E mentre gli altri arrancavano con le formule sensibiliste e decadenti, stimolandosi reciprocamente, e rifacendo tutti gli eccessi dell'estro, della disperazione e della follia, il Pancrazi nulla, sempre bonino. Il che non accadeva, com'è spesso nei manicomi, perché l'unico che si teneva tranquillo, fosse, in realtà, il piú pazzo di tutti.

Fin da principio il Pancrazi aveva capito sé stesso, e aveva visto quello che poteva convenire al suo temperamento, nelle forme e formule in corso. All'incirca, egli riprese l'atteggiamento critico del Serra; di certo con meno brivido, minore maestria stilistica, ed evitando di emulare quanto, nel Serra, molte volte, per un impeto profondo saliva alla vera poesia. Si contentò di darci una specie di Serra in prosa, lievemente disseccato.

E se nel Serra, come apparve dallo studio su Paul Fort, e forse apparirà anche meglio quando usciranno i frammenti inediti su Kipling, se nel Serra, come del resto anche nel Gargiulo, la limitazione del campo critico a soggetti italiani, contemporanei, e in certo senso addirittura locali, non significava affatto mancanza di curiosità ed esperienza riguardo all'arte d'altri tempi e paesi, nel Pancrazi cotesta limitazione è perfino piú stretta. Il che non vuol dire ch'egli non legga gli stranieri e gli antichi. Ma che rinuncia, almeno per ora, ad impegnarvisi. Non ho tempo di fare un riscontro rigoroso. Ma credo si potrebbero numerare sulle dita di una mano le volte nelle quali, complessivamente, egli s'è giovato d'un riferimento storico, colturale, per chiarirci la sua idea d'un autore; ch'è poi, quasi sempre, un autore conosciuto anche di persona, e ch'egli può aver lasciato, un'ora fa, dopo una discussione d'arte o una partita a bigliardo, in una libreria o in un caffè. Qualcuno, in cotesto atteggiamento, ama vedere soprattutto una certa timidità, o addirittura viltà letteraria. Io ci vedo una prudenza, tutt'altro che priva di proposito e di effetti.

L'ufficio critico, come il Pancrazi l'intende, consiste nel ridurre lo scrittore preso in esame non tanto alla formula piú intensa e pregnante, quanto alla formula piú generale e pacifica. E se nell'opera di quello scrittore ci sono, per cosí esprimermi, delle montagne e delle vallate, delle guglie e delle depressioni, piene di contrasti di luce e d'effetti romantici, il Pancrazi non mancherà di osservarle di buona voglia, ma sempre col binocolo; senza uscire da una zona media, abitata e coltivata. La sua realizzazione psicologica degli scrittori è, cosí, scolorita, priva di avventure, o rianimata solo da qualche tratto incidentale, tanto per far vedere che quella povertà di colore risponde a un intento, e non dipende da insufficienza. Ma il consenso estetico complessivo è fondato su un ordine d'impressioni difficilmente oppugnabili; e alle quali c'è, talora, da aggiungere, ma quasi mai nulla da ritagliare. Il Pancrazi, in altre parole, concede il minimo. Attesta quello ch'è impossibile negare. Reagisce agli stessi stimoli dell'estetica eccentrica e sensibilista dalla quale proviene, riportandosi di continuo sulla piattaforma del senso comune. È un esteta borghese, nel senso onorevole di queste due parole. Gli enciclopedici si partivano dall'ipotesi del « selvaggio nell'isola deserta », dell'Adamo, della « tabula rasa ». I decadenti e i pascoliani, a loro volta, cercavano di rifarsi dal « fanciullino ». Si potrebbe dire che il Pancrazi, davanti ai suoi autori, predilige, soprattutto, l'attitudine dell'« uomo comune ». Tutte le sue doti di sensibilità ed evidenza critica sono impiegate a rendere, nei termini piú aderenti le impressioni piú prevedibili. Nel recente volume: *Ragguagli di Parnaso*, dove il Pancrazi ha raccolto una quindicina di saggi intorno a Panzini, Linati, Tozzi, Jahier, Cardarelli, Baldini, Palazzeschi ecc., ecc., il lettore potrà riscontrare la giustezza o meno di quanto finora s'è detto.

Certo, l'« uomo comune », ch'è dietro la critica del Pancrazi, non esiste in natura; come non esiste in natura il « fanciullino », il « selvaggio dell'isola deserta ». Il suo è l'« uomo comune » spogliato delle opinioni, passioni e pregiudizi; ridotto a pura tonalità, a puro schema, forma. Di qui, anche un carattere un poco astratto e innaturale che, a volte, questa critica finisce con l'assumere. O meglio un carattere reticente: quasi il Pancrazi tema che, con lo svolgere in tutte le conseguenze una constatazione o un giudizio, possa accadergli d'uscire da quella zona mediana della quale si parlava sopra; e insomma di prendere, involontariamente, posizione. È il difetto dei temperamenti « comprensivi »; nei quali infine entra sempre un che di sordo e indifferente.

Staccandosi, insomma, grado a grado dal Serra, il Pancrazi è venuto educando coteste sue disposizioni, in quanto a gusto filologico e fatto di stile, piú di tutto sugli scrittori toscani, o vissuti nell'atmosfera toscana, dalla seconda metà dello scorso secolo: il Capponi, il Martini, ecc. ecc.; ed è difficile trovarne, oscuri o quasi addirittura ignorati, dai quali non ci sia da imparare. I segni della loro scuola si rintracciano, nei suoi scritti, anche in certe mosse anedottiche e pigli d'ironia.

Sta il fatto che la dimessità e ingratitudine delle mansioni che un critico di letteratura italiana contemporanea, come il collega Pancrazi, si trova costretto ad esercitare, è veramente fatta per indurre, come a un sollievo e forse anche come a una vendetta, all'uso dell'ironia. Ma dove cotesta ironia personale e intima allo scrittore, si sovrappone alle « reticenze » cui lo invita il suo particolare processo critico, l'effetto è un poco stridulo e stonato. Se ne riporta allora il senso che lo scrittore derida la insufficienza e diserzione degli altri, nello stesso momento che anche lui retrocede e diserta.

Ma scrivendo intorno alla pretesa *débâcle* della critica, non mi proponevo di parlare del Pancrazi soltanto. E invece il Pancrazi m'è venuto mangiando tutto lo spazio.

A parte i fabulosi restauratori e innovatori cui alludevo in blocco, sul principio; avrei voluto accennare agli scritti ultimi di valentuomini come il Gargiulo, che s'è svegliato tutto ringiovanito da un sonno quasi decenne; il Tilgher, troppo noto per voler dirne qualcosa in due righe; Sebastiano Timpanaro, sconosciuto invece dalla massa del pubblico, ma del quale il volumetto *Scritti liberisti* merita

LACERBA

Periodico quindicinale — *Qui non si canta al modo delle rane.*

Anno I, n. 6 — *Firenze, 15 marzo 1913* — Costa 4 soldi

CONTIENE: PAPINI, Contro il futurismo — BUZZI, La fantasia di Magdeburgo — MARINETTI, Adrianopoli assedio orchestra — FOLGORE, Sensazione di turbine — BOCCIONI, Fondamento plastico della scultura e pittura futuriste — GOVONI, La città morta — CARRÀ, Piani plastici come espansione sferica nello spazio — PALAZZESCHI, Una casina di cristallo — SOFFICI, Giornale di bordo — PAPINI, La risposta dei romani — TAVOLATO, Glossa sopra il manifesto futurista della lussuria — Sciocchezzaio.

PAPINI.

CONTRO IL FUTURISMO

1.

Non essendo io nè futurista nè firmatario di nessun manifesto futurista nè autore di nessun libro pubblicato fra l'edizioni di *Poesia* — avendo anzi criticato liberamente in queste medesime pagine alcune forme ed attitudini del Futurismo — posso tranquillamente illudermi di conservare ancora una certa obiettività e serenità di spirito per rispondere con calma quasi passatista alle più comuni accuse che si muovono dalle " persone serie " a questo movimento. Che se poi con queste difese riuscirò spiacente nel medesimo tempo ai " pagliacci " e alle suddette " persone serie " sarà segno che mi sarò avvicinato abbastanza alla verità.

2.

La prima accusa che si fa ai futuristi è quella d'*insincerità*. " Son dei buffoni, dei viveurs blasés, dei letterati e pittori falliti che voglion far del chiasso per farsi conoscere ma in fondo non credono profondamente nè a quello che fanno nè a quello che dicono ". In certi momenti, anni fa, avevo anch'io gli stessi sospetti. Ma la lettura degli ultimi libri, la vista degli ultimi quadri e soprattutto la conoscenza personale con la maggior parte dei loro autori hanno un po' cambiato la mia opinione. Io non asserisco che tutte le loro poesie e le loro pitture sian capolavori ma posso attestare dinanzi a chiunque che questi giovani hanno una sincera passione per l'arte e un reale interesse, per tutto quello che all'arte si riferisce; posso assicurare che essi cercano, si tormentano, lavorano, indagano e pensano per fare qualcosa di nuovo e di solido. Se non sempre ci riescono, se non tutti ci arrivano la colpa non è di loro. C'è la volontà febbrile, il coraggio, l'inseguimento - ed io li preferisco, così come sono, alle migliaia che li disprezzano tranquillamente senza conoscerli, fra una sigaretta e l'altra, e che li accusano di falsità mentre son loro stessi marci e putrefatti di letteratura e di rettorica.

3.

Altra accusa: perchè non si contentano di fare dell'arte, (libri, quadri) invece di fare i buffoni sui palcoscenici? — Era precisamente la mia impressione di tempo fa. Ora comincio a capire anche le ragioni serie delle " pagliacciate ".

Prima di tutto occorre ricordare un fatto visibilissimo eppur dimenticato: l'attività dei futuristi non si esaurisce affatto nelle famose " serate " o " accademie " o " meetings " che danno tanto sui nervi alle persone posate e per bene.

Sui trecentosessatancinque giorni di cui è composto l'anno civile i futuristi fanno i " pagliacci ", poniamo, venticinque giorni. Gli altri trecentoquaranta lavorano: ne fanno fede i loro volumi, ne fanno fede le molte esposizioni fatte in tutta Europa (compresa l'Italia) e i loro studi e i loro cassetti. Ora come si permette al buon negoziante che ha sbrigati i suoi affari o al professore che ha sudato nei laboratori e nelle librerie di andar la sera al circolo, al caffè concerto, all'operetta e magari al Bal Tabarin così mi pare che si può permettere un'ora di chiasso, di svago, di rumore, dopo undici ore di lavoro — un mese di " pagliacciata " dopo undici mesi di " lavoro artistico ".

C'è poi un'altra osservazione da fare: le serate futuriste non sono buffonate tanto per colpa dei futuristi quanto per colpa degli ascoltatori. I futuristi vorrebbero far sentire della musica, della poesia, delle idee. La musica sarà dissonante, la poesia sarà bizzarra, le idee saranno bislacche ma non hanno poi in sè tanta buffoneria da fare sganasciare due o tremila citrulli che non sarebbero capaci di far nulla di migliore.

(A me, per esempio, fanno più ridere le poesie di Mazzoni o di Moschino che quelle di Palazzeschi o di Buzzi. È questione di gusti).

Ma il pubblico che accorre a quelle serate non vuol sentir nulla. S'è messo in testa che c'è da ridere e vuol ridere a tutti i costi. Non vuole ascoltare nè musiche nè versi — si vuol divertire. E per divertirsi impedisce ai futuristi di farsi sentire e arriva perciò alla curiosa conseguenza che *il pubblico si diverte di sè stesso* — cioè dei suoi urli, delle sue sghignazzate, delle sue scariche di vegetali. Il futurismo è un pretesto: la gente ride di sè e soltanto di sè. Prova gusto a sentirsi in gran numero contro dieci o dodici poveri diavoli d'artisti che non domanderebbero di me-

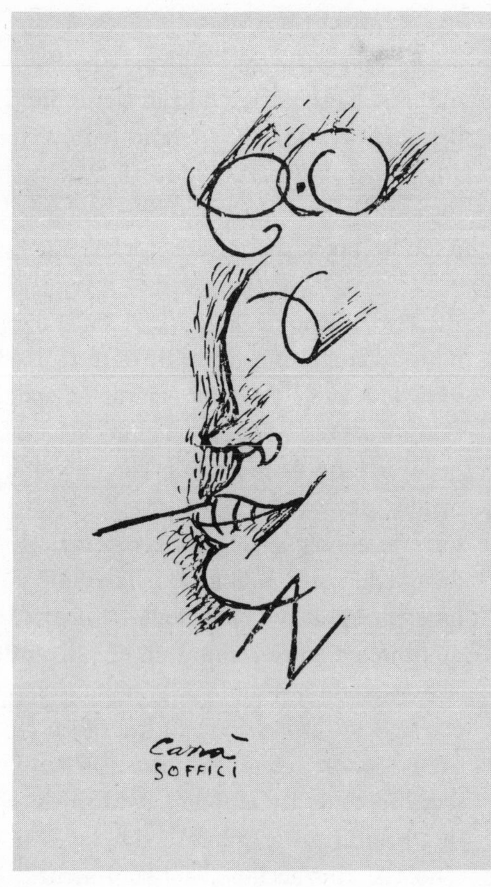

Il numero 6, anno I, della rivista letteraria "Lacerba" con un polemico articolo di Papini. Caricatura di Papini eseguita da Soffici e Carrà.

di esser discusso con ogni attenzione; il Tonelli che vede molto piú di quanto non ami far credere, ma spalma i suoi giudizi d'una vernice d'officiosità, lavati dalla quale uscirebbero tutt'altri; il caro maestro E. G. Parodi, con i suoi bellissimi saggi su Francesca, Brunetto, Farinata, nel libro *Poesia e Storia nella Divina Commedia.* Sarà per una prossima volta.

Per concludere col Pancrazi: io credo che nei *Ragguagli* egli abbia maturato la sua crisi di pudore, di riserva e prudenza; che tale, in sostanza, è il significato positivo delle disposizioni che ho cercato di rilevare. Perché certuni son destinati a osare prima, e pentirsi e umiliarsi dopo. Altri, come appunto il Pancrazi, cominciano con l'umiliazione, anche se venata di leggere irritazioni e rivolte; e si sciolgono ed osano in un secondo tempo soltanto.

Oggi egli saprebbe certamente ornare quella prudenza, di sottili e nuove grazie retoriche, e conferirle una disinvoltura e una leggerezza anche piú squisite di quelle che ritroviamo in molte pagine del suo libro. Non farebbe, con tutto ciò, il passo unico e necessario che può avviarlo a una critica di natura costrut-

Numero de "La Voce" (1908-1916).

LA VOCE

Esce ogni giovedì in Firenze, via dei Renai, 11 ✤ Diretta da GIUSEPPE PREZZOLINI ✤ Abbonamento per il Regno, Trento, Trieste, Canton Ticino, L. 5,00. Estero L. 7,50.
Un numero cent. 10, doppio cent. 20 ✤ Dono agli abbonati: Bollettino bibliografico ✤ Abb. cumulativo con 6 " Quaderni della Voce „ L. 9. Estero L. 13 ✤ Telefono 28-30.

Anno III ✤ N° 11 ✤ 16 Marzo 1911

LA QUESTIONE MERIDIONALE

con articoli di GIUSTINO FORTUNATO - GUGLIELMO ZAGARI - AGOSTINO LANZILLO - ROBERTO PALMAROCCHI - F. SAVERIO NITTI - ALFREDO CARONCINI - GIUSEPPE DONATI - GAETANO SALVEMINI - GENNARO AVOLIO - ETTORE CICCOTTI - LUIGI EINAUDI

LE DUE ITALIE

Che cosa è la questione meridionale?

La domanda può sembrare ingenua, dopo he in questi ultimi anni non si è fatto se on parlare di essa. Eppure è tuttavia necesario un esame preliminare de' termini della ontesa, tanto le idee sono ancora incerte e onfuse.

Che esista una questione meridionale, nel gnificato economico e politico della parola, essuno più mette in dubbio. C'è fra il nord il sud della penisola una grande sproporone nel campo delle attività umane, nella tensità della vita collettiva, nella misura e el genere della produzione, e, quindi, per 'intimi legami che corrono tra il benessere l'anima di un popolo, anche una profonda versità fra le consuetudini, le tradizioni, il ondo intellettuale e morale. Il sud abbraccia, sieme con le province napoletane, le isole di icilia e di Sardegna, perchè se fra esse esiono non poche differenze quantitative, i molti roblemi, che formano la intera questione, ono sostanzialmente identici. Ora è innegale vi sia un dissidio più o meno grave tra a metà e l'altra d'Italia, ricomposte dopo ecoli in quella unità, che Roma aveva data il medioevo aveva tolta alla penisola.

Nè il dissidio è più occulto. Come lontani, er esempio, dalla tornata del 6 aprile 1865 ella prima Camera italiana, quando un detato piemontese, che non altro aveva osato re se non di scorgere poca simpatia fra le arie regioni del nuovo Regno, dovè smetere tra' rumori e le generali disapprovazioni ell'assemblea! « Prego l'onorevole interpelante », esclamò corrucciato il presidente Casnis, « di non esternare pensieri che sono ltrettanto sconvenienti quanto infondati (*Bene, ravo!*) ». E il Lamarmora, presidente del Consiglio de' ministri: « Sorgo per protestare con-o un'asserzione assolutamente contraria al ero, che mi fa credere che l'onorevole Mihelini non sia andato più lontano di Moncalieri (*Viva ilarità*); perchè se egli avesse ome me viaggiato per le varie provincie del egno, si sarebbe persuaso che l'Italia è unita olto più degli altri paesi da lungo tempo ormati! (*Ha ragione! Applausi*) ».

Certo, fortunatamente unita; ma tutt'altro he concorde tra una parte, che raggiunto un otevole stato di agiatezza, si crede impaciata e si sente impedita dal tardo progredire dell'altra, e questa, a sua volta, sospetta che a fraterna floridezza non sia tutta dovuta virtù propria od a cause di preminenza naurale. Donde, ne' cuori e nelle fantasie, una vaga diffidenza che turba e irrita, un rancore sordo che il sentimento patriottico attutisce, non sopprime, perchè conseguenza d'un fenomeno sociale, le cui dolorose manifestazioni si palesano, un giorno più dell'altro, ad ogni lieve contrasto.

La questione, per ciò, quale oggi comunemente si agita davanti al paese, ossia, come un'acre querimonia di dare e di avere, di profitti e di perdite, che faccia capo ad una febbrile gara di appetiti intorno al « bilancio della spesa », non è, no, la questione meridionale nei veri suoi limiti, nel vero suo aspetto della coesistenza di due civiltà, che la geografia e la storia hanno rese differenti, in un sol corpo di nazione. Finchè, assordati dai clamori del volgo, saremo ne' presenti confini, è vano attendere la soluzione del problema da uno o dall'altro espediente parlamentare.

Poi che il vero è questo: troppe cose bisogna che mutino, prima di potere incamminarci per la via maestra; bisogna, soprattutto, che muti radicalmente il giudizio che noi stessi, meridionali, abbiamo del Mezzogiorno. Pensare che con una o più leggi di larghe sovvenzioni, in cinque o dieci anni sia dato « elevare » il sud alle condizioni del nord, attuando quella « perequazione economica », a cui tutti inneggiano, è una illusione funesta, quando non è una leggerezza imperdonabile.

Quale è dunque la ragione della inferiorità del Mezzogiorno, e di che mai si tratta, affinchè lo Stato possa sicuramente assumere un indirizzo più consono alla realità delle cose?

★

Il maggiore avvenimento che dovrebbe fermare l'attenzione degli studiosi della storia d'Italia, e che invece più di ogni altro passa inosservato, è quello, non tanto dello spezzarsi in due della penisola appena su lo scorcio del secolo IX l'unità politica, originariamente imposta da Roma alle due Italie dell'antichità, il Sannio e l'Etruria, venne infranta, quanto dell'improvviso vario atteggiarsi dell'una parte e dell'altra, e, lungo il corso di mille anni, del costante diverso loro cammino in tutte le manifestazioni della vita nazionale. Eppure il fatto è così straordinario, che pare piuttosto favola che storia.

Mezza Italia, dal Tevere in su, tanto più facilmente aperta alle incursioni nemiche, nè mai più politicamente una, chè anzi divisa e suddivisa sotto le forme più opposte di costituzioni — dallo Stato ieratico de' Pontefici alla Repubblica democratica di Firenze, dalla potente oligarchia di Venezia al principato assoluto del Piemonte, da' mille floridi Comuni alle cento splendide Signorie — serba intatto il carattere sociale di un paese essenzialmente omogeneo, la cui connessione si fonda su l'autonomia del municipio. Al contrario l'Italia meridionale, dagli Abruzzi e dal Lazio in giù, la stessa frontiera che solo al 1860 sparve — ci auguriamo — per sempre, attraverso tutte le età, con qualsiasi forma di governo, soggetta o non allo straniero, rimane immota come un sol corpo intorno a un centro solo, ora Benevento ed ora Napoli, e al pari delle isole, sempre organizzata feudalmente anche quando il feudo, politicamente prima, giuridicamente poi, tende altrove a sparire. Perchè mai una tanta differenza, rappresentata lassù dalla precoce nascita, quaggiù dalla perenne assenza del Comune?

La ragione è semplice.

Il Comune, si sa, ebbe origine dalla riunione nelle città degli uomini liberi contro il dominio de' signori di campagna: fu il terzo stato, la borghesia, che si levò per tempo di contro al feudo; e borghesia vuol dire industria e commercio, ossia, libero esercizio del lavoro umano, fonte di ogni umano benessere. Trà noi il terzo stato mancò, debole e scarso fu il campo delle private attività, assai tardo l'incremento della pubblica ricchezza: arbitri del paese furon sempre i baroni, in lotta fra loro e con le monarchie da essi mutate e rimutate; nè il nuovo ordine di tempi e di cose, determinato dall'avvento della borghesia, ebbe quaggiù inizio prima del 1799. Per ciò solo il Mezzogiorno, rimasto sino a ieri feudale come nel più lontano medio evo, non eguagliò mai il gran moto di civiltà della rimanente Italia.

Un paese fin da prima arretrato, a causa della sua povertà: questo il fenomeno secolare dell'Italia meridionale, « tuttora simile a una macchina spinta sopra un binario morto in mezzo al gran movimento di cento locomotive ». Opera della natura, o non piuttosto degli uomini? Cotesta domanda si rivolse, ora non è molto, uno studioso, — promovendo una larga inchiesta, che tutto o quasi attribuì al malgoverno indigeno e straniero, nulla o assai poco a' rapporti che necessariamente corrono fra un popolo e la sua terra di abitazione: solito têma di declamazioni, la Spagna e i Borboni; quasi la dominazione spagnola fosse stata più mite in Lombardia, e il governo borbonico di Parma meno malefico del nostro. Parve già molto se alcuni avvertirono l'isolamento, cui la posizione geografica a lungo ci condannò: a pochi balenò il sospetto, che essendo il grado di sviluppo fisico e morale di un popolo correlativo alle condizioni di clima e di suolo, le cause del ritardato progresso fossero particolarmente da ricercare in queste. Nessuno ricordò le singolari asprezze della struttura topografica, che fanno della bassa Italia un regno appartato e fuor di mano, il regno della discontinuità, con gl'intrigati laberinti delle sue montagne franose, con i molti sregolati suoi torrenti in cambio di fiumi, con tanta frequenza di deserti non irrigui nè irrigabili, su cui impera la malaria; nessuno diede la debita importanza al fatto, sempre più accertato, che la nazione italiana è formata di due stirpi originariamente dissimili, l'Aria e la Mediterranea, l'una prevalente al nord, l'altra al sud del meridiano di Roma, sottoposte a ineguale vicenda di nascita, di vita e di morte, a un diverso atteggiamento dello spirito e dell'intelletto...

★

Naturalmente povero, il Mezzogiorno, che ragioni fisiche distinguono a prima vista e rendono inferiore al resto della penisola.

Guardando una carta geologica d'Italia, tutto l'Appennino dal mare ligure al mare ionico, ha una doppia colorazione: nella ossatura mediana, di terreni calcari dell'epoca secondaria, e, sui fianchi laterali, di terreni argillosi e marnosi dell'epoca terziaria; ma con questa differenza, — che le argille e le marne, nella straordinaria loro varietà di forme, prevalgono assai più nella regione meridionale, tutta insieme contrassegnata da una speciale distribuzione demografica: lassù sono zone, quaggiù larghe plaghe, che trasversalmente dal Molise alle Calabrie, per esempio, e nell'interno della Sicilia, comprendono intere province, nelle quali la popolazione rurale, agglomerata in grossi centri non urbani, rifugge dall'abitare su' campi che lavora. Sono poco ubertose, senza dubbio, le vaste aree dell'Appennino Emiliano, la conca Senese, alcuni tratti delle Marche; ma alle une serve di compenso l'ampia sottoposta valle del Po, alla seconda la Toscana, agli ultimi l'Umbria e le Romagne. Tra noi, invece, quando si eccettuino la Campania dal Garigliano al Sele e Terra di Bari dalla foce dell'Ofanto al porto di Brindisi, troppo densa la prima, troppo arida la seconda, — tra il nodo calcareo degli Abruzzi a settentrione, che è tutto un erbaio da pascolo, e la punta granitica delle Calabrie a mezzogiorno, che è un vero sfasciume, corrono immense estensioni di argille scagliose, di scisti galestrini, di marne cretose più o meno impermeabili, acconce, se pure, alle selve d'alto fusto od a' pascoli bradi, non mai, o assai poco, ad una prospera agricoltura intensiva, a una fitta popolazione sparsa per le campagne. Più fortunata, certo, la Sicilia, con la duplice lussureggiante sua cornice marittima di oriente e di settentrione; ma tutta la Sardegna è in condizioni anche peggiori delle più squallide province del continente meridionale. L'antica credenza nel l'*alma parens* dev'essere abbandonata; la dolce predizione di Virgilio, secondo cui da per tutto in Italia la terra avrebbe prodotto tutto, *omnis feret omnia tellus*, non si è avverata. Un poeta greco poteva ben dire, sette secoli prima di Cristo, che la Calabria fosse il paese più felice del mondo; oggi queste parole desterebbero il riso. Ogni nazione di Europa ha le sue plaghe sterili, le sue terre aduste: nessuna, meno la Grecia e la Spagna, in proporzioni maggiori della nostra. Mezza Italia, sacra a' terremoti ed a' vulcani, quella appunto che la leggenda immagina sia tutta una mirabile esibizione di un Eden che non esiste, agronomicamente val presso che nulla.

Lo stesso, se non più, in quanto alla climatologia. L'Italia è racchiusa fra le isoterme annuali di 13 e 19 centigradi, — disposte in modo che le tre più alte occupano il nord e il centro, le tre inferiori il sud e le isole di Sardegna e di Sicilia. Or la sedicesima linea, quella, per l'appunto, che movendo dalla Maremma taglia il Lazio sotto Roma e risale in cerchio alla foce del Tronto, divide la penisola in due grandi zone climatiche: la temperata e la calda; la prima, specialmente nella valle del Po, si confonde con la zona fredda dell'Europa centrale, la seconda, che ha mezza Calabria, parte dalla Sardegna e tutta la Sicilia fra il diciottesimo e il diciannovesimo grado, sconfina addirittura nella zona semi-tropicale. Così, dalle Alpi al mare siculo, nel mentre che molto aumenta la temperatura media e, con essa, la tensione del vapore, assai si attenuano le piogge e ringagliardisce il libeccio, che è il vento nostro dominante, apportatore di acqua soltanto sul versante tirreno; e, di conseguenza, notevolmente scema — tra noi — la relativa umidità di cui gode la penisola. Un gran bene il sole, ma quando abbia per compagna la pioggia: laddove manca l'acqua, diceva Claudio Bernard, manca la vita. Non pure tutto il Mezzogiorno, compreso il nevoso Abruzzo, conta ogni anno due quinti in meno di acqua tiva, e d'ordine veramente alto. In realtà non mancano, specie nei suoi scritti piú recenti, indizi ch'egli è consapevole di cotesta necessità. E credo che non l'aspetteremo inutilmente a prove maggiori.

(1921)

Ricordo di Pancrazi

Da circa due anni, le notizie sulla salute del nostro compagno di lavoro, di tanto in tanto, si facevano allarmanti. Nell'autunno del 1951, suoi familiari ed amici che l'avevano visitato e si erano trattenuti con lui a Formia, dove s'era, per qualche tempo, stabilito in un clima piú favorevole, ne parlavano come d'uomo ormai condannato. Ma la sua forte fibra toscana aveva una capacità di ripresa, che, continuamente, smentiva le preoccupazioni. La fermezza del carattere, un'agile, signorile superiorità nel sopportare a nascondere il male, aiutavano l'illusione che il verdetto dei medici, da lui perfettamente conosciuto, potesse non esser valido. O che, almeno, non dovesse essere inteso in tutta la sua crudeltà.

Negli ultimi tempi, la sua firma su giornali e riviste s'era fatta sempre piú rara. In talune epoche, anche prima della malattia, sembrava quasi scomparsa. Ma il suo temperamento, che per il lavoro predilesse sempre occasioni in tutto congeniali, aveva abituato il lettore a silenzi, assenze, interruzioni. E il lettore non gli serbava rammarico dell'apparente trascuranza; perché era sicuro di ritrovare, la prossima volta, nella prosa nitida e perspicua, nel giudizio tranquillo ed esauriente, la continuazione di un discorso al quale da anni s'era affezionato: di un discorso che accompagnava e sosteneva il cammino della nostra letteratura dell'ultimo trentennio, con un tono sommesso e familiare, da cui s'accrescevano la sua forza di convinzione e la sua autorità.

La personalità di Pancrazi poteva dirsi già presso che completa verso la fine della prima guerra nella quale egli era stato ferito. Allora egli aveva venticinque anni. Visse un certo tempo a Firenze, restando poi in assiduo contatto con gli uomini della "Voce", dell'"Anima", di "Lacerba", che avevano ormai chiuso quelle loro giovanili esperienze, si erano lasciati alle spalle il futurismo, l'interventismo, le prime scaramucce anticrociane e, con vario animo e varia fortuna, entravano nella maturità.

Era ancora ai suoi inizi; ma mostrava di aver capito quanto nelle forme in corso si confaceva al suo talento. E seppe riattaccarsi subito al Serra migliore; forse con minor brivido, ed evitando di emulare quanto nel Serra, per un impeto profondo, talvolta saliva alla vera poesia. Si potrebbe dire, all'incirca, che si contentò di darci un Serra in prosa, lievemente razionalizzato. Allora scriveva sul

"Resto del Carlino"; e il meglio di quelle cose giovanili è nel volume dei *Ragguagli di Parnaso*. Già era chiara la sua preferenza, mai rinnegata, per la libera sede del giornale quotidiano: fra il titolo dell'articolo e la propria firma. Nei cenacoli, nelle riviste di gruppo, si sentiva meno a suo agio. Sempre cortesissimo e apertissimo, ma altrettanto geloso della propria indipendenza; e sagace ad assicurarla anche contro quelli con le stesse sue idee ed i suoi gusti.

E qui è forse il caso di notare come, fra i critici suoi coetanei, o poco piú anziani, nessuno fosse cosí alieno dal teorizzare, dal discorrere per principi generali e dall'imbarcarsi in questioni ideologiche. Se, di certo, era in regola con la cultura filosofica, nessuno ne esibí o lasciò trasparire tanto poco. E cosí di qualsiasi erudizione e dottrinarismo. Cresciuto fuori del tirocinio accademico, si formò e seguí tutta la vita, con un costante raffinamento, lavorando di pratica, sullo schietto fondo di un realismo toscano che, affrettiamoci a dirlo, in lui non ammise mai concessioni e compiacimenti di facilità vernacola.

Perché, qualche volta, di Pancrazi si sentí dire ch'era troppo innamorato e parziale di una Toscana minore, e troppo partitante di un gusto ottocentesco. Certamente, una sua antologia, ormai classica, è quella dei *Racconti e novelle dell'Ottocento*. Ma ogni intelletto ha la sua geografia e la sua storia. E fatte le debite proporzioni, sarebbe come rinfacciare al Croce certi suoi napoletani particolarismi. La cosiddetta Toscana minore del Pancrazi è, poi, quella che, dal Capponi, laicizzandosi, prosegue nel Martini. Ed è la Toscana minore degli idilli e ricordi carducciani, toltone qualche scatto di polemica giacobina. Non ha nulla di dolciastro e convenzionale; se mai, anzi, una mestizia senza acredine ma senza illusioni. In momenti non numerosi ma assai belli, nei quali Pancrazi descrive e dipinge (*Donne e buoi, ecc.*), essa respira in un senso della terra e del paesaggio che non avrebbe potuto mantenersi cosí autentico in un animo che non lo avesse difeso di un affetto cosí esclusivo.

I segni di questa discrezione e persistenza d'interessi, di questa materiale fedeltà ai luoghi e alle tradizioni, si riconoscono in tutta la carriera di Pancrazi; e, caso mai, con l'andare del tempo si accentuano. In un'epoca durante la quale le guerre, i mutamenti politici e sociali e le occasioni giornalistiche costrinsero, o almeno spronarono e incuriosirono tutti a muoversi, a viaggiare, Pancrazi viaggiò poco o niente. Perché, se fuori delle sue abituali residenze della nativa Cortona e di Firenze, spesso era avvistato a Milano o a Roma, e piú tardi fino a Napoli, ciò al giorno d'oggi, piú che a un vero e proprio viaggiare, poteva corrispondere a un mutare di stanza dentro allo stesso appartamento.

E mi ricordo gli anni della sua consuetudine e collaborazione con Ojetti, il quale, sulla propria scrivania e sugli scaffali, aveva sempre nuove fotografie di quadri, di statue e monumenti, arrivate allora da tutte le parti del mondo; e sempre si meravigliava che al Pancrazi tutte quelle curiosità e quei tesori d'arte visiva importassero poco. Il che, nel Pancrazi era soltanto un altro aspetto dell'instintivo riserbo contro certe dilettazioni erratiche; un toscano bisogno del limite e di stare al sodo.

In cotesta interiore, distaccata tranquillità maturò in lui tanta precisione di giudizi, che non furono mai sordi né ingenerosi; anche dove il suo bisogno di concretezza e la coscienza di ciò che erano le opere dei classici, lo facevano apparire un po' « tirato », un po' restio ad esaltarsi e ad abbandonarsi. Ed altra cosa maturò, non meno importante della critica. Una cosa di cui per Pancrazi, generalmente, venne tenuto meno conto del giusto, ma che assicura alla sua opera una doppia ragione di vita: la sua arte, intendo, di prosatore: di uno fra i migliori prosatori italiani d'oggi.

Le prove di studio della sua prosa, egli le compié nelle favole dell'*Esopo moderno*, che all'incirca si potrebbero considerare come le imitazioni trecentesche e gli inni suppositi della formazione leopardiana. In quelle favole si mescolava al piacere inventivo e dell'esercizio filologico l'acre gusto satirico del costume morale e politico sotto la dittatura. Ma avrebbe torto chi credesse di preferire cotesto brillante e bizzarro sfogo di bravura e di stizza, a tante pagine che, senza apparente segno di distinzione, passano nei saggi anche piú laterali e di piú tenue argomento.

Nonostante le originarie simpatie serriane, e nonostante che con un piccolo tocco, uno scatto appena dell'unghia, Pancrazi in un contesto sapesse isolare la parola che conta, il disegno ritmico della frase creativa, egli non era un critico specialmente vocato ai segreti, spesso equivoci, delle essenze e specie verbali. La coscienza di ciò ebbe forse il suo influsso, trattenendolo da applicarsi piú spesso all'analisi della poesia. E tanto nei suoi « studi » sui manoscritti delle laudi dannunziane, quanto nella sua edizione di Trilussa, due artisti avversi e inconciliabili: è curioso di trovarlo arrendevole e conformista, piú che con altri temi di minore responsabilità.

Il suo piú verace interesse era morale e psicologico. Anche a lui il Croce molto aveva insegnato; ma aveva insegnato ad un fedele di Sainte-Beuve. Nell'interpretazione d'un carattere, nel rilievo architettonico di una situazione narrativa, e di costí uscendo in meditazioni piú libere sulla vita, le passioni, la meccanica dei sentimenti: Pancrazi scrive le sue pagine piú piene e piú sue. Il quale « moralismo », se cosí vogliamo chiamarlo, è poi una fra le numerose conferme della sua « classicità ». Naturalmente, l'occasione piú propizia non sempre gli poteva venire dalla nostra letteratura contemporanea. I suoi cinque o sei tomi sugli *Scrittori d'oggi*, di continuo si ristampano e si ristamperanno; perché costituiscono uno dei libri fondamentali di consultazione per lo studio della nostra letteratura odierna. Il critico e lo scrittore vi compaiono sempre al loro meglio; ma, a volte, la materia sembra irredimibile, nonostante il loro lavoro.

Un'antologia di Pancrazi che volesse dar piena ragione del suo talento critico in tutto il suo impegno, e del suo gran dono di scrittore, dovrebbe largamente raccogliere, oltre che dai suddetti *Scrittori d'oggi*, da *Nel giardino di Candido*: uno dei suoi libri piú ingegnosi e a me piú cari; dove egli s'incontra col Sacchetti, col Magnifico, col Doni, con l'Aretino, con Veronica Franco, col Bembo e la Savorgnan, col Vasari, col Parini e col Tommaseo. Né vorrei fossero trascurate prefazioni alla raccolta « in ventiquattresimo », da lui diretta, per esempio quella ai *Racconti lucchesi* del Nieri e alla *Cronaca* del Giusti, che appartengono a tempi recenti.

E si ritrova, *Nel giardino di Candido*, anche quello studio ampio e ispirato sui *Ricordi* del Guicciardini, che condotto nel 1929 su un testo ancora in disordine e malsicuro, fu pure dei primissimi che prepararono la presente e fiorente ripresa d'interesse per il grande storico e moralista. È uno dei saggi nei quali il Pancrazi dette la piú piena misura di sé.

Non gli dispiacerà se, in quest'ora, noi l'associamo nel pensiero con uno dei geni ch'egli amò piú profondamente, e che piú influirono sulla sua vita intellettuale e morale. Che il suo nobile patrono l'accolga e lo accompagni.

(1952)

Pancrazi postumo

Nel libro di scritti vari che Pietro Pancrazi mise insieme e coordinò durante la sua malattia, e ch'è stato ora pubblicato (*Scrittori d'oggi, Serie sesta*) a cura e con una affettuosa prefazione di Manara Valgimigli, la materia è divisa in quattro gruppi. C'è un primo gruppo di articoli e saggi, quasi tutti recenti, su Gozzano, Trilussa, Moretti, Levi e su altri d'importanza minore. E c'è un secondo gruppo di scritti, fondati su carteggi, ricordi e documenti, che riguardano il Pascoli, il Panzini, il Ricci e lo Stecchetti; col quale gruppo potrebbe stare convenientemente anche il quarto: *Un amoroso incontro della fine Ottocento*, ricostruito sulle lettere, o ciò che rimane delle lettere, della Vivanti e del Carducci. Un terzo gruppo, criticamente piú impegnativo, comprende studi sul D'Annunzio delle prose giovanili, delle poesie d'*Alcyone* e delle prose dell'età tarda. Alcuni di questi scritti, in specie del secondo e quarto gruppo, sono piú noti; ma tutti si rileggono volentieri, sia per il loro valore intrinseco, sia perché offrono occasione d'intrattenerci ancora una volta con l'amico ieri scomparso.

Può darsi che la forte predilezione del Pancrazi per gli autori della seconda metà dell'Ottocento lo inducesse, eventualmente, ad essere di manica larga non soltanto nella valutazione delle opere, ma anche nella interpretazione delle biografie. Non c'è dubbio, per esempio, che all'incontro con la Vivanti si debbano due o tre liriche che, nella produzione del Carducci, pur rimanendo in un tono minore, e su un registro fra anacreontico ed elegiaco, attingono squisite raffinatezze e trasparenze che sembrano annunciare una nuova stagione del gusto. Su una situazione analoga: dell'amore di un vecchio per una fanciulla, ed in età assai piú grave di quella del Carducci, il Goethe aveva dato la sfolgorante *Elegia di Marienbad.* Ma nell'atto stesso di rammentarla, uno si ritrae; come dal proporre un confronto che, in ogni senso, estetico non meno che morale, sarebbe inutilmente schiacciante.

Intendo, in parole povere, che l'idillio fra il Carducci ed Annie, durato, con lunghe assenze di lei, dal 1890 a circa il 1900, tutto sommato non si avvantaggia d'una descrizione nella quale la poesia sgoccioli e stinga sul vero. I componimenti lirici che da quella relazione ebbero origine sono faccenda strettamente del Carducci poeta. Di tale faccenda, come di qualsiasi espressione d'arte, è impossibile ritrovare il rapporto diretto, o comunque valido e significativo, col fatto vissuto. E se dobbiamo starcene a questo, nella misura che ci è dato saperne, allora è giocoforza riconoscere che da quell'amore bizzarro e inverosimile, da quella diversità dei caratteri, dalle occasioni degli incontri, si creò e sviluppò una situazione infinitamente mossa, varia, per molti aspetti stonata e penosa, ma nel suo complesso piú interessante di come parrebbe a considerarla soprattutto o soltanto attraverso il vetro azzurro della poesia.

Ciò si vede dai due scritti della Vivanti, opportunamente qui riprodotti in appendice, col titolo *Ricordi del Carducci*, i quali appunto raccontano la storia, od alcuni momenti della storia di quegli anni; e dove la Vivanti ha il gran merito di non mettersi in posa e non nascondersi punto quale ella fu: scapigliata, monella, con una sua tenerezza e oserei dire una sua volgarità ugualmente genuine, col suo petulante e sfacciato arrivismo, ed il suo romanticismo zingaresco.

Mi ricordo i fedeli del Carducci: ma che dico fedeli? i feticisti, gli idolatri, per esempio il Mazzoni, che avevano visto e tante cose sapevano. E non riuscivano a dissimulare il proprio imbarazzo: non tanto per ragioni moralistiche, ma per quel vago senso di stonatura che s'è prima accennato; e che fra l'altro si documenta in fotografie come quella, notissima, fatta a Napoli, col Carducci, la Vivanti, il Marvasi, il Conforti, ecc.; ed analoghe, anche meno riverenti. In un clima di *variété* da caffè-concerto, il Carducci sessantenne, ormai poeta nazionale, vate, amico della regina; che ancora ogni tanto faceva sentire un ruggito da vecchio leone, benché gli avesse preso una intonazione rettorica, abitudinaria; e che s'era provato a ruggire anche con la Vivanti, ma aveva smesso subito, perché quella gli rideva in faccia.

Cosí, a Gressoney, quasi una ingenua, provinciale illusione di trasportarsi nel mito, presentando Annie alla sovrana con quel suo codazzo, si può figurarsi come impertinente, di ufficiali e gentiluomini di corte. E la equivoca risposta di

Piero Giacosa alla regina, quando ella aveva voluto informarsi se Annie era bella davvero (« Bella?... È *peggio*, maestà »). Seppe il Carducci di cotesta risposta, e andò in bestia. Nell'insieme, una serie di scene che dovettero essere piuttosto malinconiche. Ma sull'ambiente di Gressoney, di Courmayeur e sul Carducci nella cerchia della regina, sono anche frasi, crudette, di re Umberto, che il Richelmy riportò tempo addietro su un settimanale milanese. Veramente ad interpretare senza convenzionalismi e senza reticenze quell'idillio nelle situazioni culminanti, occorrerebbe la penna del Mann di *Carlotta a Weimar*, ma con una piú forte carica d'umorismo.

E l'avventura, fra tante altre, del famoso cavallo: l'« Apollinea fiera », anche detto: « Giosuè Cavallo », narrata dalla stessa Vivanti. Povero e non certo prodigo, il Carducci a Milano, per tremila lire (enorme somma a quell'epoca), compera alla ragazza un nero e fiero cavallo. Annie, corta a denari, presto non sa piú come dargli da mangiare, e deve disfarsene. A Napoli, il Carducci e la Vivanti si rincontrano; e al poeta piacerebbe rivedere l'amata in veste di valchiria. La Vivanti non sa a che santo votarsi, ché a nessun costo confesserebbe al Carducci di non aver piú il destriero. Finché un ufficiale di cavalleria le impresta un cavallo di truppa che piú o meno ricorda l'equino Giosuè. Ma si tratta di bestia talmente sfiatata che, a rianimarla per qualche momento, debbono cacciarle dello zenzero sotto alla coda.

Apriti cielo. Con in groppa Annie, il cavallo parte di carriera: guizza come un fulmine sotto il naso al poeta che li aspettava al passaggio, e per poco non investe il cocchio con la regina transitante in quei pressi. Una burletta di pessimo gusto. Che ha anche qualche cosa di malignamente allegorico, con quello stanco poeta (« Bionde Valchirie, a voi... »), cui esibiscono un Pegaso truccato.

La naturale acutezza e la grazia interpretativa del Pancrazi giuocano piú agilmente allorquando egli si trova dinanzi a caratteri umani ed opere d'arte che non impongono, come nel caso del Carducci, una reverenza troppo perentoria e tradizionale. Caratteri ed opere che, anzi, talvolta provocandolo a certe reazioni e addirittura a certi contrasti, stimolano ed affinano la sua critica intraprendenza; nel medesimo tempo ch'egli resta scrupolosamente impegnato al suo senso istintivo di misura e di giustizia, e al suo gusto costante della realtà. Accade cosí che taluni autori per i quali, in fondo, egli ebbe meno spontanea o marcata simpatia, riescono proprio fra quelli di cui egli seppe dire con novità piú efficace. E basti qui ricordare, di passaggio, un recente, rapidissimo ritratto del Guerrini, ch'egli abbozzò nello sfondo di certe figure dell'intellettualità romagnola: ritrattino lievemente segnato come d'un vago strabismo morale, d'un che di grottesco e di strambo, e che rende in pochi tocchi quanto la monografia piú laboriosa.

Pancrazi non poteva dirsi propriamente un critico che si sprecasse ad inneggiare al D'Annunzio, di cui (e del resto noi tutti) sentiva la grandezza innegabile, ma attraverso un velo d'impressioni meno congeniali. E si osserva appunto il fatto curioso, che il complesso della sua critica dannunziana, riunito nel presente volume, alla fine risulta tra i piú convinti contributi in materia; né già in quello che, per avventura, vi si nega o contesta al D'Annunzio, ma proprio in ciò che gli si riconosce, e di cui s'illumina il significato, sia rispetto all'arte che alla biografia. Circa il quale ultimo punto, si vegga, ad esempio, com'è profondamente sentito il ricordo di quando la Duse sorprende il poeta nella sua imitazione degli atteggiamenti e delle movenze del centauro, durante la composizione de *La morte del cervo*; o altre pagine non meno comprensive sugli amori con Barbara Leoni (la Ippolita del *Trionfo della Morte*) e con l'Amaranta del *Solus ad solam*.

Anche il Pancrazi fu sempre d'opinione che il preteso distacco, o capovolgimento, da un giovanile D'Annunzio percettivo, sensuale e solare, ad un tardo D'Annunzio introspettivo, notturno ed avvolto di pensieri mortuari, fosse stato da taluni critici un po' grossolanamente esagerato. Ed ebbe mano felice nel rintracciare, a riprova, fino dai primissimi racconti dannunziani, molteplici segni dell'unità di quel temperamento.

Sugli autografi di celebri liriche, quali: *Versilia*, *La morte del cervo*, *La pioggia nel pineto*, ecc., con giusta curiosità e meraviglia di tanto mestiere in tanta ispirazione, indicò i dubbi, i pentimenti, i ritorni, le suture e i tasselli, le gradazioni di sinonimi: insomma il piú geloso maneggio della fucina, o della cucina. Benché i manoscritti del D'Annunzio, allo stesso modo di quelli dello Shelley, abbiano un po' il torto di scoprire dentro alla poesia i tiranti e le pulegge del macchinismo oratorio. E dal punto di vista del godimento artistico, cui devesi pur concedere un certo illusionismo, converrebbe forse non li sviscerare poi troppo.

E cosí la *Sesta serie* degli *Scrittori d'oggi* va a collocarsi sullo scaffale, accanto alle precedenti e ad altri volumi dello stesso autore, che tanto aiutarono alla miglior valutazione della nostra letteratura contemporanea. Ma come i suoi gemelli, è uno di quei libri su cui non si accumula la polvere. Ogni tanto si ha bisogno di rivederne una pagina, di riscontrarne un giudizio. E il colloquio con l'autore non si interrompe.

(1953)

Due libri di Mario Praz

Vincitore d'una fetta del Premio Viareggio 1952, per la critica letteraria e la saggistica, Mario Praz esibisce « ad abundantiam » i suoi piú recenti titoli a cotesto riconoscimento, in due volumi che fanno insieme poco meno d'ottocento fittissime pagine: *La casa della Fama* e *Lettrice notturna.* Tempo addietro, su queste colonne, si era parlato di un'altra raccolta del Praz, in due tomi altrettanto folti: *Cronache letterarie anglosassoni.* Con una certa pazienza, ho voluto fare un po' di ragguaglio, un conteggio generale. Si tratta, nei quattro libri suddetti, nientemeno che di complessivi duecentosessanta articoli e saggi di diversa materia, con naturale prevalenza degli argomenti di letteratura inglese e di arte neoclassica, che sono i due famosi cavalli di battaglia del nostro scrittore.

Una siffatta produzione sarebbe già notevole abbastanza, non fosse altro dal semplice punto di vista quantitativo; anche tenuto presente ch'essa si distribuisce lungo il corso di qualche decennio. Ma tanto piú essa è mirabile, quando si consideri sia la varietà dei temi, sia la copiosità ed esattezza dell'informazione, sia infine la costante vivacità della scrittura, d'un corsivo disinvolto e compendioso, che ha tuttavia i suoi momenti d'intimità e d'emozione. A un lettore severo, potrà anche sembrare, qualche volta, che l'impegno del Praz nei propri argomenti, non corrisponda in maniera irreprensibile alla loro importanza e gravità. Che egli ascolti talvolta col medesimo orecchio le minuzie del pettegolezzo biografico,

Mario Praz, nel 1956, con Giuditta Bartoli,
figlia di Emilio Cecchi.

le curiosità e dicerie scandalistiche, e le austere voci della letteratura e della poesia. Questa facilità e scorrevolezza d'interesse, è lo scotto che egli paga alla sua ambizione di voler riuscire ad ogni costo faceto e brillante; un po' come quelli che amano fare gli spiritosi in conversazione. Ma valga il vero: si rimproverano cosí di frequente e con sí mala grazia gli studiosi e professori, di essere pesanti, di non possedere o di cacciarsi burbanzosamente sotto ai piedi quelle virtú comunicative e captivanti le quali, non sempre a dispregio, si sogliono chiamare « giornalistiche »; che non è da meravigliare se ogni tanto, e anche quando meno gli conveniva, egli possa avere avuto capriccio di vestirsi piú da giornalista che da professore.

Non c'è dubbio che, sia per nativa inclinazione, sia per diretti e lunghi contatti durante la sua residenza in Albione, il Praz abbia subíto l'influsso di quella pubblicistica letteraria inglese che, discesa dalle piú nobili fonti, anche nelle magre della stagione attuale, è tutt'altro che inaridita. Ben lungi dall'aver saputo imparare quanto lui da cotesti modelli, sarei proprio io l'ultimo a potergli fare un torto di averli preferiti. Un empirismo d'ottima lega, una spregiudicata libertà di impostatura, che consente di cucire gustosamente, gli uni accosto agli altri, sulla trama dello stesso discorso: bonari ricordi familiari e gemme di peregrina erudizione, tratti di humour, sottili analisi prosodiche, e aneddoti graziosi come cammei; ecco le condizioni per il suo lavoro piú congeniale. E i risultati dimostrano che egli non ha sbagliato ad accettarle.

Ma sebbene non ci sia settore del suo campo di studi nel quale egli si metta a scavare senza profitto; e ad esempio su Joyce, su D. H. Lawrence, come su Eliot ed altri contemporanei, abbia pagine fra le piú ingegnose che sia dato di leggere nella nostra lingua, giova che i temi ch'egli tratta abbiano una certa stagionatura, e siano discretamente allontanati nel tempo. Fra le molteplici disposizioni della sua natura estremamente composita, c'è in lui anche una vena, una vocazione, o direi meglio una sorta d'ispirazione antiquaria, che ha quasi sempre parte nelle sue riuscite migliori. E se altri educò su Proust il senso del tempo e l'arte della memoria, egli li apprese forse soprattutto dal Pater del *Fanciullo nella casa*; ch'è pure una delle sue numerose traduzioni.

Da tutto ciò è facile capire perché e come agli autori americani egli si sia, accostato relativamente tardi. La violenza del loro realismo, la durezza del loro colore, meno si confacevano ad un gusto talmente esercitato. Ma allora egli ha trovato la maniera di aggredire l'America da un altro fianco. E mentre io sto qui a tentare di lui questo profilo in punta di penna, e mentre voi domani taglierete le pagine della *Lettrice notturna* o di *La casa della Fama*, egli viaggia, su invito del governo americano, nella Georgia, nella Louisiana, ecc. A scandagliare le probabilità di Stevenson o di Eisenhower nell'elezione prossima? Non vi passi neppure per la testa. Viaggia a studiare le architetture, i mobili e sopramobili dello stile neoclassico coloniale. E quando sarà di ritorno avrà da raccontarcene tante cose e cosí attraenti, che io dovrò intingere di nuovo la penna per un altro articolo, e cercherò di metterci il mio migliore inchiostro.

I due volumi sono di pari livello. E se io dovessi scegliere, li sceglierei tutti e due. Forse, come altri libri del genere, può non essere male di leggerli un po' divagatamente, saltando di palo in frasca. Gli incontri e contrasti portati dal caso, possono riuscire magari piú suggestivi di quelli predisposti dall'indice. Ma è nella *Lettrice notturna* che si vede svilupparsi piú chiaramente una disposizione di cui già trasparivano segni negli ormai lontani *Fiori freschi*, ed altre raccolte del Praz. Il motivo specificamente culturale passa in seconda linea, o a volte sparisce quasi del tutto; e subentrano e prevalgono spunti autobiografici, notazioni d'ambiente e di paesaggio, giuochi e divagazioni della memoria e del sentimento. Bisognerà seguire con attenzione questa tendenza, che sulla prosa del Praz dovrà avere necessariamente il suo effetto, arricchendola di sfumature, di chiaroscuri, inducendovi una vibrazione piú segreta; e per la quale ad un'opera già cosí ragguardevole e caratterizzata, potrà aggiungersi un nuovo piú poetico capitolo, per la gioia di tutti.

(1952)

«La casa della vita» di Mario Praz

Finita la lettura del bello e strano libro di Mario Praz: *La casa della vita*, quando si riepilogano e vagliano le nostre impressioni, ci troviamo dinanzi a una serie di dati che sembrano contraddittori. *La casa della vita* è una sorta di autobiografia dello scrittore, strettamente collegata con la storia dei mobili ad uno ad uno da lui selezionati e raccolti nella propria dimora: all'incirca quasi tutti mobili e quadri di stile neoclassico. Fino da giovane il Praz predilesse infatti questo stile, coltivò questo gusto. E ne divenne addirittura un'autorità: tanto è vero che il suo ponderoso volume: *Gusto neoclassico*, fu l'anno scorso ristampato per la terza volta.

Ma anche piú che come storico del gusto neoclassico, il Praz è famoso come nostro massimo cultore di letteratura inglese; e alla sua scuola s'è formata una schiera di giovani, alcuni dei quali si applicano ora con zelo anche alla letteratura americana. A chi legge *La casa della vita*, con l'annessa storia dell'arredamento in mezzo al quale l'autore trascorse tanta parte della propria esistenza, è difficile non torni alla memoria un capolavoro della prosa romantica inglese: *Le confessioni d'un oppiomane* di Tommaso De Quincey. Non badiamo se la disparità fra certi elementi delle due opere può mettere in questo richiamo una nota da sembrare talvolta perfino un po' umoristica. Perché l'autobiografia del De Quincey s'intreccia alla cronistoria delle sue allucinazioni, delle sue sconfitte ed infine delle sue vittorie, durante il lunghissimo sforzo per liberarsi dalla tirannia dell'oppio. E l'autobiografia del Praz, in gran parte, è in rapporto e funzione della sua qualità d'esperto e delle sue avventure di collezionista di suppellettili Impero ed altre curiosità ottocentesche. In altre parole, nel caso del De Quincey, uno dei principali temi del libro è altamente lirico e drammatico: la liberazione dalla schiavitú d'una droga micidiale. Mentre nel caso del Praz, il motivo corrispondente è soltanto culturale, o piú esattamente di mera curiosità. È la smania dell'erudito e del collezionista: collezionista, si aggiunga, di una specie di prodotti artistici piuttosto modesta. Nel caso infatti della architettura e del mobilio neoclassico e di stile Impero, non si sa neanche, a rigore di termini, se esattamente non si tratti soltanto d'un gusto e d'una moda, che di un vero e proprio stile. Con tutto ciò, la meccanica e il giuoco di questo motivo nella struttura e nel corso del libro, fanno ricordare quelli del motivo dell'oppio, nelle *Confessioni* del De Quincey, e sono altrettanto fertili di discussioni e divagazioni.

S'è accennato a questa analogia, non tanto per mettere in rilievo eventuali, cosiddette, « derivazioni » che del restò non avrebbero la minima importanza; quanto per lumeggiare il rapporto un po' stridulo e sforzato che corre fra i diversi elementi dell'opera, e ne determina certi caratteristici effetti. Che sia questione d'un'opera bella e singolare, s'è detto al primissimo rigo; e talune nostre insistenze, anche dove sembrino assumere una nota quasi polemica, tendono solo a definire piú esattamente possibile la qualità di questa bellezza e il tono della sua suggestione.

A *La casa della vita*, che come creazione letteraria è forse il piú importante libro di Praz, non potrebbe rendersi ragione completa se non a prezzo di una minutissima analisi. Disgraziatamente, non è questa l'occasione per ordinare le risultanze d'una simile analisi in un lungo commento. Contentiamoci dunque di qualche annotazione sommaria; con la speranza un giorno di riprendere questo tema: sicuri che nel frattempo avremo spesso avuto occasione di ricordarcelo, e di rileggere pagine e pagine del libro, senza aver dovuto sconfessare le nostre prime opinioni.

La parte iniziale, dove il Praz ricostruisce la storia della sua famiglia e della sua infanzia, e dove l'elemento erudito e neoclassico non ancora interviene, non direi mi sembri fra le piú riuscite. Non vi mancano spunti interessanti, particolari non dirò preordinati, ma di cui non ci sorprende affatto e non giunge inattesa l'impronta freudiana. Tra le notazioni piú illuminanti, è il ricordo delle cerimonie ecclesiastiche, officiate in veste di vescovo dal Praz con i suoi compagni, ad un altarino da balocchi, quando era fanciullo. Si intuisce che nell'esibizione delle immagini e degli arredi, alla luce dei ceri, nell'ordine e nella simmetria delle cerimonie, era per lui un elemento contemplativo, di natura mistica. Di tale elemento sono vive tracce nella sua passione per il mobilio; nella quale si attua la sua idea della casa, idea quasi rituale, piú che semplicemente ornamentale e decorativa.

Ma si potrebbe anche parlare d'una specie di sublimazione dell'oggetto, che nel Praz si produce, indipendentemente dalla bellezza artistica dell'oggetto stesso e del suo significato; in altri termini, si potrebbe parlare d'una specie di vero e proprio feticismo, mascherato sotto alla veste di una inesauribile passione per l'ammobiliamento. Passione che non tanto ha rapporto e somiglianza con quella trattata nel celebre saggio di Edgar Poe sulla *Filosofia dell'arredamento*; ma piuttosto con quella di cui, nel *Fanciullo nella casa*, s'investe Walter Pater, celebrando la casa soprattutto come paesaggio della memoria, e scenario di storia interiore.

Al buon lettore non occorrono di certo nostre indicazioni riguardo a quei punti che, in *Casa della vita*, dovranno richiamare la sua speciale attenzione e trattenere il suo impegno. Il corso del libro è agevole e assai vario. Talvolta lo scrupolo dello specialismo e qualche tecnica pedanteria appesantiscono la descrizione e presentazione d'uno od altro di questi « pezzi scelti » e campioni di mobilio, pittura e ceramica ottocentesca. Scarsamente ricercati, una quarantina o cinquanta anni fa, oggi piú o meno meritamente essi interessano larghe sezioni del pubblico che frequenta i negozi degli antiquari, e le aste delle grandi case di vendita.

Stanza dietro stanza, oggetto per oggetto, la lenta visita alla *Casa della vita*, che tale è l'itinerario che siamo invitati a percorrere, s'interrompe di movimentate e colorite digressioni. L'autore ha molto viaggiato; ha risieduto lungamente all'estero, specie in paesi anglosassoni. Di tratto in tratto, le sue pagine si popolano di figure dell'intellettualità occidentale e nordica, con le quali i suoi studi letterari e le sue curiosità antiquarie lo misero in contatto. Vasti panorami di vita sociale e mondana, per esempio a Londra nel decennio dalla prima guerra, sono fra i piú spiritosi che, nella nostra odierna letteratura, ci restino d'un periodo che forse mai piú in Inghilterra tornerà cosí bello. Il lettore può scegliere fra tante vignette e ritratti di personaggi nostrani e forestiere. E se l'autore è notoriamente spregiudicato, la sua spregiudicatezza non diventa mai fastidiosa aggressività e maligna indiscrezione.

Tra l'una e l'altra divagazione, ed uno ed altro *excursus* a carattere culturale e sociale, altri episodi, quattro o cinque in tutto, sono di natura piú personale, piú intima, e volentieri li chiamerei « idilli ». Questi « idilli » hanno ciascuno un nome: Letizia, Doris, Vivian, Diamante, ecc.; e si svolgono tutti con una analoga parabola, e tutti con una stessa fine malinconica e taciturna. Ripiegano tutti in un senso di solitudine e rinuncia, che rende piú misterioso il segreto di questa casa stipata di cose squisitamente inutili, che circonda tanto egoistica, gelosa affezione.

La prosa del Praz è sempre copiosa e fluente, e non conosce la mortificazione di frigidi esercizi e preziose affettazioni, quali sembrano caratteristiche di certe forme della cosiddetta « prosa d'arte ». Nella *Casa della vita,* tale prosa ha uno slancio anche piú spontaneo ed eloquente, fino ad una dotta trascuranza e sprezzatura. Il che contribuisce a rendere il libro particolarmente accogliente; mentre pure nella sua atmosfera, per tante ragioni che abbiamo accennate, è anche qualcosa di capzioso e delusivo. Complessivamente, non c'è dubbio che trattasi d'una delle piú bizzarre ed insieme ragguardevoli opere della nostra ultima stagione letteraria; ed è nostro rammarico, s'è detto, non aver potuto dedicarle subito piú lungo discorso.

(1959)

Una finta battaglia

Non è facile rendersi conto perché Piero Bargellini abbia voluto affrontare l'improba fatica di mettere insieme un « Panorama storico della Letteratura Italiana nell'ultimo cinquantennio », da lui offertoci col titolo: *Novecento*. E ancor meno si capisce perché, una volta imbarcatosi, non ci abbia dato dentro con un po' piú di mordente, non sia andato un po' piú allo sbaraglio. La cosa piú strana è che, invece, in un « biglietto di scuse » che tiene luogo di prefazione, egli si esprime come uno che sia convinto d'averla fatta veramente grossa. Parla del suo *Novecento* come di un « atto temerario ». Chiede perdono se non tutti saranno contenti del posto ch'è loro toccato nel libro, della luce in cui vengono presentati; e se a qualcuno, senza volerlo, sono stati pestati un po' i piedi. « Ma faccia il piacere, caro Bargellini! » si vorrebbe dirgli. « Non si dia il minimo pensiero. Non si crei scrupoli assurdi. Non si fasci il capo inutilmente. » La verità è che, da lontano, e mettendoci un po' di buona volontà, il libro può aver l'aria d'una battaglia, con fragore di artiglierie, gente che scappa e gente che accorre, parecchio polverone nell'aria, e confusione, molta confusione, nelle teste. Basta guardare appena piú attentamente, e non si dura fatica ad accorgersi che si tratta della piú finta di tutte le finte battaglie.

Non che il Bargellini subdolamente e freddamente disponga e congegni gli incontri e gli scontri, gli agguati e le sorprese, i contrattacchi e l'afflusso dei rinforzi, in modo da assicurare ad ogni costo la vittoria al proprio partito letterario; e alla fine sghignazzi sulla faccia al vinto nemico, cui perfidamente non ha concesso che di fare una serie di pessime figure. Chi cosí giudica, sbaglia all'ingrosso. Il panoramico racconto di Bargellini, non nasconde nessuna maligna premeditazione. I singoli giudizi, spesso e volentieri, sono approssimativi, buttati giú alla carlona. Ce ne saranno, fra essi, di piú generosi o piú sordi; ma tutto sommato, crudeli, crudelissimi, non possono dirsi. Se mai: evasivi e indifferenti. E quando ascolteremo i giudizi che un giorno ci saranno letti al Tribunale della Storia, in confronto, cotesti, parranno zuccherini. « Ci sta bene, anzi benissimo », diranno allora (ma troppo tardi) gli scontenti di oggi sentendosi appioppare da quella famosa Storia un bello zero o un bel due. « E pensare che si faceva boccuccia ai cinque ed ai sei che ci regalava il povero Bargellini! »

Cosí poco il Bargellini ha voglia di infierire, che già si son viste le sue ansiose, quasi puerili preoccupazioni, nel timore d'avere acciaccato i calli a Tizio o Sempronio. Ma perché poi egli avrebbe dovuto infierire e acciaccare? Bargellini è un santo. O dirò meglio, per non incorrere in sospetto d'esagerazioni: Bargellini è una specie di santo, di santone. E, in fondo in fondo, della letteratura, a lui gliene importa poco o niente. Si tornerà a chiedere, cosí stando le cose, perché egli si affatichi a redigere storie letterarie e panorami novecenteschi. Un momento: Bargellini è un santo, intendendo che soprattutto si compiace ed esalta nella contemplazione e nell'invidiabile godimento di talune certezze supreme. Ma ormai con l'abitudine di fare il santo, con una mentalità che diventa sempre piú quella d'un uomo di Chiesa, se non addirittura di un padre della Chiesa, gli si è fatalmente sviluppata anche una irrefrenabile passione del rituale, del cerimoniale ecclesiastico, del processionale.

E vede tutto sotto forma di sfilamenti, caroselli, evoluzioni, tornei d'anime. Quasi tutti i suoi libri, a guardare un po' bene, non sono che corteggi, processioni, riviste, parate. Anime che salgono, abbacinate e osannanti, verso la luce della verità. E per il necessario contrasto, tuttavia mai troppo insistito: anime che poverette s'ingolfano, cieche come talpe, nei sottopassaggi, nelle cloache infernali.

Di ciascuna di coteste anime, presa in sé e per sé stessa, a lui manca il tempo di occuparsi. È un confessore che ci ha troppa gente, e che tira via. E mentre un'anima gli si prosterna dinanzi, bramosa di confidarsi e fiottando sospiri, egli strizza l'occhio a quell'altra, che viene appresso, perché stia pronta e senza perder tempo si faccia sotto, a pigliarsi i suoi due o tre paternostri di penitenza, e quasi sempre la sua assoluzione. Negli sfondi e nei limbi di questo *Novecento*, centinaia e centinaia d'anime letterate si pigiano cosí e s'accavallano, come per venire alla luce. È proprio il caso di ripetere, con Virgilio: *Quae lucis miseris tam*

Piero Bargellini in una fotografia del 1966.

dira cupido? Bargellini ha avuto allora un'ottima trovata. Gli autori ch'egli non poteva gratificare neanche del piú breve degli epiteti (pio, rio, gaio, e simili), li ha disposti per ordine alfabetico, col loro nome e cognome in maiuscoletto, a gruppi ragionevoli; dove essi si affacciano, con quel nero della pupilla nell'oro della testa, come le aringhe nei bariglioni. O (ch'è piú conforme ad uno stile agiografico) come la calca di santi, d'angioli e beati, che i giotteschi di provincia facevano con la stampiglia nei loro Paradisi e Giudizi Universali; e di ciascun viso, nello spicchio fra due aureole antistanti, si scorge un occhio che spia come dal finestrino.

In una delle schiere di donne « che seguono or questa or quella tendenza, con femminile duttilità e spesso con muliebre sensibilità », veggo infatti l'occhio di Irene Brin, di Anna Banti. Veggo l'occhio e un pochino della ciocca bianca di Sibilla. O di quella gialla della Pietravalle. Veggo questa e veggo quella; e Liala appollaiata lassú in cima in cima, che anch'essa allunga il collo a guardare. A guardare la giostra, il torneo, la finta battaglia del *Novecento*, che tante penne già si erano provate a descrivere, e che per verità non portò bene a quasi nessuna. Anche qui, è piú o meno la storia del lupo: « S'ode a destra uno squillo di tromba; a sinistra risponde uno squillo ». Ecco, sui primi del secolo, i cattivelli positivisti, che disperatamente cercano di difendere le loro posizioni dall'aggressivo, incalzante, e in ultima analisi non meno infesto idealismo e immanentismo. "La Voce" s'industria di rinfrescare la cultura italiana; e "Lacerba" accompagna letterati ed artisti al cimento della prima guerra. I futuristi fanno disordini; ma i rondisti richiamano all'ordine. Sopraggiungono in punta di piedi i solariani; nascondendo nella manica, come una bomba o come l'asso di briscola, il machiavello della narrativa.

Si capisce dove va a parare il racconto. Si capisce dove gravitano le simpatie di Bargellini, tuttavia giocate con assai prudenza. Ma anche da questa prudenza, alla fine, si accresce l'impressione d'un esercizio a vuoto. E mentre il lettore, sia pure meno provveduto, rilegge nel nuovo libro una vecchia solfa da cui non è piú da imparare nulla; mentre il lettore scorbutico respinge il volume con qualche irritazione; un'altra qualità di lettore, appunto come me, che ha stima dell'ingegno del Bargellini, del suo dono di scrittore, eccetera, eccetera, torna a domandarsi che senso abbiano parate dimostrative come questa, mille volte scontate in partenza; non meno superflue per chi le organizza, che per quelli che esse dovrebbero interessare e edificare.

(1951)

«La fine dell'avanguardia» di Cesare Brandi

I primi allarmi abbastanza precisi circa le sorti della cultura europea e della civiltà contemporanea si trovano nel Burckhardt ed in Nietzsche. E per quello che riguarda piú direttamente la politica, già nel 1882 il Burckhardt aveva scritto che « il mondo presto si sarebbe trovato a scegliere fra la democrazia totale e un despotismo assoluto, violatore d'ogni diritto». Ad ogni modo, fino a dopo la prima guerra mondiale, si può dire che l'ansietà fosse tollerabile. Ma proprio allora si aggravò lo sconquasso, le cose precipitarono; e alla fine della seconda guerra era chiaro che nessuno dei profeti piú pessimisti aveva saputo essere pessimista quanto ci sarebbe voluto. La famosa *Crisi della Civiltà* dell'Huizinga venne pubblicata nel 1935; quando le condizioni che determinarono la seconda guerra mondiale erano del tutto mature. E a rileggerla oggi, a parte che in molte pagine fa l'effetto d'impostare la propria polemica su fatti ed osservazioni laterali e meno rilevanti: nell'insieme, col suo tono lenitivo, sembra riferirsi ad un mondo che, con quello nel quale viviamo, abbia ormai a che vedere poco o niente.

Negli anni di questo secondo, affannoso dopoguerra, l'inasprirsi degli attriti politici, il dilagare di nuove eresie morali e filosofiche, il divulgarsi di forme d'arte letteraria e figurativa sempre piú arbitrarie, hanno cominciato ad aprire gli occhi anche ai ciechi. E non è mancata una produzione d'assai alto livello, che denunciasse ed illustrasse l'odierno disordine, nelle sue cause prossime e remote. Senza uscire di casa nostra, basta richiamarsi a recenti, numerosi scritti del Croce, dell'Antoni, del De Ruggiero, ecc. A tali scritti è venuto ora ad aggiungersi un animoso volumetto: *La fine dell'avanguardia e l'arte d'oggi* di Cesare Brandi, che il minaccioso sbandamento studia soprattutto nelle arti e in certi aspetti del costume e nella letteratura. Storico dell'arte rinascimentale e moderna (suoi volumi: *Duccio*, *Quattrocentisti senesi*, *Giovanni di Paolo*, *Picasso*, *Morandi*, ecc.); Il Brandi è anche autore d'una grossa trattazione d'estetica in forma di dialogo: *Carmine o della pittura*, che fu notata favorevolmente dal Croce.

In questi anni, dice appunto il Brandi, si assiste ad un lento decesso. Si assiste nientemeno che alla fine del Romanticismo; senza che d'altra parte si scorga che cosa lo possa sostituire. Lo spirito del Romanticismo fu spirito di rivolta, di frattura col passato, di sovvertimento dell'ordine. Nel Romanticismo e non prima nasce l'idea dell'*Avanguardia*, come azione di punta e tattica pragmatistica di un cosiddetto progresso; come anticipazione, ed anzi prevaricazione del futuro sul presente; e il cui termine di validità e di misura di sé stessa è nel criterio, quanto mai futile ed instabile, di *novità*. Alla rivolta e all'abbandono del passato, fa riscontro, nel Romanticismo, la ricerca sempre piú velleitaria e sfrenata della novità. Nulla importa a Tiziano d'essere in talune opere scambiato e di confondersi ed immedesimarsi con il suo immediato predecessore Giorgione. Ma il piú meschino imbrattatele d'oggi cova come Lucifero l'orgoglio della propria ribellione e novità.

Nel campo dell'arte e della cultura, le due guerre mondiali ebbero per effetto di accelerare o catalizzare la risoluzione d'alcuni svolgimenti romantici. In confronto alla iniziale austerità e consapevolezza antiromantica del Cubismo, il Futurismo consuma in un baleno il proprio corso, disordinato e infestato da volgarità pubblicitarie. Ma nemmeno il Cubismo ha vita lunga. Entrato nello spirito dell'avanguardia, ne patisce le contaminazioni arrivistiche, smarrisce le proprie direttive. In parte s'impiglia nei compromessi; in parte anche maggiore è travolto nelle susseguenti avventure romantiche: ultima e piú rumorosa, il Surrealismo. Nel quale l'opposizione alle regole, il rifiuto della disciplina intellettuale e razionale, e la spontaneità del sentimento, invocati dal primo Romanticismo, diventano vera e propria abdicazione all'inconscio.

Anziché impegnarsi nella conquista d'una autentica coscienza formale, l'attività creatrice del Surrealismo si estrinseca « in confuse gestazioni d'immagini, in gratuite illustrazioni di favole freudiane, in scritture automatiche, racconti di sogni, interrogatori medianici ed altri perditempi ». Finché, rimasto paralizzato il Surrealismo dalla stessa facilità del proprio arbitrio, gli succede l'estrema aberrazione d'un Astrattismo, « clausola finale di tutto il travaglio artistico dell'Ottocento », « molto vicina alla croce con cui firmano gli analfabeti ».

« L'importanza dell'Astrattismo è retroattiva: sta nella prospettiva storica ch'esso chiude, non certo in quella che *non* apre. Per questo è una falsa avanguardia... Un'avanguardia già vecchia, che sa benissimo di non poter avere alcun sviluppo; di essere, come ogni ripetizione, parassitaria dello spirito e della cultura; fine dell'avanguardia, dunque. La spoglia, come di serpe, del Romanticismo. »

Come abbiamo fatto, ancorché brevemente, per l'arte figurativa, vorremmo seguire il Brandi nei suoi rilievi sulla musica, il teatro, il cinema e soprattutto la letteratura attuale. Ed almeno altrettanto che su quelle riguardanti l'opera di Proust, di Gide, di Valéry, di Eliot, di Joyce, ecc., soffermarci sulle sue osservazioni intorno al romanzo americano.

Circa il rapporto di Gide, Proust, Valéry, ecc., con la tradizione: esso è spontaneo, positivo; e nel caso di Eliot ha qualche cosa d'un impegno perfino reazionario. L'idea d'avanguardia, come sopra s'è provato a chiarirla, per tutti costoro, con l'eccezione del Joyce, non interviene affatto. Solo il Joyce determina nelle lettere un rivolgimento da considerare d'avanguardia. Formatosi sul simbolismo, Joyce gradualmente deforma e capovolge il concetto che Mallarmé ebbe del linguaggio e della poesia, e che espresse nel celebre verso: *Donner un sens plus pur aux mots de la tribu.* Dopo talune invenzioni di veramente alta poesia, Joyce finisce nella Babilonia filologica di *Finnegans Wake.* Finisce nella pretesa e nell'improba fatica di crearsi un linguaggio personale e tutto suo, a base d'etimologie trasposte e stravolte, d'innesti, d'assonanze e d'associazioni paradossali. Imponente mostruosità, in cui l'immagine dell'avanguardia letteraria resta fissata con qualche cosa di funereo e di folle.

Quanto al romanzo americano, la sua situazione è piú ambigua, e forse (per un certo periodo almeno) senza ulteriori sviluppi. Il cosiddetto « monologo interiore », il *collage* pittorico delle immagini, la ripresa di taglio fotografico, e il montaggio come nella cinematografia, ecc.: insomma le nuove tecniche escogitate dalle avanguardie europee, sono adoperate ad un fine oggettivo, documentario, quasi in chiave di *reportage* giornalistico. In gran parte, per noi, coteste novità tecniche altro non sono che cavalli di ritorno. Negli effetti che nel romanzo americano esse conseguono, nei significati che esprimono, e spesso potentemente, non si oltrepassa la sfera d'una umanità elementare, legata agli aspetti fenomenici, sull'orlo di una tradizione estremamente breve, senza nessun retroterra speculativo. Ma il rinsanguamento d'un'arte narrativa come quella europea non potrebbe dipendere da apporti d'una cosí instabile tensione intellettuale e morale.

Frattanto, prosegue il Brandi: nel crescente disconoscimento e distacco tra il pubblico, l'arte, il teatro, la letteratura, ecc.; nel mondo contemporaneo s'inserirono due fatti nuovi: il cinematografo e lo sport. Mercè i quali un'approssimativa comunione di gusti o almeno di curiosità, una base di effimeri consensi, viene in qualche modo a ricostituirsi; benché sopra un piano deteriore. La paura sempre piú intensa della solitudine morale, la dissuetudine dalla vita contemplativa, il bisogno di violente impressioni ed immagini di realtà che risveglino ed eccitino la fantasia intorpidita, che ravvivino lo squallore psicologico della giornata deserta: trovano qualche compenso nel cinematografo, e nelle manifestazioni sportive, fitte e popolose come mai erano state.

Inutile voler sublimare il cinema e lo sport con l'attribuzione di significati che loro non competono. Altrettanto inutile deprecarli, con il solito *vade retro*; dal momento che, nella vita odierna, cinema e sport hanno parte preponderante. Si tratterà piuttosto d'intenderli e valutarli nella loro precisa natura, e nella loro funzione di surrogati; anche se, pensando alle realtà intellettuali e sentimentali ch'essi suppliscono, cotesta loro funzione si presenti, chi ben considera, con qualche cosa di quasi assurdo e grottesco. Riguardo al cinema, il Brandi non ha avuto che da riprendere un discorso che, nell'ultima parte del suo *Carmine o della pittura*, già egli aveva robustamente avviato. Ma non meno copioso d'acute osservazioni e bei corollari egli riesce ai riguardi dei ludi sportivi e della loro invadenza quotidiana.

È chiaro che ad una siffatta materia, in continua, tumultuosa trasformazione, potesse meno convenire una trattazione sistematica. E un genere di scritture come questa del Brandi, fa tornare in mente quanto appunto il Burckhardt confessava al Nietzsche: « Io non sono mai penetrato nel tempio del pensiero: per tutta la vita ho indugiato nella corte e sotto i porticati, ove domina l'*intuitivo* nel piú vasto senso della parola ». Felicissima colpa. D'arte e letteratura il Brandi ha pratica da vendere, e lo stesso dicasi della sua agilità intuitiva. Alla sua polemica egli avrebbe saputo dare facilmente una struttura piú simmetrica; ribadire i nessi e fermare i contrasti con un segno piú dottrinario e marcato. Ma sarebbe forse stata piú la perdita che il guadagno: e cosí com'è, il suo libretto, nell'immediatezza del tono, nella rapidità del dettato, nell'andirivieni delle argomentazioni, è uno dei panorami piú vivaci, veritieri e suggestivi della crisi attuale per ciò che riguarda le cose della letteratura e dell'arte.

(1953)

«Il mito di Parigi» di Giovanni Macchia

Un nuovo libro di Giovanni Macchia: *Il mito di Parigi*, piglia titolo dal suo ultimo capitolo nel quale è rievocato uno scritto dove l'esule Victor Hugo esaltava Parigi e l'Esposizione Universale parigina del 1867. Singolare esaltazione, sul tono d'un pacifismo paneuropeo, che avrebbe dovuto preludiare ad un pacifismo universale, o a qualche cosa di simile, e che invece, disgraziatamente, preludiò soltanto ai disastri militari del 1870. Vero è che tali disastri non toglievano alla condizione per certi aspetti egemonica della coetanea cultura francese. E a questo riguardo basti ricordare la grande pittura impressionista, e il romanzo di Flaubert e di Zola.

Il Macchia distingue e contrappone un « mito di Parigi », formatosi col romanticismo, e quel « mito di Versailles » che aveva avuto corso finché prevalsero « gli ideali della Francia ufficiale e cerimoniosa: l'ordine, la ragione, il fasto, la tradizione, il classicismo aristocratico... ». È noto che, dagli spiriti del romanticismo, anche in altre nazioni europee, sui primi dell'Ottocento, aveva avuto origine la rimessa in valore dell'arte e della cultura medievale, ed è superfluo fermarsi su quanto accadde in Italia, in Inghilterra, in Germania. Come lo stesso Macchia si esprime, il « mito di Parigi » non può dirsi oggi del tutto decaduto, benché sia innegabile che « non piú animata da fermenti d'un tempo, soverchiata dalle immagini di città orribili e piú moderne, Parigi vive ormai in una generosa e magnifica immobilità ». « Quando Hugo dettava quelle sue pagine del 1867, già Parigi aveva perduto della sua forza mitica. E già in Baudelaire è riconoscibile il passaggio dalla rappresentazione della città piú tragica che un poeta abbia mai creato, al campionario elegante e festoso del *peintre de la vie moderne* che era il delizioso cronista Constantin Guys. »

Con il titolo che brevemente s'è commentato, e con un sottotitolo: *Saggi e motivi francesi*, il Macchia raccoglie in questo volume oltre quaranta saggi e ritratti d'autori francesi, in massima parte prosatori, che vanno da Montaigne a Robbe-Grillet. Dal tempo della sua opera su *Baudelaire critico* (1939), che prima lo fece conoscere, e che rimane ancora una delle sue piú vitali, attraverso *Il Paradiso della ragione*, *La Scuola dei Sentimenti*, e la parte finora uscita d'una sua *Storia della Letteratura Francese*, il Macchia è venuto sempre acquistando nella qualità del lavoro e nella stima del pubblico. E meno di tutti hanno bisogno che insistiamo qui ad illustrare i suoi meriti, i fedeli lettori ch'egli ha anche su questo giornale.[1]

Una cosa che nei suoi riguardi spesso mi ha fatto riflettere, è come la sua buona sorte volle incaricarsi d'accompagnarlo, ancor giovanissimo, alla cattedra di letteratura francese nell'Università di Roma, dove alla morte di Cesare de Lollis salí Pietro Paolo Trompeo, poi deceduto nel 1958. In questo genere di eredità e successioni scolastiche, capita di vederne ogni giorno di talmente stonate o contraddittorie; mentre quella triade De Lollis, Trompeo, Macchia, si direbbe prescelta con intenzione ed arte sopraffina.

Di solito si dimentica che, prima di dedicarsi alla filologia romanza e all'esercizio della critica di letteratura francese e italiana, il De Lollis era passato per la scuola di filologia greca di Girolamo Vitelli: e ciò costituiva una forte guarentigia delle sue attitudini di lettore ed interprete di poesia. A parte la preparazione tecnica e storica, nel Trompeo, fra i caratteri determinanti, oltre alla serena anche se un po' malinconica umanità, era un dono di scrittore tanto piú convincente quanto meno ostentato. Senza averne l'aria, il Trompeo fece fare molti progressi alla forma del « saggio » che, generalmente parlando, in Italia non sempre ricevette le cure di cui era fatta oggetto in altre nazioni. Certi suoi libri, che si direbbero semplici raccolte d'articoli, si riaprono a distanza d'anni per rintracciarvi una citazione, per riscontrare un dato di fatto, ed avviene di finire col rileggerseli da cima a fondo, come il piú gustoso romanzo.

Sotto alle spiccate qualità personali del Macchia, che nel progresso del suo lavoro naturalmente prendono sempre piú risalto, è difficile non scorgere affinità

[1] Anche questo articolo fu pubblicato sul "Corriere della Sera".

e legami con questi gentili maestri, di cui, dalla cattedra e nei libri, egli riprende e sviluppa la elegante ed agile tradizione. Superfluo dire, che in confronto all'esperienza culturale ed estetica del De Lollis e del Trompeo, quella del Macchia è incomparabilmente piú varia, inquieta e carica di curiosità. Basti pensare agli immensi mutamenti prodottisi durante gli ultimi decenni, nei quadri di storia della cultura, negli incontri e rapporti (sia pure di sovente approssimativi) con le letterature e le filosofie straniere. E pensare alla molteplicità degli inviti che, per il presupposto della unicità delle arti, provengono sia dal campo della musica, sia da quello delle forme espressive pittoriche e cinematografiche. La esperienza del De Lollis e del Trompeo, e mettiamo pure del Croce, era estremamente casta e lineare, in confronto alla realtà culturale che il Macchia trovasi a fronteggiare; come egli fa con prudenza ed equilibrio, pari alla multiforme competenza.

Alla diversità dei motivi, degli interessi e delle suggestioni, direttamente si ricollega la difficoltà di rendere conto d'un libro come *Il mito di Parigi*, a meno che il recensore non si contenti d'offrirne un'immagine schematica e artificiale. Si tratta d'una serie di quadri a dipingere i quali l'artista ha dovuto di continuo spostare le luci, e cambiare i pennelli.

Talvolta la impostazione dei saggi è francamente aneddotica; come per esempio nel tentativo di ricostruzione delle ultime ore d'agonia di Balzac, sceverando il vero dal falso nelle pretese confidenze che l'amico di Madame Hanska, la cosidetta *Etrangère*, avrebbe fatto ad Octave Mirbeau, che ne confezionò una pagina tanto inaccettabile quanto famosa. D'uno spirito per niente drammatico, ma in un certo senso ironico e burlesco, è invece la storia della scoperta di Proust in Italia: prontissima scoperta, in un articolo uscito a un mese giusto dalla pubblicazione di *Du côté de chez Swann* (novembre 1913) in Francia.

E non fu dovuta, tale scoperta, a nessuno dei nostri specialisti di letteratura francese, a nessun intrepido avanguardista; ma a un modesto romanziere, Lucio d'Ambra. Da principio il Proust suppose che « Lucio d'Ambra » non fosse altro che il finto nome di qualche amico francese che voleva fare *réclame* al suo romanzo all'estero. Poi seppe come stavano le cose, e l'articolo gli dette vivo compiacimento. Aveva scritto il D'Ambra nella "Rassegna contemporanea": « Ricordate questo nome e questo titolo: Marcel Proust e *Du côté de chez Swann*. Tra cinquanta anni i nostri figlioli ritroveranno forse l'uno e l'altro accanto a Stendhal, al *Rouge et Noir*, e alla *Chartreuse* ». Bisogna riconoscere che a parte una qualche enfasi nel tono, erano parole che non facevano una grinza.

S'è detto che il volume è nel complesso una sorta di sostanzioso *mélange*; e a partire da Montaigne e da Jean de Sponde, vi si tratta, in iscorcio o per disteso, di buon numero tra le figure e le questioni che, negli ultimi tempi, di preferenza interessarono gli studiosi di letteratura francese. Montaigne è rievocato attraverso il tramite delle note, degli appunti e degli scartafacci lasciati dal Thibaudet: preparazione ad una grande opera che la morte impedí al Thibaudet di compiere. Riprendendo un tema già studiato nel *Paradiso della Ragione*, il Macchia torna sul rapporto di Proust con la pittura, e particolarmente la pittura di Vermeer. Per due volte si affatica intorno ad una delle maggiori stature dell'Ottocento letterario francese: Henry Becque, di cui il Croce faceva altrettanta stima come teorico dell'arte (nella grande compagnia di Baudelaire e di Flaubert) che come commediografo. E cosí di seguito.

La successione delle figure presentate non è cronologica. E non di rado è casuale l'occasione d'uno od altro di questi saggi, e la qualità dell'impegno. Possono aversi molto studiati ritratti a mezzo busto, ed anche a figura intera (Corneille, Saint-Simon, Diderot, De Maistre, ripetutamente Stendhal, ecc.). A volte, invece, rapidi profili, o come s'è visto, ritagli aneddotici. Ma qualunque sia l'occasione e il punto di partenza, quando si giunge al punto d'arrivo dobbiamo sempre riconoscere che sono entrati nel giuoco e ne hanno assunto il comando i valori che contano; e che sono i significati estetici e morali d'una vita d'artista e di un'opera d'arte.

Soggiungerò che, in parte forse da quei predecessori che furono il De Lollis e il Trompeo, proviene al Macchia una vena che vorrei dire virgiliana e manzoniana, e che nel linguaggio critico ottocentesco si riconosce in maniera suprema nel Sainte-Beuve. Dalle stesse origini mi sembra ritenere la qualità della sua scrittura grigia, sommessa ma mobilissima; e a tali origini vorrei ch'egli potesse restare fedele. M'incoraggia a sperarlo il suo riserbo per non essere coinvolto negli stravizi di quella che potrebbe chiamarsi la odierna teratologia avanguardista, e nella coltivazione di estetici assurdi, imbottiti di molte parole, e che poi non danno alcun frutto. Che da parte sua non sia questione di preconcetti atteggiamenti misoneistici mi pare chiaro, quando al suo evidente sospetto ed alla sua freddezza per il conclamato « ritorno » di un antipatico e sterile fantasma come quello di Raymond Roussel, si confronta, per fare un esempio, la sua acutezza e freschezza di sensazioni nel commentare *Instantanés*, i « bei poemetti in prosa » di Alain Robbe-Grillet.

(1965)

Varietà

I pregiudizi della cultura

Del termine *cultura* oggi adoprato a diritto e a rovescio ad ogni momento, si hanno in corso principalmente due interpretazioni, disugualmente diffuse e, manco a dirlo, egualmente sbagliate.

Per una si crede che imparare equivalga a saturarsi, riempirsi, satollarsi lo spirito; che la *cultura* abbia lo scopo di far cessare certi bisogni spirituali, mentre essa invece comincia a diventare veramente attiva, solo quando li eccita e moltiplica. Si crede che essa debba sfamare; mentre il suo effetto piú fruttuoso è di eccitare la fame. E questo è l'equivoco della gente grossa.

Vien poi l'equivoco dell'*élite*, dei *gentlemen* dell'intelligenza, i quali vorrebbero ridurre tutte le forme della vita intellettuale a quella della loro vita, e avendo ai nervi, non si sa perché, le necessarie limitazioni, le ristrettezze (in certe direzioni) d'orizzonte mentale dei creatori, vorrebbero incivilirli, sottoporli a buone cure d'eclettismo, farne, per dirlo alla spiccia, dei dilettanti e degli oziosi.

Se dunque, da un lato, si tende a ristringere la estensione del termine cultura, servendosene per battezzare una prudente plantigrada ricerca di espedienti pratici, dall'altro s'introduce il criterio d'eclettismo della cultura vera, in ragioni nelle quali non ha nulla che vedere. Si amerebbe di vedere agghindati gli operai dell'intelligenza negli abiti leziosi dei *viveurs* dell'intelligenza; ci piacerebbe che i leoni portassero il barbazzale e la cavezza, non pensando che allora cesserebbero anche di ruggire ed esser leoni.

Ma, tornando al primo equivoco, dirò che forse sotto l'errore si sente nascosta la verità, piú di quel che non si creda. Si figura di non sentirla, perché figurare di non sentirla fa comodo a tutti, o quasi. Sono indotto a crederlo dall'atteggiamento difensivo che veggo prendere alla maggior parte degli uomini, piú o meno istruiti, quando si fa loro intravedere la possibilità d'una maggior cultura. Si deve sentire che la cultura è una formidabile moltiplicatrice di sé medesima; e per non esser presi negli ingranaggi tormentosi delle sue interminabili moltiplicazioni si cerca di tenersene discosti. Poiché anche coloro che si *coltivano*, non accettano la cultura a tutt'oltranza, ma stabiliscono di fermarsi a un certo punto; e difatti arrivati lí dicon basta. Elogiano la cultura, ma in pari tempo ne prendono solo piccole dosi. L'amaro, ma da eunuchi. L'adoprano, ma cautamente, sospettandone. Chiamano cultura il gomitolo per guidarsi fuori del laberinto; mentre cultura è quasi sempre l'inganno che conduce e fa smarrire nel piú profondo del laberinto. Credono cultura la viottola che conduce verso casa attraverso tepidi pomari, belli aranceti e comode vigne, mentre è la via malfida che da casa ci allontana sempre piú; o se pure ripiega verso casa è per farci sentire tutta la nostra miseria, quando ci sediamo ancora insoddisfatti sulla pietra del focolare. Credono la cultura uno strumento, una serva, mentre è una tiranna; un'arma, ma è una arma che ferisce soltanto chi l'adopra; una datrice di sicurezza mentre è una moltiplicatrice di rischi. La colmatrice d'un vuoto, mentre è la scavatrice di vuoti cento volte piú profondi; la rivelatrice della sapienza, mentre è il reattivo dell'ignoranza.

Onde non si coltivi chi vuol sentirsi dotto; ma sibbene chi non ha paura di ritrovarsi ignorante dopo molte crociere e infiniti pellegrinaggi, e irrimediabilmente ignorante! Si coltivi chi non teme l'errore e l'incertezza; ma chi li teme si guardi bene dal farlo.

Poiché l'ignoranza siede in trono nel palazzo dorato della dottrina, e questa abita la semplice catapecchia dell'ignoranza.

Soltanto pochi, del resto, intendono oggi, come soltanto pochi la intesero in ogni tempo, questa funzione disinteressata della cultura; e non confondono cultura con previsione dell'applicazione o preparazione alla pratica, che presuppongono limitazioni ed inquadramenti addirittura inconciliabili con le tendenze girovaghe nomadi volubili della vera cultura.

L'uomo colto, il *gentleman* intellettuale che si interessa a tutto con uguale arrendevolezza, e sempre ugualmente disposto aspetta l'alzarsi del sipario sopra ogni palcoscenico e porge uguale orecchio ad ogni cantore, manca del resto dei requisiti piú elementari per quella forma di vita spirituale che tutti ammettono essere la piú alta, cioè la creazione.

Le forze che sollecitano in ogni direzione il suo spirito finiscono col farsi equilibrio. Per produrre, occorre invece essere in tutt'altra disposizione che di sosta, di tranquillità. Occorre essere ricchi di squilibri, correnti e cascate da sfruttare per forza motrice. Occorre non generalizzare ma localizzare. Ora, la cultura che estende indifferentemente su tutto il planisfero spirituale la sua rete di vie maestre e sentieri sottili, e moltiplica anche le possibilità d'espressione indiretta, cioè per mezzo delle opere altrui, agisce come il piú temibile polarizzante delle forze creative.

Ond'è veramente compassionevole la semplicità di coloro che rimpiangono le cecità, le già citate ristrettezze d'orizzonte mentale dei grandi uomini. Somigliano questi tali ad un certo mattoide di cui or sono pochi anni s'occuparono le colonne di *varietà* dei quotidiani. Egli lavorava a correggere, rifare, perfezionare la *Divina Commedia*. Giacché ragionava cosí: la *Divina Commedia* è senza dubbio un grande poema, ma è piena d'errori che la scienza moderna ha confutati; – tolti questi errori, messi in armonia i punti errati con le novelle teorie, l'opera di Dante sarà perfetta. – La morte gli troncò l'opera, ché altrimenti ci sarebbe dato d'aver l'Inferno Dantesco messo d'accordo col concetto di responsabilità secondo la scuola positiva: cosa meravigliosa sopra ogni altra, e degna d'esser posta per prima in una lista di nuove meraviglie del mondo, frustrateci dall'avarizia e dall'invidia del Fato.

Ma non è soltanto qualche poetastro mattoide che si compiace di queste ipotesi senza senso.

Se lo Shelley non avesse sofferto d'un'inquietante angustia mentale – mi diceva un mese fa un giovane e valente professore che a tempo avanzato fa della critica e si *coltiva*, – cosa mai non avrebbe potuto darci? – Egli pensava ai pistolotti demagogici, alle tirate tribunizie, alle ingenuità liberalesche ed anticlericali dell'autore del Prometeo. E, dal suo punto di vista, d'uomo colto aveva ragione a trovar le teorie politiche shelleyane d'un'assurdità addolorante. Ma il vivace professore non si fermava alla pianella. Egli passava a far la psicologia dell'artista e qui diceva corbellerie da pellaio.

Non capiva che ciò che a lui sembrava goffo, balordo, puerile, era puerile, goffo, balordo soltanto se si riferiva alle opinioni sue, mie, d'un terzo; mentre rispetto allo Shelley era d'una perfezione assoluta, d'una utilità incontrastabile, d'una praticità vitale. Non capiva che, corrette quelle assurdità e illuminate quelle puerilità, sarebbe stato non dico tolta una ruota motrice, ma addirittura spento il focolaio e la caldaia di quella turbinosa fucina di poesia.

A criteri che si trovano, per dir cosí, sul prolungamento di quelli stessi in base ai quali il mio interlocutore criticava lo Shelley, dobbiamo il cerretano scalpore che, proprio in questi giorni, si mena intorno ad un fatterello che con quanto ho detto sopra ha piú d'un'analogia. Voglio dire delle novissime trovate dannunziane.

I lettori di questo giornale sanno già che Gabriele d'Annunzio, seguendo in questo un uomo che ha già contribuito moltissimo alla sua formazione intellettuale, ha ormai cominciato ad accoppiare alla sua attività poetica, attività di scienziato. È vero che le sue tendenze sono piú pratiche di quelle del gran Volfango: invece dell'osso intermascellare egli scuopre un vivificatore dei bulbi piliferi; e invece d'una teoria dei colori crea una ruota per automobili.

Non c'è troppo pericolo, insomma, che il puro spirito scientifico, l'arido intellettualismo dilaghi nella sua poesia e la sterilisca. Tuttavia non so trattenermi dal sorridere del frastuono fatto intorno a questa notizia. Né trovo, per il felice inventore, altre parole di quelle con le quali Barbey d'Aurevilly riassumeva la fisionomia spirituale dello scaltro Volfango: « grand cabotin ». Cosa crede d'aggiungere il nostro grande poeta alla sua attività col darle tanti atteggiamenti? All'amletico: *Words, words, words* si potrebbe sostituire *gesti, gesti, gesti*; ma certo il D'Annunzio ai gesti in fondo in fondo ormai non ci crede piú neppur lui. E allora?

Che se poi, cosa che non credo, l'acqua miracolosa e la ruota per automobili non fossero fanfaluche, la cosa non cambierebbe d'aspetto. Le scoperte del Goethe, e non erano sciocchezze, oggi sono sorpassate e non suppliscono a quella deficienza di fiamma che costituisce il principale difetto della sua cristallina poesia.

È necessario limitarsi; egli bandí, ma non onorò questa necessità altro che a parole. Ché sapersi limitare è ancor piú difficile che sapere estendersi. Egli, che annunziò il pericolo, non ne scampò. Ma, se non le sue parole, la sua esperienza può giovare.

(1906)

Le piccole foglie

Le piccole foglie che mettono sulle cime degli alberi quasi dispogliati dei fiori, la peluria di erba sulla schiena degli acquedotti e sui cigli degli anfiteatri di questa città formidabile, mi sono sembrate, in queste mattine di pioggia primaverile, interrotta di lampi di sole, l'immagine viva di un pensiero maturatosi oscuramente e caramente, attraverso silenzi e letture: il segno rivelato di una verità silenziosa.

Non si sa che incanto sia quello che si diffonde dal loro verde chiaro chiaro, nell'atmosfera, sulle colorazioni del paese, sulla durezza delle architetture superstiti. Ma tutta l'inquietudine dell'aria, corsa, in queste tempeste feconde, di nuvole fosche ed oblique, di vento turbolento, carico di germi, e di polvere di cose disfatte, tutta quest'inquietudine sembra calmarsi intorno ad esse, che brillano in cima alle dita magre degli alberi, come fiammelle buone, e lungo le prode paiono un mormorio verde, e sotto i platani radi dei giardini luccicano a chiazze fra le quali il bruno della terra traspare. Il tumulto della primavera acerba, travagliata dalla sua forza inconsapevole, quasi ancora frustata dal dolore dell'inverno troppo vicino, si acqueta, si abbonisce loro intorno, come a preservarle e ad adorarle; a quel modo che l'oscurità di una grande cripta diventa dolce, intorno ad una lampada di olio votivo. Tremolanti, stillanti, quasi rabbrividenti nella loro carne troppo gracile, le piú dolci e deboli cose di tutta la natura circostante, ma anche quelle nelle quali tutta la natura circostante sembra affiorare, trovare la ragione della sua vita, vivere la sua giustificazione, esse mi hanno fatto ripensare una volta ancora a quei motivi d'ingenuità impreveduta, di dolcezza elementare, a quei sorrisi di cose, che si annunciano d'un tratto nella ispirazione tormentata dei nostri libri moderni, la compiono e sembrano esprimere il segreto piú profondo, sembrano fiorirne l'intimo cuore, come il capitello fiorisce la colonna, come il ritornello corona le strofe, come dal recitativo convulso sgorga la melodia.

E, veramente, non è diffuso un senso invernale, un che di caotico, di tormentato, in tutta questa nostra letteratura, che si stende, sotto lo sguardo di chi prova a coglierne l'aspetto d'insieme, come una terra combattuta; si parifica, oltre le diversità linguistiche, tradizionali, etniche, in un aspetto solo contrastato e irretorto, come quello di una regione sconfinata tutta brughiere ispide, e lande, vegliata da qualche cima di ghiaccio persa fra le brume? In realtà, il senso di doloroso sgomento, di inquietudine inconfessata, di insoddisfazione diversa, che vi pervade leggendo le opere degli scrittori che hanno lavorato il terreno ideale smosso dall'erpice di fuoco della Rivoluzione, si apparenta, si unifica, diventa un'aria comune, tragica e concorde, come un doloroso segno di riconoscimento, quando le vostre esperienze poetiche hanno perso quel carattere parziale e frammentario che viene dalla troppa vicinanza; e sopravvivono, nel vostro ricordo, soltanto i caratteri essenziali, composti in sintesi spaziose. Voi restate commossi, a ripensare la intensità con la quale le loro emozioni si affermarono in viva materia di arte, la tenacia con la quale essi vollero trovare, per le loro fantasie, un fondo costruttivo concreto e sincero; tale che vi potevano sorgere non solo le opere d'arte compatte, ma anche le vite morali perfette. Perché sentite che, non di rado, essi soggiacquero al peso della responsabilità di essere artisti, fino a modellare maniacamente tutta la loro vita, in vista di questa arte, sicché la loro opera è una specie di fusione in metallo prezioso, di ciò che la loro vita fu in metallo vile; e presuppone sempre una risoluzione radicale del problema della vita, una intuizione compiuta del mondo, ma risoluzione ed intuizione volontarie, forzose, che diversificano da artista ad artista: riedificazioni del mondo *ab ovo*, dalle fondamenta, nate ciascuna da un senso di insoddisfazione insanabile, comune a tutti e pure incapace a giovarsi del lavoro circostante. Ibsen è turbato dagli stessi problemi ideali che turbarono un Meredith; in Dostoevskij sono accenti che sembrano di Nietzsche; ma veramente ognuno costruisce senza guardarsi attorno, e non i piú lontani, soltanto, ma i piú vicini; i nati sotto la volta della stessa tradizione; inteso ognuno ad un'opera egoistica, voglioso di verità, ma di verità personale; tutto consacrato, con un volere titanico, a erigere col suo proprio braccio una cattedrale mostruosa per un suo proprio iddio. Dai piú piccoli ai piú grandi, tutti che non sono stati arcadi o mestieranti, son figli di questo Destino. La loro grandezza vi stupisce. La mole della loro opera vi incute. Ma quasi piú della loro grandezza conseguita, del loro lavoro compiuto, vi colpisce il gesto della loro forza, la colossale energia di coesione che voi indovinate nel loro temperamento, mille volte ritempratasi ancora, in chi sa quale tragico succedersi di lotte interiori. E in tanti punti della loro opera, sotto la tensione della volontà creatrice, dentro la sostanza incandescente delle parole, voi sentite il cedevole e il vuoto. Sentite che essi crearono, non sopra un terreno comune, di tutti; non su un crocevia ove fosse agevole e naturale incontrarsi, non in un luogo di fede religiosa o civile, sibbene in un deserto e sopra sabbie erranti. E vedete poi che le crisi complesse e turbinose che le loro opere descrivono, e nelle quali i lettori di qui a duecento anni, certo, si perderanno come in laberinti maligni, tutto quel travaglio tempestoso e medievale, si risolve in un riso ingenuo, in una volontà di abbandono, in una ignuda aspettazione, in una rassegnata rinunzia in braccio a qualcosa che non è né la Natura, né la Provvidenza, né lo Spirito; ma qual cosa di tepido, di fiducioso, di inconscio: un senso carnale e ideale ad un tempo, simile a quello che provate quando, da una tensione di oscuro dolore, da una malattia, da una disfatta, voi uscite, un'alba, nell'aria tranquilla, e sentite il vostro dolore, la vostra stanchezza, il cupo nodo interiore, disfarsi, d'un tratto, senza perché, se non è perché sulle cime degli alberi pispigliano alte nel turchino, le prime piccole foglie.

Vi rammentate, nei *Fratelli Karamazov*, quando tutta la forza del romanzo si appesantisce nell'imminenza del parricidio, nel colloquio di Alioscha e di Ivan, la frase con la quale Alioscha cerca di spengere il febbrile desiderio di vita, nell'anima torva del fratello? « E le piccole foglie, in cima agli alberi? E le tombe venerande? E la casa che tu ami? » Non possono queste lievi parole, i ricordi di tante umili cose, fermar d'un tratto la massa degli avvenimenti, agitata da un pazzo destino. Eppure, nel brivido che con la loro dolcezza esse vi danno, voi sentite che per il loro incanto, traspare d'un tratto, nella vicenda orrenda, il volto di una sorte pietosa che sorride su quei martirii. Tutta la mole turbinosa del libro poggia, un istante, su quella frase mite. Molti momenti atroci, molte analisi allucinanti, tramonteranno nel vostro ricordo. Quelle parole chiare non si cancelleranno mai piú. Rappresentano una persuasione, una certezza, una fede? Rappresentano un desiderio, una fame d'ingenuità prorompente tanto piú acuta quanto piú la febbre delle coscienze è stata consumante. E il delitto di Raskolnikoff, a cosa conduce? Rammentate? « La giornata era serena e calda. Raskolnikoff si sedette su di un sedile di legno e si mise a contemplare il fiume largo e deserto. Lontano lontano, dall'altra sponda dell'Irtych, risuonarono canti di cui un'eco vaga arrivava agli orecchi del prigioniero. Nella immensa steppa inondata di sole si vedevano, come piccoli punti neri, le tende dei nomadi... Là si sarebbe detto che il tempo non si era mosso, dall'epoca di Abramo e dei suoi greggi. » Da questo momento, soggiunge il poeta, comincia la rigenerazione di Raskolnikoff. La annuncia, egli, ma non ne rappresenta che questo momento embrionale, non ne coglie che questa pausa primitiva; non afferma che questo distendersi della coscienza martoriata in una macchia tremolante di sole, che la abbaglia e la inebria. Capace di rappresentare ogni labile aspetto dell'errore, del dubbio, della colpa, questo poeta, e come lui tanti altri, non sa esprimere degli stati, per dir cosí affermativi della coscienza, se non un momento rudimentale, nel quale la felicità di vivere, di credere, di sentire non è diventata ancora una parola, una morale, una fede, ma è un brivido fisiologico, confuso e profondo, inafferrabile e inconfessato.

E non diversamente, se vogliamo tentare altri esempi, nella furia lutulenta della *Laus Vitae*, che non è, ahimè, come il D'Annunzio ebbe a dire, il piú gran poema di vita interiore che sia stato concepito dopo la *Divina Commedia*, ma è un grande poema moderno, s'aprono ogni tanto pause di beatitudine, nelle quali gli aspetti delle piú dolci cose naturali si imbevono di questo senso di quietudine piena di speranza; e tutto il poema aggetta verso quella invocazione alla *Felicità*, assemprata alla iddia parrasia: « Carmenta, dai lunghi riccioli, che portava ghirlanda di foglie di fava ». Siamo sotto altra latitudine, si discende da un'altra tradizione, alla nudità slavica che si colora, se mai, di ebraismo patriarcale, si contrappone la mitizzatrice facondia meridionale e latina; ma la essenza del momento poetico è compagna.

Dolorosi eredi del romanticismo, troppo artisti, troppo sensitivi per costringerne tuttora l'inquietudine nelle formule astratte che il primo romanticismo adottava, questi poeti fanno traboccare ad un modo il loro geloso travaglio in questi momenti di serenità convalescente, di dedizione nelle cose; il ricordo dei quali mi è rifiorito dentro, in queste mattine, a mirare la umile gioia confidente delle prime piccole foglie.

Che cosa sanno esse dell'inverno che hanno lasciato addietro e dal quale pure sono state espresse? Che sanno della primavera che verrà, della tensione dei cieli d'agosto, della pesantezza delle canicole e della brutalità dei diluvi estivi?

Esse stanno, e tremolano, stillanti nel sole.

Sono felici di essere. E tanto loro basta.

(1911)

Arte provvisoria

Se un giorno vi succede, come a me è successo, di sentir desiderio di lasciare, per un momento, e *Poemi Conviviali* e *Myricae*, e *Laus Vitae* ed *Alcione*, e *Poema Paradisiaco* e *Odi* e *Inni* e ripigliare in mano – chi sa poi perché? – i *Canti* del Leopardi o i *Sepolcri* del Foscolo, è probabile, è facile, è quasi sicuro, vi succeda anche di provare un'impressione sulle prime curiosa.

Vi parrà di aver lasciato un ambiente tutto decorato a ricchi stucchi, a fregi e dorature e puttini, e d'esser passati in un ambiente che, nel primo momento, non vi invita troppo: squallido, bigio, con un sentore di umido, d'antico, di funerario; come è in quelle cappelle che si incontrano, perse in una campagna, addossate quasi paurosamente a una confraternita o a un piccolo cimitero, con le immagini dei santi velate di tela bruna, con le pareti dipinte di segni mortuari: ma dalla porta si scorge, in una striscia di sole, il tentennare delle vette di argento degli ulivi, e il mareggiare del grano maturo, con un aprirsi e chiudersi di grandi pupille di fioralisi.

Sicuro, c'è un che di morto, nell'aria. Ma non vale che a far sentire quanto anche c'è di vivo, di terribilmente vivo, che irrompe e quasi frange la linea fredda dell'ombra sacra. Come immersi in un lutto, voi partecipate in un'immensa gioia.

Ora la gioia e il decoro e la venustà preziosa e colorata e la musica felice e squillante, e tutte le grazie e tutte le adornezze, vi erano parse, fino a dianzi, altrove. E voi restate stupiti, in mezzo a quella squallidezza che vi innamora, in mezzo a quella nudità che vi conquista; inebbriati di eternità da quell'odore di morte: ma un tempo nuovamente innamorati della vita, perché, certo, nessuno amò la vita piú di questi poeti che non sapevan ancora come ella fosse « terribile dono di un dio », e « centaurea veste », e « face ruggente »; e non cantavano, anzi, che la morte e le tombe: le tombe dei loro affetti, dei loro ideali, delle memorie loro e della patria, e vivevano di una ideal vita prodigiosa, soltanto per cantare le tombe.

Avete lasciato lo strepito, la confusione, il tumulto, l'ostentazione, l'offerta di sé, e qui c'è silenzio; c'è un silenzio rigato di sole, nel quale lo strido di una rondine che fuori passa, nel fresco del mattino, il crepitare d'un acanto che si scartoccia in una commettitura del sasso, tutti i leni e segreti romori concessi in questa umiltà appartata, vi sembrano giungere di là dal tempo, dall'altra parte della vita, sí che, certo, anche nel brivido dell'ale di un'ape smarrita, sentite palpitare il ritmo di non sapete quale sublimità.

Ci sono anche fiori, d'intorno e sulle soglie. Pochi fiori di tinte quasi indifferenti. Ma essi hanno nella loro carne qualcosa che manca ai fiori trovati nei giardini troppo copiosi di quelli altri: un che di trasparente e di imperituro: un che di formidabile nella sua dolcezza; e voi pensate ch'essi furon colti sull'altra riva di un fiume infero, e posati qui per un miracolo cui dianzi non credevate.

E imparate volentieri a stare in questo silenzio, in questa pace dimessa.

E quando vi siete abituati quaggiú, quando avete fatto l'occhio a questa mezza luce, a questi pallidi colori, allora vi pare di trovarvi, la prima volta, in una atmosfera di verità e di purità e di giustizia; vi pare di essere usciti, la prima volta, da un mondo fittizio, contingente e illusorio, e di esservi lasciati percorrere e penetrare da un fluido di vita superiore, fatta di raccoglimento e di consapevolezza accorata. Vi pare di sentire in modo diverso la vostra umanità, se non forse di sentirla ora, la prima volta, ché, infatti, quasi vi viene da arrossire, a ripensare come dianzi la lasciavate contaminare di vociferazioni e di balbettamenti. Tutto è cosí chiaro e limpido e castamente felice! Gli effetti non sono esasperati, né assurdi; umili anzi e quali ciascun uomo potrebbe sentirli, colto o no, esteta o no, idealista o positivista; un uomo quale era vostro padre o vostro nonno, quale vorreste fosse il vostro figliuolo. Il loro centro di gravità è cosí sicuro, che le frasi nelle quali sono espressi hanno, nel loro equilibrio, la lineare risolutezza di un ordine marziale, o l'impeto saliente di una preghiera a un Dio che non ama che i forti.

Vi pare di essere scappati da una esposizione, da una fiera, e d'esservi rifugiati in una catacomba; di aver lasciato un padiglione insolente di cartapesta, di celluloide e di cartone, e di essere entrati in un oratorio primitivo: in una di queste chiese che vegliano nel silenzio suburbano di Roma; con, al portale, i pini ombratili e i cactus gonfii di sole, tra i ciuffi dell'erba di odore acuto, e nel silenzio ghiaccio, dentro, il nudo ambone di marmo cereo, lungo le cornici, i rosoni, i pilastri del quale, l'anima ispirata dei padri si umiliò a nascondere il segreto della sua pace infinita, come in geroglifici di cui avrebbe portato seco la chiave, nelle combinazioni pazienti della sostanza severa del vetro nero e dell'oro.

Ma, veramente, l'architettura delle costruzioni poetiche di costoro, ha la calma e l'austerità del definitivo. Voi sentite che ognuna delle loro poesie ha una sua ragione, giustificante, dal cui centro si irradia, per tutta la sua massa, il vigore di una persuasione che si comunica senza bisogno di affermazione. Sentite che anche la piú lieve delle loro liriche ha un nodo intimo, necessario, fatale, insostituibile, che vi sembra dovere essersi formato, in virtú di una qualche oscura legge naturale: di una legge analoga a quelle che regolano i grandi equilibri della massa terrestre. Sentite, anche se le biografie tacciono, sotto il fatto poetico, il fatto vissuto, passionale, travagliante, e che ogni movimento poetico nuovo segnò in essi una crisi di vita risolta, fu la risposta ad una domanda essenziale, equivalse alla vittoria in un combattimento interiore, di cui l'esito opposto poteva esser letalmente decisivo.

Non c'è nulla, nei loro canti, di fittizio, di supposto per un tacito accordo di tolleranza con i lettori. Fra le loro poesie, sibbene, possono esservene di francamente brutte e insignificanti: come, ad esempio, la maggior parte delle poesie giovanili del Foscolo. Ma una volta il loro temperamento formatosi, essi non gli permisero di contaminarsi di impressioni che non fossero còlte in una atmosfera di sublimità.

Per ciò furono tanto vivi: perché innalzarono il monumento della loro poesia là love la loro vita si sentiva compiuta e non sapeva procedere piú oltre.

Per ciò furon cosí concreti: perché fecero concorrere, alla formazione delle loro opere, rare e brevi e come di sostanza rarefatta, innumeri momenti della loro esistenza e della loro meditazione, sí che, ogni parola, nel venire prescelta, si arricchiva, nel loro spirito, di un numero infinito di intime risonanze, che ora sa risuscitare nella nostra intimità.

Ogni loro « idea poetica » coincidette sempre con un movimento stilistico nuovo; e nuovo non solo rispetto a quel che gli altri artisti avevano fatto, ma rispetto a ciò che avevan fatto essi stessi. Ogni loro « idea poetica », in altre parole, costituí sempre una individualità ben decisa, che nel concretarsi andava spontaneamente ad animare una individualità formale nuova, a quel modo che una nuova necessità, nell'ordine universale, suscita un organismo originale che l'attua e le corrisponde.

Il senso di questa individualità possente impronta ogni loro poesia, e fino dalle prime linee. « Dolce e chiara è la notte e senza vento » e « Silvia rimembri ancora », già in questi accenti introduttivi, son liriche vive in tutta la loro individualità sentimentale ritmica fantastica, e vi pigliano come i temi lineati e possenti delle musiche degli autori classici. Ma nella musica di quelli altri manca, si può dire, il tema. O meglio, i temi sono uno il riflesso dell'altro; consanguinei in grado troppo stretto. Sí che la loro spicciola diversità non suscita dramma, mentre il loro congiungimento, come un matrimonio tra cugini carnali, non è vitale. Voi riuscite forse ad avere una confusa impressione d'insieme della loro poesia, ma non riuscite mai a vedere, nei loro aspetti individuali, le loro *poesie*.

Potete pensare seriamente, insomma, che Giovanni Pascoli creda alla realtà fantastica della sua Rosa, per esempio, o del suo Enrico, del suo Capoccia, a quel modo che Leopardi credeva ad Aspasia ed a Nerina? Confessiamo che stimeremmo dover provar vergogna pel Pascoli, ove, per conto nostro, rispondessimo affermativamente. Ma voi sapete, piuttosto, che egli ha *supposto* quella realtà, nella sua mente e nella curiosa benevolenza dei suoi lettori; a quel modo che Gabriele d'Annunzio ha supposto la realtà fantastica dei personaggi delle sue tragedie e dei suoi romanzi; e ha finto di credere alla individualità ritmica della sua *Laus Vitae*; la quale, invece, è suscettibile di un ritmo diverso e discorde, a seconda dell'umore col quale volta a volta vi accingete a rileggerla.

Né rammenteremo a chi ha senso di poesia che se « Silvia rimembri ancora » è il principio insostituibile della lirica famosa, « O vita, dono terribile del Dio », è una mossa qualunque, nella sua vacua pretensione oratoria, sostituibile da una frase un po' piú bassa o un po' piú alta di tono, non importa. Chi ha senso di poesia, sa scendere, senza bisogno che lo conduciamo noi, nel cuore delle frasi, e pesare senza bisogno delle nostre bilance, la caratura delle parole.

Noi vogliamo soltanto che si confronti quel che di scolorato, di anodino, di diafano, di cristallino, di casto hanno le parole, nei carmi di questi grandi, a quel che di brutalmente materiale, di sfacciatamente realistico, esse hanno, nei libri di questi altri. Si capirà allora facilmente come fosse naturale che in quei canti esse si fondessero in complesse unità, organiche e armoniose, essendo ciascuna ligia alle altre, e tutte sommesse a quell'« idea poetica » centrale, a quella ragione comune della loro esistenza che le illuminava tutte, come una lampada di elettro illumina, dalla cappella segreta, tutta una grande magione di purissimo vetro. Ogni opera finiva per essere una sola vibrante parola.

Invece, quando Gabriele d'Annunzio si accinse a cantar l'encomio di uno dei libri che piú lusingano il suo amor proprio: la *Laus Vitae*, finí per sdrucciolare a scrivere, in uno dei suoi pezzi di rettorica piú sonante, l'encomio delle *parole*, intese proprio come entità naturalistiche, per sé stanti; quasi vi sieno individui *parola*, e non individui *poesia*, individui *colore* e non individui *quadro*. Mai, forse, poeta isolò con linea piú aderente la sostanza del proprio difetto, pur senza saperlo cogliere, anzi per trarne motivo di esaltazione e di esultanza.

Ma, infine, si tenga presente ancora un carattere della produzione di questi contemporanei, piú estrinseco, ma lungi da esser privo di significato. Non dico la quantità inverosimile di questa produzione, ma il suo sfrenato eclettismo.

Credo debba formarsi, in chi legge, la persuasione che non tutto quanto siamo venuti dicendo è gratuito e arbitrario.

Il che non vuol dire che sia lieto, né, d'altra parte, che suoni con la minima intenzione squalificativa per l'opera di questi grandi che, certo, hanno tutti i difetti del nostro tempo, ma ne hanno anche moltiplicate le rade virtú.

Ma un'età approssimativa, provvisoria come la nostra, un'età di transizione, nella quale tutti gli atteggiamenti ideali nel volger di pochi anni, hanno potuto, successivamente, sembrare assoluti, non poteva avere che un'arte approssimativa, provvisoria; *provvisoria*, anche se, di qui a duemila anni, generazioni di studiosi del nostro momento storico saranno liete di incanutir nel suo esame, cercando di comprenderne la fisionomia sfuggente, di scoprire, nel suo intricato travaglio, un fermo aspetto di bellezza.

È un'arte immaginata e sognata piú che vissuta, disposta piú che necessitata. Potete immaginarla recisa, privata d'un suo frammento o d'un altro: essa continua ad esser completa, indifferente, perché è multanime, benché questa molteplicità di anime fittizie non valga a costituirle una intensità vitale, quale le proverrebbe da una grande delicata anima tutta sola. Ha mille centri, come gli animali inferiori, e se le togliete uno, due, tre dei suoi capi e dei suoi cuori non muore. Come l'anellide si moltiplica dal suo scempio. Ma ciò, soltanto in apparenza, è di pregio. In realtà, costituisce la prova piú marcata del carattere accidentale di tanti momenti di questa arte, i quali, considerati da un altro punto di osservazione, vi sembrano essenziali. Sí che, quando volete sentire, sotto la sua segreta dissidenza, una unità concreta, finite per ricorrere alla realtà empirica del temperamento dell'autore; ad una unità fisiologica, in somma; sottomessa, per una necessità di ritorno, alle ragioni inferiori della vita, in quella misura che, coll'eccezionalità dei suoi sentimenti, l'autore credette sfuggire alla vita comune, ed esaltarsi sopra di essa.

E quando volete profondamente risentirvi nella vera poetica della vostra stirpe, siete costretti a ritornare a quelle opere che stanno in disparte, tranquille e silenziose. In esse gravita il perno del suo vigore. E se, di laggiú, sentite ancora desiderio di tornare a guardare, vedete un polverio luccicante, uno sfrangiarsi immateriale: come quello che, da una placida altura, si scorge nel piano verde, quando il vento giuoca con la nebbia e la nuvolaglia, e le strappa e le scompiglia e le scaruffa[1].

(1911)

[1] L'inizio di questo articolo fu utilizzato nel saggio: *Intorno a Benedetto Croce e a Gabriele d'Annunzio*, pubblicato nella seconda parte del primo volume.

Critica demolitrice

Contro l'atteggiamento critico che s'è andato diffondendo in Italia, gli ultimi anni (ma, in relazione al bisogno, ancora troppo scarsamente) ormai, per parte dei sensibili zii degli autori criticati e seccati, per parte degli amici di questo o quell'editore, e anche per parte di letterati ben pensanti, che vorrebbero salvare e capra e cavoli, s'annuncia una certa reazione; lemme lemme, perché si giudica essa possa riuscir piú efficace, affidata alle forme insinuanti del consiglio amichevole, del parere proposto con la confidenza che obbliga alla confidenza. Una toccatina sulla spalla, l'invito a far quattro chiacchiere in piena libertà, un preludietto generico, eppoi: « Volete un parere da amico? ». Uno potrebbe anche rispondere di no. Il parere scivolerebbe lo stesso su un timido: « Perché è stato cosí severo con Tizio, che è tanto buon giovane, etc., etc.? »; o volteggerebbe sopra un premuroso: « Non per me, ma per la giustizia, mi pare che... ».

Voi state appunto parlando con lo zio di un sonettista indigeno; ed egli cerca di dimostrarvi filosoficamente la necessità di costituire su basi molto relative i vostri giudizi, in questa terra di aborigeni sonettisti. Oppure è uno scultore in marrondindia, a dirvi, a proposito di una esposizione cittadina, un « lascia vivere » nel quale sentite vibrare magari la promessa di scolpire il vostro busto appena sarete morti. Ma altre volte il consiglio prorompe con la gioia di una fanfara giovanile: « In alto; piú in alto! Lasciate stare tutta questa mediocrità soffocante. Dedicatevi ai grandi antichi, e ai moderni stranieri, non meno grandi! I tragici ellenici! Ibsen! Sursum corda! » – Se in queste opinioni dello zio filosofo, dello scultore in marrondindia, del letterato ottimista, non manca, astrattamente considerando, qualche pagliuola di vero, è un vero che nessuno ha mai disconosciuto, e che non c'era affatto bisogno di rivendicare.

Voglio dire che tutti son persuasi che la storia della nostra letteratura nel secolo ventesimo se la caverà con dodici righe, a proposito dell'opera complessiva di uno scrittore inetto, del quale voi malmenate con articoli prolissi il piccolo libro. E, tuttavia, il criterio di relatività proposto dallo zio filosofo appare giusto, in quanto obbliga ad un eccesso di attenzione sul quale quel giudizio storico risolutivo potrà fondarsi con tutto riposo.

Nessuno dubita, d'altra parte (per passare al consiglio dello scultore) che poter fare a meno di sgocciolare ogni tanto due dita di fiele nel vermouth d'un galantuomo che si guadagna il pane dipingendo paesaggi, con la stessa coscienziosità con la quale insegnerebbe calligrafia nelle scuole tecniche, sarebbe cosa economica quanto umana. Ma se non c'è legge che obblighi a dipingere paesaggi quando non si è che professori di calligrafia, c'è una legge di sincerità che obbliga chi tratta di cose d'arte, a distinguer fra i paesaggi dipinti e la calligrafia.

Infine, non è una scoperta che il mestiere di critico della letteratura contemporanea, quando non computa sopra un prontuario chimico la dose di stricnina necessaria a trapanare le sue interiora di disperato calchentero, sogna di isolarsi, dentro i fortilizi della erudizione, nei giardini del Siddhàrta, o di Pericle, o di Lorenzo de' Medici, o di Elisabetta, per restarsene là in eterno, come un monaco che mastica cardamomo, seduto immemorabilmente sotto la gronda erbosa di un chiostro del Tibet. Ma è poi da credere in tutto che ci si accosterebbe alla comprensione di quelle età solari, disinteressandosi, e lasciando il presente in balía degli imbecilli e degli affaristi; e che siano conciliabili l'apatia rispetto all'oggi e un amore vero del passato?

Gli è che il relativismo, l'imparzialità, la cortesia, la compassione, l'olimpismo e il sublimismo, nei consigli suesposti, non sono che maschere mediocri, dietro le quali si nasconde la sincerissima preoccupazione borghese dello zio filosofo, dello scultore in marrondindia, del letterato entusiasta. A costoro, in fondo, non importa né l'esattezza storica, né l'umanità, né il trecento italiano, né Sofocle. Importa il quieto vivere. E quieto vivere, invece non può essere, se questa critica spezzata non deve cedere le sue prerogative migliori, o non va gettata alle ortiche, per esser del tutto sostituita, tornando al buon uso non remoto, dalle stereotipie della réclame editoriale.

Perché è proprio nella qualità connaturata di questa critica, qualche cosa che la porta alla sua violenza vitale. Essa è negata a quella piana efficacia didattica e divulgativa, conseguita altrimenti dal manuale, con le sue dimostrazioni, liberate da ogni limite di spazio, con le sue note, gli indici e i richiami; e il Sainte-Beuve, a divulgar bene, dovette dare saggi di trenta pagine e non articoli di due colonne; e, per fare un esempio vicino e nostro, il De Ruggiero ha potuto scrivere di filosofia contemporanea piú popolarmente di molti giornalisti, sebbene i suoi saggi non sarebbero adattabili sotto le testate di un giornale. Essa critica non è poi la piú adatta a minuziose esecuzioni di giustizia salomonica; le manca agio e spazio e le corre troppo vicino il romore della vita. Non è infine, la sede necessaria di quelle sintesi ultime le quali interessano di interesse intiero pochissimi, nello stesso pubblico degli studiosi. Pare, insomma, giustificato il sospetto nel quale la tengono i professori e gli spiriti indipendenti e raffinati, gli esteti e i pedanti; ma, se mi è permesso dirlo, pare soltanto, perché essi hanno il torto comune di richiederle cose che non è nella sua natura di dare.

La sua propria efficienza è passionale, piú che dimostrativa; non consiste nello spiegare, nel definire, nel logicizzare, quanto nell'imporre con ardore poetico ed eloquente, la necessità prima di imitazioni e reazioni, fantastiche, sentimentali, morali, che dovranno, certo, risolversi, presso i lettori ai quali giova leggere, in preoccupazioni d'ordine logico, storico cui gli stessi scrittori di critica risponderanno in sedi isolate e piú tranquille. È indubbiamente fondata sur una persuasione speculativa, sur una filologia, sur una bibliografia; ma si trasmette nella forma lirica di una concitazione morale. È una critica interrogativa, che crea piú domande di quel che dia risposte, e nega e distrugge piú di quel che affermi.

Per la sua veemenza oltrepassante l'oggetto immediato, ch'è molto spesso, per necessità di cose, men che mediocre, si ricongiunge continuamente col suo proprio fine superiore. Si dirà che una parte del pubblico facilmente rimane sorda, incapace a risolvere quelle prime sintesi, di apparenza istintiva e passionale, in analisi spiegate, in riflessioni certe? Poco male di tutto questo, giacché la letteratura e l'arte non sono un principio di necessità biologica, che si abbia a cacciar con la sonda nello stomaco di chi non può ingerirlo spontaneamente. Quel che importa è che, in alcuni, si formi e persista l'abito di considerare il fatto artistico e letterario, con tutto il calore, con tutta la libertà, con intatta esigenza; cosí da sentire vitalmente implicate, nelle repulsioni per le opere meschine, le ragioni avvicinanti alle grandi opere del passato, necessitanti le grandi fatiche dell'avvenire. Importa eccitare l'istinto di orientamento, da qualunque punto della sterile produzione contemporanea, verso i segni supremi; cosí che una aspirazione instancabile finisca per irritare il corpo emaciato di questa produzione disperata, a modo d'un sangue estuante e risanatore. Allora, le piccole violenze e magari le piccole ingiustizie appariranno pochissimo tristi e mortificanti; anzi allegre e virili, come l'impeto di un malato che sente la salute vicina e l'anticipa con l'odio del letto necessario ed infesto. Ma soltanto a una siffatta partecipazione di odio di affetti germinali, può esser raccomandata la formazione di un gusto superiore. E le dimostrazioni dei professori e le scoperte dei raffinati cascheranno nel vuoto, rivolgendosi a un pubblico pel quale questa partecipazione non sia da lungo un'abitudine irriducibile e silenziosa.

Ora, per il nostro pubblico, questa severa partecipazione passionale, questa istintiva facoltà di orientazione, non sono per nulla un'abitudine; anzi, sussultanti e malsicure, son minacciate di continuo dai latenti conati della vecchia critica di favore, disturbate dall'insistenza degli editori, che non cessano di bombardarci di libracci e di suggerire ammirazioni sediziose. Onde, pel momento, la necessità del regime d'odio. Onde la necessità di non supporre, per darci un'aria meno barbarica, un'intesa superiore, ch'è insussistente, e che sarebbe la sola a poter giustificare l'indifferenza per il falso e il mediocre: l'olimpismo. Onde la necessità di non vergognarci ad apparire, meglio se potremo apparirlo facendo anche il meglio, ingenuamente accaldati contro il peggio; perché, in fondo, questa ingenuità è riuscita sempre la piú fina e piú efficace furbizia.

Quanto ad una forma di lusinga ambiziosa, della quale quel pigro olimpismo si serve, deplorando lo sperpero delle forze dedicate a queste perlustrazioni da guardia nazionale, e il sogno interrotto, rammenteremo la storia di quello che fumava e di quello che non fumava. Il secondo disse, paternamente: « Sono trent'anni che tu fumi. O stai attento. I tuoi sette toscani al giorno, cioè settanta centesimi, messi da parte, t'avrebbero fatto, a quest'ora, una bella casetta fuor di porta con tre metri di giardino. Peccato! ». « Son persuaso », rispose il fumatore, scotendo la cenere. « E ora conducimi alla tua casetta. » Diremo, ugualmente: « Grazie del vostro pensiero e della fiducia, Ma, non dubitate: verremo a prendere il gelato alla vostra palazzina: ché l'avrete certamente costruita fra le ombre dei platani accademici, quel giorno che usciremo dal fumo di queste moschetterie ».

Si perdoni.

La curva dell'immagine ha portato a dire « moschetterie », di quelli che, realmente, son tiri da capanno contro uccellacci incommestibili, levatisi sbatacchiando le ali, con l'idea di passare per aquile e falchi. Ma il volto dell'Arte è cosí bello, che uno si sente l'anima di paladino, se nulla nulla dà una mano a levar d'intorno a questa Signora qualche mendicante poco educato, e si china a pulirle la veste dalla polvere, a togliere un pruno dal lembo.

(1913)

Ritorno all'ordine

Dopo piú di quattro anni di interruzione riprendendo con assiduità su questo vecchio giornale [1] le nostre discussioni intorno alla letteratura contemporanea, non abbiamo affatto voglia di mettere assieme un mazzetto di scuse ipocrite, per propiziare la tolleranza del lettore, dato che, « nella gravità del presente momento storico », egli si credesse in obbligo di ritenere oziose tutte le questioni che non sono di politica, e peccaminosi tutti gli studî che non riguardano le cose economiche e il diritto delle genti. Per noi, la letteratura è stata sempre qualcosa di abbastanza serio. E per questo ci siamo sempre ingegnati di trattarne in uno stile possibilmente allegro. Per noi, la letteratura è stata sempre qualcosa di militare. E questi quattro anni, durante i quali il mondo è stato sottoposto alla piú dura disciplina militare, e ha patito uno dei piú spaventevoli ricorsi di rigore primitivo, hanno maturato, rispetto alla modesta materia dei nostri studi, un certo numero di conferme; ma nemmeno il piú piccolo rivolgimento di valori, nemmeno la piú piccola « rivelazione ».

In altre parole. Ci sono parecchie forme d'arte e idee di vita, che oggi, dopo la guerra, nell'opinione della gente, son generalmente scadute. Ma il tipografo

[1] La "Tribuna".

che, in questo momento, s'annoja a comporre il presente articolo, compose già, or sono diversi anni, le nostre svalutazioni di queste stesse forme d'arte e idee di vita. Quanti giovani scojattoli l'altro giorno lavoravano sui trapezî delle *parole in libertà*, e, ora, impensieriti, con un abitino al collo, e la coda ciondoloni, ragionando delle necessità di essere come essi dicono, *umani*! Quanti vecchi coccodrilli, cibati di ogni sorta di carne, nera o battezzata, ora ci assicurano che la Provvidenza li ha toccati nel cuore, e che son risoluti a finire i loro giorni nell'esercizio delle virtú cristiane! Noi non siamo qui per fare la parte dell'ombra di Banco, ai Macbeth del piccolo arrivismo letterario. Troviamo anzi la loro versatilità naturalissima, prevedibile, e pienamente nell'ordine delle cose. Alla loro libertà di spirito, non intendiamo che di contrapporre l'uso di un'altra libertà: la libertà di seguitare a non prenderli sul serio. E per conto nostro, siam convinti di offrire un « numero » di qualche novità, nello spettacolo della nostra letteratura contemporanea, pel semplice fatto che, mentre, ogni cinque minuti, ognuno sente un gran bisogno di « rinnovarsi », cioè a dire di mutar bandiera, noi, non sentiamo bisogno di « rinnovarci » affatto. La nostra novità è di esser vecchi. Mentre tutti dichiarano di essere rientrati, o star rientrando, nell'ordine, la nostra novità è di aver cercato, con tutte le nostre forze, di essere nell'ordine, sempre. Oggi tutti vogliono essere *umani*, fino al punto di parere anche « borghesi ». Ma noi siamo stati sempre « borghesi ». Oggi tutti voglion essere cristiani. Non sappiamo quanto ci possa esser riuscito di esser cristiani, che deve essere una faccenda piuttosto delicata e non scevra di pericoli. Questo però sappiamo, con certezza assoluta, che non siamo stati mai degli esteti né dei turchi. Ma la batteria psicologica che scarica conversioni a getto continuo, è, per le nostre intelligenze, d'un giuoco troppo complicato. E sul nostro comodino non teniamo il racconto del *Figliuol prodigo*, né nella versione della Bibbia, né in quella di Gide.

Che una simile posizione, come si vede molto semplice, fosse, in fatti, anche di una tal quale attraente novità, l'ha dimostrato l'accoglienza che il miglior pubblico ha corrisposto a una rivista uscita in Roma ora sulla ripresa della vita civile. Si sono trovati riuniti in questa rivista, non tanto dalla formula forzosa di un programma, quanto dalla naturale simpatia che accomuna le disposizioni solide e sincere, alcuni giovani, dei quali si parlò piú di una volta, su queste colonne: Riccardo Bacchelli, Antonio Baldini, Vincenzo Cardarelli, Aurelio E. Saffi, cui si sono aggiunti, con qualche altro, Bruno Barilli e Lorenzo Montano. La qualità degli amici stranieri, che mettono, fra questi giovani nomi italiani, l'autorità di qualche nome europeo: Sorel, Belloc, Chesterton, etc., aiuta anch'essa a definirli: e non ha nulla di casuale o di snobistico, com'è, di solito, in questa specie di incontri. – La rivista porta un titolo minaccioso magari: "La Ronda". Ronda di buonomini, che girano pei fatti loro, continuando un discorso avviato da tempo e interrotto dagli avvenimenti; e in ogni modo hanno un bastone sotto braccio. Nessuno di essi, frattanto, né dei loro amici, ha mai esercitato la professione, estremamente popolare e redditizia, del *matamore* letterario; ed è prevedibile che la pattuglia cammini verso « obbiettivi » un poco piú difficili di quello di rompere qualche testa di coccio, o di spargere un po' di sangue di pollo. – Ma non vogliamo insistere, qui, nella discussione di ciò che potrebbe chiamarsi il manifesto teorico della rivista, né in quella delle prove di fatto già offerte, sulla "Ronda", da questi nobili scrittori. La discussione teorica non ci interessa, perché ci troviamo persuasi, e, direi, immedesimati in quelle idee; e uno non può discutere se, in primo luogo, non ha bisogno di finir di persuadere sé stesso. E quanto a parlare delle cose già concretate è ancora presto; e conviene lasciar queste cose riposare un po' e freddarsi nel tempo. Un punto, invece, è digià acquisito, non diciamo alla storia, ma poco ci corre; un punto che ci riconduce alle considerazioni dalle quali, poco fa, ci siamo mossi.

E il punto è questo: che la conclusione di parecchi anni di violenza e di bolscevismo letterario, ha dovuto proprio sortire nella naturalezza di questi assestamenti! E che dopo l'imperversare delle piú svariate forme di settarismo, di camorra e di mafia letteraria, la realtà ha dovuto ricominciare in disposizioni come queste, del tutto spontanee, aperte, ordinate! Il vecchio metodo del brigantaggio, a base di cappelli a pane di zucchero e di tromboni carichi a fagiuoli, fino a poco fa sembrava l'unico col quale in Italia si potesse accreditare una rivista, un giornale, un libro. Il pubblico era tenuto sotto l'intimazione di scegliere e ammirare certi scritti, o soffrire i peggiori vituperi e ricatti. Un autore indipendente, si trovava ridotto alla vita nottambula dei paesi in rivolta percorsi dalle guardie rosse e dalla marmaglia: che Dio liberi ad affacciar la punta del naso fra le stecche della persiana! Era il quarto d'ora degli ossessi. E questi ossessi erano, per di piú, falsi ossessi. Tutte queste cose disgraziate, che esistevano tanto rabbiosamente, appunto perché erano cose inesistenti, ed erano cose che non ci potevano essere, hanno avuto il tracollo. Ed escono invece altre cose vive di una cosí radicata vitalità che, senza bisogno di farsi sentire, hanno l'aria di esserci sempre state. Il piú gran pregio di cotesta rivista è precisamente che essa sembra esserci stata da sempre. È *just out*, e insieme, venerabile e antica. Perfino nell'accidentalità degli aspetti tipografici, con quei caratteri, quella copertina, e il tamburino napoleonico...

Lasciamo il chiasso. Ricominciando il lavoro, noi dovevamo segnalarla, perché essa infine realizza, in forma solida e matura, tendenze per le quali, durante tanto tempo, avemmo l'ambizione di sentirci impegnati. È una grossa conferma; e ormai un punto obbligato. E non si vede, in realtà, che ci sieno strade, che non sieno bocche di precipizii, o vicoli ciechi, le quali volere o no, non debbano passare da cotesta parte.

(1919)

Il primo numero de "La Ronda", rivista letteraria pubblicata a Roma dal 1919 al 1923.

LA RONDA

LETTERARIA MENSILE

ANNO I - NUM. 1
APRILE 1919

RICCARDO BACCHELLI - ANTONIO BALDINI - HILAIRE BELLOC - VINCENZO CARDARELLI
EMILIO CECCHI - MARCELLO CORA - LORENZO MONTANO - AURELIO E. SAFFI
GEORGE SOREL - ADRIANO TILGHER

La bandiera dell'umiltà

Dunque oggi, in Italia, secondo scrive Prezzolini, si ripete questo contrasto: i tempi son risolutamente rivoluzionari, ma la « giovane letteratura » ha voltato le spalle ai tempi, informandosi a propositi e idee di ordine, di gerarchia, di tradizione, anzi di reazione. « Papini, l'ingiuriatore di Gesú, è diventato cristiano. Palazzeschi, che cantava il piú sbrigliato egotismo, inneggia con Dante alla Vergine. Soffici giura in Manzoni. Cecchi ci fa conoscere i reazionari inglesi... » C'è, infatti, una osservazione, fra altri, anche di Baudelaire: che i tempi rivoluzionari hanno un'arte ordinata, tradizionale; mentre nelle epoche di calma, e magari d'inedia, politica e sociale, l'arte si sbizzarrisce in saggi e tentativi eccentrici e avveniristi.

Milton, forse il piú gran reazionario di tutta la storia della poesia, è l'amico e l'alto consigliere dei decapitatori di Carlo I. David lavora meticolosamente al ritratto neoromano della sua amica Madame Chalgrin, nello stesso tempo che il boja, su denunzia del pittore, si prepara a ghigliottinare il modello. Voltaire è uno de' padri, infelicissimi, della rivoluzione. Ma il suo stile è un esemplare d'ortodossia e legalità. È cosí legale che Baudelaire lo chiama addirittura uno stile da portinai e battezza Voltaire: l'antiartista supremo. Proudhon scalza la vecchia teoria della proprietà economica. Ma pratica la proprietà stilistica come il piú ferreo tradizionalista. E che duro giudizio su tutto il romanticismo contemporaneo, in quelle prime pagine del suo libro sulla proprietà! Sorel inventa il mito rivoluzionario dello sciopero generale. Ma, in materia di gusto, è un arcaico puro; e le sue poche pagine di estetica insistono sull'arte che, nelle cattedrali, eternò in viva pietra le gerarchie terrene e soprannaturali del medioevo. L'elenco potrebbe continuare.

Per alcuni di cotesti artisti e pensatori la spiegazione è ovvia. Si proponevano uno scopo pratico; volevano diffondere certe idee; agire, rivoluzionariamente, sul mondo. E, per agire nel modo piú largo ed intenso, adoperavano lo strumento piú sicuro; vale a dire una lingua provata e universale; o come si dice, classica. Quelli che non la possedevano, non potendo far altro, si contentavano d'agognarla: la miravano nel passato o la facevano oggetto di vaticini.

Consideriamo, del resto, quell'altro gran rivoluzionario nostrale: Marinetti. Egli cominciò ad adoprare le parole in libertà, soltanto quando il futurismo fu diventato un'accademia, una monarchia cinese; e tutti i proseliti furon chiusi nell'arca. Allora, e soltanto allora, tirò fuori quella specie di linguaggio interno, da discussioni di Panurge, da sordomuti, da setta (e tutti i linguaggi romantici son tali), tanto per far vedere che il futurismo concludeva qualcosa anche lui; anche se, in realtà, riusciva appena a ritagliare, dentro la sostanza sterminata della lingua nazionale, un assurdo gergo, sí e no valido per venti persone. Si sarebbe guardato bene, Marinetti, da stendere i primi manifesti in parole in libertà; anche se allora le avesse inventate. Allora gli premeva di farsi capire; e compose le sue apocalissi, lisce lisce, con le parole dei comizî.

Ma, tornando a capo, io vorrei osservare: Papini (e si potrebbe aggiungere Panzini, Jahier, Giuliotti), Papini esalta Gesú? Palazzeschi s'inginocchia davanti alla Vergine? Quell'altro tiene a modello Manzoni? E l'altro, ancora, porta, a modo suo, il suo piccolo contributo, il suo fuscellino, alla reazione? Se essi sono od aspirano ad essere scrittori e non rètori, non si vede che possan fare diversamente. Né si vede che, neanche Papini, neanche Soffici, abbiano mai fatto diversamente.

Tutte le manifestazioni, a volte mirabili, a volte inqualificabili, di Papini rientrano nella sfera di sensibilità e d'idee d'un cristiano. Papini potrà anche avere ingiuriato Cristo. Ma, ciò che conta, non l'ha mai escluso, ignorato. Potrà essere stato un farabolano e un mezzo teppista. Ma non è mai stato un razionalista né un pagano.

Palazzeschi. Ma è inutile ripetere l'analisi della sua continuità spirituale, data pochi giorni addietro, su queste colonne, dal Pancrazi. Per Soffici, infine, si può giurare che il suo odierno « manzonismo » non muterà d'un capello ciò che egli si propose, dal primo giorno che prese la penna in mano. E di tutto, fino ad oggi, egli poté mancare. Fuorché d'amore per le cose chiare, e di culto per gli artisti, come il Manzoni, che le predilessero. Anche quando egli indossava i travestimenti piú pazzi, sarebbe stato piú facile sbagliarlo per un ingenuo, che per un corrotto, un decadente, un diabolista, o almeno un *dandy*.

Ma c'è qualche cosa che importa molto piú della loro coerenza. Ed è ch'essi trovano piena funzione, non volontaria, non assunta per amore di originalità e di eccentricità, ma naturale e istintiva, soltanto oggi, e precisamente nel risalto rivoluzionario dei tempi. Mi ridomando che cosa potrebbero e dovrebbero sentire e proporre – in quanto scrittori, e non rètori – se non le cose assenti, complementari, e delle quali si sta perdendo la specie, quanto piú n'è vivo il bisogno. Adornare di parole la rivoluzione, mentre tutto propende alla rivoluzione, sarebbe da mosche cocchiere. Sarebbe da ragazzi che fanno le capriole davanti alla banda.

Chi ha un senso dinamico della realtà, è portato verso i punti dell'azione piú necessaria; e nel trambusto della rivoluzione, la quale sgorga da circostanze mature e lontanissime, e fa da sé il suo corso, non potrà mai preoccuparsi dei valori rivoluzionari, che sono in eccesso; ma dei valori in difetto e che rischiano d'esser schiacciati e dispersi. Nella rivoluzione c'è una forsennata illusione nei valori nuovi. Di qui la necessità che qualcuno si riporti, si riafferri ai valori vecchi, ed eterni. E mentre tutti perdon la testa acclamando all'ordine futuro, la necessità che ci sia chi ripete che cotesto ordine, se sarà ordine, in fondo risorgerà sulle stesse basi dell'ordine di tutti i tempi nei quali ci fu un ordine.

La nostra rivoluzione, purtroppo, come tante volte è stato ripetuto su questo foglio, sembra estremamente remota da coteste basi. È una rivoluzione fatta di cupidigie e di vendette; senza nessuno di quei fermenti ascetici e mistici che sono in tutte le vere rivoluzioni. E se Papini, allora, riparla di Cristo, diamogli il benvenuto, perché mai nel mondo c'era stata tanta assenza di Cristo, con tanto bisogno di Cristo. Palazzeschi risaluta la Vergine! Ma io vorrei che fosse un altro Dante, e non soltanto Palazzeschi, a risalutare la Donna, la Madre, la Vergine; ora che tutti non ammettono che la Prostituta. Soffici torna a Manzoni. Perché Soffici, anche reazionario, è sempre ottimista. A leggere le scritture dei nostri giorni, si riterrebbe piú indicato risalire addirittura all'alfabeto. Cecchi, continua Prezzolini, ci fa conoscere i reazionari inglesi. Probabilmente egli allude a qualche mia noterella intorno a Chesterton e Belloc. Ma perché proprio « reazionari »? In politica sono sindacalisti cattolici; e avversari della grande industria e della finanza internazionale. In morale, è vero, credono alla famiglia. E, quanto alla letteratura, sarebbe difficile non convenire che son dei poeti.

Ma io comincio ad avere sospetto che, guardandoli bene, tutti indistintamente i valori riproposti da cotesta « giovane letteratura » italiana, parranno reazionari soltanto in questo: che son fra i pochi valori precisi e reali, in un tempo di confusione e d'irrealtà. Sono reazionari come lo spigolo contro il quale l'uomo che sogna e farnetica, a un certo momento batte, e si sveglia. Ma, in verità, son proprio essi gli unici valori rivoluzionari che rimangono, contro la borghesia disfatta e il proletariato che divora la morente borghesia. Gli unici valori sui quali si potrà ricominciare a credere e costruire nel mondo.

(1920)

L'articolo di giornale

È uscito un nuovo libro di Pietro Pancrazi: *Venti uomini, un satiro e un burattino*: raccolta di articoli critici, intorno alla nostra letteratura contemporanea; con l'abbellimento di una divagazione: « Intermezzo d'autunno », che rivela, nel Pancrazi, notevoli qualità di *essayist* fantastico e lirico; e un « Elogio di Pinocchio », messo come *cul de lampe* e suggello in fondo al volume. In sostanza, si tratta di una continuazione dei *Ragguagli del Parnaso*, che Pancrazi pubblicò, con tante buone accoglienze, un paio di anni or sono; e non staremo a ripetere quello che scrivemmo allora, su queste colonne, su un genere di critica letteraria che ha costituito e costituisce uno dei piú belli ornamenti di giornali come il "Resto del Carlino" e "Il Secolo"; e una delle piú vive testimonianze di come, nell'ultimo decennio o quindicennio, la fisionomia del giornalismo italiano, o di parte, almeno, del giornalismo italiano, si è rischiarata e nobilitata.

Si può essere, in tesi generale, poco propensi a simpatia verso questo sistema di raccogliere in volume gli articoli usciti nel giornale: anche se il pubblico, quando gli articoli eran buoni, mostri di rileggerli assai volentieri nel libro; e anche se, considerando l'estrema caducità della carta, sulla quale, oggidí, i giornali vengono stampati, debba considerarsi come una semplice misura di pru-

Gli amici al caffè, dipinto
di Amerigo Bartoli-Natinguerra, 1930.

denza, e non tanto come un atto di orgoglio, rimprimere i proprii scritti su quella carta un poco piú resistente che gli editori offrono per i loro tomi. Perché mai come oggi il giornalista poté dire, con le parole di Cristo, ai proprii lettori: « Modicum, et jam non videbitis me ». « Guardatemi, leggetemi bene, perché fra poco non mi vedrete piú. »

A me, personalmente, questa caducità sembra la cosa piú vantaggiosa e piú invogliante, tra le molte che inducono a scrivere sui giornali. Quel tono di « in articulo mortis » che assumono le parole dell'articolista, quell'eco come di estrema Thule e di estrema tuba, quel vibrare fugace come d'una dichiarazione d'amore ricevuta per telefono, quei deliziosi errori di stampa che avviano la mente del lettore verso significati piú trascendenti, e rinnovano, in quest'epoca dura e irreligiosa, le mistiche ambiguità dello stile « mistificatorio », quel sentore di *pulvis es* che circola tra i fiori artificiali, e le lanterne giapponesi dell'articolo, quella luce quasi di tramonto che conferisce alle immagini destinate a crollare immediatamente nella tenebra, il patetico splendore di tutte le cose alle quali stiamo per dare l'ultimo, ultimo addio, tutto questo, a me personalmente, appare seducentissimo e ricchissimo di suggestioni letterarie!

Perché certi articoli che leggemmo affrettatamente in una sala di aspetto, in un tram, in una trattoria, ci sono rimasti cosí indimenticabili? Appunto perché sembravan piú destinati a farsi dimenticare; e tutto congiurava a farli dimenticare. Perché certi scritti, che vedemmo per caso una mattina nel giornale, ci sembrarono e sembrano tanto ben scritti? Appunto perché non ci fu neanche il tempo d'aver l'impressione che fossero *scritti*.

E quando un giorno, cedendo a una piú acuta trafitta del ricordo, o a un maligno bisogno di controllo, anderemo in biblioteca per ritrovare e rileggere quel certo articolo che c'era piaciuto tanto, il bibliotecario ci guiderà malinconicamente davanti a una vetrina, e ci mostrerà, come un mucchio di ceneri, o una mummia incarbonita in una urna di cristallo, tutto quello che rimane dell'articolo e dei suoi innumerevoli compagni. E l'articolo, su codeste ceneri, risorgerà piú palpitante nella nostra memoria: come la fenice. Oppure ci condurranno nella sala piú interna e piú custodita, dall'atmosfera carica d'odor di canfora e di essenza medicale; la sala degli incunaboli, dei codici e dei palinsesti; e con infinite cautele ci lasceranno svolgere le pagine tarmate e cadenti d'una collezione de "La Tribuna" o del "Secolo", vetusta di ben quindici anni. La stampa sarà illeggibile, pulverolenta; il foglio sarà serpeggiato dagli arabeschi dei tarli, stellato di ruggine, e tempestato di tutti i segni cabalistici delle devastazioni del Tempo, come i segni di un antico portulazio. Resteremo assorti davanti a cotesta ruina gloriosa, come davanti a una di quelle larve di bandiere bruciate al fuoco di cento battaglie. Finché la divinazione ci volgerà l'occhio dove un titolo un po' piú nero galleggia sulla bigia maceria; e dove qualche frase, qualche immagine superstiti, corruscano sullo sfacelo e brillano di colori, come una carovana a filo di deserto. E ci basterà per riconoscere l'articolo tanto amato, il tesoro sepolto, il poema inabissato. E forse, con anche maggiore fremito, da una traccia, da una sfilatura del *grassetto* di firma, in fondo all'articolo, apprenderemo che l'articolo era nostro.

Conviene vietarsi di queste avventure ed emozioni, per i limitati vantaggi di una ristampa? Conviene toglier i nostri scritti di giornale da questa atmosfera nella quale, già nel volgere di poche ore, cominciano a indorarsi d'una doratura di leggenda? Conviene la diplomatica esattezza del testo, o la vaga poesia della rimembranza? Perché alla bellezza dell'articolo scomparso, tutto collabora liberamente, audacemente, né ci sono limiti a questa collaborazione. Dalle terre piú incognite del nostro cosmo, dalle nostre esperienze piú riposte, inesauribilmente le nostre nuove impressioni concorrono, e seguitano ad arricchire quel ricordo; come nella voce di una grande cantante udita una lontanissima sera, seguitano infinitamente ad echeggiare le nostre musiche, le nostre romanze piú vertiginose, fino agli acuti ai quali neppur lei, forse, sarebbe salita; o come nella bellezza di una gran mima, o della dama intravista una volta dietro il cristallo dell'automobile, seguita ad esprimersi ed esultare il nostro bisogno di amore e di romanzo. Conviene sostituire al ricordo della voce il disco del fonografo? Al ricordo del volto una fotografia?

Perché tutte le voci e tutti i volti, uditi e visti troppe volte, cominciano a somigliare a fonografi e fotografie.

Non c'è nemmeno bisogno di avvertire che la raccolta del Pancrazi va messa, certamente, fra i dischi di timbro piú pastoso e le immagini fotografiche delle quali suol dirsi che pajon vere. Ma in realtà, dovremo ritornare, e presto, a dir qualche altra cosa del volume del Pancrazi; sia in merito allo stile, sia alla qualità e all'orientamento generale della critica.

Per oggi ci vuole pazienza. Ci siam lasciati prendere la mano a scrivere l'elogio della magica e inaudita vitalità di questa cosa per eccellenza effimera: un articolo di giornale. Specialmente se nessuno lo ristampa. E, forse, dice il lettore, se nessuno l'ha letto [1].

(1923)

[1] Nell'archivio di Cecchi, si conserva un rifacimento di questo articolo, come prefazione di una raccolta di articoli critici che egli allora progettò e che poi non venne mai pubblicata. Una parte venne utilizzata nella prosa *Dell'articolo di giornale*, che apre *L'osteria del cattivo tempo*.

Abuso della parola

Quando si discorre di letteratura contemporanea, nostrana e forestiera, è facile di sentirne fare l'elogio specialmente da questo punto di vista: che in essa e per essa furono aboliti i vecchi divieti. Col quale termine: « divieto », si sogliono intendere in primo luogo i pregiudizi che un tempo avrebbero vincolata e paralizzata l'espressione artistica; e soprattutto le ragioni e le norme di cautela morale e sociale, che potevano distogliere un poeta e uno scrittore dall'assumere certa determinata materia per la propria arte. In definitiva, si tenderebbe ad asserire che oggi la letteratura, in piú dell'essersi tolta la cintura di castità, emancipandosi verso una sempre maggiore licenza espressiva, ha esteso largamente il campo della propria esplorazione, annettendovi territori di umana verità che finora erano rimasti intentati.

Ho paura che gran parte di queste opinioni abbiano bisogno d'essere rivedute. E per il momento, lasciamo fuori la pretesa che all'accresciuta forza espressiva, conseguita mediante lo scatenamento del vocabolario, effettivamente corrisponda una accresciuta bellezza del risultato artistico. È una pretesa talmente audace ed inverosimile, che si può accantonarla, ed averne ragione a comodo. Il punto che meglio conviene esaminare è quello che riguarda l'acquisto di nuove verità della fantasia e del sentimento. Acquisto che sarebbe stato reso possibile dall'insuperato coraggio dei moderni e contemporanei, armati dei piú irresistibili strumenti verbali, a calarsi e scandagliare regioni dell'anima e modi delle passioni finora inaccessi.

Nessuno dovrà sospettare che qui voglia tentarsi una specie di processo ai moderni. Dio ne scampi e liberi. E credo che mai sentenza uscí sguaiata e bugiarda come quella sullo « stupido secolo diciannovesimo »: un secolo, per limitarci all'Italia, che dette Leopardi e Manzoni. Qui si vuole soltanto toccare di certe storture di giudizio; e reagire ad una disposizione puerile e vanagloriosa, che anche poco tempo addietro, per esempio, al Maurois di *Sept visages de l'amour*, dettava frasi quasi di protezione e compatimento su poeti quali « Virgilio, Catullo, Tibullo, che dei nostri tormenti morali non avrebbero avuto che qualche vago sentore », ed altre del medesimo tono su tutta l'antica poesia.

A leggere sentenze siffatte, sembra di sognare da svegli. Possibile che il Maurois non abbia mai aperto il quarto libro dell'*Eneide*? Che non gli resti memoria di qualche lirica di Catullo e di Saffo? Che per lui il terribile quarto libro di Lucrezio sia stato davvero come non scritto? Perché se, invece, questi e tanti altri capolavori, il Maurois, com'è indubitabile, li ha frequentati e li ricorda, non so allora che conto vada fatto della sua intelligenza critica e della sua umanità. E come di lui, di cento e di mille che giudicano alla stessa maniera; o che se anche non giudicano in parole espresse, piú o meno sentono o pensano cosí.

In teoria, questi atteggiamenti vanno richiamati a varie sorta di ragioni, o meglio illusioni. Una è quella del cosiddetto progresso nell'arte; per la quale si crede che, nel corso dei secoli, i mezzi espressivi si perfezionino e affinino. Un'altra illusione nasce dal riflesso dello spirito di ricerca scientifica, che dal Settecento prevale nella cultura su ogni altra qualità di interessi. Il diffondersi della scienza fisica e sperimentale ha messo alla portata d'ognuno una quantità di fatti, di osservazioni, di spunti e motivi. Tutto ciò dà l'impressione d'una grande ricchezza di materiale disponibile, e soprattutto d'una grande novità. Ma si tratta di ricchezza e novità artisticamente illusorie. L'arte e la letteratura operano su una materia di sentimenti ed emozioni elementari e fondamentali, che la scienza analizza e cerca di spiegare nel loro meccanismo, ma non crea. Didone e i disperati amanti di Lucrezio, nulla hanno da apprendere da Freud.

Ed occorre aggiungere un altro fatto. Sui primi del corrente secolo, si produsse in Europa un forte incrudimento del gusto. Quanto era stato tentato ed effettuato dal romanticismo, le libertà (come allora si diceva) ch'erano state conquistate dai veristi, dagli impressionisti, dai simbolisti, dagli epigoni degli ottocentisti russi, dai decadenti ed eccentrici di varia estrazione: tutto questo sembrava che non bastasse piú. La facoltà di sentire e di creare era stanca. E come accade sempre nei periodi di stanchezza artistica, autori e pubblico si misero in cerca di pretesti e di stimoli piú rozzi e violenti. Si misero a giocare sfrenatamente di azzardo sulle sensazioni e le immagini; e il giuoco s'inveleniva, e continuamente cresceva di temerità e sfrontatezza. Con l'idea di ripristinare il valore integro della parola, la parola venne sganciata dai propri nessi, dai rapporti unicamente nei quali essa acquista il proprio valore. Credendo di rimetterla ed esaltarla sul suo trono, si venne a toglierle tutte le garanzie costituzionali. E il futurismo e l'ermetismo non furono che due aspetti piú appariscenti di questa sovversione.

Ma lo sfrenarsi della parola, in maniere che trovano appena uno scialbo riscontro nelle esasperazioni romantiche d'oltre cento anni fa, ebbe incalcolabili effetti. Perché l'abuso delle parole e delle immagini corrode la barriera morale che trattiene, filtra e matura i sentimenti nella loro autenticità. Disperde il riserbo e il pudore che garantiscono la sincerità e fermezza delle emozioni. Provoca e attizza pensieri fallaci, emozioni sterili e fittizie. Incoraggia a piú osare e prevaricare. Se ne generarono un tumultuoso dissesto e un'inflazione che, dal campo dell'arte, dilagarono in quello della vita pratica, del discorso comune, della critica e dell'opinione. Non è meraviglia se l'antica poesia poté sembrare fredda, reticente, scolorita. E se perfino un ingegno scaltro e cauto, come il Maurois, arriva ad accusare Lucrezio e Virgilio d'essersi saputi soltanto timidamente affacciare ai cosiddetti abissi dell'anima.

Il terribile è che tutto ciò non aveva origine da un mero proposito rettorico. Non era un esercizio a vuoto. E sorgeva dal fondo di un'oscura inquietudine da cui tutta l'epoca era percorsa; e che le crisi delle due guerre non fecero che arroventare. Potrà dirsi, a scusa dei contemporanei, che le cause di questa complessa inquietudine religiosa, politica, morale, erano cosí enormi che, a chiarirle almeno, se non a risolverle, sarebbero occorse facoltà quali, in tutta la storia della letteratura universale, si riscontrano soltanto in pochi geni supremi. Ma sarebbe il colmo, ove di questa carenza ci si facesse un vanto. Basti la infelicità che ci è toccata, senza volere aggiungervi una fatua arroganza. Basti il disordine nel quale siamo travolti, senza voler proclamarlo un diabolico privilegio; se nelle testimonianze dei classici non siano ancora nutrimenti e sussidi del cuore e della mente, abbastanza validi da aiutarci ad affrontare l'orrore e la confusione che oggi infestano il mondo.

(1944-51)

Dubbi sulla critica

Uno tra i fenomeni caratteristici della cultura moderna è, tutti sanno, lo sviluppo raggiunto dalla produzione critica. Già nel rivolgimento artistico effettuatosi, or è un secolo e mezzo, col primo romanticismo, la critica ebbe larghissima parte. Poeti come il Foscolo, il Manzoni, il Goethe, il Coleridge, furono una stessa persona con critici di corrispondente levatura. Se nel loro numero non includiamo il Leopardi, è soprattutto per far risaltare la sua posizione speciale. Potentemente dotato di spirito critico, benché della critica non meno sfiduciato che di qualsiasi altra attività dialettica, il Leopardi consentí ad essere un critico, ma su per giú al modo dei vecchi umanisti, concentrandosi su specifici, concreti problemi della forma poetica, del linguaggio e dello stile.

Avvertiamo subito, del resto, che la critica di cui qui si discorre non è quella di cotesti geni creatori, ma una critica piú spicciola e d'occasione, cui tuttavia pertengono funzioni di notevole importanza.

È un'osservazione d'evidenza palmare, che in confronto alla quantità delle grandi creazioni artistiche d'epoche lontane, scarsissima è la quantità dei contemporanei giudizi critici a noi pervenuti. E si trattava d'epoche di civiltà incomparabile. Alla qualità delle opere prodotte, verisimilmente corrispondeva la qualità del gusto cui tali opere si rivolgevano. E se una gran parte, magari la piú interessante, della critica scritta in quelle epoche è andata perduta, esisté senza dubbio, accanto ad essa, una critica verbale, che nessuno si curava di mettere in carta, forse appunto perché il gusto era scaltrito e maturo, e tante osservazioni e giudizi erano considerati soltanto materia di comune discorso. Molte battute di Aristofane possono dare idea di cotesto vivo ambiente del gusto nell'Atene del IV secolo a. C. E ci assistono testimonianze piú esplicite e numerose, per ciò che riguarda la Firenze letteraria e pittorica del XV e XVI secolo, o la Parigi di Racine, o la Londra del Pope.

Nelle prime decadi dell'Ottocento, per un concorso di circostanze che qui è inutile vagliare, la produzione letteraria e libraria s'accrebbe, ed è andata fino ad oggi crescendo a dismisura. Fra le cause ed insieme le conseguenze di cotesta crescita enorme, una delle piú importanti fu d'ordine economico. Si legga, in *Considerazioni sulla storia del Mondo* del vecchio J. Burckhardt, intorno al rapporto della moderna civiltà mercantile e statale con la vita culturale. O si legga T. S. Eliot, in *Idea di una società cristiana.* Il Sainte-Beuve, tra i primi, vide gli effetti che il fattore economico non avrebbe potuto a meno d'esercitare sulla produzione letteraria; e ne trattò in un acuto articolo del 1845. Quanto successe da allora oltrepassa tutte le previsioni che anche ad un critico ingegnosissimo potevano venire in testa un secolo fa. Emancipata dalla protezione dei mecenati e dei principi, l'attività letteraria si acconciò di buona voglia sotto alla protezione del pubblico e degli editori. La fama e il successo finanziario d'opere sovente prive d'ogni vero merito, offrirono presto la dimostrazione piú irrefutabile che il nuovo sistema, che diremo mercantile, non garantiva meglio del primo, che diremo aulico e cortigiano, né la qualità estetica della produzione, né la sua indipendenza e moralità.

Si può averne fino alla nausea, e degli artisti incompresi e rivoltosi, dei chiomati e barbuti « fauves » di varia estrazione, e dei maniaci prigionieri delle malfamate torri d'avorio. In gran numero di casi sarà stata una fallita genía che cercava in un modo o nell'altro di valorizzare la propria impotenza, e conferirle una sorta di misteriosa autorità. Ma in tanti altri casi si trattò di artisti sinceri, che avendo realmente qualcosa da perdere, fecero presto ad accorgersi come l'arte e la letteratura moderna venivano obbligandosi a pagar al commercialismo gravissimi e rivoltanti pedaggi. Il loro contributo creativo fu nel complesso inestimabile. E non è una valida ragione per dimenticare tali benemerenze, se l'anarchismo e il rivoluzionarismo, d'impronta ottocentesca, col tempo, come succede, sono diventati un po' imitativi, gratuiti e, diciamo pure, accademizzati.

Dall'agora, dal mercato, dal caffè e dal salotto d'altre epoche, la critica piú immediata e di minor concetto, che aveva adoperato come suoi naturali mezzi espressivi la conversazione ed il commercio epistolare, cominciò intanto a trasferirsi sulla stampa periodica ed i quotidiani, per mezzo dei quali, sia gli autori e le loro consorterie, sia gli editori, mantenevano il contatto col pubblico, ed offrivano i propri prodotti. Ancora una volta, ciò ch'era stato un ozio e un passatempo, diventò una missione, un mestiere. Informare e discutere sulle novità letterarie ed artistiche, diventò un pubblico servizio, che meritava la sua equa retribuzione. Quintali di cervello, e tonnellate di carta, nel giro di poco piú d'un secolo, andarono in cotesta bisogna, che, non occorre dirlo, fu anche spesso esercitata con ingegno, competenza e onestà, ed ha lasciato, come lascia ogni giorno, documento di sé in pagine belle.

Sulla cui effettiva utilità sono tuttavia lecite, a parer mio, certe riserve. D'accordo che quando gli esemplari d'un'opera giravano a poche centinaia, e la critica s'accentrava tutta nelle mani di alcuni eruditi, grammatici e polemisti, la vita d'un libro era incomparabilmente piú ristretta che oggi non sia. Ma non è altrettanto sicuro ch'essa non fosse piú genuina e profonda. Anche oggi pare accertato che si legga piú seriamente in provincia, dove libri e giornali giungono in ritardo e in minor copia. La disponibilità di un oggetto diminuisce l'intensità del suo godimento. Non mai, per esempio, si disegnò con passione, con scrupolo, con dedizione, come quando pochi decimetri quadri di pergamena o di carta, comparativamente, costavano un occhio.

In parole povere, il dubbio è che cotesta critica a breve portata, che volenterosa fiancheggia a passo a passo l'arte e la letteratura della nostra civiltà commerciale, tutto sommato non valga, per freschezza d'interesse e spregiudicatezza, la critica del mercato, del caffè o del salotto; che nessuno raccoglieva e registrava in quaderni, ma che evidentemente esprimeva un gusto la cui piú bella testimonianza e riprova sta in opere che anche oggi ammiriamo, e ch'esso vide nascere e fu chiamato a giudicare.

In treno, in automobile, magari in aeroplano, il critico, ferratissimo, gira fra le esposizioni delle varie metropoli, dosando la sensibilità e l'erudizione ad illustrare centinaia d'opere di tutte le sorta. Ma il poverello garzone che in sua vita mai s'era allontanato dalla bottega d'un pittore ateniese o fiorentino, se avesse dovuto giudicare e commentare una tavola uscita dalla bottega di faccia, sapeva assai meglio dove mettere le mani. Un verdetto pittorico sostanzioso, anche se espresso troppo alla buona, in linea di massima sarei sempre per aspettarmelo piú dalla beceraggine dell'antico garzone, che dal forbito intellettualismo del nostro critico viaggiante.

E come non ammettere, fuorché sapendo di mentire, che fra i pettegolezzi di corte e salotto, fra le distinzioni ed i sofismi confessionali, e i cavilli dei diversi partiti grammaticali, il ristretto pubblico di Racine, di Molière, di Pascal, di La Fontaine, si formava e affinava ben altrimenti di come, dai giornali e le riviste e la radio, i lettori odierni sono avviati in massa ad accostarsi ad obiettivi estetici fra i piú nebulosi e capziosi?

Ma la critica d'informazione e prima istanza, ha avuto anche per effetto di diminuire scatto ed elasticità nella risposta del pubblico alla presenza delle opere. Ha sfrondato l'incantesimo della scoperta. Ha sostituito la larvale autorità di un « ipse dixit » alle eccentriche e spiritose sottigliezze d'una « preziosa » del Seicento, alle canagliesche libertà del garzone di bottega fiorentino. Com'è di tante altre cose attuali, ci troviamo offerto, bell'e confezionato secondo il gusto altrui, il pane dell'opinione. E si perde attitudine e capacità a macinarlo e impastarlo a nostro conto. Mangiamo un cibo che ci hanno prima masticato. Insensibilmente la cultura, anziché piú libera e armata, tende a diventare piú controllata e conformista. Si adagia su medie capacità di penetrazione ed interpretazione. L'arte e la letteratura, per effetto d'un eclettico conformismo, talvolta d'impronta rivoluzionaria, che le avvolge e imbottisce d'ogni parte, appaiono ogni giorno piú grigie e noiose.

D'un senso importantissimo, fondamentale, si assiste, fra l'altro, al progressivo offuscamento. Un senso che, nella Rinascenza o presso gli antichi, a nessun costo avrebbe patito intimidazioni. Vorrei chiamarlo il senso della « realizzazione ». Non c'è dubbio che parte, forse una gran parte, della corrente produzione artistica e letteraria, è meramente, anche se intelligentemente, supposta, impostata, ma « non realizzata ». Di cotesto fatto c'è chi è addirittura incapace d'accorgersi. C'è chi figura di non accorgersi. E nessuno dice nulla. Si preferisce ragionare vagamente sulle tendenze, le teorie, le astrazioni. Quasi che un'opera d'arte o di letteratura possa sostentarsi alla luce d'un giudizio critico, se in primo luogo non è, concretamente ed organicamente, capace di vivere in sé come un oggetto materiale.

Le conseguenze di tale inconscio o doloso indifferentismo nei riguardi della realizzazione sono gravi. Costí ha la sua prima origine la volgare inflazione artistica e letteraria. E il piú strano è che, invece, l'atrofizzarsi di questo senso viene piuttosto considerato come l'acquisto d'una privilegiata apertura mentale. Come chi pretendesse che un corpo s'accresce nella propria disponibilità di rapporti cosmici per il fatto che non riesce piú nemmeno a tenersi ritto, e non risponde piú al senso della gravità. Ma questo argomento della realizzazione c'indurrebbe a trascinare troppo per le lunghe il discorso. E si potrà tornarci sopra un'altra volta.

(1945)

Parolacce

Ogni volta che, a distanza di settimane o di mesi, mi rimetto un po' al corrente con gli ultimi prodotti della letteratura nostrana e straniera, sono quasi certo di trarne un duplice piacere. In primo luogo, il piacere di scoprire qualche nuovo racconto o romanzo ingegnoso. E un secondo piacere, piú egoistico e ristretto, nel vedere ogni volta confermate certe mie previsioni. Sarà pure, come gli annunci editoriali proclamano, che gli intrecci vengano facendosi ogni giorno piú agili, la psicologia piú profonda, e le situazioni sempre piú sorprendenti. Ma per ora è materia opinabile; su cui soprattutto avrà ragione il giudizio del tempo. Una cosa, invece, è sicurissima; ed è quella onde traggo la speciale allegria che dicevo. Anno per anno, mese per mese, settimana per settimana, su quelle nuove pagine si moltiplicano ed affittiscono le parolacce. E che parolacce!

A vedere la passione con la quale taluni scrittori ci si mettono, si potrebbe quasi pensare che alle parolacce essi attribuiscano un potere taumaturgico, di cui son decisi e resoluti a non lasciarsi a nessun costo defraudare. Si sorvegliano con la coda dell'occhio. E se il tale o tal altro ne tiri fuori una inaspettata e piú forte, i colleghi non trovano pace finché non gli abbian mostrato cosa sanno fare anche loro.

Come apparirà meglio nel corso del mio ragionamento, io non ho, contro le parolacce, nessuna prevenzione moralistica. E, a dirne una, in Aristofane esse non mi disturbano affatto. Perché, se cosí posso esprimermi, in Aristofane esse traboccano di gioia e d'energia, da sembrare che per loro mezzo si celebri una sorta di folle ed orgiastico battesimo della materia vitale. Come ogni sintomo di manía e d'alienazione, la coprolalía, il linguaggio sporco, quasi sempre ha qualcosa di tetro. Ma non è il caso di parlar di tetraggine per la *Lisistrata* o *Le rane*; e sta a riprova che, costí, di coprolalía non si tratta.

Ho l'idea d'aver assistito, ancor quasi ragazzo, all'ingresso d'una delle prime, malinconiche parolacce, nella letteratura che stava per succedere a quella del D'Annunzio e del Pascoli. E mi sembrò cosí interessante e degno di riflessione che come si vede non me ne sono ancora scordato. Nel cerchio fiorentino del "Leonardo" e dell'"Hermes", G. A. Borgese leggeva una sera a pochi amici una lirica che allora allora aveva composta, e dove si parlava d'un misterioso fischio notturno che, in un sordido vicolo della città, svegliava e faceva brulicare luride larve, foriere di disperazione e di morte. Non ho il testo sott'occhio; ma ricordo esattamente il giuoco di alcune rime.

Con bella, sostenuta lentezza recitava il Borgese, levando ogni tanto lo sguardo dal foglio, e fissando noi intorno come a interrogare le nostre impressioni. A un certo punto, le rime d'un *verde* e di un *perde*, invitandone e stuzzicandone un'altra, già s'erano intrecciate; ma con forse qualcosa di meno spontaneo, che ci aveva messo sull'avviso, facendoci leggermente drizzare gli orecchi. Ed ecco che sul vassoio d'un aggettivo: *sterili*, la terza rima in *erde* si decideva a comparire. Si trattava evidentemente di sterili cosette, come possono trovarsi a piè del muro in ogni vicolo poco pulito. Il poeta ne fece offerta senza la minima jattanza; tanto piú notevole in lui, per solito cosí imperativo. E porgendo, ci teneva sotto il fuoco del suo occhio magnetico; ma direi che in fondo già si sentiva deluso, era mesto d'una certa sua nobile e oggettiva mestizia. E pareva come se pensasse: « L'arte ha le sue necessità e i suoi pruriti di rinnovamento. Ma che tristezza che sia dovuto toccare proprio a noi a inaugurare queste gestioni fallimentari ».

Ripenso alla sua consapevole malinconia. E soprattutto alla sua discrezione (una volta che ci s'era azzardato), nel contentarsi d'una parolaccia cosí innocente e veniale. E piú e piú mi colpiscono, benché come ho detto non mi meraviglino, la fretta, la improntitudine e la incoscienza con le quali oggi si trascende all'uso del linguaggio piú turpe. Ritoccatasi i labbri col rossetto, una giovanissima narratrice sputa iteratamente in faccia alla propria eroina l'epiteto che Dante largisce a Taide in Malebolge. Un altro sopraggiunge di corsa, alla bocca un megafono, rincarando la dose. E come ultima, ultimissima trovata, altro ancora constella addirittura di bestemmie le pagine del suo romanzo. Non già di bestemmie velatamente fatte supporre, come al massimo si osava una volta (ed anch'esso era un uso goffissimo), con i puntolini di interiezione. « Moccoli » in piena regola, esattamente sillabati e trascritti. Il lettore considera quella abietta pedanteria, quella puntualità disgustosa; e scuotendo la testa, fra sé e sé compassiona: « Chi sa poi a questo qui che cosa gli sembra di fare ».

Per conto mio, quando trovo in qualche scritto (e ogni giorno ne trovo di piú) parolacce di cotesto genere, che vorrebbero toccare il culmine della violenza fantastica, dell'orrore, della passione, poco ho da essere in dubbio ch'esse esprimano, invece e solamente, la frigidità e la isteria d'un autore. L'arte non adopera materialmente le cose dell'esperienza; ma dà forma comunicativa all'emozione ch'esse suscitano in noi. E il procedimento di coloro che si tengono su, e si fanno coraggio, a forza di « moccoli », oscenità e parolacce, corrisponde come due gocciole d'acqua a quello dei pittori bastardi, che non solo si limitano a riprodurre oggetti ed aspetti materiali, ma per essere anche piú sicuri, nella pasta dei colori strizzati sulla tela inseriscono frantumi degli oggetti medesimi, come stoffe, lustrini, stagnola, pezzi di latta, credendo cosí che l'illusione sarà irresistibile.

Ch'è un grandissimo sbaglio. Il lettore e lo spettatore recalcitrano proprio dall'espressione eccessivamente aggravata di materia e d'intenti. Cominciano subito ad insospettirsi. Temono un sopruso. A vedere tutta quella ostentazione di sudanti muscolature, la loro prima idea è che i manubri siano di cartone, truccati. In altri termini: le parolacce, le descrizioni troppo cariche e spinte, e non diciamo poi i « moccoli », sono « controproducenti ». In estetica, sono pessimi affari, speculazioni sballate. Uno che se ne intendeva: Montaigne, e ci teneva a dir pane al pane e vino al vino, una volta osservò che ha voglia Marziale d'alzare le sottane a Venere fin sopra la testa. Egli non riesce a mostrarcela intiera, come altri poeti (Virgilio, Lucrezio) piú discreti di lui. « Perché chi dice tutto ci satolla e disgusta. » E gli ingenui che si gonfiano la bocca con le parolacce non fanno altro che distruggere in germe quegli stessi effetti che si proponevano di suscitare. Ci invitano (cosa umiliantissima) a pregare Venere cortesemente che non ne faccia di nulla, e si rivesta e ci lasci in pace.

(1948)

«Saggio» e «prosa d'arte»

In gran parte, almeno da noi, le discussioni sulla natura del « saggio », « frammento », « poemetto in prosa », o sulla « prosa poetica » o « prosa d'arte » (tralasciando altre digradanti denominazioni, come « capitolo », « cicalata », diceria », ecc.), si aggirarono sopratutto nel rintracciare le origini e parentele storiche di tali forme; con una intenzione supplettiva, e piuttosto gratuita, a supporre e cercare se e quanto la coscienza critica e tecnica in esse connaturata si prestava, o avrebbe potuto utilmente prestarsi, a rinverdire e nobilitare l'idea e la testura del romanzo o della novella. Posta in cotesto modo, la questione era estremamente eterogenea e intricata. E in primo luogo, sarebbe occorso sfoltire e fare un po' di pulizia fra i termini anzidetti. Sarebbe occorso specialmente tracciare con qualche precisione l'angolo sotto il quale un simile ordine di problemi può avere piú vivo significato per un artista odierno. Altrimenti si ammucchiano innumerevoli schede di una erudizione fittizia, e che in realtà finisce per fare piú confusione che altro.

È indubitabile che una quantità di analogie e relazioni, storiche e formali, verrebbero in luce da una conoscenza piú minuziosa della prosa alessandrina. Nel vasto naufragio di tali testimonianze, i lineamenti di quella nuova prosa che qui c'interessa, si può dire che la prima volta noi li vediamo profilarsi distintamente in Montaigne. Tutto il resto ha rapporto con modelli e schemi tradizionali, dignitosi e operosi, ma che si trovano su un piano differente. Il « capitolo » cinquecentesco con suoi affini, sarà figlio piú o meno spurio della satira e dell'epistola romana. Da esso, per successive contaminazioni, sarà nato l'articolo di varietà; come press'a poco s'intende e pratica nella pubblicistica di oggi. Non c'è ragione di non crederlo. E valga lo stesso per talune altre forme; ma trattandosi sempre di filiazioni rettoriche e di apprestamenti compositivi, che poi assumono quasi invariabilmente una intonazione ed un meccanismo destinati ad effetti di sorpresa umoristica.

In Montaigne è tutta una disordinata esibizione di scorie e frantumi provenienti dalle miniere classiche (Platone, Virgilio, Seneca, Lucano, Plutarco, ecc.). Dopo averli esumati ed averli scrutati con la sua grave e spregiudicata curiosità, Montaigne li inserisce nel proprio discorso. L'immenso acervo del suo libro è fittamente constellato d'appunti di letture. E si potrebbe anche paragonarlo ad un orto botanico che a poco a poco stia ridiventando foresta. Una *silva* materiale e grammaticale, contrassegnata di cannucce in parte stronche e cadenti, che recano inserto ciascuna il cartiglio, la palpitante linguetta d'una citazione. Nella varietà ed appariscenza del materiale di citazione del Montaigne, rimane sempre qualche cosa di barbarico, come nel delubro d'una pietà ancora intricata di rozze superstizioni. Il che non fa che accrescere lo stupore di quando, in cotesta prosa, s'aprono visuali lontanissime di paesaggi d'anima. E fermentano improvvise, come nei piú profondi poeti, immagini della realtà interiore. Che sono piú spesso immagini e prefigurazioni di morte; come nel paragrafo cosí giustamente celebre: « Je me plonge la tête baissée stupidement dans la mort, sans la considérer et recognoistre, comme dans une profondeur muette et obscure, qui m'engloutit tout d'un coup et m'estouffe en un moment, plein d'un puissant sommeil, plein d'insipidité et d'indolence... ». La fulminea energia del quale contesto, ed il modo in cui essa divampa, sembrano esempi creati addirittura apposta per il primo capitolo dello pseudo-Longino; dove si tocca dello stacco e divario da persuasione ad estasi, ed appunto di « una sublimità che si accende come il guizzo d'un lampo, e rivela d'un tratto nella sua pienezza la forza dell'oratore ».

Sullo stile di Montaigne, ch'è naturalmente la condizione elementare di cotesti miracoli, il Sainte-Beuve (come su tante altre cose) dette qualche pagina ove sarebbe difficile trovar da sostituire una sillaba: – quello stile ch'è un'immagine perpetua, che a ogni tratto rinnovella, e nel quale le idee non accedono che come variate, facili, trasparenti figure. Benché non avesse, Montaigne, il concetto dell'insieme, né la capacità d'un vasto disegno; e del resto, per che cosa congegnare e travagliarsi tanto? Ché in tutto supplivano le invenzioni particolari ed il genio espressivo. La cucitura dell'idea con l'immagine è fatta cosí addentro che non la si scorge, e nemmeno vi si pensa: idea, immagini, in lui, sono tutt'uno: *junctura callidus acri.* E mentre in Shakespeare o in Molière, la fantasia suscita esseri intieri, personaggi di vita ed azione: in Montaigne questa creazione figurata non si produce che all'interno delle frasi, della scrittura; e tuttavia è altrettanto viva, e quasi altrettanto poetica e meravigliosa.

Per parte sua, osservò il Prévost-Paradol, come sia vano cercar di staccare le citazioni che Montaigne introduce nel suo testo, anche dove sembrano peggio cementate. Il che è facile ad intendere; come nel sistema d'una corrente elettrica s'intende la inseparabilità e reciproca dipendenza dei due poli. La scintilla della poesia scocca proprio fuori da quella massa d'aspetto dottrinario e libresco; e serpeggiando penetra e rameggia in tutt'altro clima. Il linguaggio cambia timbro. Da espositivo, logico, diventa visionario; ma il modo del trapasso non appare (Sainte-Beuve). La sutura dei due toni è inafferrabile. E coloro che obbiettano all'origine mezzo culturale e intellettualistica, o vogliam dire a una sorta di condizione bastarda della forma del « saggio », mostrano di non intendere affatto questa forma nella sua natura intrinseca; e tanto varrebbe che la dichiarassero arbitraria, illegittima e inammissibile del tutto.

Pertanto, la restituzione del motivo o pretesto intellettuale in immediatezza di emozione, o a dirla col Leopardi, della ragione in natura, avviene sempre con un che di lirico e sorprendente, ch'è caratteristico alla « specie » del saggio nell'espressione piú alta. E ci aiuta a distinguerla dalle forme corsive, cui prima s'è accennato, con le quali d'altra parte, nella produzione d'uno stesso autore, quasi sempre essa viene ad intrecciarsi. S'è già detto che una trama umoristica corre abbondantemente in quest'ordine di scritture, come il canovaccio d'un « basso continuo ». E segna il livello limite, la base meccanica del processo immaginativo e verbale che siamo venuti illustrando. Ne segna la inquadratura tecnica. Ed è come la convenzione scenica che sostiene quella poesia che al tempo stesso la brucia e distrugge.

Sullo stretto esempio dell'Addison, dello Steele e del Johnson, nel nostro Gozzi, piú che « saggio » vero e proprio, si ha cosí il bozzetto morale; o piú limitatamente il quadretto di genere, l'aneddoto umoristico, in una sagoma che sarebbe agevole ritagliare anche dentro a certe lettere del Baretti. Nelle storie letterarie e nei saggi critici, per solito non si tien conto che approssimativamente della diversità d'intonazione e di linguaggio; e si suole apporre l'asterisco sopratutto in base allo spicco della materiale riuscita, e alla conseguente popolarità. Altrimenti si vedrebbe come poche, nell'opera di quello stesso che, a buon diritto, è considerato capostipite della saggistica ottocentesca, il Lamb: come incredibilmente poche sono le composizioni che effettivamente oltrepassano il grado di « capitolo », e contrappuntata divagazione e variazione umoresca, ecc., per attingere la sfera superiore. *Christ's Hospital*, *Dream-Children*, *Blakesmoor in H...*, *Old China*, vivono superbamente in tale sfera; e tuttavia con una specie di vertigine di ritrovarvisi. Forse meglio di chiunque altro, la Woolf colse cote-

Emilio Cecchi, critico tra i piú autorevoli d'arte e di letteratura contemporanea.

sto senso di lirico trionfo e raccapriccio, quando scrisse che « i suoi saggi (del Lamb) sono *perfino* superiori ai saggi di Max Beerbohm, per quelle violente vampate immaginative che li fendono e squilibrano, ma lasciandoli come stellati di poesia ». Donde si torna in vista alle citate sentenze dello pseudo-Longino; e tante altre che ne derivarono nell'estetica preromantica e romantica.

Niente di ciò si riscontra nel Hazlitt, col suo compatto e pesante razionalismo. E, per converso, se l'atteggiamento del De Quincey pare in certi aspetti piú affine a quello dell'*essayist* quale finora s'è cercato di caratterizzare; guardando meglio si scorge come la dialettica delle invenzioni e dello stile sia in lui avvolta e quasi uniformata dal tono oratorio. Anche dove sembra che egli parli come in una piana relazione di fatti: per esempio, in *Confessions*, nell'episodio della bambinetta in casa del cavalocchio di Greek Street, o nell'altro episodio di Anna, il suo autobiografismo è intensamente carico di passione, drogato di sogno. I contrasti del *humour* vi giuocano sempre piuttosto genericamente e alla lontana. E nei suoi copiosi panneggiamenti, il discorso ha una sostenuta gravità di eloquenza religiosa.

In cerca di oppio, la testa inturbantata, il visitatore malese di De Quincey balza su dalle tenebre infere e vi risprofonda. Laddove gli interlocutori di Montaigne e di Lamb entrano discretamente per una porticciuola che si schiude sul vicolo della vita comune. Il vicolo della prosa quotidiana. Vissutisi accanto, sulle soglie della letteratura contemporanea, Lamb e De Quincey stanno insomma come rappresentanti tipici, e in qualche modo antagonistici, della forma classica del « saggio », il primo; e della prosa poetica, o cosidetta « prosa d'arte » il secondo, che ne preannuncia assai remoti sviluppi.

Tutto questo va inteso in un senso approssimativo; benché sia certo che in Lamb, come in Montaigne, non mai occorre una impostazione di tono fortemente scandito, erto, perentorio; né mai nella loro materia, una disposizione mitica, leggendaria, allegorica. La poesia lievita, in Lamb e Montaigne, sulla immediata, nuda realtà; di cui le pedantesche « citazioni » del grande Michele non sono che uno dei tanti appigli, documenti e diagrammi. Mentre in De Quincey, da cima a fondo, tutta la struttura ideologica e formale è originariamente e segretamente poetizzata, liricizzata. Donde, fra l'altro, la inavvertenza dei passaggi, perché non c'è mai un vero e proprio dislivello. Dai minuziosi conteggi delle dosature quotidiane d'oppio, ai confronti fra le diverse opinioni mediche, alle processioni dei cavalieri romani, allo sventolare dei labari, allo scalpiccio delle moltitudini, e ai luridi sguardi dei coccodrilli che assediano il letto dell'oppiato, si passa con un insensibile crescendo patetico, ma senza una scossa. Perché tutto, in qualche modo, è diventato sogno dentro un sogno.

La materia non è mai bruscamente catapultata secondo una nuova legge di gravità, che per un istante sovverte le leggi del cosmo. In Montaigne e anche in Lamb, la cortina del cielo talvolta davvero si straccia; e attraverso scintillano, un attimo, segni dell'al di là. Nella loro pagina ad un tratto respirano modi dell'essere ineffabili. In Lamb i misteriosi biancori dell'infanzia; in Montaigne quel *puissant sommeil, plein d'insipidité et d'indolence*. Mentre sui cieli di De Quincey, tinti di feeriche colorazioni, le architetture imperiali, come campidogli o teatri romani del Turner, o rovine e carceri del Piranesi, i cedri del Libano, gli sfondi marini di Savannah-la-Mar, effondono una suggestione che può anche avere un lieve accento teatrale: prezioso difetto, ridondanza tuttavia mirabile in capolavori come taluni dei *Suspiria*, e che ritroveremo in *Shadow*, in *Silence*, ecc., di Poe.

Si vuole intendere che, nella verbale, erudita opulenza e nel gran colore del De Quincey, è già l'accenno di una certa fissità morale e d'un « metodo » decadente (prendendo questo termine in senso cronologico, e non tanto come una qualifica negativa). Il che spiega anche il piú facile e largo influsso di cotesto metodo; a cominciare dallo stesso Baudelaire, ch'ebbe presente piú De Quincey che il Lamb, e non poteva affatto soffrire Montaigne.

Frattanto, negli stessi anni del Lamb e del De Quincey, il Leopardi meditava e componeva le *Operette*, consegnando le proprie riflessioni estetiche nello *Zibaldone*. Dove notava che la bella prosa bisogna, sí, che abbia sempre qualche cosa del poetico (« non già qualche cosa particolare, ma una mezza tinta generale », « un non so che d'indefinito »; com'era infatti presso greci e latini); ma prescrivendo al medesimo tempo che il linguaggio, lo stile di questa prosa bella, restasse separatissimo da quello della poesia. Soltanto, o sopratutto, per lo snervarsi e decadere della moderna poesia, continuava il Leopardi, s'è prodotto che, al confronto, la prosa moderna apparisce piú ambiguamente rassomigliante ad essa e vicina.

Nelle sue numerose e amene fratture, quel giovanile capodopera che è il *Saggio sugli errori popolari degli antichi*, ritiene evidentemente del Montaigne, anche se con minor capriccio di digressioni. E proprio sull'apertura di due fra i saggi d'impronta piú alta: l'*Elogio degli uccelli* ed il *Cantico del gallo silvestre*, in quella qualifica di Amelio « filosofo solitario », nel richiamo a Senofonte, o nell'altro richiamo ai maestri e scrittori ebrei, e alla cartapecora antica in lingua talmudica, ecc., è curioso osservare quasi un accorgimento di lasciar scoperto lo spunto culturale, e far echeggiare l'intonazione riflessa, ragionativa: sottilissima preoccupazione di grande artista, la quale giova a raffrenare il discorso che non s'impenni nel fantastico di primo abbrivo. Qualcosa di simile si potrebbe, fra l'altro, ripetere, e con maggior copia di annotazioni particolari, per il *Dialogo di Ruysch e delle mummie*. In sostanza, sia teoricamente che in atto, il Leopardi, tutto che affermando, come s'è veduto, che la bella prosa deve avere qualche cosa di poetico, fortemente diffida della prosa liricheggiante; attribuendone la deplorata diffusione ai modelli illuministi e romantici francesi.

Sono essi i modelli che, nel periodo formativo, unitamente all'*Ortis*, operano invece sul Tommaseo. Dalle sue immense letture, dalla larghissima pratica dialettale, dalle risorse d'una dottrina e d'un istinto filologico, nella nostra letteratura forse rimasti insuperati, il Tommaseo distilla e organizza il linguaggio da servirgli alla realizzazione di un'idea di prosa che non lasciò affatto insensibile il Carducci, e specialmente il D'Annunzio, e che venne perfino avvicinata a taluni modi di Baudelaire.

A un dato momento, erano cadute le spoglie originarie dell'oratoria romantica; mentre lo scrittore non s'era ancora disciplinato e piegato ad un certo conformismo manzoniano. E fu appunto, in racconti storici, pagine autobiografiche, « ditirambi », il periodo di quella sua prosa intarsiata e placcata di vocaboli rari, arcaici, provinciali; laboriosissima, d'un corso trepidante e quasi irritato; con frequenti descrittività studiate minutamente, ma a dire il vero non tanto evocative. « Prosa d'arte » se mai ce ne fu, prosa poetica finché c'entra; nella cui valutazione retrospettiva, un senso di sorpresa e scoperta, e la simpatia per la calda personalità vissuta del Tommaseo, hanno forse aggiunto in qualche maniera a quello che avrebbe potuto essere, nudo e crudo, l'apprezzamento estetico.

Il lettore probabilmente si è chiesto perché, nel corso delle nostre esemplificazioni, non s'è fatto parola del Bartoli: il gran Daniello, di cui nientemeno che il Leopardi faceva una stima talmente esaltata. La ragione è che il Bartoli, come e piú il Segneri, chi ben consideri resta al tutto fuori dai limiti del nostro discorso. Nei *Simboli*, nella *Geografia*: da una situazione trovata nella storia, o dalla presentazione d'un fenomeno naturale (che in qualche modo corrisponderebbero alle « citazioni » del Montaigne), battendo l'acciarino della fantasia, il Bartoli vuol far brillare un concetto morale o poetico. Ma è troppo facile sentire che si tratta d'un concetto « convenuto »: d'un esempio, di una morale dedotta, appiccicata; non già di un'invenzione, d'una scoperta lirica. La « citazione » è in sé piú vivida della fiammata poetica che doveva accendersene. E cosí, per converso, quando il Bartoli minutamente dipinge alla fiamminga, come nei celebri squarci sugli insetti, sulle conchiglie, sul corpo umano. La descrizione si salda sopra sé stessa, e resta muta. Ch'è in fondo, il contrario d'una « prosa poetica »; se questo termine ha da serbare pur approssimativamente un proprio senso. Allora avrebbe infinitamente maggior giustificazione a parlare, nel significato e nei termini formali che le riferiamo, d'una prosa poetica del Magalotti nei *Buccheri*, o dell'Algarotti nel *Newtonianismo*.

E si sarà forse anche voluto notare come non fu tratto partito di discussione da quanto il Foscolo dette nella prosa lirica dell'*Ortis*, a forte orchestrazione romantica; e quasi in contrasto a cotesta, nel *Didimo*, nel *Sesto tomo* ed altri scritti incompiuti, che meglio rientrano nel nostro argomento, e si produssero almeno in parte sotto l'influsso di Sterne. Il fatto è che la forma dell'*Ortis* appartiene ad un gusto di larga diffusione europea, ché ebbe altrove modelli piú eletti. E l'altra vena, segreta, ironica, capricciosamente intellettualistica, non sfogò mai appieno; perché la completa sintesi della personalità creativa del Foscolo si compie nella sua lirica e nella sua eloquenza critica; e il *Didimo* non offre che un parziale calco psicologico, in sé estremamente prezioso, ma che interessa qualche aspetto soltanto di quella coscienza e di quell'arte.

Frattanto, ciò che vedemmo il Sainte-Beuve avere fatto in *Port-Royal* per la prosa dell'*essai*, con la sua analisi dello stile di Montaigne: nel suo corso su *Chateaubriand* egli cercò di fare per la « prosa poetica ». Ma riguardo all'*essai* egli aveva potuto molto piú addentrarsi nel processo stilistico, per la ragione stessa della maggior coerenza di cotesta forma che, nella propria affermazione piú schietta, aderisce a un'interna dialettica, come potrebbe essere in musica quella della fuga o della forma-sonata. Mentre con la prosa poetica, il Sainte-Beuve si trovò dinanzi una configurazione meno determinabile; ché di prosa poetica può materiarsi il romanzo, il viaggio, la divagazione lirica, la storia, o perfino la descrizione scientifica, come appunto egli indicava in Buffon. Cosicché la sua bellissima trattazione della prosa poetica, venne piú che altro a riuscire un *excursus* storico, che ha le sue tappe in Buffon, in Rousseau, in Bernardin de Saint-Pierre, in Chateaubriand, in Lamartine. Dopo due o tre anni, nella notissima lettera dell'agosto 1852, il Flaubert abbozzava il proprio concetto d'una prosa moderna corrispondente, per complessità e perfezione di strumento, a ciò che fu il verso nelle lettere antiche. E in realtà anche lui non fece che inserirsi, idealmente, e quanto legittimamente, in cotesto *excursus*; che insieme al suo nome, benché, s'intende, in posto tanto piú umile, avrebbe potuto accogliere il nome del de Guérin ed altri nuovi prosatori.

Si ripete che, in queste note, noi consideriamo la moderna prosa poetica in un senso meno esteso e multiforme di quello secondo il quale si verrebbe ad assumerla, pensando all'opera di Buffon, di Chateaubriand o di Flaubert. Per noi, infatti, prosa poetica equivale specialmente a prosa d'arte, « frammento », poemetto in prosa. Dentro ai quali termini, è se possibile anche piú palese la diversità della forma del « saggio ». *Grosso modo* potrebbe dirsi che la prosa poetica offre la soluzione romantica d'un problema di espressione letteraria, che nel saggio, con le sue premesse intellettualistiche francamente esibite, ha la sua impostazione e soluzione classica. Da questo punto di osservazione, nell'opera di un medesimo artista, e artista grande: Baudelaire, è assai istruttivo il confronto delle *Fleurs* con i poemetti in prosa, che sulla letteratura contemporanea erano destinati ad esercitare un influsso non inferiore a quello delle liriche.

Fu un lamentevole giudizio del Brunetière (il quale del resto val piú della sua fama), che dopo le *Fleurs* e i *Paradis*, Baudelaire non avesse prodotto piú nulla che conti. Ma quasi altrettanto sballata è l'opinione di coloro che considerano i poemetti in prosa sul medesimo livello delle liriche; e magari perfino come se ne costituissero un « progresso » e compimento. Ad una lettura non del tutto incompetente, la tessitura fantastica, ideologica e verbale delle *Fleurs*, come appare fitta di smagliature, strappi, rappezzi, rammendi! Che violenti passaggi di tono! A volte, l'intiera massa d'un componimento è obbligata a infilarsi e passare, con contorsioni penose, attraverso la cruna d'ago d'una immagine, di una sentenza, od anche d'una sola parola, che stanno come inserite lí a forza, e provengono da un tutt'altro ordine, da tutt'altra sfera. O è come se una quintessenziale sostanza lirica, altre volte fosse, prosaicamente, brutalmente, introdotta, commentata, sigillata da un'annotazione scientifica, da un sillogismo morale. Progressioni figurative (come, per fare un esempio, nei *Sept vieillards*), che avevano raggiunto un forte grado di esaltazione e tensione, crollano d'un tratto in una situazione aneddotica, in un espediente melodrammatico, si trovano appesa dietro una coda oratoria.

Non si fanno tali rilievi con la goffa pretesa di diminuire un immortale libro di lirica; ma al contrario, direi, a vieppiú indurre l'ammirazione sulla coraggiosissima maniera con la quale l'artista, malgrado il piú strenuo sforzo verso la perfezione, ebbe accettato discontinuità, difetti, stridori, pur di non falsare, non patinare, non contaminare, i motivi integrali, le voci, le rivelazioni assolute della sua poesia. Egli ammette dentro all'opera, senza dissimularli, i raccordi logici (vere saldature a stagno) che gli sono indispensabili, le enunciazioni morali allo stato grezzo, non maschera le eventuali fratture. In un certo qual modo, denunzia egli stesso i necessari artifizi, i supplementi deprecabili: lascia a disposizione del lettore tutta la documentazione per una lettura critica.

Ma nella sua prosa poetica, le anfrattuosità, discrepanze e soluzioni di continuità sono attenuate; e non credo affatto per un borghese proposito di scrivere piú « facile », ad accaparrarsi meglio il pubblico; ma per un inevitabile processo di riassorbimento e saturazione. I gridi d'aquila della sublime poesia si traducono e distendono a poco a poco in discorso e ragionamento liricheggiante. Di dentro ai nembi ed ai lampi, si affacciano figure che sono una cristallizzazione mitologica di geroglifici e simboli naturali. E com'è di tutti i miti moderni, nella loro composizione entra una buona dose di tessuto connettivo fabbricato apposta. Ma allora valgono meglio le franche inserzioni, le toppe, logiche, morali, oratorie, di cui tante *Fleurs* sono costellate; che tuttavia non compromettono, come nelle parti superstiti d'un antico vaso di restauro, la purezza di quelle immagini che il tempo e gli eventi non erano riusciti a sfigurare.

Il peccato originale della prosa poetica, non esclusi completamente i *Petits poèmes*, sta in una certa unificazione del tono; in una chiaroscurale fusione e sfumatura dei passaggi e degli effetti; diciamo piú genericamente, in un amalgama di poesia ed eloquenza, del quale in realtà la prima fa le spese. Ed il fatto che in prosa poetica siano stati anche composti autentici capolavori, non può far dimenticare come in essa di frequente induca a sospetto, e alla lunga infastidisca, una impercettibile ma ineliminabile febbricosità del tono, un che di cantato con eccitazione e sordità quasi di falsetto. Facilmente s'intende che nobilissimi scrittori, i quali pur dettero belle pagine di prosa poetica, ne sentissero nondimeno come una specie di rimorso estetico. Il Carducci, ad esempio, di *Bozzetti, Confessioni*, ecc.; ma che poi, nella sua polemica antiromantica, batte ostinatamente sopra questo tasto.

Qui non può aver luogo una disamina appena particolareggiata di prosatori delle tendenze anzidette; in ispecie moltiplicatisi dall'ultimo scorcio del secolo scorso: da quando cioè l'estetica decadente s'ebbe creato il suo stampo anche in forme corsive; nel medesimo tempo che dall'incremento giornalistico crescevano le occasioni per le quali, all'occorrenza un po' adattandosi, il saggio, e la prosa poetica con la viarietà dei suoi travestimenti, potevano trovare il loro pubblico, nelle riviste e nei quotidiani, non meno della rubrica finanziaria e dell'articolo di fondo. Nella letteratura inglese, un patrono come il Pater ebbe allora quasi altrettanto importanza di quella che Baudelaire poco prima ebbe in Francia;

e mentre i tempi sembrerebbero aver dovuto maturare ben altre conclusioni, si vede oggi come essa non sia ancora del tutto scontata. Narratore fin sopra ai capelli, Stevenson in questo campo fa solo qualche apparizione indimenticabile, sebbene saltuaria. Ed è quasi certo che in Wilde la prosa poetica ostenta i suoi esemplari piú stuccosi; mentre nel Beerbohm una squisita ironia corregge e sfoltisce il soprappiú decadente. Quando infine si conosce un po' addentro l'opera di Chesterton e di Belloc, si sa valutare a che punto la passione politica e polemica impose e costò alla loro arte.

Indirettamente sulle orme del Pater, chi da noi si applicò alla prosa poetica con una vocazione sempre piú assidua, e diventata in ultimo quasi esclusiva, fu il D'Annunzio. E non ha gran peso se, in genere, le date delle cosiddette *Faville* sono, come sembra, poco attendibili; motivo per cui, tutto che sia stato fatto o tentato, non è facile ristabilire con buona approssimazione la vicenda degli incontri e il giuoco degli influssi che, in artista talmente imitativo, ebbero senza dubbio la loro parte. Si capisce come, per sua natura, il D'Annunzio fosse sempre indotto a scrivere « poetizzato ». Né credo, come si suole, che siano da riferirsi soltanto agli anni della maturità e della vecchiaia, il gusto e la coscienza critica di taluni effetti particolari, e la scelta e l'organizzazione dei mezzi atti a conseguirli. Già nei primi romanzi, le figure e i paesi si staccano talora ed isolano decisamente in una atmosfera da poemetto in prosa: Roma sotto la neve, l'usignolo, la vigna nel chiarore lunare. O si ricordi, nel *Trionfo*, il gigante incappato che nel corteo funebre porta il torcetto, e accanto a lui il bambinello zoppo, che raccoglie la cera nel cavo della mano; insieme a passi dello stesso tenore, esattamente nello stile delle ultime *Faville*.

Cotesta maniera di vedere e di rendere, piú o meno rientra in una sorta di categoria estetica: « realismo magico »; quale fu la definizione di recente venuta di moda, benché com'è ovvio la cosa fosse piú vecchia d'Omero. Se non altri, appunto Baudelaire aveva nitidamente formulato, nelle *Fusées*, una simile qualità di visione. « Dans certains états de l'âme presque surnaturels, la profondeur de la vie se révèle tout entière dans le spectacle, si ordinaire qu'il soit, qu'on a sous les yeux. Il en devient le Symbole ». Nelle misure del presente scritto, non si possono analizzare aspetti della produzione dannunziana che, anche dove l'intenzione è meglio governata verso le forme del saggio e della prosa d'arte, continuamente si mescola di motivi e spunti eterogenei; ed a volta a volta piglia fisionomia e movimento di racconto, parabola, autobiografia, digressione erudita. Ma dirò di piú: ch'è cotesta un'analisi già da me ripetutamente intrapresa, fin da quando, trenta e passa anni, il D'Annunzio cominciò a spingersi piú a fondo in tali prove. Analisi ogni volta abbandonata, ritentata ed ancora tralasciata; con una insoddisfazione che mi sembra per loro conto condivisa dai pochi altri che via via si furono accinti al medesimo compito.

Semplicisticamente e contenutisticamente, fu parlato allora di « esplorazione d'ombra », che il D'Annunzio iniziava con la *Contemplazione*, la *Leda*, e che sviluppò nel *Notturno* in senso cosí letterale che simbolico. E fra altre cose, mi provavo a circoscrivere ed estrarre motivi e schemi di « astrazione decorativa » (come li chiamavo con allusione all'arte plastica): i fregi di cavalli; il baccanale dei fanciulli pratesi; la grottesca *suite* di mascheroni della vita collegiale; le figure e associazioni erotiche della passeggiata nei pressi di Ficalbo, il giorno della iniziazione amorosa, ecc. ecc.; e proponevo analogie con modi e procedimenti della poesia classica. Cosí avrei potuto insistere, piú che allora mi venisse fatto, su certi « fugati » d'immagini e allitterazioni che, come in Joyce, partono dal tema d'una radice verbale; e talvolta sbandano in una sorta di filologica e glottologica demenza, talvolta svegliano echi d'autentica poesia.

Ormai la distanza del tempo comincia ad essere sufficiente; e le repliche e controrepliche di letture, abbastanza iterate. Ma per poi tornar sempre su quella medesima sensazione; che mai forse il D'Annunzio fu cosí al suo meglio e al suo peggio. La falsità dei toni di partenza, la artificiosità o gratuità dei raccordi e trapassi, la pedanteria, l'armeggio erudito, la plumbea pesantezza nelle situazioni umoristiche, rendono una quantità di queste migliaia di pagine addirittura intollerabili, come se appartenenti ad una stagione fossile del gusto; mentre altrove d'improvviso spaccandosi, formicolano all'interno e scintillano di tratti miracolosi; e non già miracolosi di mera bravura retorica, ma di verace intuizione lirica e di profonda sostanza vitale.

Cosicché, nel lasciare, col D'Annunzio, gli esempi storici nei quali di fatto si testimonia la legittimità del « saggio », della « prosa poetica » e della « prosa d'arte », queste forme, ancora una volta, sembrano sopratutto mostrarcisi nella loro instabilità, allotropicità e quasi inafferrabilità; e ancora una volta, tutto considerato, uno ha l'impressione d'averne saputo dir poco o niente.

(1948)

Mitologia gastrica

Lo sanno anche i ragazzini delle ginnasiali, che quasi tutti gli antichi poemi o s'aprono senz'altro nel nome della Musa, o prima o poi impennano il volo in una diretta invocazione o preghiera alla Musa medesima:

> Cantami o Diva del Pelide Achille...
> Musa, mihi causas memora...
> O Musa tu che di caduchi allori...

e via dicendo. È una di quelle convenienze e convenzioni, religiose ed estetiche, di cui i grandi artisti del passato non pensarono lontanamente poter fare a meno. O notiamone un'altra, di tutt'altro genere e cronologia, nei concerti classici.

A un certo punto l'orchestra incrocia le braccia, il maestro posa sul leggío la bacchetta, l'uditorio rattiene il fiato; e lo strumento protagonista: pianoforte, violino o che altro sia, incomincia a svolgere e filare per proprio conto, nel silenzio assoluto, quella che in linguaggio tecnico si chiama la « cadenza ». Scagliato in aria un mazzetto di note, martellato sulla parete del silenzio un accordo robusto, il solista (figurativamente) vi s'arrampica come un acrobata, volteggia come sui trapezi, solo solo dà la scalata all'empireo musicale. In un baleno è salito cosí in alto, che del suo colloquio con le stelle giunge appena un balbettío tanto flebile che la gente comincia a pensare ch'egli se la sia svignata per il lucernario; quando all'improvviso riprecipita sulle teste del pubblico, con il fragore aspro e raccapricciante d'una cateratta di vetri rotti.

Ma non si posa già in terra; non riprende disciplinatamente il suo posto nell'ordinanza dei suoni. Vuole tutt'altro che rinunciare cosí presto alla sua libertà, rientrando nella gabbia della partitura. Invita, provoca uno od altro strumento, come lo scimmiotto che appeso all'albero con la punta della coda fa il pizzicorino sul naso a un coccodrillo sonnacchioso. O si rimette a far capriole a mezz'aria. A inseguire la propria coda in una girandola di trilli. E rieccolo ad impaurire per burla l'uditorio, simulando nuovi sdruccioloni e capitomboli. Finché, malgrado tutte queste bravure e civetterie, è forzato a scendere ed arrendersi: gli altri strumenti l'accolgono con una grande acclamazione, lo festeggiano con un immenso battimano. Il concerto stringe i tempi, avviandosi verso la perorazione finale; spranga dietro di sé gli ultimi accordi, l'ultimo « fortissimo »; e quelli del pubblico cominciano ad alzarsi, e se ne vanno a casa contenti come pasque.

La preghiera alla Musa, e i virtuosismi della « cadenza »: nei poemi e nei concerti classici. In tutti i paesi del mondo, l'odierna narrativa non ha voluto esser da meno dell'antica epopea e del grande sinfonismo. E ha sentito bisogno di costituirsi le sue proprie convenzioni estetiche, i propri rituali. Ma non ha piú fede nel sovrannaturale, da voler invocare l'ausilio della Musa. E non ha pazienza né tempo da perdere per fiorettare le proprie pagine di fantasiose cadenze. Ecco dunque che, per solito non molto innanzi la fine d'un romanzo d'oggi, l'eroe (od eroina) di punto in bianco lascia in asso gli altri personaggi e si mette a correre. Quelli figurano di non saper dove corra, ma in realtà lo sanno benissimo.

Corre allo stanzino: o se non fa in tempo ad arrivare allo stanzino, si appoggia a una parete, lí dove si trova. Si appoggia alla parete, e si mette a vomitare. È questo l'atto sacramentale; il gesto immancabile e propiziatorio dell'ultima narrativa. Un accesso di vomito. E non facciamoci illusioni; non c'è via di mezzo. Se il protagonista presto o tardi non vomita, c'è da aver forti dubbi che il romanzo o racconto sia davvero *à la page*, sia veramente moderno. (E se non è moderno: buonanotte signori.) Al tempo di Werther e dell'Ortis, il panorama letterario era di tutta gente vestita e incravattata di nero, che si puntava la pistola alla tempia. Oggi come in un viale di Villa d'Este o alla fontana di Leonforte, con le file interminabili dei mascheroni che buttano acqua, il panorama letterario è tutto di visi e bocche che vomitano.

Questo fenomeno, questo contagio del vomito ha certamente un significato materiale ed emblematico. Ed è soprattutto, nel caso specifico, un fenomeno e un simbolo pessimista, nichilista. Vuole esprimere lo spasmodico rifiutarsi dell'organismo e dell'individuo al rapporto con la realtà esteriore; anche se qualche ora prima, tale realtà non soltanto era stata ammessa teoricamente, ma fisicamente ingerita sotto forma di costoletta o bistecca. Curvo sul lavandino, un disgraziato vomita la sua costoletta, non potendo vomitare la vita, il mondo, il libro della Genesi e tutta la Creazione. Espelle la costoletta nella quale si contengono vitamine ed altri elementi ottimistici ch'egli aborre. Perché convinti come sono della propria inettitudine a vivere, i protagonisti dei nostri romanzi non si suicidano che nominalmente, con una sorta di suicidio allusivo. Non hanno bisogno di dare altre spiegazioni.

Invece, un poeta antico si riconosceva in obbligo di chiarire in tutte le lettere, quanto piú le implicazioni erano gravi e decisive, affetti e pensieri di quel suo tale personaggio che diceva di no alla vita. A forza di rincarare sui dolori e le lamentele del suo eroe, il poeta di Giobbe ce ne fa la testa come un pallone. E quando Sofocle tratta di Edipo, a un certo punto quasi ci convince alla sublime bestemmia che « meglio sarebbe non essere mai nati ». Amleto recita il suo monologo, laddove un moderno se la caverebbe come abbiamo visto. Né occorre rammentare Leopardi. Il disgusto delle umane sorti, il senso di mal di mare che procura (a pensarci soltanto) l'altalena cosmica: nessuno li soffrí piú atrocemente, e senza antispasmodici od altri possibili palliativi e conforti. Ma anche in Leopardi non è traccia delle procedure dei nostri contemporanei; che in un fatto fisiologico, ormai assunto a significato protocollare, enunciano ed insieme risolvono i piú tragici problemi morali, le crisi di coscienza piú profonde.

È facile profezia che, prima che passi gran tempo, del soggetto della noterella presente cominceranno a interessarsi studiosi di polso, critici seri, filologi e storici. Si leggeranno comunicazioni accademiche, voluminose tesi di laurea e di baccalaureato. E forse verranno anche fondate borse di studio, a promuovere le apposite ricerche. Cosí a lume di naso, io direi che, a vomitare nei romanzi, espressamente e con vera coscienza di causa, dev'essersi cominciato in America una quindicina o venti anni fa. E il critico diligente avrà da spaziare e sottilizzare sul come si vomita in Faulkner ed in Cain, e quali brillanti peculiarità si notino in Hemingway; perché invece Caldwell anche quando vomita riesca sempre piuttosto volgare; e quand'è infine che si sente il primo acciottolío di catinelle in Moravia e seguaci. Quel che darei per poter leggere presto una bella trattazione di letteratura comparata sul vomito in Hemingway e Marziale, o in Faulkner e nel *Trimalcione*! E forse non siamo che agli inizi d'una vera mitologia e simbologia gastrica e intestinale.

Armonicamente al progresso scientifico, s'aprono vasti orizzonti. Già è possibile intravvedere quando il vomito rituale, come oggi si pratica nei romanzi, sarà di gran lunga oltrepassato; e gli scrittori lavoreranno a risolvere le crisi d'anima dei loro personaggi con risolute applicazioni d'enteroclisma ed apparecchi siffatti.

(1949)

In tema di narrativa

Nel mio studiolo stavo pensando a questo articolo; e disgraziatamente m'accorgevo di starci pensando, perché di solito i pensieri si pensano da sé, e non ci se n'accorge. Doveva voler dire che questo era un articolo imbrogliato. Sentii grattare all'uscio timidamente. Era la maggiore di due nipotine che ogni tanto vengono a casa nostra e si trattengono qualche ora. Aveva in mano un quaderno da scuola, e un po' imbarazzata mi disse: « Nonno, sto scrivendo un romanzo ». Quanto del romanzo era scritto non riempiva ancora la prima pagina. Cominciai a leggere, piuttosto di malavoglia. Ma capii subito che doveva trattarsi d'un che di mezzo fra il *western* e la fantascienza, e questo in qualche modo mi riconfortò, tanto da nascondere alla meglio il mio malumore.

Tom, rompicollo del *West*, non fa nulla da mattina a sera, e non sogna che viaggiare. Alla fine riesce a imbarcarsi, e attraversa l'oceano, diretto a Lisbona; finché in prossimità di Gibilterra accade qualche cosa di straordinario. Una enorme balena turchina, alta quanto una casa, emerge tutt'a un tratto dinanzi alla nave, come per aggredirla. I passeggeri sono terrorizzati, e nasce una gran confusione. Ma il capitano se li toglie di mezzo, e li fa rinchiudere tutti in cabina. Tom invece vuol partecipare alla lotta con la balena, ed alterca col capitano.

Qui finisce la pagina. Con i miei evasivi incoraggiamenti, la nipotina ripiglia il suo quaderno e va a seguitare in un'altra stanza; mentre io resto a riflettere che deve essere davvero inquieto e mordace questo *virus* dell'odierna narrativa, se non ha lasciato tranquilla neanche una cosí brava bambina.

La verità è che gli uomini hanno poca memoria, e stupiscono anche di fatti che, sia in piccolo che in grande, continuamente si ripetono un'infinità di volte. Finita la prima guerra, come in una specie di prova generale, il *virus* entrò in azione e in Italia ci fu la narrativa del Mariani, di Guido da Verona e del Pitigrilli, con tirature che emularono, se non sorpassarono, quelle dei romanzi nostrani che nelle stagioni recenti hanno avuto piú successo. Erano tirature infinitamente superiori a quelle del D'Annunzio che, a partire dal *Notturno*, pubblicava allora una serie di volumi di prose fra le sue piú nuove e piú alte. In pieno Rinascimento, di pari passo con un lunghissimo regno, l'età elisabettiana era stata tutta una fioritura di tragedie e commedie, a preferenza d'ogni altra forma letteraria. Ed in tempi ben piú antichi, la grande voga della lirica corale, ispirata alle gare atletiche di Olimpia, di Delfo e di Corinto, dopo la morte di Pindaro era morta rapidamente anche lei. E a quell'epoca, per almeno un secolo, i migliori talenti letterari della Grecia si erano indirizzati quasi esclusivamente verso il teatro. A differenza di oggi fra noi, che non si trovano altro che poeti e romanzieri, in Grecia non si sarebbe trovato un lirico, nemmeno a pagarlo a peso d'oro. Può darsi che, nel campo della narrativa, succeda ora qualche cosa di simile; e non disperiamo cosí un giorno o l'altro di arrivare a conoscere come andò a finire la storia di Tom e della balena.

Quando si sente discorrere, e sa Iddio come accade spesso, della nostra stagione letteraria, sopratutto in ciò che riflette il romanzo, per taluni riguardi si potrebbe quasi aver l'impressione di trovarci in un'epoca privilegiata. In un'epoca nella quale fra l'altro siano stati risolti, o per lo meno validamente avviati alla soluzione, anche numerosi problemi che hanno a che vedere non solo con l'opera d'arte considerata in sé stessa, ma con la sua vita pratica, il suo destino sociale, la sua capacità di azione ed espansione. Un'epoca, in altre parole, nella quale sia stato perfino infranto e superato il contrasto, o per lo meno la reciproca indifferenza e incomprensione che, nell'Italia moderna (eccettuata quella fugace età d'oro di Pitigrilli e Guido da Verona), furono sempre denunciati fra il pubblico e la letteratura.

È naturale che, come conseguenza immediata e inevitabile, una simile convinzione incoraggi coloro che la condividono, a pronunciare i piú altezzosi giudizi intorno a periodi letterari che non furono ugualmente fortunati. Come preludio all'imminente centenario dannunziano, che cosa non abbiamo già letto, su giornali e riviste, intorno al poeta e alla sua opera? E se le cose proseguono col medesimo passo, è certo che su questo argomento, durante il 1963, avremo da leggerne altre e piú belle e stravaganti.

Sta di fatto che il mondo piú rabbiosamente ogni giorno volta le spalle al passato. E la storia letteraria si presenta come una successione di screanzate fratture dialettiche, in parte determinate anche da grandi avvenimenti economici e politici. Da tali fratture sbucano puntualmente, a bandiere spiegate, le solite avanguardie che hanno il compito di spazzare gli avanzi del passato, ed ammannire, con la maggiore sollecitudine, le confezioni in cui si attesti l'arte e la spiritualità futura. Uno dei principali guai è la infinita moltiplicazione e frantumazione di queste avanguardie, e il loro corso effimero e nebuloso.

Del resto, parecchie di esse, guardandole bene, quasi si riducono ad un solo uomo, che fa pensare all'impazzito generale di un esercito di cui, al medesimo tempo, egli è l'unico milite e portabandiera. Si cammina dentro una selva di vessilli tutti differenti, che impediscono di vedere la circostante realtà. L'attenzione si concentra piú sui proclami che sulle opere; piú sui concorsi che sulle opere concorrenti. E molte di queste opere, se non portassero qualche particolare etichetta, non saprebbe dirsi nemmeno in che cosa sostanzialmente si distinguono da altre che nacquero con un programma assolutamente diverso.

Non insistiamo sulla qualificazione degli schemi ideologici e tecnici piú noti e d'uso piú comune; a partire dalle generiche formule del pessimismo esistenzialista, da quelle della casistica sessuale, della famigerata « alienazione », ed infine del proselitismo marxista. E non parliamo nemmeno del « monologo interiore », del « dialogato » di Hemingway, e consimili ritrovati tecnici, che ieri parevano nuovi di zecca ed oggi non interessano piú nessuno. Con denominazioni non di rado piuttosto ostrogote, o adoperate (come nel caso « dell'alienazione ») in significati trasposti, se non capovolti addirittura, dentro a cotesti schemi possono essere versate realtà effettuali, profondamente umane; mentre altre volte la pretesa ideologica non è sopratutto che un trucco, una burletta, una *réclame.*

Cosí come quando, ma per poco, fu sussurrato di ineffabili misteri einsteiniani, nella struttura dei romanzi del Durrell (autore del resto assai brillante). O quando, su altro piano, fu parlato della cosiddetta *école du regard*; che ha tutta l'aria d'uno *slogan* da esportazione di prodotti d'arte francesi. O quando si assiste alla ricerca, auscultazione e utilizzazione di dialetti e « gerghi furfantini », e linguaggi dell'industria e delle varie arti e mestieri, per corroborarne un nuovo linguaggio. Perché su una cosa non c'è dubbio, ed è questa: che il pubblico odierno s'interessa molto piú a queste curiosità e chiacchiere di *atelier* che alla vera poesia e alla vera arte.

D'altra parte, questi inevitabili quanto equivoci risultati già erano stati previsti, se non anche avanti, nelle prime decadi dell'Ottocento. Nel poco che mi riguarda, basterebbe che su tali argomenti mi sunteggiassi da assai vecchie pagine. Per un complesso di circostanze che qui è inutile vagliare, la produzione letteraria, nelle prime decadi ottocentesche si accrebbe, e fino ad oggi è andata crescendo in modo spaventoso. Fra le cause e le conseguenze della crescita enorme, senza dubbio le piú efficaci furono d'ordine economico: le medesime della cosiddetta « cultura di massa ». Nelle *Considerazioni sulla storia del mondo* (un libro fra i piú letti e saccheggiati, e meno citati) il vecchio Burckhardt disse ottime cose intorno al rapporto della moderna civiltà mercantile e statale con la vita culturale. Ed il giovane Nietzsche, che nel 1870 conobbe cotesto libro, allorché il Burckhardt lo lesse in forma di lezioni universitarie, non perse davvero il suo tempo a farsene la sua parte.

Ma tutti e due erano stati largamente preceduti dal Sainte-Beuve, il quale denunciò gli effetti del fattore economico (insieme a quelli dell'esempio napoleonico e del suo attivismo confusionario: « Date molte battaglie... ») nel campo letterario ed artistico; e ne trattò in un acuto articolo del 1845. Per verità, quanto da allora successe oltrepassa tutte le previsioni che anche ad un grande critico come il Sainte-Beuve potevano venire in testa un secolo fa. Emancipatasi dalla protezione dei principi e dei mecenati, l'attività letteraria si acconciò di buona voglia sotto alla protezione del pubblico, degli editori e dei governi; finché oggi ha imparato a toccare con molta destrezza anche le utili leve nel complesso sistema della partitocrazia.

La fama e il successo finanziario d'opere spesso prive di ogni merito, offrirono subito e ogni giorno offrono la dimostrazione irrefutabile che il nuovo sistema, diremo mercantile, non garantisce meglio del primo sistema, feudale, né la qualità estetica della produzione, né la sua indipendenza, né la sua moralità, intesa questa tanto nel senso meramente poliziesco che in un senso superiore. Disgraziatamente quelli della letteratura, e ora in ispecie della narrativa, sono argomenti che, se uno si decide a toccarli, poi dura fatica a spiccicarseli dalle dita. Per oggi, *sat prata biberunt*. Non mancherà occasione di tornare in materia qualche altra domenica.

(1963)

Bibliografia essenziale

Albertazzi, Adolfo
(Bologna, 8 settembre 1865 - Bologna, 10 maggio 1924).

Narrativa:
Parvenze e sembianze (1892); *La contessa d'Almond* (1894); *Vecchie storie d'amore* (1895); *L'Ave* (1896); *Ora e sempre* (1899); *Novelle umoristiche* (1900); *In faccia al destino* (1906); *Il zucchetto rosso e storie d'altri colori* (1910); *Asini e compagnia* (1913); *Amore e amore* (1914); *Il diavolo nell'ampolla* (1918); *Strane storie di storia vera* (1920); *Cammina, cammina, cammina...* (1920); *A stare al mondo* (1921); *Sotto il sole* (1921); *Facce allegre* (1921); *Top* (1922); *I racconti di Corcontento* (1922); *La donna del gran visir* (1930).

Saggistica:
Romanzieri e romanzi del Cinquecento e del Seicento (1891); *Storia dei generi letterari italiani: Il romanzo* (1903); *T. Tasso* (1911); *U. Foscolo* (1916-1918); *Il Carducci in professione d'uomo* (1921).

Aleramo, Sibilla
pseudonimo di Rina Faccio
(Alessandria, 14 agosto 1876 - Roma, 13 gennaio 1960).

Narrativa e prose varie:
Una donna (1907); *Il passaggio* (1919); *Andando e stando* (1921); *Gioie d'occasione* (1930); *Trasfigurazione* (1923); *Amo, dunque sono* (1927); *Il frustino* (1932); *Orsa minore* (1938);

Dal mio diario 1940-44 (1945); *Il mondo è adolescente* (1949); *Russia alto paese* (1953).

Poesia:

Momenti (1921); *Poesie* (1929); *Sí alla terra* (1934); *Selva d'amore* (1947); *Aiutatemi a dire. Nuove poesie 1948-1951* (1951); *Luci della mia sera* (1956).

Teatro:

Endimione (1923).

Alvaro, Corrado

(San Luca di Calabria, 15 aprile 1895 - Roma, 11 giugno 1956).

Narrativa:

La siepe e l'orto (1920); *L'uomo nel labirinto* (1926); *L'amata alla finestra* (1929); *Misteri e avventure* (1930); *Gente in Aspromonte* (1930); *Vent'anni* (1930); *La signora dell'isola* (1930); *Il mare* (1934); *L'uomo è forte* (1938); *Incontri d'amore* (1941); *L'età breve* (1946); *75 racconti* (1955); *Parole di notte* (1955); *Belmoro* (1957); *Mastrangelina* (1960); *Tutto è accaduto* (1961); *La moglie e i quaranta racconti* (1963); *Domani* (1969).

Poesia:

Polsi (1911); *Poesie grigioverdi* (1917); *Il viaggio* (1942).

Teatro:

Il caffè dei naviganti (1939); *Lunga notte di Medea* (1949).

Saggistica e prose varie:

Luigi Albertini (1925); *La Calabria* (1926); *Viaggio in Turchia* (1932); *Itinerario italiano* (1933); *Terra nuova* (1934); *Cronaca (o fantasia)* (1934); *I maestri del diluvio. Viaggio nella Russia sovietica* (1935); *Quasi una vita. Giornale di uno scrittore* (1950); *Il nostro tempo e la speranza* (1952); *Roma vestita di nuovo* (1957); *Un treno nel Sud* (1958); *Ultimo diario* (1959).

Amendola, Giovanni

(Napoli, 15 aprile 1882 - Cannes, 7 aprile 1926)

Saggistica:

La volontà è il bene (1911); *La categoria: appunti critici sullo svolgimento della dottrina delle categorie da Kant a noi* (1913); *Etica e biografia* (1915); *Una battaglia liberale* (1924); *La democrazia dopo il 6 aprile 1924* (1924); *La democrazia italiana contro il fascismo (1922-1924)* (1960).

Angioletti, Giovanni Battista

(Milano, 27 novembre 1896 - Napoli, 3 agosto 1961).

Narrativa:

Il giorno del giudizio (1927); *Il buon veliero* (1931); *Amici di strada* (1935); *Il generale in esilio* (1938); *Donata* (1941); *Eclissi di luna* (1943); *Narciso* (1949); *La memoria* (1949); *Giobbe uomo solo* (1955).

Saggistica:

La terra e l'avvenire (1923); *Scrittori d'Europa* (1928); *Ritratto del mio paese* (1929), edizione ampliata col titolo *L'Italia felice* (1947); *Servizio di guardia* (1932); *L'Europa d'oggi* (1933); *Narratori italiani d'oggi*, in collaborazione con G. Antonini (1939); *Le carte parlanti* (1941); *Vecchio continente* (1942); *Quaderno ticinese* (1944); *Un europeo d'Italia. Inchiesta in Occidente* (1951); *Inchiesta segreta* (1953); *Testimone in Grecia*, in collaborazione con P. Bigongiari (1954); *L'anatra alla normanna* (1957); *L'uso della parola* (1958); *I grandi ospiti* (1960).

Bacchelli, Riccardo
(Bologna, 19 aprile 1891).

Narrativa:

Il filo meraviglioso di Ludovico Clò (1911); *Lo sa il tonno* (1923); *Il diavolo al Pontelungo* (1927); *Bella Italia* (1928); *La città degli amanti* (1929); *Acque dolci e peccati* (1929); *Una passione coniugale* (1930); *Oggi, domani e mai* (1932); *Mal d'Africa* (1935); *Il rabdomante* (1935); *Iride* (1937); *Il mulino del Po* (1938-1940); *Il fiore della Mirabilis* (1942); *Il pianto del figlio di Lais* (1945); *La bellissima fiaba di Rosa dei Venti* (1948); *Lo sguardo di Gesú* (1948); *La cometa* (1949); *L'incendio di Milano* (1952); *Tutte le novelle, 1911-1951* (1952-1953); *Il figlio di Stalin* (1953); *Tre giorni di passione* (1955); *I tre schiavi di Giulio Cesare* (1958); *Non ti chiamerò piú padre* (1959); *Il coccio di terracotta* (1966); *Rapporto segreto* (1967); *L'"Afrodite": un romanzo d'amore* (1969).

Poesia:

Poemi lirici (1914); *Amore di poesia* (1935); *La notte dell'8 settembre 1943* (1945); *La stella del mattino* (1971).

Teatro:

Amleto 1918 (1919); *Spartaco e gli schiavi* (1920); *Presso i termini del destino* (1922); *La famiglia di Figaro* (1926); *La notte di un nevrastenico* (1928); *La smorfia* (1930); *L'alba dell'ultima sera* (1949); *Il figlio di Ettore* (1957); *Nostos* (1957); Il *calzare d'argento* (1961).

Saggistica e prose varie:

La ruota del tempo (1928); *Confessioni letterarie* (1932); *G. Rossini* (1941); *La politica di un impolitico* (1948); *Italia per terra e per mare* (1952); *Esperienze e conclusioni di un'annata verdiana* (1952); *Memorie del tempo presente* (1953); *Nel fiume della storia* (1955); *Passeggiate orobiche* (1956); *Alessandro Casati uomo* (1956); *La congiura di Don Giulio d'Este e altri scritti ariosteschi* (1958); *Viaggio in Grecia* (1959); *Leopardi e Manzoni. Commenti letterari* (1960); *Secondo viaggio in Grecia* (1963); *Viaggi all'estero e vagabondaggi di fantasia* (1965); *America in confidenza* (1966); *Della lingua italiana* (1966); *Giorno per giorno dal 1912 al 1922* (1966); *Giorno per giorno dal 1922 al 1966* (1968); *Africa tra storia e fantasia* (1970).

Dal 1957 è in corso presso l'editore Mondadori la pubblicazione delle opere complete di Riccardo Bacchelli.

Baldini, Antonio
(Roma, 10 ottobre 1889 - Firenze, 6 novembre 1962).

Pazienze e impazienze di Mastro Pastoso (1914); *Nostro Purgatorio* (1918); *Umori di gioventú* (1920); *Salti di gomitolo* (1920); *La strada delle meraviglie* (1923); *Michelaccio* (1924); *La dolce calamita* (1929); *Amici allo spiedo* (1932); *Ludovico della tranquillità* (1933); *La vecchia del Bal Bullier* (1934); *Beato fra le donne* (1940); *Italia di Bonincontro* (1940); *Il sor Pietro, Cosimo Papareschi e Tuttaditutti* (1941); *Cattedra d'occasione* (1941); *Rugantino* (1942); *Diagonale 1930* (1943); *Se rinasco..., fatti personali* (1944); *Fine Ottocento* (1947); *La Bibbia di Borso* (1949); *Melafumo* (1950); *Il libro dei buoni incontri di guerra e di pace* (1953); *Pascoli "croce e delizia"* (1955); *Italia sottovoce* (1956); *"Quel caro magon di Lucia". Microscopie manzoniane* (1956); *Simpatia di Roma* (1957); *Il doppio Melafumo* (1957); *Ariosto e dintorni* (1958); *Un sogno dentro l'altro*, a cura di Gabriele Baldini (1965).

Balsamo-Crivelli, Riccardo
(Settimo Milanese, 20 agosto 1874 - Bordighera, 31 dicembre 1938).

Poesia:

Rime satiriche e burlesche (1896); *Boccaccino* (1920); *Rossin di Maremma* (1922); *Para-*

pino e Sperindio (1925); *La fiaba di Calugino* (1926); *Il poema di Gesú* (1928); *A vele ammainate* (1935); *Voci alte e fioche* (1937).
Narrativa:
Tacchin rosso (1923); *La bella brigata* (1926); *Cammina... Cammina... Itinerari* (1926); *La virtú piú bella* (1926); *Storielle grasse e magre* (1927); *La chioccia - Rudero* (1928); *A salti e schizzi* (1928); *Paesi e grilli* (1929); *Vengan quattrini!* (1929); *La casa del diavolo* (1930); *A fior di pelle* (1930); *Putacaso* (1931); *Pennellin d'amore. Nuove storielle grasse e magre* (1932); *Un po' di baldoria* (1932); *Torna al tuo paesello* (1933); *Scommetto il ciuco!* (1939); *La pietra al collo* (1945).
Saggistica:
Cammin breve (1938).

Banti, Anna
pseudonimo di Lucia Longhi Lopresti
(Firenze 1895).
Narrativa:
Itinerario di Paolina (1937); *Il coraggio delle donne* (1940); *Le monache cantano* (1942); *Artemisia* (1947); *Le donne muoiono* (1951); *Il bastardo* (1953); *Allarme sul lago* (1954); *La monaca di Sciangai e altri racconti* (1957); *La casa piccola* (1961); *Le mosche d'oro* (1962); *Campi Elisi* (1963); *Noi credevamo* (1967); *Due storie* (1969); *Je vous écris d'un pays lointain* (1971).
Teatro:
Corte Savella (1960).
Saggistica:
Lorenzo Lotto (1953); *Fra Angelico* (1953); *Diego Velasquez* (1955); *Claude Monet* (1957); *Opinioni* (1961); *Matilde Serao* (1965).

Barilli, Bruno
(Fano, 14 dicembre 1880 - Roma, 15 aprile 1952).
Saggistica e prose varie:
Delirama (1924); *Il sorcio nel violino* (1926); *Il paese del melodramma* (1929); *Parigi* (1933); *Il sole in trappola* (1941); *Tromba del corazziere* (1943); *Comme la lune* (1945); *Ricordi londinesi* (1945); *Il viaggiatore volante* (1946); *Capricci di vegliardo* (1951); *Lo stivale* (1952).

Bassani, Giorgio
(Bologna, 4 marzo 1916).
Narrativa:
Una città di pianura (1940); *La passeggiata prima di cena* (1953); *Gli ultimi anni di Clelia Trotti* (1955); *Cinque storie ferraresi* (1956); *Gli occhiali d'oro* (1958); *Il giardino dei Finzi-Contini* (1962); *Dietro la porta* (1964); *L'airone* (1969); *L'odore del fieno* (1972).
Saggistica:
Le parole preparate e altri scritti di letteratura (1966).
Poesia:
Storie di poveri amanti e altri versi (1946); *Te lucis ante* (1947); *Un'altra libertà* (1952); *L'alba ai vetri* (1963).

Beltramelli, Antonio
(Forlí, 11 gennaio 1879 - Roma, 15 marzo 1930).
Narrativa e prose varie:
L'antica madre (1900); *Anna Perenna* (1904); *Gli uomini rossi* (1904); *I primogeniti*

(1905); *Da Comacchio ad Argenta. Le lagune e le bocche del Po* (1905); *Il cantico* (1906); *Il Gargano* (1907); *Ravenna, la taciturna* (1907); *I canti di Faunus* (1908); *Le novelle del Ceppo* (1909); *Il diario di un viandante. Dal deserto al mar glaciale* (1910); *Il gregge senza pastore* (1913); *La vigna vendemmiata* (1918); *Tre bimbe a vendere* (1920); *L'ombra del mandorlo* (1920); *Il piccolo Pomi* (1921); *Il cavalier Mostardo* (1921); *Un segreto di stelle* (1921); *Ahi, Giacometta, la tua ghirlandella!* (1921); *Come una rosa di maggio* (1923); *Fior d'uliva* (1925); *Il passo dell'ignota* (1927); *Le strade verdi* (1930); *Tutti i romanzi* (1940); *Tutte le novelle* (1941).

Poesia:

Storie d'immagini (1915); *Solicchio* (1916); *Bartolin Mangiamiglia* (1926).

Teatro:

Le vie del Signore (1926).

Benedetti, Arrigo

(Lucca, 1910).

Narrativa:

Tempo di guerra (1933); *La figlia del capitano* (1938); *Misteri della città* (1941); *Le donne fantastiche* (1942); *Una donna all'inferno* (1945); *Paura all'alba* (1945); *Il silenzio degli amici* (1947); *Il passo dei Longobardi* (1964); *L'esplosione* (1966); *Il ballo angelico* (1966); *Gli occhi* (1970).

Benelli, Sem

(Filettole, 10 agosto 1877 - Zoagli, 18 dicembre 1949).

Teatro:

Tignola (1908); *La maschera di Bruto* (1908); *La cena delle beffe* (1909); *L'amore dei tre re* (1910); *Il mantellaccio* (1911); *Rosmunda* (1911); *La Gorgona* (1913); *Le nozze dei Centauri* (1915); *Alì* (1921); *L'arzigogolo* (1922); *La santa primavera* (1923); *L'amorosa tragedia* (1925); *Il vezzo di perle* (1926); *Con le stelle* (1927); *Orfeo e Proserpina* (1929); *Fiorenza* (1930); *Eroi. Madre Regina* (1931); *Adamo ed Eva* (1932); *Caterina Sforza* (1934); *Il ragno* (1935); *L'elefante* (1937); *L'orchidea* (1938); *La festa* (1940); *Paura* (1947).

Poesia:

Un figlio dei tempi (1905); *L'altare* (1916).

Saggistica:

Ricordo di G. Pascoli (1913); *Parole di battaglia* (1918); *Io in Affrica* (1936); *La mia leggenda* (1939); *Schiavitú* (1945).

Bertacchi, Giovanni

(Chiavenna, 9 febbraio 1869 - Milano, 25 novembre 1942).

Poesia:

Il canzoniere delle Alpi (1895); *Poemetti lirici* (1898); *Liriche umane* (1903); *Le malie del passato* (1905); *Alle sorgenti* (1906); *Trilogia moderna* (1910); *Lombardia eroica* (1911); *A fior di silenzio* (1912); *Riflessi di orizzonti* (1921); *Il perenne domani* (1929).

Saggistica:

Il pensiero sociale di G. Mazzini nella luce del materialismo storico (1900); *Marmi, vessilli ed eroi* (1912); *Ore dantesche* (1913); *Un maestro di vita: saggio leopardiano* (1917); *Il primo romanticismo lombardo* (1920); *Mazzini* (1922); *Il teatro tragico dell'Alfieri e la critica* (1930); *Poesia di contrasto* (1930-1931); *Il pensiero critico e le tragedie di A. Manzoni* (1936).

Boine, Giovanni
(Finalmarina, 2 settembre 1887 - Porto Maurizio, 16 maggio 1917).
Narrativa:
Il peccato ed altre cose (1914).
Saggistica:
Serveto e Calvino (1908); *Discorsi militari* (1915); *Frantumi-Plausi e botte* (1918); *La ferita non chiusa* (1921); *Esperienza religiosa* (1948); *Il peccato e le altre opere* (1971).

Bontempelli, Massimo
(Como, 12 maggio 1878 - Roma, 21 luglio 1960).
Narrativa:
Socrate moderno (1908); *Amori* (1910); *Dallo Stelvio al mare* (1915); *Sette savi* (1919); *La vita intensa* (1920); *La vita operosa* (1921); *Viaggi e scoperte* (1922); *La scacchiera davanti allo specchio* (1922); *Eva ultima* (1923); *La donna del Nadir* (1924); *La donna dei miei sogni e altre avventure moderne* (1925); *L'Eden della tartaruga* (1926); *Donne nel sole, e altri idilli* (1928); *Il figlio di due madri* (1929); *Vita e morte di Adria e dei suoi figli* (1930); *Mia vita, morte e miracoli* (1931); *"522". Storia di una giornata* (1932); *Primi racconti* (1934); *Galleria degli schiavi* (1934); *Pezzi di mondo* (1935); *Gente nel tempo* (1937); *Giro del sole* (1941); *Notti* (1945); *L'acqua* (1945); *L'amante fedele* (1953); Opere raccolte (Racconti e romanzi, 2 voll.) (1961).
Poesia:
Egloghe (1904); *Verseggiando* (1905); *Odi siciliane* (1906); *Odi* (1910); *Il purosangue - L'ubriaco* (1919).
Teatro:
Costanza (1905); *La piccola* (1916); *Cenerentola* (1942); *Venezia salvata* (1947).
Opere raccolte: *Teatro*, 2 voll. (La guardia alla luna - Siepe a Nord-ovest - Nostra dea - Minnie la candida - Valoria ovvero la famiglia del fabbro - Bassano padre geloso - La fame - Nembo) (1936).
Saggistica:
Meditazioni intorno alla guerra d'Italia e d'Europa (1917); *Il neosofista ed altri scritti, 1920-1922* (1928); *Nevecentismo letterario* (1931); *Stato di grazia* (1931); *Pirandello, Leopardi, d'Annunzio* (1938); *L'avventura novecentista* (1939); *Arturo Martini* (1939); *Verga, l'Aretino, Scarlatti, Verdi* (1941); *Introduzione all'Apocalisse* (1942); *Sette discorsi* (1942); *Gian Francesco Malipiero* (1942); *Dignità dell'uomo 1943-1946* (1946); *Appassionata incompetenza* (1950); *Passione incompiuta* (1958).

Borgese, Giuseppe Antonio
(Polizzi Generosa, 11 novembre 1882 - Fiesole, 4 dicembre 1952).
Narrativa:
Rubè (1921); *I vivi e i morti* (1923); *La città sconosciuta* (1924); *Le belle* (1927); *Il sole non è tramontato* (1929); *Tempesta nel nulla* (1931); *Il pellegrino appassionato* (1933); *La Siracusana* (1950).
Poesia:
Le poesie (1922); *Le poesie 1922-1952* (1952).
Teatro:
L'arciduca (1924); *Lazzaro* (1926).
Saggistica e prose varie:
Storia della critica romantica in Italia (1905); *Gabriele d'Annunzio* (1909); *La nuova Germania* (1909); *La vita e il libro* (1910-1913); *Mefistofele* (1911); *Idee e forme di Gio-*

vanni Pascoli (1912); *Studi di letterature moderne* (1915); *Italia e Germania* (1915); *Guerra di redenzione* (1915); *La guerra delle idee* (1916); *L'Italia e la sua alleanza* (1917); *L'Alto Adige contro l'Italia* (1921); *Risurrezioni* (1922); *Tempo di edificare* (1923); *La tragedia di Mayerling* (1925); *Ottocento europeo* (1927); *Autunno di Costantinopoli* (1929); *Leopardi wertheriano e l'Omero di U. Foscolo* (1930); *Escursione in terre nuove* (1930); *Giro lungo la primavera* (1930); *Il senso della letteratura italiana* (1931); *La poetica dell'unità* (1934); *Atlante americano* (1936); *Goliath, the March of Fascism* (1937); *The City of Man*, in collaborazione con Th. Mann e L. Mumford (1940); *Common Cause* (1943); *Russland. Wesen und Werden* (1946); *Preliminary Draft of a World Constitution* (1948); *Problemi di estetica e storia della critica* (1952); *Foundations of the World Republic* (1953); *Da Dante a Thomas Mann* (1958); *La città assoluta e altri scritti* (1962).

Brancati, Vitaliano

(Pachino, 24 luglio 1907 - Torino, 25 settembre 1954).

Narrativa:

L'amico del vincitore (1932); *Singolare avventura di viaggio* (1934); *In cerca di un sí* (1939); *Gli anni perduti* (1941); *Don Giovanni in Sicilia* (1942); *Gli amici perduti* (1943); *Il vecchio con gli stivali* (1944); *Il bell'Antonio* (1949); *Paolo il caldo* (1955).

Teatro:

Fedor (1928); *Everest* (1931); *Piave* (1932); *Il viaggiatore dello sleeping n. 7 era forse Dio?* (1933); *Questo matrimonio si deve fare* (1939); *Le trombe d'Eustachio* (1942); *Raffaele* (1948); *Una donna di casa* (1950); *La governante* (1952); *Don Giovanni involontario* (1954).

Saggistica e prose varie:

I piaceri (Parole all'orecchio) (1943); *I fascisti invecchiano* (1946); *Le due dittature* (1952); *Ritorno alla censura* (1952); *Diario romano* (1961).

Brandi, Cesare

(Siena, 8 aprile 1906).

Saggistica e prose varie:

Rutilio Manetti (1931); *La regia pinacoteca di Siena* (1933); *Mostra della pittura riminese del Trecento* (1935); *Morandi* (1942); *Giovanni di Paolo* (1947); *Carmine o della pittura* (1947); *Quattrocentisti senesi* (1949); *Duccio* (1951); *La fine dell'avanguardia e l'arte d'oggi* (1952); *Viaggio nella Grecia antica* (1954); *Paul Gaugin* (1954); *Il tempio Malatestiano* (1956); *Giotto recuperato a S. Giovanni Laterano* (1956); *Arcadio o della Scultura - Eliante o dell'Architettura* (1956); *Celso o della poesia* (1957); *I cinque anni crudeli della pittura fiorentina del '400* (1957); *Filippino Lippi* (1957); *Pietro Lorenzetti* (1957); *Città del deserto* (1958); *Pellegrino di Puglia* (1960); *Segno e immagine* (1960); *Alberto Burri* (1963); *Le due vie* (1963); *Teoria del restauro* (1963); *Verde Nilo* (1963); *Struttura e architettura* (1967); *La prima architettura barocca* (1970).

Poesia:

Poesie (1935); *Voce sola* (1939); *Elegie* (1942).

Buzzati, Dino

(Belluno, 16 ottobre 1906 - Milano, 28 gennaio 1972).

Narrativa:

Bàrnabo delle montagne (1933); *Il segreto del bosco vecchio* (1935); *Il deserto dei Tartari* (1940); *I sette messaggeri* (1943); *L'invasione degli orsi in Sicilia* (1945); *Paura alla Scala* (1949); *In quel preciso momento* (1951); *Il crollo della Baliverna* (1954); *Esperimento di magia* (1958); *Sessanta racconti* (1958); *Il grande ritratto* (1960); *Un amore*

(1963); *Il colombre* (1966); *La boutique del mistero* (1968); *Poema a fumetti* (1969); *Le notti difficili* (1971).

Teatro:

Piccola passeggiata (1942); *La rivolta contro i poveri* (1946); *Un caso clinico* (1953); *Drammatica fine di un noto musicista* (1955); *Procedura penale. Opera buffa in un atto* (1959); *Ferrovia sopraelevata. Racconto musicale in sei episodi* (1960); *Il mantello. Opera lirica. Libretto di D.B., musica di Luciano Chailly* (1960).

Scritti vari:

Il libro delle pipe in collaborazione con E. Ramazzotti (1946); *L'antiquario*, in *Arti e mestieri* (1951).

Calvino, Italo

(Sanremo, 1923).

Narrativa:

Il sentiero dei nidi di ragno (1947); *Ultimo viene il corvo* (1949); *Il visconte dimezzato* (1952); *L'entrata in guerra* (1954); *Il barone rampante* (1957); *La formica argentina* (1957); *La speculazione edilizia* (1957); *I racconti* (1958); *Il cavaliere inesistente* (1959); *I nostri antenati* (1960); *La giornata d'uno scrutatore* (1963); *Marcovaldo* ovvero *Le stagioni in città* (1963); *Il sentiero dei nidi di ragno*, nuova edizione con prefazione dell'autore (1964); *Le cosmicomiche* (1965); *Ti con zero* (1967); *Il castello dei destini incrociati* (1969); *Gli amori difficili* (1970).

Edizione delle *Fiabe italiane* (1956), delle *Poesie edite ed inedite* di Cesare Pavese (1962), della *Teoria dei quattro movimenti* di Charles Fourier (1971).

Campana, Dino

(Marradi, 20 agosto 1885 - Castel Pulci, 1° marzo 1932).

Poesia:

Canti orfici (1914), quarta edizione con inediti a cura di E. Falqui (1952).

Scritti vari:

Taccuino (1949); *Dino Campana - Sibilla Aleramo. Lettere* (1958).

Campanile, Achille

pseudonimo di Gino Cornabò

(Roma, 28 settembre 1899).

Narrativa e prose varie:

Ma che cos'è questo amore? (1924); *Se la luna mi porta fortuna* (1928); *Giovinotti, non esageriamo!* (1929); *Agosto, moglie mia non ti conosco* (1930); *In campagna è un'altra cosa* (1931); *Battista al giro d'Italia* (1932); *Cantilena all'angolo della strada* (1933); *Amiamoci in fretta* (1933); *Chiarastella* (1934); *La Gifle du Km. 40* (1937); *La moglie ingenua e il marito malato* (1941); *Celestino e la famiglia Gentilissimi* (1942); *Il diario di Gino Cornabò* (1942); *Benigno* (1942); *Avventura di un'anima* (1945); *Viaggio di nozze in molti* (1946); *Il giro dei miracoli* (1949); *Trac-Trac-Puf* (1956); *Codice dei fidanzati* (1958); *Dal diario di un telespettatore* (1958); *Il povero Piero* (1959).

Teatro:

Centocinquanta la gallina canta (1924); *L'inventore del cavallo* (1924); *Il ciambellone* (1925); *L'amore fa fare questo e altro* (1930); *L'anfora della discordia* (1935); *L'inventore del cavallo e altre 15 commedie, 1924-1939* (1971).

Saggistica:

L'umorismo dell'Ariosto (1932); *Trattato delle barzellette*, in collaborazione con Giuseppina Bellavita (1962).

Cardarelli, Vincenzo
pseudonimo di Nazareno Caldarelli
(Corneto Tarquinia, 1º maggio 1887 - Roma, 15 giugno 1959).
Prologhi (1916); *Viaggi nel tempo* (1920); *Terra genitrice* (1925); *Favole della genesi* (1924); *Favole e memorie* (1925); *Prologhi, viaggi, favole* (1929); *Parole all'orecchio* (1929); *Parliamo dell'Italia* (1931); *Giorni in piena* (1934); *Poesie* (1936); *Il cielo sulla città* (1939); *Poesie* (1942); *Rimorsi* (1944); *Lettere non spedite* (1946); *Poesie nuove* (1947); *Villa Tarantola* (1948); *Il viaggiatore insocievole* (1953); *Viaggio di un poeta in Russia* (1954); *Invettiva e altre poesie disperse* (1964).
Le opere complete di Vincenzo Cardarelli sono pubblicate dall'Editore Mondadori (1962).

Cassola, Carlo
(Roma, 17 marzo 1917).
Narrativa:
Alla periferia (1941); *La visita* (1942); *Fausto e Anna* (1952); *I vecchi compagni* (1953); *Il taglio del bosco* (1954); *La casa di via Valadier* (1956); *Un matrimonio del dopoguerra* (1957); *Il soldato* (1958); *La ragazza di Bube* (1960); *Un cuore arido* (1961); *Il cacciatore* (1964); *Tempi memorabili* (1966); *Storia di Ada* (1967); *Ferrovia locale* (1968); *Una relazione* (1969); *Paura e tristezza* (1970).
Saggistica e prose varie:
I minatori della Maremma, in collaborazione con Luciano Bianciardi (1956); *Viaggio in Cina* (1956).

Chiesa, Francesco
(Sagno, Canton Ticino, 5 luglio 1871).
Narrativa:
Istorie e favole (1913); *L'altarino di stagno ed altri racconti* (1921); *Racconti puerili* (1921); *Vite e miracoli di santi e di profani* (1922); *Tempo di marzo* (1925); *Villadorna* (1928); *Racconti del mio orto* (1929); *Compagni di viaggio* (1931); *Scoperte nel mio mondo* (1934); *Voci nella notte* (1935); *Sant'Amarillide* (1938); *Passeggiate* (1939); *Racconti del passato prossimo* (1941); *Io e i miei* (1944); *Ricordi dell'età minore* (1948); *La zia Lucrezia ed altri racconti* (1956).
Poesia:
Preludio (1897); *La cattedrale* (1903); *La reggia* (1904); *Calliope* (1907); *I viali d'oro* (1911); *Fuochi di primavera* (1919); *Consolazioni* (1921); *La stellata sera* (1933); *L'artefice malcontento* (1950).
Saggistica:
Svizzera italiana (1931).

Cialente, Fausta
(1898).
Narrativa:
Natalia (1930); *Pamela o la bella estate* (1935); *Cortile a Cleopatra* (1936); *Ballata levantina* (1961); *Un inverno freddissimo* (1966); *Il vento sulla sabbia* (1972).

Cicognani, Bruno
(Firenze, 10 settembre 1879-16 novembre 1971).
Narrativa e prose varie:
La crittogama (1909); *Sei storielle di novo conio* (1917); *Gente di conoscenza* (1918); *Il*

figurinaio e le figurine (1920); *La Velia* (1923); *Il museo delle figure viventi* (1927; *Strada facendo* (1930); *Villa Beatrice* (1931); *L'amore di Adelmo* (1936); *L'omino che ha spento i fochi* (1937); *La mensa di Lazzaro* (1938); *Via della sapienza* (1939); *L'età favolosa* (1940); *Il soldato Pandino e altri racconti* (1946); *Barucca* (1947); *Viaggio nella vita* (1952); *La nuora* (1954); *Fantasie* (1958); *I ricordi* (1965).

Teatro:

Bellinda e il mostro (1927); *Yo, el rey* (1949).

Saggistica:

La poesia di Lorenzo de' Medici (1949).

Comisso, Giovanni

(Treviso, 3 ottobre 1895 - Treviso, 1969)

Narrativa e prose varie:

Il porto dell'amore (1925); *Gente di mare* (1928); *Al vento dell'Adriatico* (1928); *Il delitto di Fausto Diamante* (1933); *Storia di un patrimonio* (1933); *Avventure terrene* (1935); *I due compagni* (1936); *Felicità dopo la noia* (1940); *Un inganno d'amore - La ricchezza di Mario* (1942); *I sentimenti nell'arte* (1945); *Capriccio e illusione* (1947); *Amori d'Oriente* (1949); *Gioventú che muore* (1949); *Le mie stagioni* (1951); *Un gatto attraversa la strada* (1954); *La mia casa di campagna* (1958); *Donne gentili* (1958); *Giorni di guerra* (1961); *Satire italiane* (1961); *La donna del lago* (1962); *Il grande ozio* (1964); *Cribol* (1964); *La favorita* (1965); *Viaggi felici* (1966); *Attraverso il tempo* (1968).

Poesia:

Poesie (1916); *Poesie* (1954).

Saggistica:

Giorni di guerra (1930); *Questa è Parigi* (1931); *Cina-Giappone* (1932); *Il generale T. Salsa e le sue campagne coloniali*, in collaborazione con E. Canavari (1935); *L'italiano errante per l'Italia* (1937); *Agenti segreti veneziani nel Settecento* (1941); *Viaggi felici* (1949); *Capricci italiani* (1952); *Sicilia* (1953); *Giappone* (1954); *Approdo in Grecia* (1954); *Mio sodalizio con De Pisis* (1954); *La virtú leggendaria* (1957).

Croce, Benedetto

(Pescasseroli, 25 febbraio 1866-Napoli, 22 novembre 1952).

Le opere complete di Croce sono pubblicate dalla Casa editrice Laterza, di Bari.

La rivista bimestrale "La Critica", diretta dal Croce, uscí dal 1903 al 1944, seguita da 18 « Quaderni della "Critica" » (1945-1951).

D'Annunzio, Gabriele

(Pescara, 12 marzo 1863-Gardone, 1º marzo 1938).

Le opere complete di D'Annunzio sono pubblicate dall'editore Mondadori.

Da Verona, Guido

(Saliceto Panaro, 7 settembre 1881 - Milano, 5 aprile 1939).

Narrativa:

Colei che non si deve amare (1910); *La vita comincia domani* (1912); *Il Cavaliere dello Spirito Santo* (1914); *Immortaliamo la vita* (1915); *La donna che inventò l'amore* (1915); *Mimí Bluette, fiore del mio giardino* (1916); *Il libro del mio sogno errante* (1919); *Sciogli la treccia, Maria Maddalena* (1920); *La mia vita in un raggio di sole* (1922); *Yvelise* (1923); *Lettera d'amore alle sartine d'Italia* (1924); *Cléo, robes et manteaux* (1926); *L'inferno degli uomini vivi* (1926); *Mata Hari* (1926-27); *Aziadéh la donna pallida* (1928);

Un'avventura d'amore a Teheran (1929); *Promessi sposi* (rifacimento umoristico, 1930); *L'assassinio dell'albero antico* (1931); *Canzone di sempre e di mai* (1931); *Viaggio alla Mecca* (1932); *Sarah dagli occhi di smeraldo* (1933).

Poesia:

Frammenti di un poema (1902); *Con tutte le vele* (1910).

Deledda, Grazia

(Nuoro, 27 settembre 1871 - Roma, 16 agosto 1936).

Narrativa:

Nell'azzurro (1890); *Stella d'oriente* (1891); *Amore regale* (1892); *Fior di Sardegna* (1892); *Racconti sardi* (1894); *Anime oneste* (1895); *Le tentazioni* (1895); *La via del male* (1896); *Il tesoro* (1897); *L'ospite* (1898); *La giustizia* (1899); *Il vecchio della montagna* (1900); *La regina delle tenebre* (1901); *Dopo il divorzio* (1902); *Elias Portolu* (1903); *Cenere* (1904); *I giuochi della vita* (1905); *Nostalgie* (1906); *L'edera* (1906); *Amori moderni* (1907); *L'ombra del passato* (1907); *Il nonno* (1908); *Il nostro padrone* (1910); *Sino al confine* (1910); *Nel deserto* (1911); *Chiaroscuro* (1912); *Colombi e sparvieri* (1912); *Canne al vento* (1913); *Le colpe altrui* (1914); *Marianna Sirca* (1915); *Il fanciullo nascosto* (1916); *L'incendio nell'uliveto* (1918); *Il ritorno del figlio - La bambina rubata* (1919); *La madre* (1920); *Cattive compagnie* (1921); *Il segreto dell'uomo solitario* (1921); *Il Dio dei viventi* (1922); *Il flauto nel bosco* (1923); *La danza della collana* (1924); *La fuga in Egitto* (1925); *Il sigillo d'amore* (1926); *Annalena Bilsini* (1927); *Il vecchio e i fanciulli* (1928); *La casa del poeta* (1930); *Il dono di Natale* (1930); *Il paese del vento* (1931); *La vigna sul mare* (1932); *Sole d'estate* (1933); *L'argine* (1934) *La chiesa della solitudine* (1936); *Cosima* (1937); *Il cedro del Libano* (1939).

Teatro:

L'edera (dramma in tre atti, in collaborazione con Camillo Antona-Traversi, 1912); *La grazia* (dramma pastorale in versi, in collaborazione con C. Guastalla e V. Michetti, 1921).

Poesia:

Paesaggi sardi (1896).

Saggistica:

Tradizioni popolari di Nuoro in Sardegna (1895).

Epistolario:

Lettere di Grazia Deledda a Marino Moretti (1959).

De Robertis, Giuseppe

(Matera, 1888 - Firenze, 1963).

Saggistica:

Saggi (1939); *Scrittori del Novecento* (1940); *Studi* (1944); *Saggio sul Leopardi* (1944), edizione ampliata (1953); *Primi studi manzoniani* (1949); *Altro Novecento* (1962); *Scritti vociani* (1967); *Studi II* (1971).

Edizioni:

A. Manzoni, *Liriche* (1926); Poliziano, *Rime* (1933); R. Serra, *Epistolario*, in collaborazione con L. Ambrosini e A. Grilli (1934); *Scritti*, in collaborazione con A. Grilli (1938); G. Parini, *Poesie* (1935); G. Leopardi, *Canti* (1927), *Opere* (1937); U. Foscolo, *Sepolcri - Odi - Sonetti* (1938); G. Ungaretti, *Vita d'un uomo, III* (1945).

Antologie:

Poeti lirici dei secoli XVIII e XIX (1923); *Lirica dell'Ottocento* (1933); *Poeti lirici moderni e contemporanei* (1945).

Dossi, Carlo
pseudonimo di Alberto Pisani Dossi
(Zenevredo, Pavia, 27 marzo 1849 - Cardina, Como, 16 novembre 1910).
Narrativa e prose varie:
L'Altrieri (1868); *Vita di Alberto Pisani* (1870); *Il regno dei cieli* (1873); *La colonia felice* (1874); *La desinenza in A* (1878); *Gocce d'inchiostro* (1879); *Ritratti umani* (1879); *Note azzurre* (1912). Dal 1910 al 1927 è apparsa a Milano una edizione in 5 volumi di tutte le opere, tranne le *Note azzurre*; *Note azzurre*, nuova edizione ampliata a cura di Dante Isella (1964).

Fenoglio, Beppe
(Alba, 1° marzo 1922 - Alba, 18 febbraio 1963).
Narrativa:
I ventitré giorni della città di Alba (1952); *La malora* (1954); *Primavera di bellezza* (1959); *Un giorno di fuoco* (1963); *Il partigiano Johnny* (1968); *La paga del soldato* (1969).

Flora, Francesco
(Colle Sannita, 21 ottobre 1891 - Bologna, 17 settembre 1962).
Saggistica:
Dal romanticismo al futurismo (1921); *D'Annunzio* (1926); *Croce* (1927); *I miti della parola* (1931); *Civiltà del Novecento* (1934); *Il codice Baruffaldi della Gerusalemme e dell'Aminta di Torquato Tasso* (1936); *La poesia ermetica* (1936); *Foscolo* (1940); *Storia della letteratura italiana* (1940-1942), XVII edizione ampliata (1971); *Taverna del Parnaso* (1943); *Ritratto di un ventennio* (1944); *Stampe dell'era fascista* (1945); *Viaggio di fortuna* (1945); *Città di Caino - I partiti e la democrazia* (1945); *Fine dei popoli guerrieri* (1946); *Leopardi e la letteratura francese* (1947); *Leonardo e il Rinascimento* (1948); *Saggi di poetica moderna* (1949); *Poetica e poesia di Giacomo Leopardi* (1949-1950); *I "Discorsi del poema eroico" di Torquato Tasso* (1951); *Scrittori italiani contemporanei* (1952); *Orfismo della parola* (1953); *La poesia di Giovanni Pascoli* (1959).
Narrativa:
La città terrena (1927); *Mida il nuovo satiro* (1930).
Poesia:
Canti spirituali (1955).
Antologie:
La poesia della Bibbia (1960); *La poesia dell'Egitto e della Mesopotamia* (1960); *Preludio alla poesia* (1960).
Edizioni:
T. Tasso, *Poesie* (1934); *Prose* (1935), *La Gerusalemme Liberata e la Gerusalemme conquistata* (1952); M. Bandello, *Tutte le opere* (1934-1935); F. De Sanctis, *Storia della letteratura italiana* (1935), *La giovinezza* (1940); Gabriele d'Annunzio, *Il fiore delle laudi* (1936); Dante, *Divina Commedia*, I: *Inferno* (1939); G. Leopardi, *Tutte le opere* (1937-1949); N. Machiavelli, *Tutte le opere*, in collaborazione con C. Cordié (1949); G. B. Vico, *Tutte le opere*, I (1957).

Fracchia, Umberto
(Lucca, 5 aprile 1889 - Roma, 5 dicembre 1930).
Narrativa:
Le vergini (1908); *La favola dell'innocenza* (1910); *Il perduto amore* (1921); *Angela* (1923); *Piccola gente di città* (1925); *La stella del Nord* (1930); *Gente e scene di campagna* (1931); *Favole e avventure* (1943).

Saggistica:
Venizelos contro lo stato d'Atene (1917); *Vincenzo Monti* (1927); *Fogli di diario* (1938).

Gadda, Carlo Emilio

(Milano, 1893).
La Madonna dei filosofi (1931); *Il castello di Udine* (1934); *Le meraviglie d'Italia* (1939); *Gli anni* (1939); *L'Adalgisa* (1944); *L'alpinismo,* in *Giuochi e sports* (1950); *Il primo libro delle favole* (1952); *Novelle dal Ducato in fiamme* (1953); *Giornale di guerra e di prigionia* (1955 e 1965, edizione ampliata); *I sogni e la folgore* (1955); *Quer pasticciaccio brutto de via Merulana* (1957); *I viaggi la morte* (1958); *Verso la Certosa* (1961); *I racconti. Accoppiamenti giudiziosi, 1924-1958* (1963); *La cognizione del dolore* (1963); *I Luigi di Francia* (1964); *Il guerriero, l'amazzone, lo spirito della poesia nel verso immortale del Foscolo* (1967); *Il finto sordo,* in *Le molte ingiustizie* (1967); *Eros e Priapo* (1967); *La meçcanica* (1970); *Novella seconda* (1971).

Gaeta, Francesco

(Napoli, 27 luglio 1879 - Napoli, 15 aprile 1927).
Poesia:
Il libro della giovinezza (1895); *Reviviscenze* (1900); *Canti di libertà* (1902); *Sonetti voluttuosi ed altre poesie* (1906); *Dodici poesie* (1916); *Poesie d'amore* (1920).
Narrativa:
L'ecloga di Flora (1900); *Novelle gioconde* (1921).
Saggistica:
L'Italie littéraire d'aujourd'hui (1904); *L'insegnamento industriale e commerciale* (1908); *Salvatore Di Giacomo* (1911); *Che cos'è la Massoneria* (1939). Un volume di *Prose* è stato edito nel 1928 a cura di B. Croce.

Gargiulo, Alfredo

(Napoli, 2 maggio 1876 - Roma, 11 maggio 1949).
Saggistica:
Gabriele d'Annunzio (1912), edizione ampliata (1941); *Letteratura italiana del Novecento* (1940), edizione ampliata con altri saggi su D'Annunzio (1958); *Scritti di estetica* (1952); *Tempo di ricordi* (1955).

Giovannetti, Eugenio

(Ancona, 25 febbraio 1883-1951).
Saggistica:
Un pittore di donne e di eroi: Andocide (1908); *Il tramonto del liberalismo* (1917); *Satyricon, 1918-1921* (1921); *Paolina Bonaparte* (1926); *Il cinema e le arti meccaniche* (1930); *Il fabbro degli inni: Goffredo Mameli* (1934); *La religione di Cesare* (1937).
Narrativa:
I sette peccati (1908); *Il libro degli innamorati inverosimili* (1923); *Quand'amai la prima volta; confessioni dei piú illustri contemporanei* (1928).

Giuliotti, Domenico

(San Casciano Val di Pesa, 18 febbraio 1877 - Greve, 12 gennaio 1956).
Saggistica:
L'ora di Barabba (1920); *Il dizionario dell'omo salvatico*, in collaborazione con G. Papini

(1923); *Tizzi e fiamme* (1925); *Polvere dell'esilio* (1929); *San Francesco* (1931); *Il ponte sul mondo* (1932); *Le due luci: santità e poesia* (1933); *Il merlo sulla forca: Francesco Villon* (1934); *Pensieri di un malpensante* (1936); *Iacopone da Todi* (1939); *Penne, pennelli, scalpelli* (1942); *Nuovi pensieri di un malpensante* (1947).

Poesia:

Ombre di un'ombra, 1905-1910 (1910); *Poesie* (1932); *Calendottobre* (1951).

Narrativa:

Raccontini rossi e neri (1937); *Il cavallo volante* (1945); *Giri d'arcolaio,* II edizione (1948).

Antologie:

Antologia dei cattolici francesi del secolo XIX (1922).

Govoni, Corrado

(Tàmara, 29 ottobre 1884 - Anzio, 20 ottobre 1965).

Poesia:

Le fiale (1903); *Armonia in grigio et in silenzio* (1903); *Fuochi d'artifizio* (1905); *Gli aborti* (1907); *Poesie elettriche* (1911); *La neve* (1914); *Rarefazioni* (1915); *Inaugurazione della primavera* (1915); *Il quaderno dei sogni e delle stelle* (1924); *Brindisi alla notte* (1924); *Il flauto magico* (1932); *Canzoni a bocca chiusa* (1938); *Pellegrino d'amore* (1941); *Govonigiotto* (1943); *Aladino* (1946); *L'Italia odia i poeti* (1950); *Preghiera al trifoglio* (1953); *Patria d'alto volo* (1953); *Stradario della primavera e altre poesie* (1958).

Narrativa:

La santa verde (1919); *Anche l'ombra è sole* (1920); *Piccolo veleno color rosa* (1921); *La terra contro il cielo* (1922); *La strada sull'acqua* (1923); *La cicala e la formica* (1925); *Il volo d'amore* (1926); *Bomboniera* (1929); *La maschera che piange* (1930); *Misirizzi* (1930); *I racconti della ghiandaia* (1932); *Le rovine del Paradiso* (1941); *Confessioni davanti allo specchio* (1943); *Manoscritto nella bottiglia* (1954).

Gozzano, Guido

(Agliè Canavese, 19 dicembre 1883 - Torino, 9 agosto 1916).

Poesia:

La via del rifugio (1907); *I colloqui* (1911).

Narrativa e prose varie:

I tre talismani (1904); *Verso la cuna del mondo* (1917); *La principessa si sposa* (1918); *L'altare del passato* (1918); *L'ultima traccia* (1919). *Opere complete* (1948).

Epistolario:

Lettera d'amore ad A. Guglielminetti, a cura di S. Asciamprener (1911).

Le opere complete di Gozzano sono pubblicate dall'editore Garzanti.

Gramsci, Antonio

(Ales, 22 gennaio 1891 - Roma, 27 aprile 1937).

Lettere dal carcere (1947); *Il materialismo storico e la filosofia di Benedetto Croce* (1948); *Gli intellettuali e l'organizzazione della cultura* (1948); *Il Risorgimento* (1949); *Note sul Machiavelli, sulla politica e sullo Stato moderno* (1949); *Americanismo e fordismo* (1949); *Letteratura e vita nazionale* (1950); *Passato e presente* (1951); *La questione meridionale* (1951); *L'Ordine Nuovo, 1919-1920* (1954); *Scritti giovanili, 1914-1918* (1958); *Sotto la Mole, 1916-1920* (1960).

Jahier, Piero
(Genova, 11 aprile 1884 - Firenze, 19 novembre 1966).

Poesia:

Con me e con gli alpini (1919); *Ragazzo e prime poesie* (1939); *Qualche poesia* (1962).

Narrativa e prose:

Resultanze in merito alla Vita e al Carattere di Gino Bianchi (1915); *Ragazzo* (1919).

Edizioni:

"L'Astico", giornale delle trincee (1918); *Canti di soldati* (1919); "Il nuovo contadino", giornale del popolo agricoltore (1919).

Jovine, Francesco
(Guardialfiera, 9 ottobre 1902 - Roma, 30 aprile 1950).

Narrativa:

Ladro di galline (1930); *Un uomo provvisorio* (1934); *Signora Ava* (1942); *Il pastore sepolto* (1945); *L'Impero in provincia* (1945); *Tutti i miei peccati* (1948); *Le terre del Sacramento* (1950); *Racconti* (1960).

Levi, Carlo
(Torino, 1° novembre 1902).

Cristo si è fermato a Eboli (1945); *Paura della libertà* (1946); *L'orologio* (1950); *Il contadino e l'orologio*, in "Quaderni ACI", 2 (1950); *Le parole sono pietre* (1955); *Il futuro ha un cuore antico* (1956); *La doppia notte dei tigli* (1959); *Un volto che ci somiglia. Ritratto dell'Italia* (1960); *Tutto il miele è finito* (1965).

Linati Carlo
(Como, 25 aprile 1878 - Rebbio, 11 dicembre 1949).

Narrativa:

Il tribunale verde (1906); *Cristabella* (1909); *Ducciò da Bontà* (1913); *Barbogeria* (1917); *Amori erranti* (1920); *Le tre pievi* (1922); *Malacarne* (1922); *Issione il polifoniarca* (1922); *Storie di bestie e di fantasmi* (1925); *Pubertà ed altre storie* (1926); *Due* (1928); *Memorie a zig-zag* (1929); *La principessa delle stelle* (1929); *Le pianelle del Signore* (1932); *Concerto variato* (1933); *Il re dello scoglio* (1933); *Sinfonia alpestre - Gentiluomo contadino - Bellezza e amore* (1937); *A vento e sole* (1939); *Decadenza del vizio e altri pretesti* (1941); *Un giorno sulla dolce terra* (1941); *Aprilante - Soste e cammini* (1942); *Quartiere cinese* (1942); *Nerone secondo* (1943); *Arrivi* (1944); *Due tempi in provincia - Cupido fra gli alambicchi - Barbogeria* (1944).

Prose varie:

Porto Venere. Immagini e fantasie marittime (1910); *I doni della terra* (1915); *Sulle orme di Renzo* (1919); *Nuvole e paesi* (1919); *Natura e altre cose selvatiche, edite e inedite* (1919); *Passeggiate lariane* (1939); *Il bel Guido e altri ritratti* (1945); *Milano d'allora! Memorie e vignette principio di secolo* (1946).

Lisi, Nicola
(Scarperia, 11 aprile 1893).

Narrativa e prose varie:

Favole (1933); *Paese dell'anima* (1934); *L'arca dei semplici* (1938); *Concerto domenicale* (1941); *Diario di un parroco di campagna* (1942); *Amore e desolazione. Diario, 1° gennaio-31 luglio 1944* (1946); *La nuova Tebaide* (1949); *La faccia della terra* (1959); *I racconti* (1961); *La mano del tempo* (1965); *Il seme della ragazza* (1967).

Teatro:
L'acqua (1928); *La via della Croce* (1953); *Aspettare in pace* (1957).

Longanesi, Leo
(Bagnocavallo, 30 agosto 1905 - Milano, 27 settembre 1957).
Prose varie:
Vade-mecum del perfetto fascista (1926); *Cinque anni di rivoluzione* (1927); *Il mondo cambia* (1946); *Parliamo dell'elefante* (1947); *In piedi e seduti* (1948); *Il destino ha cambiato cavallo* (1951); *Un morto fra noi* (1952); *Ci salveranno le vecchie zie?* (1953); *Lettera alla figlia del tipografo di L. L.* (1957); *Me ne vado* (1957); *La sua signora. Taccuino di L. L.* (1957).
Narrativa:
Una vita (1950).

Longhi, Roberto
(Alba, 28 dicembre 1890 - Firenze, 4 giugno 1970).
I pittori futuristi (1913); *Orazio Borgianni* (1914); *Piero de' Franceschi e lo sviluppo della pittura veneziana* (1914); *Scultura futurista: Boccioni* (1914); *Il soggiorno romano del Greco* (1914); *Battistello* (1915); *Momenti di pittura bolognese* (1915); *Gentileschi, padre e figlia* (1916); *Cose bresciane del Cinquecento* (1917); *Il Correggio nell'Accademia di San Fernando a Madrid e nel Museo di Orléans* (1921); *Piero della Francesca* (1927); *Ter Bruggen e la parte nostra* (1927); *Precisione nelle gallerie italiane: la galleria Borghese* (1928)); *Quesiti caravaggeschi* (1928-1929); *Officina ferrarese* (1934); *Carlo Carrà* (1937); *Fatti di Masolino e di Masaccio* (1939-1940); *Ampliamenti nell'officina ferrarese* (1940); *Carlo Braccesco* (1942); *Gli ultimi studi sul Caravaggio e la sua cerchia* (1943); *Viatico per cinque secoli di pittura veneziana* (1946); *Giudizio sul Duecento* (1948); *Caravaggio - Michelangelo Merisi, 1573-1610* (1951); *Piero della Francesca. La leggenda della croce* (1951); *Il Caravaggio* (1952); *Pittura e teatro nel Settecento italiano* in autori vari, *Vocazione teatrale del Settecento italiano*, a cura di M. Bernardi (1953); *Giovanni Serodine* (1957); *Leoncillo Leonardi* (1954); *Il Correggio e la camera di S. Paolo a Parma* (1956); *Saggi e ricerche, 1925-1928* (1967).
L'editore Sansoni ha pubblicato le opere complete di Roberto Longhi in cinque volumi: *Scritti giovanili 1912/1922*, 2 tomi, *Saggi e ricerche 1925/1928*, 2 tomi, *Piero della Francesca 1927/1962, "Me Pinxit"* e *Quesiti Caravaggeschi 1928/1934, Officina ferrarese 1934/1955.*

Loria, Arturo
(Carpi, 17 novembre 1902 - Firenze, 15 febbraio 1957).
Narrativa:
Il cieco e la bellona (1928); *Fannias Ventosca* (1939); *La scuola di ballo* (1932); *Le memorie inutili di Alfredo Tittamanti* (1941); *Settanta favole* (1957); *Il compagno dormente* (1960).
Poesia:
Il bestiario (1959).
Teatro:
Endymione (1947).

Lucini, Gian Pietro
(Milano, 30 settembre 1867 - Breglia, Plesio, 27 marzo 1914).
Narrativa:
San Pietro da Core (1895).

Poesia:

Il libro delle Figurazioni ideali (1894); *Il Libro delle Imagini terrene* (1898); *La prima Ora della Academia* (1902); *Carme di angoscia e di speranza* (1909); *Revolverate* (1909); *La solita canzone del Melibeo* (1910); *Le Antitesi e le Perversità* (1970).

Saggistica:

Ai Mani gloriosi di Giosue Carducci (1907); *Il Verso Libero* (1908); *L'Ora Topica di Carlo Dossi* (1911); *Le Nottole e i Vasi* (1911); *Giosue Carducci* (1912); *Filosofi Ultimi* (1913); *Antidannunziana* (1914).

Macchia, Giovanni

(1912).

Baudelaire critico (1939); *Il cortegiano francese* (1943); *Studi* (1946) *Baudelaire e la poetica della malinconia* (1946); *Aspetti anticartesiani della letteratura francese* (1958); *Il paradiso della ragione* (1960); *Storia della letteratura francese dalle origini a Montaigne* (1961); *I moralisti classici da Machiavelli a La Bruyère* (1961); *La scuola dei sentimenti* (1963); *Il mito di Parigi* (1965); *Vita, avventure e morte di Don Giovanni* (1966); *Letteratura francese dal tramonto del Medio Evo al classicismo* (1970); *I fantasmi dell'opera* (1971).

Malaparte, Curzio

pseudonimo di Kurt Suckert

(Prato, 9 giugno 1898 - Roma, 19 luglio 1957).

Narrativa e prose varie:

Le nozze degli eunuchi (1921); *La rivolta dei santi maledetti* (1921); *L'Europa vivente* (1923); *Ragguaglio sullo stato degli intellettuali rispetto al Fascismo,* in Ardengo Soffici, *Battaglia fra due vittorie* (1923); *Italia barbara* (1925); *Avventure d'un capitano di sventura* (1927); *Don Camillo ovvero Ho allevato un camaleonte* (1928); *Intelligenza di Lenin* (1930); *Sodoma e Gomorra* (1931); *I custodi del disordine* (1931); *Technique du coup d'état* (1931); *La pazzia d'Orlando*, in *L'ottava d'oro* (1933); *Fughe in prigione* (1936); *Sangue* (1937); *Donna come me* (1940); *Il surrealismo e l'Italia* (1940); *Le muse cretine* (1940); *I giovani non sanno scrivere* (1940); *Il sole è cieco* (1941); *Il Volga nasce in Europa* (1943); *Kaputt* (1945); *Deux chapeaux de paille d'Italie* (1948); *La pelle* (1949); *Storia di domani* (1949); *Due anni di battibecco 1953-1955* (1955); *Maledetti toscani* (1956); *Racconti italiani* (1957); *Io, in Russia e in Cina* (1958); *Mamma Marcia* (1959); *L'inglese in Paradiso* (1960); *Benedetti italiani* (1961); *Lenin buonanima* (1962); *Viaggi fra i terremoti* (1963); *Diario di uno straniero a Parigi* (1966).

Teatro:

Das Kapital. Précédée de: Du côté de chez Proust. Impromtu en un acte (1951); *Anche le donne hanno perso la guerra* (1954).

Poesia:

L'arcitaliano (1928); *I morti di Bligny giocano a carte* (1939); *Cantata dell'Arcimussolini,* in *Il ventennio* (1960).

Manzini, Gianna

(Pistoia, 24 marzo 1896).

Tempo innamorato (1928); *Incontro col falco* (1929); *Boscovivo* (1932); *Casa di riposo* (1934); *Un filo di brezza* (1936); *Rive remote* (1940); *Venti racconti* (1941); *Forte come un leone* (1944); *Lettera all'editore* (1945); *Il valtzer del diavolo* (1947); *Ho visto il tuo cuore* (1950); *Animali sacri e profani* (1953); *Foglietti* (1954); *La sparviera* (1956); *Cara prigione* (1958); *Arca di Noè* (1960); *Ritratti e pretesti* (1960); *Un'altra cosa* (1961); *Il cielo addosso* (1963); *Album di ritratti* (1964); *Allegro con disperazione* (1965); *Ritratto in piedi* (1971).

Marchesi, Concetto

(Catania, 1° febbraio 1878 - Roma, 12 febbraio 1957).

Saggistica:

P. Battaglia (1896); *La vita e le opere di C. Elvio Cinna* (1898); *Bartolomeo della Fonte* (1900); *Il compendio volgare dell'"Etica" aristotelica e le fonti del VI libro del Tresor* (1903); *L'"Etica nicomachea" nella tradizione latina medievale* (1904); *I primordi dell'eloquenza agraria e popolare di Roma* (1905); *La libertà storica romana di un poeta satirico del I secolo, A. Persio Flacco* (1906); *Di alcuni volgarizzamenti toscani in codici fiorentini* (1907); *Le fonti e la composizione di "Thyestes" di L. Anneo Seneca* (1908); *Gli amori di un poeta cristiano, Decimo Ausonio Magno* (1909); *Le donne e gli amori di M. Valerio Marziale* (1910); *Due grammatici latini del Medio Evo* (1910); *Gli scoliasti di Persio* (1912); *Valerio Marziale* (1914); *Il primo libro dell'"Ars amatoria" di Ovidio* (1916); *Il volgarizzamento dell'"Ars Amatoria" nei secoli XIII e XIV* (1917); *Il secondo e il terzo libro dell'"Ars Amatoria" di Ovidio* (1918); *Seneca* (1920); *Giovenale* (1921); *Petronio* (1921); *Fedro e la favola latina* (1923); *Tacito* (1924); *Storia della letteratura latina* (1925-1927); *Il letto di Procuste* (1928); *Questioni arnobiane* (1929); *Letteratura romana* (1931); *Livio e la verità storica* (1942); *Motivi dell'epica antica* (1942); *Pagine all'ombra* (1946); *Voci di antichi* (1946); *La persona umana nel comunismo* (1946); *Disegno storico della letteratura latina* (1948); *Il libro di Tersite* (1950); *Divagazioni* (1951); *Il cane di terracotta* (1954); *Perché sono comunista* (1956).

Edizioni:

L. Apuleio, *De magia liber* (1914); P. Ovidio Nasone, *Artis amatoriae libri tres* (1918); Arnobio, *Adversus nationes libri VII* (1934); P. Sallustio Crispo, *Bellum Catilinae* (1939).

Marotta, Giuseppe

(Napoli, 5 aprile 1902 - Napoli, 10 ottobre 1963).

Narrativa:

Tutte a me (1932); *Questa volta mi sposo* (1932); *Divorziamo, per piacere?* (1934); *Mezzo miliardo* (1940); *La scure d'argento* (1941); *Il leone sgombera* (1944); *Nulla sul serio* (1946); *Le avventure di Charlot* (1947); *L'oro di Napoli* (1947); *San Gennaro non dice mai di no* (1948); *A Milano non fa freddo* (1949); *Pietre e nuvole* (1950); *I dialoghi* (1951); *Gli alunni del sole* (1952); *Le madri* (1952); *Coraggio, guardiamo* (1953); *Mi voglio divertire* (1954); *Salute a noi* (1955); *Cavallucci di carta* (1955); *Mal di galleria* (1958); *Gli alunni del tempo* (1960); *Le milanesi* (1962); *Il teatrino del Pallonetto* (1965).

Teatro:

Un ladro in paradiso (1950); *Il califfo Esposito e altre commedie* (Il contratto - Il califfo Esposito - Il malato per tutti), in collaborazione con B. Randone (1956); *Bello di papà* (1956); *Veronica e gli ospiti* (1959).

Saggistica:

Questo buffo cinema (1956); *Marotta-ciak* (1958).

Michelstaedter, Carlo

(Gorizia, 3 giugno 1887 - Gorizia, 17 ottobre 1910).

Opere:

Scritti (in due volumi, I, *Dialogo della salute* e *Poesie*; II, *La persuasione e la rettorica*, 1912-1913).

Missiroli, Mario

(1886).

La monarchia socialista: estrema destra (1914); *Satrapia* (1914); *Critica negativa* (1914); *Il papa in guerra* (1915); *Lo stato e la violenza* (1915); *La repubblica degli accattoni* (1916); *Polemica liberale* (1919); *Opinioni* (1921); *Il fascismo e la crisi italiana* (1921); *Il colpo di stato* (1923); *Una battaglia perduta* (1924); *La giustizia sociale nella politica monetaria di Mussolini* (1928); *Amore e fame* (1928); *Polemica liberale* (1929); *Da a Cesare: la politica religiosa di Mussolini* (1929); *L'Italia d'oggi* (1932); *Studi sul fascismo* (1934); *Cosa deve l'Italia a Mussolini* (1936); *Storia del mercato nella storia d'Italia* (1936); *Mussolini: una visione della vita* (1937); *La politica estera di Mussolini: dalla marcia su Roma al convegno di Monaco, 1922-38* (1939); *De Tunis à Versailles* (1942); *Romanità e germanesimo* (1942); *Dieci anni di nazionalsocialismo* (1943); *Giustizia e carità nell'Enciclica di Paolo VI* (1967).

Montale, Eugenio

(Genova, 12 ottobre 1896).

Poesia:

Ossi di seppia (1925); *La casa dei doganieri e altri versi* (1932); *Le occasioni* (1939); *Finisterre* (1943); *Quaderni di traduzioni* (1948); *La bufera e altro* (1956); *Satura* (1971); *Diario del '71* (1971).

Prose varie:

Omaggio a Svevo (1925); *Farfalla di Dinard* (1956), edizione ampliata (1960); *Violetta Valery, una stagione irripetibile di Verdi*, in *Teatro alla Scala. Stagione lirica 1955-1956* (1956); *Acume e generosità*, in *Studi di varia umanità in onore di Francesco Flora* (1963); *Auto da fé* (1966); *Eugenio Montale. Italo Svevo. Lettere. Con gli scritti di Montale su Svevo* (1966); *Fuori di casa* (1969).

Montanelli, Indro

(Fucecchio, 22 aprile 1909).

Narrativa:

Commiato dal tempo di pace (1935); *XX battaglione eritreo* (1936); *Ambesà* (1938); *Giorno di festa* (1963); *Primo tempo* (1936); *Gente qualunque* (1942); *Qui non riposano* (1945); *Andata e ritorno* (1955); *Il generale della Rovere* (1959).

Prose varie e saggistica:

Guerra e pace in Africa Orientale (1937); *Albania una e mille* (1939); *I cento giorni della Finlandia* (1940); *Guerra nel fiordo* (1942); *La lezione polacca* (1942); *Vita sbagliata di un fuoruscito: A. Herzen 1811-1871* (1947); *Il buon uomo Mussolini* (1947); *Morire in piedi* (1949); *Padri della patria* (1949); *Incontri*: I, *Pantheon minore* (1950); II, *Tali e quali* (1951); III, *I rapaci in cortile* (1952); IV, *Busti al Pincio* (1953); V, *Facce di bronzo* (1956); VI, *Belle figure* (1959); *Mio marito, Carlo Marx* (1954); *Lettere a Longanesi e ad altri nemici* (1955; *Addio Wanda! Rapporto Kinsey sulla situazione italiana* (1956); *Storia di Roma* (1957); *Storia dei Greci* (1959); *Reportage su Israele* (1960); *Tagli su misura* 1960); *Garibaldi*, in collaborazione con Marco Nozza; (1962); *Dante e il suo secolo* (1964); *L'Italia giacobina e carbonara* (1971). In collaborazione con Roberto Gervaso: *L'Italia dei secoli bui* (1965); *L'Italia dei Comuni* (1966); *L'Italia dei secoli d'oro* (1967); *L'Italia della controriforma* (1968); *L'Italia del Settecento* (1971).

Teatro:

L'idolo (1937); *L'illustre concittadino*, in collaborazione con M. Luciani (1949); *Resiste* (1955); *I sogni muoiono all'alba* (1960); *Kibbutz* (1962).

Morante, Elsa
(Roma, 1918).

Narrativa:

Il gioco segreto (1941); *Le bellissime avventure di Caterí dalla trecciolina* (1942), edizione ampliata col titolo *Le straordinarie avventure di Caterina* (1959); *Menzogna e sortilegio* (1948); *Storie d'amore* (1950); *L'isola di Arturo* (1957); *Lo scialle andaluso* (1963).

Poesia:

Alibi (1958); *Il mondo salvato dai ragazzini* (1968).

Moravia, Alberto
pseudonimo di Alberto Pincherle
(Roma, 28 novembre 1907).

Narrativa:

Gli indifferenti (1929); *Le ambizioni sbagliate* (1935); *La bella vita* (1935); *L'imbroglio* (1937); *I sogni del pigro* (1940); *La mascherata* (1941); *L'amante infelice* (1943); *Agostino* (1944); *L'epidemia. Racconti surrealistici e satirici* (1944); *Due cortigiane - Serata di Don Giovanni* (1945); *La romana* (1947); *La disubbidienza* (1948); *L'amore coniugale e altri racconti* (1949); *Il conformista* (1951); *I racconti* (1952); *Racconti romani* (1954); *La gita in campagna* (1954); *Il disprezzo* (1954); *La ciociara* (1957); *Nuovi racconti romani* (1959); *La noia* (1960); *L'automa* (1963); *Cortigiana stanca* (1965); *L'attenzione* (1965); *Una cosa è una cosa* (1967); *Il paradiso* (1970); *Io e lui* (1971).

Teatro:

Opere raccolte in *Teatro* (La mascherata - Beatrice Cenci, 1958); *Il mondo è quello che è* (1966); *Il dio Kurt* (1968); *L'intervista* (1968); *La vita è gioco* (1969).

Saggistica:

La speranza (1944); *Saggio critico per Leonor Fini* (1945); *Ritratto di Machiavelli* (1951); *Un mese in URSS* (1958); *Un'idea dell'India* (1962); *L'uomo come fine e altri saggi* (1964); *La rivoluzione culturale in Cina* (1967).
Dal 1952 è in corso di pubblicazione presso l'editore Bompiani la pubblicazione di tutte le opere di Alberto Moravia.

Moretti, Marino
(Cesenatico, 18 luglio 1885).

Narrativa:

Il paese degli equivoci (1907); *Sentimento. Pensieri, poesie, novelline per la giovinezza* (1908); *I lestofanti* (1910); *Ah, ah, ah!* (1911); *I pesci fuor d'acqua* (1914); *Il sole del sabato* (1916); *La bandiera alla finestra* (1917); *Guenda* (1918); *Conoscere il mondo* (1919); *Adamo ed Eva* (1919); *Personaggi secondari* (1920); *Cinque novelle* (1920); *Una settimana in Paradiso* (1920); *L'isola dell'amore* (1920); *La voce di Dio* (1921); *Né bella né brutta* (1921); *I due fanciulli* (1922); *I puri di cuore* (1923); *Il romanzo della mamma* (1924); *La vera grandezza* (1925); *Il segno della croce* (1926); *Le capinere* (1926); *Allegretto quasi allegro* (1927); *Il trono dei poveri* (1928); *La casa del Santo Sangue* (1930); *Le sorprese del buon Dio* (1932); *L'Andreana* (1935); *Parole e musica* (1936); *Anna degli elefanti* (1937); *Pane in desco* (1940); *La vedova Fioravanti* (1941); *L'odore del pane* (1942); *100 novelle* (1943); *I coniugi Allori* (1946); *Il fiocco verde* (1948); *Il pudore* (1950); *I grilli di Pazzo Pazzi* (1951); *Il tempo migliore* (1953); *50 novelle* (1954); *Uomini soli* (1954); *1945* (1956); *La camera degli sposi* (1958); *Romanzi dal primo all'ultimo* (1965).

Prose varie:

Mia madre (1924); *Il tempo felice. Ricordi d'infanzia e d'altre stagioni* (1928); *Via Laura.*

Il libro dei sorprendenti vent'anni (1931); *Fantasie olandesi* (1932); *Scrivere non è necessario* (1938); *Il libro dei miei amici* (1960); *Tutti i ricordi* (1962).

Poesia:

Poesie 1905-1914 (1919); *Fraternità* (1906); *La serenata delle zanzare* (1908); *Poesie scritte col lapis* (1910); *Poesie di tutti i giorni* (1911); *I poemetti di Marino* (1913); *Il giardino dei frutti* (1916); *Poesie* (1953); *Il ciuchino* (1953); *Tutte le poesie* (1966); *L'ultima estate* (1969); *Tre anni e un giorno* (1971).

Saggistica:

Lingua madre (1956), in collaborazione con D. Consonni; *Il buon d'Annunzio* (1958).

Teatro:

Leonardo da Vinci (1909) in collaborazione con F. Cazzamini Mussi; *Gli Allighieri*, idem (1910); *Frate Sole*, idem (1911).

Moscardelli, Nicola

(Opena, 9 ottobre 1894 - 21 dicembre 1943).

Poesia:

La sveglia (1913); *Abbeveratoio* (1915); *Tatuaggi* (1916); *Gioielleria notturna* (1918); *La mendica muta* (1919) *L'ora della rugiada* (1924); *Il vino della vite* (1926); *Le grazie della terra* (1928); *Il ponte* (1929); *L'aria di Roma* (1930); *Canto della vita* (1939); *Controluce* (1941); *Punti cardinali* (1941); *Dentro la notte* (1950).

Narrativa:

L'ultima soglia (1920); *I nostri giorni* (1923); *Vita vivente* (1924); *La città dei suicidi* (1927); *Il sole dell'abisso* (1930); *La vita ha sempre ragione* (1934); *Foglie e fiori* (1938); *Racconti per oggi e domani* (1938).

Saggistica:

Giovanni Papini (1924); *Anime e corpi* (1932); *L'altra moneta* (1933); *Dostoiewski. L'uomo, il poeta, il maestro* (1935); *Elogio della poesia* (1937); *Valona* (1920).

Teatro:

Rascild e Morgan (1937).

Negri, Ada

(Lodi, 3 febbraio 1870 - Milano, 11 gennaio 1945).

Opere di poesia:

Fatalità (1892); *Tempeste* (1896); *Maternità* (1904); *Dal profondo* (1910); *Esilio* (1914); *Il libro di Mara* (1919); *I canti dell'isola* (1925); *Vespertina* (1931); *Il dono* (1936); *Fons amoris* (1946).

Narrativa:

Le solitarie (novelle, 1917); *Stella mattutina* (romanzo, 1921); *Finestre altre* (novelle, 1923); *Sorelle* (novelle, 1929).

Prose varie:

Orazioni (1918); *Le strade* (1926); *Di giorno in giorno* (1932); *Erba sul sagrato* (1939); *Oltre* (1946).

Ojetti, Ugo

(Roma, 15 luglio 1871 - Firenze, 1º gennaio 1946).

Saggistica:

Alla scoperta dei letterati (1895); *L'America vittoriosa* (1899); *L'Albania* (1902); *L'arte nell'esposizione di Milano* (1906); *Ritratti d'artisti italiani* (1911-1923); *I monumenti ita-*

liani e la guerra (1917); *I nani tra le colonne* (1920); *Raffaello e altre leggi* (1921); *La pittura italiana del Seicento e del Settecento* (in collaborazione con N. Tarchiani e L. Dami, 1924); *Scrittori che si confessano* (1925); *Atlante di storia dell'arte italiana* (in collaborazione con L. Dami, 2 volumi: I, *Dalle origini dell'arte cristiana alla fine del Trecento*, 1925; II, *Dal Quattrocento alla fine dell'Ottocento* (1934); *Il ritratto italiano dal 1500 al 1800* (1927); *Tintoretto, Canova, Fattori* (1928); *Ad Atene per Ugo Foscolo* (1928); *Paolo Veronese* (1928); *La pittura italiana dell'Ottocento* (1929); *Bello e brutto* (1930); *Le arti nell'Ottocento* (1930); *Andrea Mantegna* (1931); *Venti lettere* (1931); *Tiziano e il Cadore* (1932); *La pittura ferrarese del Rinascimento* (1933); *Atlante di storia dell'arte* (in collaborazione con L. Dami e G. Lugli, 3 volumi, 1933-1938); *F. P. Michetti* (1934); *Ottocento, Novecento, e via dicendo* (1936); *Sessanta* (1937); *Piú vivi dei vivi* (1938); *In Italia, l'arte ha da essere italiana?* (1942); *D'Annunzio, amico, maestro, soldato, 1894-1944* (1957).

Narrativa:

Senza Dio (1894); *L'onesta viltà* (1897); *Il vecchio* (1898); *Il gioco dell'amore* (1899); *Le vie del peccato* (1902); *Il cavallo di Troia* (1904); *Mimí e la gloria* (1908); *Donne, uomini e burattini* (1912); *L'amore e suo figlio* (1913); *Mio figlio ferroviere* (1922); *La nuora* (1949); *Ricordi d'un ragazzo romano* (1958).

Prose varie:

I capricci del conte Ottavio (1908-1909); *Confidenze di pazzi e savii sui tempi che corrono* (1921); *Cose viste* (1923-1929); *I taccuini 1914-1943* (1954).

Poesia:

Paesaggi (1892).

Teatro:

Un garofano (1905); *Il matrimonio di Casanova* (in collaborazione con R. Simoni, 1910).

Epistolario:

Lettere inedite di Ugo Ojetti, (a cura di L. M. Personé, 1959)

Onofri, Arturo

(Roma, 15 settembre 1885 - Roma, 25 dicembre 1928).

Poesia:

Liriche (1907); *Poemi tragici* (1908); *I canti delle oasi* (1909); *La morte di Rama* (1911); *Prometeo* (1911); *Notturni* (1912); *Disamore* (1912); *Liriche* (1914); *Orchestrine* (1917); *Arioso* (1921); *Le trombe d'argento* (1924); *Terrestrità del sole* (1927); *Vincere il drago!* (1928); *Simili a melodie rapprese in mondo* (1929); *Zolla ritorna cosmo* (1930); *Suoni del Graal* (1932); *Aprirsi in fiore* (1935).

Saggistica:

Tristano e Isotta (1924); *Nuovo Rinascimento come arte dell'Io* (1925); *Letture poetiche del Pascoli* (1953).

Oriani, Alfredo

(Faenza, 22 agosto 1852 - Casola Valsenio, 18 ottobre 1909).

Memorie inutili (1876); *Ali di là* (1877); *Monotonie* (raccolta di versi, 1878); *Gramigne* (1879); *No* (1881); *Quartetto* (1883); *Matrimonio* (1886); *Sullo scoglio e altri racconti* (1889); *Fino a Dogali* (1889); *La lotta politica in Italia* (1892); *Il nemico* (1892); *Gelosia* (1894); *La disfatta* (1896); *Vortice* (1899); *Ombre d'occaso* (1901); *Olocausto* (1902); *La bicicletta* (1902); *Oro, incenso e mirra* (1904); *La rivolta ideale* (1908); *Fuochi di bivacco* (1913-1914).

Le opere complete di Oriani sono state pubblicate dall'editore Cappelli.

Palazzeschi, Aldo
pseudonimo di Aldo Giurlani
(Firenze,, 2 febbraio 1885).

Narrativa e prose varie:
Riflessi (1908); *Il codice di Perelà* (1911); *Il controdolore. Manifesto futurista* (1914); *Due imperi... mancati* (1920); *Il re bello* (1921); *La piramide* (1926); *Stampe dell'Ottocento* (1932); *Sorelle Materassi* (1934); *Il palio dei buffi* (1937); *Tre imperi... mancati* (1945); *I fratelli Cuccoli* (1948); *Bestie del '900* (1951); *Roma* (1953); *Scherzi di gioventú* (1956); *Vita militare* (1959); *Il piacere della memoria* (1964); *Il buffo integrale* (1966); *Il Doge* (1967); *Stefanino* (1969); *Storia di un'amicizia* (1971).

Poesia:
I cavalli bianchi (1905); *Lanterna* (1907); *Poemi* (1909); *L'incendiario* (1910); *Poesie, 1904-1909* (1925); *Poesie* (1930); *Poesie, 1904-1914* (1942); *Viaggio sentimentale* (1955); *Cuor mio* (1968); *Vie delle cento stelle* (1972).

Teatro:
Roma. Adattamento teatrale in tre atti, in collaborazione con A. Verrini (1957).
La casa editrice Mondadori ha pubblicato le opere di Aldo Palazzeschi in tre volumi: *Tutte le novelle*, raccolta definitiva curata dall'Autore (1957), *Opere giovanili* (Poesie. Allegoria di Novembre. Il codice di Perelà. Lazzi, frizzi, schizzi, girogogoli e ghiribizzi) (1958), *I romanzi della maturità* (Sorelle Materassi. I fratelli Cuccoli. Roma) (1960).

Pancrazi, Pietro
(Cortona, 19 febbraio 1893 - Firenze, 26 dicembre 1952).

Saggistica:
Ragguagli di Parnaso (1920); *Venti uomini, un satiro e un burattino* (1923), *Scrittori italiani del '900* (1924); *Scrittori italiani dal Carducci al D'Annunzio* (1937); Studi sul D'Annunzio (1939); *Scrittori d'oggi*, 6 volumi (1942-1953); *La piccola patria, Cronache della guerra in un Comune Toscano, giugno-luglio 1944* (1946); *Nel giardino di Candido* (1950); *Un amoroso incontro della fine Ottovento, Lettere e ricordi di G. Carducci e A. Vivanti* (1951); *Della tolleranza* (1955); *Italiani e stranieri* (1957).

Narrativa:
L'Esopo moderno (1930); *Donne e buoi de' paesi tuoi* (1934).

Panzini, Alfredo
(Senigallia, 31 dicembre 1863 - Roma, 10 aprile 1939).

Narrativa e prose varie:
Il libro dei morti (1893); *Gli ingenui* (1895); *Piccole storie del mondo grande* (1901); *Lepida et tristia* (1901); *Trionfi di donna* (1903); *La lanterna di Diogene* (1907); *Le fiabe della virtú* (1911); *Santippe* (1913); *Donne, madonne e bimbi* (1914); *Il romanzo della guerra* (1915); *La Madonna di mamà* (1916); *Novelle d'ambo i sessi* (1918); *Il viaggio di un povero letterato* (1919); *Io cerco moglie!* (1920); *Il diavolo nella mia libreria* (1920); *Il mondo è rotondo* (1921); *Signorine* (1922); *Il padrone sono me!* (1922); *Diario sentimentale della guerra* (1922-1923); *La pulcella senza pulcellaggio* (1925); *I tre re, con Gelsomino buffone del re* (1927); *I giorni del sole e del grano* (1929) *Il libro dei morti e dei vivi* (1930); *La sventurata Irminda!* (1932); *Rose d'ogni mese* (1933); *Legione Decima* (1934); *Viaggio con la giovane ebrea* (1935); *Il ritorno di Bertoldo* (1936); *Il bacio di Lesbia* (1937); *Sei romanzi fra due secoli* (1939); *La valigetta misteriosa e altri racconti* (1942); *La mia storia, il mio mondo* (1951).

Saggistica:
Saggio critico sulla poesia maccheronica (1887); *L'evoluzione di Giosue Carducci* (1894); *Dizionario moderno* (1905); *Il 1859: da Plombières a Villafranca* (1909); *M.M. Boiardo*

(1918); *La vera storia dei tre colori* (1924); *Il conte di Cavour* (1930); *La bella storia d'Orlando Innamorato e poi Furioso* (1933); *Casa Leopardi* (1948); *Per amore di Biancofiore* (1948).

Papini, Giovanni

(Firenze, 9 gennaio 1881 - Firenze 8 luglio 1956).

Narrativa e prose varie:

Il tragico quotidiano (1903); *Il crepuscolo dei filosofi* (1906), *La cultura italiana* (in collaborazione con G. Prezzolini, 1906); *Il pilota cieco* (1907); *Le memorie d'Iddio* (1911); *La leggenda di Dante: motti, facezie e tradizioni dei secoli XIV-XIX* (1911); *L'altra metà: saggio di filosofia mefistofelica* (1911); *Parole e sangue* (1912); *Un uomo finito* (1912); *Ventiquattro cervelli: saggi non critici* (1913); *Sul pragmatismo: saggi e ricerche, 1903-1911* (1913); *Guido Mazzoni: una stroncatura* (1913); *Vecchio e nuovo nazionalismo* (in collaborazione con G. Prezzolini, 1914): *Il mio futurismo* (1914); *Buffonate: satire e fantasie* (1914); *Maschilità* (1915); *La paga del sabato, agosto 1914-1915* (1914); *Stroncature* (1916); *Polemiche religiose, 1908-1914* (1917); *L'uomo Carducci* (1918); *Testimonianze* (1918); *L'Europa occidentale contro la Mittel-Europa* (1918); *Esperienza futurista* (1919); *Storia di Cristo* (1921); *Alessandro Manzoni* (1922); *Dizionario dell'omo salvatico: I, A-B* (in collaborazione con D. Giuliotti, 1923); *Gli operai della vigna* (1929); *Sant'Agostino* (1930); *Gog* (1931); *Stroncature, 1904-1931* (1932) *Firenze* (1932); *Eresie letterarie, 1905-1928* (1932); *Ritratti italiani, 1904-1931* (1932); *Ritratti stranieri, 1908-1921* (1932); *La scala di Giacobbe* (1932); *Gli amanti di Sofia* (1932); *Dante vivo* (1932); *Il sacco dell'orco* (1933); *Ardengo Soffici, pittore* (1933); *La pietra infernale* (1934); *Grandezze di Carducci* (1935); *Storia della letteratura italiana: Duecento e Trecento* (1937); *I testimoni della Passione* (1938); *Italia mia* (1939); *Figure umane* (1940); *Medardo Rosso, scultore* (1940); *La corona d'argento* (1941); *Mostra personale* (1941); *L'imitazione del padre* (1942); *Cielo e terra* (1943); *Racconti di gioventú* (1943); *Lettere agli uomini di papa Celestino VI* (1946); *I nipoti d'Iddio, 1903-1931* (1947); *Primo Conti* (1947); *Passato remoto: 1885-1914* (1948); *Santi e poeti* (1948); *Vita di Michelangelo nella vita del suo tempo* (1949); *Le pazzie del poeta* (1950); *Il libro nero* (1951); *Il diavolo* (1953); *Il bel viaggio* (1954); *Concerto fantastico* (1954); *Strane storie* (1954); *La spia del mondo* (1955); *La loggia dei busti* (1955); *L'aurora della letteratura italiana* (1956); *La felicità dell'infelice* (1956); *Giudizio universale* (1957); *Il muro dei Gelsomini* (1957), *La seconda nascita* (1958).

Poesia:

Cento pagine di poesia (1915); *Opera prima: venti poesie in rima e venti ragioni in prosa* (1917); *Giorni di festa, 1916-1918* (1919); *Pane e vino, con un soliloquio sulla poesia* (1926).

Parise, Goffredo

(Vicenza, 1929).

Il ragazzo morto e le comete (1951); *La grande vacanza* (1953); *Il prete bello* (1954); *Il fidanzamento* (1956); *Amore e fervore* (1959); *Il padrone* (1965); *La moglie a cavallo* (1965); *Gli americani a Vicenza* (1966); *Squillo* (1966); *Cara Cina* (1966); *L'assoluto naturale* (1967); *Due, tre cose sul Vietnam* (1967); *La grande vacanza* (1968); *Il crematorio di Vienna* (1969).

Parodi, Ernesto Giacomo

(Genova, 21 novembre 1862 - Firenze, 31 gennaio 1923).

Saggio di etimologie genovesi (1885); *I rifacimenti e le traduzioni italiane dell'"Eneide" di Virgilio prima del Rinascimento* (1887); *Le storie di Cesare nella letteratura italiana dei primi secoli* (1889); *Noterelle di fonologia latina* (1893); *La rima e i vocaboli in rima nella "Divina Commedia"* (1896); *Studi liguri* (1898-1899); *La data di composizione e le teorie politiche dell'"Inferno" e del "Purgatorio" di Dante* (1905); *La costruzione e l'ordinamento del Paradiso dantesco* (1911); *Nazionalismo* (1911); *Rima siciliana, rima aretina e bolognese* (1913); *L'eredità romana e l'alba della nostra poesia* (1913); *Poesia e storia nella "Divina Commedia"* (1921); *Poeti antichi e moderni* (1923); *Il dare e l'avere fra i pedanti e geniali* (1923); *Lingua e letteratura*, a cura di G. Folena (1957).

Pascarella, Cesare

(Roma, 27 aprile 1848 - Roma, 8 maggio 1950).

Opere di poesia:

Er morto de campagna (1882); *La serenata* (1882); *Villa Gloria* (1886); *La scoperta de l'America* (1893); *Storia nostra* (1941).

Opere di prosa:

Memorie d'uno smemorato; *Il modello*; *Il manichino*; *In Ciociaria*; *Il pianto delle zitelle*; *Monte Giano*; *Un congresso alpino*; *Gita sentimentale*; *Le «Capanne» di Ripetta*; *Il mio pellegrinaggio*; *Carciofolata*, tutte sparsamente pubblicate negli anni 1880-1890 sui periodici "Capitan Fracassa", "Nuova Antologia", "Fanfulla", "Fanfulla della Domenica"; *Il Caffè Greco* (1920).

La Casa editrice Mondadori ha pubblicato un volume di opere complete (*Sonetti, Storia nostra, prose*), VI edizione, 1971.

Pascoli, Giovanni

(San Mauro di Romagna, 31 dicembre 1855 - Bologna, 6 aprile 1912).

Le opere complete di Giovanni Pascoli sono pubblicate dalla casa editrice Mondadori.

Pasquali, Giorgio

(Roma, 29 aprile 1885 - Belluno, 9 luglio 1952).

Prolegomena ad Procli "Commentarium in Cratylum" (1906); *Papirologia* (1908); *Quaestiones callimacheae* (1913); *Il carme 64 di Catullo* (1918); *Socialisti tedeschi* (1919); *Sui "Caratteri" di Teofrasto* (1919); *Epigrammi callimachei* (1919); *Orazio lirico* (1920); *Filologia e storia* (1920); *L'università di domani*, in collaborazione con P. Calamandrei (1923); *Domenico Comparetti e la filologia del sec. XIX* (1929); *Pagine stravaganti di un filologo* (1933); *Storia della tradizione e critica del testo* (1934); *Pagine meno stravaganti* (1935); *Preistoria della poesia romana* (1936); *Poesia latina di Pascoli* (1937); *Le lettere di Platone* (1938); *Medioevo bizantino* (1941); *Terze pagine stravaganti* (1942); *Università e scuola* (1950); *Stravaganze quarte e supreme* (1951); *Conversazioni sulla nostra lingua* (1953); *Storia dello spirito tedesco nelle memorie di un contemporaneo* (1953); *Per un grande vocabolario storico della lingua italiana* (1957; *Lingua nuova e antica* (1964).

Pavese, Cesare

(S. Stefano Balbo, 9 settembre 1908 - Torino, 26 agosto 1950).

Narrativa e prose varie:

Paesi tuoi (1941); *La spiaggia* (1942); *Feria d'agosto* (1946); *Il compagno* (1947); *Dialoghi con Leucò* (1947); *Prima che il gallo canti* (1949); *La bella estate* (1949); *La luna e i falò* (1950); *Notte di festa* (1953); *Fuoco grande*, in collaborazione con B. Garufi (1959); *Racconti* (1960).

Poesia:

Lavorare stanca (1936); edizione ampliata (1943); *Verrà la morte e avrà i tuoi occhi* (1951); *Poesie edite ed inedite* a cura di Italo Calvino (1962).

Saggistica:

La letteratura americana e altri saggi (1951).

Diario ed epistolario:

Il mestiere di vivere. Diario 1935-1950 (1952); *Lettere 1924-1944* (1966); *Lettere 1945-1950* (1966).

Tutte le opere di Pavese sono pubblicate dalla Casa editrice Einaudi.

Pea, Enrico

(Seravezza, 29 ottobre 1881 - Forte dei Marmi, 11 agosto 1958).

Narrativa:

Moscardino (1922); *Il volto santo* (1924); *Il servitore del diavolo - La figlioccia* (1931); *Il forestiero* (1937); *La Maremmana* (1938); *Il trenino dei sassi* (1940); *Solaio* (1940); *L'acquapazza* (1941); *Magoometto* (1942); *Rosalia* (1943); *Lisetta* (1946); *Malaria di guerra* (1947); *Vita in Egitto* (1949); *Zitina* (1949); *Le figlioccia e altre donne* (1953); *Peccati in piazza* (1956); *Villa Beatrice* (1959).

Poesia:

Fole (1910); *Montignoso* (1912); *Lo spaventacchio* (1914); *Arie bifolchine* (1943).

Teatro:

Giuda (1918); *Prime piogge d'ottobre* (1919); *Rosa di Sion* (1919); *Parole di scimmie e di poeti* (1922); *La passione di Cristo* (1923); *L'anello del parente folle* (1931).

Piovene, Guido

(Vicenza, 27 luglio 1907).

Narrativa:

La vedova allegra (1931); *Lettere di una novizia* (1941); *La gazzetta nera* (1943); *Pietà contro pietà* (1946); *I falsi redentori* (1949); *Le furie* (1963); *Le stelle fredde* (1970).

Saggistica:

De America (1953); *Viaggio in Italia* (1957); *La coda di paglia* (1962); *Madama la Francia* (1967); *La gente che perdé Ierusalemme* (1967).

Pratolini, Vasco

(Firenze, 19 ottobre 1913).

Narrativa e prose varie:

Il tappeto verde (1941); *Via de' Magazzini* (1941); *Le amiche* (1943); *Il quartiere* (1944); *Cronache di poveri amanti* (1947); *Cronaca familiare* (1947); *Mestiere da vagabondo* (1947); *Un eroe del nostro tempo* (1949); *Gli uomini che si voltano - Diario di Villa Rosa* (1952); *Le ragazze di Sanfrediano* (1952); *Il mio cuore a Ponte Milvio* (1954); *Una storia italiana*, I, *Metello* (1955), II, *Lo scialo* (1960); *Diario sentimentale* (1956); *La costanza della ragione* (1963); *Allegoria e derisione* (1966).

Teatro:

La domenica della povera gente, in collaborazione con G. D. Giagni (1952); *Lungo viaggio di Natale* (1954).

Praz, Mario

(Roma, 6 settembre 1896).

Saggistica e prose varie:

La Francesca da Rimini di Gabriele d'Annunzio (1922); *Secentismo e marinismo in Inghilterra: John Donne, Richard Crashaw* (1925); *La fortuna di Byron in Inghilterra* (1925);

Penisola pentagonale. Pretesti spagnoli (1927); *Machiavelli e gli inglesi dell'epoca elisabettiana* (1928); *La carne, la morte e il diavolo nella letteratura romantica* (1930); *Viaggio in Grecia* (1931); *Viaggio in Corsica* (1933); *Studi sul concettismo* (1934); *Studi e svaghi inglesi* (1937); *Storia della letteratura inglese* (1937); *Un carme e un ritratto* (1937); *Studies in the seventeenth-Century imagery* (1939-47); *Gusto neoclassico* (1940); *Machiavelli in Inghilterra e altri saggi* (1942); *Fiori freschi* (1943); *Ricerche anglo-italiane* (1944); *Motivi e figure* (1945); *La filosofia dell'arredamento* (1945); *Richard Crashaw* (1946); *Cronache letterarie anglosassoni* (1950 e segg.); *La crisi dell'eroe nel romanzo vittoriano* (1952); *La casa della fama: Saggi di letteratura e d'arte* (1952); *Lettrice notturna* (1952); *Viaggio in Occidente* (1955); *John Donne* (1958); *La casa della vita* (1958); *Le bizzarre sculture di Francesco Pianta* (1959); *Bellezza e bizzarria* (1960); *I volti del tempo* (1964); *Panopticon romano* (1967); *Scene di conversazione* (1970); *Mnemosine* (1971); *Il patto col serpente* (1972).

Antologie:

Antologie delle letterature straniere, in collaborazione con E. Lo Gatto (1946); *Antologia della letteratura inglese e scelta di scrittori americani* (II edizione, 1955).

Prezzolini, Giuseppe

(Perugia, 27 gennaio 1882).

Vita intima (1903); *Il linguaggio come causa d'errore* (1904); *La cultura italiana* (in collaborazione con G. Papini, 1906); *Il sarto spirituale* (1907); *Leggenda e psicologia dello scienziato* (1907); *L'arte di persuadere* (1907); *Il cattolicismo rosso* (1908); *Cos'è il modernismo* (1908); *La teoria sindacalista* (1909); *Benedetto Croce* (1909); *Studi e capricci sui mistici tedeschi* (1912); *La Francia e i Francesi nel secolo XX osservati da un italiano* (1913); *Vecchio e nuovo nazionalismo* (in collaborazione con G. Papini, 1914); *Discorso su Giovanni Papini* (1915); *La Dalmazia* (1915); *Tutta la guerra: antologia del popolo italiano sul fronte e nel paese* (1918); *Paradossi educativi* (1919); *Dopo Caporetto* (1919); *Vittorio Veneto* (1920); *Uomini 22 e città 3* (1920); *Codice della vita italiana* (1921); *Amici* (1922); *La cultura italiana* (1923); *Io credo* (1923); *Le fascisme* (1925); *Giovanni Amendola* (1925); *Benito Mussolini* (1925); *Nicolò Machiavelli* (1925); *La cooperazione intellettuale* (1928); *Come gli americani scoprirono l'Italia, 1750-1850* (1933); *Repertorio bibliografico della storia e della critica della letteratura italiana, 1902-1942* (1930-1948); *The Legacy of Italy* (1948); *America in pantofole* (1950); *L'italiano inutile* (1954); *America con gli stivali* (1954); *Machiavelli anticristo* (1954); *Spaghetti dinner* (1955); *Saper leggere* (1956); *Maccheroni & C* (1957); *Tutta l'America* (1958); *Dal mio terrazzo* (1960); *Il tempo della "Voce"* (1961); *I trapiantati* (1963); *Tutta la guerra* (1968); *Vita di Nicolò Machiavelli fiorentino* (1969); *Dio è un rischio* (1969).

Raimondi, Giuseppe

(Bologna, 18 luglio 1898).

Saggistica e scritti vari:

Stagioni, seguite da Orfeo all'Inferno (1922); *Notizia su Baudelaire* (1924); *Galileo ovvero dell'aria* (1926); *Il cartesiano signor Teste* (1928); *Testa o croce* (1928); *Domenico Giordani* (1928); *Magalotti* (1929); *Giornale ossia taccuino, 1925-1930* (1942); *Disegni di Carlo Carrà* (1942); *Anni di Bologna, 1924-1943* (1946); *Le stampe di Giorgio Morandi* (1948); *Rosai* (1951); *Filippo de Pisis* (1952); *Edouard Manet* (1954); *La valigia delle Indie* (1955); *Il pittore Flaminio Torri* (1957); *Lo scrittoio* (1960); *Grande compianto della città di Parigi* (1963); *I divertimenti letterari* (1966); *Anni con Giorgio Morandi* (1970); *Un occhio sulla pittura* (1970); *Le linee della mano* (1972).

Narrativa:

Giuseppe in Italia (1949); *Notizie dall'Emilia* (1954); *Mignon* (1955); *Ritorno in città*

(1958); *Le domeniche d'estate* (1963); *L'ingiustizia* (1965); *Le nevi dell'altro anno* (1969); *Il nero e l'azzurro* (1970); *Ligabue come un cavallo* (1971).

Rea, Domenico
(Nocera Inferiore, 8 settembre 1921).
Narrativa e prose varie:
La figlia di Casimiro Clarus (1945); *Spaccanapoli* (1947); *Gesú, fate luce* (1950); *Due Napoli* (1950); *Il fornaio* (1951); *La signora scende a Pompei* (1952); *Ritratto di maggio* (1953); *Quel che vide Cummeo* (1955); *Il bene e il bello* (1956); *Una vampata di rossore* (1959); *Il re e il lustrascarpe* (1960); *L'amore nel sud. Matrimonio combinato* (1961); *Il gallista confuso* (1961; *Albero o Presepio?* (1963); *Boccaccio a Napoli* (1963); *Per acque tranquille* (1964); *I racconti* (1965); *L'altra faccia* (1965); *Gabbiani* (1966); *Questi tredici* (1968); *La signora è una vagabonda* (1968).
Teatro:
Le formicole rosse (1948).

Rebora, Clemente
(Milano, 1885 - Milano, 1957).
Poesia:
Frammenti lirici (1913); *Canti anonimi* (1922); *Le poesie, 1913-1947* (1947); *Curriculum vitae* (1955); *Canti dell'infermità* (1957); *Le poesie, 1913-1957* (1961).
Saggistica:
Per un Leopardi mal noto (1910); *G. D. Romagnosi nel pensiero del Risorgimento* (1911).

Rosai, Ottone
(Firenze, 28 aprile 1895 - Ivrea, 13 maggio 1957).
Prose varie e liriche:
Libro di un teppista (1919); *Via Toscanella* (1930); *Dentro la guerra* (1934); *Vecchio autoritratto* (1951).
Prose varie:
Scritti e lettere (1953); *Ricordi di un fiorentino* (1955).

Rosso di San Secondo, Pier Luigi Maria
(Caltanissetta, 30 novembre 1887 - Camaiore, 22 novembre 1956).
Narrativa:
Elegie a Marike (1914); *Gli occhi della signora Liesbeth* (1914); *Ponentino* (1916); *La fuga* (1917); *La morsa* (1918); *La mia esistenza d'acquario* (1919); *Io commemoro Loletta* (1919); *Il bene e il male* (1920); *La festa delle rose* (1920); *Le donne senza amore* (1920); *Palamede, Remigia ed io* (1920); *Ho sognato il vero Dio* (1922); *Il minuetto dell'anima nostra* (1922); *La donna che può capire, capisca* (1923); *C'era il diavolo o non c'era il diavolo?* (1929); *Luce del nostro cuore* (1932); *Il gatto bianco* (1935); *Il cielo sulle colline* (1941); *Viaggio con Polifemo* (1941); *La signorina senza milioni* (1942); *Ignazio Trappa maestro di cuoio e suolame* (1943); *La contessina Elsa* (1943); *L'albergo della Genzianella* (1944); *La signora Liesbeth e altri racconti* (1944); *Sogno d'amore* (1944); *Incontri di uomini e di angeli* (1946); *Banda municipale* (1954).
Teatro:
L'occhio chiuso (1911); *Marionette, che passione!...* (1918); *La bella addormentata* (1919); *Primavera* (1920); *L'ospite desiderato* (1921); *La roccia e i monumenti* (1923); *Lazzarina tra i coltelli* (1923); *La danza su di un piede* (1924); *Canicola* (1925); *Il delirio dell'oste Bassà* (1925); *La scala* (1925); *L'avventura terrestre* (1925); *Una cosa di carne* (1926);

Notturni e preludi - Musica di foglie morte - L'illusione dei giorni e delle notti - La Madonnina del Belvento (1926); *Febbre-Canicola* (1927); *Tra vestiti che ballano* (1927); *I peccati di gioventú* (1930); *Chi sono gli adulti?* (1930); *Le esperienze di Giovanni Arce filosofo* (1930); *Climi di tragedie* (Per fare l'alba-Amara-Lo spirito della morte) (1931); *La signora Falkenstein* (1931); *Panne a 3000* (1933); *Trappola per vecchia letteratura* (1934); *L'ammiraglio dell'oceano e delle anime* (1934); *La fidanzata dell'albero verde* (1935); *La fidanzata dell'albero verde ed altre commedie* (1936); *Copecchia e Marianorma* (1943); *Il nuovo teatro* (1947); *Mercoledí, luna piena* (1953); *Il ratto di Proserpina* (1954).

Saba, Umberto
(Trieste, 9 marzo 1883 - Gorizia, 25 agosto 1957).
Poesia:
Poesie (1911); *Coi miei occhi* (1912); *Cose leggere e vaganti* (1920); *Il canzoniere* (1921); *Preludio e canzonette* (1922); *Autobiografia - I prigioni* (1924); *Figure e canti* (1926); *L'uomo* (1928); *Preludio e fughe* (1928); *Tre poesie alla mia balia* (1929); *Ammonizioni e altre poesie (1900-1910)* (1933); *Tre composizioni* (1933); *Parole* (1934); *Ultime cose* (1944); *Il canzoniere* (1945); *Mediterranee* (1946); *Il canzoniere (1900-1947)* (1948); *Uccelli* (1950); *Uccelli - Quasi un racconto* (1951); *Il canzoniere (1900-1954)* (1961).
Prose varie:
Scorciatoie e raccontini (1946); *Storia e cronistoria del Canzoniere* (1948); *Ricordi - Racconti* (1956); *Epigrafe. Ultime prose* (1959); *Prose*, a cura di Linuccia Saba (1964).
La casa editrice Mondadori ha in corso di pubblicazione le opere complete di Umberto Saba, in tre volumi: *Prose, Poesie, Epistolario.*

Savinio, Alberto
pseudonimo di Andrea De Chirico
(Atene, 25 agosto 1891 - Roma, 6 maggio 1952).
Narrativa e prose varie:
Hermaphrodito (1918); *La casa ispirata* (1925); *Angelica o la notte di maggio* (1927); *Tragedia dell'infanzia* (1937); *Achille innamorato - Gradus ad Parnassum* (1938); *Dico a te Clio* (1940); *Infanzia di Nivasio Dolcemare* (1941); *Casa "La Vita"* (1943); *Ascolto il tuo cuore, città* (1943); *La nostra anima* (1944); *Tutta la vita* (1945); *L'angolino* (1950).
Teatro:
Les chants de la Mi-Mort (1914); *Capitano Ulisse* (1934); *La famiglia Mastinu* (1948); *Alcesti di Samuele* (1949); *Emma B. vedova Giocasta* (1949); *Orfeo vedovo* (1950).
Saggistica:
Seconda vita di Gemito (1938); *Narrate, uomini, la vostra storia* (1942); *Maupassant e l'"altro"* (1944); *Sorte dell'Europa* (1945); *Introduction à une vie de Mercure* (1945); *Scatola sonora* (1955).

Sbarbaro, Camillo
(Santa Margherita Ligure, 12 gennaio 1888 - Savona, 31 ottobre 1967).
Poesia:
Resine (1911); *Pianissimo* (1914; *Rimanenze* (1955); *Primizie* (1958); *Poesie* (1971).
Prose varie:
Trucioli (1920); *Liquidazione* (1928); *Fuochi fatui* (1956); *Scampoli* (1960).

Serra, Renato
(Cesena, 15 dicembre 1884 - caduto sul Podgora, 20 luglio 1915).
Saggistica e prose varie:
Scritti critici. Giovanni Pascoli. Antonio Beltramelli, Carducci e Croce (1910); *Alfredo*

Panzini (1910); *Severino Ferrari* (1911); *Esame di coscienza di un letterato* (1915); *Passione della guerra*, in *Antologia degli scrittori morti in guerra* (1929); *Scritti*, a cura di G. De Robertis e A. Grilli (1938), seconda edizione (1958).

Poesia:

Versi e versioni, a cura di A. Grilli (1933).

Epistolario:

Epistolario, a cura di L. Ambrosini e G. De Robertis (1934).

Slataper, Scipio

(Trieste, 14 luglio 1888 - caduto sul Podgora il 3 dicembre 1915).

Prose varie:

Il mio Carso (1912); *Appunti e note di diario* (1953).

Saggistica:

Le strade d'invasione dall'Italia in Austria (1915); *I confini necessari all'Italia* (1915); *Ibsen* (1916).

Epistolario:

Lettere (3 volumi, 1931).

Soffici, Ardengo

(Rignano sull'Arno, 7 aprile 1879 - Forte dei Marmi, 17 agosto 1964).

Narrativa e prose varie:

Ignoto toscano (1909); *Lemmonio Boreo* (1912); *Arlecchino* (1914); *Giornale di bordo* (1915); *Kobilek: giornale di battaglia* (1918); *La giostra dei sensi* (1918); *La ritirata del Friuli* (1919); *Rete mediterranea* (1920); *Battaglia fra due vittorie* (1923); *Ricordi di vita artistica e letteraria* (1931); *Taccuino di Arno Borghi* (1933); *Ritratto delle cose di Francia* (1934); *Salti nel tempo* (1938); *Itinerario inglese* (1948); *Autoritratto d'artista italiano nel quadro del suo tempo* (4 volumi: I, *L'uva e la croce*, 1951; II, *Passi tra le rovine*, 1952; III, *Il salto vitale*, 1954; IV, *Fine di un mondo*, 1955).

Saggistica:

Il caso Rosso e l'impressionismo (1909); *Arthur Rimbaud* (1911); *Cubismo e oltre* (1913); *Serra e Croce* (1915); *Statue e fantocci* (1919); *Scoperte e massacri* (1919); *Primi principi di un'estetica futurista* (1920); *Giovanni Fattori* (1921); *Armando Spadini* (1925); *Carlo Carrà* (1928); *Periplo dell'arte* (1928); *Medardo Rosso: 1858-1928* (1929); *Ugo Bernasconi* (1934); *Apollinaire* (1937); *Trenta artisti moderni italiani e stranieri* (1950); *D'ogni erba un fascio* (1958).

Poesia:

Bïf & zf+18—Simultaneità—Chimismi lirici (1915); *Elegia dell'Ambra* (1927); *Thrène pour Guillaume Apollinaire* (1937); *Marsia e Apollo* (1938).

Soldati, Mario

(Torino, 17 novembre 1906).

Narrativa:

Salmace (1929); *America, primo amore* (1935); *Ventiquattro ore in uno studio cinematografico* (1935); *La verità sul caso Motta* (1941); *L'amico gesuita* (1943); *Fuga in Italia* (1947); *A cena col commendatore* (1950); *Le lettere da Capri* (1954); *La confessione* (1955); *I racconti* (1957); *Il vero Silvestri* (1957); *La messa dei villeggianti* (1959) *I racconti, 1927-1947* (1961); *Storie di spettri* (1962); *Canzonette e viaggio televisivo* (1962); *Le due città* (1964); *La busta arancione* (1966); *I racconti del maresciallo* (1967); *L'attore* (1970); *55 novelle per l'inverno* (1971).

Prose varie:
Vino al vino (I serie, 1969); *Vino al vino* (II serie, 1971); *Fuori* (1968); *I disperati del benessere. Viaggio in Svezia* (1970).
Teatro:
Pilato (1924).

Tecchi, Bonaventura
(Bagnoregio, 11 febbraio 1896 - Roma, 1968).
Narrativa e prose varie:
Il nome sulla sabbia (1924); *Il vento tra le case* (1928); *Tre storie d'amore* (1931); *La casa dolorosa* (1934); *I Villatauri* (1935); *La signora Ernestina* (1936); *Amalia*, II edizione (1937); *L'albero che cambia colore* (1939); *Idilli moravi* (1939); *Giovani amici* (1940); *La vedova timida* (1942); *L'isola appassionata* (1945); *Un'estate in campagna* (1945); *Vigilia di guerra 1940* (1946); *La presenza del male* (1947; *Valentina Velier* (1950); *Creature sole* (1950); *Luna e ponente* (1955); *Le due voci* (1956); *Storie di bestie* (1958); *Gli egoisti* (1959); *Baracca 15 C* (1961); *Storie d'alberi e di fiori* (1963); *Gli onesti* (1965); *Antica terra* (1968); *Il senso degli altri* (1968).
Un'estate in campagna (1945); *Vigilia di guerra 1940* (1946); *Baracca 15 C* (1961).
Saggistica:
Il dramma del Foscolo (1927); *Wackenroder* (1927); *Maestri ed amici* (1934); *Pirandello* (1937); *Scrittori tedeschi del Novecento* (1941); *Carossa* (1947); *Sette liriche di Goethe* (1949); *L'arte di Thomas Mann* (1956); *Teatro tedesco romantico* (1957); *Officina segreta* (1957); *Scrittori tedeschi moderni* (1959); *Romantici tedeschi* (1959); *Le fiabe di E.T.A. Hoffmann* (1962); *Goethe in Italia (e particolarmente a Vicenza)* (1967).

Thovez, Enrico
(Torino, 10 novembre 1869 - Torino, 16 febbraio 1925).
Poesia:
Armonie del creato (1886-1887); *Nuovo Faust* (1895); *Poema dell'adolescenza* (1901); *Poemi di amore e di morte* (1922).
Saggistica:
Il Medio Evo dorico e lo stile del dipylon (1903); *Il tramonto di Zarathustra* (1906); *Riccardo Strauss* (1907); *Il pastore, il gregge e la zampogna* (1910); *L'opera pittorica di Vittorio Avondo, 1836-1910* (1912); *Mimi dei moderni* (1919); *L'arco di Ulisse* (1921); *Il vangelo della pittura e altre prose d'arte* (1921); *Il viandante e la sua orma* (1923); *Il filo d'Arianna* (1924); *La ruota di Issione* (1925); *Diario e lettere inedite, 1887-1901* (1939).

Tilgher, Adriano
(Resina, 8 gennaio 1887 - Roma, 3 novembre 1941).
Saggistica:
Bramanesimo, buddhismo e cristianesimo (1908); *Arte, conoscenza, realtà* (1911); *Il diritto come prodotto dell'auto-coscienza* (1911); *Teoria del pragmatismo trascendentale - Dottrina della conoscenza e della volontà* (1915); *La crisi mondiale e saggi critici di marxismo e socialismo* (1921); *Relativisti contemporanei: Vaihinger, Einstein, Rougier, Spengler - L'idealismo attuale - Relativismo e rivoluzione* (1921); *Voci del tempo* (1921); *Filosofi antichi* (1921); *La visione greca della vita* (1922); *Studi sul teatro contemporaneo* (1923); *Ricognizioni* (1924); *Lo spaccio del bestione trionfante* (1925); *La scena e la vita* (1925); *Storia e antistoria* (1928); *Homo faber* (1929); *Julien Benda e il problema del "tradimento dei chierici"* (1930); *Primi scritti di estetica* (1930); *La poesia dialettale na-*

poletana, 1880-1930 (1930); *Estetica* (1931); *Filosofi e moralisti del Novecento* (1932); *Cristo e noi* (1934); *Studi di poetica* (1934); *Critica dello storicismo* (1935); *Filosofia delle morali* (1937); *Moralità* (1938); *Le orecchie dell'aquila* (1938); *La filosofia del Leopardi* (1940); *Il casualismo critico* (1941); *Diario politico, 1937-1941* (1946); *Tempo nostro* (1946); *Mistiche nuove e mistiche antiche* (1946); *Scienza e morale* (1947); *Pensieri sulla storia* (1952).

Antologie:

Antologia dei filosofi italiani del dopoguerra (1937).

Tobino, Mario

(Viareggio, 16 gennaio 1906).

Narrativa e prose varie:

Il figlio del farmacista (1952); *La gelosia del marinaio* (1942); *Bandiera nera* (1950; *L'angelo del Liponard* (1951); *Il deserto della Libia* (1952); *Le libere donne di Magliano* (1953); *Due italiani a Parigi* (1954); *La brace dei Biassoli* (1956); *Passione per l'Italia* (1958); *Il clandestino* (1962); *Sulla spiaggia e di là dal molo* (1966); *Una giornata con Dufenne* (1968); *Per le antiche scale* (1972).

Poesia:

Poesie (1934); *Amicizia* (1939); *Veleno e amore* (1942); *'44-48* (1949); *L'asso di picche* (1955).

Tozzi, Federigo

(Siena, 1° gennaio 1883 - Roma, 21 marzo 1920).

Narrativa:

Con gli occhi chiusi (1919); *Tre croci* (1920); *Ricordi d'un impiegato* (1920); *L'amore* (1920); *Giovani* (1920); *Il podere* (1921); *Gli egoisti* (1923); *L'immagine e altri racconti* (1946); *Nuovi racconti* (1960); *Le novelle*, 2 tomi (1963).

Prose varie:

Bestie (1917); *Realtà di ieri e di oggi* (1928).

Poesia:

La zampogna verde (1911); *La città della vergine* (1913).

Teatro:

L'incalco in *Gli egoisti - L'incalco* (1923); opere raccolte: *Il Teatro* (1970).

Diario:

Novale (1924).

Le opere complete di Federigo Tozzi sono pubblicate dall'editore Vallecchi.

Ungaretti, Giuseppe

(Alessandria d'Egitto, 10 febbraio 1888 - Milano, 1° giugno 1970).

Poesia:

Il porto sepolto (1916); *La guerra* (1919); *Allegria di naufragi* (1919); *Il porto sepolto* (1923); *L'allegria* (1931); *Sentimento del tempo* (1933); *Poesie disperse* (1945); *40 sonetti di Shakespeare* (1946); *Il dolore* (1947); *Da Góngora e da Mallarmé* (1948); *La terra promessa* (1950); *Fedra di Jean Racine* (1950); *Un grido e paesaggi* (1952); *Il taccuino del vecchio* (1960); *Visioni di William Blake* (1965); *Vita d'un uomo. Tutte le poesie*, a cura di L. Piccioni (1969).

Prose varie:

Il povero nella città (1949); *Il deserto e dopo. Prose di viaggio e saggi* (1961).

Valgimigli, Manara
(S. Pietro in Bagno, 9 luglio 1876 - Vilminore di Scalve, 27 agosto 1965).

Saggistica:
Appunti su la poesia satirica latina medioevale in Italia (1902); *Eschilo: la trilogia di Prometeo* (1904); *La critica letteraria di Dione Crisostomo* (1911); *La mia scuola* (1924); *Il nostro Carducci* (1935); *Pascoli e la poesia classica* (1936); *Poeti e filosofi di Grecia* (1940); *Uomini e scrittori del mio tempo* (1943); *Carducci allegro* (1955); *Pascoli* (1956); *Del tradurre e altri scritti* (1957); *Il fratello Valfredo* (1961).

Prose varie:
Il mantello di Cebète (1947); *La mula di Don Abbondio* (1954); *Colleviti* (1959).

Narrativa:
Una religione (1900).

Edizioni:
Omero, *Iliade* (1927), *Odissea* (1940), *Il canto dell'arco* (1935), *Il canto di Euriclea* (1936), *Il canto della pazzia* (1937); *Il canto di Nausicaa* (1941); *Il canto di Argo* (1946), *Il canto di Polifemo* (1946); Virgilio, *Eneide* (1947); A. Panzini, *Per amore di Biancofiore* (1948); G. Pascoli, *Poesie latine* (1951); G. Carducci, *Lettere* (1952-1960), *Odi barbare* (1959); V. Monti, *Opere* (1953).

Vergani, Orio
(Milano, 1899 - Milano, 1960).

Narrativa:
L'acqua alla gola (1921); *Fantocci del carosello immobile ed altri racconti* (1927); *Soste del capogiro* (1927); *Asso piglia tutto* (1927); *Io, povero negro* (1928); *Le due madri* (1929); *Domenica al mare* (1931); *Levar del sole* (1933); *Basso profondo e altre fantasie* (1939); *Recita in collegio* (1940); *Soste del capogiro ed altre fantasie* (1942); *Il fratello ladro* (1942); *Un giorno della vita* (1942); *La ninfa addormentata* (1945); *Il vecchio zio* (1947); *Il banditore* (1955); *Udienza a porte chiuse* (1957); *Storie per quattro stagioni* (1961).

Prose varie:
Bella Italia amate sponde... (1930); *Il Mediterraneo* (1931); *45° all'ombra. Dalla Città del Capo al Lago Tanganica* (1935); *Sotto i cieli d'Africa. Dal Tanganica al Cairo* (1935); *Riva africana* (1937); *La via nera. Viaggio in Etiopia da Massaua a Mogadiscio* (1938); *Festa di maggio* (1940); *Il duca d'Aosta. Il conte Verde e il conte Rosso* (1942); *Memorie di ieri mattina* (1958); *Settimana di Dublino* (1959).

Teatro:
Il cammino sulle acque (1927); *Il primo amore* (1936).

Viani, Lorenzo
(Viareggio, 1° novembre 1882 - Lido di Roma, 2 novembre 1936).

Narrativa e prose varie:
Gli ubriachi (1923); *Giovannin senza paura* (1924); *Parigi* (1925); *I Vàgeri* (1927); *Angiò, uomo d'acqua* (1929); *Ritorno alla patria* (1929); *Il figlio del pastore* (1930); *Versilia* (1931); *Il "Bava"* (1932); *Storie di umili titani* (1935); *Le chiavi nel pozzo* (1935); *Barba e capelli* (1939); *Il cipresso e la vite* (1943); *Il nano e la statua nera* (1943); *Gente di Versilia* (1946); *Cuor di madre* (1961); *Mare grosso* (1962).

Poesia:
Poesie (1938).

Saggistica:
Ceccardo (1922); *Roccatagliata* (1928).

Vigolo, Giorgio

(Roma, 3 dicembre 1894).

Poesia:

Canto fermo (1931); *Il silenzio creato* (1934); *Conclave dei sogni* (1935); *Linea della vita* (1949); *Canto del destino* (1959); *La luce ricorda* (1967).

Prosa:

La città dell'anima (1923); *Le notti romane* (1960).

Saggistica:

Il genio del Belli (1963); *Mille e una sera all'opera e al concerto* (1970).

Vitelli, Girolamo

(Santa Croce del Sannio, 27 luglio 1849 - Spotorno, 2 settembre 1935).

Saggistica:

Intorno ad alcuni luoghi della Ifigenia in Aulide di Euripide (1877); *Appunti critici alla Elettra di Euripide* (1880); *Per gli studi classici e per l'Italia* (1916); *Ricordi di un vecchio normalista* (1931); *In memoria di G. V. Scritti inediti*, a cura di G. Pasquali e M. Norsa (1936); *Filologia classica... e romantica* (1962).

Edizioni:

Euripide, *Ifigenia in Aulide* (1878), *Elettra* in *Appunti critici alla Elettra di Euripide* (1880); G. Bruno, *Opera latine conscripta*, in collaborazione con altri (1879-1891); Demostene, *Orationes olynthiacae tres et Philippica prima* (1888); *Papiri greci-egizi*, in collaborazione con D. Comparetti (1905-1915); *Papiri greci e latini* (1912-1935).

Vittorini, Elio

(Siracusa, 23 luglio 1908 - Milano, 14 febbraio 1966)

Narrativa e prose varie:

Piccola borghesia (1931); *Il garofano rosso* (1933-1934); *Nei Morlacchi: Viaggio in Sardegna* (1936), ripubblicato in *Sardegna come un'infanzia* (1952); *Conversazione in Sicilia* (1938-1939), col titolo *Nome e lacrime* (1941); *Uomini e no* (1945); *Il Sempione strizza l'occhio al Fréjus* (1947); *Le donne di Messina* (1949), nuova stesura (1964); *Erica e i suoi fratelli - La garibaldina* (1956); *Le città del mondo* (1969).

Saggistica:

Scarico di coscienza (1929); *La tragica vicenda di Carlo III*, in collaborazione con G. Ferrata (1939), seconda edizione col titolo *Sangue a Parma* (1969); *Diario in pubblico* (1957); *Storia di Renato Guttuso e nota congiunta sulla pittura contemporanea* (1960); *Le due tensioni. Appunti per una ideologia della letteratura* (1967).

Indice dei nomi

Indice generale

Intorno alla « Voce » e alla « Ronda »

Da Bontempelli a Moravia

La nuova letteratura

Critici e saggisti